Anti-Aging Me

안티에이징 의학의 기초와 임상 제3판

저자 : Japan Society of Anti-Aging Medicine
옮긴이 : 백상홍 · 김영설

안티에이징 의학의 기초와 임상(제3판)

1판 1쇄 인쇄 | 2019년 10월 7일
1판 1쇄 발행 | 2019년 10월 18일

저　　　자　Japan Society of Anti-Aging Medicine
옮 긴 이　백상홍, 김영설
발 행 인　장주연
출 판 기 획　김도성
책 임 편 집　안경희
편집디자인　주은미
표지디자인　김재욱
발 행 처　군자출판사(주)
　　　　　등록 제 4-139 호 (1991. 6. 24)
　　　　　본사 (10881) **파주출판단지** 경기도 파주시 회동길 338(서패동 474-1)
　　　　　전화 (031) 943-1888 팩스 (031) 955-9545
　　　　　홈페이지 | www.koonja.co.kr

ANTI-AGING IGAKU NO KISO TO RINSHO 〈3rd edition〉
edited by Japan Society of Anti-Aging Medicine
Copyright© 2004, 2008, 2015 MEDICAL VIEW CO., LTD., Tokyo
All rights reserved.
Originally publihsed in Japan by MEDICAL VIEW CO., LTD., Tokyo.
Korean translation rights arranged with MEDICAL VIEW CO., LTD., Japan
through THE SAKAI AGENCY and A.F.C. LITERARY AGENCY.

ISBN　979-11-5955-479-7
정가　40,000원

Anti-Aging Medicine

안티에이징 의학의
기초와 임상 제3판

역자 서문

저출산 고령화 사회에서 평균 수명보다 약 10여년 짧은 건강 수명은 극복하여야할 주요 과제입니다. 건강 수명을 연장하여 건강 장수를 최대한 유지하는 것이 노화방지 의학(안티에이징 의학)의 핵심이며, 가능하면 노화에 일찍 관심을 가지고 효율적인 관리를 하는 것이 현명하겠습니다.

역자는 일본항가령의학회(日本抗加齡医学会, Japanese Society of Anti-Anging Medicine) 2017년 학술대회에 참석하여, 이들이 노화방지 의학 활성화를 위하여 관련 분야 전문가들이 협동하여 단일 조직체를 구성 운영하며, 초고령 사회에 학술적으로 심도있게 대처하는 것을 보고 감명을 받았습니다. 그리고 일본학회에서 발간한 본 서적의 귀한 정보를 여러분들과 같이 공유하는 것이 도움이 되리라 생각하여 본 교재를 감히 번역 출판하게 되었습니다.

현재 항노화에 관하여 많은 정보들이 범람하고 있지만, 실제적으로 과학적 근거를 기반으로 임상진료에 활용할 수 있는 방안은 제한적인 것이 현실입니다. 그러나 노화방지에 관한 관심과 수요가 계속 증가하는 시점에 의학적, 사회적으로 관련 학술 정보를 올바르게 정리하는 것이 필요합니다. 물론 한국과 일본은 의료법뿐만 아니라 경제, 사회 문화 전반적으로 많은 차이가 있으므로, 이 책은 참고서적으로 활용하시는 것을 권유합니다. 그리고, 일부 전문용어가 한일간에 차이가 있는 것은 가능한 자문위원분들의 도움을 받아 수정작업을 하였지만, 일부 이견이 있는 것은 원저 내용을 존중하기로 하였습니다.

번역서 발행까지 적지않은 어려움이 있었지만 다행히 한일 양국의 많은분들의 도움으로 본 서적이 세상에 태어났습니다. 본 교재 번역 및 발간에 관련 전문가들을 자문위원으로 모시고 가능하면 우리 실정을 고려하여 쉽게 이해하도록 많은 노력을 하였지만, 기초, 임상의학, 식품영양, 건강식품등 다양한 분야를 체계적으로 다룬 단행본이므로, 번역상에 실수가 있더라도 많은 양해바랍니다. 일차자료 정리에 많은 노력하신 공동 역자 김영설교수님과 이 책 출간을 결정한 군자출판사측에 감사드립니다.

아무쪼록 이 책에서 제공하는 노화방지 관련 정보를 이용하여 곧 초고령 사회로 진입하는 우리나라에서도 정부, 의료기관, 제약보건업계, 연구기관, 과학자뿐 아니라 사회 구성원들이 시기 적절하게 적합한 준비를 하여 우리 사회 및 국민들의 노화관리및 건강복지 향상에 도움이 되기를 기대합니다.

감사합니다.

2019년 가을

대표 역자 **백상홍** 드림

역자 및 자문 위원회 일람

● 역자

백상홍 교수
가톨릭의대 서울성모병원 순환기내과

대한심뇌혈관질환예방학회 회장
국제심혈관약물치료학회 한국지회 회장

김영설 명예교수
동아 ST 부사장

경희의대 명예교수
前) 대한당뇨병학회 회장
前) 대한내분비학회 이사장

● 자문 위원회 (가나다순)

김경수 교수
가톨릭의대 서울성모병원 가정의학과

김대진 교수
가톨릭의대 서울성모병원 정신건강의학과

김미란 교수
가톨릭의대 서울성모병원 산부인과

김세웅 교수
가톨릭의대 서울성모병원 비뇨기과

김현숙 교수
숙명여대 생활과학대학 식품영양학과

박성환 교수
가톨릭의대 서울성모병원 류마티스내과

박철휘 교수
가톨릭의대 서울성모병원 신장내과

양동원 교수
가톨릭의대 서울성모병원 신경과

이준영 교수
가톨릭의대 서울성모병원 피부과

임성실 교수
가톨릭약대 임상약리학과

조영석 교수
가톨릭의대 서울성모병원 소화기내과

제3판 서문

장수 국가가 되면서 장기간 와병 생활로 지내는 사람이 많아져 사회적 문제가 되고 있으며, 건강 수명을 연장시키려는 목표의 중요성을 인식하고 있습니다. 겉으로 보기에 건강하다고 생각해도 건강 진단을 받아 보면 이상이 발견되듯이, 건강에 문제가 없다고 생각해도 병적 노화나 조기 노화의 싹이 숨어 있는 일이 많습니다. 그런 싹을 찾아내서 교정해 나가면, 사망할 때까지 건강하게 생활할 수 있는 건강 수명을 누릴 수 있을 것입니다. 또 몸에 손상을 주는 원인을 되도록 회피하는 생활을 계속하면 오랫동안 건강하게 살아 갈 수 있을 것입니다. 이런 개념에서 일본항가령의학회 (日本抗加齢医学会) 가 조직되어 활동하고 있으며, 연구와 진료 수준 향상을 위한 회원 교육을 목적으로 전문의 제도가 수립되었습니다.

이 책은 전문의 제도 발족에 맞추어 학회 이사장의 계획하에 안티에이징 의학 교과서로 2004년 처음 발간되었습니다. 그 후 안티에이징 연구는 눈부시게 발전했으며, 초판 발간 4년 후 업데이트 필요성이 있어 2008년 개정판이 간행되었습니다. 이번에 재개정 필요성이 제기되어 3판 개정을 하게 되었습니다.

3판은 2판에서처럼, 과학에 근거한 안티에이징 의학이라는 시각으로 기초에서부터 임상까지 광범위한 내용을 망라했으며, 현장에서 활약하는 전문가가 해설했습니다. 이 책은 안티에이징 의학에 대한 정의와 이해에서부터 시작하여 국가 정책에 이르기까지 다방면에서 안티에이징 의학의 중요성을 기술하고 있습니다. 교과서적 성격이지만, 안티에이징 의학 이해에 필요한 과학적 지식에 대해 해당 분야 전문가가 근거에 의해 해설하여 알기 쉽게 설명하고 있습니다.

안티에이징 의학은 노화방지의 실천이 무엇보다 중요한 임무입니다. 이 책은 안티에이징 실천에 필요한 기능 평가나 위험 평가를 해설했으며, 이를 기초로 한 안티에이징 건강 진단 시행도 설명하고 있습니다. 건강 장수 실천을 위해 이용되는 식사나 기능식품, 내분비 치료, 또 운동 요법의 구체적 실천에 대한 설명이 들어 있습니다. 안티에이징에서 또 하나의 중요한 요소는 건강 장수를 위한 정신적 문제이며, 학회 이사장이 일관해서 주장하는 "마음"의 문제도 해설하고 있습니다.

교과서는 안티에이징 전문의가 되기 위한 인정 시험을 의식한 내용도 중요합니다. 매년 시행되는 시험 문제의 대부분이 이 책에서 출제되고 있으므로 이 책을 잘 읽으면 안티에이징 의학 전문가가 될 것입니다. 최근 의학에서 종합적 안목의 임상적 접근이 크게 요구되고 있으며, 개개 장기의 전문성을 넘어 몸 전체를 진료하는 인간 대상의 새로운 의학 영역의 지식이 필요합니다. 총체적 의학을 실현하려는 전문의에게 이 책이 필요할 것이며, 다양한 분야에 걸친 현대 의학 교육에 유용한 서적이라고 생각하며 많은 젊은 의사가 읽어 일상 진료에 참고해주기를 바랍니다.

2015년 8월

일본항가령의학회
전문의 · 지도사인정위원회
위원장 齋藤英胤

초판 서문

 항가령(抗加齡; 안티에이징) 연구는 출생에서 사망에 이르기까지 다양한 과정에서 발생하는 현상을 과학적으로 파악하는 가치가 있으며, 그 성과는 생활 습관병을 비롯한 다양한 질환을 예방하여, 스트레스나 피로, 면역 저하 등 질병 발생 촉진 인자를 개선하여 건강 장수 실현을 가능하게 하려는 것입니다.

 그 내용은 유전자나 세포 수준에서부터 동물이나 사람의 개체 수준까지 광범위하며, 생화학, 생리학, 임상의학 등의 의학에 머무르지 않고 화학, 물리학, 농학, 약학 등 다양한 분야에 걸쳐 있습니다.

 한편 이런 연구를 이용한 안티에이징 실천은 영양학, 내분비학을 이용한 보충 요법과 운동이나 휴양 등의 생활 습관 개선에 의해 가능해집니다.

 이 목적을 보다 임상적으로 가능하게 하려면 안티에이징 의학을 교육하여 일반적으로 응용 가능하게 할 전문가 육성이 필요합니다. 2003년 일본항가령의학회가 인정하는 전문의 제도가 시작되었습니다.

 이 책은 안티에이징을 배우는 학생이나 연구자에서부터 그것을 실천하는 의사, 약사, 영양사 등 광범위한 독자를 대상으로 집필한 것이며, 전문의 인정 시험을 위한 교과서로의 역할도 담당하고 있습니다. 안티에이징 의학을 배우려는 모든 사람이 가까이에서 이용해 주기를 바랍니다.

 마지막으로 바쁜 시간을 내서 기꺼이 협력해준 집필자, 교과서의 방향성을 찾아 몇 번이고 검토를 거듭한 편집 위원께 진심으로 감사를 드립니다. 또 일본항가령의학회 이사장의 많은 지도와 지원에 진심으로 감사를 드립니다.

2004년 4월

일본항가령의학회
전문의 · 지도사인정위원회
위원장 吉川敏一

집필자 일람

● 편집 · 감수

専門医・指導士認定委員会

委員長　齋藤英胤　慶應義塾大学薬学部薬物治療学教授

委　員　木下　茂　京都府立医科大学特任講座感覚器未来医療学教授

斎藤一郎　鶴見大学歯学部病理学講座教授

堀江重郎　順天堂大学大学院医学研究科泌尿器外科学教授

南野　徹　新潟大学大学院医歯学総合研究科循環器内科学教授

山田秀和　近畿大学医学部奈良病院皮膚科教授

米井嘉一　同志社大学大学院生命医科学研究科アンチエイジングリサーチセンター教授

葦沢龍人　東京医科大学八王子医療センター総合診療科教授

新村　健　兵庫医科大学総合診療科教授

● 집필자(게재순)

坪田一男
慶應義塾大学医学部眼科学教室教授

今井眞一郎
ワシントン大学医学部発生生物学部門・医学部門（兼任）教授

藤田哲也
ルイ・パストゥール医学研究センター分子免疫研究所所長

米井嘉一
同志社大学アンチエイジングリサーチセンター教授

鈴木　信
沖縄長寿科学研究センター長，琉球大学名誉教授

磯　博康
大阪大学大学院医学系研究科公衆衛生学教授

古川俊治
慶應義塾大学医学部外科学教授

吉田統彦
元衆議院議員，愛知学院大学歯学部眼科学教授

田中　孝
田中消化器科クリニック院長

堀江正知
産業医科大学産業生態科学研究所産業保健管理学教室教授

岡野栄之
慶應義塾大学医学部生理学教室教授

村松正明
東京医科歯科大学難治疾患研究所ゲル応用医学部門分子疫学分野教授

吉田陽子
新潟大学大学院医歯学研究科循環器内科学

南野　徹
新潟大学大学院医歯学研究科循環器内科学教授

齋藤義正
慶應義塾大学薬学部薬物治療学講座准教授

清水孝彦
千葉大学大学院医学研究院先進加齢医学准教授

下川　功
長崎大学大学院医歯薬学総合研究科病理学教授

笹子敬洋
東京大学大学院医学系研究科糖尿病・代謝内科

植木浩二郎
東京大学大学院医学系研究科分子糖尿病科学講座特任教授

大徳浩照
筑波大学生命領域学際研究センター講師

深水昭吉
筑波大学生命領域学際研究センター教授

水島　昇
東京大学大学院医学系研究科分子生物学分野教授

原　賢太
北播磨総合医療センター糖尿病・内分泌内科部長

鍋島陽一
公益財団法人先端医療振興財団医薬品開発研究グループ先端医療センター長

田原栄俊
広島大学大学院医歯薬保健学研究院細胞分子生物学研究室教授

羽鳥　恵
慶應義塾大学医学部眼科学教室

広瀬信義
慶應義塾大学医学部百寿総合研究センター特別招聘教授

新井康通
慶應義塾大学医学部百寿総合研究センター講師

須田将吉
新潟大学大学院医歯学研究科循環器内科学

岩間厚志
千葉大学大学院医学研究院細胞分子医学教授

田久保圭誉
国立国際医療研究センター研究所生体恒常性プロジェクト

住田智一
東京大学医学部循環器内科特任助教

小室一成
東京大学医学部循環器内科教授

清水重臣
東京医科歯科大学難治疾患研究所難治病態研究部門病態細胞生物学分野教授

山本順寛
東京工科大学応用生物学教授

太田成男
日本医科大学大学院医学研究科細胞生物学分野教授

内藤裕二
京都府立医科大学大学院医学研究科消化器内科学准教授,附属病院内視鏡・超音波診療部部長

竹内 理
京都大学ウイルス研究所感染防御研究分野教授

磯部健一
名古屋大学名誉教授

大石由美子
東京医科歯科大学難治疾患研究所細胞分子医学分野准教授

真鍋一郎
東京大学大学院医学系研究科循環器内科学講師

中神啓徳
大阪大学大学院医学系研究科健康発達医学寄附講座教授

森下竜一
大阪大学大学院医学系研究科臨床遺伝子治療学教授

鈴木 亮
東京大学大学院医学系研究科糖尿病・代謝内科講師

門脇 孝
東京大学大学院医学系研究科糖尿病・代謝内科教授

渡邊 昌
生命科学振興会理事長

品川雅敏
東海大学大学院農学研究科食品生体調節学研究室

永井竜児
東海大学大学院農学研究科食品生体調節学研究室准教授

黒尾 誠
自治医科大学分子病態治療研究センター抗加齢医学研究部教授

高橋 裕
神戸大学大学院医学系研究科糖尿病内分泌内科学准教授

阿部好文
医療法人社団白寿会田名病院理事長

柳瀬敏彦
福岡大学医学部内分泌糖尿病内科教授

福原淳範
大阪大学大学院医学系研究科内分泌代謝内科学

下村伊一郎
大阪大学大学院医学系研究科内分泌代謝内科学教授

山内敏正
東京大学大学院医学系研究科糖尿病・代謝内科准教授

東 幸仁
広島大学原爆放射線医科学研究所教授

服部淳彦
東京医科歯科大学教養部生物学教授

岩﨑泰正
高知大学臨床医学部門教授

井泉知仁
東北大学病院糖尿病代謝科

片桐秀樹
東北大学大学院医学系研究科糖尿病代謝内科学分野教授

堀江重郎
順天堂大学大学院医学研究科泌尿器外科学教授

太田博明
国際医療福祉大学臨床医学研究センター教授,山王メディカルセンター女性医療センター長

里 直行
大阪大学大学院医学系研究科臨床遺伝子治療学准教授

田平 武
順天堂大学大学院医学研究科認知症診断・予防・治療学講座客員教授

諏訪部和也
筑波大学大学院人間総合科学研究科運動生化学

兵頭和樹
筑波大学大学院人間総合科学研究科運動生化学

征矢英昭
筑波大学大学院人間総合科学研究科運動生化学教授

山下一成
島根県立大学副学長

伊賀瀬道也
愛媛大学医学部附属病院抗加齢予防医療センター長

越智 篤
亀田総合病院耳鼻咽喉科部長

吉田武史
東京医科歯科大学大学院医歯学総合研究科眼科学

大野京子
東京医科歯科大学大学院医歯学総合研究科眼科学教授

岩﨑真一
東京大学大学院医学系研究科耳鼻咽喉科学教室准教授

山田秀和
近畿大学医学部奈良病院皮膚科教授, 近畿大学アンチエイジングセンター

市橋正光
再生未来クリニック神戸

大慈弥裕之
福岡大学医学部形成外科学講座教授

栄原晶子
大阪樟蔭女子大学健康栄養学部健康栄養学科准教授

宮腰尚久
秋田大学大学院医学系研究科整形外科学講座准教授

高沢謙二
東京医科大学病院健診予防医学センター長

仲地良子
慶應義塾大学医学部精神・神経科学教室

加藤元一郎
慶應義塾大学ストレス研究センター長, 同医学部精神・神経科学教室教授

井上 聡
東京大学大学院医学系研究科抗加齢医学講座特任教授

秋下雅弘
東京大学大学院医学系研究科加齢医学講座教授

三輪佳行
MIWA内科胃腸科CLINIC院長

梁 洪淵
鶴見大学歯学部病理学講座講師

樫尾明憲
東京大学大学院医学系研究科耳鼻咽喉科学教室

山岨達也
東京大学大学院医学系研究科耳鼻咽喉科学教室教授

別役智子 (＊訳者注; 死亡)
慶應義塾大学医学部呼吸器内科教授

木下 茂
京都府立医科大学眼科学教授

色本 涼
慶應義塾大学医学部精神・神経科学教室

池嶋健一
順天堂大学医学部消化器内科学准教授

刀坂泰史
静岡県立大学薬学部分子病態学講師

森本達也
静岡県立大学薬学部分子病態学教授

望月友美子
国立がん研究センターがん対策情報センターたばこ政策研究部部長

神保太樹
星薬科大学先端生命科学研究所生命科学先導研究センターペプチド創薬研究室，トリノ大学医学部客員教授

竹ノ谷文子
星薬科大学薬学部運動生理学教室

塩田清二
星薬科大学先端生命科学研究所生命科学先導研究センーペプチド創薬研究室特任教授

宮崎総一郎
滋賀医科大学睡眠学講座特任教授

野村 忍
早稲田大学人間科学学術院教授

布村明彦
山梨大学大学院総合研究部医学域精神神経医学講座准教授

佐渡充洋
慶應義塾大学医学部精神神経科教室

下口雄山
日本メンタルカレッジ理事長

平池 修
東京大学医学部附属病院女性診療科・産科講師

大須賀 穣
東京大学医学部附属病院女性外科教授

高松 潔
東京歯科大学市川総合病院産婦人科教授

望月善子
獨協医科大学医学部産科婦人科教授・女性医師支援センター長

髙井 泰
埼玉医科大学総合医療センター産婦人科教授

齊藤和毅
国立成育医療研究センター周産期・母性診療センター

齊藤英和
国立成育医療研究センター周産期・母性診療センター副センター長

安井敏之
徳島大学大学院生殖・更年期医療学分野教授

武田 卓
近畿大学東洋医学研究所所長・教授

寺内公一
東京医科歯科大学大学院医歯学総合研究科女性健康医学講座准教授

辻村 晃
順天堂大学医学部附属浦安病院泌尿器科先任准教授

岡田 弘
獨協医科大学越谷病院泌尿器科主任教授

永井 敦
川崎医科大学泌尿器科教授

久末伸一
順天堂大学大学院泌尿器外科准教授

井手久満
帝京大学医学部泌尿器科准教授

津金昌一郎
国立がん研究センターがん予防・検診研究センター長

高橋陵宇
国立がん研究センター分子細胞治療研究分野分野研究員

落谷孝広
国立がん研究センター分子細胞治療研究分野主任分野長

清水千佳子
国立がん研究センター中央病院乳腺・腫瘍内科外来医長

加藤 弘
北里大学医学部外科学

渡邊昌彦
北里大学医学部外科学教授

関 洋介
四谷メディカルキューブ減量・糖尿病外科センター肥満・糖尿病臨床研究部門主任

笠間和典
四谷メディカルキューブ減量・糖尿病外科センター長

山下理絵
湘南鎌倉総合病院形成外科美容外科部長

福井道明
京都府立医科大学大学院医学系研究科内分泌・代謝内科学准教授

北市伸義
北海道医療大学個体差医療科学センター眼科学系教授

石田 晋
北海道大学大学院医学研究科眼科学分野教授

野村友希子
北海道大学大学院医学研究科皮膚科学分野助教

清水 宏
北海道大学大学院医学研究科皮膚科学分野教授

吉村浩太郎
東京大学医学部附属病院形成外科講師

板見 智
大阪大学大学院医学系研究科皮膚・毛髪再生医学寄付講座教授

阪井丘芳
大阪大学大学院歯学研究科高次脳口腔機能学講座顎口腔能治療学教室教授

近藤健二
東京大学大学院医学系研究科耳鼻咽喉科学教室講師

重村憲徳
九州大学大学院歯学研究院口腔機能解析学分野准教授

二ノ宮裕三
九州大学大学院歯学研究院口腔機能解析学分野教授

佐野元昭
慶應義塾大学医学部循環器内科准教授

冨田哲也
大阪大学大学院医学系研究科運動器バイオマテリアル学准教授

小川純人
東京大学大学院医学系研究科抗加齢医学講座准教授

石橋英明
伊奈病院整形外科部長

松﨑靖司
東京医科大学茨城医療センター病院長

脇野 修
慶應義塾大学医学部腎臓内分泌代謝内科准教授

목　차

Ⅳ 안티에이징 의학 임상

A. 안티에이징 검진의 검사 항목과 평가

I

안티에이징(노화방지) 의학의 이해

1 안티에이징 의학이란?

안티에이징 의학은 노화라는 생물학적 과정에 개입하여, 고령에 흔히 동반하는 동맥경화, 암 등 노화 관련 질환의 발생 확률을 줄여, 건강 장수를 목표로 하는 의학입니다. 일본은 고령자 의료제도를 별도로 도입했으며, 고령자의 건강 유지를 국가 과제로 하고 있습니다. 이렇게 안티에이징 의학은 개인의 행복이라는 관점뿐만 아니라 사회의 경제적 효율 접근에 중요한 과제가 되고 있습니다.

과거의 건강 정책은 병이 들면 건강보험으로 치료하는 "질병 치료형"이 주류였습니다. 그러나 병이 들고 나서 치료하면 비용이 너무 많이 들어 건강보험 파탄이 예상됩니다. 따라서 최근에는 예방의학으로 의료의 흐름이 크게 바뀌고 있습니다. 안티에이징 의학은 "나이 듦"에 초점을 둔 궁극의 예방의학이라고 할 수 있습니다. 이런 예방의학적 고려는 현대 의학의 중심이 될 가능성이 높습니다.

안티에이징 의학 발전의 배경

안티에이징 의학이 주목받게 된 배경에는, 노화 과학(geroscience)의 발전으로 신비의 베일을 엿볼 수 있게 되었으며, 세포 생물학적 과정의 하나에 개입 가능성이 있다는 것을 알게 되었기 때문입니다. 그러나 1980년대까지 노화 과정이란 매우 복잡하며 개입이 불가능하다고 생각했습니다. 물론 오늘날에도 노화 기전이 복잡하다는 것에는 변함이 없고, 다양한 가설이 있으나(자세한 것은 각 항목 참고) 많은 정보가 점차 정리되어 노화에 관여하는 분자 기전이 규명되고 있습니다. 현시점에서 칼로리 제한(calorie restriction; CR) 가설과 산화 스트레스 가설은 충분히 인정되는 이론이며, 임상적으로 실제 응용 가능한 정보가 되었습니다. 즉 현재의 의학 수준으로 안티에이징 접근은 이론적으로 가능하며, 실천이 시작된 상태라고 할 수 있습니다. 안티에이징 의학은 어디까

지나 과학에 근거하여 시행되어야 한다는 생각에서 이 책에서는 구체적인 기초 의학을 망라했습니다. 먼저 가장 기본이 되는 노화 과학에 대해 설명합니다.

안티에이징 과학의 발전; 칼로리 제한 가설

최초의 발견은 1935년으로 거슬러 올라갑니다. 마우스 실험에서, 섭취 칼로리를 70% 정도로 줄이면(칼로리 제한) 마우스의 수명이 길어지는 것을 발견했습니다. 이어서 1988년에는 유전자(age-1) 변이에 의한 꼬마 선충(Caenorhabditis elegans)의 수명 연장이 보고되었습니다.[1] 단 하나의 유전자 변이에 의해 수명이 1.5배가 된다는 것입니다. age-1은 포유류에서 인슐린 신호에 관여하며, 음식물이 많은 상태에서 인슐린양 성장 인자(insulin-like growth factor; IGF)-1/인슐린 신호를 활성화시켜 노화를 촉진시키는 작용이 알려졌습니다. age-1 변이는 인슐린 신호(음식물이 많다는 정보)를 차단하는 기능을 한다고 생각하고 있습니다.

그리고 1993년에는 꼬마 선충에서 daf-2 유전자 변이에서도 수명이 길어지는 것이 알려졌으며,[2] 포유류에서는 1995년 prop-1 변이에 의한 마우스 수명 연장이 알려졌습니다.[3] daf-2나 prop-1도 인슐린 신호에 관여하므로 앞에서 설명한 가설의 연장이라고 할 수 있습니다. CR에서 이와 같은 인슐린 신호를 억제하여 장수가 가능하게 되는 것을 알 수 있었으며, 다시 또 하나의 획기적 연구가 2000년 보고되었습니다.

그것은 CR에 의해 서투인(sirtuin)이라는 효소가 활성화되어 항산화 방지 기전 발현이 증가하며, 세포자멸사(apoptosis)가 억제되는 등 장수와 관계된 시스템이 증강된다는 결과 발표였습니다.[4] 서투인은 히스톤 탈아세틸화 효소(histone deacety-lase)이며 유전자 발현을 제어하는 작용이 알려져

그림1 칼로리 제한에 의한 수명 연장과 건강 증진의 기전

현재 4가지 기전을 생각하고 있다.

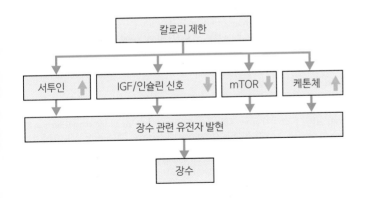

그림2 산화 스트레스 가설의 개념

산화 스트레스는 조직 손상을 일으킨다. 또 산화 스트레스는 염증을 유도하여 조직 손상을 악화한다. 이런 조직 손상 축적이 노화다. 그러나 산화 스트레스는 세포내 신호 전달에도 이용하므로 적당량은 필요하다고 생각한다.

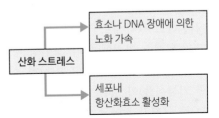

서, 매사추세츠 공과대학 Guarente L 교수는 "수명 연장 유전자 제1호"라고 불렀습니다(그림 1). 이어서 CR과 비슷한 조건으로 운동이나 레스베라트롤 같은 식품에 의한 서투인 활성화도 알려졌습니다. 이렇게 장수 유전자 서투인 활성화제를 개발하려고 노력하고 있으며, 또 서투인 활성화에 필요한 조효소인 nicotinamide adenine dinucleotide (NAD)를 상승시키는 방법을 추구하고 있습니다.[5]

CR 효과의 분자 기전이 알려지면서, 최근 포유류 라파마이신 표적 단백(mammalian target of rapamycin; mTOR)의 억제나 케톤체 상승에 의한 유전자 발현 조절도 주목되고 있으며, 이 분야 연구가 급속히 발전하고 있습니다.[6,7]

칼로리 제한(calorie restriction; CR)과 대사증후군의 관련

현재 사망률의 상위를 차지하는 심혈관 질환이나 뇌혈관 질환 발생에 가장 큰 위험 요인은 대사증후군인 것으로 알려졌으며, 이에 대한 대책이 강조되고 있습니다. CR 가설의 관점에서 보면 대사증후군은 노화를 촉진하는 과정이라고 생각할 수 있습니다. 또 대사증후군과 노화에 의해 암 발생이 높아지며 동맥경화가 진행되고 인슐린 감수성은 저하되며 염증이 증가합니다. 이것을 다시 보면, 대사증후군과 반대 방향으로 갈 수만 있으면 노화가 진행되지 않을 것이라고 생각할 수 있습니다. 식사에 주의하고, 적당한 운동을 계속하여 인슐린 신호를 억제하고, 염증을 억제하는 것이 안티에이징 의학 실천의 기본입니다.

노화 과학의 두번째 발전; 산화 스트레스 가설.

1956년 네브라스카 대학의 Harman D 교수는, 미토콘드리아에서 생산되는 산화 스트레스가 노화를 촉진한다는 이론을 제창했습니다.[8] 이 이론은 산화 스트레스 가설이라고 부르며, 특히 개개 장기 노화에 중요한 기전으로 생각하고 있습니다. 미토콘드리아의 산화 스트레스 항진은 꼬마선충의 수명을 단축시켰으며,[9] 마우스에서 미토콘드리아에 카탈라제(과산화수소를 제거하는 효소)를 과잉 발현시키면 수명이 연장되었고,[10] 파리에서 superoxide dismutase (SOD, 활성 산소를 제거하는 효소) 과잉 발현으로 수명이 연장되는 것이 보고되었습니다.

산화 스트레스는 세포 장애를 일으킬 뿐 아니라, 세포내 신호 전달에도 이용하는 것으로 알려졌습니다(그림 2). 즉 산화 스트레스가 과잉이면 세포 장애를 일으키지만 소량의 산화 스트레스는 정상 세포 활동에 필요합니다.[11] 따라서 과도한 항산화 기능식품 섭취는 건강에 마이너스가 된다고 생각할 수 있어 앞으로 더 많은 연구가 필요하겠습니다.

마지막으로

현재 노화에 대한 가설로 CR과 산화 스트레스는 근거에 의한 과학으로 인식하고 있습니다. 사람에서 명확한 근거는 아직 없으나 CR에 의해 노화가 억제되고, CR에 의해 사람에서도 장수 지표가 플러스 방향으로 움직이고 있어 건강에 도움이 된다고 생각해도 잘못이 아닐 것입니다.[12] 산화 스트레스 가설에 따라 노인성 황반변성에 비타민 A, C, E와 아연의 조합(산화 스트레스에 대한 기능식품)이 질환 진행을 늦추는 것이 보고되는 등 근거가 쌓이고 있습니다.[13] 그러나 대량 투여에 의해 질환 발생률이 오른다는 보고도 있어[14] 개입 방법에 찬반 양론이 있습니다. 산화 스트레스가 세포내 신호로서 이용되는 것을 생각하면 사용량에 신중해야 할 것입니다.[15]

현재 대사증후군 예방을 위한 대책인 운동, 적절한 식사, 금연, 기능식품 등은 안티에이징 의학의 이론에 따른 것입니다.[16] 단순한 질병 예방 수준을 넘어 건강 수준을 올려 가는 것이 안티에이징 의학적 접근이라고 할 수 있습니다. 질환이 발병하기 전에 예방하려는 움직임에 더해 젊고 건강한 심신의 유지가 필요하다고 생각할 수 있습니다. 노화방지를 목표로 한 안티에이징 의학은 지금부터 더욱 중요한 접근이 되어 갈 것으로 생각합니다.

(坪田一男)

||||||||||||||||||||||||||||||||||||||||||||||| 문헌 |||||||||||||||||||||||||||||||||||||||||||||||

1) Friedman DB, Johnson TE: A mutation in the age-1 gene in Caenorhabditis elegans lengthens life and reduces hermaphrodite fertility. Genetics 1988; 118(1): 75-86.

2) Kenyon C, et al: A C. elegans mutant that lives twice as long as wild type. Nature 1993; 366(6454): 461-4.

3) Brown-Borg HM, et al: Dwarf mice and the ageing process. Nature 1996; 384(6604): 33.

4) Imai S, et al: Transcriptional silencing and longevity protein Sir2 is an NAD-dependent histone deacetylase. Nature 2000; 403(6771): 795-800.

5) Imai S, Guarente L: NAD+ and sirtuins in aging and disease. Trends Cell Biol 2014; 24(8): 464-71.

6) Harrison DE, et al: Rapamycin fed late in life extends lifespan in genetically heterogeneous mice. Nature 2009; 460(7253): 392-5.

7) Shimazu T, et al: Suppression of oxidative stress by beta-hydroxybutyrate, an endogenous histone deacetylase inhibitor. Science 2013; 339(6116): 211-4.

8) Harman D: Aging: a theory based on free radical and radiation chemistry. J Gerontol 1956; 11(3): 298-300.

9) Ishii N, et al: A mutation in succinate dehydrogenase cytochrome b causes oxidative stress and ageing in nematodes. Nature 1998. 394(6694): 694-7.

10) Schriner SE, et al:Extension of murine life span by overexpression of catalase targeted to mitochondria. Science 2005; 308(5730): 1909-11.

11) Shao D, et al: A Redox-Dependent Mechanism for Regulation of AMPK Activation by Thioredoxin1 during Energy Starvation. Cell Metab 2014. 19(2): 232-45.

12) Fontana L, et al: Long-term calorie restriction is highly effective in reducing the risk for atherosclerosis in humans. Proc Natl Acad Sci USA 2004; 101 (17): 6659-63.

13) A randomized, placebo-controlled, clinical trial of high-dose supplementation with vitamins C and E and beta carotene for age-related cataract and vision loss: AREDS report no. 9. Arch Ophthalmo 2001; 119(10): 1439-52.

14) Bjelakovic G, et al; Mortality in randomized trials of antioxidant supplements for primary and secondary prevention: systematic review and meta-analysis. Jama 2007; 297(8): 842-57.

15) Ohsawa I, et al: Hydrogen acts as a therapeutic antioxidant by selectively reducing cytotoxic oxygen radicals. Nat Med 2007; 13(6): 688-94.

16) Villeneuve PJ, et al: Physical activity, physical fitness, and risk of dying. Epidemiology 1998; 9(6): 626-31.

② 에이징(노화) 과학

노화와 수명을 결정하는 분자 기전을 규명해내는 것은 21세기 의학에서 가장 중요한 과제입니다. 특히 인구 고령화와 저출산이 진행되고 있는 사회에서 급속히 증가하는 의료비를 억제하기 위해서는 노화 기전의 근본적 이해에 근거한 의료 전략을 세우는 것은 매우 시급한 과제입니다. 노화 과학(geroscience)을 더욱 발전시키기 위해서는 노화 과학의 현재 상황에 대한 이해가 필요합니다.

노화 과학의 전환점

노화 과학의 흐름을 살펴보면, 1980년대 말에서 1990년 초에 걸쳐 효모, 꼬마 선충, 초파리의 수명을 분자 유전학적으로 연구하기 시작한 것에서 형태가 만들어졌다고 할 수 있습니다. 1988년 콜로라도 대학의 Thomas Johnson 등이 꼬마 선충의 장수 변이체 age-1를 발견했고, 1993년 캘리포니아대학 샌프란시스코 분교의 Cynthia Kenyon 등도 꼬마 선충에서 다른 장수 변이주 daf-2를 발견하여 노화 연구의 전환점이 되었습니다. 같은 시기에 매사추세츠 공과대학의 Leonard Guarente 등은 출아 효모를 이용하여 수명 제어에 관여하는 유전자를 찾아냈습니다. 이런 분자 유전학적 해석을 통해, 노화가 유전자나 단백 기능이 점진적으로 소실된 결과에 의해 일어난다는 과거의 단순한 생각을 노화 속도나 수명을 일정한 유전자 무리가 제어할 수 있다는 새로운 개념으로 바꿀 수 있게 되었습니다.

그 후 꼬마 선충 연구에서 age-1과 daf-2가 인슐린/insulin-like growth factor-1 (IGF-1) 신호 전달계를 구성하는 분자를 조절하는 유전자인 것으로 밝혀졌습니다.[1] 즉 에너지 대사나 세포 증식에 관여하여 수명에 직접 관여한다는 가능성을 알게 된 것입니다. 또 효모에서 서투인(sirtuin)이라고 명명한 Sir 2 단백 패밀리가 발견되었고, 이 단백질이 NAD$^+$ 의존성으로 탈아세틸화 효소 작용이 있는 것을 알게 되었습니다.[2] 이어서 효모와 초파리 연구에서 영양 센서로 작용하는 mammalian target of rapamycin (mTOR) 신호 전달 체계의 중요성도 알려졌습니다.[3] 이런 인슐린/IGF-1 신호 전달계, 서투인 패밀리, mTOR 신호 전달계는 하등 생물에서부터 고등 동물에 이르기까지 모든 생물에 진화적으로 보존되어, 실제로 노화와 수명을 제어하는 기본계라는 위치가 확립되었고, 여러 생물 종에서 구체적 분석이 진행되고 있습니다.

노화 과학의 현황과 과제[4]

노화 과학은 21세기에 들어와 분자생물학, 분자유전학의 방법론을 기반으로 세포에서부터 전신에 이르는 분자 기전을 밝히는 첨단 학문 분야로 변모했습니다. 이 과정에서 앞에서 말한 진화적으로 보존된 신호 전달계나 제어 인자가 많이 발견되었으며, 이에 대한 연구가 크게 발전하고 있습니다. 세포 수준에서 노화 기전 추구에 중요한 연구 대상이 되고 있는 것은, ① 미토콘드리아의 기능 및 미토콘드리아와 핵의 기능에 관련된 이상, ② 에피제네틱(후성유전학, 後成遺傳學, epigenetics) 유전자의 발현 제어, ③ 단백 구조와 기능의 유지 기전(proteostasis), ④ 오토파지, ⑤ 세포 노화 등입니다.

세포 수준 연구가 진행되는 한편으로, 여러 조직이나 장기 사이의 제어 네트워크가 노화와 수명 조절에 관여한다는 중요한 사실도 밝혀지고 있습니다. 노화와 수명을 제어하는 "조절센터"라고 부를 수 있는 조직, 장기가 존재하는지, 그리고 그 조절 센터가 다른 조직, 장기와 어떤 네트워크를 형성하고 있으며, 이런 네트워크를 제어하는 주요 인자, 신호 전달계는 무엇인가 등에 시스템 생물학(system biology) 접근이 필요합니다. 이런 관점의 최근 연구는, ① 뇌 특히 시상하부의 노화와 수명 제어의 역할, ② 다양한 체액성 인자

그림1 노화·수명 제어의 시스템론적 이해

〈노화·수명 제어 조절 센터〉
라고 부를 수 있는 조직,
장기가 존재하는가?

〈조절 센터〉와 다른 조직,
장기 사이에 어떤 네트워크
가 형성되고 있는가?

네트워크를 제어하는
주요 인자, 신호 전달계는
무엇인가?

노화·수명의 인위적 조절
건강 수명 연장

[growth differentiation factor 11 (GDF 11), fibroblast growth factor 21 (FGF 21) 등]의 기능과 이상, ③ 활동 일주기(circadian rhythm)을 비롯한 생물학적 리듬의 제어, ④ 만성 염증의 중요성, ⑤ 장내 세균의 영향 등입니다.

한편 노화와 수명을 인위적으로 조절 할 수 있는 방법을 찾아내기 위한 연구도 대단히 적극적으로 진행되고 있습니다. 대표적 예는, 칼로리/식이 제한에 의한 노화방지와 수명 연장 효과의 기전을 이해하여 비슷한 효과를 모방할 수 있는 약제(칼로리 제한 모방제, calorie restriction mimetic)를 개발하는 연구입니다. 또 다른 시도는 노화와 수명에 영향을 주는 물질 또는 제어 인자, 신호 전달계에 영향을 주는 물질을 찾아내서 약리학적으로 조절하려는 연구입니다. 이런 연구에서 알려진 물질로는, 라파마이신, 서투인 활성화제, NAD$^+$ 합성 중간체 등이 있습니다. 또 각종 줄기세포에서 노화 기전을 찾아내서 줄기세포의 기능을 유지하거나, 노화된 줄기세포의 리프로그래밍(reprogramming)을 목표로 하는 연구도 시행되고 있습니다.

이런 분자생물학, 분자유전학적 접근과는 별도로 백세 고령자(백세 이상 장수 노인)를 많이 배출한 가계에서 유전자를 분석하여 장수의 유전적 소인을 밝히고, 여기서 노화 조절 방법을 찾아내려는 연구인 백세 고령자 연구(centenarian study)도 세계 각지에서 시행되고 있습니다.

마지막으로

노화 과학은 브레이크가 없이 맹렬한 기세로 달려가고 있습니다. 그러나 노화 과학의 목표가 단순한 생명 연장에 있는 것은 아닙니다. "건강 수명"이라고 말하는 건강한 삶을 누리는 시간을 최대한으로 늘리는 것이 현재 노화 과학에서 중요한 목표입니다.

(今井眞一郎)

||||||||||||||||||||||||||||||||||||||| 문헌 |||||||||||||||||||||||||||||||||||||||

1) Kenyon CJ: The genetics of ageing. Nature 2010; 464: 504-12.
2) lmai S, Guarente L: NAD+ and sirtuins in aging and disease. Trends Cell Biol 2014;24: 464-71.
3) Zoncu R, Efeyan A, et al: mTOR from growth signal integration to cnacer, diabetes, and aging. Nat Rev Med Cell Biol 2011;12:21-35.
4) 今井眞一郎, 吉野 純編: 老化·寿命のサイエンス. 分子·細胞·組織·個体レベルでの制御メカニズムの解明, 実験医学増刊, 2013,Vol31.

③ 안티에이징 의학의 철학

안티에이징 의학이란 무엇인가?

안티에이징 의학(antiaging medicine)은 21세기에 등장한 새로운 의학 분야이며, 20세기 말에 시작된 개념이므로 일반 의학 교과서에는 아직 등재되지 않았습니다. 따라서 이 분야의 논의나 설명에 들어가기 전에 우선 그 개념을 명확히 해둘 필요가 있습니다.

안티에이징과 불로 불사(不老 不死)의 차이

안티에이징이라는 용어에는 단적으로 말해서 과거 중국의 황제가 모든 권력과 금력을 이용하여 찾아 내려던 "불로 불사의 영약 발견"을 궁극적 목표로 한다는 분위기가 있습니다. 과거의 기록에 남아 있는 불로 불사의 영약의 대부분은 수은계 화합물이 들어있었으며, 이를 사용한 사람은 수은 중독으로 오히려 단명했을 것으로 생각됩니다. 만일 어떤 방법으로 노화 과정을 완전히 정지시킬 수 있다고 하면 그것은 생명 현상의 완전 정지를 의미할 것입니다. 박테리아나 아메바는 하나의 세포가 하나의 개체이며 언뜻 보기에 노화가 없는듯한 단순한 세포계 생물이지만 생체를 구성하는 분자군의 신진대사 과정에서는 반드시 엔트로피가 증가되어 구조 이상을 동반하는 노화 현상이 일어납니다. 그들이 분열을 반복하여 증식을 계속하며 노화하거나 사멸되지 않는 것은 새로운 딸세포에 노화된 분자계가 전해지지 않고 줄기세포의 원점으로 돌아오기 때문입니다. 노화된 물질은 세대마다 매번 버려지고 다음 세대에는 전해지지 않는 것입니다. 이것이 사람과 같은 다세포 생물에서는 개체 발생 때마다 갓난아기로 반복됩니다. 수정란이라는 새로운 줄기세포가 하나에서 출발하여 개체를 만들어내기 때문에 세대간에 연령 증가는 일어나지 않습니다. 단세포 생물도 이와 같습니다.

안티에이징의 정의

우선 문제삼고 싶은 것은, 에이징(aging)이라는 용어의 정의이며, 안티에이징 의학에서는 생물학적 노화라는 의미로 사용하고 있습니다. 노화에는 2개의 의미가 있다는 것에 주의해야 합니다. 그 하나는 물리학적 노화이며, 다른 하나는 생물학적 노화입니다. 또 주의할 점은 생물학적이라는 표현 안에는 마음과 몸의 문제가 함께 들어 있다는 것입니다. 생물학적이라는 것이 단적으로 이해하는 신체적 또는 물질적 의미 만은 아닙니다. 특히 사람은 몸과 마음이 상호 작용하기 때문에 정신적 측면이 중요합니다. 이 책에서 에이징은 심신 양면에 걸친 생물학적 노화라는 의미로 사용합니다.

물리학적으로 본 노화는 물리적 시간 경과에 따라 질서적이던 구조체가 점차 악화되어 가는 것을 의미합니다. 이것은 열역학의 제2법칙으로 나타내는 엔트로피의 비가역적 증가에 의한 것입니다. 따라서 "물리학적 노화"는 무생물이나 어떤 구조적 물체에서도 공통적으로 일어나는 현상이며, 생물체를 구성하는 분자에서 당연히 일어나는 기본적 현상입니다. 이에 비해 "생물학적" 노화는 생체 안에서 진행하는 물리학적 노화 과정이 만들어낸 악화 현상이 축적되어 자각적, 타각적으로 인정하는 변화가 비가역적으로 신체나 정신에 나타나는 과정입니다. 이 결과의 비가역적 축적이 노쇠(senescence)입니다. 노화 현상을 우리는 주위의 개나 고양이에서 일어나는 것을 자주 관찰할 수 있으나, 그 정신적, 신체적 의미의 중요성을 사람과 비교할 수는 없습니다. 물리학적 노화와 달리 생물학적 노화는 균일하지 않게 진행되는 것이 특징입니다. 따라서 노화 현상의 축적 정도는 개인에 따라, 또 장기에 따라 현저한 불균일성이 있습니다.

생물학적 노화 결과의 축적이 노쇠라고 앞에서

말했으며, 이것은 원리상 비가역성입니다. 따라서 일단 축적된 노화라는 변화를 치료에 의해 외형뿐 아니라 본질적으로 해소시키는 것이 전혀 불가능하지는 않지만 사실 매우 어렵습니다. 특히 물리적 노화 진행을 정지시키거나 브레이크를 걸기는 불가능합니다. 한편 물리학적 노화 과정에 따른 생물학적 노화 현상의 진행에는 항상 병적 가속이 동반되므로, 이런 진행을 억제하거나 방지하는 치료를 통해 병적 노화의 가속된 진행을 예방하거나 정지시킬 가능성은 생각할 수 있습니다. 이론적으로 말해서 안티에이징 의학은 물리학적 노화에 따라 생물학적 노화 과정으로 나타나는 비가역적 축적 과정을 연구, 제어하며, 결과적으로 노화 현상의 병적 진행을 억제하려고 합니다.

안티에이징 의학은 건강한 장수를 누리는 것을 목표로 하는 이론적, 실천적 의학입니다. 여기서 건강하게 장수를 누린다는 것은 단순히 수명을 연장하여 고령 생존자 수를 증가시키는 것을 의미하는 것이 아닙니다. 장수의 질이 중요합니다. 지금까지의 치료 의학은 연명이라는 단순한 신체적 대상만 문제로 했습니다. 그러나 안티에이징 의학에서는, 인간으로서 몸과 마음을 함께 생각하며 수명의 질을 문제로 하고 있습니다.

건강이란 일반적으로 이해하는 아무런 병이 없는 상태가 아닙니다. 어떤 병을 갖고 있어도 좋으며, 인생의 목표를 가지고 사는 보람을 느끼며 일상 생활을 보내는 것이 건강하다는 것입니다. 여기에는 정신적 의미도 큽니다. 긍정적으로 희망을 가지고 사는 것이 안티에이징 의학에서 특히 중요합니다. 장수란 건강하고 즐겁게 오래 사는

것을 말합니다. 장수에는 정말 마음의 치료가 중요합니다. 여기에는 개인의 건강이나 장수뿐 아니라 사회나 고령자를 둘러싼 국가나 지역의 환경 조성도 빠트릴 수 없습니다. 안티에이징 의학에는 행정적인 면도 중요합니다.

안티에이징은 실천의 과학입니다. 그러나 그것은 단순한 테크놀로지가 아닙니다. 그 실천을 실행하기 위해서는 확고한 과학이 우선 요구됩니다. 안티에이징 의학은 건강과 장수를 지지하는 과학입니다.

안티에이징 의학의 영역

안티에이징 의학에서는 지금까지의 의학과 달리 개개의 병이나 장기 단위의 병적 변화를 회복시키고 예방하기 위해 개별적 치료 수단을 강구하는 것이 아니라, 종적 관계의 격벽을 제거하여 개개인을 신체와 정신이 만들어내는 일체로 보는 총체적(holistic) 대책이 중요합니다. 지금까지 신체나 장기 중심의 치료 의학이나 정신 의학을 포함한 의학 내부의 종적 관계에 의한 폐해를 제거할뿐 아니라 지금까지의 보험 진료 테두리에 사로 잡혀 있는 속박도 넘을 필요가 있습니다. 그뿐 아니라 동양 의학이나 대체 의료라고 부르는 건강 요법, 식사와 운동, 정신 요법, 미용 요법 등도 부작용이 없으면 중요시하며, 폭넓게 연구하여 기존 개념에 사로 잡히지 않고, 이런 목적에 적절한 안티에이징 의학의 목표와 수단에 이용하는 것이 중요합니다. 안티에이징에서는 모든 과학 장르를 구별하지 않고 지혜를 모아 연구하며 응용한다는 원칙이 중요합니다.

(藤田哲也)

4 안티에이징 의학의 세계적 흐름

최근 전세계에서 급격히 고령화가 진행되어 의료비의 상승이나 치료의 세분화에 따른 다양한 폐해가 문제되고 있습니다. 선진 장수 국가는, "건강 증진을 통해 삶의 질을 향상시켜 건강 장수 달성"을 목표로 하는 안티에이징 의학을 국책 과제로 추진하고 있습니다. 해외에서 뛰어난 의료 기술의 도입도 중요하지만 우리 기술의 개발도 중요합니다. 여기서는 안티에이징 의학의 탄생에서부터 현재에 이르기까지의 역사와 현황에 대해 알아 봅니다.

역사

1948년 World Health Organization (WHO)의 헌장은, 건강의 개념으로 "Health is a state of complete physical, mental and social well-being, and not merely the absence of disease or infirmity"라고 했습니다. 건강에는 적극적 건강과 소극적 건강의 2가지 요소가 있습니다. 병이나 장애가 없는 것은 당연하며, 이것은 소극적 건강에 해당합니다. 적극적 건강은 정신적, 신체적, 사회적으로 well-being(웰빙) 상태입니다. 적극적 건강 목표가 차세대형 예방의학으로 안티에이징 의학입니다.

1992년 미국 안티에이징의학회(American Academy of Anti-Aging Medicine: A4M)가 결성되어 창세기라고도 할 수 있는 처음 10년(1990년대)이 지났습니다. 그 동안 A4M은 다양한 역할을 수행했으나,[1] 활동 과정에서 미국 의학회(American Medical Association: AMA)나 미국 노년병 학회(The Gerontological Society of America)와 좋은 관계를 만들지 못했습니다. 미국에 특유한 상업주의적 영향을 받아 학회로서 학술적 요소가 부족하여 많은 의사나 연구자가 참여하지 않았습니다. 그 후 Society for Applied Research in Aging과 Age Management Medical Group이 A4M에서 분열되어 새로운 조직을 결성했습니다.

2000년대(발전기)에 들어와서 안티에이징 의학은 전 세계 국가에서 급속한 발전이 나타나기 시작했습니다. 바야흐로 안티에이징 의학의 도약기가 시작된 것입니다. 세계 각국에서 안티에이징 의학연구회나 의학회가 발족되었습니다. 이런 발전 도상에서 급속한 고령화 사회를 맞이한 국가는 안티에이징 의학이 중요한 국책 과제가 되었습니다.[2]

이런 상황에서 세계적 학회인 제1회 Anti-Aging Medicine World Conference (AMWC)가 2003년 프랑스 파리에서 개최되었고, 현재까지 매년 지속되고 있습니다. 이 회의는 EuroMedicom (http://www.euromedicom.com)이 주최하여 순수 의학회는 아니지만 남북 아메리카에서 많은 참가자가 참석하여 존재감이나 영향력 모두 큽니다. 이런 국제 학회는 세계 수준의 의학 정보를 공유하여 실제 환자 치료에 적용하는 것에 의의가 있습니다.

한편 2000년 연구회로 설립된 일본항가령의학회(日本抗加齢医学会)는 기존 의학회와 제휴를 유지하여 각 전문 영역의 중진이 이사, 평의원으로 참가하여 연구와 교육을 중요시한 활동을 하고 있습니다. 의사나 의료 종사자가 참여할 수 있는 학회입니다. 8,000명의 회원을 가진 일본 안티에이징 의학회의 활동은 세계적으로 매우 독특한 존재로 주목 받고 있으며, 발전된 의료 기술을 전 세계에 알리는 중요한 장이 되고 있습니다.

지금까지 회원의 연구 성과를 국내외에 발표해 온 학회지 "Anti-Aging Medicine"은 제반 사정으로 2013년 휴간했습니다.

세계의 안티에이징 교육 시스템

외국의 안티에이징 교육 시스템 2개를 소개합니다.

European Course in Anti-Aging Medicine (ECAAM)은 연 2회 파리에서 스터디 그룹을 개최

그림1 세계를 향한 근거 구축

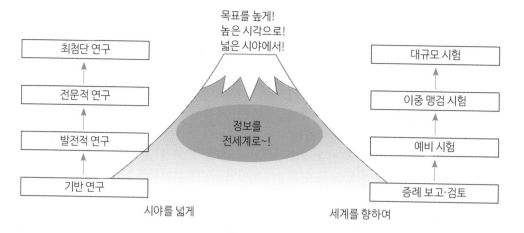

하고 있습니다. 프로그램은 2일간의 실천적 안티에이징 강의입니다.

Dr Hertoghe Medical School (https://hertoghemedicalschool.eu/events-news/)는 유럽 주요 도시에서 스터디 그룹으로 개최하고 있습니다. 안티에이징 내분비학에 중점을 둔 프로그램입니다.

마지막으로

2010년대는 일본 안티에이징 의학회의 모색기였습니다. Where do we go from here(약속의 땅에). 세계 최고 수준을 계속 유지하기 위해서는 높은 견지에서 넓은 시야를 통해 세계의 조류를 바라보는 동시에, 우리의 활동을 의학적 데이터로 하나씩 세계에 계속 알릴 필요가 있습니다(그림 1).

(米井嘉一)

문헌

1) Dalle C: Anti-Ageing: The Guide. Tome 1, Cxpub, Chatillon, 2010.
2) Hertoghe T: The Hormone Handbook. International Medical Books Publications, London, 2006.

5 노화의 역학과 안티에이징

생리적 노화와 병적 노화

노화에는 DNA 프로그램에 따라 진행하는 생리적 노화와 외부 환경의 각종 침습(스트레스)에 의해 발생한 염증이나 변성, 종양에 의한 병적 노화가 있습니다. 생리적 노화는 DNA 프로그램에 의해 결정되는 분열 회수를 끝낸 세포자멸사(apoptosis)에 의한 것이며, 실질 장기 세포의 감소, 소멸입니다. 한편 병적 노화는 결정된 프로그램을 수행하기 이전에 장애를 받은 세포에서 일어나는 일종의 사고사이며 괴사를 일으키는 것으로 생각할 수 있습니다. 병적 노화도 나이가 들면서 일어나는 현상이며 양자의 명확한 구별은 어렵습니다.

의료 역학

의료 역학은 지역, 직업, 환경, 생활 습관 등에 따른 다양한 집단을 대상으로 질환이나 장애 발생 요인, 건강의 원천 등을 통계적으로 밝히는 학문입니다. 역학 연구는 지역의 질병 이환율, 사망률이나 위험의 보유율을 비교하는 횡단 연구(cross-sectional study)와 특정 집단을 선택하여 시간적 경과를 추적하는 종단 연구(longitudinal study)가 있습니다. 이 중에서 종단 연구가 사회 의료나 임상 의학에 보다 유용합니다. 이것을 코호트 연구라고 합니다. 종단 연구의 계획에서는 모집단의 선정, 개입 방법, 대조군 설정, 결과의 평가 등을 고려합니다. 이때 조사 대상군과 비교 대조군의 선정 차이 즉 바이어스(bias)를 피하기 위한 주의가 필요합니다. 행동과학이나 임상 약리 분야에서는 반응군과 비반응군 집단에 따라 다른 결과가 나올 우려도 있습니다. 최근 임상 연구에서 개인 정보 보호 중요성이 강조되고 있으며, 역학적 연구에서는 연구자의 윤리에 대한 규정이 강화되고 있습니다.

코호트 연구(Cohort study)

코호트 연구에는 앞으로 진행하며 관찰해 나가는 전향적 연구와, 과거의 결과를 모아 분석하는 후향적 연구가 있습니다. 코호트 연구는, 허혈성 심질환의 위험 인자를 조사하기 위해 1941년에 시작한 플래밍함 연구가 유명하며,[1] 일본에서는 뇌졸중에 대해 1961년에 시작한 히사야마마치 연구가 있습니다.[2] 이 두 연구는 전향적 연구이고, 후향적 연구의 예로는 오키나와에서 시행한 연령별 생존율 비의 변화가 있으며 그 개요는 그림 1과 같습니다.[3]

항생제의 발견과 보급에 의해 병원균에 대한 적극적 치료로 감염 억제에 성공한 오늘날 비감염성 질환이 인간의 생명을 위협하게 되었습니다. 이에 대한 역학 데이터 분석 결과 생활 습관이 병을 일으킨다고 알게되었으며 이런 위험을 회피하는 개입이 질병의 치료나 예방에 중요한 전략이 되고 있습니다. 역학 조사는 근거 중심 의학(evidence based medicine)의 바탕이 되며, 그 결과를 종합한 치료법은 진료 지침이 됩니다. 방대한 자료 처리를 위해 자료를 선택하며(샘플링), 이 때 대상 예의 비중에 따라 교란인자가 들어갈 가능성이 있습니다.

최근 다양한 코호트를 대상으로한 많은 종적 연구 결과가 의학과 비의학 분야에 이르기까지 잇달아 발표되고 있습니다. 임상의학 분야의 연구 결과는 의학의 세분화, 첨단화에 따라 코호트 대상이 질환, 병태, 처치 등이 구체적으로 세밀하게 제한되고 있습니다. 이것이 교과서와 달리 진료에서 만나는 진단, 치료, 예방에 대한 의문을 해결하기 위한 구체적 지침으로 제시되고 있습니다. 이런 지침은 진료를 균일화하고 또 진료 과오를 줄이는 효과가 있으며, 또 의료 시행의 신속함이나 비용의 효율화에도 도움이 됩니다.

그러나 연령 증가나 노화 건강을 대상으로 한

그림1 **오키나와 주민의 연령별 생존율 비의 변화**

오키나와 주민의 연령 계층별 생존율의 비를 1980년대와 2000년대로 나누어 나타냈다. 기준선 이상은 장수를 그 이하는 단명을 나타낸다. 오키나와 주민의 전 연령층에서 장수 지역이 단명 지역으로 바뀐 것을 알 수 있다.

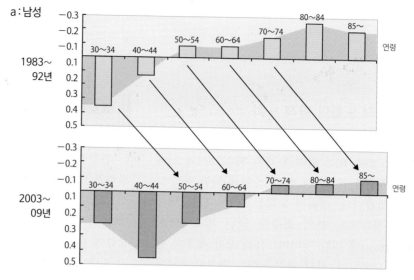

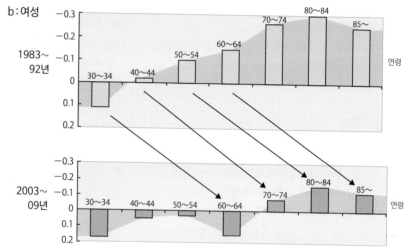

종합적이며 포괄적인 전향적 연구는 많지 않습니다. 특히 안티에이징, 건강 장수, 자립 등을 키워드로 한 코호트 연구는 PubMed나 Index Medicus를 검색해도 만족할 만한 것이 눈에 띄지 않습니다. 그 이유는 통계 분석 기법이 어렵기 때문입니다. 키워드 대상을 느슨하게 하면 몇 개의 결과가 발견되지만 대부분은 플래밍함 연구의 계속이거나 세부 분석입니다. 과거의 역학 통계에서는 사망률이나 발생률 등 양적 데이터를 이용했으나, 앞으로는 질적 데이터 분석으로 넓혀가야 할 것입니다. 또한 예방의학, 건강의학 분야에서는 일차 예방 이전의 의료를 고려한 집단의 분석도 생각해야 합니다. 그것은 태생기나 출산시 환경도

고려하는 것입니다. 이렇게 실제 데이터 분석에 의한 결과 평가에 생명의 양이 아니라 질을 문제 삼아야 한다고 말할 수 있습니다.

안티에이징 연구의 목표

안티에이징 연구 중 하나로 백세 고령자의 생리적 노화에서 표현형 규명이 있습니다.[4] 백세 고령자에서 연령 증가, 장수 연구의 국제적 역학 연구는 1981년 Hamburg의 국제 노인학회 때 창설된 International 100 Club에서 시작되었습니다. 그 후 비슷한 연구가 세계 각지에서 시작되었으며, 대규모 연구는 조지어 대학의 Poon L이 주관하는 International Centenarian Study[5]와 보스턴 대학의

Perls T가 주관하는 New England Centenarian Study가 있습니다.[6]

다른 연구는 지역에서 활동성 장수의 증진 대책입니다. 이것이 국제적 장수 의료 정책이나 계획 추진의 목표가 되고 있습니다. WHO가 관여하는 Population ageing and Longevity에 대한 회의가 선진국뿐 아니라 최근에는 브라질, 말레이시아, 중국, 터키 등에서 열리고 있습니다. 2015년 9월에는 남아프리카 공화국에서 개최되었습니다. 이런 국제적 역학 연구 동향은 정부 수준을 넘은 방대한 데이터를 취급하며, 전 세계 인류를 대상으로 한 빅데이터의 축적, 분석 시대가 올 것으로 생각하고 있습니다.

(鈴木 信)

■■■■■■■■■■■■■■■■■■■■■■ 문헌 ■■■■■■■■■■■■■■■■■■■■■■

1) Dawber TR, Meadors GF, et al: Epidemiological approaches to heart disease: The Framingham Study. Am J Public Health 1951; 41: 279-86.
2) 淸原 裕: 老年医学的観点の久山町研究. 日老医誌 2007; 44: 537-45.
3) 鈴木 信, 鈴木陽子, ほか: 沖縄 健康の生き方. 新老人の会沖縄支部, 2014, p34.
4) Willcox BJ, Willcox DC, Suzuki M: The Okinawa Program: How the World's Longest-Lived People Achieve Everlasting Health -and How You Can Too Based on the 25years study. NY, Clarkson Potter, 2001.
5) Poon LW, Johnson MA, et al: Psycosocial prediction of survival among centenarians. Centenarians: Autonomy Versus Dependence in the Oldest. Old, 2000; 77-89.
6) Perls TT, Silver MH: Living To 100: Lessons in Living to Your Maximum Potential at Any Age. NY, Basic Books, 1999.

II

안티에이징(노화방지) 의학의 전망

① 안티에이징 의학의 역학 연구

일본인의 평균 수명은 1900년대의 40대에서 1950년대에 50대, 1960년대에 60대, 1970년대에 70대 그리고 현재 83세로 지난 100년 동안 40세, 50년 동안 30세가 연장되었습니다. 한편 일상 생활에 지장이 없는 수명인 "건강 수명"은 평균 수명보다 약 10세 짧아, 건강 수명 연장이 과제가 되고 있습니다. 이에 대한 전략으로 생활 습관병의 조기 예방과 중증화 예방이 중요합니다. 안티에이징 의학은 이런 전략을 지지하는 의학 영역으로 자리매김할 수 있습니다.

여기서는 일본의 생활 습관병 예방에 대한 역학 연구 소개를 통해 안티에이징 의학에서 역학 연구의 중요성을 설명하고자 합니다. 일본 역학회는 Journal of Epidemiology (IF=3.022)를 간행하여 학회 활동을 지원하고 있으며, 일본 안티에이징학회와 공동 심포지엄을 개최하고 있으므로 참고하기 바랍니다(http:/jeaweb.jp/).

생활 습관병의 특징

일본인의 생활 습관병은, 고혈압의 영향이 커서 뇌졸중이 많은 한편, 비만, 지질이상의 영향은 비교적 적어 허혈성 심질환이 적은 것이 특징입니다. 1970년대 이후에는 혈압 저하에 의해 장년~중년기의 뇌혈관 질환 사망률이 감소되어 평균 수명이 크게 늘어났습니다.

그 배경으로, 건강 진단에 의한 고혈압의 조기 발견과 약물 치료, 경제발전이나 공중위생 활동에 의한 저염식이나 신선한 채소와 신선식품 섭취 증가, 창의적 생활 습관 개선을 들 수 있습니다. 그러나 최근에는 장년~중년기 남성을 중심으로 수축기 혈압 저하의 둔화와 비만에 동반한 이완기 혈압 상승 경향에 따라 뇌혈관 질환 저하 경향이 감소하고 있습니다.[1,2] 또한 대도시 중년기 남성에서 흡연, 고콜레스테롤혈증의 영향이 더해져 허혈성 심질환 발생률의 증가 경향이 나타나고 있습니다.[3]

비만을 동반하지 않는 고혈압은 대사증후군과 거의 동등하게 순환기 질환 위험을 증가시키며, 유병률도 높기 때문에 고혈압에 의한 순환기 질환의 인구 기여 위험도 비율(고혈압 조절에 의한 순환기 질환의 예방 비율)은 약 50%로 대사증후군의 약 10%보다 높습니다(그림 1).[4]

뇌졸중 예방 대책의 효과

아키타현의 한 마을에서, 1960년대부터 뇌졸중 예방대책으로 건강진단 수진율 증진과 고혈압 환자의 진료를 적극적으로 시행한 결과 약 25년간 다른 지역보다 뇌졸중 발생률이 감소되었다고 합니다. 예방 대책에 소요된 비용이 높았고, 고혈압 치료비가 의료 기관의 진료 증가로 처음 10년간은 높았으나, 그 후 예방 대책의 효과로 혈압약이 필요한 환자 수가 다른 지역보다 크게 감소했습니다. 그 결과 고혈압이나 뇌졸중 치료에 필요한 비용도 일반 지역보다 줄어들어, 전체적으로 비용이 절감되었습니다.[5]

이런 예방 대책의 발전형으로 이바라키현의 다른 마을에서도 1982년부터 의사회, 지역 주민 조직, 학교·교육위원회, 식품 협회, 보건소, 건강 진단 단체가 협력하여 건강 교육 캠페인(감염과 영양 균형을 강조한 집단 전략), 건강 진단에 의한 고혈압 환자의 조기 발견과 현지 의료 기관에 진료 권장과 추적 및 건강 교육(고위험 전략) 및 의사회와 제휴한 뇌졸중의 응급 의료 시스템 정비와 지역 관리 시스템 도입에 의한 요양 간호, 뇌졸중 환자의 지역 관리, 재발 예방을 조직적으로 진행하고 있습니다. 그 결과 주민의 소금 섭취 저하, 혈압약에 의한 혈압 조절 개선, 뇌졸중 발생률 반감 등으로 인근의 다른 지역에 비해 국민 건강보험 의료비의 약 5% 억제가 있었습니다(http://www.pbhel.med.osaka-u.ac.jp/th emesl-home.html).

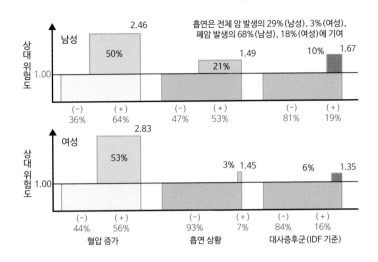

그림1 고혈압, 흡연, 대사증후군에 의한 순환기 질환 발생의 인구 기여 위험도 비율(JPHC 연구)

대사증후군 대책과 비비만(非肥滿) 대책 양쪽의 필요성

복부 비만이 진단에 필수 조건인 대사증후군에서 복부 비만을 제외하면 순환기 질환과의 관련성이 낮은 것으로 알려졌습니다. 그 이유는 복부 비만을 필수 조건으로 한 기준에 비해, 대사증후군으로 판정되지 않는 집단에 비비만의 위험 인자(고혈압, 고지혈증, 고혈당)를 가진 고위험 군이 포함되기 때문입니다. 현재의 대사증후군 대책은 복부 비만에 대한 건강 교육을 통해 심혈관 질환 발생 위험 감소를 기대하고 있으나, 비비만 고위험군의 교육도 중요하므로 앞으로의 정책 도입의 과제입니다.

생활 습관병 중증화 방지의 근거

중증화 방지 근거 작성을 위한 연구가 있습니다(http://www.j-harp.jp). 이 연구는 건강 진단 시행자 중에서 뇌졸중, 허혈성 심질환, 심부전, 신부전의 발병 위험이 일정 기준 이상 높은 사람에게 건강 교육을 시행하여 입원, 사망, 혈액 투석 도입에 대한 예방 효과를 검증하는 것입니다. 공모에 의해 선정된 자치체를 대상으로 무작위 비교 시험을 시행하며 대상자 수는 약 7,500명에 달합니다. 이런 연구의 성과가 중증화 방지를 목적으로 한 건강 교육의 근거 확립에 기여할 것으로 기대됩니다.

(磯 博康)

|||||||||||||||||||||||||||||||||||||||||||||| **문헌** ||||||||||||||||||||||||||||||||||||||||||||||

1) Ikeda N, et al: What has made the population of Japan healthy? Lancet 2011; 378: 1094-105.

2) Kitamura A, et al: Trends in the incidence of coronary heart disease and stroke and their risk factors in Japan, 1964 to 2003: the Akita-Osaka study. J Am Coll Cardiol 2008; 52: 71-9.

3) Iso H: Changes in coronary heart disease risk among Japanese. Circulation 2008; 118: 2725-9.

4) Noda H, et al: The impact of the metabolic syndrome and its components on the incidence of ischemic heart disease and stroke: the Japan public health center-based study. Hypertens Res 2009; 32: 289-98.

5) Yamagishi K, et al: Cost-effectiveness and budget impact analyses of a long-term hypertension detection and control program for stroke prevention. J Hypertens 2012; 30: 1874-9.

② 초고령화 사회에서 안티에이징 의학의 의의

일본은 평균 수명이 늘어나는 동시에 출산율이 저하되어 2013년도에 65세 이상 비율이 25%를 넘어 4명 중 1명이 고령자가 되었습니다. 앞으로 고령화가 더욱 진행되어 2035년도에는 3명 중 1명에 이를 것으로 추정하고 있습니다. 한편 국가 재정은 위기 상황에 있습니다. 지방에 누적된 적자 공채 총액은 국민 총생산의 2배를 넘었습니다. 게다가 매년 기초 재정 수지 적자 총액이 수 조엔에 달하여, 정부가 목표로 하는 2020년의 기초 재정 수지 흑자화를 위해 소비세율 16%의 증세로 적자 국채를 줄이려는 상황에 있습니다.[1]

가장 중요하며 어려운 문제는 고령화에 따라 매년 1조엔씩 증가하는 사회 보장비를 얼마나 억제할 수 있을까에 있습니다. 미래 사회 보장화 추정에 의하면 연금은 거의 증가하지 않고 의료, 요양 비용이 증가할 것으로 예상합니다.[2] 장수가 진행되지만 되도록 건강 수명을 늘려 의료비와 요양비를 억제하는 동시에 고령자의 취업을 지원하여 70대 전반까지 가계 흑자화를 실현하고, 연금 수령 연령을 올릴 필요가 있습니다. 앞으로 안티에이징 의학의 큰 의의는 국민의 평균 건강 수명 연장과 고령자가 건강하게 취업하는 상황을 가능하게 만드는 것입니다.

그림 1은 평균 수명이 늘어난 경우의 평균 수명과 건강 수명 차이에 대한 개념도입니다. 현재에 비해 A는 건강하지 못한 기간이 길어지는 경우,

B는 건강하지 못한 기간이 변하지 않는 경우, C는 건강하지 않은 기간이 짧아지는 경우입니다. B에서 의료비와 요양비가 현재와 다르지 않다고 생각할 수 있으나 연금의 수급 기간이 늘어나서 사회 보장비 총액이 증가합니다. 사회 보장비를 억제하기 위해서는 C 패턴의 실현이 필요합니다. 2000년부터 10년간을 목표로 했던 국민 건강 만들기 운동이나, 2006년의 의료 제도 개혁에서 생활 습관병 대책은 건강 수명을 주요 항목으로 다루었습니다. 건강 수명에 대한 후생과학 연구에서[3] 평균 수명과 건강 수명 차이의 변화를 보면 평균 수명이 늘어나는 동시에 건강 수명도 늘어나고 있으나 그 차이에 일정한 방향성이 없었습니다(표 1). 앞으로는 이 차이를 얼마나 줄여갈 수 있을지 연구하여야 합니다.

현재의 생활 습관병 대책은 의료비와 요양비를 감소시킨다는 명확한 과학적 근거가 없습니다. 실제로 의료비와 요양비는 건강하지 못한 기간의 길이에 따라 증가합니다. 1991년 3월부터 사망한 고령자의 1년간 의료비 청구서 데이터를 월별로 집계하여 분석한 연구에서,[4] ① 고령자의 사망전 1년간 의료비는 고령자의 연간 의료비의 12%였으며, 외국의 보고보다 낮았고, ② 환자 1인당 입원 의료비는 사망 2개월 전부터 급격히 증가했으며, ③ 사망 전 고령자의 의료비 분석에서 연령이 높을수록 낮았다는 결과입니다. 또 고령자가 의료 ·

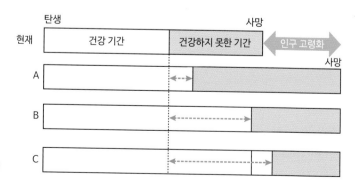

그림1 장수와 의료비 및 요양비

(河口洋行 : 의료의 경제학, 제2판, 도쿄, 일본 평론사, 2012 인용)

표1 평균 수명과 건강 수명의 추이

년	남성			여성		
	일상생활에 제한이 없는 기간의 평균 (년)	일상생활에 제한이 있는 기간의 평균 (년)	평균수명 (년)	일상생활에 제한이 없는 기간의 평균 (년)	일상생활에 제한이 있는 기간의 평균 (년)	평균수명 (년)
2001	69.40	8.67	78.07	72.65	12.28	84.93
2004	69.47	9.17	78.64	72.69	12.90	85.59
2007	70.33	8.86	79.19	73.36	12.63	85.99
2010	70.42	9.22	79.64	73.62	12.77	86.39

요양을 받아 생존한 경우와 사망한 경우의 의료비와 요양비를 분석한 연구에서,[5] ① 사망한 고령자의 의료비는 생존한 고령자의 의료비의 3~5배였고, ② 의료비는 고령자의 연령이 높을수록 적었지만, 요양비는 연령이 높을수록 증가했습니다. 따라서 평균 수명이 늘어나도 고령자 진료 빈도는 저하되며, 종말기 의료에 대한 법제화로 요양 예방에 대처의 강화가 필요하다고 생각할 수 있습니다. 지금까지의 안티에이징 의학은 주로 뇌혈관 장애, 허혈성 심질환, 당뇨병 등 생활습관병이 대상이었습니다. 이런 대사성 질환은 식사요법이나 운동요법으로 개입이 가능하고 예방 효과를 기대할 수 있습니다. 앞으로는 암 예방이나 치매 예방에 대한 과학적 근거가 축적되기를 기대합니다. 암은 사망 원인의 수위를 차지하여 국민의 반수가 이환되는 질환이며, 또 치매는 그 전 단계를 포함하면 고령자의 30% 정도가 해당됩니다. 이 두 질환에 대한 효과적 개입이 가능하면 향후 의료, 요양 체제나 사회보장 재정에 대한 영향은 매우 클 것입니다.

(古川俊治)

문헌

1) 内閣府「中長期の経済財政に関する試算」(平成27年2月12日)
2) 社会保障制度改革国民会議報告書(平成25年8月6日), p23-4.
3) 橋本修二, ほか: 厚生科研費「健康寿命の年次推移, 地域分布と関連要因の評価に関する研究」, 平成23-24年度総合研究報告書.
4) 府川哲夫, 郡司篤晃: 老人死亡者の医療費. 医療経済研究1994; 1: 107-18.
5) Hashimoto H, etal: Microdata analysisof medical and long-term care utilization among the elderly in Japan International Journal of Environmenal Research and Public Health 2010 ; 7 : 3022-37.

3 안티에이징 의학의 정책적 추진

일본의 2015년 발전 전략에서 Key Performance Index는 2020년까지 국민의 건강 수명을 1세 이상 연장[남성 70.42세, 여성 73.62세(2010년)], 2020년까지 대사증후군 인구를 2008년도에 비해 25% 감소[(1,400만명(2008년도)]를 목표하고 있습니다. 이를 기준으로 안티에이징 의학의 성과를 내기 위한 대처가 진행되고 있습니다(그림 1).

건강 산업 규제의 명확화

민간 사업자가 시행하는 운동 기능 유지 등 생활 습관병 예방을 위한 운동 교육, 혈액의 간이 검사와 그 결과에 의한 건강 관련 정보 제공 등을 의료법으로 규제하고 있었으나, 이것을 규제에서 제외하는 지침이 제정되었습니다. 앞으로 생활 습관병 예방 산업의 성장이 기대됩니다.

건강 증진과 예방의 동기마련

건강 증진과 예방 활동을 추진하기 위해 다양한 동기를 마련하고 있습니다.

개인에 대한 동기마련으로, 의료보험의 보건 사업에 일정한 기준을 만족시킨 가입자에게 헬스케어 포인트 부여나 현금 급부 등을 보험자가 선택할 수 있는 제도를 시도하고 있습니다. 또 개인의 건강·예방 노력에 따라 피보험자의 보험료에 차이를 두는 인센티브 도입도 검토하고 있습니다.

보험자에 대한 동기마련으로는, 후기 고령자 의료의 지원금 가산이나 감산 제도 또한 검토 중에 있습니다.

경영자에 대한 동기마련으로는, ① 건강 증진 대책을 기업 간에 비교할 수 있는 평가 지표 구축, ② 도쿄 증권거래소에 새로운 테마 종목[건강 경영 종목(가칭)] 신설, ③ 기업 거버넌스 보고서나 기업의 사회공헌 책임 보고서(Corporate Social Responsibility, CSR) 등에 종업원의 건강 관리나 질병 예방에 대한 대책의 기재, ④ 기업의 종업원 건강 증진을 위한 우수 사례의 선정과 표창 시행 등의 대처에 의해 건강 경영에 대한 평가 제도 구축 등을 추진하고 있습니다.

헬스케어 산업을 위한 시장 환경 정비

안티에이징 의학 실행과 관계된 사항으로는, ① 기업이나 개인이 안심하고 건강·예방 서비스를 이용할 수 있도록, 요구가 높은 운동 교육 서비스

그림1 안티에이징 의학과 관련된 정책 목표와 진척 상황

2020년까지 국민 건강 수명 1세 이상 연장
【남성 70.42세, 여성 73.62세(2010년)】

⇒ 진척 상황: 남성 71.19세, 여성 74.21세(2013년)

2020년까지 대사증후군 인구를 2008년 대비25% 감소
【1400만명(2008년도)】

⇒ 진척 상황: 대사증후군 및 전 단계 감소율이 2008년 대비 12.0% 감소(2012년도)

2020년까지 의약품·의료기기 심사 지연(0)
【의약품 1개월, 의료기기 2개월 (2011년)】

⇒ 진척 상황 의약품 0개월, 의료기기 0개월(2012년도)

「일본재흥전략」 개정 2015 (2015년 6월 30일 내각결정), p142. 에서 인용)

에 대해 민간기관이 제3자 인증을 시행하고, 그것을 위한 학회나 업계 단체 등 전문가, 전문 기관에 의한 지원 체제 정비, ② 지역의 보건관련 인적 자원이나 활동적인 장년 자원을 활용하기 위해 헬스케어 산업을 담당하는 민간 사업자와의 매칭 지원, ③ 당뇨병 가능성이 있는 사람을 대상으로 호텔, 여관 등 현지 관광 자원을 활용하여 시행하는 숙박형 건강 교육 프로그램(가칭)을 개발하여, 시범 사업 등을 거쳐 보급, 추진 시도, ④ 민간 기업(편의점, 음식점 등)에 의한 건강 증진, 생활 지원, 요양 예방 서비스의 거점 기능(종합 상담, 방문 서비스, 음식 택배 서비스 등)을 수행하도록, 시읍면에서 정보를 모아 주민에게 제공하는 구조 구축, ⑤ "의료와 농상공 제휴" 등 지역 자원을 활용한 헬스케어 산업 육성을 위해 지역별 "차세대 헬스케어 산업 협의회"의 전국 확대 시도 등이 추진되고 있습니다.

새로운 국내 시장 개척

가공이나 산업용 채소, 유기 농산물, 약용 작물 등 수요가 늘어나는 농산물의 국산화 비중을 확대하는 동시에, 의료와 식품의 제휴에 의한 새로운 국내 시장 개척이 추진되고 있습니다.

차세대 기능성 식품의 연구 개발

안티에이징 의학 연구의 추진으로, 과학기술 혁신(innovation) 종합 전략 2014는 미래의 수요 창출 관점에서 농림수산물이나 지역의 자원 중에서 공업용, 의료용으로 이용 가능한 부가 가치가 높은 신소재를 개발합니다. 고령화사회에서 요구되는 농림수산물을 이용한 안티에이징, 뇌기능 활성화, 신체 운동 기능 유지 등에 필요한 기능성 성분의 유효성을 밝히는 과학적 근거 획득이나 그 성과를 활용한 차세대 기능성 식품, 식사 처방, 운동 매뉴얼 등의 개발과 공급 시스템(비즈니스 모델)을 구축, 추진합니다. 다부처 전략적 혁신 추진 프로그램(cross-ministerial strategic innovation promotion program: SIP)의 하나로 차세대 농림수산업 창조 기술의 연구 개발 계획으로 "차세대 기능성 농림수산물·식품 개발 프로그램"이 채택되었습니다. 앞으로 안티에이징 의학 추진을 위한 다양한 연구 개발에 대한 공적 지원이 기대됩니다.

기능성 표시 식품 제도 창설

과거의 특정 보건용 식품 제도는 허가를 받기 위한 심사가 엄격하여 과학적 근거가 충분하지 않으면, 어느 정도의 건강 증진 효과가 있어도 기능성 표시가 인정되지 않았습니다. 2013년 식품 표시에 대한 포괄적 식품 표시법을 제정하였으며, 이 법률의 식품 표시 기준으로 새롭게 "기능성 식품 표시"가 가능해졌습니다. 정상인이 기능성 성분을 이용하여 건강 유지나 증진할 수 있는 목적을 기대할 수 있다는 취지를 과학적 근거에 의해 용기 포장에 표시하는 식품이 등장했습니다. 이 제도를 활용하여 안티에이징 효과에 일정한 과학적 근거가 있는 식품에 기능성 표시가 되어 소비자의 선택에 도움이 되기를 기대합니다.

(古川俊治)

주)해당 식품에 첨부하는 표시의 내용, 식품 관련 사업자명 및 연락처 등 식품 관련 사업자에 대한 기본 정보, 안전성 및 기능성의 근거에 대한 정보, 생산 제조 및 품질 관리에 대한 정보, 건강 피해 정보 수집 체제, 기타 필요한 사항을 판매 60일 전까지 일본 소비자청 장관에 신고할 필요가 있습니다.

4 건강 증진과 안티에이징 의학

안티에이징 의학은, 연령 증가에 따라 질병이 발병하는 과정에 적극적으로 개입하여 질병 발생의 회피 또는 감소를 목적으로 하는 의학입니다. 그 목적은 질병 발생의 전 단계라고 생각할 수 있는 병적 노화를 예방하며, 이상적 생활 습관에 의해 적절한 상태를 유지하여, 질병 발생 및 사망에 이르는 위험의 감소에 있습니다. 즉 현재의 예방 의학은 질병의 조기 발견 및 조기 치료를 시행하는 2차 예방이지만, 안티에이징 의학은 건강 증진을 주축으로 하는 1차 예방적 경향이 강하다고 생각할 수 있습니다.

국가 전략으로 안티에이징 의학(그림 1)

일본에서 최대 과제는 비정상적 속도로 진행하는 고령화 사회와 인구 감소에 대한 대책입니다. 생산 연령 인구의 감소는 국내 총 생산을 증가시키지 못해 세수를 감소시킬 뿐 아니라 의료 요양비 등 사회 보장비를 증가시켜 사회 보장 유지가 어려워지는 요인이 됩니다. 이를 극복하기 위해 예방 의료를 중심으로 한 건강 증진을 통한 사회 보장비 축소가 중요한 과제이며, 건강 수명을 증가시키는 궁극적 예방 의료라고 할 수 있는 안티에이징 의학을 국가 전략으로 적극 추진할 필요성이 있습니다.

국가 세수를 증가시키기 위한 생산 연령 인구 확보가 중요하지만 저출산 고령화 사회에서 심신이 건강한 고령자의 고용 유지나 증가를 통해 젊은 사람을 도와주는 고령 사회 일원으로의 활동이 중요합니다. 사람이 병에 걸려 사망하는 과정에서 치매나 와병생활이 되면 가족이나 사회에 큰 부담을 주어 많은 의료·요양비가 필요합니다. 수명까지 심신이 모두 건강하면 이상적입니다. 다시 말해서 질병의 대부분은 노화가 원인이며, 노화되지 않으면 이상적입니다. 특히 적절한 식사, 운동, 심신 요법의 교육으로 노화의 원인에 대해 신속하게 대처하여 나이가 들어도 질이 높

은 생활 유지를 목적으로 하는 안티에이징 의학의 의의는 매우 큽니다.

2010년 1월 일본 수상은 시정 연설에서 "통합(統合) 의료의 적극적 추진검토"를 표방했으며, 후생노동성은 통합 의료 프로젝트 팀을 발족시켜 통합 의료 연구가 활발한 미국 국립보건원을 참고하여 통합 의료 실태 파악을 시작했습니다. 통합 의학은 정통 의학에 주변 과학을 포함하는 종합적 의학이며, 사람의 본래 모습과 수명, 최적 상태의 심신 유지를 목적으로 하는 다양한 분야를 포함합니다. 그 범위는 일반 영역을 넘어서 운동 생리학, 영양학, 동양의학, 미용 외과, 피부관리, 아로마 요법, 생약 치료, 아유르베다, 단식요법, 명상, 자기(磁氣)요법, 기공, 대체보완의료, 음악 예술 등 다방면에 걸치며, 이들을 모두 수용하는 것이 안티에이징 의학의 본질입니다.

지방 자치단체의 안티에이징 의학

지방 자치단체에서 안티에이징 의학을 통한 건강 증진을 목표로 한 활동도 활발해지고 있습니다. 후쿠이현은 2007년부터 안티에이징 의학을 이용한 건강증진 프로그램을 시작하여 건강 진단에서 알아낸 간 기능, 콜레스테롤, 혈당 등을 기본으로, 문진과 근육량, 혈관 탄력도, 골밀도 등을 측정하여, ① 근육 ② 혈관, ③ 신경, ④ 내분비, ⑤ 골 건강의 5항목을 판정하고, 진료자에게 자신의 노화도를 인식시켜 생활 습관을 개선시키고 있습니다.

교육과학부의 안티에이징 의학

우주항공연구개발 기구가 개발한 국제 우주 스테이션의 우주 실험동 설비를 활용한 연구에 우주 의학, 건강 관리, 방사선의 방사능 노출 관리 등이 포함되어 있으며, 그 중 우주 환경 연구에 "노화 가속 모델"을 이용한 "뼈와 근육, 면역 저하에 관여하는 유전자 발현, 변화 기전 규명"이라는

과제가 있습니다. 그 목적은 "우주비행과 노화 가속 현상의 유사점을 이용하여 안티에이징 연구와 노인 의료 연구의 발전 및 1년 이상 장기간 우주에 체류하는 우주비행사의 건강 유지를 목적으로 생물학적 시점에서 기초 소견의 획득"으로 되어 있습니다. 2020년의 목표는 "뼈와 근육 감소나 면역 저하에 따라 변화하는 유전자나 바이오지표 발견"이며, 이를 실현하기 위해 노화의학 연구기관과 연계하여 뼈, 근육, 면역에 특화된 연구 거점과 전략적 연구를 시행하고 있습니다.

의료 기술의 발전 속도는 매우 놀라우며, 첨단 의료에 의한 맞춤 의료[인간 게놈 계획에서 밝혀진 단일염기 다형성(single nucleotide polymorphism, SNP)의 존재]의 실현, 암 치료의 급속한 발전(유전자 치료, 면역 요법, 신생혈관 저해제), 재생 의료[배아 줄기세포(embryonic stem cells, ES세포), 유도 만능 줄기세포(induced pluripotent stem cell, iPS 세포)]를 이용한 노화 기전의 규명

(노화 관련 유전자 발견)이 이루어지고 있으며, 재생 의료도 국소의 안티에이징 의료라고 말할 수 있습니다.

후생노동 행정의 안티에이징 의학

안티에이징 의학은 노화에 따른 심신 쇠약을 막아 삶의 질(quality of life, QOL)을 높게 유지하면서 사회적 생산성 유지를 목적으로 하며, 건강 증진을 위한 교육이나 치료법은 후생노동성이 추진하는 "건강일본 21"을 실현하기 위한 구체적 대처입니다. 2014년 정부는 건강·의료 전략 추진책으로 "건강 수명 연장"과 "의료의 경제 성장에 기여"를 주축으로 한 건강·의료 전략을 결정했습니다. 이 중에는 후생노동성의 과학연구비 등 의료 관련 연구 개발과 환경 정비 예산을 일괄적으로 관리하여 2020년도까지 건강 수명 1년 연장과 건강 증진, 예방, 생활 지원 관련 시장 규모의 2.5배 확대를 목표로 하고 있습니다.

그림1 인구, 세금 액수, 의료비, 수명 관계의 그래프

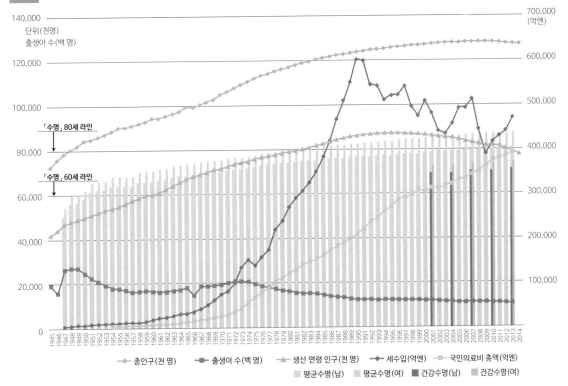

경제산업부의 안티에이징 의학

경제산업부는 2014년 예산에서, 국민의 건강 수명 연장을 위한 차세대 치료, 진단, 실현을 위한 신약 기술개발 사업에 52.7억엔, 미래 의료 실현을 위한 의료 기기, 시스템 연구 개발 사업에 35.0억엔, 재생 의료의 산업화를 위한 평가 기술 개발 사업에 25.0억엔을 배정하고, 건강 수명 연장 추진 사업에 8.7억엔을 배정했습니다.

(吉田統彦)

5 안티에이징 진료를 시작하자

필자의 병원은 위장관의 조기 암 발견을 사명으로 하고 있으며, 그 연장 선상으로 암 예방 진료를 시행하고, 암 예방의 적극적 추진은 본질적으로 안티에이징 의료에 도달합니다. 환자의 요구는 암 예방이며 성인병 예방이고, 최근에는 치매 예방도 중요하게 되었습니다. 이런 질병에 대해, 생활, 영양, 운동요법은 기본적으로 공통적이며, 안티에이징 의료 자체입니다. 환자에게 일상 생활 속에서 "이렇게 하면 병이 예방됩니다"라고 호소해도 잘 듣지 않지만 "이렇게 하면 안티에이징이 되어요"라고 설명하면 관심을 갖습니다. 이와 같이 안티에이징이라는 말이 주는 영향 자체에 "카리스마성"이 있어 안티에이징 의료의 진행은 모든 질병의 예방으로 연결된다고 확신하고 있습니다. 저는 안티에이징 검진 시행을 통해 각 환자에게 고유한 문제점이나 결점을 보다 조기에 종합적으로 파악하려고 노력하고 있습니다. 검사 결과를 기본으로 각 환자에게 가장 적합한 생활·운동·영양 요법을 교육하고, 필요에 따라 기능식품이나 건강식품에 대한 조언도 하고 있습니다. 일반 진료 중에도 안티에이징 검진 결과에 따라 적절한 교육도 시행해야 한다고 생각하고 있습니다.

안티에이징 검진의 개요

필자의 병원에서 시행하는 안티에이징 검진의 개요는 표 1과 같습니다. 안티에이징 문진표는 일본항가령의학회 문진표를 사용하며, 체력 측정은 의료 기관에서 간단하게 시행할 수 있는 악력, 스쿼트(squat) 시간을 이용합니다. 검체 검사는 기본 항목과 추가 항목으로 구성되어 필요에 따라 변경이 가능합니다. 이런 검사 항목은 일반 진료에도 사용 가능한 항목입니다. 이와 같이 기본 세트를 중심으로 검사를 조합하여 안티에이징 검진을 시행하고 있습니다.

안티에이징 의학의 실천

안티에이징 검진 시행에 의해서 많은 병을 초기 단계에서 파악할 수 있습니다.

안티에이징 검진에서 발견되는 병태
● 대사증후군(내장 비만, 인슐린 저항성, 동맥경화도)
● 골다공증
● 내분비 이상, 남성 갱년기, 여성 갱년기 진단
● 산화도, 당화도 항진
● 비타민, 필수 미네랄 결핍
● 중금속 오염
● 지연형 알레르기
● 경도 인지장애 발견
● 조기 암 발견

이런 병태를 정확하게 파악하여 환자가 이해할 수 있도록 알기 쉽게 시간을 들여 설명하고 있습니다. 그 후 다음과 같이 간단하게 생활, 영양, 운동에 대해 교육합니다. 안티에이징 교육은 대사증후군 대책, 성인병 예방, 암 예방의 모두에 해당하는 것으로 생각하고 있습니다. 당뇨병, 고혈압, 골다공증에 사용하는 약제가 다양한 효과를 나타내며, 이런 약제를 되도록 조기에 사용하여 대사증후군 발생이나 장기 장애 진행을 방지해야 합니다. 또 혈중 호르몬 농도 측정으로 보충 요법을 시행합니다.

안티에이징 교육
1. 40세 이상에서는 일, 놀이, 술, 식사량을 모두 80%로 줄인다.
2. 담배는 절대 안 된다!
3. 당질을 줄인다! 좋은 음식보다는 검소한 음식으로
4. 근육을 늘린다! 매일 땀이 나도록 40분간 걷는다.
5. 하루 7시간 푹 잔다.
6. 언제나 긍정적으로 웃는 얼굴

표1 안티에이징 검진 시행 항목

기본검사
신체 계측, 신체 조성 계측, 일반적 혈액, 소변 검사
일반 소변 검사, 말초 혈액 검사, 간기능, 신 기능, 지질 검사, 당뇨병
대사증후군, 동맥경화 조기 발견
BMI, 체지방률, FFA, hs CRP, 렙틴, 호모시스테인, 아디포넥틴
골다공증 조기 발견
오스테오칼신, 소변 NTX, 펜토시딘. TRACP-5b, 골밀도 측정
연령 증가에 의한 혈중 호르몬, 여성·남성 갱년기 장애 조기 발견
DHEA-S, IGF-1, IRI, ACTH, TSH, 코티솔, 테스토스테론,
에스트라디올, 프로게스테론
산화도, 스트레스 판정
소변 8-OHdG, 이소프라스탄, 코티솔
종암지표로 암 발견
PSA, CA-125 ; 전립선 암, 난소 암 발견(항p53 항체)
비타민, 금속측정
혈액 내 각종 비타민, 금속측정
모발 중금속 측정; 디톡스 근거
경동맥 초음파, MC-FAN 혈류 측정(동맥경화 검사)
추가 검사
OSP 검사(종합적 산화도 판정 검사)
산화 스트레스 프로파일 검사
지연형 IgG (IgA) 식품 알레르기 검사
펩시노겐(위 위축)과 Hp균 검사
MCI (경도 인지장애) 검사, APOE 유전자 검사

BMI: body mass index(비만도), FFA: free fatty acid(유리 지방산), CRP: C-reactive protein, IRI: immunoreactive insulin(인슐린), NTX: type 1 collagen cross-linked N-telopeptide, TRACP-5b: tartrate: resistant acid phosphatase-5b, DHEA-S: dehydroepiandrosteron sulfate, IGF-1: insulin like growth facter-1(인슐린양 성장 인자-1), ACTH: adrenocorticotropic hormone(부신피질 자극 호르몬), TSH: thyroid stimulating hormone(갑상선 자극 호르몬), 8-OHdG: 8-hydroxydeoxyguanosine, PSA: prostate specific antigen(전립선 특이 항원), CA-125: carbohydrate antigen-125, MC FAN: microchannel array flow analyzer(혈액 유동 측정 장치), OSP: oxidative stress profile(산화 스트레스 프로파일), IgG: 면역 글로불린 G (immunoglobulin G) IgA: immunoglobulin A, Hp: helicobacter pylori(헬리코박터 피로리), MCI: mild cognitive impairment(경도 인지장애), APOE: ApoE gene(아포지단백 E)

이런 생활, 영양 교육을 시행하고 적절한 기능 식품이나 약제 투여를 고려합니다.

(田中 孝)

문헌

1) 田中 孝, 中山芳瑛: よくわかるアンチエイジング入門. 東京, 主婦の友社, 2005.
2) 田中 孝, 永田善子, ほか: 一般開業 のアンチエイジング診療, アンチエイジングと生活習慣. クリニカルプラクティス 2007; 26(7): 551-7.

6 산업의(產業醫)와 안티에이징 의학

산업의(產業醫)의 사명

산업의의 사명은, ① 업무에 유해한 건강 영향 발생이나 악화의 예방(직업성 질병 예방), ② 질병이나 장애를 가진 사람도 취업할 수 있게 하는 것(취업 적성 확보)입니다.[1] 노동안전 위생법(안위법)은 50명 이상을 고용하는 사업장에서 사업자(이 법에서 기업 등을 가리키는 용어)가 유자격 의사를 산업의로 선임할 의무를 부여하고 있습니다. 1,000명 이상에서는 전속의(상근 고용자)를 둘 의무가 있습니다. 이 법은 산업의가 근로자의 건강 관리에 대해 사업자에게 권고할 수 있는 일도 규정하고 있습니다. 최근에는 건강 진단 결과에 따라 사업자가 시행해야 할 취업상의 조치에 대해 사업자에게 의견을 말하고, 근로자에게 보건 교육을 시행하는 것이 산업의의 중요한 역할로 되어 있습니다(그림 1).

기업과 사원의 건강

안위법은 사업자에게 정기 건강 진단 시행이나 그 결과의 보존 등 구체적 건강 관리 대책(안전 건강 확보 의무)을 규정하고 있습니다. 또 노동 계약법은 법령에 구체적 대책의 규정이 없어도 사원의 안전이나 건강을 배려해야 할 의무(안전 배려 의무)를 규정하고 있습니다. 이것을 근거로, 순환기 질환이나 정신질환이 악화된 직원에서 병인의 일부가 직장 환경이나 작업 조건에 유래하는 작업 관련 질환(work-related diseases)이면 기업은 불법 행위나 임무 불이행으로 제소당하는 사안이 발생합니다.[2] 기업이 직원의 건강 관리에 대해 담당하는 임무는 직장 환경이나 작업 조건이 건강에 유해한 영향을 주지 않는지 관리하는 것뿐 아니라 근로자의 진료나 체질 개선 권고, 일상 생활의 제어까지 들어있는 것입니다. 또 건강 상태를 이유로 직원의 선발이나 해고 등은 운전 기사 등 특수한 직종 이외에는 합리성이 없는한 부당 차별로 간주됩니다. 따라서 기업에서 직원의 건강 관리는 건강 상태의 개선보다 건강 상태에 따라 개별적으로 업무를 조정하는 것에 역점이 놓여져 있습니다.

기업에게 직원은 이익을 얻기 위한 자산이며, 개개 직원의 건강이 건전한 노동력을 통해 안정적 경영에 공헌합니다. 따라서 노동 집약형 기업이나 인재 육성에 열심인 기업은 사내 환경이나 제도를 정비하여 직원이 스스로 운동, 영양, 정신 건강, 흡연, 음주 등의 분야에서 적극적 건강 행동을 실천하도록 촉구합니다. 또한 건강 조합 등은 피보험자의 보건 사업도 시행합니다.

그림1 산업의의 입장(건강진단 결과에 의한 취업상의 조치)

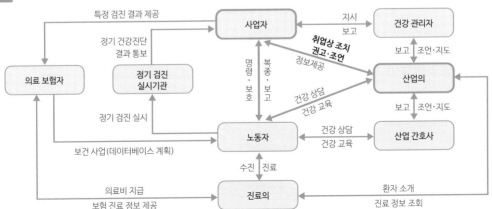

기업은 이런 의무를 달성하기 위해 산업의나 다른 의료직에 건강 관리를 위임합니다. 대기업을 제외하면 의료직이 고용되는 경우는 적으며 대부분은 외부 의료 기관에 위탁하여 시행합니다. 근로자 건강 관리기구가 지역 의사회와 제휴하여 설치한 산업 보건 종합 지원센터 운영을 국가가 보조하여 직원이 건강 관리 상담을 받게 합니다.

근로자의 고령화

일본의 노동 기준법은 정년을 60세로 규정하고 있습니다. 미국과 유럽에서는 정년제가 연령에 의한 고용 차별이라고 생각하고 있으나 연금 수급 자격을 얻으면 스스로 퇴직하는 사람도 많습니다. 일본은 정년과 연금 지급 연령의 공백 기간에 대처하기 위해 고령자 고용 안정법으로 기업에게 계속 취업을 희망하는 근로자의 재고용 제도를 두고 있습니다.

고령자의 취업률은 21세기가 되어 증가하고 있으며 여성에서 현저하여 미국과 유럽보다 높습니다. 2015년부터 65세가 된 고령자의 취업이 증가하고 있습니다. 그러나 60세 이상에서는 비정규

직 근로자가 많으며 70대에는 자영 업자가 과반수입니다. 고령자의 생활 조사에서 50대 남성은 연령에 관계없이 가능하면 일하겠다고 생각하는 사람이 과반수입니다. 기업은 취업 의욕이 있는 고령자의 지속적 취업을 위한 직장 환경이나 작업 환경을 정비하여 근로자 자신의 안티에이징을 목표로 한 건강 행동을 기대합니다.[3]

고령과 취업 적성

취업 적성에 대한 심신 기능은 일반적으로 연령 증가에 따라 저하합니다.[4] 시력이나 평형 감각 같은 감각 기능, 민첩성이나 지구력 같은 운동 기능, 기억력, 환경 변화에 대한 항상성을 유지하는 자율신경계나 내분비계의 생리적 반응, 이물질의 해독이나 과산화물을 처리하는 대사 기능, 감염이나 암을 억제하는 면역능력 등이 저하됩니다. 그 결과 동맥경화, 내당능 이상, 암 등의 만성 질환 유병률도 상승합니다. 그리고 취업 적성의 개인차는 연령 증가에 따라 다릅니다. 그 결과 일부 근로자는 일에 의한 피로나 건강 영향을 받기 쉬워져서 작업 미스가 증가하여 대물 사고나 노동

그림2 연대별 취업률 추이
(실선; 남성, 점선; 여성)

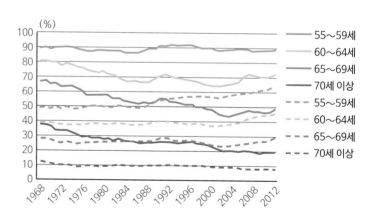

그림3 연대별 취업자 수의 추이
(실선; 남성, 점선; 여성)

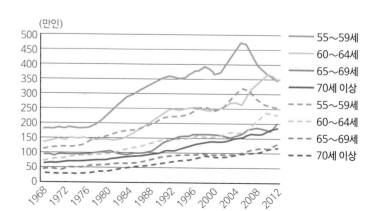

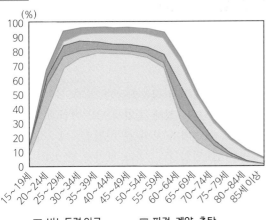

그림4 연대별 취업 형태(남성)

(%)

□ 비노동력 인구　■ 파견, 계약, 촉탁
■ 완전 실업자　■ 파트타임, 아르바이트
□ 자영업자　□ 정규 노동자

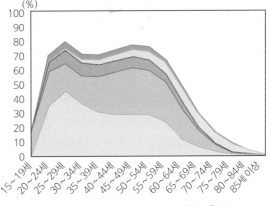

그림5 연대별 취업 형태(여성)

(%)

□ 비노동력 인구　■ 파견, 계약, 촉탁
■ 완전 실업자　■ 파트타임, 아르바이트
□ 자영업자　□ 정규 노동자

그림6 정기 건강 진단 결과의 유소견율(종합은 오른쪽 축, 그외는 왼쪽 축)

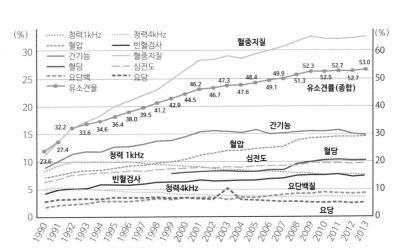

재해 발생률이 상승합니다. 한편, 직장에서 오랜 세월의 기억이나 경험을 바탕으로 한 기술의 숙련도, 조직 귀속 의식, 통찰력이 높은 경우도 있습니다.

취업 적성 확보를 위한 활동이 중요해지며, 장기적으로 건전한 노동력을 확보하기 위한 기업의 과제 해결도 기대됩니다.

(堀江正知)

건강의 유지와 증진

후생노동성의 법정 건강진단 항목에 순환기 질환이나 당뇨병 예방에 대한 항목을 추가한 결과 유소견율이 상승하고 있습니다(그림 6). 또 고령화 근로자의 건강을 확보하기 위해 1989년부터 토탈 헬스 프로모션 플랜(total health promotion plan, THP)을 시작하고 있습니다.[5]

안티에이징 의학의 발전으로 나이 듦에 의한 심신 기능 저하를 예방할 수 있으면 산업의에 의한

||||||||||||||||||||||||||||||||||||| 문헌 |||||||||||||||||||||||||||||||||||||

1) Joint ILO/WHO Committee on Industrial Hygiene: Joint ILO/WHO Committee on Industrial Hygiene Report. ILO, Geneva, 1950; 1-6.
2) 横浜南労基署長事件(平成12年7月17日付け最高裁判所第一小法廷判決)
3) OECD: Maintaining prosperity in an ageing society: the OECD study on the policy implication of ageing. OECD 1998.
4) de Zwart B, Frings-Dresen M, et al: Physical workload and the ageing worker: a review of the literature. Int Arch Occup Environ Health 1995; 68, 1-12.
5) 平成19年11月30日付け健康保持増進のための指針公示第4号

⑦ 재생 의료; 기초 연구에서 임상 응용으로

재생 의료라는 말을 자주 듣지만 재생 의료를 어떻게 정의할 수 있을까요? 일본 정부 내각부의 홈페이지에는 "손상 받은 생체 기능을 줄기세포 등을 이용하여 복원하는 의료"라고 되어 있습니다. 그렇다면 줄기세포는 무엇인지, 그리고 줄기세포를 이용하면 어째서 손상받은 생체 기능이 복원되는 재생 의료가 가능할까요?

성체 줄기세포

사람의 일생은 정자와 난자의 수정에서 시작하며, 수정란은 세포 분열을 반복하여 내배엽, 중배엽, 외배엽이라는 3층의 구조를 만듭니다. 내배엽에서는 폐, 위장관, 간, 췌장이, 중배엽에서는 골격근, 혈액 세포가, 외배엽에서는 신경계, 피부 등의 장기나 조직이 발생됩니다. 이 과정에서 각각의 장기를 구성하는 기본이 되는 세포인 "성체 줄기세포"가 생깁니다. 이 성체 줄기세포는 태생기부터 성인에 이르기까지 개개 장기의 니쉬(niche)라는 장소에 존재하여 장기를 구성하는 다양한 세포를 만들어 내고, 또 자기 자신을 복제합니다. 전자를 담당하는 능력을 다분화능, 후자를 자기 복제능이라고 하며, 줄기세포의 기본적 특성입니다.

성체 줄기세포를 이용한 재생 의료

사람의 신체를 구성하는 60조 개의 세포는 각각의 장기에 따라 다른 속도로 바뀌어 가며 동적 평형을 유지하여 항상성을 이루고 있습니다. 상피를 구성하는 대부분의 세포인 각화 세포(케라티노사이트)는 마지막에 때(각질 편)가 되어 벗겨져 떨어지며, 매일 목욕하여 때를 벗겨내도 새로운 각화 세포가 기저층에 존재하는 줄기세포에서 만들어지므로 상피를 구성하는 각화 세포는 없어지지 않습니다. 혈액을 만드는 조혈모세포는 골수에 존재하여 일생 동안 새로운 적혈구, 각종 백혈구, 혈소판 등을 포함한 다양한 혈액 세포를 계속

만듭니다. 이것이 다분화능과 자기 복제능에 의한 작용입니다. 성체 줄기세포의 이런 특성은 재생 의료 입장에서 보면 큰 이점입니다. 적혈구의 수명은 120일입니다. 피가 모자랄 때 1회 수혈의 효과는 아무리 길어도 120일입니다. 재생 불량성 빈혈처럼 새로운 혈액 세포를 만드는 능력이 없어진 질환을 수혈로 치료를 하려면 일생에 걸쳐 꽤 많은 수혈을 해야 합니다. 그런데 골수 이식이라는 형태로 조혈모세포를 도입하는 치료가 성공하면 이식된 조혈모세포가 새로운 혈액 세포를 계속 만들어내므로 장기간에 걸친 병태 개선을 기대할 수 있습니다.

성체 줄기세포를 이용한 재생 의료인, 조혈모세포, 신경 줄기세포, 간엽계 줄기세포(뼈, 연골, 지방)를 이용한 재생 의료의 임상 연구가 현재 시행되고 있습니다. 이때 생각해야 할 것은 자신의 세포를 이용한 자가 이식과 다른 사람의 세포를 이용한 동종 이식입니다. 후자에서는 면역학적 거부반응을 억제하기 위해, 장기 이식에서처럼 타크로리무스 같은 면역 억제제를 장기간 복용할 필요가 있으므로 감염, 종양 발생 등의 문제가 생깁니다. 앞으로 이런 부작용에 대한 대책이 중요한 과제입니다.

만능 줄기세포(pleuripotent stem cell)를 이용한 재생 의료

줄기세포에는 성체 줄기세포 이외에 만능 줄기세포가 있습니다. 만능은 하나의 세포에서 유래하여 내배엽, 중배엽, 외배엽의 3개 배엽성으로 분화능을 가진 것을 의미합니다. 그리고 줄기세포이므로 분화하지 않는 상태로 만능을 가지면서 증가할 수 있는 자기 복제능도 같이 가진 세포입니다. 만능 줄기세포에는, 초기배의 내부 세포덩어리(장래 태아의 몸을 형성하는 부분)에서 유래하는 배아줄기세포(embryonic stem cell, ES cell)와 체세포에 초기화 유전자를 도입하여 유도해서

만드는 유도 만능줄기세포(induced pluripotent stem cell, iPS 세포)의 2가지가 있습니다.

ES세포(Embryonic stem cell)

ES세포는 마우스에서 1981년,[1] 사람에서 1987년[2] 처음으로 수립되었습니다. 사람의 ES세포는 거의 무한하게 증식하며, 시험관 안에서 다양한 종류의 세포로 분화할 수 있으므로 많은 난치성 질환의 재생 의료에 응용 가능성이 주목받고 있습니다. 미국에서 사람 ES세포 유래에서 유도한 올리고덴드로사이트 전구세포를 이용하여 손상 후 7~14일된 흉수 손상(제3~10 흉수) 환자를 대상으로 한 연구가 2010년 시작되었습니다. 이것은 사람 ES세포를 이용한 최초의 임상 연구로 주목을 끌었지만. 4예를 이식한 시점에서 자금 부족으로 중지되었습니다. 또 미국의 다른 연구팀은 사람 ES세포 유래 망막색소세포 시트를 이용하여 망막색소변성증 및 노인성 황반 변성증 환자를 대상으로 임상 연구를 시행했습니다. 이와 같이 사람 ES세포를 이용한 재생 의료는 시작되었으나 동종 이식에서 면역학적 거부반응의 문제, 그리고 ES세포 작성을 위해 초기배를 이용하는 생명 윤리학적 문제가 있습니다.

유도 만능줄기세포(induced pluripotent stem cell, iPS 세포)

iPS 세포는 마우스에서 2006년,[3] 사람에서 2007년[4] 처음 제작되었습니다. 당시 피부의 섬유아세포에 RNA 리트로바이러스 염색체에 조합한 벡터(유전자의 운반체)를 이용하여 각종 초기화 유전자(Oct4, Sox2, Klf4, cMyc)를 도입하여 iPS 세포를 만들었으나 현재는 섬유아세포뿐 아니라 혈액세포를 재료로 염색체 게놈을 넣지 않은 에피솜화 벡터를 이용하여 임상 응용에 적절한 형태의 iPS 세포 제작이 가능하게 되었습니다. 그리고 2014년 9월 노인성 황반변성을 대상으로 자기 iPS 세포유래 망막 색소세포 시트를 이용한 이식 의료가 처음으로 시행되었습니다. 현재 파킨슨병, 척수 손상, 심부전, 각막 질환, 혈소판 질환에 iPS 세포를 이용한 재생 의료가 계획되고 있어 앞으로 재생 의료 연구의 발전을 기대하고 있습니다.[5]

(岡野栄之)

|||||||||||||||||||||||||||||||||||| 문헌 ||||||||||||||||||||||||||||||||||||

1) Evans MJ, Kaufman MH: Establishment in culture of pluripotential cells from mouse embryos. Nature 1981;292: 154-6.

2) Thomson JA, ltskovitz-Eldor J, et al: Embryonic stem celllines derived from human blastocysts. Science 1998;282: 1145-7.

3) Takahashi K, Yamanaka S: Induction of pluripotent stem cells from mouse embryonic and adult fibroblast cultures by defined factors. Cell 2006; 126(4): 663-76.

4) Takahashi K, Tanabe K, et al: Induction of pluripotent stem cell from adult human fibroblats by defined factors. Cell 2007; 131(5): 861-72.

5) Okano H, Yamanaka: iPS cell technoJogies: significance and applications to CNS regeneration and disease. Mol Brain 2014; 7: 22.

8 안티에이징 의학의 미래

일본은 2012년 의료비가 39조엔을 넘어, 고령자 의료제도 개정 등 의료비 증가 억제에 노력하고 있습니다. 따라서 예방의학의 시급한 도입이 과제가 되고 있으며, 대사증후군 예방이 지름길이라고 생각하고 있습니다. 과거처럼 병이 들고 나서 치료를 시작하는 질병 치료 중심형 의료 정책을 병이 들기 전에 개입을 시행하는 의료 정책으로 바꿀 필요가 있습니다. 안티에이징 의학은 연령 증가에 초점을 맞춘 예방의학이라고 생각하며 현재의 국가 의료 정책과 일치하는 의학의 큰 흐름으로 되어 있습니다. 근거에 의한 안티에이징 의학 시행을 위한 노화 이론으로 현재 칼로리 제한(calorie restriction, CR) 가설과 산화 스트레스 가설이 있으며, 이를 기초로 다양한 개입이 시행되고 있습니다.[1~4] 장래 이런 흐름은 어떻게 되어 갈까요?

노화 과학의 발전

안티에이징 의학에서 CR가설과 산화 스트레스 가설이 큰 위치를 차지하게 된 것은 이런 이론에 근거해 실제 개입이 가능했기 때문입니다.[5,6] 노화 기전에 에피제네틱스, 유전자 손상, 텔로미어 단축, 단백질의 크로스링킹 등 다양한 기전이 관련되는 것은 틀림없지만 이들에 대한 개입은 현 단계에서 어렵습니다.

노화의 다른 기전이 규명되어 새로운 분자 표적이 다수 발견되는 것은 충분히 예상할 수 있습니다. CR가설의 중심에 있는 서투인(sirtuin)에 더해 Forkhead box (FOXO), mammalian target of rapamycin (mTOR), nuclear respiratory factor (Nrf), 퍼옥시솜 증식인자 활성화 수용체(PPAR)-γ 공역인자 1(PGC1) 등 중요한 유전자 후보가 있어,[7~13] 새로운 개입 가능성도 있습니다. 실제로 연구 성과 발표에 매우 신중한 미국 NIA (National Institute of Aging)의 de Cabo R 등은 The Search for Antiaging Interventions: From Elixirs to Fasting Regimens(안

티에이징 개입의 추구: 불사약에서부터 단식 개입까지)을 학술지 Cell의 리뷰에, 엄격한 조건으로 현재 안티에이징 연구에서 인정되는 것을 나열했습니다(표 1).[14] 그 조건은 ① 수명 및 건강 수명의 연장, ② 적어도 3종류의 동물에서 확인, ③ 적어도 3개 이상의 연구소에서 확인 등입니다. 이 조건에 해당되는 것은 CR, 단식, 운동, 레스베라트롤, 라파마이신, 스페르미딘, 메트포르민의 7개입니다. 모두 CR 가설과 관계된 것이며, 안티에이징 연구의 중심이 CR 가설에서 시작되는 것을 잘 알 수 있습니다.

호르미시스(hormesis) 가설의 발전

칼로리 제한이나 운동 등 안티에이징 의학에 도움이 되는 분자 기전으로 현재 주목 받고 있는 것은 "호르미시스(hormesis) 가설"입니다. 호르미시스는 생체에 치명적이 아닌 스트레스를 주면 다음에 오는 스트레스에 대한 반응성이 개선되는 것을 말합니다. 조금 괴로운 상태에서는 죽을 정도까진 되지 않지만 다시 괴로운 상태가 되었을 때 내성이 생긴다는 이론입니다. 운동에 의해 활성 산소가 발생하는 것은 잘 알려졌습니다. 활성 산소는 연령 증가를 촉진시키지만, 왜 운동이 신체에 좋은가 하면 그것은 운동으로 생긴 활성 산소에 의해, 활성 산소를 제거하는 효소군이 발현되기 때문입니다. 또 운동에 의한 미토콘드리아 기능 향상이 칼로리 제한과 같은 효과를 얻을 수 있습니다.[15] 일시적인 스트레스가 전체적으로 좋은 결과를 일으킵니다. 반대로 운동을 하루 종일 계속하면 마이너스로 작용할 가능성이 있는 것을 이 이론으로 쉽게 추측할 수 있습니다.

망막의 장애에서 보면 밝은 빛은 광 장애를 일으킵니다. 그러나 어느 정도 빛을 쐬어 두면 nuclear respiratory factor 2 (Nrf2) 등의 스트레스 반응 유전자가 작용하여 카탈라제 같은 활성 산소 제거를 위한 시스템이 활성화되어 광 장애를

표1 현재 인정하는 안티에이징 개입의 7가지 방법

엄격한 기준으로 선정한 것이다.
라이프스타일과 약리 치료에 의한 플러스 효과와 마이너스 효과가 사람에서 직접 자료가 없는 것은 마우스의 효과를 기재했음.

요법	플러스 효과	마이너스 효과
칼로리제한(CR)	체지방, 혈압, 안정 시 심박 수 저하 지질 이상 개선	영양 불량 위험성(예: 신경장애, 수태력 저하, 성적 충동, 상처 치유 장애, 무월경증, 골다공증, 감염에 대한 저항력 저하)
단식	수명 연장: 고혈압, 대사증후군 특징 개선, 노화·체중 증가에 의한 언어 기억 상실 개선, 비만에서 체중 감소	건강 이상에 의한 식사 제한이 아닌 경우에는 효과 제한(소아, 저체중, 임산부, 병적 상태에 있는 사람은 위험할 수 있음)
운동	심혈관 질환, 당뇨병, 골다공증, 근육 감소증, 우울증 예방, 고령자의 자립 생활 연장	고령자에서 과도한 운동은 사망률과 관계가 있다
레스베라트롤	(마우스에서) 고령화에 따른 심장의 산화 스트레스 감소, 신경 변성, 혈관 질환, 당뇨병 예방: 대사 스트레스 상태 인 사람의 수명 연장(고지방식과 1일 간격 식사)	(사람에서) 대량 투여에 의한 구토, 위장 불쾌감, (마우스에서) 대량 투여에 의한 신장 장애
라파마이신	(마우스에서) 수명 연장, 증식 억제 효과	강한 면역 억제 작용, 장기간 투여에 부작용 (예: 상처 치료 장애, 단백뇨, 폐렴)
스페르미딘	(마우스에서) 수명 연장, 신경 변성의 억제	
메트포르민	(마우스에서) 간의 포도당 신생 감소 인슐린 감수성 상승, 수명 연장	

CR ; calorie restriction

(문헌14에서 인용)

억제합니다.[16) 이런 분자 기전이 발전하면 단순한 활성 산소를 줄이는 비타민류 섭취뿐 아니라 생체의 방어 반응을 개선하여 안티에이징에 연결되는 새로운 개입 방법이 개발될 것입니다.

유사 칼로리 제한

CR을 하지 않고 같은 효과를 얻고 싶은 생각에서 다양한 연구가 시행되고 있습니다. 이것을 유사 CR이라고 부릅니다.[17) 이 중에서 현재 주목받고 있는 것이 레스베라트롤(resveratrol) 및 레스베라트롤 관련 물질입니다. CR에 의한 서투인 활성화가 장수 유전자 발현의 중요한 경로라고 생각하고 있으므로 서투인을 활성화할 수 있는 레스베라트롤을 섭취하여 같은 효과를 기대하는 것입니다. 레스베라트롤의 1,000배 이상 효과가 있는 물질이 개발되어 앞으로 장래 이 영역은 크게 발전할 것으로 생각합니다.[18,19)

서투인은 nicotinamide adenine dinucleotide (NAD) 의존성 효소이므로 NAD 농도를 높이는 방법도 시도되고 있습니다. 그 중 하나는 전구 물질 투여이며 nicotinamide mononucleoside (NMN)나 nicotinamide riboside (NR)가 유망시되고 있습니다. 다른 하나는 NAD를 경쟁적으로 사용하는 poly ADP-ribose polymerase (PARP) 효소 저해제 사용입니다. NR은 미국에서 기능 식품으로 판매되어 큰 기대를 하고 있습니다.

또 유사 CR로 케톤체 응용도 기대되고 있습니다. 케톤체 중에서 특히 hydroxy butyrate (HBA)는 FOXO나 inflamasome을 통한 산화 스트레스나 염증 조절 작용을 기대하고 있습니다. 필자는 HBA를 눈에 넣은 국소 투여 방법으로 유사 CR의 효과를 응용한 치료제 개발을 연구하고 있습니다.

산화 스트레스 조절의 발전

당뇨병에서 고혈당에 의한 손상의 거의 대부분은 산화 스트레스에 의한 장애라고 생각하고 있습니다. 서로 관계가 없을 것 같은 4개의 경로에 모두 활성 산소가 관여하고 있으므로(그림 1),[20) 산화 스트레스를 억제하는 비타민 A, C, E나 다양한 기능식품이 당뇨병 합병증 예방에 효과가 기대되지만, 아직 산화 스트레스 조절에 의한 치료법은 개발되지 못했습니다. 이것은 산화 스트레스를 충분히 제어할 수 있는 물질이 아직 없기 때문이라고 생각합니다. 또 산화 스트레스는 세포내 신호로도 사용하고 있기 때문에[21) 과산화수소를 모두 제거하지 않고, 손상을 일으키는 hydroxyl radical만을 선택적으로 제거하는 방법 예를 들어 수소수(水素水)를 이용하는 방법이 기대됩니다.

질병 치료로서 안티에이징 의학

유사 CR이나 산화 스트레스 조절 같은 과거의 안티에이징은 어떤 의미에서는 막연한 목표로 개발하고 있었으나, 최근에는 사고 혁신으로 안티에이징 의학을 질병 치료에 사용하려는 시도가 시작되었습니다(그림 2). 예방의학을 넘어 치료의학에 안티에이징 의학을 이용한다는 획기적 생각입니다. 실제로 레스베라트롤이 서투인을 활성화하는 작용은 효모, 꼬마 선충의 노화 연구에서 발견되었으며, 2008년 미토콘드리아 뇌근증(MELAS syndrome; mitochondrial myopathy, encephalopathy, lactic acidosis, and stroke)에 대한 희귀 약품으로 미국 식품 의약품국(FDA)에 신

청되었습니다. NMN, NR도 활성 산소가 관여하는 노인성 난청이나 안구건조증에서 산화 스트레스 조절에 의한 치료가 모색되고 있습니다.[22~24)

장래 전망

안티에이징 의학의 미래는 밝습니다. 예방의학으로서 중요한 지위를 확립할 뿐 아니라 질병 치료의 일부도 될 것입니다. 다만 아직 넘어야할 많은 장애가 많습니다. 한 예로 서투인 등의 장수 유전자가 체세포의 노화를 억제하는 기능이 있으나, 포유류가 가진 7개의 서투인 중 일부는 암 세포의 노화도 억제하거나 암 세포를 항암제로부터 지키는 등 생체에 부정적 작용도 나타냅니다. 항산화 기능식품도 과잉 섭취하면 세포에 필요한 산화 스트레스를 없앨 가능성이 있어 개개인에 따른 필요량 결정이 중요합니다.

그래도 안티에이징 의학의 미래는 밝습니다. 노화 기전 규명에 따라 NAD 농도를 올리거나 케톤체의 농도를 올리는 비교적 간편하고 염가인 안티에이징 방법이 나타나기 시작했기 때문입니다.[25) 현재도 매년 수개월씩 수명 연장이 나타나고 있으며, 이것을 적극적으로 추진하여 인류 전체의 수명의 연장으로 연결되면 사회적 영향은 매우 클 것입니다. 사실 현재 국내 총생산(GDP) 증가의 상당한 부분이 수명 연장에 의해 일어난 것은 틀림없으며, 예방의학을 통해 질병이 되고

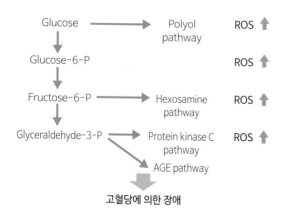

그림1 당뇨병에서 산화 스트레스의 관여

4개 경로 모두에서 활성산소가 관여한다

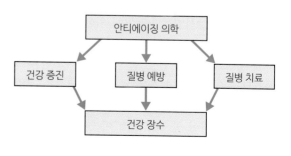

그림2 질병 치료로서 안티에이징 의학

안티에이징 의학은 건강 장수, 질병 예방에 더해 질병 치료에 대한 역할도 있다

나서 치료하는 비용을 줄일 수 있으면 경제 효과도 기대할 수 있습니다. 한 개인에게뿐 아니라 사회 전체에 중요한 의학이라고 생각할 수 있습니다.

(坪田一男)

문헌

1) Kirkwood TB: Understanding the odd science of aging. Cell 2005; 120(4): 437-47.

2) Kenyon C: The plasticity of aging: insights from long-lived mutants. Cell 2005; 120(4): 449-60.

3) Kennedy BK, Smith ED, et al: The enigmatic role of Sir2 in aging. Cell 2005; 123(4): 548-50.

4) Hadley EC, et al: The future of aging therapies. Cell 2005; 120(4): 557-67.

5) Roth GS, et al: Biomarkers of caloric restriction may predict longevity in humans. Science 2002; 297(5582): 811.

6) Khaw KT, et al: Combined impact of health behaviours and mortality in men and women: the EPIC-Norfolk prospective population study. PLoS Med 2008; 5(1): e12.

7) Wang MC, Bohmann D et al: JNK extends life span and limits growth by antagonizing cellular and organism-wide responses to insulin signaling. Cell 2005; 121(1): 115-25.

8) Essers MA, et al: Functional interaction between beta-catenin and FOXO in oxidative stress signaling. Science 2005; 308(5725): 1181-4.

9) Hwangbo DS, et al: Drosophila dFOXO controls lifespan and regulates insulin signalling in brain and fat body. Nature 2004; 429(6991): 562-6.

10) Brunet A, et al: Stress-dependent regulation of FOXO transcription factors by the SIRT1 deacetylase. Science 2004; 303(5666): 2011-5.

11) Liu Y, et al: A genomic screen for activators of the antioxidant response element. Proc Natl Acad Sci USA 2007; 104(12): 5205-10.

12) Jager S, et al: AMP-activated protein kinase (AMPK) action in skeletal muscle via direct phosphorylation of PGC-1alpha. Proc Natl Acad Sci USA 2007; 104(29): 12017-22.

13) Yamauchi T, et al: Targeted disruption of AdipoR1 and AdipoR2 causes abrogation of adiponectin binding and metabolic actions. Nat Med 2007; 13(3): 332-9.

14) de Cabo R, et al: The Search for Antiaging Interventions: From Elixirs to Fasting Regimens. Cell 2014; 157(7): 1515-26.

15) Schulz TJ, et al: Glucose restriction extends Caenorhabditis elegans life span by inducing mitochondrial respiration and increasing oxidative stress. Cell Metab 2007; 6(4): 280-93.

16) Tanito M, et al: Sulforaphane induces thioredoxin through the antioxidant-responsive element and attenuates retinal light damage in mice. Invest Ophthalmol Vis Sci 2005; 46(3): 979-87.

17) Curtis R, Geesaman BJ, et al: Ageing and metabolism: drug discovery opportunities. Nat Rev Drug Discov 2005; 4(7): 569-80.

18) Milne JC, et al: Small molecule activators of SIRT1 as therapeutics for the treatment of type 2 diabetes. Nature 2007; 450(7170): 712-6.

19) Baur JA, et al: Resveratrol improves health and survival of mice on a high-calorie diet. Nature 2006; 444(7117): 337-42.

20) Brownlee M: Biochemistry and molecular cell biology of diabetic complications. Nature 2001; 414(6865): 813-20.

21) Veal EA, Day AM, et al: Hydrogen peroxide sensing and signaling. Mol Cell 2007; 26(1): 1-14.

22) Imai SI, Guarente L: NAD and sirtuins in aging and disease. Trends Cell Biol 2014.

23) Brown K: Activation of SIRT3 by the NAD+ Precursor NIcotinamide Riboside protects from Noise-induced hearing loss. Cell Metabolism 2014; 20: 1059-68.

24) Brenner C: Boosting NAD to spare hearing. Cell Metab 2014; 20(6): 926-7.

25) Shimazu T, et al: Suppression of oxidative stress by beta-hydroxybutyrate, an endogenous histone deacetylase inhibitor. Science 2013; 339(6116): 211-4.

II

안티에이징(노화방지) 의학의 전망

Ⅲ

안티에이징(노화방지)
의학의 기초

A. 유전자와 안티에이징 의학

B. 세포 의학과 안티에이징 의학

C. 산화 스트레스와 안티에이징 의학

D. 면역과 안티에이징 의학

E. 대사와 안티에이징 의학

F. 내분비와 안티에이징 의학

G. 뇌와 안티에이징 의학

H. 감각 지각과 안티에이징 의학

 I. 외모와 안티에이징 의학

1 게놈의 이해

개인의 게놈 서열을 알 수 있는 퍼스널게놈 (personal genome) 시대가 가까워지고 있습니다. 자신의 설계도인 30억의 DNA 문자열을 해석·검색·음미하고, 자신의 건강 목적으로 사용할 수 있게 되었습니다. 게놈에는 건강이나 병에 대한 확정적 정보와 불확정적 정보 양쪽이 기록되어 있습니다. 일생 불변의 정보인 퍼스널게놈을 어디까지 알고 싶은지는 개개인이 심사숙고하여 결정할 필요가 있으며, 모를 권리도 존중하지 않으면 안 됩니다. 이제 게놈 정보 활용 능력이 필요한 시대입니다.

▌임상적 서열 분석

게놈 해독으로 가장 잘 이해하고 있는 것은 유전자라고 부르는 게놈 영역이며 2만 수천 개소입니다. 유전자는 전사, 번역을 통해 몸의 기본이 되는 단백질을 만듭니다. 단백질을 코드하는 유전자 부분은 전체 게놈의 약 2%이며 이 부분을 모두 해석하는 것이 전장 엑솜 분석(whole exome sequenceing, WES) 분석입니다. 전장 엑솜 분석은 전장 유전체 분석(whole genome sequencing, WGS)보다 데이터 약 1/50로 작게 정보가 농축되어 있으므로 현재 흔히 사용하고 있습니다. 유전자의 변이 존재 여부는 비교적 쉽게 판정할 수 있습니다. 이 기법은 드문 유전 질환의 유전자 변이 탐색이나 암 조직에서 변이 확인 등 임상적 서열 분석(sequencing)의 하나로 응용하고 있습니다.

▌유전자 연구

유전자 클로닝이 80년대에 본격적으로 시작되고 나서 지금까지의 유전자 연구 축적에 의해 많은 유전자의 기능이 밝혀졌으며, 또 단백질 구조의 유사성을 이용한 기능 추정이 합리적으로 이루어지고 있습니다. 단백질은 단독으로 작용하기보다 여러 종류가 일정한 생명 현상에 관여하므로, 기능적 연결 경로나 네트워크 등의 개념도 정비되어 왔습니다. 유전자 변이에 의해 단백질을 만들 수 없게 되거나 아미노산이 바뀌거나(질적 변화) 유전자 발현량을 조절하는 영역의 변이에 의해 단백질 생산량이 변화됩니다(양적 변화). 이런 유전자 변이에 의한 유전자 기능 변화와 질환이나 체질과의 관련성에 대한 연구는 아직 진행되고 있습니다.

▌개인의 유전자 서열 정보

질환을 크게 나누면, 한 유전자의 변이가 원인이 되어 일어나는 단일 인자 질환과 몇 개의 유전자와 환경 인자가 더해져 발병하는 다인자 질환이 있습니다. 환자 수는 다인자 질환이 훨씬 많습니다. 개인의 유전자를 분석하면 단일 유전자 이상이나 다인자 질환과 관련된 유전자 변이를 알 수 있을 것으로 기대하고 있습니다.

단일 유전자 질환을 일으키는 유전자 변이(현재 임상적 대응이 어려운 질환)

단일 유전자 질환에는 수천 종류가 있다고 합니다. 개인의 유전자 분석으로 정상처럼 보이는 사람에서도 이런 변이를 발견할 수 있습니다(열성 유전자의 보인자(carrier)). 결혼 전에 상대방이 나와 같은 열성 유전자 변이를 공동으로 가지고 있는지 조사하는 유전자 검사 서비스를 미국과 유럽에서는 시행하고 있습니다.

단일 유전자 질환 관련 유전자 변이(임상적 대응이 가능한 질환)

개인의 유전자 분석을 보편적으로 시행하고 있는 미국에서 우연히 병을 일으킬 수 있는 유전자 이상을 발견했을 때 어떻게 할 것인지 문제가 되어 미국 임상게놈학회(ACMG)가 권고 사항을 발표했습니다. 가족성 암이나 돌연사를 일으키는 심장 질환과 관련된 56개 유전자(ACMG56이라고 부름)는 본인의 동의가 있어야 알려주기로 했습니다. 이와 같은 "모르고 지낼 수 있는 권리의 침해"에 대한 논란이 일어났습니다.

다인자 질환의 유전자 변이

흔히 보는 만성 질환(common chronic diseases)은 다인자 질환이며, 여러 유전자와 환경 인자에 의해 발생 위험이 정해집니다. 이런 유전자 변이는 전장 유전체 연관 분석(genome-wide association study, GWAS) 기법으로 발견되고 있습니다. 확인된 변이(이 경우 인구 집단에서 변이 빈도가 높으면 다형성이라고 부름)가 발생 위험에게 주는 영향은 1~1.5배 정도입니다. 예를 들어 2형 당뇨병 발병과 관련 유전자/유전자 다형이 80개 이상 발견되었습니다. 이들 개개의 다형성이 병을 일으키는 영향은 작지만, 효과가 합쳐지면 발생 위험이 임상적으로 의미 있는 2배를 넘을 수 있습니다. GWAS 결과를 상업적으로 이용하여 만성 질환이 발생될 유전적 위험을 알려주는 소비자 직결형(Direct-to-Consumer, DTC) 유전자 검사가 시행되고 있습니다. 미국에서 2000년대 후반 유전자 분석 사업이 활발했으나 FDA의 규제에 의해 소강 상태에 들어갔다가 2017년부터 다시 활성화가 시작되고 있습니다. 일본도 아직 시작 단계입니다. DTC형 유전자 검사는 질병 진단이 목적이 아니라 위험을 예측하여 미리 대책을 세우려는 점에서 의료가 아니며 자기 건강 관리의 하나입니다. 이런 경계를 소비자는 이해하기 어렵기 때문에 이에 대한 명확한 규정이 필요하며, 게놈 정보 활용 능력이 중요합니다.

유의성이 명확하지 않은 변이의 발견(variation of unknown significance, VUS)

개인 유전자 분석에서는 임상적 의의가 있는 유전자 이상 이외에 유전성이 명확하지 않은 것도 많이 발견됩니다. 한 쌍의 유전자에서 한 쪽만 손상된 경우도 발견되며 이때 임상적 의의는 명확하지 않습니다. 앞으로 100만 명 이상의 게놈 코호트가 완성되어 유전자형과 표현형의 관련성 분석이 완료되면 유전자 이상에 대해 보다 많은 것을 이해할 수 있을 것입니다.

█ P4 의료, 헬스케어, 개인 유전자 분석

21세기에 이상적인 의료의 모델로 P4 의료(predictive 예측; preventive 예방; personalized 개별화; participatory 참가형)가 제시되었습니다. 병원에서 시행하는 의료와 개개인이 자신의 책임하에 시행하는 건강 관리(health care)의 경계가 근접하고 있습니다. 그 한 예가 유전자 검사 서비스입니다. 개개인이 자신의 게놈 정보에 접근할 수 있으면 질병이나 그 가능성에 대해 병원에서 제공하는 수동적 의료의 형태가 아니라 자신이 주도적으로 건강 관리를 시행할 수 있을 것입니다. 개인의 유전자 정보가 건강 관리에 대한 권한부여(empowerment)가 된다는 점에서 의료와 건강 관리에 커다란 영향을 줄 가능성이 있습니다.

(村松正明)

2 세포 노화와 노화 관련 질환

세포 노화와 개체의 노화

많은 역학연구를 통해 나이 듦 자체가 심혈관 질환, 당뇨병, 알츠하이머병, 암 등의 위험 인자인 것이 알려져 이들을 노화 관련 질환이라고 부릅니다.

노화의 원인에는 많은 가설이 있으나 그 중 하나가 "세포 노화 가설"입니다. 세포는 일정한 분열과 증식 후에는 노화되어 비가역적으로 분열을 정지합니다. 노화된 세포는 편평화나 확대 등의 형태 변화가 일어나서 senescence-associated (SA) β-gal 염색에 양성이 됩니다. 또 p53나 p16 등 세포 주기 제어 인자 발현이 항진되어 이들은 노화 지표로서 역할을 합니다. 텔로미어는 염색체 양끝에 존재하여 염색체의 보호나 복제에서 기질의 역할을 담당하지만, 세포 분열에 따라 극도로 짧아지면 손상된 DNA라고 인식되어 p53 의존성 노화 신호가 활성화되면서 세포 증식이 정지됩니다(=replicative senescence). 또 산화 스트레스나 방사선에 의한 DNA 손상이나 암 유전자 발현에 의한 과잉 증식 자극에도 p53 의존성 노화 신호가 활성화되어 텔로미어 비의존성 세포 노화가 일어납니다(=stress-induced premature senescence).[1]

지금까지의 많은 연구를 통해 고령자나 조기 노화증후군 환자에서 세포 수명의 단축은 나이 듦에 따른 텔로미어 단축이나 노화 세포 축적으로 알려졌습니다. 이렇게 세포 노화는 사람에서 노화를 일으키는 중요한 과정이라고 생각할 수 있습니다.

혈관 노화와 동맥경화

동맥경화는 고혈압, 허혈성 심질환, 뇌졸중 등 많은 노화 관련 질환을 일으키는 원인이 됩니다. 동맥경화 발생 기전은 비교적 잘 알려져 있지만, 무엇보다 중요한 기전은 혈관 세포의 노화입니다. 사람의 동맥경화 병소 세포는 정상 혈관 세포에 비해 증식능 저하와 텔로미어 단축이 있다고 알려졌습니다. 실제로 사람의 동맥경화 병소를 SA β-gal 염색하면 비동맥경화 병소에 비해 강하게 염색되어 혈관내피의 세포 노화가 일어나고 있는 것을 알 수 있습니다.[2] 이런 세포에서는 p53나 p16같은 노화 지표 발현이 항진되고, 혈관 확장 물질인 endothelial nitric oxide synthase (eNOS) 저하나 염증 유도 분자의 발현 증진을 볼 수 있습니다. 그 밖에 강력한 혈관 수축 물질인 안지오텐신II (AngII)은 노화에 따라 증가하며, 이것이 p53/p21 경로를 통해 텔로미어 비의존성으로 혈관 평활근 세포 노화를 일으키고,[3] 산화 스트레스나 DNA 손상이 텔로미어 비의존성으로 혈관 세포 노화를 일으킵니다. 이상의 소견이 세포 노화에 의해 혈관 노화가 일어나는 근거이며, 세포 노화가 동맥경화성 질환의 치료 표적이 될 가능성을 시사합니다.

지방 조직 노화와 당뇨병

개체의 노화에 따라 당뇨병이나 대사증후군같은 노화 관련 질환이 증가하는 것은 잘 알려져 있으며, 이런 질환에서 비만에 동반한 내장 지방 축적과 인슐린 저항성이 병태의 기반으로 되어 있습니다. 또 비만에 동반한 인슐린 저항성이나 당뇨병 발생에 지방조직의 염증 관여도 알려졌습니다. 실제로 비만한 노화 모델 마우스에서 당뇨병 발생과 동시에 지방조직 노화가 일어나는 것을 볼 수 있습니다. 이때 지방세포에서는 산화 스트레스 축적에 의해 p53 의존성 세포 노화가 관여합니다. 지방세포의 p53 결손이나 노화 지방조직 제거에 의해 지방 조직의 염증이나 당뇨병이 개선된다는 사실에서, 세포 수준의 노화가 지방조직 노화를 일으키고 그것이 당뇨병 발생이라는 개체 수준 노화를 촉진한다고 생각할 수 있습니다.[4]

심장 노화와 심부전

노화에 따라 증가하는 대표적 질환의 하나에 심부전이 있습니다. 심부전의 보상기에는 심비대(cardiomegaly)가 일어나지만, 더욱 진행하면 다시 비보상기로 이행합니다. 심부전이 보상기에서 비보상기로 이행하는 기전에 심장의 노화가 중요한 역할을 하는 것으로 알려졌습니다. 압력 부하에 의해 비대한 심근에서는 p53 의존성 노화가 일어납니다. 이 노화 신호가 hypoxia inducible factor-1 (HIF-1)을 통해 혈관신생을 억제하면 심근 조직 허혈이 일어나서 심기능이 저하되어 비보상기로 이행하는 것으로 알려졌습니다.[5]

지방 조직 노화와 심부전

많은 임상 연구에서 심부전과 당뇨병, 특히 인슐린 저항성의 관련성을 지적하고 있습니다. 만성 심부전에서 전신의 인슐린 저항성이 생기는 기전은 뚜렷하지 않지만, 최근 지방 조직의 염증에 의한 인슐린 저항성 발생이 알려졌습니다. 심부전 모델 마우스에서 심기능 저하와 동시에 전신의 인슐린 저항성과 내장 지방조직의 염증이 일어났습니다. 이런 지방조직을 분석하여 심부전에서 활성화된 교감신경이 지방 융해를 일으키고, 이것이 산화 스트레스 항진이나 DNA 손상을 통해 지방세포의 p53 의존성 노화를 유도해서 지방 염증을 일으키는 것으로 밝혀졌습니다.[6]

마지막으로

1960년대 Hayflick에 의해 세포 노화 가설이 제창된 이후, 세포 노화가 개체 노화나 노화 관련 질환에 발생에 관여한다는 사실이 많은 연구를 통해 알려졌습니다. 이런 근거에서 세포 노화가 동맥경화성 질환이나 비만, 심부전, 당뇨병 등의 노화 관련 질환에 공통적 병태 기반을 시사하므로 앞으로 세포 노화를 표적으로 한 노화 관련 질환에 대한 새로운 치료법 개발이 기대됩니다.

(吉田陽子 , 南野 徹)

문헌

1) Minamino T, Komuro I: Vascular aging: insights from studies on cellular senescence, stem cell aging, and progeroid syndromes. Nat Clin Pract Cardiovasc Med 2008; 5: 637-48.

2) Minamino T, Komuro I: Vascular cell senescence: contribution to atherosclerosis. Circ Res 2007; 100: 15-26.

3) Kunieda T, Minamino T, et al: Angiotensin II induces premature senescence of vascular smooth muscle cells and accelerates the development of atherosclerosis via a p21-dependent pathwat. Circulation 2006; 114: 953-60.

4) Minamino T, Orimo M, et al: A crucial role for adipose tissue p53 in the regulation of insulin resistance. Nat Med 2009; 15: 1082-7.

5) Sano M, Minamino T, et al: p53-induced inhibition of Hif-1 causes cardiac dysfunction during pressure overload. Nature 2007; 446: 444-8.

6) Shimizu I, Yoshida Y, et al: p53-induced adipose tissue inflammation is critically involved in the development of insulin resistance in heart failure. Cell Metab 2012; 15: 51-64.

③ 에피제네틱스(Epigenetics)와 안티에이징 의학

에피제네틱스와 노화

에피제네틱스는 DNA 염기 서열의 변화 없이 유전자 발현을 제어하는 DNA나 히스톤에 대한 화학적 수식이며, 세포 분열 후에도 계승되는 변화입니다. 대표적 에피제네틱스 변화는 DNA 메틸화 및 히스톤의 아세틸화나 메틸화입니다. DNA 염기 서열 정보 전체를 게놈이라고 부르는 데 반해 그 게놈을 수식하는 에피제네틱스 정보 전체를 에피게놈(epigenome)이라고 부릅니다.

최근 에피제네틱스가 암을 비롯한 각종 질환뿐 아니라, 노화에도 일정한 역할을 하는 것으로 알려졌습니다. 예를 들어, 일란성 쌍생아는 게놈 서열이 같지만, 출생 후 다른 생활 환경이나 생활 습관으로 살면서 한쪽에만 당뇨병, 암 등의 질환이 발생하는 것이나, 양쪽의 수명이 다른 것을 자주 볼 수 있습니다. 이런 변화는 연령 증가에 의한 에피게놈 변화가 원인이라고 생각할 수 있습니다. 3세와 50세의 일란성 쌍생아에서 DNA 메틸화와 히스톤 아세틸화를 비교한 연구에서, 3세 일란성 쌍생아는 에피게놈 상태에 차이가 거의 없었으나, 50세 일란성 쌍생아는 명확한 차이가 있었습니다.[1] 서로 다른 생활 환경이나 생활 습관에 의해 나이 듦에 따라 에피게놈 변화가 축적되어 질환 발생이나 수명에 영향을 준다고 할 수 있습니다.

에피제네틱스 변화에 의한 유전자 발현의 ON과 OFF

DNA 메틸화는 척추동물 게놈에서 유일한 생리적 수식입니다. DNA 메틸화는 DNA 5'쪽의 시토신(C), 구아닌(G) 순서로 늘어선 2염기 서열(CpG) 중에서 시토신의 5 위치 탄소 원자에 메틸기가 추가되는 반응이며, DNA 메틸화 효소(DNA methyltransferase, DNMT)에 의해 촉매됩니다. 많은 유전자의 프로모터 영역에는 CpG 아일랜드라고 부르는 CpG 서열 클러스터가 형성되어 있습니다.

그림 1에서 보듯이 활발하게 발현되는 유전자의 프로모터 영역에는 DNA 메틸화가 없으나, 히스톤은 아세틸화되어 있습니다. 한편 히스톤 H3의 9번째 리신기(H3K9)가 메틸화되면 DNMT 및 히스톤 탈아세틸화효소(histondeacetylase, HDAC)가 동원되어 DNA가 메틸화되고 히스톤이 탈아세틸화합니다.[2] 이런 수식으로 크로마틴 구조가 응집되면 유전자 발현이 불활성화됩니다. 또 DNA 메틸화를 통하지 않는 에피제네틱스 기전에 의한 유전자 발현 억제 기전으로, 폴리콤 억제 복합체(polycomb repressive complex 2, PRC2)에 의한 히스톤 H3의 27번째 리신기(H3K27)의 메틸화도 보고되었습니다(그림 1).

이와 같은 에피게놈 변화는 유전자 발현의 ON와 OFF를 제어하는 스위치 같은 역할을 하고 있습니다. 또 하나의 중요한 사실은, 이런 에피게놈 변화가 DNA 메틸화 저해제, 히스톤 탈아세틸화효소 저해제, 히스톤 메틸화효소 저해제 등에 의해 가역적으로 조절될 수 있으므로, 암 등의 질환에 대한 차세대 분자 표적 치료제로 주목을 끌고 있다는 것입니다.[3] DNA 메틸화 저해제 5-Azacytidine (Vidaza®) 및 히스톤 탈아세틸화 효소 저해제 Vorinostat (Zolinza®)가 골수 이형성증후군 및 피부 T세포 림프종에 적응증이 인가되어 좋은 치료 효과를 보고 있습니다.[4]

줄기세포의 노화에 의한 에피게놈(epigenome) 변화

조혈모 세포나 장관 상피 줄기세포 등의 조직 줄기세포는 영속적인 자기 복제능과 다분화능이 있는 조직 구성에 중요한 세포입니다. 이런 조직 줄기세포는 일생 동안 자가 복제가 일어나므로 노화 과정에서 에피게놈 변화 축적을 관찰하는 좋은 모델이라고 생각할 수 있습니다.

그림1 에피제네틱(epigenetic) 변화에 의한 유전자 발현의 ON과 OFF

히스톤 H3K9가 메틸화되면, DNMT 및 HDAC를 동원하여 DNA 메틸화에 의해 히스톤의 탈아세틸화가 일어난다. 이런 수식으로 크로마틴이 응집되면 유전자 발현이 불활성화된다. 한편 PRC2에 의한 히스톤 H3K27 메틸화도 DNA 메틸화를 통해 유전자 발현을 불활성화한다.
●: 메틸화 DNA, ○: 비메틸화 DNA, Ac : 히스톤 아세틸화, Me : 히스톤 메틸화

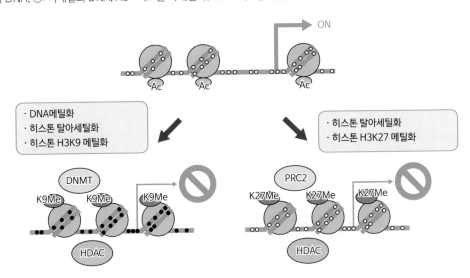

그림2 줄기세포의 노화에 의한 에피게놈(epigenome) 변화

젊은 줄기세포는 DNA 메틸화나 히스톤 수식 등의 에피게놈 상태가 거의 균일하게 유지되고 있다. 노화에 따른 자기 복제의 반복, 환경 인자 노출이나 만성 염증, 바이러스나 세균 감염 등이 더해지면 에피게놈 변화가 축적된다. 또한 노화가 진행되면 에피게놈 변화 항진으로 결국 줄기세포 고갈에 따른 조직의 기능 부전, 암 등의 증식 이상을 일으킨다고 생각할 수 있다.

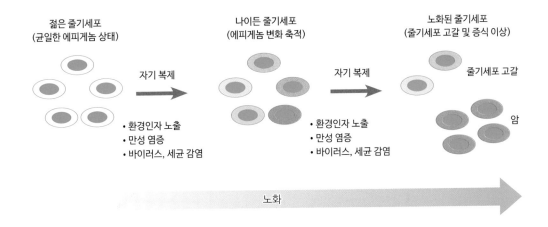

※역자 주:
- DNMT : DNA methyltransferase
- HDAC : histone deacetylase
- PRC2 : polycomb reressive complex 2

그림 2와 같이 젊은 줄기세포에서는 DNA 메틸화나 히스톤 수식 등의 에피게놈 상태가 거의 균일하게 유지되고 있습니다. 그러나 나이가 들면서 자가 복제가 반복되고, 또 환경 인자 노출이나 만성 염증, 바이러스·세균 감염 등이 더해지면 에피게놈 변화가 축적됩니다. 노화가 진행되면 에피게놈 변화도 항진되고, 최종적으로 줄기세포의 고갈에 따른 조직의 기능 부전이나 암 등의 증식 이상이 나타난다고 생각할 수 있습니다.[5]

노화라는 생명 현상에 여러 유전자의 변화가 복잡하게 서로 관련되어 있을 것으로 예상합니다. 그리고 그런 유전자가 에피게놈 변화에 의해 제어된다고 하면 새로운 저분자 화합물에 의해 에피게놈 변화를 인위적으로 제어하여 노화 진행에 중요한 유전자 발현을 제어할 가능성을 생각할 수 있습니다. 이런 에피게놈 조절제를 안티에이징에 이용하기 위해서는 노화의 열쇠가 되는 유전자 발견이나 유전자 특이적 에피게놈 제어제 개발이 필요합니다. 앞으로 새로운 연구에 의해 에피제네틱스와 안티에이징 의학의 발전을 기대합니다.

(齋藤義正)

|||||||||||||||||||||||||||||||||||||||||||| **문헌** ||||||||||||||||||||||||||||||||||||||||||||

1) Fraga MF, Ballestar E, et al: Epigenetic differences arise during the lifetime of monozygotic twins. Proc Natl Acad Sci USA 2005; 102:10604-9.
2) Saito Y, Saito H, et al: Epigenetic alterations and microRNA misexpression in cancer and autoimmune diseases: a critical review. Clin Rev Allergy Immunol 2014; 47: 128-35.
3) Gal-Yam EN, Saito Y, et al: Cancer epigenetics: modifications, screening, and therapy. Annu Rev Med 2008; 59: 267-80.
4) Campbell RM, Tummino PJ: Cancer epigenetics drug discovery and development: the challenge of hitting the mark. J Clin Invest 2014; 124: 64-9.
5) Issa JP: Aging and epigenetic drift: a vicious cycle. J Clin Invest 2014; 124: 24-9.

4 노화 유전자

노화 유전자는 유전자 이상에 의해 노화가 촉진되는 원인 유전자를 말합니다. 반대로 유전자 이상으로 노화가 지연되는 유전자는 장수 유전자라고 할 수 있으나 넓은 의미에서 모두 노화(수명) 유전자가 됩니다. 여기서는 유전자 이상에 의해 노화를 촉진하는 '노화 유전자'에 대해 알아 봅니다.

조로증 연구에서 밝혀진 노화 유전자[1]

유전성 조로증의 원인 유전자 탐색에서, 사람의 노화 과정에 강한 영향을 주는 유전자가 발견되었습니다. 이런 유전자는 장수 변이체에서 발견되는 '장수 유전자'와 달리 대부분 DNA 회복이나 게놈 안정성에 관여하는 유전자입니다(표 1).

잘 알려진 유전성 조로증에 Werner 증후군이 있습니다. Werner 증후군은 사춘기 이후에 발병하여, 30대에 노인에서 발병하는 백내장, 피부 궤양, 동맥경화증, 골다공증, 당뇨병에 더해 암 등의 노인성 질환이 나타나며, 40~50대에 생을 마감하는 유전병입니다. 1996년 질환 가계의 유전자 분석으로 WRN helicase 유전자 변이가 발견되었습니다.[2] 이 유전자는 염색체 재조합 회복에 중요한 역할을 합니다. 따라서 Werner 증후군 환자에서 채취한 세포에서 염색체 손상이나 세포 노화를 볼 수 있습니다. 최근 Werner 증후군 환자에서 유도 만능 줄기세포(induced pluripotent stem cell, iPS 세포)를 수립하여 리프로그래밍이 세포 노화 표현형을 완화하는 것으로 알려졌습니다.[3] WRN helicase와 구조가 비슷한 helicase 유전자 BLM과 RTS는 각각 Bloom 증후군과 Rothmund-Thomson 증후군의 원인 유전자이며, helicase의 활성과 조로증의 발생에 대한 연구가 있습니다(표 1).[2]

또 출생 시부터 노화가 4배나 빠르게 진행하는 Hutchinson-Gilford 증후군 환자는 초등학생 때부터 골절, 관절 탈구, 심근경색 등 성인에서 보는 병이 발생하며, 뇌졸중 등으로 20세 정도에 사망하는 중증 조로증입니다. 2003년 이 질환 가계의 유전자 분석에서 라민 A 유전자 변이가 보고되었습니다.[4] 라민 A는 핵막에 부착된 단백질인 라민 분자 중에서 가장 분자량이 큰 동족체를 코드하는 유전자이며, 핵막의 구조와 기능 유지에 중요한 역할을 하고 있습니다. 환자에서 채취한 림프구에서 핵의 크기가 크고, 핵에서 크로마틴 구조가 튀어 나오는 소견이 관찰 되어 게놈을 수납하는 핵막의 역할이 재인식되고 있습니다. 최근 이 환자에서 iPS 세포를 수립했으며, iPS 세포는 비정상 라민 A (progerin)이 발현되지 않고 노화 표현형이 나타나서, 분화시에 progerin은 발현되고 핵막의 이상이 나타나는 것으로 밝혀졌습니다.[5] 핵막에 어떤 노화 제어 기전이 있는지 아직 알려지지 않았으나 발전이 기대되는 연구 과제입니다.

표1 **유전적 조로증(무로증[無老症])의 원인 유전자**

유전성 조로증	원인 유전자	유전자 기능
Werner 증후군	WRN 헬리카제 유전자	변형(substitution) 회복
Hutchinson-Gilford 증후군	라미닌 A 유전자	핵막 보강 단백질
Cockayne 증후군	CSA 유전자, CSB 유전자	전사 공역형 DNA 회복
Bloom 증후군	BLM 헬리카제 유전자	DNA 회복효소
Rothmund-Thomson 증후군	RTS 헬리카제 유전자	DNA 회복효소
색소성 건피증	XP 유전자	DNA 회복효소
모세혈관 확장성 실조증	ATM 유전자	세포주기 체크포인트 제어
Down 증후군	21번 삼염색체성(trisomy)	원인 유전자 불명

노화 모델 마우스와 노화 유전자[1]

유전자 조합 기술의 발전으로 노화 표현형을 나타내는 노화 모델 마우스가 여러 종류 제작되었으며, 마우스에서 노화 유전자가 확인되고 있습니다(표 2).

Klotho 마우스는 현저한 성장 장애를 동반하여 출생 수개월에 다양한 노화 증상이 나타나고, 평균 수명이 60일에 불과한 조로 마우스입니다. 골다공증, 동맥경화증, 폐기종, 피부 노화, 성선 위축 등이 관찰됩니다. 원인 유전자인 Klotho는 신장에서 많이 발현되며, 칼슘 대사조절에 관여하고 있습니다. 유전자 변이가 있으면 칼슘 항상성이 유지되지 않으며 뼈의 칼슘 대사 이상으로 골다공증이 발생하고, 단백질 분해 효소인 μ-calpain이 활성화 되어 조직 장애도 일으킵니다 (표 2).

텔로미어는 염색체 말단에서 DNA 구조를 보호하는 반복된 구조입니다. 세포 분열에 따라 반복된 구조가 짧아져서 세포 노화를 각인하는 시계라고 생각되고 있습니다. 텔로메라제는 RNA를 주형으로 텔로미어의 반복 구조를 연장하는 효소이며, 암세포나 생식 세포에서 활성이 높습니다. 텔로메라제 완전 결손 마우스를 6세대 동안 계대

하면 불임이 됩니다. 이 불임 마우스의 생식 기관은 고도로 위축되고, 텔로미어 길이도 극도로 단축되어 있습니다. 마우스의 텔로미어는 사람에 비해 길기 때문에 텔로미어 단축에 4세대 이상의 계대가 필요하다고 생각하고 있습니다. 분열을 반복하는 세포에서 텔로미어가 점차 단축되며 최종적으로 텔로미어가 소실되어 더 이상 세포 분열이 일어나지 않는 것이 모델 마우스에서 확인되었습니다. 이런 텔로미어 변화는 분열이 왕성한 생식 세포, 조혈 세포 및 손상 치유 과정에 있는 피부 세포에서 관찰됩니다(표 2).

또 노화가 촉진되는 senescence accelerated mouse prone (SAMP)은 아밀로이드증 발생 계열 (P1계), 백내장 발생 계열(P9계), 학습·기억 장애가 발생하는 계열(P8계) 등 자연 발생형 노화 촉진 마우스로 노화 연구에 광범위하게 이용하고 있습니다. 이런 각 계열에서 노화 표현형을 일으키는 원인 유전자가 발견되어 새로운 노화 유전자 발견이 기대되고 있습니다(표 2).

노화의 기전으로 자유 라디칼(free radical) 가설을 지지하는 항산화 효소 유전자 SOD 결손에 의한 산화-환원 균형 파탄도 노화 촉진의 요인이 됩니다. superoxide를 과산화수소와 산소로 분해하는 SOD는 세포 내에 세포질형 Cu, Zn-SOD와 미

표2 노화 모델 마우스와 원인 유전자

노화 모델 마우스	노화 형질	원인 유전자의 기능
Klotho 마우스	골다공증, 전신의 다양한 노화	칼슘 대사 관련 유전자
텔로메라제 결손 마우스	불임, 조혈 장애	텔로미어 연장
SAMP계 마우스	촉진 노화, 전신성 변화	다유전자계
Mn-SOD 결손 마우스	확장성 심근증, 신경변성	활성 산소 분해
CuZn-SOD 결손 마우스	간세포 암, 노인성 근위축, 노인성 황반변성	활성 산소 분해
Ercc1 결손 마우스	전신의 다양한 노화	DNA 회복 관련효소
Ku80 결손 마우스	전신의 다양한 노화	DNA 회복 관련효소
p53 변이 마우스	전신 장기 퇴축	유전자 변이 검출
Rad50 변이 마우스	암, 조혈 장애, 전신의 다양한 노화	DNA 회복 관련 효소
TTD 마우스(Xpd 변이 마우스)	암, 전신의 다양한 노화	DNA헬리카제(DNA 회복 효소)
라민 A 변이 마우스	전신의 다양한 노화	핵막 단백질
Zmpste24 결손마우스	전신의 다양한 노화	프레라민 A메탈로프로테아제
Top3β 결손마우스	신장염, 림프종 비대	DNA 토포이소메라제 III
Sirt6 결손마우스	림프구 감소, 골감소증	DNA 회복
Bub1b 변이 마우스 (Hypomorph)	전신의 다양한 노화	방추사 형성 체크포인트 제어
PolgA 변이 마우스	전신의 다양한 노화	미토콘드리아 DNA 폴리메라제
Bmal1 결손마우스	전신의 다양한 노화	활동일주기(circadian rhythm)

토콘드리아형 Mn-SOD가 발현하고 있으며, 이 유전자 결손도 노화의 조직 장애를 나타냅니다. 생체의 산화-환원 균형 유지에 관여하는 유전자도 노화 유전자라고 생각할 수 있습니다(표 2).

최근 장수 유전자로 알려진 Sirt6, 시계 유전자로 알려진 Bmal1 등의 유전자 결손도 노화를 촉진합니다. 노화는 다양한 요인에 의해 제어되고 있으므로 앞으로 의외의 기능을 가진 유전자와 노화의 관련이 발견될 것으로 예상합니다.

(清水孝彦)

■■■■■■■■■■■■■■■■■■■■■■■■ 문헌 ■■■■■■■■■■■■■■■■■■■■■■■■

1) 清水孝彦, 白澤卓二: 老化遺伝子. 新老年学 第三版, 東京大学出版会, 2010, 213-36
2) Chu, WK, Hickson ID: RecQ helicases: multifunctional genome caretakers. Nat Rev Cancer 2009; 9: 644-54.
3) Shimamoto A, Kagawa H, et al: Reprogramming Suppresses Premature Senescence Phenotypes of Werner Syndrome Cells in Long-Term Culture. PLoS One 2014; 9: e112900.
4) Kudlow BA, Kennedy BK,et al: Werner and Hutchinson-Gilford progeria syndromes: mechanistic basis of human progeroid diseases. Nat Rev Mol Cell Biol 2007; 8: 394-404.
5) Liu GH, Barkho BZ, et al: Recapitulation of premature ageing with iPSCs from Hutchinson-Gilford progeria syndrome. Nature 2011; 472: 221-5.

III
안티에이징(노화방지) 의학의 기초

5 칼로리 제한 역사와 수명 연장 기전

1900년대 초 여러 실험 모델에서 섭식을 제한하면 종양 조직 증가가 억제되는 것을 많은 연구자가 발견했습니다.[1] 사실 칼로리 제한(calorie restriction, CR) 연구는 이미 100년의 역사가 있으며, 다양한 연구가 이루어 졌지만 최종적으로는 사람에서 CR이 노화를 지연시켜 수명, 특히 건강 수명을 연장한다는 것을 검증하지 않으면 안 됩니다.

영장류의 칼로리 제한

미국에서 1980년대 후반부터 붉은털 원숭이의 수명 연구가 시작되었습니다. 원숭이에서 30% CR을 시행하여 체중과 지방 감소, 공복 혈당과 인슐린 저하, 인슐린 감수성 개선 등 설치류에서와 비슷한 생리학적 반응을 보았습니다. 종단적 역학 조사에서 CR의 특징인 인슐린 농도 저하, 체온 저하, DHEA 증가가 있는 사람은 그렇지 않은 사람보다 장수했습니다. 2009년 위스콘신 국립영장류 연구소(Wisconsin National Primate Research Center, WNPRC)가 발표한 중간 보고에서 원숭이 수명이 CR에 의해 연장될 가능성이 나타났습니다. 한편 2012년 미국 국립 노화 연구소(National Institute on Aging, NIA)가 발표한 결과에서는 원숭이의 수명 연장 효과가 없었으나, 암이나 당뇨병의 발생은 지연되었습니다. 이렇게 2개 연구 그룹의 결과가 다른 원인은, 이용한 사료의 조성과 주는 방법의 차이를 생각할 수 있었습니다. WNPRC가 이용한 사료는 NIA에서 준 사과에 비해 수크로스(sucrose) 함량이 높았고, 지방질 성분에도 차이가 있었습니다. 또 WNPRC의 대조군은 자유롭게 섭식하였으나, NIA는 일정량을 주고 있었습니다. 즉 NIA의 대조군도 경도의 CR조건에 있었다고 추정되었습니다. 한편 WNPRC의 대조군은 비만했습니다. 또한 이용한 원숭이의 유래(유전적 배경)도 차이가 있었습니다. 결국 WNPRC의 실험이 대조군에 비해. CR 효과가 나

오기 쉬웠다고 생각합니다. 그러나 NIA 결과에서도 CR에 의한 건강 수명 연장이 시사되어 원숭이를 이용한 연구의 중요성을 지지하고 있습니다.

미국에서 비만도(body mass index, BMI)가 정상 범위 내에 있는 대상에서 2년간 25% CR을 시행하는 연구가 시작되어(Comprehensive Assessment of Long term Effecet of Reducing Intake of Energy) 체중 감소와 운동 능력 향상이 보고되었습니다.

Foxo 전사인자에 의한 수명 제어

1988년 Friedman와 Johnson은 꼬마 선충에서 단 하나의 유전자 변이에 의해 수명이 길어지는 것을 발견했으며, 그 후 수명 제어에 대한 유전학적, 분자생물학적 연구가 비약적으로 발전했습니다.[2] 그 중 가장 주목 받은 영역은 인슐린 신호계였습니다. 이 신호계 분자를 코드하는 유전자 변이에 의해 신호 전달이 감소하면 전사 인자 DAF-16 활성화가 촉진되어 수명이 연장됩니다.

포유류에서도 성장 호르몬(growth hormone, GH)/인슐린양 성장 인자 1(insulin like growth factor-1, IGF-1)계 신호가 감소하면 수명이 연장되었습니다. 따라서 IGF-1계는 동물의 수명을 제어하는 보편적 신호계라고 생각하고 있습니다. CR에 의해서도 GH, IGF-1이 저하하므로 CR의 수명 연장 효과에 IGF-1계가 역할할 것으로 생각하고 있습니다.

마우스에서 Nrf2 (꼬마 선충에서 SKN-1)가 결손 되면 CR의 항종양 효과가 소실되지만 수명 연장 효과는 유지됩니다.[2] 마우스에서 DAF-16에 해당하는 분자는 Foxo 패밀리 전사 인자이며, Foxo1, Foxo3, Foxo4, Foxo6가 알려졌습니다. Foxo1 결손 마우스는 Nrf2에서처럼 CR의 항종양 효과가 감소되었으나 수명 연장 효과는 유지되었습니다.[3] Nrf2와 Foxo1에는 공통 표적 유전자가 있으므로 CR은 Nrf2, Foxo1을 통해 항종양 효과

그림 1 칼로리 제한 효과 : GH-IGF-1/Insulin-Foxo에 의한 암과 노화의 제어

→ : 자극
⊣ : 억제
점선 : 감소
실선 : 증가

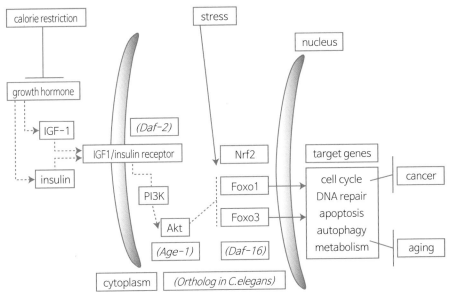

를 나타낸다고 생각할 수 있습니다(그림 1). 한편 Foxo3의 절반이 결손된 마우스는 CR의 수명 연장 효과가 없었으나 항종양 효과는 있었습니다.[4] Foxo1과 Foxo3 결손 마우스를 이용한 연구는 암과 수명이 Foxo1과 Foxo3에 의해 개별적으로 제어되는 것을 시사하고 있습니다(그림 1). 사람의 장수와 Foxo3 유전자 다형의 관련이 여러 연구에서 확인되었습니다. 그러나 Foxo1의 다형과 관련성이 없는 것은 마우스와 사람에 공통되는 수명 제어 기전의 존재를 시사합니다. 앞으로 Foxo1, Foxo3 전사 인자에 의해 제어되는 표적 유전자 해석을 통해 포유류에서 암과 수명의 제어 기전이 알려질 것입니다.

칼로리 제한 효과에서 지방 조직의 중요성

CR의 효과는 동물에 보편적 현상으로 생각하고 있었습니다. 그러나 40종 이상의 순계 마우스를 이용한 연구에서, 반수 이상의 계통은 CR의 수명 연장 효과가 없었습니다. 이 연구에서 CR에 의해 백색 지방 감소가 적은 마우스 계통에서 수명 연장 효과가 강한 것을 나타냈습니다. CR에 의해서 체지방이 감소하기 쉬운, 즉 야위기 쉬운 마우스는 수명 연장이 없거나 오히려 단축되었습니다.

시상하부 신경세포에서 발현하는 신경 펩티드 Y (neuropeptide Y, NPY)는 섭식 에너지가 저하된 환경에서 에너지 소비와 체지방의 과잉 소실을 억제하는 역할을 합니다. NPY 결손 마우스는 CR에 의한 체지방 감소율이 크지만, CR의 수명 연장 효과와 항종양 효과가 적습니다.[5] 이런 결과는 백색 지방과 관련된 에너지 대사제어가 CR의 수명 연장에 필요한 것을 시사하고 있습니다.

(下川 功)

|||||||||||||||||||||||||||||||||||||| 문헌 ||||||||||||||||||||||||||||||||||||||

1) Weindruch R, Walford RL: The retardation of aging and disease by dietary restriction. Springfield IL: Charles C Thomas Publisher, 1988, p3-76.
2) 下川 功: カロリー制限. 老化の生物学, 石井直明, 丸山直記編, 京都, 化学同人, 2014, p216-35
3) Yamaza H, Komatsu T, et al; Foxo1 is involved in the antineoplastic effect of calorie restriction. Aging Cell 2010; 9: 372-82.
4) Shimokawa I, Komatsu T, et al: The life-extending effect of dietary restriction requires Foxo3 in mice. Aging Cell 2015 in press.
5) Chiba T, Tamashiro Y, et al: A key role for neuropeptide Y in lifespan extension and cancer suppression via dietary restriction. Sci Rep 2014; 4: 4517.

※역자 주:

• 칼로리 제한 = calorie restriction = energy restriction

6 인슐린, IGF-1 신호와 노화 · 수명 제어

인슐린과 인슐린양 성장 인자(insulin like growth factor-1, IGF-1)는 구조가 비슷하며, 전자는 주로 대사에, 후자는 세포 증식에 중요한 역할을 하는 호르몬입니다. 이들이 노화나 수명 제어에 관여하는 것이 알려지고 있으며, 여기서는 그 기전에 대해 하등 생물과 포유류를 비교하여 설명합니다.

인슐린, IGF-1 신호 관련 분자

포유류에서 인슐린은 췌장 β 세포에서 분비되며 섭식 후 혈중 농도가 올라갑니다. 한편 혈중 IGF-1은 주로 간에서 생산되며 그 분비는 뇌하수체의 성장 호르몬에 의해 조절되고 있습니다.

혈중 인슐린과 IGF-1은 각각 세포 표면에 발현하는 인슐린 수용체 및 IGF-1 수용체와 결합하여 활성화되며 수용체 후 신호전달 경로는 대부분 공통입니다. 즉, 두 수용체가 인슐린 수용체 기질(insulin receptor substrate, IRS)를 인산화하여 활성화시키고, 이어서 phosphatidyl inositol 3-kinase, PI3K, Akt 분자가 차례로 활성화합니

다. Akt의 다음의 신호 분자인 포크헤드 전사 인자(Forkhead box O, FoxO)를 인산화하여 핵 밖으로 이동시켜 활성화를 억제하는 것이 노화와 수명 제어에 중요하다고 생각합니다(그림 1).[1]

하등 생물에서 수명과의 관련

이런 인슐린, IGF-1 신호와 노화-수명의 관련에 대한 연구는 하등 생물에서 시작되어 주목을 끌었습니다. 꼬마 선충에서 인슐린, IGF-1 수용체 및 PI3K의 p110 세부단위에 해당하는 daf-2, Age-1 변이체의 수명이 연장되었으나, 그 효과는 FoxO에 해당하는 daf-16 변이가 있으면 소실되었습니다. 또 초파리에서도 IRS에 해당하는 CHICO 변이체에서 수명이 연장되었고, FoxO에 해당하는 dFOXO 변이에서 없어졌습니다.[2]

효모에서도 Akt에 해당하는 SCH9 변이체에서 수명이 연장되었습니다. 꼬마 선충이나 초파리의 수용체는 단일하지만, 다양한 인슐린, IGF-1 펩티드가 있는 것으로 알려졌습니다.

그림 1 포유류에서 인슐린/IGF-1 신호관련 분자

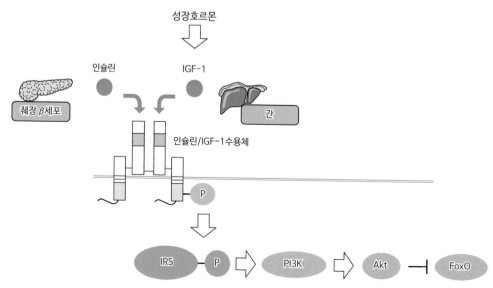

마우스의 수명과 관련

마우스에서 IGF-1와 관련하여 상위에 해당하는 성장 호르몬 변이가 있는 마우스나 뇌하수체 전엽 기능 손상 마우스, 또는 간 특이 IGF-1 결손 마우스에서 수명 연장이 알려졌습니다. 수용체 수준에서도 전신의 IGF-1 수용체 결손 마우스의 수명 연장 보고가 있습니다. 이런 마우스의 대부분은 인슐린 감수성이 양호하나 성장 장애나 생식능 저하가 동반되어 있습니다.[3]

한편 전신의 인슐린 수용체 결손 마우스는 생후 얼마 안되어 사망하지만, 지방조직 특이 인슐린 수용체 결손 마우스는 수명 연장을 나타내고, 인슐린 감수성도 유지되었습니다. 두 수용체의 하류에 해당하는 IRS 수준에서, IRS-1 결손 마우스와 IRS-2 결손 마우스는 모두 인슐린 저항성과 성장 장애가 있었으며, 전자는 수명이 연장되었으나, 후자는 단축되는 반대 결과였습니다. 또 뇌 특이 IRS-2 결손 마우스는 인슐린 저항성을 나타내고 수명이 연장되었습니다.[3,4]

포유류에서 섭취 칼로리 제한은 수명을 연장합니다. 이때 혈중 인슐린 농도가 저하되지만 그것이 어떻게 수명 연장에 관여하는지는 아직 명확하지 않습니다.

사람의 수명과의 관련성

사람에서 인슐린, IGF-1 신호 관련 분자의 유전자 변이가 알려졌으며, 그것이 장수와 생명에 어떤 영향을 주는지 밝히는 것이 앞으로의 과제입니다. 장수자에서 혈중 IGF-1 농도가 낮고, 인슐린 감수성이 유지된다는 보고도 있습니다.[5]

마지막으로

하등 생물에서는 인슐린. IGF-1 신호 관련 분자의 결손은 수명을 늘리며, 그 기전으로 FoxO 활성화의 관여 가능성이 알려졌습니다. 한편 포유류에서, 사람의 연구결과는 부족하며 마우스에서 일부 인슐린, IGF-1 신호 관련 분자의 결손 모델에서 수명이 연장되나, 의견 일치에는 이르지 못했습니다. 실제로 수명 연장 모델 마우스에서 성장 장애나 대사이상 동반이 많아 '건강 장수'라고는 할 수 없습니다. 또 조직에 따라서, 인슐린, IGF-1 신호 억제가 수명 연장에 연결되지만 그것이 어떻게 전신에 파급되어 개체 수명의 연장에 관여하는지는 아직 알 수 없습니다. 또한 신호의 하류에서 Akt나 FoxO가 중요한지, 그 밖에 다른 열쇠 분자가 있는지 규명이 필요합니다.

(笹子敬洋 , 植木浩二郎)

||||||||||||||||||||||||||||||||||||||||||| **문헌** |||||||||||||||||||||||||||||||||||||||||||

1) Kadowaki T, Ueki K, et al: Snap Shot: lnsulin signaling pathways. Cell 2012; 148: 624.

2) Fontana L, Partridge L, et al: Extending healthy life span-from yeast to humans. Science 2010; 328: 321-6.

3) Junnila RK, List EO, et al: The GH/IGF-1 axis in ageing and longevitat. Rev Endocrinol 2013; 9: 366-76.

4) Kadowaki T, Kubota N, et al: Snap Shot: physiology of insulin signaling. Cell 2012; 148: 834.

5) Paolisso G, Ammendola S, et al: Serum levels of insulin like growth factor-1 (IGF-1) and IGF-binding protein-3 in healthy centenarians relationship with plasma leptin and lipid concentrations, insulin action, and cognitive function J Clin Endocrinol Metab 1997; 82: 2204-9.

7 DAF-16 / FOXO의 수명 제어 역할

수명 제어 신호를 담당하는 DAF-16 / FOXO

DAF-16은 forkhead box O 서브패밀리에 속하는 꼬마 선충의 전사 인자이며, 포유류의 FOXO1이나 FOXO3a에 해당합니다. 이 유전자가 처음으로 주목 받은 것은 꼬마 선충을 이용한 수명 제어 신호 발견으로 거슬러 올라갑니다. 꼬마 선충은 몸 길이가 1 mm 정도이고, 약 1,000개의 체세포로 구성 되는 가장 단순한 다세포 모델 생물이며, 수명이 3주 정도로 짧고 유전학적 분석이 쉬워 노화 연구에 이용되어 왔습니다. 1993년 Kenyon등은 꼬마 선충 돌연변이체 분석에서 *daf-2* 유전자 기능이 저하된 변이체는 야생형에 비해 수명이 3배 가까이 연장되고, 노화 속도가 지연되는 것을 보고했습니다.[1] *daf-2* 유전자가 코드 하는 단백질은 포유류의 인슐린/인슐린양 성장 인자-1(insulin like growth factor-1, IGF-1) 수용체와 상동성이 있으며, 하류의 PI3K-Akt 신호 캐스케이드도 꼬마 선충에 보존되어 있습니다. 또한 중요한 사실은 *daf-2* 변이와 *daf-16* 변이가 동반

된 이중 변이체는 수명 연장이 완전히 소실되어, *daf-16* 변이체와 같은 정도의 수명이었습니다. 이것은 전사 인자 DAF-16가 DAF-2 신호 하류에서 음성적으로 제어하며, 그 전사(transcription) 활성이 수명과 정 상관을 나타내는 것을 시사하고 있습니다.

DAF-16의 활성 조절 기전에 대해 포유류 동족체 FOXO 패밀리에서 연구되고 있습니다. FOXO는 핵내에서 표적 유전자의 프로모터 영역에 존재하는 인식 서열에 결합하여, 전사(transcription)를 활성하며, 인슐린이나 IGF-1 신호가 세포 내로 전달되면 활성화 된 Akt 키나제에 의해 FOXO의 3개소 세린/트레오닌 잔기가 인산화됩니다.[2] 그 결과 FOXO의 핵내 이행이 저해되고 세포질에 존재하여 전사 활성이 억제됩니다.[2] 꼬마 선충에서도 이런 제어 기전이 존재하여 *daf-2* 변이체의 장수는 비인산화 상태의 DAF-16에 의한 표적 유전자 전사 활성화가 관여한다고 생각합니다(그림 1). 식이 제한이나 생식 세포 계열에 *daf-2* 결손 변이체에서 독립된 수명 연장 경로에 의한 장수에도 *daf-16* 유전자가 필수적인 것이 보고되어,[3]

그림 1 DAF-16/FOXO의 전사(transcription) 조절 기전

DAF-16 전사활성은 DAF-2 신호를 통한 인산화에 의해 조절된다. ( )은 포유류에 해당하는 명칭

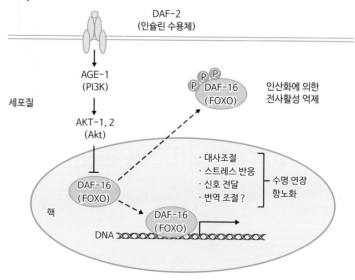

DAF-16/FOXO의 활성 조절 기전 규명은 수명 제어의 본질적 이해가 될 것으로 생각할 수 있습니다.

DAF-16의 표적 유전자와 장수

장수 유전자로 주목받는 DAF-16의 표적 유전자 탐색을 전세계에서 각종 접근 방법으로 추구하고 있습니다. DNA 마이크로어레이나 RNA 시퀀스로 daf-2 변이체와 daf-2;daf-16 이중 변이체의 전사 산물을 비교하는 방법이나, 크로마틴 면역 침강으로 DAF-16이 결합하는 유전자 프로모터 영역을 추적하는 방법 등으로 지금까지 수백 종의 유전자가 확인되었습니다.[4] 그런 유전자의 기능은 당이나 지질 대사, 스트레스 반응, 신호 전달 등 다방면에 걸치지만 특히 활성 산소 제거를 촉매 하는 효소 Mn-superoxide dismutase (SOD)에 해당하는 꼬마 선충의 sod-3 변이를 일으키면 daf-2 변이체의 수명이 예상과 달리 단축되지 않아 sod-3은 적어도 daf-2 변이체의 장수에 관여하지 않는 것으로 생각합니다.[5] 그 밖의 후보 유전자에서 RNAi를 이용하여 검증 하고 있으나, 각각 단독의 넉다운에서 수명에 큰 영향을 주지 않아 여러 인자가 협조하여 수명 연장과 관여한다고 생각하고 있습니다.

최근 프로테오믹스 기법으로 단백질 수준의 총체적 정량 변화 분석에서 daf-2 변이체의 장수 기전 규명이 시도되고 있습니다. 그 결과에서 흥미로운 것은 daf-2 변이체에서 mRNA의 단백질 번역(translation)이 현저히 저하되며, 또 그 표현형이 daf-16 유전자 의존적이라는 것이 밝혀졌습니다.[6] 번역 저하는 식이 제한에 의한 수명 연장에서도 인정되며, 번역 시작 인자의 유전자 결손에서도 장수가 된다는 보고가 있어 DAF-16 표적 중에 번역 과정과 관여하는 인자가 장수 유전자일 가능성을 생각할 수 있습니다. 꼬마 선충을 이용한 많은 유전학적 증거에 의해 DAF-16이 수명 제어 열쇠가 되는 전사 인자인 것은 의심할 여지가 없고, 그 표적이 되는 장수 유전자의 발견이 수명, 노화의 기전을 푸는 단서가 될 것으로 기대하고 있습니다.

(大德浩照 , 深水昭吉)

문헌

1) Kenyon C, Chanf J, et al: A C. elegans mutant that lives twice as long as wild type. Nature 1993; 366: 461-4.
2) Brunet A, Bonni A, et al: Akt promotes cell survival by phosphorylating and inhibiting a Forkhead transcription factor. Cell 1999; 96: 857-68.
3) Lapierre LR, Hansen M; Lessons from C. elegans signaling pathways for longevity. Trends Endocrinol Metab 2012; 12: 637-44.
4) Tullet JM: DAF-16 target identification in C. elegans past, present and future. Biogerontology 2014; Published online: 26 August.
5) Honda Y, Tanaka M, et al: Modulation of longevity and diapause by redox regulation mechanisms under the insulin-like signaling control in Caenorhabditis elegans Exp Gerontol 2008; 43: 520-9.
6) Stout GJ, Stigter EC, et al: Insulin/IGF-1-mediated longevity is marked by reduced protein metabolism. Mol Syst Biol 2013; 679: doi: 10.1038.

8 서투인(sirtuin)과 노화, 노화 관련 질환

서투인이란

서투인은 NAD⁺ (nicotinamide adenine dinucleotide) 의존성으로 기질 단백의 탈아세틸화/탈아실화를 일으키는 효소군의 총칭입니다(영어로는 sirtuins라고 부르지만 단수형 호칭도 정착되어 있다). 서투인 중에는 ADP 리보스 전이 효소 (ADP−ribosyl transferase) 활성을 가진 것도 있습니다. 서투인의 대표는 출아 효모의 SIR2 (Silent Information Regulator 2) 단백입니다. SIR2 유전자는 1979년 출아 효모의 접합형 제어에 관여되는 유전자의 하나로 발견되었으나 오랫동안 그 기능은 불명했습니다. 2000년 Imai와 Guarente에 의해, 출아 효모 SIR2와 포유류에서 유사한 SIRT1이 NAD⁺ 의존성 단백 탈아세틸화 효소(protein deacetylase)라는 특이한 효소라는 것이 밝혀져 서투인 연구의 폭발적 발전의 단서가 되었습니다.[1]

서투인은 생체 에너지 대사에서 필수적인 NAD⁺를 니코틴아미드와 ADP−ribose로 분해하는 동시에 아세틸/아실화 된 단백질에서 탈아세틸화/탈아실화 반응을 일으킵니다(그림 1). 이 반응을 담당하는 "핵심 도메인" 서투인 패밀리는 진화적으로 보존되어, 세균에서 사람에 이르기까지 거의 모든 생물에 서투인이 존재합니다. 서투인은 히스톤 탈아세틸화 효소(histone deacetylases, HDACs) 클래스 III로 분류되고 있습니다. 각 생물에서 다양한 생물학적 과정의 제어에 관여하며, 대부분 생체의 생존을 위해 필요한 영양, 환경 자극에 대한 생물학적 반응을 제어하는 역할을 하고 있습니다. 그 중에서도 중요한 것은 진화적으로 보존된 노화, 수명의 제어 인자로의 작용입니다.

노화 수명 제어에 서투인의 역할

효모, 꼬마 선충, 초파리 등의 모델 생물을 이용한 초기 연구에서 서투인이 노화와 수명 제어에 중요한 역할을 하는 것이 알려졌습니다. 또 이런 생물 종에서 서투인이 칼로리 제한에 의한 수

그림 1 서투인의 NAD⁺ 의존성 탈아세틸화/탈아실화 반응의 모식도

서투인 반응의 결과 기질 단백에서 제거된 아세틸기/아실기는 NAD⁺에서 얻은 ADP 리보스에 부가되어 아세틸/아실 ADP 리보스 화합물을 만든다. 탈아세틸화/탈아실화 된 기질 단백질은 기능을 변화시켜 다양한 생물학적 반응에 관여한다.

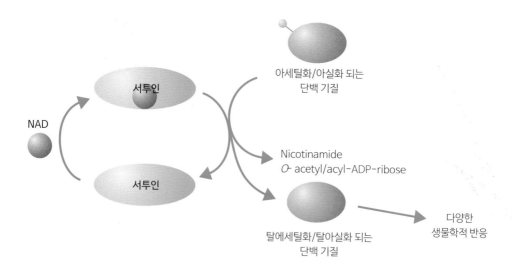

명 연장에도 관여하는 것도 밝혀졌습니다. 그런데 그 후, 꼬마 선충, 초파리에서 의문시되는 결과가 발표되어, 서투인의 노화, 수명 제어에서 중요성에 대한 논란이 있었습니다. 그러나 최근까지 수 많은 연구에 의해 효모, 꼬마 선충, 초파리의 노화, 수명 제어에서 서투인의 중요성은 재확인되었습니다.

한편 포유류에서, 서투인 특히 포유류의 동족체인 SIRT1이 많은 노화 관련 질환의 병태를 억제하는 기능이 있고, 또 칼로리 제한의 항노화 작용과 관계 있는 것이 알려졌으나, 수명 제어에서 중요성은 오랫동안 명확하지 않았습니다. 2012년 SIRT6를 전신적으로 발현 증진시킨 수컷 transgenic 마우스가 장수하고, 2013년 SIRT1을 뇌에 특이적으로 발현시킨 transgenic 마우스 암수에서 모두 노화 지연과 수명이 연장되어 오랫동안 계속된 논쟁에 종지부를 찍는 동시에, 서투인의 노화, 수명 제어 인자로 중요성이 확립되었습니다.[2]

포유류의 서투인

포유류의 서투인에는 SIRT1~7의 7 종류가 있으며, SIRT1, 2, 3, 6, 7은 탈아세틸화, SIRT5는 탈 숙시닐/말로일화, SIRT 6는 장쇄지방산 탈아실화에 관여하는 것이 알려졌습니다. SIRT4은 최근 lipoamidase 활성이 보고되었습니다. 또 SIRT4, 6은 ADP−ribose 전이 효소(ADP−ribosyl transferase) 활성도 나타납니다. 세포 내 존재 부위도 달라 SIRT1, 6, 7은 핵내에, SIRT2는 주로 세포질에, SIRT3, 4, 5는 미토콘드리아에 존재합니다. 서투인의 기질 단백으로는 크로마틴 구성에 필수적인 히스톤 H3, H4나 p53, Foxo, NF−κB, PGC−1α 등의 전사 조절 인자, 대사 경로에 작용하는 다양한 효소, 또는 세포자멸사(apoptosis)나 오토파지, DNA 회복을 조절하는 인자 등으로 다양합니다.[3]

서투인과 노화 관련 질환

포유류에서는 SIRT1 연구가 가장 많으며, SIRT1은 2형 당뇨병이나 알츠하이머병, 동맥경화 등 노화 관련 질환의 병태를 억제합니다. SIRT1을 활성화할 수 있는 저분자 화합물이 개발되고 있으며, 활성화 기전이 증명되어 치료제로 사용될 것을 기대합니다.

최근 NAD+ 합성계의 활성화로 서투인을 활성화 시키는 방법이 주목받고 있습니다.[4] 또 SIRT3~5는 미토콘드리아 내에서 대사 경로에서 작용하는 다양한 효소 기능을 제어하므로, 미토콘드리아 기능 이상을 일으키는 다양한 병태에서 연구되고 있습니다. SIRT3, 6의 기능 부전은 암세포 특유의 해당계(glycolysis) 항진(Warburg 효과)의 원인으로 알려져, 암세포 대사와 서투인의 관계를 주목하고 있습니다. 이런 작용 이외에도 서투인의 생물학은 매우 많은 영역에 걸쳐 광범위하여 의학, 생물학 영역에서 중요한 위치를 차지하고 있습니다. 서투인을 표적으로 하는 신약 개발, 항노화 방법의 개발은 앞으로 가속될 것으로 생각합니다.[5]

(今井眞一郎)

||||||||||||||||||||||||||||||||||||| 문헌 |||||||||||||||||||||||||||||||||||||

1) Imai S, Guarente L: Ten years of NAD-dependent SIR2 family deacetylases: implications for metabolic diseases. Trends Pharmacol Sci 2010; 31: 212-20.
2) Satoh A, Imai S: Systemic regulation of mammalian ageing and longevity by brain sirtuins. Nat Commun 2014; 5: 4211.
3) Haigis MC, Sinclair DA: Mammalian sirtuins: biological insights and disease relevance. Annu Rev Pathol 2010; 5: 253-95.
4) Imai S, Guarente L: NAD+ and sirtuins in aging and disease. Trends Cell Biol 2014; 24: 464-71.
5) 今井眞一郎, 吉野 純編: 老化・寿命のサイエンス. 分子・細胞・組織・個体レベルでの制御メカニズムの解明, 実験医学増刊, 2013, Vol31.

9 오토파지(autophage)와 노화 · 수명

오토파지란?

진핵세포 내에는 2개의 대표적 대규모 분해 시스템이 존재합니다. 그 중 하나는 유비퀴틴-프로테아솜계(ubiquitin proteasome system)이며, 분해시킬 단백질을 엄격하게 식별하는 선택적 단백질 분해계입니다. 다른 하나는 오토파지이며, 단백질뿐 아니라 미토콘드리아 등의 세포내 소기관도 분해하는 대규모 시스템입니다. 기아 등에 의해 오토파지가 유도되면 세포질의 일부가 격리막으로 둘러싸여 오토파고솜이 형성됩니다.[1] 이 시기에는 분해가 일어나지 않지만, 여기에 리소솜이 융합되면 여러 종류의 가수분해 효소에 의해 내용물이 분해됩니다. 오토파고솜 형성에는 약 20종의 오토파지 관련 유전자(ATG 유전자군)가 관여하며, 이들은 효모, 동물, 식물에 고도로 보존되어 있습니다.[2]

오토파지 과정에서 약 1 μm 영역이 무작위로 둘러싸이므로 오토파지는 비선택적 분해 시스템입니다. 그러나 최근에는 오토파지에도 선택성이 있는 것이 밝혀지고 있습니다.[1] 선택적 기질로는 오토파고솜 막과 결합할 수 있는 p62/SQSTM1으로 대표되는 단백질, 손상된 미토콘드리아, 세포 내로 침입한 병원체 등이 알려졌습니다.

오토파지의 역할

오토파지는 생체 내나 배양계에서 영양소 기아에 의해 유도됩니다.[1,2] 이것은 주로 mammalian/mechanistic Target of Rapamycin Complex 1 (mTORC1)에 의한 오토파지 억제 해소에 의합니다. 예를 들어 24시간 금식시키면 뇌를 제외한 거의 모든 장기에서 오토파지가 활성화됩니다. 포유류는 출생과 동시에 태반을 통한 영양이 갑자기 차단되므로 일시적으로 기아 상태가 되며 이때 오토파지의 활성화에 의해 아미노산 풀을 유지합니다. 또한 수정 후에도 오토파지가 활성화되어 이것도 착상까지의 세포 내 영양소의 재순환 기전에 중요하다고 생각합니다.[1]

한편 저수준의 오토파지는 항상 일어나고 있으며 이런 정상적 오토파지는 조직의 항상성 유지에 중요합니다. 예를 들어 신경계 특이적 Atg5 및 Atg7 녹아웃 마우스는 진행성 운동 장애를 일으키며, 신경세포 내에 유비퀴틴화 단백질 축적이나 봉입체 형성이 관찰됩니다. 그 밖에 조직 특이 유전자 결손 마우스를 이용한 연구에서 간, 심장, 골격근, 췌장 β 세포, 사구체, 수정체 등 많은 조직에서 품질관리 기전으로 오토파지의 중요성이 알려지고 있습니다.[1] 과거 이런 세포의 품질관리는 유비퀴틴-프로테아솜 경로에 의해 일어난다

그림 1 **오토파지의 모식도**

세포질의 일부가 격리막으로 둘러싸여 이중막 구조체인 오토파고솜이 형성된다. 미토콘드리아나 소포체 단편 등의 세포내 미세기관도 둘러싼다. 오토파고솜은 리소솜과 융합하여 오토리소솜이 되며, 이렇게 세포질에서 유해한 내용물이 분해된다. 분해 산물(주로 아미노산)은 다시 세포질에 수송되어 이용된다.

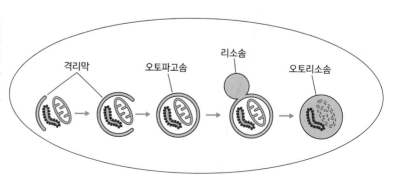

고 생각되었으나 오토파지도 세포내 정화 기전으로 중요한 역할을 담당하고 있습니다.

또 단백질뿐 아니라 미토콘드리아나 퍼옥시솜 등의 소기관의 품질관리에도 오토파지가 중요하다고 생각되고 있습니다. 2008년 미국 Youle 등은 젊은 사람에서 발병하는 가족성 파킨슨병의 원인 유전자인 *Parkin*과 *PINK1*가 손상을 받은 미토콘드리아의 오토파지에 의한 분해에 필요하다고 보고했습니다.[3] 이런 미토콘드리아 선택적 오토파지는 mitophagy라고 부르며, 이에 의한 미토콘드리아 품질관리의 중요성이 주목받고 있습니다.

오토파지와 안티에이징 의학

노화 세포에서는 단백질 대사 회전이 늦어져 세포 안에 손상된 단백질이 모여 있습니다. 오토파지 활성을 생체에서 엄격하게 정량 하기는 어렵지만 노화에 따라 오토파지 활성이나 리소솜의 분해능이 저하될 가능성이 있습니다. 노화 세포에서는 유비키틴–프로테아솜계 활성도 저하되어 있습니다.

오토파지가 영양소의 기아에 의해 유도되며, 한편으로 세포 안의 품질관리에 중요한 역할 담당하므로, 오토파지가 영양과 세포의 건강을 연결하는 기능을 하는 것으로 생각할 수 있습니다. 즉 영양과다는 오토파지에 의한 세포 내 정화를 억제하며, 영양 기아는 세포 내 정화를 촉진할 가능성이 있습니다. 칼로리 제한은 수명을 늘리는 것으로 알려진 확실한 방법이지만 그 기전은 아직 완전히 이해되지 않았습니다. 칼로리 제한에 의해 오토파지가 촉진되므로, 오토파지 유도도 칼로리 제한의 효과를 나타내는 요인의 하나일 가능성이 있습니다.

실제 유전학적 분석에 의해 오토파지가 다양한 생물 종에서 수명 연장에 중요한 것이 시사되고 있습니다.[1,4] 예를 들어 *daf-2*와 같은 인슐린 신호 변이 꼬마 선충이나 식이 제한 꼬마 선충은 장수하지만, 오토파지 유전자를 결손시키면 수명 연장 효과가 없어집니다. 그러나 오토파지 단독의 결손에서도 수명에 영향을 주며, 때로 상반된 결과도 보고되어 수명 연장 모델에서 오토파지의 관여는 보다 신중하게 평가할 필요가 있습니다. 또 포유류에서 가장 중요한 뇌의 오토파지 활성은 영양의 제어를 받지 않기 때문에 포유류에서 식이 제한 효과는 따로 생각할 필요가 있습니다.

동물에서 수명 연장 효과가 알려진 약제가 있으며, 그 중 라파마이신(mTORC1 저해제)은 오토파지 제어계의 중심 경로를 활성화 하는 것으로 알려졌습니다. 그 밖에 레스베라트롤(NAD 의존적 탈아세틸화 효소 서투인 활성제)나 스페르미딘(아세틸화 효소 저해제)도 오토파지를 유도하는 작용이 보고되었습니다.[5] 따라서 이런 약제 작용의 일부는 오토파지 활성화를 통할 가능성도 있습니다.

(水島 昇)

문헌

1) Mizushima N, Komatsu M: Autophagy: renovation of cells and tissues. Cell 2011 ; 147 : 728-41.
2) Mizushima N, Yoshimori T, et al: The role of Atg proteins in autophagosome formation. Annu Rev Cell Dev Biol 2011; 27: 107-32.
3) Narendra D, Tanaka A, et al: Parkin is recruited selectively to impaired mitochondria and promotes their autophagy. J Cell Biol 2008; 183: 795-803.
4) Rubinsztein DC, Marino G, et al: Autophagy and aging. Cell 2011; 146: 682-95.
5) Madeo F, Pietrocola F, et al: Caloric restriction mimetics: towards a molecular definition. Nat Rev Drug Discov 2014; 13: 727-40.

10 노화와 mTOR 경로

라파마이신과 mTOR 경로

mTOR (mammalian/mechanistic Target of Rapamycin)은 면역 억제제 라파마이신의 표적 단백으로 발견된 약 290 kDa 크기의 거대한 단백 인산화 효소입니다. 현재 라파마이신이나 그 유사체는 면역 억제제뿐 아니라 항암제나 약물 용출 스텐트에 재협착 예방 코팅제로 이용되고 있으며, 이런 약리 효과는 모두 mTOR 저해에 의한 것입니다. mTOR은 mTORC (mTOR Complex) 1과 mTORC2라고 부르는 2개의 다른 신호 복합체로서 존재합니다(그림 1). 배양 세포계에서 라파마이신은 mTORC1 신호를 30분 이내에 강력하게 억제하나, 라파마이신으로 장기간 처리하면 어떤 종류의 배양 세포계에서 mTORC2도 억제됩니다. 마우스에 라파마이신 투여 효과는 mTORC1 저해에 더해, 간, 근육, 지방조직 등 여러 장기에서 mTORC2 저하 효과가 나타납니다. mTORC1의 대표적 효과 분자는 mRNA 번역 제어에 관여하는 p70S6 키나제나 4 EBP1 등입니다. mTORC1은 이들을 직접 인산화 및 활성화 하여 하류에 신호를 전합니다. mTORC1 신호는 아미노산이나 포도당 같은 세포 환경의 영양에 의해 조절을 받아 단백 합성, 세포의 성장·증식, 지질 대사, 소포체 스트레스 반응, 오토파지 등 다양한 세포 반응에 관여합니다.[1]

mTOR 경로와 수명, 노화

mTOR은 효모, 꼬마 선충, 초파리에서부터 마우스에 이르기까지 진핵생물에 광범위하게 보존되어 있습니다. 이런 모델 생물에서 유전자 조작에 의한 수명 분석에 더해, 라파마이신이라는 특이적 저해제를 이용하여 수명 제어에 대한 mTOR의 역할에 대해 많은 보고가 있습니다.[2,3] 칼로리 제한은 모든 모델 생물에서 항노화 작용이 있으며, 영양 센서로 기능하는 mTOR 경로와 칼로리 제한에 의해 제어되는 생체 반응 사이에 공통 기전이 있을 것으로 예상합니다. 실제로 효모, 꼬마 선충, 초파리의 배양·사육 환경에 영양 제한을 더하면, 이런 생물의 수명 지표가 연장되며, 라파마이신 투여나 mTOR 유전자 발현 억제에 의해서도 똑같은 수명 지표 연장이 관찰됩니다. 또한 칼로리 제한하에서 mTOR 경로를 저해하면 새로운 수명 연장이 없다는 보고는 칼로리 제한에 의한 수명 연장은 주로 mTOR 경로를 통하는 것을 시사하고 있습니다.

마우스에서 라파마이신 투여에 의한 수명 연장이 보고되었습니다.[4] 생후 270일 또는 600일부터 마우스에 라파마이신을 경구 투여하면 어떤 조건에서도 마우스의 수명이 연장되었습니다. 생후 600일 후라는 중년기 이후 투여 시작에서도, 90%의 사망률을 나타내는 연령이 수컷에서 9%, 암컷에서 14% 연장되었습니다. 노화 마우스와 어린 마우스에 라파마이신를 투여하여 연령 증가에 따라 변화하는 다양한 지표를 비교한 보고에서, 라파마이신에 의한 마우스 수명 연장 효과는 노화와 관계된 인자와 관계 없는 인자가 모두 관여하는 것으로 나타났습니다.[5] 라파마이신은 마우스의 인지 기능 지표 저하를 예방하므로 노화에 동반한 인지 기능 저하 예방 효과도 기대되었으나, 젊은 마우스에 투여해도 같은 효과가 있어 인지 기능 지표에 대한 라파마이신의 효과는 특이 효과가 아닐 가능성이 있습니다. 한편 라파마이신과 같은 정도의 수명 연장 효과는 유전적으로 mTOR 발현을 25%로 저하한 마우스에서 볼 수 있습니다. 이 마우스에서도 연령 증가에 따른 인지 기능 지표가 대조 마우스에 비해 개선되었습니다. 한편 mTOR 발현 저하 마우스에서 골량 저하나 감염 증가가 보고되었습니다. 이런 보고는 mTOR 저해에 의한 수명 연장 효과가 연령 증가성 변화에 대한 요소와 노화와 관계 없는 인자에 대한 효과의 합계로 나타난다고 생각할 수 있습

그림 1 mTOR 경로

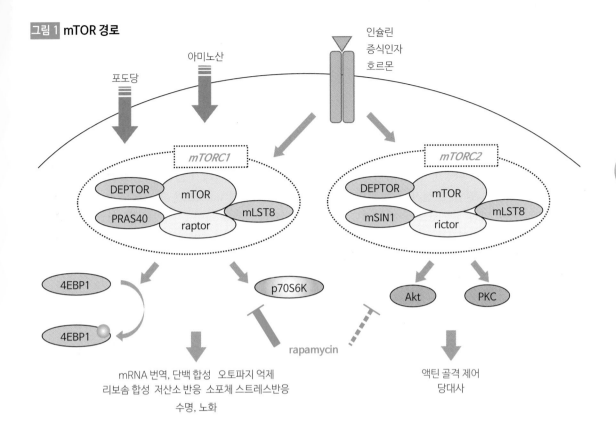

인슐린
증식인자
호르몬

아미노산

포도당

mTORC1

DEPTOR
mTOR
PRAS40
raptor
mLST8

mTORC2

DEPTOR
mTOR
mSIN1
rictor
mLST8

4EBP1

4EBP1

p70S6K

Akt

PKC

rapamycin

mRNA 번역, 단백 합성 오토파지 억제
리보솜 합성 저산소 반응 소포체 스트레스반응
수명, 노화

액틴 골격 제어
당대사

니다. 라파마이신의 발암 억제 효과가 수명 연장에 영향을 줄 가능성도 생각할 수 있습니다. mTORC1의 하류 분자인 p70S6 키나제 결손 마우스도 수명 연장 효과가 보고되었습니다. 또한 4EBP1나 오토파지 관여 유전자 발현 제어에서도 모델 생물의 수명이 변화하므로 라파마이신 처리나 *mTOR* 유전자 발현 억제에 의한 수명 연장 효과는 mTORC1을 통한 신호가 중심 역할을 담당한다고 생각할 수 있습니다.

mTOR 경로는 노화 제어에 유력한 표적이지만 mTOR 경로 저해제를 항노화제로 사람에 사용하려면 극복해야 할 문제가 많습니다. 동맥경화, 발암, 당지질 대사, 면역 이상 등 노화와 관련된 다양한 병태가 mTOR 경로와 관계가 있어 앞으로 연구 발전이 기대됩니다.

(原 賢太)

||||||||||||||||||||||||||||||||||||||||| **문헌** |||||||||||||||||||||||||||||||||||||||||

1) Cornu M, Albert V, et al: mTOR in aging, metabolism, and cancer. Current Opinion in Genetics & Dvelopment 2013; 23: 53-62.
2) Lamming DW, Ye L, et al: Rapalogs and mTOR inhibitors as anti-aging therapeutics. J Clin Invest 2013; 123: 980-9.
3) 原　賢太：mTORとアンチエイジング．アンチ・エイジング医学．日本抗加齢医学雑誌 2010; 6: 673-9.
4) Harrison DE, Strong R, et al: Rapamycin fed late in life extends lifespan in genetically heterogenous mice. Nature 2009; 460: 392-5.
5) Neff F, Flores-Dominguez D, et al: Rapamycin extends murine lifespan but has limited effect on aging. J Clin Invest 2013; 123: 3272-91.

11 *α-Klotho*, FGF23 시스템에 의한 칼슘, 인의 제어

α-Klotho 란?

α-Klotho (*α-kl*)는 다양한 노화 증상을 나타내는 변이 마우스의 원인 유전자로 발견되었습니다.[1] α-Kl은 I형 막단백을 코드하며, 대부분을 차지하는 세포 밖 도메인은 type 1 *β*-glycosidase와 상동성이 있는 2개의 서열(α-Kl, α-K2)로 되어 있습니다. *α-kl*은 부갑상선, 신장의 원위세뇨관, 뇌의 맥락막 즉 혈액이나 뇌척수액의 전해질 농도 제어를 담당하는 조직에서 발현하고 있습니다. 유전자 결손 마우스는 혈관 중막의 석회화, 내막 비후를 특징으로 하는 노화에 따라 나타나는 동맥경화, 골밀도 저하, 연부 조직의 석회화 등 전해질 대사 이상을 추정하는 표현형을 보입니다. 또한 혈청 인의 현저한 상승, 혈청 칼슘 항진, 비타민 D의 지속적 활성 항진, 혈청 섬유아세포 증식인자 23(fibroblast growth factor-23, FGF 23) 증가를 볼 수 있습니다.[1]

칼슘 제어와 α-Kl의 기능

*α-kl*은 신장 원위세뇨관에서 칼슘 수송을 담당하는 transient receptor potential vanilloid 5(TRPV5), 칼핀데인D$_{28K}$, 나트륨-칼슘 교환 수송체 1 (sodium-calcium exchanger, NCX-1) 등과 같이 발현하고 있습니다. 이런 세포에서 α-Kl은 엔도솜 분획, 골지체 등의 세포내 소기관에서 Na$^+$/K$^+$-ATPase와 결합하여 세포 외 칼슘 농도 저하에 신속하게 반응하여 Na$^+$/K$^+$-ATPase의 세포 표면 동원, 즉 Na$^+$ 농도 기울기, 막전위 변화를 일으키고, NCX-1의 기능 항진과 연동하여 칼슘 재흡수 증가를 일으킨다고 생각합니다.[2] 같은 기전이 맥락막에서 일어나 혈액에서 뇌척수액으로 칼슘 수송에도 작용하고 있습니다. 실제로 *α-kl* 유전자 결손 마우스는 소변으로 다량의 칼슘 누출이 보고되었고, 뇌척수액의 칼슘 농도가 낮습니다. 한편, 혈청 칼슘 농도 저하에 따라 부

갑상선 호르몬(parathyroid hormone, PTH) 분비가 유도되나 *α-kl* 변이 마우스는 야생형의 25% 정도 밖에 분비되지 않습니다. 또 Na$^+$/K$^+$-ATPase 특이 저해제 ouabain을 첨가하면 PTH 분비가 억제되나, *α-kl* 녹아웃 마우스의 *ex vivo* 해석계에 ouabain을 첨가하면 분비 억제가 일어나지 않습니다.[2] FGF23는 주로 뼈에서 합성, 분비되어 혈중을 순환하고 신장 세포막에서 α-Kl, 섬유아세포 증식 인자 수용체 1(fibroblast growth factor receptor 1, FGFR1)과 복합체를 만들어 활성형 비타민 D 합성의 반응 속도 조절 인자인 Cyp27b1 발현을 음성으로 제어하여, 비타민 D 합성을 억제합니다.[3] 한편 FGF23 신호는 근위 세뇨관에서 나트륨 의존성 인수송체(NaPi)를 세뇨관쪽 세포 표면에서 세포 안으로의 이동을 촉진하여 인의 재흡수를 억제합니다.[4]

이상의 결과에 의한 지금까지 알려진 칼슘 제어 기전의 모식도는 그림 1과 같습니다. 칼슘 항상성 제어는 시간축에 따라 3개 단계로 나눌 수 있습니다. 첫째는 가장 빠른 반응이며 세포외 칼슘 농도 저하에 따라 신장 원위 세뇨관에서 칼슘 재흡수, 뇌척수액으로 칼슘 수송, PTH 분비가 이에 해당하며, α-Kl·Na$^+$/K$^+$-ATPase에 의한 Na$^+$ 농도 기울기에 의존하고 있습니다. 그 다음은 분비된 PTH가 뼈에서 칼슘을 방출하는 반응, 신 세뇨관에서 칼슘 재흡수, 비타민 D 합성 촉진 반응이 일어나며 이것은 수시간에 걸친 반응입니다. 셋째 반응은 비타민 D에 의해 소장에서 칼슘 흡수나 신 세뇨관의 비타민 D 수용체를 통한 반응이며 수시간에서 1일을 넘는 반응입니다. 즉 이런 반응은 시간 축을 따른 다단계 반응이며, 한편으로 복잡한 상호작용 피드백 기전에 의해 제어되어 전체적으로 혈액-체액, 뇌척수액의 칼슘 농도는 매우 좁은 범위 안에서 유지하는 작용을 하고 있습니다. 이 기전 중에서 α-Kl은 한편으로 칼슘 저하에 반응하여 재빠르게 칼슘 농도 상승

그림1 칼슘 항상성 유지 기전의 전체상

① 초~분

저 Ca^{++} | 고 Ca^{++}

α-Kl · Na^+/K^+-ATPase 막으로 이동, 활성항진

Ca^{++} 수송 ↑

Ca^{++} 재흡수 ↑

② 분~시간

PTH분비 | CaR

Ca^{++} 동원 ↑
PO_4 흡수 ↑

CYP27B1

Ca^{++} 재흡수 ↑
PO_4 재흡수 ↓

1,25 $(OH)_2D$

③ 시간~일

Ca^{++} 동원 ↑
PO_4 흡수 ↑

Ca^{++} 흡수 ↑
PO_4 흡수 ↑

Ca^{++} 재흡수 ↑

α-Kl/FGFR1

FGF23

을 유도하는 순간 반응 및 PTH를 통해 칼슘 농도를 올리는 반응에 관여하며, 다른 한편으로 FGF23의 신호 전달 제어를 통한 비타민 D합성 억제로 칼슘 농도 상승을 억제하는 피드백 시스템을 담당하고 있습니다. α-Kl의 기능은 오랫동안 불명했지만 칼슘 항상성을 제어하는 새로운 분자로 밝혀져 칼슘 제어에 대한 교과서를 다시 쓰게 되었습니다.

마지막으로

α-Kl, FGF23 연구는 새롭게 발전하고 있으며, 첫째는 α-Kl, FGF23 등 관련 분자 복합체의 구조 분석에 의해 분자 기전이 규명되어 무엇이 정상이고 무엇이 이상인지 알려지게 되었습니다. 둘째로 α-Kl에 의존하지 않는 FGF23 기능이 보고

되어 그 분자 기전 규명에 의해 새로운 전개가 기대 되고 있습니다. 셋째 과제는 분비형 α-Kl의 작용 기전을 규명하는 것이며, 이런 연구의 마지막으로 사람의 질환 연구에 대한 발전을 기대하고 있습니다.

（鍋島陽一）

문헌

1) Kuro-o M, Matsumura Y, et al: Mutation of the mouse Klotho gene leads to a syndrome resembling ageing. Nature 1997;390: 45-51.
2) Imura A., Tsuji Y, et al: α-Klotho as a regulator of calcium homeostasis. Science 2007; 316: 1615-8.
3) Urakawa I, Yamazaki Y, et al: Klotho converts canonical FGF receptor into a specific receptor for FGF23. Nature 2006; 444: 770-4.
4) Shimada T, Hasegawa H, et al: FGF23 is a potent regulator of the vitamin D metabolism and phosphate homeostasis. J Bone Miner Res 2004; 19: 429-35.

12 텔로미어(telomere), G테일, 텔로메라제(telomerase)

텔로미어

염색체에 들어 있는 게놈 DNA는 2줄의 DNA이며, 모든 염색체 DNA에는 말단 구조가 있습니다. 이 말단 DNA 구조 부분을 텔로미어 DNA라고 부르며, 5'-TTAGGG-3'의 반복 서열로 구성되어 염색체 끝이 서로 융합되지 않도록 방지하는 역할이 있다고 합니다(그림 1) 보통 체세포는 10~20k 염기쌍의 텔로미어 DNA 길이로 되어 있으며, 세포 분열 회수에 따라 텔로미어가 단축하고, 그 길이가 5,000 염기 정도까지 단축하면 세포 분열이 정지하므로 세포 분열을 카운트하는 회수권으로 흔히 비유하고 있습니다.

텔로미어는, 텔로미어 DNA와 그 서열에 특이적으로 결합하는 TRF1이나 TRF2 등의 텔로미어 결합 단백질과 그에 결합하는 POT1, TIN2, RAP1, PTOP 등으로 구성된 단백질 복합체가 되어 염색체 안정성에 관여하는 것으로 알려졌습니다.

텔로미어 G테일

염색체 말단의 텔로미어 DNA는 대부분 2줄 DNA이지만 가장 끝 부분은 구아닌이 풍부한 5'-TTAGGG-3' 서열의 한 줄 텔로미어 DNA가 돌출된 구조입니다. 이 한 줄 텔로미어 DNA는 300 염기 정도로 짧으며, 구아닌 서열이 풍부한 꼬리 모양의 구조이므로 텔로미어 G테일이라고 부릅니다. 보통 G테일은 꼬리처럼 노출되어 존재하는 것은 아니며, 그림 2와 같이 텔로미어의 2 줄이 풀린 부분에 끼어 들어가 결과적으로 t루프라고 부르는 텔로미어 루프 구조를 만들고 있습니다. 이 t루프 구조의 안정성이 염색체의 안정성에 중요하며, 텔로미어 G테일의 길이는 염색체 안정성과 비례하고 있습니다. 실제로 많은 노화 관련 질환에서 텔로미어 G테일 길이 단축이 있으며, 염

그림 1 텔로미어의 구조와 배열

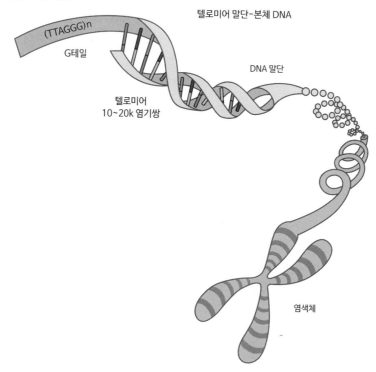

색체 불안정이 이런 질환 발생에 관여할 것으로 생각하고 있습니다.

텔로메라제

텔로메라제와 관련된 촉매 유전자로 알려진 *TERT* 유전자가 1998년 클로닝 되었습니다. 텔로메라제의 기본 구조는 telomere reverse transcriptase (TERT) 단백질 이외에 여러 단백질과 telomere RNA component (TERC)라고 부르는 RNA의 복합체로 구성되는 리보뉴클레오 단백입니다. 텔로메라제 활성은 생식 세포계나 줄기세포 이외의 체세포에서는 발현이 낮아 거의 검출할 수 없습니다. 최근에는 유도 만능줄기세포(induced pluripotent stem cell, iPS)의 초기화에 동반된 텔로메라제 활성화는 iPS평가 항목의 하나로 이용하고 있습니다.

질환과 텔로미어, 텔로미어 G테일

텔로미어 길이와 노화 질환의 관련은 표 1과 같으며, 비교적 많은 보고가 있습니다. 그 중에서도 젊은 나이의 심근경색이나 만성 심부전 등 심혈관 질환에서 텔로미어 길이 단축이 현저하다고 알려졌습니다.[1,2] 또 60세 이상 고령자에서 심혈관 질환이나 감염으로 사망하는 위험군에서 텔로미어 길이가 현저히 짧은 것이 보고되었습니다. 그 밖에 표 1과 같은 다양한 노화 질환에서 길이 단축이 알려졌습니다. 최근 텔로미어가 짧은 암 환자는 예후가 나쁘다는 보고도 있습니다. 텔로미어 G테일 길이는 측정 기술이 어려워 임상 데이터 보고가 없었습니다. 그러나 최근 만성 신부전, 대뇌 백질병변, 혈관 기능과 텔로미어 G테일의 관련을 나타내는 소견이 보고되고 있습니다.

그림2 텔로미어 G테일의 구조

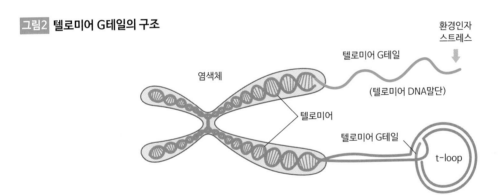

표1 텔로미어 길이, 텔로미어 G테일 길이와 질환의 관계

질환	관련인자		Ref
관상동맥 심질환	텔로미어	단축	Lancet 2003
만성 심부전	텔로미어	단축	Lancet 2007
당뇨병	텔로미어	단축	Atherosclerosis 2007
우울증	텔로미어	단축	ProsOne 2013
동맥경화	텔로미어	단축	Atherosclerosis 2007
심근경색	텔로미어	단축	Atherosclerosis 2009
암, 암의 예후	텔로미어	단축	J.Nat.Cancer Inst 2013
신 질환	텔로미어	단축	Am J Physiol Renal Physiol 2013
감염	텔로미어	단축	Lancet 2003
만성 신부전	G테일	단축에 의한 위험 증가	문헌1
뇌졸중	G테일	단축에 의한 위험 증가	문헌2
대뇌 백질 병변	G테일	G테일 단축(텔로미어 길이 보다 현저)	문헌2
혈관 질환	G테일	G테일 단축(텔로미어 길이 보다 현저)	문헌2
치매	G테일	단축에 의한 위험 증가	문헌2
암	G테일	단축	미발표

만성 신부전의 전향적 추적 연구에서, 텔로미어 G테일 길이가 짧은 환자는 심혈관 이벤트 발생 위험이 높은 것을 나타내는 위험 지표가 되는 것으로 알려졌습니다. 또 텔로미어 G테일은 혈관 내피 기능이 장애 된 환자나 광범위한 대뇌 백질 병변을 가진 환자에서 현저하게 단축되었습니다.[4] 이것은 텔로미어 G테일 길이가 심혈관병, 뇌졸중, 치매 등의 발생 위험을 평가하는 새로운 지표가 될 가능성을 나타내고 있습니다.

텔로미어 길이, G테일 길이 측정 기술

텔로미어 길이를 측정하는 기술은 일반적인 서던 분석, 텔로미어 FISH (fluorescence in situ hybridization), 폴리메라제 연쇄 반응(polymerase chain reaction, PCR)을 이용할 수 있습니다. PCR은 조작이 간편하지만 정량성에 문제가 있습니다. 현재 실용화되어 있는 기술은 LifeLength사의 텔로미어 qFISH, TeloMe사의 텔로미어 PCR, 미르텔 사의 텔로미어 HPA (hybridization protection assay) 등입니다.

텔로미어 G테일 길이 측정에 2004년부터 여러 기술이 보고되었으나, 실용화된 것은 텔로미어 G테일 HPA 뿐입니다. 이 기술은 자동 측정기도 개발되어 임상적 질병이 발생되기 전에 알아내는 '미병(未病)에 대한 검사'로 실용화되고 있습니다.

(田原栄俊)

||||||||||||||||||||||||||||||||||| 문헌 |||||||||||||||||||||||||||||||||||

1) van der Harst P, van der Steege G, et al: Telomere length of circulating leukocytes is decreased in patients with chronic heart failure. Journal of the American College of Cardiology 2007; 49: 1459-64.
2) Brouilette S, Singh RK, et al: White cell telomere length and risk of premature myocardial infarction, Arteriosclerosis, thrombosis, and vascular biology 2003; 23: 842-6.
3) Hirashio S, Nakashima A, et al: Telomeric g-tail length and hospitalization for cardiovascular events in hemodialysis patients. Clinical journal of the American Society of Nephrology: CJASN 2014; 9: 2117-22.
4) Nezu T, Tahara H: Telomere G-tail length is a promising biomarker related to white matter lesions and endothelial dysfunction in patients with cardiovascular risk: a cross-sectional study. EBioMedicine, in press.
5) Tahara H, Kusunoki M: G-tail telomere HPA: simple measurement of human single-stranded telomeric overhangs. Nat Methods 2005; 2: 829-31.

※역자 주:

• 미병(未病); 일본 Japanese Mibyo System Association 에서는 '지각증상은 없으나 검사에서는 이상이 있는 상태' 또는 '지각증상은 있으나 검사에서는 이상이 없는 상태'로 미병의 개념을 정의하고 있다.
2000여년전 중국의 황제내경(黃帝內經) 서적중에 '상공 불치이병 치미병(上工 不治己病 治未病)' 이라는 훌륭한 의사란 이미 생긴 병을 치료하는 것이 아니라, 병이 생기기 전에 치료한다는 내용의 글귀에서 유래하며, 본서적 p290을 참조 바랍니다.

13 생체 리듬(circadian rhythm)과 노화

하루 주기의 생체 리듬(circadian rhythm)을 제어하는 자가 발진(發振) 시스템이 체내에 있습니다. 이를 조절하는 시계 유전자 군이 질서 있게 발현 증가와 감소를 하루 주기 동안 반복하여 생체 리듬이 이루어집니다. 시계 유전자에 대한 입력뿐 아니라 발진 결과인 출력에 의해 대사증후군이나 노화 등 다양한 생체 기능 및 질병 발생의 관계가 주목을 끌고 있습니다. 여기서는 광선 입력, 식사, 노화가 어떻게 시계 유전자에 관여하는지, 또 그것을 제어하는 단서에 대한 최신 지견을 소개합니다.

중추 시계와 말초 시계

포유류에서 시계 기능은 전신의 거의 모든 세포에 갖추어져 있으며, 입력 신호는 조직에 따라 다릅니다. 행동을 지배하는 생체 리듬은 뇌의 시상하부 시교차상핵에 존재해 중추 시계에서 조절하며, 외부의 광선 주기에 동조합니다. 한편 전신에 존재하는 말초 시계는 식사에 영향을 크게 받습니다. 이와 같이 중추 시계인 시교차상핵과 말초 시계는 서로 다른 자극에 반응하며, 조직·세포에 따라 출력이 다르지만 공통된 발진 기전으로 시계 유전자군의 전사, 번역의 피드백 고리를 가지고 있습니다.

식사 시간과 체내 리듬

고지방식을 계속 섭취하면 비만이나 대사증후군이 되기 쉽습니다. 왜 그렇게 될까요? 야행성 마우스에 일반식을 주면 활동 시간대인 밤에 주로 먹이를 섭취하지만, 고지방식을 주면 밤낮의 차이가 없이 섭취합니다. 그에 따라 간에서 시계 유전자 군이나 대사 유전자 군 발현의 하루 중 변동이 감소합니다. 출생 2~3개월경의 야생형 수컷 마우스에게 밤 8시간 동안 고지방식을 준 결과, 고지방식을 하루 종일 자유롭게 섭취할 수 있는 개체와 동일한 정도의 식사량 및 칼로리를 섭취했습니다. 그리고 대사조절 지표로 알려진 cyclic AMP response element binding protein (CREB), mammalian target of rapamycin (mTOR), AMP-activated protein kinase (AMPK)의 발현을 조사한 결과, 고지방식에 하루 종일 자유롭게 접근할 수 있는 군에 비해 고지방식을 하루 8시간만 접근한 군에서 일중 리듬의 진폭이 회복되었습니다. 간의 시계 유전자 Per 2, Bmal1, Rev-erb α 등의 일중 발현 리듬도 일반식 군과 같은 정도까지 회복되었습니다. 또한 비만, 고인슐린혈증, 포도당 대사, 세포질 소기관 구성의 변화, 지질 대사, 담즙산 생산, 간 지방 변성, 염증, 지방세포 비대나 마크로파지 존재 등이 일반식을 준 마우스와 같은 정도까지 개선되었고, 운동 능력이 향상되었습니다. 즉 식사 종류나 양을 줄이지 않고 식사 시간의 제한만으로 비만이나 관련된 병태를 방지할 수 있으며, "무엇을 먹을까"뿐 아니라, "언제 먹을까"도 중요한 것이 밝혀지고 있습니다.[1]

생체 리듬과 노화

생체 리듬은 대사뿐 아니라 노화에도 밀접한 관련이 있으며, 나이 듦에 따라 일중 리듬 진동 폭의 감소, 위상(位相)의 진전, 급격한 위상 변화에 적응에 필요한 시간 증가 등이 일어납니다. 시계 유전자 Bmal1의 유전자 기능을 파괴한 마우스는 조로하여 야생형 마우스의 수명 약 2년에 비해 Bmal1 유전자 파괴 마우스는 37.0 ± 12.1주 단축되었습니다.[2] 서투인(sirtuin) 패밀리의 하나인 NAD^+ 의존성 탈아세틸화 효소 SIRT1은 대사증후군, 2형 당뇨병, 알츠하이머병 등에 관여하며,

---
※역자 주:

• circadian rhythm: 일주기 생체 리듬, 활동일주기(活動日週期), 생체리듬

최근의 연구 결과 생체 리듬과의 관련이 알려졌습니다. SIRT1은 BMAL1, PER2, 히스톤 H3를 하루 주기로 탈아세틸화하여 리듬 발진을 조절합니다.[3,4] 흥미로운 사실은 시교차상핵의 SIRT1 발현량은 노화에 따라 감소하며, SIRT1을 과잉 발현시키면 노화에 의한 시계 진폭 저하가 개선됩니다. 또 시계 단백질 cryptochrome (CRY)가 결손되면 염증 반응에 중요한 역할을 수행하는 전사 인자 nuclear factor κB (NF−κB)가 활성화되며,[6] 시상하부에서 NF−κB 활성화는 전신 노화 현상과 관계가 있어, 시계 발진 기전과 노화의 관련은 앞으로 연구과제의 하나입니다.

망막에 발현하는 광수용체 멜라놉신 (melanopsin)

노화에 따른 위상 조절 부전, 수면 장애 등 광선이 관여 하는 현상에 망막 광수용제 멜라놉신의 관여를 예상하고 있습니다. 전신에 존재하는 말초 시계는 식사에 강하게 영향을 받으며, 시교차상핵의 시계는 외부의 광선 주기에 동조합니다. 눈의 망막신경절 세포 중 수 %는 멜라놉신이라는 흡수 극대 파장 460~480 nm (청색 빛)인 광수용 단백질을 발현합니다.[7] 이 멜라놉신을 발현하는 망막신경절 세포는 추체나 간체에 더해 제3의 광수용 세포로 기능하여 스스로 빛을 느끼기 때문에 광감수성 망막신경절 세포라고도 부릅니다. 주된 뇌내 투사처는 시교차상핵이지만, 외측슬상체나 상구 등에도 투사하여, 생체 리듬에서 광 동조나 동공 반사, 빛에 의한 편두통 악화 등의 시각 이외의 광반응(비시각 반응)을 제어합니다. 멜라놉신 발현 망막 신경절 세포는 추체나 간체의 투사도 받아 망막내의 방대한 정보를 멜라놉신 발현 망막 신경절 세포에서 집약하여 뇌에 전달하여 비시각 반응을 제어합니다.

마지막으로

주야 교대 근무나 야간의 광선 조사에 의한 생체 리듬의 혼란은 암의 위험이나 섭식 혼란에 동반한 비만 가능성을 높인다고 생각합니다. 멜라놉신뿐 아니라 시계 단백질을 표적으로 하는 신약 개발은 식사 시간의 고려에 의한 발진의 진폭을 크게 하지 않고 노화 대책에도 효과적일 것입니다. 체내 시계에 대한 기초 연구가 건강 유지에도 기여하기를 기대합니다.

(羽鳥 惠)

|||||||||||||||||||||||||||||||||||||||||||||| 문헌 ||||||||||||||||||||||||||||||||||||||||||||||

1) Hatori M, Vollmers C, et al: Time-restricted feeding without reducing caloric intake prevents metabolic diseases in mice fed a high-fat diet. Cell Metabolism 2012; 15: 848-60.
2) Kondratov RV, Kondratova AA, et al: Early aging and age-related pathologies in mice deficient in BMAL1, the core componentof the circadian clock. Genes and Development 2006; 20: 1868-73.
3) Asher G, Gatfield D, et al: SIRT1 regulates circadian clock gene expression through PER2 deacetylation. Cell 2008; 134: 31728.
4) Nakahata Y, Kaluzova M, et al: The NAD+-dependent deacetylase SIRT1 modulates CLOCK-mediated chromatin remodeling and circadian control. Cell 2008; 134: 329-40.
5) Chang HC, Guarente L: SIRT1 mediates central circadian control in the SCN by a mechanism that decays with aging. Cell 2013; 153: 1448-60
6) Narasimamurthy R, Hatori M, et al: Circadian clock protein cryptochrome regulates the expression of proinflammatory cytokines. Proc Natl Acad Sci USA 2012; 109: 12662-7.
7) Hatori M, Panda S: The emerging roles of melanopsin in behavioral adaptation to light. Trends Mol Med 2010; 16: 435-46.

14 백세 고령자 및 초백세 고령자 연구의 전망

건강 장수 모델로 100세까지 생존한 백세 고령자 연구는 1970년대부터 시작되어 현재도 다양한 연구를 전 세계에서 시행하고 있습니다. 최근에는 105세[초백세 고령자(semi-supercentenarian, SSC)], 110세 이상(supercentennarian, SC) 연구도 시행하고 있습니다. 여기서는 백세 고령자 조사를 소개하고, 왜 초백세 고령자/수퍼 센테나리안을 조사하게 되었는지, 또 어떤 일을 기대하는지 설명합니다.

백세 고령자 연구의 목적과 성과[1]

백세 고령자 연구의 목적은, ① 사람이 노화되면 어떻게 되는지 안다, ② 건강 장수의 비밀을 규명한다(유전적 요인, 환경 요인의 검토), ③ 노화의 기초 과학이 사람의 장수 과학의 중개에 어떻게 적용되는지 안다 등을 생각할 수 있습니다. ③에 대해 다양한 노화의 기초 연구 성과가 발표되어 이 책에도 소개하고 있으며, 실제로 다른 사람에서도 관찰될 수 있는지 검토하는 것은 중요한 목적의 하나입니다.

2000년부터 시작한 도쿄 지역 백세 고령자 연구 결과에서, ① 97%의 백세 고령자는 어떤 한 종류의 만성 질환의 병력이 있으며, 현재도 있고, ② 치매 없이 자립하고 있는 백세 고령자는 전체의 20%, ③ 동맥경화가 적다 ④ 당뇨병 유병률이 낮다 ⑤ 염증 반응이 항진되어 있다 ⑥ 아디포넥틴이 높다 ⑦ 행복감이 높다 ⑧ 독특한 성격(개방성이 높다) 등의 특징이 있었습니다.

인구 동태 조사에서 백세 고령자가 지수함수적으로 증가되는 것을 관찰할 수 있습니다(전국의 백세 고령자 수는 1963년 153명이었으나, 2014년에는 58,820명이 되었습니다). 남녀 비에서 여성이 1:7로 압도적으로 많습니다. 게다가 백세 이후 사망률 계산에서, 놀라운 사실은 105~106세부터는 사망률 증가가 없었습니다. 기능이 높은 백세 고령자는 전체의 20%에 지나지 않았으나, 백세 고령자의 지수함수적 급증으로 105세 이후 사망률이 증가하지 않는 결과를 나타낸 것입니다. 일본은 백세 고령자뿐 아니라 초백세 고령자 대상의 전국 조사를 2002년부터 시작하고 있습니다.

초백세 고령자(SSC)와 수퍼 센테나리안(SC)의 인구 동태

2010년 국세조사 결과에서 백세 고령자는 47,756명(인구 비 1/2,500), SSC 2,564명(1/45,000), SC 78명(1/1,500,000)으로 드물었습니다. SSC, SC 수는 1991년 전국에서 각각 133명 5명이었으나 2010년에는 2,564명, 78명으로 증가했습니다. 이전부터 SC는 건강 장수의 최적 모델이라고 생각하고 있었으나, 숫자가 적어 통계 분석할 수 있을 만큼 모으기 어려웠습니다. 최근 수가 증가하여 세계 각지에서 SC 연구가 준비, 시행되고 있습니다.

SC 연구의 목적; 사람의 한계 수명 연구

SSC/SC 연구 목적은 백세 고령자 연구와 같지만, SC 연구에서 특별한 목적을 생각할 수 있습니다. 그것은 사람에서 한계 수명 연구입니다. 동물에는 종의 한계 수명이 있다고 생각합니다. 사람에도 한계 수명이 있다고 하면 몇 살일까에 대해 인구 동태 학자가 논의하고 있습니다.[2] 최장 장수 인류의 연령은, 여성에서 프랑스인 카르만 부인의 122세, 남성에서 일본인의 116세입니다. 앞으로도 최장 수명의 연장 가능성이 있으나, 현재 한계 수명은 115~125세 정도라고 예상합니다. SC의 종단적 연구를 통해 최장 수명에 접근한 SC의 특징을 밝힐 수 있을 것으로 생각하고 있습니다.

SSC와 SC의 특징; 병력과 기능[1]

SSC와 SC의 병력 조사에서 당뇨병, 고혈압, 암 등이 85대보다 적었으나, 취약성 골절은 많았습니다. 또 100~102세 시점에서 SSC, SC 모두 104

그림 1 장수에 관여하는 유전자

현재의 가설은 장수를 일으키는 유전 소인으로, 빈도가 높고 작용이 약한 변이 + 빈도가 적고 작용이 약한 변이가 관여하는 것으로 생각한다.

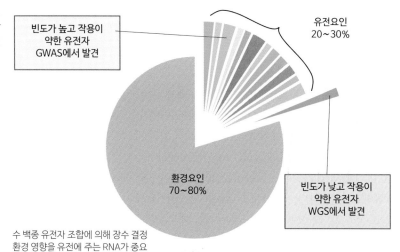

빈도가 높고 작용이 약한 유전자 GWAS에서 발견

유전요인 20~30%

환경요인 70~80%

빈도가 낮고 작용이 약한 유전자 WGS에서 발견

(문헌1, p299, 그림 17-8에서 인용)

수 백종 유전자 조합에 의해 장수 결정
환경 영향을 유전에 주는 RNA가 중요

세에 사망한 백세 고령자보다 일상 생활 활동도, 인지 기능이 높았습니다. 특히 SC는 자립하여 치매가 없고 특히 기능이 높은 것으로 알려졌습니다. 즉 SSC 특히 SC는 빈도가 드물지만, 중증 질환이 없고, 100세부터 기능이 높은 건강 장수 모델이라고 생각할 수 있습니다.

장수 유전자에 대해

수명에 대한 유전의 영향은 쌍둥이 조사 결과에서 30% 정도라는 보고가 있습니다. 그러나 90세나 100세 같은 고령에 도달하려면 유전의 작용이 강하다고 생각하는 연구자도 있습니다.

장수에 대한 유전 현상을 정리하면, ① 보기 드물고 작용이 강한 유전자 변이는 현재 발견되지 않았다.[3,4] ② 질환 위험이 되는 단일 다형(single nucleotide polymorphism: SNP) 빈도는 백세 고령자와 대조군에 차이가 없다.[3] ③ 다양한 유전자 보고가 있으나 재현성이 있는 유전자는 아포 E, FOXO3뿐이다,[5] 라고 보고되었습니다. 현시점에서 장수에 관여하는 유전자는 300개 정도이며, 작용이 강하지 않으며 비교적 빈도가 높은 유전 변이의 조합으로 일어날 것이라는 가설이 제창되었습니다(그림 1).[6]

SSC/SC 연구의 전망

SSC/SC 연구 목적은 건강 장수에 도달하는 비밀을 밝히는 것과 노화의 기초 연구 결과가 사람에서 관찰될 수 있는지 알려는 것입니다. 건강 장수와 관련된 요인으로 유전 소인에 대해 설명했지만 장수 요인은 유전 소인만은 아닙니다. 최근 SC에서 유도 만능 줄기세포(induced pluripotent stem cell, iPS)를 제작하여, 신경세포[7]와 혈관내피 세포로 분화시켜 특징과 RNA 전사 profile을 조사하고 있습니다. 분석 기술이나 노화과학이 급속히 발전하고 있어, 앞으로 사람의 장수 과학은 더욱 흥미가 높아질 것으로 생각합니다. 젊은 연구자가 참가하기를 바라며 설명을 마칩니다.

(広瀬信義 , 新井康通)

문헌

1) 広瀬信義, 新井康通, ほか : 百寿者解析. 老化の生物学, 石井直明, 丸山直記編, 化学同人, 2014, 287-304.
2) Gavrilova NS, Gavrilov LA: Biodemography of old-age mortality in humans and rodents. J Gerontol A Biol Sci Med Sci 2015; 70: 1-9.
3) Sebastiani P, Riva A, et al: Whole genome sequences of a male and female supercentenarian, ages greater than 114 years. Frontiers in Genetics 2012; 2: 1-28.
4) Gierman HL, Fortney K, et al: Whole-Genome Sequencing of the World's Oldest People. PLoS ONE 2014; 9: e112430
5) Broer L, Buchman AS, et al: GWAS of longevity in CHARGE Consortium Confirms APOE and FOXO3 Candidacy. J Gerontol A Biol Sci Med Sci 2015; 70: 110-8.
6) Sebstiani P, Solovieff N, et al: Genetic signitures of exceptional longevity in humans. PLoS ONE 2012; 7: e29848.
7) Yagi T, Kosakai A, et al: Establishment of induced pluripotent stem cells from centenarians for neurodegenerative disease research. PLoS One 2012; 7: e41572.

1 세포 의학의 이해; 세포 노화와 에이징

사람의 세포를 계대 배양하면 50~80회 분열 후에는 비가역적으로 분열을 정지하며, 이 분열 한계점을 Hayflick 한계점이라고 부릅니다. 이때의 세포는 크고 평탄화되는 등 형태적 특징 있으며, 분열이 활발한 세포에서는 볼 수 없는 유전자 발현과 기능 변화를 나타냅니다. 이와 같이 비가역적으로 분열이 정지되어 증식할 수 없는 상태를 '세포 노화'라고 합니다(그림 1). 이런 세포 노화 현상은 배양 세포에서뿐 아니라 노화에 따라 생체 내에서도 볼 수 있습니다. 나이 듦에 따라 노화 세포의 축적이 노화에 동반하는 다양한 기능 장애에 관여한다는 '세포 노화가설'을 노화 기전 중 하나로 생각합니다.[1,2]

세포 노화와 p53

노화에는 여러 가설이 있으나, 세포에는 수명이 미리 결정되어 있으며 그 수명에 도달하면 세포사가 유도된다는 프로그램설과, 활성 산소나 자외선 등의 물리화학적 스트레스 축적에 의해 세포가 노화 사멸한다는 과오 축적설(error theory)이 잘 알려져있습니다. 프로그램설에서는 세포의 분열 수명을 규정하는 인자의 하나로 텔로미어가 중요하다고 생각합니다.[1,2] 텔로미어는 염색체 양 끝에 있는 TTAGGG 반복이며, 염색체 보호나 복제에 기질 역할을 담당하고 있습니다. 텔로미어는 세포 분열시마다 단축되며, 극단적인 텔로미어 단축이 일어나면 손상된 DNA로 간주하여 노화 신호의 활성화로 세포는 분열을 정지하여 세포 노화 상태가 된다고 알고 있습니다. 텔로미어를 연장하는 효소로 텔로메라제가 있으나, 일반 체세포에서는 활성이 매우 낮기 때문에 세포 분열에 동반한 단축을 이겨내지 못하고 결국 분열이 정지되어 세포 노화에 이릅니다. 실제로 사람에서 텔로미어가 짧으면 심장 질환에 의한 사망률이 3.18배, 감염에 의한 사망률이 8.54배 증가하는 것으로 보고되어, 텔로미어가 세포 노화뿐 아니라 개체의 노화, 수명 규정에 중요한 역할을 담당할 가능성이 있습니다.

텔로미어 단축에 의한 세포 노화 신호를 담당하는 분자로 p53의 관여가 밝혀졌습니다. p53은 원래 암세포에서 변이, 결손으로 발견되었고, DNA 손상이나 암 유전자 발현 등에 의해 활성화 되어 비정상 세포의 증식을 저지하는 억제 유전자로 생각하며, 텔로미어 단축에 의한 노화 신호를 담당하는 분자인 것도 알려졌습니다. 그러나 p53 의존성 세포 노화 신호에는 텔로미어 단축을 동반하지 않는 경로도 있습니다. 산화 스트레스나 방사선 등에 의한 DNA 손상, Ras 등 암 유전자 과잉 발현 등을 일으키는 과오 축적설로 알려진 물리화학적 스트레스는 텔로미어 비의존성으로 p53 세포 노화 신호를 활성화시켜 세포 노화를 유도합니다. 1956년 네브라스카 대학의 단네르하만은 "미토콘드리아에서 생산되는 산화 스트레스가 노화를 촉진하다"는 미토콘드리아 노화 가설을 제창했습니다. 이 산화 스트레스도 p53 의존성 세포 노화 신호를 활성화합니다.

인슐린 신호는 효모에서부터 포유류까지 생물종을 넘어 잘 보존되어 있으며, 인슐린 신호 억제에 의한 수명 연장이 알려져 있으며, 인슐린 신호도 p53 의존성 노화 신호를 활성화합니다. 이런 사실에서 p53는 세포 노화에 중심적 역할을 담당하는 분자라고 생각할 수 있습니다.

p53 의존성 세포 노화 신호는 세포 노화뿐 아니라 개체 노화에 관여도 알려졌습니다. 실제로 노화에 따라 p53나 그 하류에 위치한 p21 등의 분자 발현이 증가합니다. 마우스 모델에서 p53를 지속적으로 활성화시키면 조로증 형질을 나타내고 수명이 단축합니다.

또 다양한 노화 마우스 모델에서 p53 활성화도 알려졌습니다. 텔로메라제 결손 마우스의 교배를 반복하면 텔로미어 단축으로 노화 형질이 나타나고 수명이 단축하며 이 마우스의 다양한 조직에

그림 1 혈관 세포 노화에 동반한 형태 변화

대략 50~80회의 분열 후, 사람 혈관 세포는 노화되어 분열을 정지한다. 노화된 세포는 그림과 같은 형태 변화가 있다.

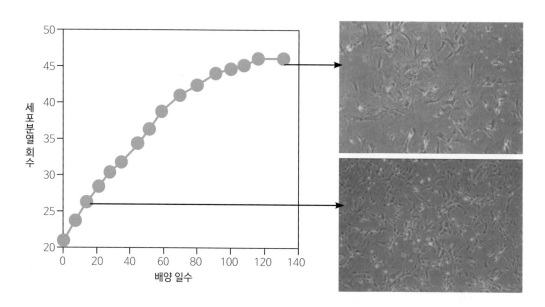

서 p53 활성화가 보고되었습니다. 사람의 유전성 조로 증후군에서 원인 유전자의 대부분은 DNA 회복과 관계된 분자이며, 이런 유전자 이상을 이용한 마우스 모델에서 p53 의존성 노화 신호 활성화가 있습니다. 사람의 유전성 조로증의 하나인 Hutchinson-Gilford 증후군은 핵막을 구성하는 라민 A 유전자 변이에 의한 프로제린 단백질 축적이 원인으로 알려졌으며, 이런 환자나 이 질환의 모델 마우스 세포는 수명이 단축되고 p53 신호 활성화가 있습니다. 또한 이 모델 마우스에서 p53를 결손시키면 노화 형질이 개선되고 수명이 연장됩니다. 한편 p53의 하류 분자인 p21를 결손시킨 마우스는 장수 마우스로 알려졌습니다. 이런 소견에서 p53 의존성 세포 노화 신호가 개체의 수명에 관여한다고 생각할 수 있습니다.

마지막으로

p53 의존성 세포 노화 신호가 노화에 중요한 역할을 한다는 근거를 소개했습니다. 최근 p53 의존성 세포 노화 신호가 염증 유도뿐 아니라 다양한 질환의 병태생리에 관여하는 것으로 알려지고 있습니다.[5] 세포 노화의 이해는 안티에이징에 불가결하여 새로운 발전이 기대됩니다.

(須田将吉 , 南野 徹)

|||||||||||||||||||||||||||||||||||||||||||| 문헌 ||||||||||||||||||||||||||||||||||||||||||||

1) Minamino T, Komuro I: Vascular cell senescence contribution to atherosclerosis. Circ Res 2007; 100:15-26.
2) MinaminoT, Komuro I: Vascular aging: insights from studies on cellular senescence, stem cell aging, and progeroid syndromes. Nat Clin Pract Carcliovasc Med 2008; 5: 637-48.
3) Minamino T, Orimo M, et al: A crucial role for adipose tissue p53 in the regulation of insulin resistance. Nat Med 2009; 15: 1082-7.
4) Shimizu I, Yoshida Y, et al: DNA damage response and metabolic disease. Cell Metab 2014; 20(6): 967-77.
5) Yokoyama M, Okada S, et al: Inhibition of endothelial p53 improves metabolic abnormalities related to dietary obesity. Cell Rep 2014; 7(5): 1691-703.

2 줄기세포 에이징과 안티에이징 의학

노화의 특성과 줄기세포 에이징

나이 듦에 따라 조직의 기능 저하나 재구축 변화를 일으키는 조직의 노화가 진행되어 생체 시스템의 항상성은 점차 파탄되어져 갑니다. 포유류에서는 이런 생리적 변화를 기본으로, 고혈압이나 당뇨병 등의 생활 습관병, 암 등에서 볼 수 있는 질환 특이 변화가 더해져 노화 관련 질환이 발생합니다. 이런 생리적 변화와 병적 변화는 연속 선상에 있어 엄격하게 분리하기 어려우며, 생리적 노화의 이해를 통한 노화 관련 질환의 통합적 이해가 필요합니다.

지금까지 노화 연구는 조직 수준에서 생리적 기능 감퇴, 개체 수준에서 기능 저하와 함께 연령 증가에 따른 질환의 분석으로 진행되어 왔습니다. 지난 10여 년간 줄기세포 연구의 눈부신 발전으로 생체를 구성하는 많은 조직과 장기가 줄기세포를 정점으로 하는 줄기세포 시스템의 끊임없는 재생에 의해 유지되는 것이 알려졌습니다. 불로(不老)라고 생각했던 줄기세포에도 수명이 있으며, 조혈이나 피부, 장관(腸管) 등의 줄기세포 또는 줄기세포 니쉬(niche)의 노화 변화(줄기세포 노화)가 기능하는 세포 공급에 이상이나 분화 편향을 일으켜서 장기의 기능 저하나 노화 관련 질환이 발생하는 것으로 알려졌습니다. 이 줄기세포의 노화는 hallmarks of aging으로 노화 특성 중에서도 본질적이라고 인식하고 있습니다(그림 1). 주목해야 할 것은, 노화의 모든 특성을 전신의 줄기세포 노화에서 볼 수 있다는 것입니다. 따라서 줄기세포 시스템의 정점에 있는 줄기세포 노화에서 노화 변화를 인식하는 시각이 중요하다고 생각할 수 있습니다.

줄기세포는 긴 수명 동안 다양한 노화 스트레스(DNA 손상이나 대사 변화 등)에 노출됩니다. 노화 스트레스는 줄기세포 고갈, 분화와 기능 이상을 일으키는 동시에 유전자 변이 축적을 촉진하여 암 변화 위험을 높입니다. 따라서 줄기세포는 니쉬에 존재하여 세포 주기와 분리되며, G0기에 나타나는 다양한 스트레스를 회피합니다. 줄기세포의 긴 수명은 노화를 막는 다양한 안전 장치에 의해 유지되고 있다고 생각합니다. 모델 생물에서 확인된 노화, 수명 신호가 장기의 줄기세포에 대해 중요한 제어 인자로 확인되었으나, 줄기세포가 가진 노화 스트레스 내성 기전이나 그 파탄에 의한 줄기세포 노화 전모는 아직 밝혀지지 않았습니다.

노화 관련 질환과 줄기세포 노화

노화 관련 질환과 줄기세포 이상이 관련 있는 것으로 알려지고 있습니다.[2] 고령자에서 빈발하는 조혈기 질환의 대부분은 줄기세포 노화에 의한 것이 구체적으로 밝혔습니다. 노화에 따라 발생 빈도가 증가하는 골수 이형성 증후군은 물론 만성 림프구성 백혈병에서도 조혈 줄기세포 수준에서 유전자 변이 획득으로 병이 시작되는 것이 보고되었습니다.[3,4] 또한 하버드 대학과 칼로린스카 대학의 공동 연구는 12,380명의 스웨덴인 말초혈액 DNA의 전체 엑손 서열 분석에서, 50세 미만은 체세포 돌연변이가 1%였으나, 65세 이상 고령자는 10% 정도로 그 빈도는 연령에 따라 증가하는 것을 보고했습니다. 게놈 검사 후 6개월 이후에 31예가 조혈 종양으로 진단되었으며, 그 중 42%에서 선행된 클론성 조혈이 있었고, 클론 확대가 종양의 위험 인자로 판명되었습니다. 유전자 변이에는 조혈기 종양을 일으킨다고 알려진 유전자 군, 즉 DNA methyltransferase 3A (DNMT3A), addition of sex combs like 1 (ASXLI) 및 ten-eleven translocation 2 (TET2) 등이 있습니다. 이런 소견은 연령 증가에 따라 일견 정상으로 보이는 체세포 돌연변이를 동반하는 클론성 조혈의 확대가 오랜 세월에 걸쳐 진행되어 증폭된 클론에서 조혈기 종양의 기원이 되는 암 줄기세포

그림 1 **노화 특성과 줄기세포 안티에이징**

줄기세포 노화는 연령 증가에 따른 대표적 특징의 하나이며, 다른 노화 특성의 대부분에서 전신의 줄기세포 노화가 관여한다. 따라서 줄기세포 노화의 입장에서 인식이 중요하다.

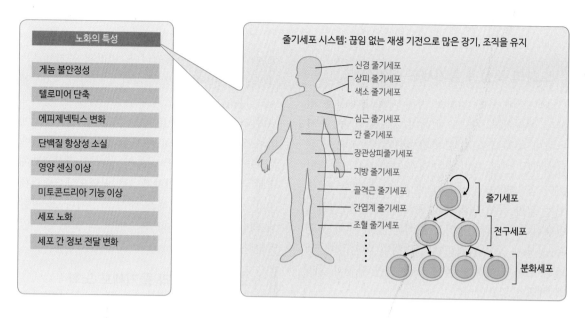

그림 2 **줄기세포 이외의 노화 변화나 질환과 줄기세포 노화**

줄기세포 노화는 장기 조직의 노화 변화나 질환 발생에 중요한 영향을 준다. 한편 분화 기능 세포의 노화 변화나 그에 따른 질환은 예를 들어 세포 노화를 일으킨 세포에서 방출되는 염증성 사이토카인을 개입시키거나 니쉬 이상을 일으키고, 결과적으로 줄기 세포의 노화를 가속한다는 지견도 축적되고 있다.

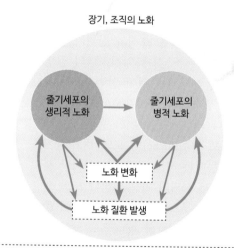

가 파생하는 것이라고 생각할 수 있습니다. 이렇게 노화를 줄기세포와 니쉬라는 완전히 새로운 시점에서 보는 줄기세포 노화의 본질 이해를 통해 "노화 병"이라는 명제 해결에 대한 도전이 중요하게 되었습니다. 아직 일부밖에 해석되지 않은 줄기세포 노화의 본태를 밝혀 조직의 노화나

노화 관련 질환의 발생에 대해 줄기세포의 노화 변화가 어떻게 관여하는지 그 역할을 밝히는 것이 중요합니다. 물론 모든 노화 질환을 줄기세포 노화로 설명할 수 있는 것은 아닙니다. 그러나 분화, 기능세포의 노화 변화나 그에 따른 질환은 예를 들어 세포 노화 세포에서 방출되는 염증성 사

이토카인(senescence-associated secretory pheno-type, SASP)을 통해, 또는 니쉬 이상을 일으켜 결과적으로 줄기세포 노화를 가속한다는 근거가 있습니다(그림 2). 생리적 및 병적 줄기세포 노화와 노화 질환을 포괄적으로 파악하는 접근으로 안티에이징 의학의 역할을 기대합니다.

(岩間厚志 , 田久保圭誉)

|||||||||||||||||||||||||||||||||||| **문헌** ||||||||||||||||||||||||||||||||||||

1) López-Otín C, Blasco MA, et al: The hallmarks of aging. Cell 2013; 153(6): 1194-217.
2) Signer RA, Morrison SJ: Mechanisms that regulate stem cell aging and life span. Cell Stem Cell 2013; 12(2): 152-65.
3) Shih AH, Abdel-Wahab O, et al: The role of mutations in epigenetic regulators in myeloid malignancies. Nat Rev Cancer 2012; 12(9): 599-612.
4) Damm F, Mylonas E, et al: Acquired initiating mutations in early hematopoietic cells of CLL patients. Cancer Discov 2014; 4(9): 1088-101.
5) Genovese G, Kähler AK, et al: Clonal hematopoiesis and blood-cancer risk inferred from blood DNA sequence. N Engl J Med 2014; 371(26): 2477-87.

③ 체액성 인자에 의한 노화 제어

분자 세포 생물학의 발전으로 노화에 관여하는 다양한 신호 경로나 그들과 관계된 인자가 확인되어 세포 수준에서 노화에 관여하는 인자가 많이 알려졌습니다. 한편 개체 수준에서 노화를 생각할 때 체액성 인자가 무시할 수 없는 역할을 한다고 생각할 수 있으나, 구체적으로 어떤 체액성 인자가 중요한지는 밝혀지지 않았습니다.

줄기세포와 노화

지금부터 반세기 전인 1950년대에 Cornell대학의 클라이브 M 맥케이는 젊은 흰쥐와 고령 흰쥐의 파라비오시스(parabiosis: 개체 결합) 실험으로 젊은 흰쥐의 혈액에 고령 흰쥐의 연골을 젊게 만드는 인자가 존재한다고 보고했습니다. 당시 이 인자가 무엇인지 불명했으나, 그후 노화 연구의 진행으로 줄기세포의 중요성이 알려졌습니다. 그러나 노화 조직에서 줄기세포 수의 유의한 감소가 없으므로 줄기세포의 기능 저하가 노화의 열쇠로 생각되었고, 혈중에 존재하는 체액성 인자가 줄기세포에 작용하여 회춘 인자나 노화 촉진 인자로 작용할 가능성을 생각하게 되었습니다. 그러나 구체적 인자의 일부가 확인 된 것은 최근의 일입니다.

노화에 관여하는 인자

Stanford 대학의 토마스 A 랜드는 맥케이의 연구에서 추정된 체액성 인자를 발견하기 위해 마우스의 파라비오시스 연구를 시행했습니다. 노화에 따라 골격근의 재생능 저하가 일어나므로, 골격근 재생에 대한 줄기세포의 관여를 주목하여 골격근 재생시 줄기세포 기능을 제어하는 체액성 인자를 조사했습니다. 구체적으로 고령 마우스와 젊은 마우스를 파라비오시스로 결합시키고, 고령 마우스의 골격근을 동결하여 손상을 일으킨 후 조직 재생능을 평가한 결과, 노화 개체에서 골격근 재생능 저하의 개선이 있었습니다. 반대로 젊은 마우스의 골격근은 동결 손상 후 조직 재생능 저하가 있었습니다. 이것은 골격근 재생에 관여하는 노화 촉진 인자 및 회춘 인자가 각각 고령 마우스와 젊은 마우스의 혈중에 존재하는 것을 시사했습니다.[1] 또한 고령 마우스의 혈중에 존재하는 체액성 인자는 Wnt 단백 수용체 Frizzled (Fz)에 결합하여 Wnt/β-catenin 신호 활성화를 유도하는 인자라는 것을 밝혔습니다. 그러나 Wnt 단백은 소수성이 강하므로 혈중에 존재하여 원격 장기에 작용할 가능성이 낮다고 생각하여 그 정체가 불명했습니다. 그들은 같은 실험계를 이용하여 노화 개체에서 나타나는 중추 신경의 재생능 저하를 조사하여, 고령 마우스의 혈중에 증가하는 chemokine ligand 11 (CCL11)이 고령에서 중추 신경 재생능 저하 원인의 하나라고 보고했습니다.[2] 그러나 CCL11은 Wnt 활성화능이 없어 골격근 재생에 작용하는 노화 인자와 다를 가능성을 생각할 수 있습니다.

한편 노화 관련 질환의 하나로 알려진 심부전 모델 마우스의 혈청에서 고령 마우스의 혈청에 비해 Wnt 활성화능이 높은 것을 발견했습니다. 심부전 모델 마우스의 혈중에 존재하는 Fz에 결합하는 단백을 확인하여, 그 물질이 보체 분자 C1q인 것을 알아냈습니다. 실제로 C1q는 고령 마우스의 혈중이나 심부전 모델 마우스의 혈청에 증가하며, 고전적 보체 경로 활성화와 관계없이 Fz에 결합하여 Wnt 활성화능을 나타내는 것이 밝혀졌습니다. 이런 작용은 C1q 자극에 의해서도 일어납니다. 한편 C1q 결손 마우스나 C1 저해제 투여에 의해 C1q에 의한 Wnt 활성화 억제는 노화 마우스에서 골격근 장애 후 재생능 저하를 개선합니다. 반대로 젊은 마우스 골격근에 C1q를 작용시키면 Wnt 신호가 활성화되어 골격근 장애 후 재생 악화가 밝혀졌습니다. 이런 결과는 혈중에 존재하는 체액성 인자 C1q가 원래 알려진 자연 면역에 대한 작용과는 별개로 노화 촉진 인자의 새로운 역할을 하는 것이 분명한 동시에 이 C1q에 의한 Wnt 신호 활성화 경로 저해는 노화 관련 질환의 새로운 치료 표적이 될 가능성을 시사합니다.[3]

혈중에 존재하는 노화 촉진 인자가 확인되어, 최근에는 젊은 마우스의 혈액을 고령 마우스에 수혈하는 실험이나 파라비오시스 실험을 통해 회춘 효과를 나타내는 인자가 발견되고 있습니다. The University of California, San Francisco (UCSF) 연구 팀은 젊은 마우스의 혈액을 고령 마우스에 수혈하여 노화에 따라 변화하는 해마 기능 저하가 억제되어 기억능이나 인지능이 개선되는 것을 보고했습니다.[4] 하버드 대학 연구 팀은 노화에 따라 저하하는 Growth differentiation factor 11 (GDF11)을 투여하여 노화에 따른 심 비대나 뇌의 인지능 저하 억제를 보고했습니다.[5,6] 현재 회춘 인자 GDF11와 노화 촉진 인자 CCL11, C1q의 관련은 명확하지 않지만 앞으로 이런 인자가 주목을 받을 것으로 기대합니다.

마지막으로

사람의 노화는 마우스만큼 단순하지 않지만 노화에 따라 증가하는 노화 촉진 인자나 노화와 함께 감소하는 회춘 인자가 확인되면 노화 관련 질환의 예방, 치료에 큰 공헌이 될 것입니다.

(住田智一 , 小室一成)

문헌

1) Brack AS, Conboy MJ, et al: Increased Wnt signaling during aging alters muscle stem cell fate and increases fibrosis. Science 2007 ;317: 807-10.

2) Villeda SA, Luo J, et al: The ageing systemic milieu negatively regulates neurogenesis and cognitive function. Nature 2011; 477: 90-4.

3) Naito AT, Sumida T, et al: Complement C1q activates canonical Wnt signaling and promotes aging-related phenotypes. Cell 2012; 149: 1298-313.

4) Villeda SA, Plambeck KE, et al: Young blood reverses age-related impairments in cognitive function and synaptic plasticity in mice. Nature medicine 2014; 20: 659-63.

5) Loffredo FS, Steinhauser ML, et al: Growth differentiation factor 11 is a circulating factor that reverses age-related cardiac hypertrophy. Cell 2013; 153: 828-39.

6) Katsimpardi L, Litterman NK: et al: Vascular and neurogenic rejuvenation of the aging mouse brain by young systemic factors. Science 2014; 344: 630-4.

III

안티에이징(노화방지) 의학의 기초

4 노화와 세포사(細胞死)

노화는 연령 증가에 따른 세포 기능이나 장기 기능의 감소이며, 그 후 각종 노화 관련 질환에 이환되어 최종적으로 죽음에 이르는 일련의 과정입니다. 세포사는 세포 증식, 세포 분화, 세포 노화와 교묘한 균형을 유지하여 생체의 항상성을 유지하고 있습니다. 여기서는 먼저 세포사 전반에 대해 설명하고, 다음에 세포사와 노화와의 관련을 알아봅니다.

세포자멸사(apoptosis)의 신호 전달 기전

세포자멸사(apoptosis)는 생체에서 가장 중요한 세포사 기전이며 개체 발생이나 생체의 항상성 유지에 관여하고 있습니다. 세포자멸사는 다양한 자극에 의해 유도되며, 각 자극에 의해 활성화 된 세포자멸사 신호는 공통 기전으로 집약됩니다. 세포막에 존재하는 Fas나 TNF-α 등의 death receptor에 의한 자극의 일부를 제외하면 미토콘드리아가 대부분의 세포자멸사 신호 집약 장소가 됩니다. 미토콘드리아가 세포자멸사 자극을 받으면 막 투과성이 항진 되어 외막과 내막으로 구획되는 공간에 존재하는 시토크롬 C 등의 세포자멸사 유도 단백질이 세포질로 누출됩니다. 누출된 시토크롬 C는 ATP나 Apaf-1과 공동으로 단백질 분해 효소를 활성화하여 중요한 단백질을 절단하여 세포자멸사를 일으킵니다(그림 1 왼쪽).[1] 이와 같이 미토콘드리아 막의 투과성 변동은 세포자멸사 신호 전달에 결정적 역할을 하고 있습니다. 한편 death receptor를 통한 세포자멸사는 수용체에서 직접 활성화가 촉진됩니다.

세포자멸사에서 미토콘드리아 막 투과성을 제어하는 것은 주로 Bcl-2 패밀리 단백질입니다. Bcl-2 패밀리 단백질은 기능과 구조에 의해 3개 그룹으로 나눕니다.[2] ① Bcl-2나 Bcl-XL로 대표되는 세포자멸사를 억제하는 그룹, ② Bax나 Bak로 대표되는 세포자멸사를 촉진하는 그룹, ③

Bid나 Bad로 대표되는 세포자멸사를 촉진하는 그룹입니다. 세포자멸사는 신경 세포나 면역 세포를 중심으로 많은 세포의 생사를 조절하고 있습니다.

세포자멸사 이외의 세포사

최근 생체에서 세포자멸사 이외의 세포사도 중요한 역할을 하는 것이 알려졌습니다. 그 대표는 네크롭토시스(necroptosis)로 대표되는 계획적 네크로시스와 오토파지(autophage) 세포사입니다. 네크롭토시스는 세포 소기관의 종대, 조기에 일어나는 생체막의 파탄 등 네크로시스의 특징을 가지고 있으며, receptor interacting protein 1 kinase (RIPK1), RIPK3, mixed lineage kinase domain-like protein (MLKL) 등의 키나제 활성화에 의해 능동적으로 유도됩니다(그림 1 중앙). 이 세포사는 세포자멸사의 백업 기능 이외에 장기 허혈 손상, 급성 췌장염, 바이러스 감염 등에서 일어나는 세포사에 관여합니다.

오토파지 세포사는 오토파지(자식 작용) 활성화에 의해 유도되는 세포사입니다. 오토파지는 세포 내 성분을 리소솜으로 분해하는 경로이며 생존에 관여하는 세포 기능입니다. 그러나 오토파지가 과잉으로 일어나면 자기 구성 성분이 대량으로 분해되어 세포는 죽게 됩니다(그림 1 오른쪽).[4] 이 세포사는 세포자멸사의 보상적 역할 이외에 생식기 등 호르몬 감수성 장기의 퇴축에도 관여할 가능성이 있습니다.

노화와 세포사

노화가 진행되는 과정에서 세포에 많은 변화가 일어납니다. 대표적으로, ① 유전자 돌연변이의 축적(세포 복제시나 방사선 등이 원인), ② 장기 간 저농도의 활성 산소 노출에 의한 생체 분자의 과산화 수식(modification), ③ 줄기세포의 기능 저하(줄기세포를 지지하는 니쉬의 기능 저하 등

그림 1 세포사의 신호 전달 기전

아포토시스(apoptosis) (왼쪽) 신호는 미토콘드리아에 집약된다. BH3-only 단백질 등의 기능으로 미토콘드리아 막 투과성이 항진되면 cytochrome C 등 apoptogenic 단백질이 세포질로 누출된다. cytochrome C 는 Apaf-1을 통해 caspase를 활성화한다. Bcl-2 패밀리 단백질은 미토콘드리아 막의 투과성을 조절하여 세포사의 on/off를 결정한다. 네크롭토시스(중앙)는 FADD, 불활성형 caspase-8, RIPK1, RIPK3를 포함한 복합체 하류에서 MLKL 활성화에 의해 일어난다. 오토파지 세포사(오른쪽)는 오토파지의 과잉 활성화에 의해 자기 구성 성분이 리소솜 프로테아제에 의해 분해되어 일어난다.

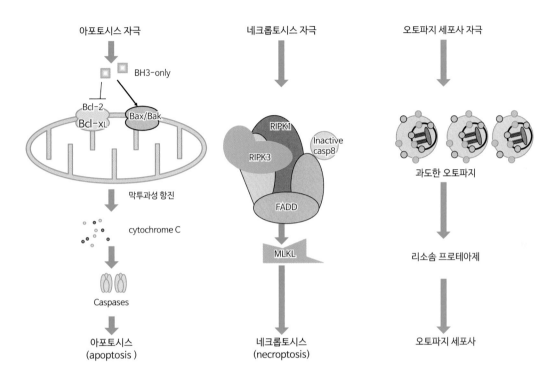

이 원인) 등을 들 수 있습니다. 이런 유전자 변이나 과산화물이 축적된 세포는 죽음에 이르며, 세포 교대가 거의 없는 신경세포나 심근 세포 등에서 세포사는 그대로 장기의 기능 탈락을 일으킵니다. 한편 세포 회전이 신속한 혈액 세포나 장관 상피 세포에서는 줄기세포의 기능이 저하되어 세포사 후 보충이 충분히 일어나지 않아 골수 기능 저하와 위장관 장애가 일어납니다. 이와 같이 노화에 따라 유도되는 세포사는 장기 기능 저하를 일으킵니다.

노화 동반 질환과 세포사

노화에 동반하는 대표적 질환은 신경 변성 질환이나 발암입니다. 파킨슨병이나 알츠하이머병이 대표적이며, 신경 변성 질환의 발생과 악화에는 손상된 신경 세포의 탈락(세포사)이 중요한 역할을 하고 있습니다. 한편 발암은 비정상 유전자를

가진 세포가 세포사를 일으키지 않고 자율적으로 증식하는 것이 원인입니다. 즉 전자는 과잉의 세포사가, 후자는 과소의 세포사가 질환의 원인 입니다. 따라서 세포사를 제어하는 약제 개발은 노화 관련 질환 치료의 한 방법이 될 것으로 기대합니다.

(清水重臣)

||||||||||||||||||||||||||||||||||||||||||||| **문헌** |||||||||||||||||||||||||||||||||||||||||||||

1) Tsujimoto Y: Cell death regulation by the Bcl-2 protein family in the mitochondria. J Cell Physiol 2003; 195: 158-67.

2) Tsujimoto Y, Shimizu S: Bcl-2 family: life-or-death switch. FEBS Lett 2000; 466: 6-10.

3) Khan, N, Lawlor, KE, et al: More to life than death: molecular determinants of necroptotic and non-necroptotic RIP3 kinase signaling. Curr Opin Immunol 2014; 26: 76-89.

4) Shimizu S, Kanaseki T, et al: Role of Bcl-2 family proteins in a non-apoptotic programmed cell death dependent on autophagy genes. Nat Cell Biol 2004; 6: 1221-8.

① 산화 스트레스의 이해

▌활성 산소(活性酸素)

산화 스트레스는 "생체의 산화 반응과 항산화 반응의 균형의 붕괴로 산화 반응이 우세하게 된 생체에 바람직하지 않은 상태"라고 정의하고 있습니다. 다시 말해서, "어떤 원인으로 활성 산소 생산이 높아져서 회복할 수 없는 정도의 생체 손상이 축적되어 생체 기능에 장애가 일어난 상태"이며, 노화나 다양한 질병에서 중요한 원인의 하나로 인식되고 있습니다. 따라서 산화 스트레스를 이해하려면, 활성 산소, 항산화 기전, 생체 손상에 대한 이해가 필요합니다. 이에 대해 간단히 정리해 봅시다.

활성 산소는 산소가 전자 하나가 환원된, superoxide anion ($O_2 \cdot {}^-$), 과산화 수소(H_2O_2), hydroxyl radical ($HO \cdot$), 들뜬상태의 산소인 일중항산소(一重項酸素, singlet oxygen) (${}^1O_2$) 등을 의미합니다. 또한 호중구의 myeloperoxidase에 의해 과산화수소와 염소 이온으로 생성되는 차아염소산(HOCl), 염증에서 다량 생성되는 일산화질소($\cdot NO$)와 superoxid가 반응하여 생성하는 peroxynitrite ($ONOO^-$), 가장 산화되기 쉬운 지질(LH)의 산화 과정에서 생성되는 지질 hydroperoxide (LOOH), 지질 peroxyl radical (LOO$\cdot$), 지질 alkoxy radical (LO$\cdot$) 등을 광의의 활성산소라고 부릅니다.

라디칼(radical)은 쌍을 이루지 않은 원소 또는 분자이며, X$\cdot$로 표기합니다. 라디칼은 다른 물질에서 수소를 빼앗아 안정화하려는 특성이 있어 반응성이 높습니다. 앞의 활성 산소 중에서 superoxide, 일산화질소, 지질 peroxyl radical, 지질 alkoxy radical 등이 라디칼입니다. 산소는 1 분자 중에 2개의 쌍이 없는 전자를 가지므로 biradical이라고 부르며, $\cdot OO \cdot$로 표기합니다.

▌항산화 기전

생체의 주성분은, 물, 단백질, 지질, 당, 핵산이며, 가장 산화되기 쉬운 것은 고도 불포화 지방산을 가진 지질(LH)입니다. 지질의 산화 반응 기전은 아래와 같은 반응이 2~3회 반복되어 LOOH가 축적되는 라디칼 연쇄 반응입니다. 산소가 biradical로 이루어지는 반응에 주목해 주십시오.

$$LH + X \cdot \rightarrow L \cdot + XH \qquad (1)$$
$$L \cdot + O_2 (\cdot OO \cdot) \rightarrow LOO \cdot \qquad (2)$$
$$LOO \cdot + LH \rightarrow LOOH + L \cdot \qquad (3)$$

따라서 연쇄 반응을 멈추기 위해서는 LOO$\cdot$ 포착이 필요합니다. 이것을 연쇄 절단형 항산화 물질이라고 부르며, 비타민 E와 환원형 코엔자임 Q10 (유비퀴놀 10)이 대표적 예입니다.

지질의 산화 반응이 일어나지 않기 위해서는, 그 발단이 되는 활성산소, 자유 라디칼(free radical, 유리기)을 제거해야 합니다. superoxide를 산소와 과산화수소로 전환하는 superoxide dismutase, 과산화수소를 분해하는 글루타치온 peroxidase, 카탈라제, peroxiredoxin 등은 중요한 항산화 효소입니다.

지질의 산화 생성물인 LOOH는 철 이온이나 동 이온에 의해 분해되어, LO$\cdot$나 LOO$\cdot$를 공급하므로 지질 과산화 상태가 악화됩니다. 따라서 금속 이온을 킬레이트하여 불활성화하는 페리틴, 트랜스페린, 세룰로플라스민, 메탈로치오네인(metallothionein), 요산 등이 대표적 예방적 항산화물질입니다. 지질 산화를 촉매하는 헴을 분해하는 헴옥시게나제가 대부분의 산화 스트레스에서 유도되는 것은 흥미롭습니다.

일중항산소는 불포화 지질과 반응하여 LOOH

표1	지질 과산화를 억제하는 대표적 항산화 물질과 항산화 효소

연쇄 절단형 항산화 물질

비타민 E, 유비퀴놀-10, 빌리루빈

예방적 항산화 물질, 항산화 효소

금속 이온의 불활성화
  페리틴, 트랜스페린, 세룰로플라스민, 메탈로치오네인, 요산
수퍼옥시드(superoxide) 소거
  수퍼옥시드 디스뮤다제(superoxide dismutase: SOD)
일중항산소(singlet oxygen) 제거
  카로티노이드, 빌리루빈, 비타민 E, 히스티딘과 그 유도체
히드로페르옥시드(hydroperoxide)나 과산화수소(hydrogen peroxide) 환원
  글루타치온 페르옥시다제, 카타라제, 페르옥시레독신
수용성 산소 라디칼 제거
  비타민 C, 요산, 글루타치온, 알부민 결합 빌리루빈

를 공급합니다. 이 제거에는 carotenoid나 빌리루빈이 효과적입니다. 또 peroxynitrite의 제거에는 요산이 중요하다고 생각합니다. 표 1은 지질 과산화를 억제하는 대표적 항산화물질과 항산화 효소입니다.

생체 손상

지질 산화 1차 생성물은 LOOH이며, 이것이 분해되어 4-히드록시놀이나 말론디알데히드가 생성됩니다. 또 아라키돈산의 자유 라디칼 산화 생성물로 프로스타글란딘과 구조가 비슷한 이소프로스탄이 생성됩니다. 따라서 이들은 산화 손상의 지표가 됩니다. 단백질 산화 손상의 지표로는 단백 carbonyl이나 nitrotyrosine 등이 자주 이용되고 있습니다. 핵산의 산화 손상으로는 8-oxoguanine (8-hydroxyguanine, 8-oxo-Gua), thymine glycol 등이 중요합니다. 일반적 생체 손상은 다양한 회복 효소에 의해 제거된다고 생각하고 있습니다.

결국 산화 스트레스가 항진된 상태는, ① 허혈 장기나 염증에 의해 활성 산소, 자유라디칼 생성이 증가한 경우, ② 항산화 효소, 항산화물질, 회복 효소 등에 의한 방어가 어떤 원인에 의해 제대로 이루어지지 않으면 나타납니다. 따라서 "생체의 산화 반응과 항산화 반응의 균형 붕괴에 의한 생체에 바람직하지 않은 상태"라는 산화 스트레스 정의가 합당하다고 생각합니다.

(山本順寬)

||||||||||||||||||||||||||||||||||||||| **문헌** |||||||||||||||||||||||||||||||||||||||

1) 山本順寬: 抗酸化物質の役割とコエンザイムQへの期待. J Anti-aging Med 2002; 1: 13-19.
2) 酸化ストレスの医学 改訂第2版, 吉川敏一監修, 東京, 診断と治療社, 2008.

② 미토콘드리아와 노화

미토콘드리아는 에너지원인 ATP를 합성하는 세포내 소기관입니다. 또 에너지 대사에 따라 활성 산소종이 미토콘드리아에서 방출됩니다. 그 밖에도 많은 기능이 있어 노화 과정의 다양한 면에 관여하고 있습니다(그림 1).

미토콘드리아의 대사 제어와 장수 유전자 산물

미토콘드리아에는 약 10,000종의 효소 단백질이 존재하여 정교한 에너지 대사와 그 조절을 하고 있습니다. 장수 유전자 산물인 Sirtuin 3 (SirT3), SirT4, SirT5는 미토콘드리아 안에 존재하여 nicotinamide adenine dinucleotide (NAD$^+$)를 조효소로 탈아세틸 반응을 일으켜 많은 효소의 활성을 제어하고 있습니다. 특히 SirT3는 아미노산 대사, 초산 대사, 전자 전달계, 산화적 인산화 등을 담당하는 많은 효소 활성을 제어하고 있습니다. 항산화 효소인 superoxide dismutase (SOD)를 탈아세칠화하여 활성화 합니다. 또 SirT4는 아미노산 대사를 제어하고, SirT5는 요소 회로를 활성화합니다(그림 2).

핵에 존재하는 SirT1은 미토콘드리아 증식을 담당하는 peroxisome proliferator activated receptor γ coactivator-1α (PGC-1α)를 활성화하여 미토콘드리아 증가시켜 에너지 대사를 활성화합니다.

미토콘드리아 DNA의 체세포 변이와 노화

미토콘드리아가 다른 세포 내 소기관과 다른 것은 자신의 유전자 mitochondria DNA (mtDNA)와 유전자 발현계를 가진 것입니다. 미토콘드리아는 활성 산소종의 발생원이므로 mtDNA는 핵 유전자에 비해 20배나 변이되기 쉽습니다. 연령 증가에 따라 mtDNA 변이가 축적되면 미토콘드리아 기능이 저하됩니다. 실험적으로는 DNA 복제의 교정 기전을 저해시켜 mtDNA 변이 속도를 촉진하면 노화와 비슷한 현상이 나타납니다.

그림1 미토콘드리아의 기능

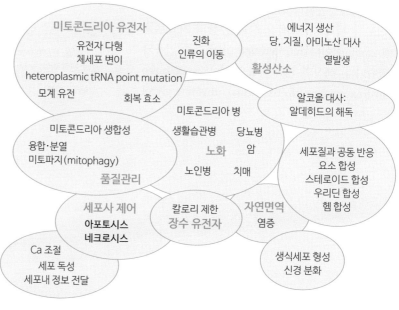

※역자 주:
• Heteroplasmy : 세포내에서 변이 미트콘드리아 유전체가 정상 유전체와 섞여 존재하는 것을 일컫음.

그림2 미토콘드리아의 대사 제어

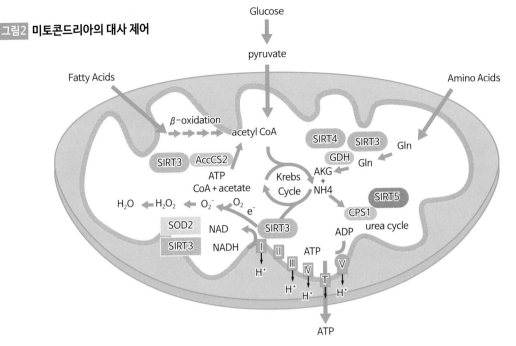

활성 산소종의 생리적 역할과 미토호르미시스(mitohormesis) 효과[3]

미토콘드리아는 에너지 대사에 따라 활성 산소종(reactive oxygen species, ROS)을 발생시킵니다. 활성 산소종은 면역 관련 세포에서 방어 기전으로 작용하고, 또 해독 작용에서도 발생하지만 전체의 90%는 미토콘드리아에서 방출됩니다. 과거에는 활성 산소종이 단백질, 유전자를 산화시켜 노화를 촉진한다고만 생각했으나, 활성 산소종중에서 과산화수소(H_2O_2)는 저농도에서 생체내 신호로 기능하여 오히려 노화를 억제하는 것도 알려졌습니다. 이것을 방사선의 호르미시스(hormesis)를 모방하여 mitohormesis라고 부릅니다. 호르미시스는 어떤 유해성 요인을 해가 되지 않는 양을 이용하여 유익한 자극을 일으키는 것이며 활성 산소종에도 해당하는 것이 밝혀지고 있습니다.

또 과잉의 활성 산소종에 의한 산화 스트레스는 전사 인자 Nrf2 등을 활성화시켜 항산화 효소 발현을 촉진합니다.

미토콘드리아의 품질관리와 미토파지(mitophagy)[4]

미토콘드리아는 활성 산소에 노출되어 장애가 축적되기 쉽습니다. 미토콘드리아는 융합과 분열을 반복해 서로 보충하는 기능으로 어느 정도 정상을 유지합니다. 그러나 그 이상으로 막 전위가 저하된 미토콘드리아는 미토파지 기전에 의해서 리소솜에서 분해됩니다. 이 기전이 미토콘드리아의 품질관리라고 생각하며, 이 기전의 파탄에 의해 신경 변성 질환이 발생합니다.

미토콘드리아의 노화 관여[5]

미토콘드리아는 자연 면역에 관여하며, 텔로미어 단축에 의해 활성이 저하되지 않고, 다양한 면에서 노화에 관여하고 있습니다. 이것을 근거로 종합적으로 미토콘드리아의 노화에 대한 관여가 연구되고 있습니다.

(太田成男)

‖‖‖‖‖‖‖‖‖‖‖‖‖‖‖‖‖‖‖‖ **문헌** ‖‖‖‖‖‖‖‖‖‖‖‖‖‖‖‖‖‖‖‖

1) Giralt A, Villarroya F: SIRT3, a pivotal actor in mitochondrial functions: metabolism, cell death and aging. Biochem J 2012; 444: 1-10.

2) Greaves LC, Reeve AK, et al: Mitochondrial DNA and disease. J Pathol 2012; 226: 274-86.

3) Ristow M, Zarse K: How increased oxidative stress promotes longevity and metabolic health: The concept of mitochondrial hormesis(mitohormesis). Experimental gerontology 2010; 45: 410-8.

4) Palikaras K, Tavernarakis N: Mitochondrial homeostasis: the interplay between mitophagy and mitochondrial biogenesis. Exp Gerontol 2014; 56: 182-8.

5) West AP, Shadel GS, et al: Mitochondria in innate immune responses. Nat Rev Immunol 2011; 11(6): 389-402.

③ 항산화에 의한 안티에이징 의학

산화 스트레스는 활성 산소에 의해 일어나며, 많은 활성 산소종 중에서 생체 내 발생을 정량적으로 측정 가능한 활성 산소는 과산화 수소(H_2O_2)입니다. 세포 내 H_2O_2 농도는 정상 상태에서 10 nmol 정도로 추정되며, 간에 유입된 산소의 약 2%가 활성 산소로 변화되어 50 nmol/분/g의 속도로 여러 대사 반응에서 H_2O_2가 생성됩니다.[1] 생체에서 주된 생성원은 nicotineamide adenine dinucleotide phosphate (NADPH) 옥시다제와 미토콘드리아라고 생각하고 있습니다. 좋건 나쁘건 생체는 H_2O_2를 이용하고 제거하며 생명 활동을 하고 있습니다. 여기서는 활성 산소 중에서 H_2O_2에 의한 산화 스트레스의 이해, 항산화에 의한 안티에이징 의학에 응용에 대한 현황과 전망을 설명합니다.

▌ H_2O_2의 독성과 산화스트레스

생체 내 조직, 세포의 H_2O_2 농도는 생성 속도와 대사(제거)에 따르며, 대략 0.1~10 nmol이라는 보고가 있습니다. H_2O_2는 각종 효소의 활성을 소실시키고, DNA를 손상한다고 생각하나 H_2O_2 자체의 산화력은 그리 크지 않습니다. 오히려 H_2O_2는 보다 산화력이 강한 히드록실 라디칼(hydroxly radical), hydroperoxyl radical 생성원으로 중요합니다(그림 1). 즉 H_2O_2에 의한 살균력, 조직 산화력은 H_2O_2 분자 자체가 작용하는 것보다 그것이 분해되며 히드록실 라디칼, hydroperoxyl radical이 되어 이것이 진정한 공격원이 되는 경우가 많습니다. H_2O_2는 Fe^{2+}, Cu^+ 등 천이 금속에 의해 전자 하나가 환원되어 히드록실 라디칼을 만듭니다. 이것이 Haber—Weiss 기전에 의한 redox 분해입니다. 그 중에서 2가 철 이온에 의한 분해는 Fenton 반응으로 알려져 있습니다. Wilson 병의 동(구리) 과잉증, 헤모크로마토시스에 의한 철 과잉증의 손상 기전에는 이런 천이 금속에 의한 H_2O_2 분해로 생긴 히드록실 라디칼의 관여가 알려졌습니다.

노화와 관련하여 히드록실 라디칼은 세포막의 불포화 지방산을 공격하며 연속적인 지질 과산화 반응을 통해 세포막 손상을 일으키므로 만성적인 산화적 세포막 손상 축적이 노화의 원인이 될 수 있습니다. 하나의 히드록실 라디칼에서 연속적으로 반응 반복이 일어나므로 생체막 손상의 지표인 H_2O_2, 히드록실 라디칼의 정량에서 상관성이 낮으며, 산화적 막손상의 지표인 과산화지질의 정량이 유용합니다. 그러나 생체에서 산화 스트레스 반응은 복잡하여 그 전모는 명확하지 않습니다. 여기서 자세한 산화 반응 설명은 생략하고 현재 실천 가능하거나 가능성이 높은 산화 스트레스 감소법(항산화 요법)에 대해 해설합니다.

▌ 생체내 철 조절의 중요성

H_2O_2 자체는 산화력이 강하지 않으므로, 생체에서 산화 스트레스를 감소시킬 수 있는 효과적인 방법은 철을 킬레이트 하여 Fe^{2+} 이온의 환원 작용을 없애 강한 산화 능력이 있는 히드록실 라디칼 발생을 억제하는 것입니다(그림 1). 수혈 후 철 과잉증에 의한 장기 장애 예방약으로 경구 철 킬레이트제 deferasirox를 임상에서 사용하고 있습니다. 대사증후군이 간에 표현되는 형태인 비알콜성 지방 간 질환(nonalcoholic fatty liver disease, NAFLD)에는, 경과가 양호한 단순성 지방간(simple steatosis), 간경변이나 간암으로 발전할 가능성이 있는 비알코올성 지방간염(non-alcoholic steatohepatitis, NASH)이 포함됩니다. NASH의 진행 또는 NASH에서 유래하는 간세포 암의 발생에 산화 스트레스 특히 간내 과잉 철 침착에 의한 산화 스트레스가 관여합니다. 단순성 지방간에 비해 NASH환자에서는 산화 스트레스 지표인 혈중 thioredoxin이 높으며, thioredoxin은 간 조직 내 철 침착 정도와 양의 상관 관계가 있습니다. NASH는 중노년 여성에서 빈도가 높으며, AST/

그림 1 체내 과산화수소 생산과 산화 스트레스

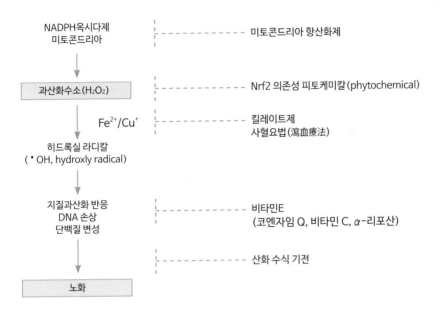

세포막의 불포화 지방산에 히드록실 라디칼에

ALT 수치로 단순성 지방간과의 감별이 어려우며, 조직 검사에 의해 진단되는 중년 여성도 비교적 많습니다. 지방간 환자에서는 인슐린 저항성의 지표인 공복 인슐린 증가, 내장 철 축적의 지표인 페리틴 증가, 간 섬유화 지표인 7s 콜라겐 증가 등이 있습니다.[2] NASH 환자에서 철 제한식은 어느 정도 효과는 있으나, 식품 중의 철 함량이 비교적 많아 장기적으로 철 제한식을 계속하기 위해서는 영양사의 협력이 필요합니다. 보다 직접적 방법으로는 사혈 요법을 시행합니다. 페리틴이나 치오레독신을 지표로 한 사혈 요법의 유효성이 보고되었습니다. 지방간 환자의 진료에서, 환자의 섭식 행동이나 자세한 영양 조사 정보가 유용하며, 의사–간호사–영양사의 협력이 중요합니다.

생체 내 철 저장량의 지표인 혈청 페리틴치는 NASH의 진행뿐 아니라 대사증후군이나 당뇨병, 동맥경화증의 진단 또는 발생 위험에 대한 새로운 지표가 되고 있습니다.[3, 5] 대사증후군 환자에서 페리틴치는 산화 LDL, 과산화 지질과 상관관계가 있습니다.[6] 대사증후군 환자에서 사혈 요법 시행으로 혈압 저하, 당화혈색소(HbA1c) 저하도 보고되었습니다.[7] 특히 여성에서 폐경 후 혈청 페리틴 증가는 대사증후군이나 NASH 발생의 위험 인자가 됩니다. 실제 코호트 연구에서 페리틴

치와 산화 LDL의 상관관계가 있었으며, 고페리틴군은 장래의 인슐린 저항성 발생의 예측 인자였습니다. 즉 폐경 전 여성은 철 결핍성 빈혈 치료가 필요하나, 폐경 후 여성은 체내 저장철 증가에 따라 혈청 페리틴 치가 높아지고 산화 스트레스 부하 상태가 되어 대사증후군, 지방간에서 NASH로 진행, 당뇨병, 동맥경화 발생으로 연결될 수 있습니다.

비타민 E에 의한 지질 과산화 억제

세포막의 불포화 지방산에 히드록실 라디칼에 의한 산화 반응이 일단 시작되면 peroxyl radical (LOO·)을 담체로 지질 과산화 반응이 연속적으로 진행되어 지질 과산화물이 생성됩니다. peroxyl radical을 포착하여 연속 반응을 차단하는 비타민 E (α- 토코페롤) 같은 라디칼 포착형 항산화제가 있습니다(그림 1). LOO·가 비타민 E의 페놀성 수소를 뽑아 내는 반응으로 LOO·에 수소를 공여하여 안정시키는 동시에 스스로가 라디칼이 됩니다. 이 반응으로 생긴 비타민 E 라디칼은 안정되어 반응성이 낮기 때문에 다시 지질을 공격하는 연속 반응은 적습니다. 또 비타민 E 라디칼은 이미 하나의 LOO·과 반응하여 안정된다고 생각하고 있습니다. 또 생체에는 비타민 E 라디칼을 재

생하는 백업 시스템이 가동하고 있습니다. 특히 비타민 C, 코엔자임 Q10 (CoQ10), α-리포산 (α-lipoic acid), 글루타치온 등이 공동으로 작용하여 강력한 상승 효과를 나타내고 있습니다.

비타민 E의 산화 스트레스 억제 효과는 미숙아 망막증 같은 비타민 E 결핍 상태에서는 명확하나 성인에서 비타민 E 투여 연구에는 부정적 데이터도 많습니다. 그러나 성인 NASH를 대상으로 한 비타민 E 유효성 비교 시험(PIVENS 연구)[8]이 있습니다. 당뇨병 동반이 없는 조직학적으로 NASH라고 진단된 247명 환자에서 위약, 피오글리타존, 비타민 E를 비교한 결과, 비타민 E는 위약에 비해 96주에 간 조직상이 개선되었으며, 그 효과는 피오글리타존보다 좋았습니다. 이 연구 결과에 의해 미국 간학회는 당뇨병이 없는 NASH 환자의 1차 선택제로 비타민 E를 권고하고 있습니다. NASH 환자에서 비타민 E 장기 투여 연구로,[9] 비타민 E (300 mg/일)를 2년 이상 투여한 17예에서 간 조직상과 생화학 검사를 조사한 결과 41.2%에서 간 섬유화 개선, 인슐린 저항성 개선, ALT 저하가 있었습니다. 항산화 작용을 가진 비타민 E의 유효성에 대한 연구는 PIVENS 연구 이외에는 명확하지 않으며, 대사증후군, 갱년기 장애 등에 대한 임상시험이 필요합니다.

미토콘드리아 기능 이상과 항산화 시스템

세포 내 H_2O_2 양을 제어하기 위해, H_2O_2 생산계인 미토콘드리아 기능 저하의 교정과, H_2O_2 제거계인 항산화 방어 시스템에서 생체의 산화 스트레스를 미리 저하시키는 것이 중요합니다. 노화와 관련해서는 미토콘드리아 기능 이상이 H_2O_2 생산을 증가시켜 미토콘드리아 DNA에 변이를 일으키며 그것이 세포 기능에 영향을 준다는 "미토콘드리아 유전자 변이 축적설"이 많은 연구를 통해 지지를 받고 있습니다. 미토콘드리아 기능을 전반적으로 제어하는 전사 인자로서 peroxisome proliferator activated receptor-gamma coactivator-1α (PGC-1α)의 중요성이 알려졌으며, 일상적 운동이 마이크로 RNA (miR-696)을 통해 PGC-1α를 활성화하는 것을 알아냈습니다.[10] 또 운동 시에 케로티노이드(carotenoid)의 일종인 아스타잔산틴(astaxanthin)을 병용하면 근육의 PGC-1α 발현이 증가했습니다.[11] 일상적 운동에 의한 생체의 항산화 시스템 유도는 과거부터 알고 있었으며, 운동 시 병용하는 항산화제에는 부정적 성적도 있어 아스타잔산틴 같은 특정 표적 분자를 통한 기전 규명이 필요합니다.

사람과 침팬지의 유전자는 98.77%의 상동성이 있으나 최장 수명에 2배 차이가 있습니다. 활성 산소 제거 시스템 분석에서, 사람은 superoxide dismutase (SOD) 활성이 침팬지의 2배이며, 손상 유전자 회복능도 2배입니다. 또 사람은 항산화 물질의 적극적 섭취에 의해 장수한다는 설명도 있습니다. 장수 국가에서는 천연 식품에서 유래하는 기능성 성분을 많이 섭취하여 평균 수명의 연장되었다는 연구자도 많습니다. 이렇게 항산화 시스템의 중요성이 알려졌으나, 항산화제 섭취가 안티에이징에 효과적이라는 근거는 없습니다. 전사 인자 Nrf2를 통해 내인성 항산화 기전을 높이는 피토케미칼(phytochemical)이 발견되고 있습니다. 브로콜리에 들어있는 설포라판이 Nrf2를 활성화시켜 내인성 글루타치온 합성을 촉진하는 것이 알려졌으며, 암 예방, 효과 염증 억제 작용과의 관련이 시사되고 있습니다. 이런 피토케미칼이 많이 있을 것이며 향후 연구가 기대됩니다.

마지막으로

세포 내 H_2O_2는 산화 스트레스의 중요한 매개 물질이며, 산화 스트레스를 감소하기 위해서는, ① 생체 내 천이 금속, 특히 철 제어, ② 세포막 지질 과산화 억제에 대한 비타민 E의 의의, ③ H_2O_2 생산계인 미토콘드리아 기능 유지, ④ H_2O_2 제거계 활성화 등이 중요합니다. 폐경 후 여성에서 산화 스트레스 항진에 의한 비만, 지방간 발생 등이 나타납니다.

(内藤裕二)

문헌

1) Sies H, Role of Metabolic H2O2 Generation: REDOX SIGNALING AND OXIDATIVE STRESS. J Biol Chem 2014; 289: 8735-41.
2) Sumida Y, Niki E, et al: Involvement of Free Radicals and Oxidative Stress in NAFLD/NASH. Free Radic Res 2013; 47: 869-80.

3) Park SK, Ryoo JH, et al: Association of serum ferritin and the development of metabolic syndrome in middle-aged Korean men: a 5-year follow-up study. Diabetes Care 2012; 35: 2521-6.

4) Li J, Wang R, et al: Association between serum ferritin levels and risk of the metabolic syndrome in Chinese adults: a population study. PLoS One 2013; 8: e74168.

5) Chang JS, Lin SM, et al: Serum ferritin and risk of the metabolic syndrome: a population-based study. Asia Pac J Clin Nutr 2013; 22: 400-7.

6) Leiva E, Mujica V, et al: High levels of iron status and oxidative stress in patients with metabolic syndrome. Biol Trace Elem Res 2013; 151: 1-8.

7) Houschyar KS, Ludtke R, et al: Effects of phlebotomy-induced reduction of body iron stores on metabolic syndrome: results from a randomized clinical trial. BMC Med 2012; 10: 54.

8) Sanyal AJ, Chalasani N, et al: Pioglitazone, vitamin E, or placebo for nonalcoholic steatohepatitis. N Engl J Med 2010; 362: 1675-85.

9) Sumida Y, Naito Y, et al: Long-term (>=2 yr) efficacy of vitamin e for non-alcoholic steatohepatitis. Hepatogastroenterology 2013; 60: 1445-50.

10) Aoi W, Naito Y, et al: The microRNA miR-696 regulates PGC-1{alpha} in mouse skeletal muscle in response to physical activity. Am J Physiol Endocrinol Metab 2010; 298: E799-806.

11) Liu PH, Aoi W, et al: The astaxanthin-induced improvement in lipid metabolism during exercise is mediated by a PGC-1alpha increase in skeletal muscle. J Clin Biochem Nutr 2014; 54: 86-9.

Ⅲ

안티에이징(노화방지) 의학의 기초

1 면역의 이해

　면역은 세균이나 바이러스같은 병원체의 감염을 인식하여 제거함과 동시에 그 병원체를 기억하여 동일한 병원체의 재감염을 조기에 막는 시스템입니다.[1] 면역 기전은 크게 자연 면역과 획득 면역으로 구성됩니다. 획득 면역계는 T세포나 항체를 생산하는 B세포가 담당하며, 유전자의 재구성에 의해 만들어진 다양한 항원 수용체를 통해 자기와 비자기의 미세한 차이를 인식합니다. 자연 면역계는 마크로파지나 수지상 세포 등이 담당하며, 항원체에 특징적인 분자패턴(pathogene-associated molecular patterns, PAMPs)은 유전자 재구성 필요가 없이 패턴 인식 수용체를 통해 인식합니다. 자연 면역은 병원체 감염에 대한 초기 방어 반응 유도에 필요하며, 획득 면역은 주로 감염 후기의 반응이나 면역 기억에 중요한 역할을 하고 있습니다. 자연 면역과 획득 면역계가 별도

로 작용하는 것은 아니며, 자연 면역을 담당하는 수지상 세포가 T세포에 병원체 유래 항원을 제시하고, 또 공통 자극 인자를 통해 T세포에 신호를 전하는 것으로 획득 면역계 활성화에도 깊이 관여합니다. 마크로파지나 수지상 세포 등 자연 면역 세포가 PAMPs를 인식하면 종양괴사 인자(tumor necrosis factor, TNF)나 인터루킨-6(interleukin-6, IL-6), IL-12 등 염증성 사이토카인이나 항바이러스 활성을 가진 I형 인터페론을 생산하여 급성, 만성 염증을 일으킵니다. 이런 사이토카인은 T세포의 세포 손상 활성이나 B세포의 항체 생산을 유도하여 획득 면역계 활성화에 중요한 역할을 합니다(그림 1). 노화에 따라 병원균에 대한 획득 면역 반응이 저하되는 것으로 알려져 있으나 자세한 내용은 다음에 설명합니다.

그림 1 **자연 면역에 의한 병원체 인식과 획득 면역, 염증 제어**

PAMPs나 DAMPs는 TLR, RLR, CLR, NLR 등 패턴 인식 수용체에 의해 인식되어 사이토카인이나 자극 인자를 생산한다. 항원 제시에 더해 이런 인자가 T세포 활성화, B세포의 항체 생산에 중요하다. 또 사이토카인은 염증 유도에도 중요하다.

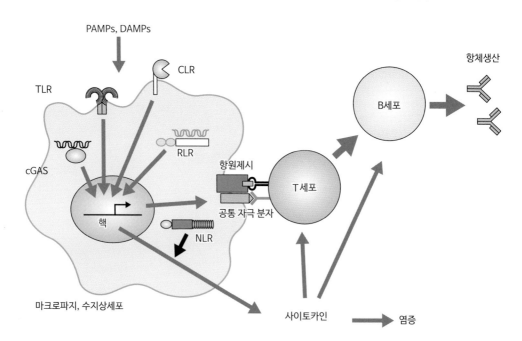

자연 면역에 의한 병원체 인식

자연 면역에 관여하는 패턴 인식 수용체로, toll-like receptor (TLR), retinoic acid inducible gene-I (RIG-I)-like receptor (RLR), NOD-like receptor (NLR), C-type lectin receptor (CLR) 등 4개의 수용체 패밀리에 더해, 세포 내에서 바이러스 유래 2줄 DNA를 인식하는 수용체 cyclic GMP-AMP synthase (cGAS)의 존재가 알려졌습니다.[2] TLR은 세포막 표면이나 엔도솜에 존재하는 막단백질이며, 사람에는 10종류가 있습니다. 패혈증 쇼크에 중요한 그램 음성균 성분 리포폴리사카라이드(LPS)를 TLR4가 인식하며, 다른 TLR이 세균이나 바이러스를 비롯한 다양한 PAMPs 인식에 관여합니다. CLR도 막단백질이며, 세균이나 진균에서 유래한 당지질의 인식에 필요합니다. RLR는 세포질 내에 존재하여 바이러스에서 유래한 2줄 RNA를 인식하여 I형 인터페론을 생산합니다. NOD-like receptor family, pyrin domain containing 3 (NLRP3)으로 대표되는 NLR은 전사 인자 활성화는 없고 단백질 분해 효소인 caspase-1을 활성화하여 비활성형 IL-Iβ를 절단하여 활성형으로 바꿉니다. 이 caspase-1 활성화 복합체를 인플라마솜(inflammasome)이라고 부릅니다. NLRP3는 요산, 콜레스테롤 등의 결정, 감염 등 다양한 원인으로 활성화 되며, 활성 산소 생성에 대한 역할 이외의 작용은 아직 불명합니다.

마지막으로

최근 PAMPs에 더해 스트레스에서 생산되는 자기 유래 성분(damage-associated molecular patterns, DAMPs)도 패턴 인식 수용체를 활성화시켜 염증을 일으키는 것이 알려졌습니다. 노화에서 미토콘드리아 기능 저하로 생산되는 활성 산소종은 인프라마솜을 통해 염증을 일으킬 가능성이 있습니다. 적절한 염증은 생체 방어에 중요하며, 그 밖에 리모델링이나 대사 제어에도 관여합니다. 그러나 과잉 염증이나 만성화는 패혈증 쇼크 등 감염 반응에 머무르지 않고 자가면역 질환이나 동맥경화 대사성 질환 등 노화와 관련된 만성 질환의 원인이 됩니다.

(竹内 理)

|||||||||||||||||||||||||||||||||| 문헌 ||||||||||||||||||||||||||||||||||

1) Murphy K: Janeway's Immunobiology, Eighth Edition Garland Science.
2) Takeuchi O, Akira S: Pattern recognition receptors and inflammation. Cell 2010; 140: 805-20.

2 연령 증가에 따른 면역 노화

고령자는 면역능 저하에 의해 인플루엔자를 대표로 하는 바이러스 감염이 중증화되거나, 체내에 억제되어 있던 결핵균이 재증식하여 문제가 되고 있습니다. 또 예방을 위해 백신을 주사해도 면역 기억이 오래 지속되지 않습니다.

T세포의 노화

면역능 저하는 주로 T세포 노화에 의해 일어납니다. T세포 노화는 ① 흉선 위축에 의한 새로운 T세포 공급 감소, ② T세포 활성화능 저하, ③ T세포의 레퍼토리(repertoire)(항원 수용체의 다양성) 저하 등에 의해 일어납니다. T세포의 감염 방어 작용은, 세포 손상성 T세포(CD8 T세포)가 바이러스 감염 세포를 퍼포린(perforin)으로 구멍을 뚫어 그란자임(granzyme)이라는 과립을 세포 내에 주입하여 직접 죽이거나, 결핵균을 탐식한 마크로파지에 결합하여 인터페론을 방출하여 죽이거나($CD4T_H1$), B세포의 항체 생산을 돕는($CD4T_{FH}$) 일을 담당합니다. T세포 기능 저하는, 흉선 위축에 따라 신생 T세포가 경험 없이 미생물에 반응하여 새로운 면역을 획득하는 세포 비율이 줄어 드는 것입니다. 따라서 고령자는 신종 인플루엔자 같은 새로운 감염에는 대응할 수 없습니다.[1] 노화 개체가 가진 신생 CD4 T세포는 감염이 일어나도 바이러스를 죽이거나 항체 생산을 돕는 활성화가 약합니다.[2] 또한 노화 개체의 신생 CD4 T세포는 재자극에 대해서도 T세포를 생산하는 사이토카인 생산능이 낮으며, 기억 T세포로서 클론을 늘리는 힘도 약합니다. 또한 CD8 세포 손상성 T세포도 특정 항원 자극에 대한 반응성이 약합니다. CD8 세포 손상성 T세포중에서 지속 감염 바이러스에 대한 수용체를 가진 T세포가 증가하며, 일반 항원에 대한 T세포 비율이 상대적으로 줄어드는 것도 문제입니다. 예를 들어 사이토메가로바이러스에 감염된 사람에서 이 바이러스에 대한 CD8 T세포 비율은 증가하고 상대적으로 다른 미생물에 대한 T세포 비율 감소가 보고되었습니다.[3] 이것은 무엇을 의미할까요? 지속 감염 바이러스는 지금까지의 생활 환경에 영향을 받습니다. 고령자는 대부분 헤르페스 바이러스나 Epstein-Barr (EB) 바이러스에 지속 감염되어 있습니다. 앞으로 지속 감염이 면역 노화에게 주는 영향을 분석하여 면역 T세포의 노화 예방을 기대합니다.

B세포의 노화

또 하나의 획득 면역계인 B세포는 항체를 생산하여 세균이나 바이러스의 독소를 중화하며, 세균에 결합하여(옵소닌화) 호중구나 마크로파지의 탐식을 도와 감염 방어를 담당하고 있습니다. B세포 노화에는 상반되는 연구가 보고되었으며, 노화에 따라 골수의 스트로마 세포에서 방출 되는 IL-7 생산 저하로 새로운 신생 B세포의 감소, 즉 B세포가 자라는 장소의 노화[4]라고 생각하고 있습니다. 또한 B세포는 림프절에서 성숙할 때 활성화 유도성 시티딘 탈아미노 효소(activation induced cytidine deaminase, AID) 활성이 노화에 따라 저하되어 친화성이 강한 항체가 되기 어려워집니다. T세포는 B세포의 항체 생산을 도우며, 노화에 의한 T세포 기능 저하에 의해 B세포 기능도 저하 되어 항체 생산능이 저하합니다.

면역 노화와 대사

면역 노화의 중심이 되는 T세포 활성화능 저하에 면역 세포의 대사능이 관여할 가능성이 있습니다. 신생 T세포는 소량의 포도당을 유입하여 해당계에서 미토콘드리아의 TCA 회로 전자 전달계에서 산화적 인산화에 의해 유입한 포도당을 모두 ATP 생산에 이용하고 세포 단백이나 핵산 등의 구성 요소를 만들 필요는 없습니다. 그러나 신생 T세포가 활성화되면, 세포가 증식하여 클론을 증가시키기 위해 포도당을 해당계에서 이용하여 TCA 사이클에서 ATP를 생산하고, 포도당과 아미노산을 재료로 세포 구성 단백을 합성하며, 세포막의 인지질을 만들기 위해 지방산을 합성하고, 포도당-6-인산에서 펜토스인산 회로를 통해 핵산도 합성하지 않으면 안 됩니다. 이런 기능은 미토콘드리아의 작용과, 인슐린 신호 전달계에 의한 것이 크다고 생각합니다. 세포 증식은 포유류 라파마이신 표적단백질(mammalian target of rapamycin, mTOR) 신호에 의해 지배됩니다. 노화에 따른 미토콘드리아 기능 저하되며,[5] TOR나 인슐린 신호 전달계는 하등동물 노화에 밀접하게 관여합니다. 이것은 다른 면역계 세포의 대사에도 해당되며, 이런 연구의 진행으로, 노화에 따른 면역 저하를 억제하는 식사나 생활 습관이 발견될 가능성이 있습니다.

자연 면역계의 노화

일반적으로 면역계는 노화에 따라 보다 원시적 세포로 변환되는 것이 이전부터 알려졌습니다. 즉 노화에 따라 마크로파지, 호중구 등 하등동물이 가진 자연 면역계 세포 비율이 증가하고, T세포, B세포같은 고등동물에서 발달한 획득 면역계 비율이 저하합니다. 자연 면역계는 태아기부터 신생아에서 볼 수 있으며, 획득 면역계는 출생 후 서서히 발달해 갑니다. 노화의 면역계는 유아기로 돌아가는 것이라고 생각할 수 있습니다. 이것은 골수에서 조혈모세포의 림프구계 분화는 감소하고, myeloid계 분화는 상대적으로 증가하기 때문입니다. 숫적으로 증가한 myeloid계의 세균 탐식능은 낮고, 인플라마솜을 만들어 염증성 사이토카인을 생산하여 고령자의 다양한 질환 발생에 관여합니다.

마지막으로

고령자는 면역능, 특히 T세포의 면역 노화에 의해 새로운 감염, 변이 미생물 감염에 취약하며, 백신으로 충분한 면역을 얻을 수 없습니다. 이에 더해 동반된 질병이나 치료를 위해 사용하는 항암제, 면역억제제에 의해 면역능은 더욱 저하합니다. 고령자는 유아와 비슷합니다. 유아는 T세포가 충분히 발달하지 않아 보육원에서 감염에 걸리기 쉽습니다. 노인 요양 시설의 밀폐된 공간에서 집단 생활을 하는 동안 밖에서 침입한 병원균에(방문자나 직원에 의한) 감염되기 쉽습니다. 노인 시설에도 외부 공기가 자유롭게 들어오는 개별실을 설치하거나, 인플루엔자에 감염된 직원이나 방문자의 접촉 금지 같은 감염 방어 대책이나 면역 T세포는 충분한 영양이 필요하므로 영양 관리가 중요합니다.

(磯部健一)

||||||||||||||||||||||||||||||||||||||||||||| 문헌 |||||||||||||||||||||||||||||||||||||||||||||

1) Linton PJ, Dorshkind K: Age-related changes in lymphocyte developmentand function. Nat Immunol 2004; 5: 133-9.
2) Haynes L, et al: Interleukin 2, but not other common gamma chainrbinding cytokines, can reverse the defect in generation of CD4 effector T cells from naive T cells of aged mice. J Exp Med 1999; 190: 1013-24.
3) Koch S, Solana R, et al: Human cytomegalovirus infection and T cell immunosenescence: a mini review. Mech Ageing Dev 2006; 127: 538-43.
4) Hida D, Ishiguro N, et al: Intra-bone marrow bone marrow transplantation rejuvenates the B-cell lineage in aged mice. Immunol Cell Biol 2010; 88(1): 87-94.
5) Cheng Z, Ito S, et al: Characteristics of cardiac aging in C57BL/6 mice. Exp Gerontol 2013; 48(3): 341-8.

3 만성 염증과 노화

생활 습관병 발생 요인으로 만성 염증과 노화

최근 생활 습관병과 암에 공통되는 기본 병태로 만성 염증이 주목을 받고 있습니다. 대사증후군은 심혈관 질환이나 당뇨병을 비롯한 다양한 생활 습관병 위험을 증가시킵니다. 그 배경에는 비만에 동반한 내장 지방조직에서 일어나는 만성 염증이 생활 습관병의 병태를 유도하고 촉진한다고 생각되고 있습니다.[1] 즉 과식이나 운동 부족이라는 생활 습관 변화가 만성 염증을 일으키는 원인이 된다는 것입니다. 한편 생활 습관병 발생이 증가하는 또 다른 요인으로 연령 증가에 따른 노화가 중요합니다. 연령 증가에 따라 지방조직에 비만에서 관찰되는 만성 염증 변화와 비슷한 소견이 관찰됩니다. 즉 지방조직 기능 유지에 중요한 지방전구 세포 수의 감소와 동시에 지방조직에 침윤된 면역 세포는 염증을 촉진하는 형질로 기울며, 이런 변화가 지방조직 기능 부전과 생활 습관병의 병태 형성을 촉진한다고 생각할 수 있습니다(그림 1).[2] 이와 같이 생활 습관병의 병태는

만성 염증과 노화라는 2개의 요소로 구성되어 서로 영향을 주므로 이런 2개의 관점에서 병태의 이해가 중요합니다.

만성 염증이란?

염증은 내적, 외적 스트레스에 대한 대표적 생체 반응이며, 본래 보호적인 적응 반응입니다. 미생물 감염, 창상 등에 의해 유도되는 급성 염증은 이른바 염증의 4징후(발열, 발적, 통증, 종창)을 일으키는 전형적 생체 반응이며, 대부분 일과성이며 염증 반응의 피크가 지나면 건강 상태로 돌아옵니다.

그러나 급성 염증 반응이 회복되지 않고 만성화하는 일이 있으며, 염증의 만성화를 일으키는 원인은 손상 요인(병원균 등)이 많습니다. 생활 습관병에서 만성 염증은 급성 염증의 특징(염증의 4징후)을 나타내지 않는 낮은 수준의 염증 반응이 수년간 지속됩니다. 실제로 비만이나 생활 습관병 증례나 동물 모델에서 혈청 C-reactive protein (CRP)의 증가 지속 등 경도의 염증이 전신에 유지되는 것이 알려져 있습니다.[3] 이런 경도의 염증

그림 1 비만에 동반한 지방 조직 염증

비만에 따라 지방 조직에 만성 염증 변화가 일어난다. 지방 전구 세포 수 감소에 따라 처리 할 수 없게 된 지방산이 염증 유발 인자로 작용하여, 활성화 T림프구나 마크로파지 등의 면역 세포가 동원된다. 한편 염증 반응 억제성 T세포(regulatory T cell, Treg)는 감소한다. 동시에 간질의 섬유화나 혈관 기능 저하가 지방조직 기능을 저하시키는 악순환이 일어난다. 노화에서도 이와 비슷한 변화가 보고되었으나, 그 기전은 규명되지 않은 부분이 많아 연구가 필요하다.

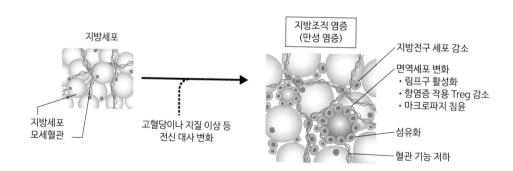

반응 지속은, 조직 기능 이상에 의한 장기 장애를 일으킬 뿐만 아니라 장기적으로 섬유화 등의 조직 재구축으로 비가역적 장기 기능 부전의 원인이 됩니다. 그러나 어떻게 염증 반응이 유도되고 또 회복되지 않은 채 지속하는지 등의 자세한 기전은 아직 명확하지 않습니다. 생활 습관병에서 염증을 유도하여 지속하는 요인의 대부분은 비감염성(무균성 염증)이라고 생각하며, 예를 들면 조직 손상에 의해 세포 밖으로 방출되는 분자[손상 관련 분자 패턴(damage associated molecular patterns, DMAPs)]이 자연 면역계의 병원체 센서(pattern recognition receptors, PRRs)에 의해 인식되어 염증 신호를 활성화하는(자연 염증) 것이 주목받고 있습니다. 최근의 연구 결과는 장내 세균의 대사 산물도 이런 자연 염증의 유도와 지속에 관여하는 것으로 알려졌습니다.[4]

노화와 염증의 관련성

노화에 따른 개체의 면역 기능 저하가 알려졌습니다. 즉 자연 면역을 담당하는 호중구나 마크로파지의 탐식능 저하와 동시에 획득 면역 반응도 저하합니다(면역 노화).[5] 따라서 급성 면역 반응이 저하되어 감염에 대한 방어 기전이 약해집니다. 그러나 연령 증가에 따른 면역 반응은 한 방향으로만 저하하는 것은 아닙니다. 실제로 고령자에서 혈중 CRP나 IL-6, TNF-α가 증가되어 경도의 염증 지속이 시사됩니다. 또한 연령 증가에 동반한 많은 질병은 만성 염증을 기반으로 발생하므로 최근에는 연령 증가에 따른 전신성 만성 염증 상태 즉 inflammaging(노화 염증)이라는 새로운 개념이 제창되었습니다.

고령자에서 면역 기능 저하에도 불구하고 만성 염증이 지속되는 기전은 잘 알려지지 않았습니다. 무균성 염증의 발생에는 대사 산물이나 장내 세균 유래 산물 등 다양한 내인성 요인에 더해 세포 노화의 관여도 지적되고 있습니다. 노화 세포는 다양한 노화 관련 분비 형질(senescence-associated secretory phenotype, SASP) 인자를 분비하여 염증을 촉진합니다.[6] 또 연령 증가에 따른 혈액 응고계 활성화도 염증을 진행시키는 요인이 됩니다. T림프구는 세포 노화에 따라 염증 반응을 진행시켜 염증 만성화에 관여할 가능성이 있으며, 염증 반응 과정에서 생산된 활성 산소종(reactive oxygen species, ROS)이 DNA 손상과 세포 노화를 진행시킨다고 생각합니다. 이와 같이 염증과 세포 노화는 밀접한 관련을 가지고 진행한다고 생각합니다. 이런 현상으로 노화에 따라 생활 습관병을 비롯한 만성 염증 질환이 증가하는 기전의 일부를 설명할 수 있을 것입니다.

(大石由美子 , 真鍋一郎)

문헌

1) Manabe I: Chronic inflammation links cardiovascular, metabolic and renal diseases. Circ J 2011; 75: 2739-48.
2) Shaw AC, Goldstein DR, et al; Age-dependent dysregulation of innate immunity. Nat Rev Immunol 2013; 13: 875-87.
3) Devaraj S, Singh U, et al: Human C-reactive protein and the metabolic syndrome. Curr Opin Lipidol 2009; 20, 182-9.
4) Belkaid, Y, Hand TW: Role of the microbiota in immunity and inflammation. Cell 2014; 157, 121-41.
5) Dorshkind K, Montecino-Rodriguez E, et al: The ageing immune system: is it ever too old to become young again? Nat Rev Immunol 2009; 9: 57-62.
6) Franceschi C, Campisi J: Chronic Inflammation (Inflammaging) and Its Potential Contribution to Age-Associated Diseases. The Journals of Gerontology Series A: Biological Sciences and Medical Sciences 2014; 69: S4-S9.

4 면역을 표적으로 시행하는 안티에이징 의학

백신은 감염의 예방 치료에 이용되며, 이런 기술을 암 또는 알츠하이머병에 응용하려는 임상시험이 시행되어 백신 기술을 또한 생활 습관병에도 응용하려는 기초 연구가 시작되고 있습니다. 여기서는 백신 치료의 면역 반응에 설명하며, 한 예로 고혈압에 대한 백신 개발 현황과 과제에 대해 해설합니다.

백신 치료의 면역 반응

면역 반응은 자연 면역과 획득 면역으로 크게 나누며, 외부에서 침입한 바이러스나 세균에 대한 비특이적 최초 반응은 자연 면역이고, 그 후 특이적 면역 반응인 획득 면역이 중요한 역할을 담당하는 것이 알려져 있습니다. 즉 백신은 자연 면역 및 획득 면역을 활성화하여 우리가 가진 면역 기능을 이용하여 표적 분자가 생체를 방어하는 치료법입니다. 일반적으로 백신은 생백신과 불활성화 백신으로 구분합니다. 생백신은 살아있는 바이러스나 세균을 사용하며, 병원체 침입과 비슷한 반응이 일어나서 높은 효과를 얻을 수 있으나, 당연하지만 그 질환에 이환될 위험도 높습니다. 비활성화 백신은 병원성을 없어서 안전성이 높지만 면역 반응을 일으키기 위해 아주반트(adjuvant)를 이용할 필요가 있으며, 이 아주반트가 투여 부위에 종창 등의 부작용을 일으킬 수 있습니다.

면역 기능은 침입한 병원체에 특이적으로 작용하는 기능이 있으므로, 일단 면역을 획득하면 그것이 생체에 기억되어 그 후 같은 면역 자극을 받으면 처음보다 신속하게 반응하므로 백신에 의한 획득 면역 활성화는 감염 예방에 효과적입니다. 한편 고혈압 백신처럼 체내에 존재하는 내인성 단백질 예를 들어 안지오텐신 II 등을 표적 분자로 하면 상황이 다릅니다. 일반적으로 내인성 단백은 보통 백신 항원이 되기 어렵고, 반대로 이물질로 인식하면 자가면역 질환이 되며, 이것은 이

른바 자기와 비자기를 구별하는 면역 관용 기전에 기인합니다. 일반적으로 면역 관용은 중추성 관용(네거티브 셀렉션)과 말초성 관용(anergy)의 2 단계로 성립되며, 백신은 말초 반응 기전에 작용합니다. T세포는 항원 제시 세포의 표면에 있는 MHC class I 또는 class II의 아미노산 서열을 인식하여 항원으로 신호를 읽지만, 이 항원 인식만으로는 T세포는 반응하지 않습니다(anergy). 즉 말초에 내인성 단백질에 대해 면역 반응이 일어나지 않는 기전이 존재하여 자가면역 질환 발생을 막습니다. 그러나 이른바 아주반트에 의해 자연 면역계가 활성화되면 보조 자극 B7의 발현 증가에 의해 T세포에 스위치가 켜지게 됩니다(그림 1). 백신에 의한 면역 반응은 체액성 면역(B세포가 형질 세포로 분화하여 항원에 대한 특이 항체를 생산하는 것)과 세포성 면역(항원에 대한 특이 감작 T세포가 유도되어 세포 손상을 담당하는 것)으로 구별됩니다. 암 백신은 세포성 면역을 활성화시켜 암 세포를 공격하는 것이나, 고혈압 백신이 세포성 면역을 유도하면 자신의 세포를 파괴할 가능성이 있으므로, 고혈압을 목표로 하는 백신은 체액성 면역을 유도하는 백신을 설계할 필요가 있습니다.

고혈압 백신 개발의 역사와 전망

고혈압 백신은 레닌-안지오텐신계를 표적 분자로 연구가 진행되고 있습니다. 1980년대 최초로 시도된 것은 레닌을 표적으로 한 백신이었으며, 신장의 레닌 생산 세포에 염증 소견을 일으켜 안전성에 문제가 있었습니다. 1990년대에는 안지오텐신 I 또는 II에 대한 백신이 개발되었습니다. 그 중에서 안지오텐신 II에 대한 펩티드 백신은 자연 고혈압 발생 흰쥐에서 유의한 항체 상승과 혈압 저하가 있었습니다.[1] 사람의 임상 연구에서도 고혈압 환자에게 백신을 투여하여 유의한 혈압 저하가 있었습니다. 부작용은 주사 부위의 가벼운

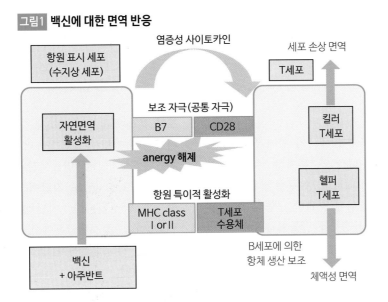

그림1 백신에 대한 면역 반응

반응뿐이었습니다.[2] 이것은 소수의 고혈압 환자를 대상으로 한 단기간의 성적이지만 고혈압 백신의 치료 효과를 사람에서 처음으로 확인한 획기적 보고였습니다.

초고령 사회가 되면서 고혈압 백신 치료의 목표는 안전성과 효과가 높은 백신을 개발하여 치료 대상 질환을 넓혀 의료비를 억제하려는 것입니다. 약제 복용 준수도의 관점에서 특히 생활 습관병 치료제의 준수도가 낮은 것을 고려하면 수개월에 한 번 맞는 백신 치료 효과가 기대됩니다.

(中神啓徳 , 森下竜一)

||||||||||||||||||||||||||||||||||||||||| **문헌** |||||||||||||||||||||||||||||||||||||||||

1) Ambuhl PM, Tissot AC, et al: A vaccine for hypertension based on virus-like particles: preclinical efficacy and phase 1 safety and immunogenicity. J Hypertens 2007; 25: 63-72.
2) Tissot AC, Maurer P, et al: Effect of immunizations against angiotensin II with CYT006-AngQb on ambulatory blood pressure: a double-blind, randomized, placebocontrolled phase IIa study. Lancet 2008; 371 (9615): 821-7.

1 에너지 대사의 이해; 당질, 지질, 단백질

대사는 생명 유지 과정에 필요한 일련의 생체내 화학반응이며, 외부에서 에너지 공급을 받아 물질을 합성하는 동화(同化)와, 분자를 분해하여 에너지를 방출하는 이화(異化)로 구성합니다. 아데노신 3인산(ATP) 합성에 중요한 구연산 회로 반응은 물질 합성의 전구체를 만들어 내는 동시에 에너지 기질의 최종 산화를 담당하여, 동화와 이화의 양면이 있습니다.

섭식 시(흡수 상태)에서 당, 지방, 아미노산 대사

음식을 통해 소화기에 흡수된 당과 아미노산은 문맥을 통해 간에 도달합니다. 지방은 소장 리파제의 기능으로 소화 흡수되어 킬로미크론 형태로 융모의 림프관으로 들어가고 흉관을 통해 정맥으로 들어가 대순환에 도달합니다. 췌장 β 세포에서 분비되는 인슐린은 이런 분자가 글리코겐이나 지방 등 에너지 저장 물질이 되는 동화 반응을 촉진합니다.

글리코겐의 합성과 저장

간이나 근육은 유입된 포도당을 글리코겐으로 바꾸어 저장합니다. 당수송체를 통해 세포 내로 들어온 포도당은, 간에서 글루코키나제, 근육에서 헥소키나제에 의해 6위치가 인산화됩니다. 인산기가 1위치로 이동한 포도당 1-인산은 UDP-포도당으로 바뀌어 글리코겐 신타제에 의해 글리코겐 사슬 말단에 부가됩니다. 글리코겐은 분지 효소의 작용으로 분자 말단의 포도당 수를 늘려가며 나뭇가지 모양의 구조를 만들고, 신속한 합성과 분해가 가능합니다.

지방의 합성과 저장

간에 글리코겐 저장이 포화되어 남게된 포도당은 해당계에서 분해되어 아세틸 CoA가 됩니다. 이것을 재료로 지방산 아실 CoA가 합성되고, 포도당 분해에서 생긴 글리세롤 3-인산과 에스테르 결합하여 지방(트리아실글리세롤, 트리글리세라이드, 중성지방)이 만들어집니다. 간에서 만들어진 지방은 초저밀도 지단백(VLDL)에 들어가 혈중으로 방출됩니다. 지단백리파제의 작용으로 VLDL이나, 킬로미크론에서 유리된 유리 지방산은 다시 지방세포에 들어가 지방으로 합성되어 축적됩니다.

단백질 합성과 잉여 아미노산의 이화

아미노산은 저장 목적으로 폴리머를 만들지 않으며, 아미노산에서 만들어지는 큰 분자는 기능성 단백질입니다. 단백질 합성에는 20종의 아미노산이 필요하며, 그 중 10종은 필수 아미노산이며 식사로 섭취해야 합니다.

식사로 섭취한 단백질에서 소화, 흡수된 아미노산이 모두 단백질 합성에 이용되는 것은 아니며 남는 부분이 있습니다. 남는 아미노산의 질소 부분은 간에서 요소로 변환되어 신장으로 배설 되고, 탄소 골격은 구연산 회로에 들어가 에너지 생산에 사용되거나 지방 또는 글리코겐으로 변환됩니다.

공복 시(흡수 후기 상태)의 당, 지방의 대사

혈당이 저하되면 혈중 인슐린 농도도 저하되며 췌장 α 세포에서 글루카곤이 방출됩니다. 근육이나 간은 지방산을 이용할 수 있으나 뇌나 적혈구는 포도당을 유일한 에너지원으로 사용합니다. 공복 시에 뇌가 사용하는 포도당은 주로 간의 글리코겐 분해와 당신생에 의해 공급됩니다. 한편 심근이나 안정 시의 골격근은 필요한 에너지의 약 전반을 지방에서 생산합니다.

글리코겐 분해

간에서 글루카곤과 아드레날린에 의해 글리코

겐포스포릴라제가 활성화되면 글리코겐이 분해됩니다. 간은 포도당-6-포스파타제의 작용으로 포도당-6-인산을 포도당으로 바꾸어 혈중으로 방출합니다. 근육에는 이 효소가 없어 글리코겐이 분해되어도 포도당으로 방출하지 않고 근육 세포 자신이 이용합니다.

지방의 분해와 연소

글루카곤과 아드레날린은 지방세포의 리파제를 활성화하여 트리글리세롤에서 지방산을 유리합니다. 유리 지방산은 혈장 알부민에 결합하여 운반되며 세포 내로 들어가 미토콘드리아에서 지방산 아실 CoA가 되고 β 산화에 의해 아세틸 CoA로 바뀌어 구연산 회로에 들어가 에너지 생산에 사용됩니다.

금식 시(기아 상태)의 당, 지방의 대사

금식 24시간 후에는 혈중에 포도당을 공급하던 간의 글리코겐은 모두 사용되어 저장이 고갈됩니다.

단백질 분해

글리코겐이 고갈되면 근육의 단백질 분해가 코티솔의 작용으로 촉진됩니다. 분해된 아미노산의 대부분은 알라닌이나 글루타민으로 변환되어 혈중으로 방출되며, 간에 운반되어 피루빈산이 되어 당신생 재료로 사용됩니다. 1 g의 포도당을 생산하려면 약 2 g의 근육 단백질을 분해해야 합니다.

당신생

간(과 신장)에서 당신생으로 만들어진 포도당이 혈중에 공급됩니다. 근육 단백질에서 유래한 당원성 아미노산이 주된 재료이며, 그 밖에 혈중 젖산이나. 지방 유래 글리세롤도 원료가 됩니다. 지방산은 당신생 재료가 되지 않습니다. 글루카곤이나 코티솔은 간에서 당신생을 활성화시키며, 해당계를 억제합니다.

케톤체 생산

글리코겐이 고갈된 기아 상태에서 지방세포가 유리 지방산을 다량으로 방출하고 간에 유입되어 아세틸 CoA가 대량 생산됩니다. 구연산 회로의 처리능을 넘는 과잉의 아세틸 CoA는 아세토초산과 β-히드록시 부틸산으로 변환되어 간에서 혈중으로 방출됩니다. 기아 상태가 계속되면 뇌는 필요 에너지의 반 정도를 케톤체에서 얻도록 적응하여 포도당 수요를 감소시킵니다.

(鈴木 亮 , 門脇 孝)

|||||||||||||||||||||||||||||||||||||| **문헌** ||||||||||||||||||||||||||||||||||||||

1) エリオット生化学・分子生物学 第3版. 清水孝雄, 工藤一郎訳. 東京化学同人, 東京, 2007.
2) ストライヤー生化学 第7版. 入村達郎, 岡山博人, ほか監訳. 東京化学同人, 東京, 2013.
3) ジョスリン糖尿病学 第2版. 金澤康徳, 春日雅人, ほか監訳. メディカル・サイエンス・インターナショナル, 東京, 2007.
4) 藤田道也：標準生化学 第1版. 医学書院, 東京, 2012.
5) カラー[図解 見てわかる生化学 第2版. 川村越 監訳. メディカル・サイエンス・インターナショナル, 東京, 2015.

2 에너지 균형과 안티에이징 의학

식사섭취 기준 2015

식사 섭취 기준은 에너지 섭취의 과잉과 부족을 체중 변화로 평가합니다. 목표 비만도(body mass index, BMI)는 총 사망률이 가장 낮은 수치로 결정했습니다(표 1). BMI는 연령에 따라 3그룹으로 구분하며, 70세 이상은 목표 BMI가 다릅니다. 이것은 고령자의 비만은 중증화와 관련된 질환에 이환되는 사람이 많고, 병태 관리가 어려우며, 운동 습관 저하에 의해서 체중이 늘기 쉽기 때문입니다. 또한 70세 이상에서 목표 범위의 하한을 21.5로 한 것은 쇠약 예방의 관점을 고려했기 때문입니다.

에너지 필요량은 2중 표지 물[二重標識水(doubly labeled water, DLW)]을 이용하여 측정 하면 좋습니다. 정상인 집단에서 측정한 결과에서 20세 이상 80세 미만 남녀 모두에서 30~40 kcal/kg/일의 범위였으며, 이 정도가 건강하며 보통 신체 활동 수준에 있는 성인의 대표적 에너지 필요량입니다.

kcal는 일반인의 감각에 친숙해지기 어렵기 때문에 80 kcal를 1단위로 하는 당뇨병학회의 식품 단위 방법을 이용하면 편리합니다. 개개인의 식사 섭취에 차이가 있지만, 건강한 사람의 추정 에너지 소비량을 "체중×0.4단위"로 하여 개별화 하면 섭취 목표 실행이 가능할 것입니다.[1] 이 식은 운동 강도가 1이나 2정도의 보통 생활을 하는 성인이면 남녀 모두 전 연령에 적응 가능합니다. 계산에 사용하는 체중은 비만자나 야윈 사람에서 정상을 목표로 하는 체중입니다.

고령이며 와병 생활하는 사람은 "체중×0.3단위"가 기준이 됩니다. 과부족은 체중 변화로 판단하여 대처합니다. 이것을 3끼로 나누어 섭취하는 것을 기본으로 합니다. 고령자의 와병생활이나 체력 부족에서 에너지원 섭취가 부족한 경우도 많습니다.[2]

에너지 생산 영양소 균형

몸이 필요로 하는 에너지원이 되는 것은 탄수화물, 지방질이며, 이것이 부족하면 단백질도 사용합니다. 2015년의 식사 섭취 기준은 에너지 생산 영양소 균형을 목표량으로 제시하고 있습니다(표 2). 3대 영양소라고 부르는 방법을 피한 것은, 국제적으로 이용되지 않으며, 탄수화물에 알코올 유래 에너지를 포함하고, 포화지방산도 이 균형에 포함하기 때문입니다. 포화 지방산을 명시한 것은, 지방질은 총량(총 지방질)뿐 아니라 질도 고려해야 할 필요성 때문입니다. 또 탄수화물에서는 식이섬유 목표도 설정되었습니다. 고령자에서 단백질-에너지 영양불량(protein-energy malnutrition, PEM)을 우려하여 단백질을 늘리는 경향이 있으나 우선 충분한 에너지를 당질, 지방질로 보충하는 것이 기본입니다. 단백질은 체중당 0.8 g을 기본으로 합니다. 노인에서 근육의 단백질 대사는 저하하지만 내장 단백질 대사는 거의 변화하지 않습니다. 최근 육류보다 식물성 단백

표1 바람직한 BMI 범위

연령	총 사망률이 가장 낮은 범위	목표 BMI
18~49	18.5~24.9	18.5~24.9
50~69	20.0~24.9	20.0~24.9
70 이상	22.5~27.9	21.5~24.9

표2 에너지 생산 영양소 균형(% 에너지)

단백질	지방질		탄수화물
13~20	총지질 20~30	포화지방산 7 이하	50~65

각 영양소 범위에 대해 대략 대략의 정도를 나타냈다. 생활 습관병 예방이나 고령자의 허약 예방 관점에서 탄력적으로 운용한다.

표 3 임상시험에서 에너지 생산 영양소 균형

	지방질	단백질	탄수화물
표준식	20	15	65
고단백식	20	25	55
고지방식	40	15	45
저탄수화물식	40	25	35

1,000 칼로리별 에너지%

질이 건강에 좋다는 보고가 많습니다. 이것은 단백질만의 문제가 아니라 지방질이나 기능성 물질의 존재가 관여할 가능성이 있기 때문입니다. 고단백식과 저단백식의 장점과 단점을 이해할 필요가 있습니다. 비필수 아미노산에도 생리 기능을 가진 것이 많으며, 단백질 구성에 관여하지 않는 아미노산도 있어 대사 상태를 고려한 아미노산의 공급과 대사가 앞으로 연구 과제입니다.[3] 기능성이 있는 아미노산이나 펩티드가 기능식품으로 이용 가능할 수 있습니다.

저탄수화물, 저지방질식의 시비

에너지 생산 영양소 균형은 식생활 경험에서 유래하고 있습니다. 극단적 탄수화물 배제는 장기간의 안전성이나 보편성, 계속성 면에서 위험이 높다고 생각합니다. 저당질식은 에너지를 조달하기 위해 필연적으로 지방질이나 단백질 섭취가 증가합니다. 당질, 지방질, 단백질 비율을 어떻게 하면 좋은가에 대해 2000년 이후에 임상시험이 시행되어 메타분석도 이루어지고 있습니다. 미국에서 시행된 시험식은 표 3과 같은 조합이 많습니다.[4]

에너지비로 45% 이하의 저당질식과 30% 이하의 저지방질식을 분석한 결과에서 양쪽 모두 체중 감소와 배둘레 감소에 효과적이고, 혈압, LDL 콜레스테롤, 중성지방, 혈당, 혈중 인슐린 수준을 내렸습니다. 저당질식은 HDL 콜레스테롤 상승, 중성지방 저하에 효과가 있었고, 저지방식은 LDL

콜레스테롤 저하에 효과가 있었습니다.

저당질식 또는 저지방질식은 고단백식으로 기울기 쉽습니다. Ebeling 등[5]의 탄수화물 10%, 지방질 60%, 단백질 30%의 초저탄수화물식 개입 연구에서, 총에너지 소비량이 높고, 스트레스 지표인 소변 코티솔 증가, 갑상선 호르몬 저하, 플라스미노겐 활성화 억제 인자-1(plasminogen activator inhibitor-1, PAI-1), C반응성 단백(C-reactive protein, CRP)이 높았습니다. 이 식이는 체중 당 1.5 g 정도의 단백질량이며, 단백질이 많은 식사는 전신 대사를 항진시켜 염증성 스트레스를 일으킨 것으로 생각합니다. 장기간의 코호트 연구 결과는 모두 저탄수화물, 고단백질 식사에서 암이나 심 질환 위험이 있었습니다. 육식을 줄이는 것은 지구 환경에도 공헌합니다. 쇠고기 1 kg 생산에는 콩이나 곡류가 10~12 kg 필요하여 환경 파괴도 큽니다. 식량 자원 문제에서 보면 식물성 단백질 증가가 필요합니다.

일본의 2015년 식사 섭취 기준은 다음 사이트에서 pdf 파일로 다운로드할 수 있습니다.
http://www.mhlw.go.jp/file/05-Shingikai-10901000-Kenkoukyoku-Soumuka/0000042626.pdf

(渡邊 昌)

※역자 주:

• 주달래 등. 2010 당뇨병환자를 위한 식품교환표 개정. J Korean Diabetes. 2011;12(4):228-244

문헌

1) 渡邊　昌：食事療法. 栄養学原論, 東京, 南江堂, 2010, p189-250.
2) 渡邊　昌：栄養療法のプロになる. 東京, 医学と看護社, 2012.
3) 野口　忠：必要栄養素についての再考, 蛋白質について最近思うこと. 医と食 2011；3(1)：14-7.
4) 渡邊　昌：肥満克服に三大栄養素の構成を変えると効果があるか？長期臨床試験から. 医と食 2014；6(6)：300-3.
5) Cara B, Ebeling JF, et al: Effects of dietary composition on energy expenditure during weight-loss maintenance. JAMA 2012; 307: 2627-34.

③ 항당화(抗糖化)와 안티에이징 의학

당화는 아미노산이나 단백질의 아미노기에 카보닐기(C=O)를 통해 환원당이 비효소적으로 결합하는 반응입니다(그림 1). 이 반응은 발견자인 프랑스의 식품화학자 이름에서 차용하여 마이야르(Maillard) 반응 또는 당화의 영어 표현인 글리케이션(glycation)이라고 부릅니다. 이 반응은 대략 2단계로 나누어지며, 전기 단계는 혈당 조절의 임상 지표로 자주 측정하는 헤모글로빈 A1c (HbA1c)로 대표되는 아마도리(Amadori) 전위물의 생성 입니다. 그 후 산화나 축합 반응 등에 의해 후기 생성물인 당화 종산물(advanced glycation end products, AGEs)로 변화합니다. AGEs는 단백질 사이에 가교를 형성하거나 알칼리성 아미노산의 측쇄를 수식하여 (+)전하가 (−)전하로 바꾸어

존재하므로 단백질의 입체 구조에 큰 영향을 줍니다. 즉, ATP 생산에 불가결한 영양소인 탄수화물도 대사에 이상이 일어나면 생체에 장애를 주는 화학반응에 관여하게 됩니다. 지금까지 이 반응은 생체내에서 주로 포도당에 의해 장기간에 걸쳐 진행한다고 생각했으나, 최근의 연구에서 AGEs는 해당계, 지질 과산화, 염증 반응 등에서도 생성되며, 포도당보다 반응성이 높은 카보닐 화합물에서의 신속한 생성도 알려졌습니다. 따라서 생체 AGEs 분석으로 생활 습관병 등 노화 관련 질환에서 "생체 단백이 얼마나 변성되어 있을까"를 짐작하게 되었습니다. 또 AGEs 정량에 의해 "생체내 대사이상 평가"도 가능해졌습니다.

그림 1 당화 반응

아미노산과 환원당의 카보닐기가 비효소적으로 반응하여 HbA1c로 대표되는 아마도리 전위물을 거쳐 AGEs가 생성된다. 단백질의 AGEs화에 의해 아미노산 측쇄의 전하가 변화되고, 또 가교 구조를 가진 AGEs의 존재는 효소 활성 저하나 골격 단백의 구조 변화를 일으킨다.

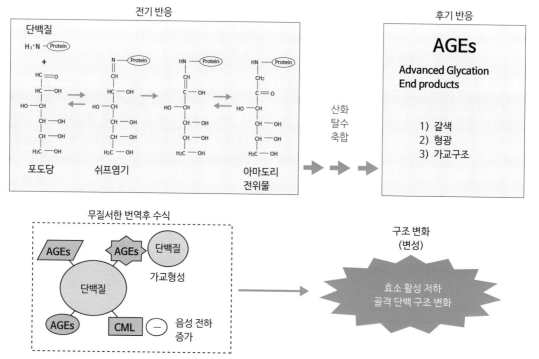

AGEs 생성 경로

HbA1c가 지난 1~2개월의 혈당 치를 반영하므로 생체 내에서 당화는 시간을 두고 진행한다고 생각하고 있었습니다. 그러나 포도당뿐 아니라 앞에서 말한 다양한 카보닐 화합물에 의해 비교적 단기간에 AGEs가 생성되는 경로도 존재합니다(그림 2).[1] 포도당 이외의 단백질을 수식하는 작용을 가진 카보닐 화합물 생산 경로에는 비효소적 생산 경로와 효소적 생산 경로가 있습니다. 비효소적 경로는 포도당의 자기 산화에서 생성되는 글리옥살, 아마도리 전위물의 분해에서 생성되는 3-데옥시글리코손 등을 들 수 있습니다. 효소적 경로에는 활성화된 마크로파지 등 염증 세포에서 발현하는 미에로페르옥시다제가 차아염소산을 생산하고 이것이 세린과 반응하여 글리콜알데히드를 만드는 경로도 있습니다. 또 해당계에서 트리오스인산의 분해로 메틸글리옥살을 만드는 경로, 푸럭토리진(아마도리 전위물)과 푸럭토사민 3 키나제를 통해 3-데옥시글루코손을 만드는 효소적 생산 경로도 있습니다.

지방세포의 번역 후 수식 분석에서, 고농도 포도당 상태에서 푸말산과 단백질 시스테인의 치올기와 미카엘 부가 반응에 의해 S-(2-Succinyl) cyste-ine (2SC)가 생성되는 경로가 발견되었습니다(그림 3).[2] 이 반응은 당화와 다르지만, 아디포넥틴을 비롯하여 세포 골격 단백질, 사이토카인, heat shock protein 등 다양한 단백질에서 진행됩니다. 특히 아디포넥틴은 2SC화에 의해 집합체 형성이 저해되고 음성 전하 증가에 의해 세포막 투과성 저하 결과 분비 부전의 원인이 됩니다. 현재 미토콘드리아의 기능을 NAD/NADH비로 측정하고 있으나 이 방법은 조직을 분쇄할 필요가 있습니다. TCA 회로에는 NAD 의존적 탈수소효소에 의해 진행되는 3개 단계가 있으므로 TCA 회로의 대사 이상에 의한 2SC 증가를 혈액 검사로 평가할 수 있으면 생체의 미토콘드리아 기능 측정이 가능할 것입니다.

AGEs 생성 억제

AGEs 생성을 억제하는 방법으로, ① 카보닐 trap, ② 카보닐 생성 억제, ③ 산화 의존적 AGEs 생성을 억제하는 항산화제, ④ 이미 생성된 AGEs를 분해하는 AGEs breaker 등의 전략을 생각할 수 있습니다.

아미노구아니딘(aminoguanidine)은 아미노기로 카보닐 화합물을 포착하는 최초로 보고된 AGEs 생성 저해제입니다. 이 제제는 당뇨병 모델 동물

그림 2 생체의 AGEs 생성 경로

생체에서는 지질 과산화, 산화 반응, 염증 반응, 해당계(glycolytic system) 등에서 글리옥살, 글루코손, 글리콜 알데히드, 메틸글리옥살 등 반응성이 높은 카보닐 화합물이 생성되어 생체 단백을 신속히 변성시킨다.

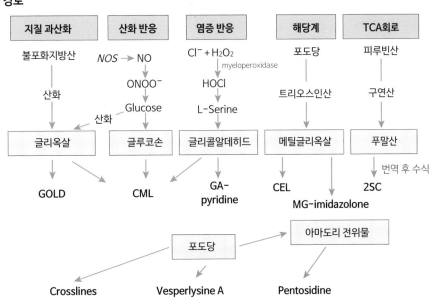

그림 3 미토콘드리아 기능 이상과 2SC 생성

AGEs화는 아니지만 고혈당에 노출한 지방세포에서는 TCA 회로 이상으로 세포내 푸말산 농도 상승으로 시스테인의 치올기와 반응하여 S-(2-Succinyl)cysteine(2SC)가 생성된다. 2SC는 아디포넥틴 등을 비롯한 세포 내 여러 단백질에서 생성되어 단백질 기능 장애의 원인이 된다. 혈액 검사로 2SC를 측정할 수 있으면 간편하게 생체의 미토콘드리아 기능을 평가할 수 있다.

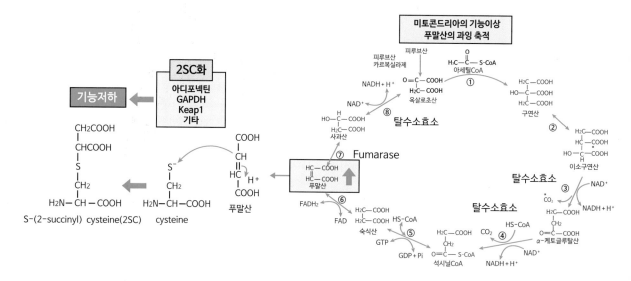

에서 신병증, 망막증의 발생을 억제하며, 1999년 미국의 당뇨병성 신병증의 3상 임상시험에서 요단백 감소 효과가 있었으나 크레아티닌 감소 효과는 없었습니다. 비타민 B_6 유도체인 피리독사민도 아미노기에 의한 알데히드기 포착 작용이 있으며, AGEs 생성뿐 아니라 지질 과산화 반응에서 유래한 카보닐 화합물도 포착하는 작용이 알려져 있습니다. 스트렙토조토신으로 유발한 당뇨병 흰쥐에 피리독사민을 투여하면 혈당 변화 없이 신병증 및 망막증 진행을 지연시켜 현재 임상시험이 시행되고 있습니다.

Thornalley 등은 티아민이 트랜스케토라제 활성을 올려 고혈당에 의한 적혈구 내 트리오스인산 농도를 감소시키며 결과적으로 AGEs 생성의 전구 물질이 되는 메틸글리옥살의 세포 내 농도를 저하한다고 보고했습니다. 또한 당뇨병 흰쥐에 티아민 및 소수성을 높인 유도체 벤포티아민 투여에 의해 신장 메산지움 세포에서 트랜스케토라제 발현 상승과 동시에 세포 내 AGEs 함량 저하를 보았습니다. 또한 미량 알부민뇨 발생을 억제하여 고혈당에 의한 세포 내 AGEs 생성이 당뇨병성 신병증 발생에 관여할 가능성이 있습니다.

항원성 AGEs 구조체로 알려진 N'-(carboxy-methyl) lysine (CML), 가교성 AGEs 구조체인 펜토시딘, 또 마이야르 반응에 동반한 단백질 가교 형성이 산화적 조건에서 촉진되므로 금속 킬레이터 등으로 산화 반응을 억제하는 방법을 생각하고 있습니다. 차 잎에서 분리한 카테킨 등의 폴리페놀은 항산화능이 있어 AGEs 생성을 억제할 가능성이 있습니다. 폴리페놀 중에 고농도로 존재하는 카테콜 골격에서 과산화수소가 생산되어 반대로 산화 반응을 촉진하는 일도 알려져 있습니다.[3] 따라서 차에 의한 건강 효과를 기대하여 고농도의 차를 과잉 섭취할 필요는 없으며, 맛이 좋다고 생각하는 농도의 차를 마시는 것이 차의 건강 효과를 볼 가능성이 있습니다.

케톤체 분해 산물인 아세톨에서 N'-(carboxy-ethyl) lysine (CEL)이 생성됩니다. 당뇨병 흰쥐에서 구연산을 경구 투여하여 케톤체가 개선되면 신 기능 장애가 억제되고, 백내장 및 수정체의 CEL 축적이 저하되었습니다.[4] 혈중 케톤체는 1형 당뇨병 이외에 임신 초기의 입덧, 과도한 운동, 급격한 다이어트에서도 올라갑니다. 구연산은 과일에 풍부하며, 효과적으로 이용하면 당뇨병 합병증뿐 아니라 다른 질환 예방에 도움이 될 가능성이 있습니다.

앞으로의 과제

생체에 존재하는 AGEs 구조체의 종류에 대한 논의가 많지 않았으나, 생체에는 다양한 AGEs 생성 경로가 있으며, 조직이나 병태에 따라 축적되는 AGEs 구조체가 다른 것이 알려졌습니다. 앞으로 어떤 AGEs 구조체가 어떤 조직에 축적되는지 밝히는 것이 중요할 것입니다. 일반적으로 시행하는 항체를 이용한 생체 시료의 AGEs 측정법에서 가열 처리를 시행하는 경우가 있으며, 가열에 의해 인공적으로 생성된 AGEs도 측정될 위험성이 있습니다.[5] 생체내 대사이상이나 병태에 AGEs의 관여를 확립하기 위해서는 정확한 정량법이 필요합니다.

（品川雅敏 , 永井竜児）

문헌

1) Nagai R, Shirakawa J, et al: Inhibition of AGEs formation by natural products. Amino Acids 2014; 46(2): 261-6.
2) Nagai R, Brock JW, et al: Succination of protein thiols during adipocyte maturation: a biomarker of mitochondrial stress. J Biol Chem 2007; 282(47): 34219-28.
3) Fujiwara Y, Kiyota N, et al: Natural compounds containing a catechol group enhance the formation of N$^{\varepsilon}$-(carboxymethyl)lysine of the Maillard reaction. Free Radic Biol Med 2011; 50(7): 883-91.
4) Nagai R, Nagai M, et al: Citric acid inhibits development of cataracts, proteinuria and ketosis in streptozotocin (type 1) diabetic rats. Biochem Biophys Res Commun 2010; 393(1): 118-22.
5) Nakano M, Kubota M, et al: The pentosidine concentration in human blood specimens is affected by heating. Amino Acids 2013; 44(6): 1451-6.

4 인 대사와 안티에이징 의학

인체의 구성은 바다물과 비슷하여 양쪽을 구성하는 다량 원소 10개 중 9개가 같습니다. 유일한 차이는 바다물에는 마그네슘, 인체에는 인이 다량 원소 10종에 들어 있다는 점입니다. 생물의 진화 과정에서 체내에 인이 대량으로 많아진 것은 지금부터 약 4억 년 전 인산칼슘을 뼈에 축적한 경골어뢰가 처음입니다.[1] 그 이전의 생물이 연골이나 뼈에 가지고 있던 탄산칼슘에 비해, 인산칼슘은 뼈의 강도가 뛰어나서 부력의 도움 없이 신체를 유지할 수 있어 육상 생물로 진화를 가능하게 했습니다. 그러나 인산칼슘의 뼈를 유지하려면 뼈 이외의 장소에서는 인산칼슘 결정을 만들지 않는 구조가 필요합니다. 그 구조의 하나가 인의 항상성을 유지하는 FGF23-Klotho 내분비계입니다.

FGF23-Klotho 내분비계

인을 섭취하면 뼈(골세포)가 그것을 감지하여 섬유아세포 증식인자 23 (fibroblast growth factor 23, FGF23)라는 인이뇨 호르몬을 분비합니다. FGF23은 신 세뇨관세포에 발현된 수용체 Klotho에 작용하여 세뇨관에서 인 재흡수를 억제하여 소변으로 인 배설을 늘려 인의 항상성을 유지합니다. 이 FGF23-Klotho 내분비계가 파탄되면, Klotho 결손 마우스에서 볼 수 있듯이 뼈 이외의 장소에서 인산칼슘 결정이 자라는 현상 즉 이소성 석회화가 일어납니다. 이와 동시에 여러 장기(성선, 골격근, 흉선, 피부 등)의 위축, 성장 장애, 골다공증, 폐기종, 심 비대, 부정맥, 치매, 난청 등 마치 노화가 가속되는 것 같은 복잡한 표현형이 나타나서 조기에 사망합니다.[2] 이런 조로증은 Klotho 결손 마우스를 인 제한식으로 사육하면 치료되므로 "인이 노화를 가속한다"는 개념이 생겼습니다. 그러나 여기서 노화라는 말을 사용하면 어의적(semantic) 논란을 일으키므로 "인 섭취 제한에 의해 치료할 수 있는 노화와 유사한 병태"를 총칭하여 인병증(phosphatopathy)이라고 정의합니다.[3]

만성 신질환과 인

사람에서 인병증을 보편적으로 볼 수 있는 상태는 만성 신질환입니다. 만성 신질환은 신 장애가 3개월 이상 지속된 상태입니다. 당뇨병, 고혈압의 합병증이나 노화 현상의 일부로 발생되어 성인 8명 중 1명이 이환됩니다. 진행되어 신부전이 되면 투석이나 신 이식이 필요합니다. 만성 신질환에서는 혈관 석회화나 심 비대를 비롯한 Klotho 결손 마우스와 비슷한 조로증(早老症)을 나타냅니다. 최근의 임상 연구에서 고인혈증을 동반하는 만성 신질환 환자에게 인 흡착제를 투여하여 인 섭취량을 줄이면 예후가 개선되는 만성 신질환의 병태가 인병증으로 확인되었습니다.[4]

CPP (calciprotein particle) 병인설

인은 어떻게 인병증을 일으킬까요? 세포외액 중의 인과 칼슘 농도는 포화량에 가깝기 때문에 어떤 원인으로 인 농도가 올라가면 인산칼슘 결정이 석출(析出)될 위험이 있습니다. 그러나 인산칼슘 결정이 석출되어도 fetuin-A 등의 혈청 단백질이 신속하게 결정을 흡착하여 성장을 억제하므로 혈중에서 인산칼슘 결정이 크게 자라지 않습니다. 이것이 인산칼슘 결정을 뼈 이외의 장소에서 성장시키지 않는 기전의 하나입니다. 그러나 흡착 결과 인산칼슘의 미세 결정과 fetuin-A의 복합체(calciprotein particle, CPP)가 형성됩니다. CPP는 직경 100 nm 전후의 나노 입자이며, 콜로이드 입자로 혈중에 분산되어 있습니다. CPP가 전혀 무해한 것은 아닙니다. CPP는 혈관 내피세포 장애를 일으키거나 백혈구에 자연 면역 반응을 유도하는 강력한 생리 활성 물질입니다. 최근 만성 신질환의 임상 연구에서, ① 신 기능 저하에 따라 혈중 CPP 레벨이 상승하고, ② 혈중 CPP 치

표1 불용성 물질의 생체내 관련 물질

불용성 물질	지질	인산 칼슘 결정
단백질 담체	아포단백	fetuin-A
콜로이드	지단백	CPP
저장소	지방조직	뼈
병태	죽상경화, lipotoxicity	혈관 석회화, phosphatopathy

가 혈중 크레아티닌 치와 독립적으로 혈관 석회화나 비감염성 만성 염증 중증도와의 상관성이 있는 것으로 알려졌습니다. 즉 CPP가 인병증을 일으키는 중요한 원인으로 인식되고 있습니다.

생체내 콜로이드 입자

일반적으로 생체는 불용성 물질을 혈중에 용해시키기 위해 단백질에 흡착시켜 콜로이드 입자로 혈중에 분산시키는 전략을 이용합니다. 예를 들어, 물에 녹지 않는 지질을 아포단백에 흡착시켜 콜로이드 입자(지단백)로 혈중에 분산시키고 있습니다. 지질의 최종적 저장소는 지방조직이며, 지방 이외의 조직 예를 들어 혈관에 쌓이면 죽상경화, 간이나 골격근에서는 지방간이나 인슐린 저항성 등의 병태를 나타내며, 이들을 총칭하여 지질 독성(lipotoxicity)이라고 합니다. 물에 녹지 않는 인산칼슘 결정은 fetuin-A 단백에 흡착시켜 콜로이드 입자(CPP)로 혈중에 분산되어 있습니다. 인산칼슘 결정의 최종 저장소는 뼈이며, 뼈 이외의 조직 예를 들어 혈관에 쌓이면 혈관 석회화를 일으키고, 다양한 장기에 작용하면 인병증이라고 부르는 노화 비슷한 병태를 일으킵니다(표 1). CPP는 본래 섭취한 인과 칼슘을 인산칼슘 결정 형태로 혈중에서 뼈로 옮기는 담체로의 기능이 있으나 혈중에 증가하면 지단백처럼 다양한 병을 일으킵니다.

(黑尾 誠)

문헌

1) Hu MC, Shiizaki, et al: Fibroblast growth factor 23 and klotho: physiology and pathophysiology of an endocrine network of mineral metabolism. Annu Rev Physiol 2013; 75: 503-33.

2) Kuro-o M, Matsumura Y, et al: Mutation of the mouse klotho gene leads to a syndrome resembling ageing. Nature 1997; 390 (6655): 45-51.

3) Kuro-o M: Phosphatopathies. New-opathies-An emerging molecular reclassification of human disease, Friedberg EC, Castrillon DH, Galindo RL, Wharton KA eds, 1st ed, Singapore, World Scientific Publishing, 2012; p267-87.

4) Kuro-o M: Klotho: Phosphate and FGF-23 in ageing and disturbed mineral metabolism. Nat Rev Nephrol 2013; 9 (11): 650-60.

1 시상하부-뇌하수체 호르몬

시상하부는 내분비계와 자율 신경계의 중추입니다. 시상하부에서 뉴런의 네트워크를 통해 중추 신경계와 신경 내분비가 연관되어 본능적 행동과 그에 따른 내장 기능을 조절하여 항상성을 유지하고 있습니다. 식욕이나 에너지 소비, 체온 조절, 갈증, 성행동 등의 중추도 시상하부에 있으며, 외부 환경의 다양한 스트레스에 대한 전신의 적응 조절을 담당하고 있습니다. 또한 전신 내분비 장기의 상위에 위치한 뇌하수체 기능을 조절합니다. 이런 기능이 항상성 유지와 더불어 노화, 수명 조절과 관계 있는 것이 밝혀지고 있습니다. 여기서는 시상하부-뇌하수체 호르몬 중에서 수명 조절과 관계 있는 성장 호르몬-인슐린양 성장 인자(growth hormone/insulin like growth factor, GH/IGF)계와 최근 보고된 노화와 성선 자극 호르몬 방출 호르몬(gonadotropin releasing hormone, GnRH)에 대해 설명합니다.

GH/IGF계와 수명

표 1은 수명 조절과 관련된 시상하부-뇌하수체 호르몬 관련 유전자 변이 마우스이며, 대부분 GH/IGF계이므로 이 계의 중요성을 알 수 있습니다.[1] GH/IGF계가 저하된 마우스는 모두 장수합니다. 뇌하수체 전사 인자 Prop1 자연 변이 Ames dwarf 마우스, Pit1 자연 변이 Snell dwarf 마우스, 성장호르몬 방출 호르몬(growth hormone releasing hormone, GHRH) 수용체 자연 변이 lit/lit 마우스, GH 수용체/GH 결합 단백 결손 마우스, IGF-1 수용체 결손 마우스[2] 등에서 24~70%의 수명 연장이 있으며, 공통점은 IGF-1 작용 저하에 의한 체격의 왜소화입니다. IGF-1 수용체 이형 결손 마우스 및 그 태아의 섬유아세포는 산화 스트레스 부하에 내성이 있으며, 수명 연장 및 산화 스트레스 내성은 수컷에서만 나타나서 성차가 있습니다. 그 밖의 기전으로 IGF-1/인슐린은 스트레스 내성에 중요한 역할을 하는 포크헤드 전사 인자(Forkhead box O1 FOXO1 활성을 조절하므로 FOXO1의 관여도 생각하고 있습니다. 실제 꼬마 선충에서 인슐린/IGF-1 수용체의 동형 변이체의 수명 연장 효과는 FOXO 동시 변이체에서 나타나지 않습니다. 또 인슐린/IGF-1신호 하류 분자의 유전자 결손 마우스(knock-out mouse)도 장수하여, Akt-mTOR 경로의 관여도 시사되고 있습니다.

사람에서 GH/IGF와 노화, 수명

사람에서 GH/IGF계의 저하는 마우스 등 하등 동물과 달리 수명 단축을 나타냅니다. 또 노화 현상의 적어도 일부는 GH/IGF계 저하에 동반하여 일어날 가능성도 시사되고 있습니다. 연령 증가에 따라 GH 분비가 저하하며, 폐경(menopause)처럼 이런 저하 현상을 somatopause라고 부릅니다.[3] 노화에 따른 변화로는, 신체 조성의 변화, 지질 대사이상과 동맥경화에 의한 심혈관 장애의 증가, 근육량 및 골밀도 저하, 정신 활동성 저하 등이 있습니다. 흥미로운 점은 이런 변화가 성인 GH 분비 부전증(adult growth hormone deficiency, AGHD) 증상과 비슷하다는 것입니다. 실제 AGHD에서는 내장 지방 증가, 지질 대사 이상이 있으며, 혈관내피 세포 장애와 함께 심혈관 합병증 발생 빈도가 높고 사망률도 높습니다. 또한 GH 보충 요법에 따라 합병증 개선뿐 아니라 예후 개선도 시사되고 있습니다. 그러나 일반 정상인에서 GH 보충 요법의 효과는 제한적입니다. 한편 GH/IGF계가 과잉된 말단비대증에서는 고혈압, 당뇨병, 지질 이상, 심부전 등의 합병증을 일으켜 생명 예후가 악화되므로 동물 실험 결과와 일치합니다. 그리고 치료에 의해 GH/IGF-1 수준이 정상화하면 예후도 개선됩니다. 예후 악화 기전에는 합병증에 의한 영향뿐 아니라 GH/IGF-1계의 과잉이 본질적으로 관여하는 것으로 생각합니다. 아직 불명한 점이 있지만, 말단비대증 환자에

표1 시상하부, 뇌하수체 관련인자 변이(또는 변형) 마우스의 수명

유전자	변이(또는 변형)	수명	특징
IGF-1 수용체	뇌특이적 이형 유전자 결손	연장	성장 장애, 비만
IRS2	뇌특이적 동형 유전자 결손	연장	비만, 내당능이상
Prop1	자연 변이(Ames)	연장	GH, PRL, TSH 저하
Pit1	자연 변이(Snell)	연장	GH, PRL, TSH 저하
GH수용체	유전자 결손	연장	혈청 IGF-1 저하 성장 장애
GHRH	유전자 결손	연장	혈청 GH, IGF-1 저하 성장 장애
GHRH 수용체	자연 변이(lit/lit)	연장	혈청 GH, IGF-1 저하 성장 장애
SIRT1	뇌특이적 트랜스제닉	연장	노화 지연, 암 감소
IKK β	시상하부 특이적 트랜스제닉	단축	노화 촉진
Iκβα	시상하부 특이적 트랜스제닉	연장	노화 지연
IKK β	시상하부 특이적 트랜스제닉	연장	노화 지연

(문헌1 인용 수정)

서 산화 스트레스 항진, 텔로미어 단축의 보고가 있으며, 그 기전으로 IGF-1에 의한 산화 스트레스 증가 작용, 텔로미어 단축, 세포 노화 유도 작용 등이 시사되고 있습니다.

시상하부 염증과 GnRH 저하에 의한 노화

고지방식은 시상하부에 염증을 일으켜 비만을 일으키며, 노화에 따라 시상하부 내측 기저부의 염증이 증가와 전신 노화의 관련성이 보고되었습니다(표 1). 내측 기저부의 염증은 GnRH 저하를 일으키며, GnRH 보충은 성 호르몬의 작용과 독립적으로 노화 표현형을 개선시켜 노화의 새로운 기전으로 주목 받고 있습니다.[5]

(高橋 裕)

문헌

1) Tang Y, et al: Hypothalamic microinflammation: a common basis of metabolic syndrome and aging. Trends Neurosci 2015; 38(1): 36-44.
2) Bartke A: Minireview: role of the growth hormone/insulin-like growth factor system in mammalian aging. Endocrinology 2005; 146(9): 3718-23.
3) Lamberts S W, et al: The endocrinology of aging. Science 1997; 278(5337): 419-24.
4) Nishizawa H, et al: Enhanced oxidative stress in GH-transgenic rat and acromegaly in humans. Growth Horm IGF Res 2012; 22(2): 64-8.
5) Zhang G, et al: Hypothalamic programming of systemic ageing involving IKK-beta, NF-kappaB and GnRH. Nature 2013; 497(7448): 211-6.

2 갑상선 호르몬

갑상선 호르몬은 전신 조직의 대사 작용 조절에 중요한 역할을 하는 필수 호르몬이지만, 갑상선 호르몬 자체의 안티에이징 작용은 없습니다. 갑상선 기능 저하증에서는 발한 감소, 피부 건조, 기억력 저하, 동작 완만, 쉰 목소리, 난청, 변비 등 일반 고령자에서 볼 수 있는 증상이 나타나지만, 자각 증상으로는 조기 발견하기 어렵습니다. 한편 고령자는 여러 가지 비갑상선 질환에 의해 갑상선 호르몬 농도가 변화합니다. 고령자에서 갑상선 호르몬 이상의 진단과 치료는 국제적으로 중요한 임상 과제가 되고 있습니다.

혈중 갑상선 호르몬 농도의 연령 증가에 의한 변화

갑상선 호르몬 작용은 각종 조절 기전에 의해 항상 과부족이 없는 안정된 상태로 유지되고 있습니다. 시상하부에서 분비된 갑상선호르몬 방출 호르몬(thyrotropin releasing hormone, TRH)은 뇌하수체 전엽을 자극하여 갑상선 자극호르몬(thyroid stimulating hormone, TSH)을 생산하고, TSH는 갑상선을 자극하여 갑상선 호르몬을 분비합니다(그림 1). 말초 조직에 갑상선 호르몬 작용이 저하하면 TSH 분비가 촉진됩니다. 연령 증가에 따라 갑상선의 요오드 유입이 저하되어 T_4와 T_3 분비량이 저하하지만, 탈요오드 효소의 활성도 저하되어 T_4 대사도 지연되므로 결과적으로 혈중 T_4 농도는 저하되지 않습니다. 한편 고령자에서는 정상인도 TSH가 증가되므로, 연령, 성별, 인종별 기준치를 정해야 합니다.[1] 일본의 보고에서 유리 티록신(free thyroxine, FT_4)의 기준 상한치와 하한치는 20세 이상에서 변화가 없으나, TSH는 상한치와 하한치가 연령에 따라 상승되었습니다(그림 2).[2]

고령자의 그레이브스병

고령자의 그레이브스병에서는 갑상선 종의 크기가 작고, 안구 돌출도 10% 이하이며, 빈맥, 손떨림 등의 발생 빈도도 낮아 전형적 증상이 적은 것에 주의해야 합니다. 항갑상선제 치료는 기본적으로 젊은 사람과 같지만, ^{131}I 방사선 동위원소 치료에서 효과가 나타나기까지 3개월간 심 질환 발생이나 악화에 주의해야 합니다.[3]

고령자의 갑상선 기능 저하증

항티로글로불린 항체와 항마이크로솜 항체 양성 빈도는 연령 증가에 따라 증가하며, 특히 60세 이상의 여성에서 현저합니다. 갑상선의 자가면역 이상은 갑상선 기능 저하증 발생 빈도를 높이며, 현성 갑상선 기능 저하증은 고령자의 0.5~5%이고, 잠재성 갑상선 기능 저하증은 4~15%에서 볼 수 있습니다. 현성 갑상선 기능 저하증에서도 70

그림 1 시상하부-뇌하수체-갑상선계

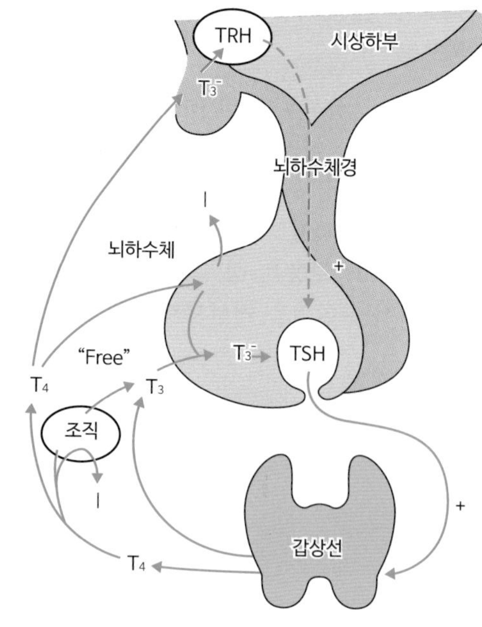

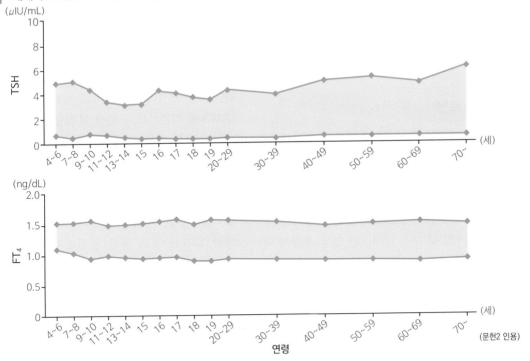

그림2 **4세에서 80세까지 TSH, FT4기준치의 변동**

(문헌2 인용)

세 이상에서는 TSH 농도가 7.5 μU/mL 이하이고, 항갑상선 항체가 음성이면 연령에 해당하는 정상치이며 갑상선 질환이 아니라고 생각하여 갑상선 호르몬제를 투여하지 않습니다.[4]

현성 갑상선 기능 저하증에서 젊은 사람은 처음부터 합성 갑상선 호르몬(레보티록신) 유지량을 투여하지만, 고령자는 25 μg, 심장 질환이 있으면 12.5 μg 부터 시작하여 4~8주마다 12.5~25 μg 을 증량하여, 수개월에 걸쳐 FT4와 TSH가 연령에 해당하는 정상 범위(65세 이상에서는 6 μU/mL 전후)에 도달한 시점에서 유지량을 투여합니다.[5]

FT4는 기준 치 이내이지만 TSH가 증가된 잠재성 갑상선 기능 저하증은 고령자의 10~20%에서 발견된다고 보고되었습니다. 특히 여성에서 빈도가 높으며, 나이가 많을수록 빈도가 증가합니다.[6] 그러나 TSH 기준치는 연령과 함께 증가하므로 7.0 μU/mL 정도까지는 잠재성 갑상선 기능 저하증이 아닐 가능성이 있습니다. TSH가 10 μU/mL 를 넘는 갑상선 기능 저하증에서는 심부전 위험이 증가하므로 갑상선 호르몬을 투여해야 합니다.

마지막으로

갑상선 호르몬은 평생 건강에 필수적 호르몬입니다. 연령 증가에 따라 혈중 농도가 변화하므로 정확히 판단하여 잠재성 갑상선 기능저하증을 놓치지 않고 치료하는 것이 중요합니다.

(阿部好文)

문헌

1) Boucai L, Hollowell JG, et al: An approach for deveropment of age-, gender, and ethnicity-specific thyrotropin reference limits. Thyroid 2011; 21: 5-11.

2) 吉村　弘: TSHの年齢別基準値. 日本甲状腺学会雑誌 2014; 5: 14-19.

3) 中村浩淑: 特殊なバセドウ病患者. バセドウ病治療ガイドライン2011，日本甲状腺学会編集，東京，南江堂，2011，123-34.

4) Surks MI, Hollowell JG: Age-specific distribution of serum thyrotropin and antithyroid antibodies in the US population: Implications for the prevalence of subclinical hypothyroidism. J Clin Endocrinol Metab 2007; 92: 4575-82.

5) Jonklaas J, Bianco A, et al: Guidelines for the treatment of hypothyroidism. Thyroid 2014; 24: 1670-750.

6) Nakajima Y, Yamada M, et al: Subclinical hypothyroidism and indices for metabolic syndrome in Japanese women: one-year follow-up study. J Clin Endocrinol Metab 2013; 98: 3280-87.

③ 부신 호르몬

부신 호르몬

부신피질 호르몬에는 구상층에서 분비되는 알도스테론, 속상층에서 분비되는 코티솔, 망상층에서 분비되는 부신 안드로겐 dehydroepiandrosterone (DHEA)이 있습니다. 코티솔과 알도스테론은 생명 유지에 필수 호르몬이며 연령 증가에 따른 변동이 거의 없으나, DHEA는 연령 증가에 따라 저하합니다.

DHEA는?

DHEA는 생체내에서 황산화체 DHEA-S로 존재하며 상호 변환할 수 있습니다. 주로 부신과 성선에서 생산되지만 일부는 말초 조직에서 생산됩니다. 혈중 DHEA 변동은 DHEA-S 변동과 연동되고 있으며, 일상 진료에서는 DHEA-S 측정이 일반적입니다.

혈중 DHEA-S는 6~7세 경부터 증가하기 시작하여, 12~13세경에 피크에 도달하고, 13~25세경까지는 증가를 지속하다가 그 후 나이가 들면서 직선적으로 감소합니다(그림 1). 미국이나[1] 일본에서[2] 주민을 대상으로 한 연구에서 장수 군은 DHEA-S 수치가 높아, DHEA는 노화 지표이며 수명을 규정하는 지표로 유용할 가능성이 있습니다.

DHEA는 에스트로겐이나 테스토스테론(T)의 전구 스테로이드이며, 이런 성 스테로이드로 전환되어 작용합니다. DHEA의 고유 작용도 있을 것으로 생각하고 있으나, 수용체 분자의 존재를 포함하여 구체적 작용 기전은 아직 밝혀지지 않았습니다. 혈중 DHEA는 피지선에서 T와 더불어 보다 강력한 활성형 T인 5α-dihydrotestosterone (DHT)로 변환합니다. 따라서 여성에서 DHEA가 과잉 생산되는 병태(선천성 부신증식증이나 쿠싱병)나 DHEA 과잉 투여에서는 피지선에서 DHT 생산이 증가하여 여드름이나 다모증을 일으킵니다. 한편 여성의 액모, 치모 발육은 거의 100% DHEA에 의존하므로 부신 부전증에서 DHEA 생산이 없으면 액모, 치모 탈락이 나타납니다.

DHEA 보충 요법의 임상 성적

DHEA 투여에 의해 비만, 당뇨병, 발암, 동맥경화, 골다공증, 자가면역 질환, 기억력 유지 등에 대한 효과가 주로 동물 실험에서 보고되었습니다. DHEA는 경구 또는 경피 투여 같은 간단한 방법으로 혈중 DHEA가 명확히 상승됩니다. 여성에서 여드름이나 유방통 등 가벼운 증상 이외에 중증 부작용은 보고되지 않았습니다. 사람을 대상으로한 소규모 연구에서, 25 mg/일의 DHEA 투여에 의해 혈관내피 세포 기능 개선, 인슐린 저항성 개선이 있었습니다. 또 갱년기 여성에서 1년간 DHEA 크림 도포에 의해 대퇴의 골밀도와 골형성 지표 오스테오칼신 상승이 있었습니다. 고령자에 DHEA (50 mg/일) 경구 투여에 의해 건강한 느낌이 개선되었다는 보고가 있으나, 모든 보고가 일치하지는 않습니다. 280명의 정상 남녀를 대상으로 한 DHEA 50 mg/일을 1년간 투여하여, 70세 이상 고령 여성에서 피지 증가, 상피 위축 개선, 색소 침착 개선 효과가 있었습니다.[3] 20명의 폐경 후 여성에서 얼굴과 손등에 1% DHEA를 4개월간 도포한 연구에서도 같은 효과가 있었습니다.

비만 방지 작용에 대해, 65~78세 56예(남성 28예, 여성 28예)를 대상으로 이중맹검 시험 결과, DHEA 보충군은 남녀 모두에 내장 지방, 피하지방의 감소와 인슐린 저항성 개선이 있었으나(JAMA 2004년), 140명의 정상 고령자를 대상 연구(DHEA 50 mg/일 1년, JCEM, 2005년) 및 87명의 정상 고령 여성 대상 연구(DHEA 50 mg/일, 2년간, NEJM 2006년)에서는 체 구성에 영향이 없었습니다. 그러나 나중 2개의 연구에서 골밀도 측정 부위가 달랐지만 골밀도 상승 효과가 있었습니

그림1 연령 증가에 따른 혈청 DHEA-S 변화

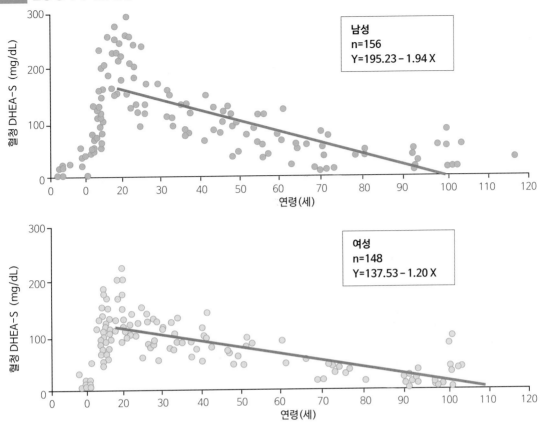

남성
n=156
Y=195.23－1.94 X

여성
n=148
Y=137.53－1.20 X

다. 112명의 고령자를 대상으로 2년간의 DHEA 보충 요법으로 인슐린 분비, 인슐린 감수성, 식후 혈당에 미치는 효과에 대한 연구에서 명확한 효과는 없었습니다(Diabetes, 2007). 알츠하이머병에서 혈중 DHEA-S 저하가 보고되고 있으나 부정적 성적도 많으며, DHEA 보충에 의한 인지 기능의 명확한 개선 효과도 인정되지 못하고 있습니다. 이상과 같이 DHEA 보충 요법의 효과는 확립되지 않았지만, 여성의 골밀도 증가 효과는 많은 임상 연구에서 비교적 재현성이 높게 관찰되어 고령 여

성에서 DHEA 보충 요법은 골다공증 예방 효과를 나타낼 가능성이 있습니다.

(柳瀨敏彦)

||||||||||||||||||||||||||||||||||||||| **문헌** |||||||||||||||||||||||||||||||||||||||

1) Roth GS, et al: Biomarkers of caloric restriction may predict longevity in humans. Science 2002; 297: 811.
2) Enomoto M, et al: Serum dehydroepiandrosterone sulfate levels predict longevity in men: 27-year follow-up study in a community-based cohort (Tanushimaru study). J Am Geriatr Soc 2008; 56: 994-8.
3) Baulieu E-E, et al: Dehydroepiandrosterone (DHEA), DHEA sulfate, and aging: contribution of the DHEAge Study to a sociobiomedical issue. Proc Natl Acad Sci USA 2000; 97: 4279-84.

④ 비만과 아디포카인(adipokine)

지방조직은 기아에 대비하여 중성지방을 저장하는 장기입니다. 한편 지방조직은 아디포카인으로 총칭되는 다양한 생리활성 물질을 생산 분비하는 내분비 장기입니다. 아디포카인은 지방조직 자체에 작용하는 동시에 원격 장기에 작용하여, 당지질 대사나 혈관 기능을 제어합니다. 비만에서 과잉의 지방 축적은 당뇨병, 고혈압, 이상지질혈증 등의 생활 습관병을 통해 심근경색이나 뇌경색 등 심혈관 질환을 일으킵니다. 비만에 동반한 생활 습관병의 발생에 아디포카인 발현 이상이 중요한 역할을 하고 있습니다. 여기서는 대표적 아디포카인으로 종양 괴사 인자-α (tumor necrosis factor-α, TNF-α), 렙틴, 플라스미노겐 활성 억제 인자-1(plasminogen activator inhibitor-1, PAI-1)에 대해 설명합니다.

TNF-α

TNF-α는 종양 괴사 인자로 발견된 염증성 사이토카인입니다. 임상적으로 지방조직의 TNF-α 발현량은 비만에서 높으며, 공복 인슐린 치 및 BMI와 상관 관계가 높습니다. 또한 TNF-α의 혈중 농도는 2형 당뇨병 환자에서 높으며, 비만도나 인슐린 저항성 지표와 상관이 있습니다.

실험동물에 TNF-α를 만성적으로 투여하면 인슐린 저항성이 유도되며, 반대로 TNF-α를 저해 항체로 차단하면 인슐린 감수성이 개선됩니다.[1] TNF-α는 지방세포에서 분비되어, 항염증 작용을 가진 아디포넥틴 발현을 억제하여 염증을 유도하며, interleukin-6 (IL-6) 발현을 유도합니다. 간에서 TNF-α는 당 유입이나 당대사, 지방산 산화에 관련된 유전자 발현을 억제하고, 콜레스테롤이나 지방산 생산에 관여하는 유전자 발현을 증가시킵니다. 또 TNF-α는 인슐린 신호 전달을 억제합니다. 이와 같이 TNF-α는 지방조직에서 분비되며, 비만에서 생산이 증가하여 인슐린 저항성을 일으키는 아디포카인입니다(그림 1).

렙틴(Leptin)

렙틴은 과식 비만 마우스의 원인 유전자로 발견된 인자이며, 지방세포에서 분비되어 시상하부의 섭식 중추에 작용하여 식욕을 억제합니다. 지방 위축성 당뇨병 모델 마우스는, 백색 지방조직 결손, 고도의 인슐린 저항성과 당뇨병, 고도의 지방간, 고중성지방혈증을 나타내며, 렙틴을 투여하면 이런 이상은 극적으로 개선됩니다.[2] 사람의 지방 위축성 당뇨병도 같은 병태이며 렙틴을 투여하면 개선됩니다.[3]

렙틴은 중추뿐 아니라 간이나 골격근에 작용하여 당지질대사를 개선하는 작용이나 췌장 베타세포의 보호 작용도 보고되었습니다. 단순성 비만에서 지방조직의 렙틴 발현은 비만도에 따라 증가합니다. 그러나 비만에서는 렙틴이 작용하지 않는 렙딘 저항성으로 되어 있습니다. 이와 같이 렙틴은 지방조직에서 분비되어 원격 장기에 작용하는 유익한 인자이지만, 비만 상태에서는 렙틴 저항성으로 대사 이상을 일으킵니다(그림 1).

PAI-1 (plasminogen activator inhibitor-1)

PAI-1은 plasminogen activator를 저해하여 플라스민 생성을 억제합니다. 그 결과 피브리노겐 분해가 저하합니다. PAI-1은 섬유소 용해능을 저하시켜 혈전 형성 경향을 일으키는 인자입니다. 임상적으로 혈중 PAI-1 농도는 심근경색 발생과 관련이 있습니다. 또 내장 지방이 축적된 환자나 인슐린 저항성 증례에서 혈중 PAI-1 농도가 높습니다. 당뇨병이 아닌 증례가 당뇨병으로 이행하는 관찰 연구에서, 관찰 시작 시 PAI-1이 높은 증례에서 당뇨병으로 이행이 보고되었습니다.[4]

PAI-1과 비만의 관련은 동물 실험에서 알려졌습니다. 흰쥐에서 PAI-1은 피하지방과 내장 지방에 발현하나, 비만이 진행하면 피하지방보다 내

그림 1 비만과 아디포카인 제어 이상

지방조직에서는 다양한 생리 활성 물질이 생산 분비되어 대사증후군 병태와 관련이 있다. TNF-α나 PAI-1은 비만 지방조직에서 발현이 증가되어 당뇨병에서 혈전증의 발생에 관여한다.

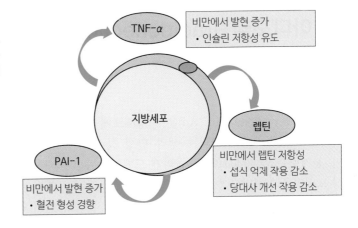

장 지방에서 현저히 증가하여 혈중 농도가 증가합니다.[5] 따라서 PAI-1은 지방조직에서 분비되며, 비만에서 생산이 증가하여 혈전성 경향 증가에 관여하는 아디포카인입니다(그림 1).

마지막으로

지방조직은 내분비 장기이며, 아디포카인 생산 이상은 다양한 질환의 발생과 진행에 관여합니다. 아디포카인은 지방조직 상태를 나타내는 지표로 이용 가능하며, 식사요법이나 운동요법 약물 요법에 의해 아디포카인 발현 이상을 교정하면 비만 병태가 개선됩니다. 다음에 설명할 아디포넥틴은 렙틴처럼 치료 응용이 기대되는 아디포카인입니다.

(福原淳範 , 下村伊一郎)

|||||||||||||||||||||||||||||||||||||| **문헌** ||||||||||||||||||||||||||||||||||||||

1) Hotamisligil GS, Spiegelman BM: Tumor necrosis factor alpha: a key component of the obesity-diabetes link Diabetes 1994; 43: 1271-8.

2) Shimomura I, Hammer RE, et al: Leptin reverses insulin resistance and diabetes mellitus in mice with congenital lipodystrophy. Nature 1999; 401: 73-6.

3) Oral EA, Simha V, et al: Leptin-replacement therapy for lipodystrophy The New England journal of medicine 2002; 346: 570-8.

4) Festa A, D'Agostino R Jr, et al: Elevated levels of acute-phase proteins and plasminogen activator inhibitor-1 predict the development of type 2 diabetes: the insulin resistance atherosclerosis study. Diabetes 2002; 51: 1131-7.

5) Shimomura I, Funahashi T, et al: Enhanced expression of PAI-1 in visceral fat: possible contributor to vascular disease in obesity. Nat Med 1996; 2: 800-3.

5 아디포넥틴(adiponectin)

아디포넥틴(adiponectin, Ad)은 지방세포에 특이적으로 발현하여 분비되는 생리 활성 물질이며, 분자량은 약 30 kDa이고, 콜라겐 도메인과 구상 도메인을 가집니다.[1]

아디포넥틴의 작용 기전

고지방식이나 운동부족에 의해 비만이 되면 혈중 아디포넥틴이 저하되며, 동물 실험에서 주사로 보충하면 내당능장애, 지질대사 이상이 개선됩니다.[1,2] 또 아디포넥틴 결손 마우스에서 인슐린 저항성, 지질 대사이상, 고혈압을 나타내므로, 비만에 의한 아디포넥틴 저하가 대사증후군의 중요한 징후인 고혈당, 지질 대사이상, 고혈압을 일으키는 원인의 일부라고 생각합니다. 아디포넥틴의 작용 기전은, 지방산 연소를 촉진하여 인슐린 저항성의 원인이 되는 조직 내 중성지방 함량을 저하시키는 것으로 생각합니다.

In vitro에서 골격근 모델 배양 세포인 C2C12을 아디포넥틴으로 1시간 처리하면 지방산 연소 촉진이 있었습니다. 전사를 통하지 않는 지방산 연소 촉진의 작용 기전으로 AMP 활성화 프로테인 키나제(AMP activated protein kinase, AMPK)의 활성화에 의한 인산화 작용이 중요한 것으로 생각합니다. AMPK는 운동에 의해 활성화되며, 인슐린 비의존성 당 유입이나 지방산 연소를 촉진하여 운동에 필요한 에너지를 공급하는 분자라고 알려져 있습니다. 흥미로운 점은 아디포넥틴의 AMPK 활성화 작용입니다. Dominant negative AMPK를 이용한 연구에서, 아디포넥틴에 의한 골격근의 지방산 연소, 당 유입, 당 이용 촉진, in vivo에서 아디포넥틴 1회 투여 후 수시간 경과 후 혈당 치 저하의 일부는 AMPK 활성화를 통할 가능성이 있습니다.[1]

아디포넥틴의 항동맥경화 작용 기전은, 대사 작용을 통한 간접적 동맥경화 억제 가능성에 더해 동맥경화 병소에 지질 축적 억제나 항염증 작용이 관여할 가능성이 있습니다. 실제로 일반식을 투여한 Ad 결손 마우스에서 혈관의 커프 손상에 대한 내막 비후 분석이나, 일반식을 투여한 Ad 과발현 아포E 결손 마우스의 분석에서 아디포넥틴이 동맥경화 병소 형성과 관계된 혈관내피 세포나 침윤된 염증성 단구, 마크로파지 등에 직접 작용하여 항동맥경화 작용을 나타낼 가능성이 알려졌습니다.

아디포넥틴과 결합하여 세포내로 신호를 전달하는 아디포넥틴 수용체에는 AdipoR1 및 AdipoR2의 2종류가 있습니다. AdipoR1, AdipoR2 유전자 결손(knock out, KO) 마우스가 제작되었으며, 양쪽을 KO하면 아디포넥틴의 세포막 표면 결합과 세포내 신호 전달 및 그 작용이 차단되므로 생체 내에 중요한 수용체로 밝혀졌습니다. 이중 KO 마우스는 인슐린 표적 조직에서 중성 지방의 양, 염증, 산화 스트레스가 증가했으며, 당 신생 항진과 당 유입, 당 이용 저하가 있었습니다. 비만 당뇨병 모델 마우스에서 AdipoR1, AdipoR2 양이 저하되어 당뇨병 원인의 일부가 되고 있습니다. 간에서 AdipoR1 발현량을 아디포넥틴 존재 하에 증가시키면 AMPK를 활성화시키고, AdipoR2 양의 증가는 페르옥시솜 증식 인자 활성화 수용체-α (peroxisome proliferators activated receptor-α, PPAR-α) 활성화, 지방산 연소 촉진, 에너지 소비, 항염증 · 항산화 스트레스 작용을 통해 생체내에서 내당능 장애를 개선합니다.

골격근에서는 아디포넥틴 AdipoR1의 작용 기전으로, 미토콘드리아의 양과 기능을 개선시켜 대사와 운동 지구력을 높여, 운동과 같은 효과를 나타냈습니다.[1,3] 골격근 특이적 AdipoR1 결손 마우스를 제작한 결과, 골격근에서 미토콘드리아 생합성의 주된 조절 인자인 페르옥시솜 증식 인자 활성화 수용체 γ 코액티베이터-1α (PPAR γ coactivator-1α, PGC-1α) 활성이 저하되어 미토콘드리아의 양과 기능 저하와 1형 근섬유(type

1 fiber) 비율 저하로 운동 지구력 저하가 있었고, 개체 수준에서는 당뇨병이 나타났습니다. 그 기전을 *in vitro*계를 이용하여 분석한 결과, 아디포넥틴의 AdipoR1을 통한 세포내 Ca^{2+} 상승과 AMPK/장수 유전자인 서투인1(*SIRT1*) 활성화 등 운동과 유사한 안티에이징 작용 발견되었습니다. 전자는 PGC-1α 발현 상승이, 후자는 PGC-1α 활성화가 중요한 역할하고 있는 것을 알았습니다.

아디포넥틴 수용체 작용제 (adioponectine receptor agonist (AdiopoRon))

당뇨병, 대사증후군의 분자 기전으로, 비만에 동반한 아디포넥틴 작용 저하가 중요한 원인이므로, 아디포넥틴 작용의 증강은 안티에이징에 근본적 치료 전략이 될 것으로 기대합니다. 아디포넥틴 수용체를 치료 표적으로 작용제 개발이 시도하여, Adioponectine Receptor Agonist (AdiopoRon)이 발견되었습니다. 분자량 약 430의 AdipoRon은 아디포넥틴처럼 AdipoR1과 AdipoR2에 결합하며, C2C12 골격근 세포에서 미토콘드리아 양을 증가시켰습니다. 또한 마우스에 경구 투여한 AdipoRon은 AdipoR를 통해 고지방식 부하에 의한 인슐린 저항성을 개선시켰고, 고지방식을 부하 한 당뇨병 모델 마우스에서 저하된 근육 지구력이 적당한 운동 시행에서처럼 회복되었습니다.

건강 장수를 위한 AdipoRon의 안티에이징 효과를 연구하고 있습니다. 유전적으로 당뇨병이 발생하는 diabetes 유전자 동형 접합체(*db/db*) 마우스는 환경 인자로 고지방식을 주면 단명하나, 고지방식과 동시에 AdipoRon을 투여하면 체중에는 차이가 없이 당뇨병이 개선되고 수명이 연장되었습니다.

마지막으로

비만에 동반한 아디포넥틴 작용 저하가 인슐린 저항성이나 대사증후군, 당뇨병, 심혈관 질환, 암 등 생활 습관병의 중요한 원인, 분자 기전인 것이 밝혀지고 있으며, 아디포넥틴 수용체를 치료 표적으로 한 신약 개발은 안티에이징 전략이 되어 건강 장수 실현에 공헌할 것으로 기대됩니다. 최근 사람의 AdipoR 입체 구조가 밝혀져 임상 응응의 가속화도 기대합니다.[5]

(山内敏正)

|||||||||||||||||||||||||||||||||||||||||||||| 문헌 ||||||||||||||||||||||||||||||||||||||||||||||

1) Yamauchi T, Kadowaki T: Adiponectin receptor as a key player in healthy longevity and obesity-related diseases. Cell Metab 2013; 17: 185-96.

2) Yamauchi T, Kamon J, et al: Cloning of adiponectin receptors that mediate antidiabetic metabolic effects. Nature 2003; 423: 762-9.

3) Iwabu M, Yamauchi T, et al: Adiponectin and AdipoR1 regulate PGC-1alpha and mitochondria by Ca(2+) and AMPK/SIRT1. Nature 2010; 464: 1313-9.

4) Okada-Iwabu M, Yamauchi T, et al: A small-molecule AdipoR agonist for type 2 diabetes and short life in obesity. Nature 2013; 503: 493-9.

5) Tanabe H, Fujii Y, et al: Crystal structures of the human adiponectin receptors. Nature 2015 Apr 16; 520(7547): 312-6.

6 내분비 장기로서 혈관내피 세포

혈관내피 세포와 생리활성 물질

혈관내피는 해부학적으로 혈관의 가장 안쪽에 위치한 한 층의 세포층(혈관내피 세포)으로 형성되어, 혈관내강과 혈관벽을 격리하는 장벽이라고 생각하고 있었으나, 1980년 Nature에 Furchgott 등이 혈관내피 세포에 신기원을 이루는 논문을 발표했습니다.[1] 이것은 후에 일산화 질소(NO)로 확인된 혈관내피 세포 유래 이완 인자이며, 혈관내피 세포 자체에서 생산, 분비되는 것으로 알려졌습니다. 그 후 혈관내피 세포에서 다른 혈관확장 인자로 프로스타글란딘 I_2(프로스타사이클린), C형 나트륨 이뇨 펩티드, 내피 유래 혈관 과분극 인자, 그리고 혈관 수축인자로 엔도셀린, 안지오텐신 II, 프로스타글란딘 H_2, 트롬복산 A_2나 활성산소 등 다양한 생리 활성 물질이 생산, 분비되는 것이 알려졌습니다.

NO의 생산과 생리기능

이런 생리 활성 물질 중에서 특히 NO는 동맥경화에 중요한 역할을 하고 있습니다. 그림 1은 NO 합성효소(endothelial NO synthase, eNOS)/NO pathway 활성화 기전입니다. 아세틸콜린, 히스타민, 트롬빈, 인슐린, 브라디키닌 등 각종 작용제가 혈관내피 세포막에 존재하는 수용체에 결합하면 G단백/PLC계 정보 전달에 의해 이노시톨3인산(inositol triphosphate, IP3)이 활성화되고 세포질의 소포체에서 Ca^{2+}이 방출되어 세포내 Ca^{2+} 농도를 상승시킵니다. 또한 Ca^{2+}은 칼모듈린과 결합하여 복합체를 만들어 eNOS를 활성화시켜 필수 아미노산 L-알기닌에서 NO가 생산됩니다. NO는 eNOS 활성화때 보효소로 tetrahydrobiopterin, 플라빈과 함께 nicotinamide adenine dinucleotide phosphate (NADPH)와 분자상 효소 존재하에서 eNOS 다이머를 만들어 전자 전달계를 통해 생산됩니다. 또 혈관 내에 항상 존재하는 전단 응력(shear stress)도 세포내 Ca^{2+} 농도 비의존성으로 eNOS를 활성화합니다. 작용제에 의한 자극이 없어도 NO는 항상 생산, 분비되고 있습니다. 흥미로운 사실은 tetrahydrobiopterin 결핍에서는 eNOS가 불활성화되고, 활성 산소 생산이 NO 생산보다 많아져서 peroxynitrite 같은 세포 독성이 강한 분

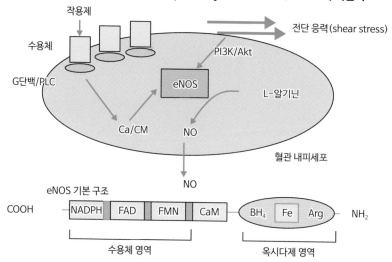

그림 1 혈관 내피형 NO합성효소(eNOS)/NO pathway 활성화 기전과 eNOS의 기본 구조

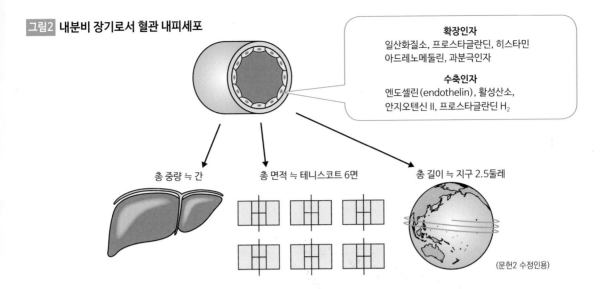

그림2 내분비 장기로서 혈관 내피세포

확장인자
일산화질소, 프로스타글란딘, 히스타민
아드레노메둘린, 과분극인자

수축인자
엔도셀린(endothelin), 활성산소,
안지오텐신 II, 프로스타글란딘 H_2

총 중량 ≒ 간

총 면적 ≒ 테니스코트 6면

총 길이 ≒ 지구 2.5둘레

(문헌2 수정인용)

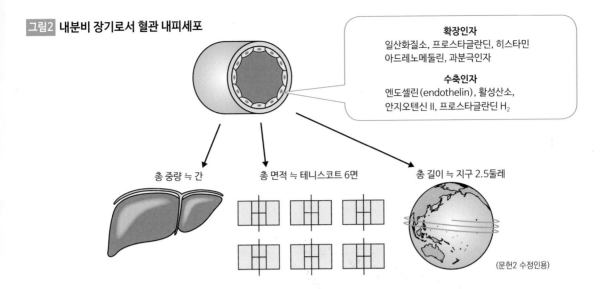

자로 바뀝니다. 이에 의한 세포벽 세포에 대한 직접 장애와 혈관 내피 세포나 혈관 평활근 세포에서 NO의 생물학적 활성 저하가 일어납니다. 산화 스트레스 상태에서 NO 생산 저하와 NO 불활성화는 혈관 내피 기능장애를 일으키고 다시 동맥경화를 진행시키는 악순환이 됩니다.

혈관 내피 세포와 동맥경화

정상 혈관 내피는 혈관의 확장과 수축, 혈관 평활근의 증식과 항증식, 응고와 항응고 작용, 염증과 항염증 작용, 산화와 항산화 작용을 가지고 있으며, 이런 균형으로 혈관 긴장(tonus)이나 혈관 구조의 조절과 유지에 관여합니다. 전신의 혈관 내피를 모두 더하면 전체 무게는 간의 무게 정도이고, 하나로 펼치면 전체 면적은 테니스 코트 6개면에 해당하며, 한 줄로 늘어 세우면 10만 km 정도로 지구를 2바퀴 반 도는 길이 입니다(그림 2).[2] 이상과 같이 혈관내피는 사람에서 가장 큰 내분비 기관이라고 할 수 있습니다. 또한 개개의 혈관 내피 세포가 하나의 내분비 기관으로의 역할도 담당하고 있습니다. 따라서 혈관 내피 장애와 이런 균형의 붕괴는 혈관 긴장(tonus)이나 혈관 구조 파탄(破綻)을 일으킵니다. 동맥경화는 혈관 내피 기능 손상이 1차 단계로 발생하며, 진행하면 심혈관 합병증을 일으킵니다. 실제로 혈관

내피 기능 손상 정도를 3개군으로 나누어, 7년간에 걸쳐 예후를 추적한 전향적 연구에서, 혈관 내피 기능 손상 고도군은 저하군에 비해 이벤트 발생률이 3배 이상이었습니다.[3] 이것은 혈관 내피 기능이 고혈압의 예후 규정 인자의 하나인 것을 나타냅니다. 고혈압 이외의 순환기 질환에서도 예후 규정 인자로 혈관 내피 기능의 중요성이 알려졌습니다.[4] 혈관 내피 기능 장애는 비가역적이 아니며, 약물 치료, 항산화제 보충 요법, 생활 습관 교정 등에 의해 개선 가능하므로,[5] 혈관 내피 기능 장애 개선이 장래 심뇌혈관 장애 발생을 억제하여 생명 예후를 개선 할 가능성이 있어 임상적 의의가 큽니다.

(東 幸仁)

||||||||||||||||||||||||||||||||||||||||||| **문헌** |||||||||||||||||||||||||||||||||||||||||||

1) Furchgott RF, Zawadzki JV: The obligatory role of endothelial cells in the relaxation of arterial smooth muscle by acetylcholine. Nature 1980; 288: 373-6.

2) Higashi Y, Noma K, et al: Oxidative stress and endothelial function in cardiovascular diseases (review). Circ J 2009; 73: 411-8.

3) Perticone F, Ceravolo R, et al: Prognostic significance of endothelial dysfunction in hypertensive patients. Circulation 2001; 104: 191-6.

4) Lerman A, Zeiher AM: Endothelial function: cardiac events. Circulation 2005; 111: 363-8.

5) Higashi Y, Yoshizumi M: Exercise and endothelial function: role of endothelium-derived nitric oxide and oxidative stress in healthy subjects and hypertensive patients (review). Pharmacology and Therapeutics 2004; 102: 87-96.

7 멜라토닌(melatonin)

체내 시계와 멜라토닌(melatonin)

멜라토닌은 트립토판에서 세로토닌을 거쳐 합성되는 호르몬입니다. 시교차상핵(주 시계)(視交叉上核(主 時計))의 시각 정보가 전신에 전해지는 과정은 그림 1과 같습니다. 시교차상핵에서 발현한 *Clock, Bmal1, Per, Cry* 등의 이른바 "시계 유전자"의 전사, 번역 피드백 기전에 의해 발생된 진동은 정확하게 24시간이 아니라 24±4시간 주기이며 circadian clock(기일 시계, 일주기 생체시계)이라고 부르고, 각각 고유한 주기를 나타냅니다. 이 시계 기전은 24시간 주기의 외부 자극(동조 인자)에 의해 24시간 주기와 일치하게 됩니다. 즉 망막에 들어온 24시간 주기의 빛 정보는 시교차상핵에게 전하여 체내 시계의 위상을 외부와 맞추는 동시에 시계 주기도 24시간 주기로 동조시킵니다. 다음에 시교차상핵에서 발생된 시각 정보는 노르에피네프린(norepinephrine, NE)에 의해 밤 동안 송과선 세포를 자극하며, 그 결과 멜라토닌 합성의 반응 조절 효소인 아릴알킬아민 N아세틸트랜스퍼라제(arylalkylamine N-acetyltransferase, AANAT)가 활성화됩니다. 낮에는 NE이 방출되지 않아 AANAT가 거의 합성되지 않아 혈중 멜라토닌 농도는 낮에는 낮고, 밤에는 높은 뚜렷한 일중 변동을 나타냅니다. 즉 멜라토닌은 체내 시계의 정보를 밤의 시각 정보를 보내는 전달 물질입니다. 그러나 밤에 분비되는 멜라토닌은 노화에 따라 감소합니다. 한편 젊은 사람에서도 밤에 멜라토닌 농도가 낮은 사람이 있습니다. 이에 대한 가장 중요한 요인은 야간의 광선 노출입니다. 특히 억제 효과가 강한 것은 청색광입니다. 밤에 스마트폰이나 PC 사용으로 불면증을 일으키는 원인은 멜라토닌 감소에 의한다고 생각합니다.

멜라토닌, 멜라토닌 수용체와 질환

멜라토닌은 혈액-뇌관문(BBB)을 쉽게 통과하므로 경구 투여에서도 효과적입니다. 0.1~0.3 mg을 복용하면 약 30분 후에 혈중 멜라토닌 농도가 거의 야간 수준까지 도달합니다. 지금까지 기일 리듬 수면 장애인 수면상 후퇴 증후군이나 비24시간 수면 각성 증후군에 대한 효과가 보고 되었습니다. 또 일반 불면증 대상에서도 멜라토닌은 효과적이며, 특히 고령자에서 효과적입니다. 그 이유의 하나는 나이가 들면서 멜라토닌 분비가 감소되어, 고령에서 밤낮의 멜라토닌 수준에 차이가 없어지기 때문입니다. 또 다양한 병에서 야간의 멜라토닌 분비량 저하와의 관계도 보고되었습니다. 유방암, 전립선 암을 비롯하여, 심혈관 질환이나 알츠하이머병, 최근에는 2형 당뇨병 발생 위험을 높인다고 보고되었습니다.[1]

밤에 송과선에서 분비되는 멜라토닌의 일중 리듬은 혈액뿐 아니라 뇌척수액, 타액, 전 안방수, 난포액, 모유 등 모든 체액에 존재합니다. 따라서 체내 시계의 신호가 멜라토닌 농도 변화를 통해 전신 세포에게 전달됩니다. 한편 멜라토닌 수용체는 G단백질 연결형 막 수용체인 MT1과 MT2가 있으며, 핵내 수용체 retinoid-related orphan receptor α (RORα)나 칼모듈린 등의 단백질과 결합하며, 또 자신이 자유라디칼 제거제이기도 합니다. 멜라토닌의 항산화제로서 특징은, ① 혈액-뇌관문을 쉽게 통과, ② 자유라디칼 제거후 형성된 N-acetyl-N-formyl-5-methoxykynuramine (AMK)나, AFMK가 자유라디칼 제거 후에 형성된 N-acetyl-5-methoxykynuramine도 자유라디칼 제거 기능이 있고, ③ 막 수용체에 결합한 멜라토닌이 생체 내 항산화 효소 발현을 증가하기 때문입니다.

멜라토닌에 다양한 작용 기전이 있는 것은 진화학적으로 오랜 물질이며, 동물뿐 아니라 식물에도 존재하는 것과[2] 관련이 있을 것으로 생각됩니다. 막 수용체(MT1/MT2)는 시교차상핵 이외에 전신의 다양한 기관(대뇌, 망막, 척수, 비장, 흉

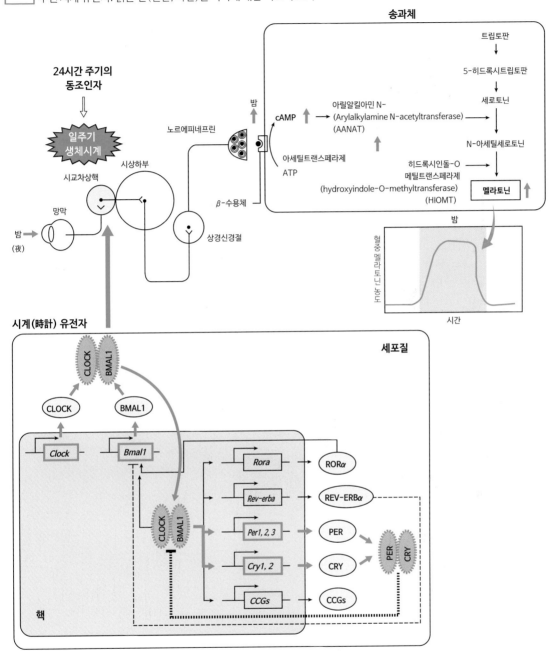

그림 1 시교차상핵(주 시계)(視交叉上核(主 時計))의 시계(時計) 유전자군 발현과 멜라토닌 분비의 관계

☐ 주된 시계 유전자. 굵은 선(실선, 파선)은 각각에 대한 피드백 고리

선, 뇌하수체, 부신, 신장, 간, 소장, 심장, 피부, 폐, 고환, 난소, 혈관, 뼈)에 존재합니다. 최근 멜라토닌 수용체 다형과 각종 질환의 관련이 보고되고 있습니다. 불면증과 MT1의 다형은 예상하기 어렵지 않지만, MT2의 다형이 2형 당뇨병 발생 위험을 높이는 것이나, MT1 다형과 급성 심근경색, 류마티스 관절염, 신 결석증과의 관련이 보

고되었습니다. 또 MT1/MT2 수용체를 표적으로 한 약제도 개발되어 있습니다.

마지막으로

멜라토닌이 생체 내의 다양한 생리 기능을 조정하고, 여러 생리 기능의 조화에 관여할 가능성을

생각하고 있습니다. 최근에는 멜라토닌의 골대사 조절과 관계된 기능도 알려졌습니다. 멜라토닌은 파골 세포 억제 작용이 있어[3] 골다공증의 예방 또는 치료 효과[4]가 기대되고 있습니다. 또 멜라토닌이 많은 채소 섭취에 의한 연구[5]도 보고되었습니다. 앞으로 멜라토닌은 의약품의 관점에서뿐 아니라 건강식품의 관점에서 안티에이징에 유용한 물질로 기대됩니다.

(服部淳彦)

|||||||||||||||||||||||||||||||||||||||||||||| **문헌** ||||||||||||||||||||||||||||||||||||||||||||||||

1) McMullan CJ, Schernhammer ES, et al: Melatonin secretion and the incidence of type 2 diabetes. JAMA 2013; 309: 1388-96.

2) Hattori A, Migitaka H, et al: Identification of melatonin in plants and its effects on plasma melatonin levels and binding to melatonin receptors in vertebrates. Biochem Mol Biol Int 1995; 35: 627-34.

3) Suzuki N, Hattori A: Melatonin suppresses osteoclastic and osteoblastic activities in the scales of goldfish. J Pineal Res 2002; 33: 253-8.

4) Kotlarczyk MP, Lassila HC, et al: Melatonin osteoporosis prevention study (MOPS): A randomized, double-blind, placebo-controlled study examining the effects of melatonin on bone health and quality of life in perimenopausal women. J Pineal Res 2012; 52: 414-26.

5) Oba S, Nakamura K, et al: Consumption of vegetables alters morning urinary 6-sulfatoxymelatonin concentration. J Pineal Res 2008; 45: 17-23.

8 스트레스와 호르몬

Hans Selye는 각종 외부 자극이 그 종류와 관계 없이 스트레스 반응을 일으키며, 그 원인이 시상하부-뇌하수체-부신(hypothalamic pituitary-adrenal, HPA) 계의 활성화에 있다는 것을 체계적으로 설명했습니다. 사람에서는 코티솔, 카테콜라민, 성장 호르몬(growth hormone, GH)이 주된 스트레스 호르몬으로 알려졌습니다. 여기서는 호르몬과 노화, 안티에이징의 관련을 해설합니다.

코티솔

코티솔은 대표적 스트레스 호르몬이며, 핵내 수용체[당질코르티코이드 수용체(glucocorticoid receptor, GR)]를 통해 표적 유전자의 전사를 촉진하거나 억제합니다. 혈압 및 혈당 유지에 필요하며, 만성 결핍은 저혈압, 저혈당을 나타내며, 급성 결핍은 부신 발증(crisis, 쇼크 등)을 일으킵니다.

코티솔은 부신 피질 속상층에서 합성 분비되며, 그 조절은 시상하부의 부신피질 자극호르몬 방출호르몬(corticotropin releasing hormone, CRH), 바소프레신(arginine vasopressin, AVP) 및 뇌하수체 전엽의 부신 피질 자극 호르몬(adrenocorticotropic hormone, ACTH)의 지배하에 있습니다. 스트레스 시에 CRH, AVP가 뇌하수체 ACTH 분비를 자극하고 계속해서 부신에서 코티솔 합성 분비를 촉진합니다. 분비된 코티솔은 시상하부와 뇌하수체의 양쪽에 억제적으로 작용합니다.

HPA축의 기능은 본래 "기아 스트레스"를 이겨나가는 것이었습니다. 단기적 기아나 장기적 기아(지방 축적 감소)는 각각 저혈당이나 저렙틴혈증이라는 신호로 시상하부에서 인식되고, HPA축의 활성화를 통해 당신생, 지방 합성, 나트륨 유지, 흥분성 세포(혈관, 신경) 기능의 촉진으로 혈압이나 혈당 유지와 에너지를 저장합니다(그림 1 ⋯▶). 그러나 현대 사회에서 심리적, 사회적 스트레스에 의한 이 계의 활성화가 당신생 과잉(내당능 이상, 당뇨병), 지방 합성 과잉(비만), 나트륨 과잉(고혈압) 등에 의한 생활 습관병 촉진 인자가 됩니다(그림 1 ➡). 만성적 코티솔 과잉은 근조직 이화에 의한 골격근 위축(사코페니아)[1]이나 골조직 이화에 의한 골다공증도 일으킵니다. 따라서 코티솔은 안티에이징 효과는 없으며 예후나 QOL을 악화시킵니다.

코티솔은 중추 신경계에서 신경세포의 흥분성 유지에도 관여합니다. 그러나 코티솔 과잉은 우울증이나 심리적 외상 후 스트레스 장애(posttraumatic stress disorder, PTSD) 등 신경세포의 기능 장애나 세포사를 일으키기 쉽습니다. 실제로 이라크 전쟁 귀환병에서 해마에 기질적 이상이 보고되었습니다.[2] 스트레스에서 신경 조직을 보호하여 인지 장애를 방지하는 것은 건강 노화의 관점에서 중요합니다.

카테콜라민

카테콜라민은 급성 스트레스 시에 부신 수질의 크로마핀 세포나 교감신경 세포에서 분비되어 전신의 세포막 수용체에 작용하여 "투쟁인가 도주인가"의 반응을 담당합니다. 혈중 반감기는 몇분으로 매우 짧으며, 지속적 증가는 종양성 분비입니다. α 수용체가 주로 혈관계(혈압 유지)에 관여하며, β1 수용체는 심장, β2는 기관계(기관지 확장)에 작용합니다. 카테콜라민을 지속적으로 분비하는 종양은 갈색세포종이나 방신경절종(paraganglioma)이며, 전자는 아드레날린 증가, 후자는 노르아드레날린 증가가 많습니다. 모두 난치성 고혈압과 당뇨병 동반 빈도가 높아 혈관 장애 발생률이 높습니다. 또 생리적 농도의 카테콜라민도 수명에 영향을 주는 것이 동물 실험으로 알려졌습니다.[3] 사람에서도 맥박 수와 수명은 역상관관계가 있습니다.[4]

성장 호르몬(GH)

GH는 인슐린양 성장 인자-1 (insulin-like growth factor-1, IGF-1)을 통해 골 신장 및 단백 동화 작용에 의해 성장 촉진 작용을 나타냅니다. GH는 본래 기아 시에 혈당 유지를 담당하는 대사성 사이토카인(메타보카인)입니다. 정상인에서 GH 분비와 IGF-1 합성 분비는 밀접한 관계가 있으며, GH의 과잉이나 결핍은 동시에 IGF-1의 증감을 동반하며 대사나 노화에 대한 영향은 복잡합니다.

GH 분비는 나이가 들면서 저하되며, GH 단독 결핍 환자의 수명은 정상에 비해 짧습니다. 따라서 GH는 장수 또는 젊음을 되찾는 호르몬으로 생각합니다. 그러나 성장 호르몬 방출 호르몬 (GHRH) 수용체 변이 가계에서 GH, IGF-1 저하와 저신장은 있으나 수명은 단축되지 않았습니다. GHRH 결손 마우스에서 수명이 연장되는 등 GH, IGF-1계의 노화에 미치는 영향은 일정한 견해가 없습니다.

GH의 성장 촉진 작용 대부분을 담당하는 IGF-1는 단백질 합성이나 세포 증식을 자극합니다. 이렇게 성장을 촉진하여 생식 연령에 빨리 도달하며, 세포 회전을 항진하므로 개체의 수명은 단축됩니다. 이것은 하등동물에서 IGF-1신호 차단으로 수명이 연장되며,[5] 말단비대증에서 수명이 단축하는 것으로 지지됩니다. 한편 GH는 대사 작용으로 지방 이화(항비만) 작용이나 근육과 뼈의 동화 작용으로 QOL 유지에 중요합니다. 이상의 소견을 종합하면 성장이나 생식이 종료한 연령 이후에는 IGF-1를 기준 범위나 그 이하로 유지하면서 적당한 GH신호의 유지가 QOL면에서 안티에이징 효과를 기대할 수 있습니다.

마지막으로

스트레스 호르몬이 연령 증가에 미치는 영향을 분자 수준에서부터 역학적 데이터까지 조사해보

그림 1 HPA계의 생리적 의의

본래 기아 스트레스에 대항하는 생체 방어 기전으로 자리 매김되었다(┄┄►). 그러나 포식 시대인 오늘날 심리 사회적 스트레스가 기점이 되어(──►) 결과적으로 과잉의 에너지나 염분이 축적되어 생활 습관병을 일으킨다. 흥분성 세포의 과흥분은 중추신경계의 과흥분 세포사를 일으켜 인지 장애의 원인이 된다.

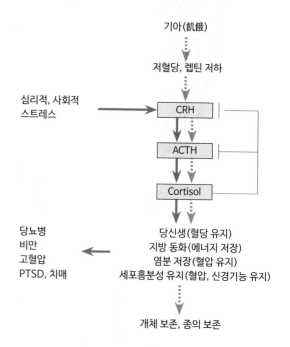

면 적당한 호르몬 환경 유지가 안티에이징 및 QOL 유지에 중요하다고 생각할 수 있습니다.

(岩﨑泰正)

━━━━━━━━━━━━━━━━━━ 문헌 ━━━━━━━━━━━━━━━━━━

1) Shimizu N, Yoshikawa N, et al: Crosstalk between glucocorticoid receptor and nutritional sensor mTOR in skeletal muscle. Cell Metab 2011; 13:170-82.
2) Vythilingam M, Luckenbaugh DA, et al: Smaller head of the hippocampus in Gulf War-related posttraumatic stress disorder. Psychiatry Res 2005; 139:89-99.
3) Yan L, Vatner DE, et al: Type 5 adenylyl cyclase disruption increases longevity and protects against stress. Cell 2007; 130 :247-58.
4) Zhang GQ, Zhang W: Heart rate, lifespan, and mortality risk. Ageing Res Rev 2009; 8: 52-60.
5) Lapierre LR, Hansen M: Lessons from C. elegans: signaling pathways for longevity. Trends Endocrinol Metab 2012; 23: 637-44.

9 노화와 인슐린 분비

노화에 따라 내당능(耐糖能)이 저하되어 2형 당뇨병 발생률이 증가합니다. 내당능 저하의 원인으로 내장 지방 증가, 근육량 감소, 신체 활동량 저하 등에 의한 인슐린 저항성 증가와 인슐린 분비능 저하를 들 수 있습니다. 인슐린 분비 부전이 되는 요인으로, ① 췌장 β 세포 기능 저하와, ② 췌장 β 세포량 감소를 생각할 수 있습니다. 이 양자에 대한 노화의 영향을 알아봅니다.

췌장 β 세포 기능 저하

인슐린 분비는 정상 상태에서, 기초 분비와 포도당 섭취에 대한 반응인 추가 분비로 나눌 수 있습니다. 양자 모두 노화에 따라 저하한다고 여겨지며, 고령자에서는 공복 시 고혈당 빈도에 비해 식후 고혈당 빈도가 높으므로 추가 분비 장애가 더 문제가 됩니다. 혈중 포도당 농도 상승은 ① glucose transporter (GLUT) 2를 통해 췌장 β 세포 내로 포도당을 유입하며, ② 해당계, 미토콘드리아의 산화적 인산화에 의한 ATP 생산, ③ ATP/ADP 비 상승에 의한 ATP 감수성 K (KATP) 채널의 폐쇄, 세포막 탈분극, ④ 전위 의존성 Ca 채널을 열어 Ca^{2+} 유입, 세포내 Ca^{2+} 농도 상승, ⑤ 인슐린 분비 과립과 세포막 융합에 의한 방출 단계로 인슐린 분비를 촉진합니다(그림 1).[2] 설치류를 이용한 실험에서 몇개 단계가 노화에 따라 장애가 일어나는 것이 보고되었습니다. 그러나 사람에서는 증명되지 않은 것에 유의할 필요가 있습니다.

① 설치류는 연령 증가에 따른 GLUT2 유전자 발현 저하가 보고되었습니다.

② 미토콘드리아의 산화적 인산화에 필요한 전자 공급원으로서 TCA 회로 이외에 2개의 NADH 셔틀 즉 말산-아스파르트산(malate-aspartate) 셔틀과 글리세롤인산 셔틀이 관여하고 있으

그림 1 포도당 반응성 인슐린 분비

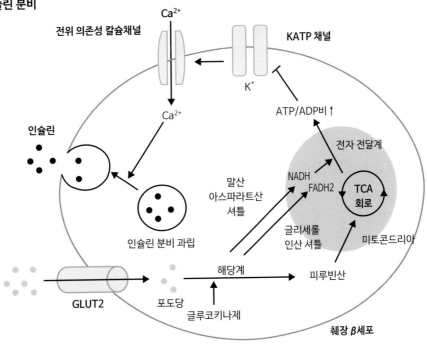

나, 췌장 β 세포에서는 다른 조직에 비해 글리세롤인산 셔틀을 촉매하는 효소인 미토콘드리아 내막의 글리세롤 3 인산 디히드로게나제 (mitochondrial sn-glycerol 3-phosphate dehydrogenase, mGPDH) 활성이 매우 높은 것으로 알려졌습니다. 고령 흰쥐(12개월령)는 어린 흰쥐(2개월령)에 비해 mGPDH 활성이 약 1/2로 저하된다는 보고가 있으며, 노화에 동반한 췌장 β 세포의 ATP 생산능 저하가 시사됩니다. 한편 해당계에서는 반응 속도 조절 단계를 촉매하는 효소인 글루코키나제(glucokinase, GK) 발현이 노화에 따라 상승하는 것이 흰쥐에서 보고되었습니다. GK는 포도당에 특징적 반응 특성이 있어 췌장 β 세포에서 포도당 센서 역할을 담당하고 있다고 생각하며, 그 발현 상승은 노화에 의한 인슐린 저항성에 대한 보상 반응일 가능성이 있습니다.

③ 고령 흰쥐에서 분리한 췌도는 어린 흰쥐의 췌도에 비해 고농도 포도당에 노출에 대한 막 전위 변화와 Ca^{2+} 유입 감소가 보고되었습니다. 그러나 이 변화가 이온 채널 자체의 변화에 의한 것인지 앞의 ①이나 ②의 변화에 의한 2차적 변화인지는 밝혀지지 않았습니다.

④ 인슐린 분비 과립과 세포막 융합은 soluble N-ethylmaleimide-sensitive factor attachment protein receptor (SNARE) 단백이 필요합니다. 중추 신경계에서 노화에 따라 몇개 SNARE 단백의 발현 감소가 보고되었습니다. 인슐린과 신경 전달물질은 개구 방출에 공통 기전이 관여하며, 췌장 β 세포에서도 같은 변화가 일어날 가능성이 있습니다.

췌장 β 세포량 감소

1형 당뇨병뿐 아니라 2형 당뇨병에서도 췌장 β 세포량 감소가 알려져 있으며, 산화 스트레스나 소포체 스트레스, 오토파지 결함 등이 췌장 β 세포사에 관여한다고 생각합니다.[3] 한편 최근 미국의 보고에서, 비당뇨병 환자의 췌장 β 세포 수준은 비만도와 관계가 있고, 또 노화에 의한 변화가 없었습니다.[4] 비만에 동반한 췌장 β 세포량의 증가는 인슐린 저항성 상태에 대한 보상 반응이라고 생각할 수 있으며, 이 보상성 증식능의 차이가 2형 당뇨병 발생에 관여할 가능성이 있습니다.

설치류는 사람보다 보상성 췌도 β 세포 증식이 현저하나, 노화에 따라 증식능이 크게 저하합니다. 고령 마우스의 췌장 β 세포는 세포 증식과 관계된 cyclin dependent kinase의 억제 인자인 $p16^{INK4a}$, $p19^{Arf}$ 등의 발현 항진이 있습니다. 특히 $p16^{INK4a}$ 결손은 노화에 따른 보상성 증식능 저하에 중심적 역할을 하고 있다고 생각할 수 있습니다.[5] 그러나 이런 세포 증식 억제 인자의 발현 상승을 일으키는 기전은 불명합니다.

2형 당뇨병은 발생 시점에서 이미 췌장 β 세포량 저하가 동반되어 인슐린 분비가 저하된다고 생각하고 있습니다. 생활 습관 개선과 일부 약제에 의해 당뇨병 전 단계에서 명확한 당뇨병으로 진행을 방지하는 효과가 있었으나, 최근 2형 당뇨병 환자가 계속 증가하고 있는 점에서 충분한 대책이라고는 말하기 어렵습니다. 앞으로 인슐린 분비 저하 기전을 밝혀 보다 조기부터 인슐린 분비 저하 억제를 목표로 한 개입 방법을 구축할 필요가 있습니다.

(井泉知仁 , 片桐秀樹)

||||||||||||||||||||||||||||||||||||||||| **문헌** |||||||||||||||||||||||||||||||||||||||||

1) Chang AM, Halter JB: Aging and insulin secretion. Am J Physiol Endocrinol Metab 2003; 284: E7-12.

2) Hou JC, Min L, et al: Insulin granule biogenesis, trafficking and exocytosis. Vitam Horm 2009; 80: 473-506.

3) Halban PA, Polonsky KS, et al: beta-cell failure in type 2 diabetes: postulated mechanisms and prospects for prevention and treatment. J Clin Endocrinol Metab 2014; 99: 1983-92.

4) Saisho Y, Butler AE, et al: beta-cell mass and turnover in humans: effects of obesity and aging. Diabetes Care 2013; 36: 111-7.

5) Krishnamurthy J, Ramsey MR, et al: p16INK4a induces an age-dependent decline in islet regenerative potential. Nature 2006; 443: 453-7.

10 남성 호르몬

테스토스테론의 작용

테스토스테론(testosterone, T)과 그 대사물의 작용은 매우 다양합니다. 사춘기에 2차 성징 발현에 테스토스테론은 필수적이며, 성 충동을 촉진하고, 정자 형성에 관여합니다. 성인에서 테스토스테론은 근육의 양과 강도 유지에 필요하며, 또 내장 지방을 줄이며, 조혈 작용이 있고, 성욕을 일으킵니다[1](표 1). 테스토스테론은 집중력이나 위험에 대한 판단 등의 고차 정신 기능에도 관계합니다.[2] 한편 테스토스테론 치가 낮으면 인슐린 감수성이 나빠져서 대사증후군이 되기 쉽고[3], 또 성기능, 인지 기능, 기분 장애, 내장 지방 증가, 근육량 감소, 빈혈, 골밀도 감소를 일으켜 남성의 QOL이 현저히 저하됩니다.

테스토스테론의 생화학

테스토스테론은 고환의 Leydig 세포에서 콜레스테롤로부터 생산됩니다. 시상하부는 성선 자극 호르몬 방출 호르몬(gonadotropin releasing hormone, GnRH)을 생산하고, GnRH는 뇌하수체에서 황체화 호르몬(luteinizing hormone, LH), 난포 자극호르몬(follicle-stimulating hormone, FSH) 생산을 자극합니다. LH는 Leydig 세포에서 테스토스테론 생산을 자극하고, FSH는 고환의 Sertori 세포에서 정자 형성을 촉진합니다. 테스토스테론은 체내 대부분의 조직에 있는 안드로겐 수용체와 결합해 작용하며, 피부, 전립선, 음경, 음낭에서는 5α-환원효소에 의해 디히드로테스토스테론으로 바뀌어 강력한 작용을 나타냅니다. 또 아로마타제는 테스토스테론을 에스트라디올로 변환합니다. 아로마타제는 지방조직, 간에 많으며, 폐경 후 여성에서 중요한 역할을 하고 있습니다.

혈중 테스토스테론의 98%는 단백질에 결합하고 있습니다. 그 중 약 60%는 알부민에 느슨하게 결합하고, 40%는 성 호르몬 결합 단백(sex hormone binding globulin, SHBG)과 강하게 결합하고 있습니다. 단백질에 결합하지 않은 2%가 유리 테스토스테론입니다. 유리 테스토스테론과 알부민에 결합한 단백이 생리 활성이 있는 테스토스테론(bioavailable testosterone)이라고 할 수 있습니다(그림 1). 혈중 테스토스테론 측정은 정확하지만 나이 듦에 따라 SHBG가 증가하여 활성이 있는 테스토스테론이 낮아지므로 고령 남성의 성선 기능 저하증 진단에는 적합하지 않습니다. 한편 유리 테스토스테론, 생리 활성이 있는 테스토스테론 측정은 테스토스테론 이외에 알부민과 SHBG 측정으로 산출하지만, SHBG 측정은 고가이므로 보급되지 않았습니다.

뇌하수체성 성선 기능 저하증에서 측정하는 유리 테스토스테론은 방사면역 측정법(radioimmu-

표 1 남성 호르몬의 표적 장기

테스토스테론	디히드로테스토스테론(강력)
뇌	부고환
뼈	정관
뇌하수체	전립선
신장	음경
근육	피지선
하악선	모낭선

그림 1 테스토스테론의 혈중 존재 양식

테스토스테론의 대부분은 알부민 또는 SHBG와 결합하여 유리 테스토스테론은 2% 정도다. 일부민 결합형과 유리형이 생물 활성도를 갖는다(bioavable testosterone).

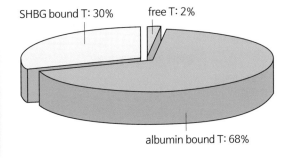

SHBG bound T: 30%

free T: 2%

albumin bound T: 68%

noassay, RIA)이며, 항체가 결합하는 유리 테스토스테론량이 적어 정확성이 떨어집니다. 그러나 계산으로 산출하는 유리 테스토스테론과 상관이 있어 흔히 사용하고 있습니다. 타액의 테스토스테론은 유리 테스토스테론과 대략 같아 앞으로 널리 사용할 것으로 생각합니다.[5]

성선 기능 저하증; 저테스토스테론혈증

테스토스테론 농도가 낮은 병태를 성선 기능 저하증이라고 하며, 원인에 따라 고환성과 중추성으로 분류합니다. 고환성에서는 성선 자극 호르몬 LH, FSH 증가가 있습니다. 고환성에서 Klinefelter 증후군의 빈도가 높습니다. 중추성에서는 GnRH 분비가 낮거나, 뇌하수체 장애에 의해 LH, FSH가 낮습니다. 임상적으로 흔히 보는 것은 LH, FSH는 정상 범위에 있고 테스토스테론이 낮은 경우이며, 고령, 당뇨병, 암, 간경변, 신부전, 갑상선 기능 이상, 영양 불량, 우울증, 병적 비만 등에서 볼 수 있습니다(표 2). 노화에 따라 Leydig 세포가 감소하고, 또 GnRH 분비가 감소되

표2 성선 기능 저하증의 원인 질환

고환성
Klinefelter 증후군
이하선염
고환 외상
고환 소동맥 손상 (예, 사타구니 탈장 수술 후)
고환의 방사선 치료 후
항암화학 요법
고온
저영양

중추성
뇌하수체, 또는 시상하부 종양
뇌하수체 수술, 방사선 후
고프로락틴혈증
부신종양, 고환종양
비만
갑상선 기능 저하증
혈색소증

양쪽에 가능성이 있는 것
고코티솔혈증
요독증
HIV
간경변
소모성 질환

어 테스토스테론은 저하되어 갑니다. 40세에 2~5%, 70세에 30~70%의 테스토스테론 치 저하가 있습니다.[6] 테스토스테론과 LH는 60~90분 간격의 pulse로 방출되며, 여기에 일중 변동이 있어 보통 아침에 높고 밤에 낮습니다. 연령 증가에 따라 일중 변동이 감소됩니다. 최근 도시 남성에서 40~50대의 테스토스테론치가 60세 이상보다 낮아 취업 등의 스트레스의 관여가 생각되고 있습니다(그림 2).[7] 정신적 스트레스는 부신피질 자극 호르몬(adrenocorticotropic hormone, ACTH), 코티솔을 증가시켜 테스토스테론을 감소시킵니다.[8]

후기 발현 성선 기능 저하증(late onset hypogonadism, LOH)

성선 기능 저하증은 테스토스테론 300~350 ng/dL을 절단치로 하고 있습니다. 325 ng/dL 을 절단치로 하면, 50, 60, 70, 80대의 성선 기능 저하증의 비율은 12, 20, 30, 50%였습니다.[9] 다른 보고에서 300 ng/dL 을 절단치로 하면 45세 이상의 38.7%에서 테스토스테론이 낮았습니다.[10] 테스토스테론 저하는 사망률과 관계가 있습니다. 많은 임상 연구에서 테스토스테론 저하는 대사증후군, 심혈관 질환, 당뇨병, 호흡기 질환 위험을 높이고 수명에 관계있는 것으로 알려졌습니다.

① 40세 이상 남성에서 혈중 테스토스테론 250

그림2 일본 남성의 타액 테스토스테론의 일중 변동

테스토스테론은 아침에 높고 밤에 낮다. 40~50세 연령층에서 60세 이상 군보다 테스토스테론이 낮다.

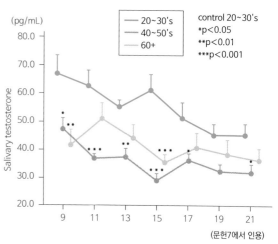

(문헌7에서 인용)

ng/dL 이상의 사망률 20%에 비해 250 ng/dL 이하에서는 35%로 높았습니다.

② 지역 집단의 전향적 연구에서 테스토스테론 치에 따라 4개군으로 나누면, 가장 적은 군 (241 ng/dL 이하)에서는 40%이며, 사망자의 대부분에서 특히 심혈관 질환과 호흡기 질환 사망이 많았습니다.[12]

③ 고령 남성의 테스토스테론 감소는 우울, 성 기능 저하, 인지 기능 저하, 골다공증. 심혈관 질환. 내장 지방 증가, 인슐린 저항성 악화, HDL 콜레스테롤 저하, 콜레스테롤과 LDL 콜레스테롤 상승에 관여하여 대사증후군의 위험 인자가 됩니다.[13~15]

④ 테스토스테론 감소에서 우울증 발생률은 20%로 정상인의 7% 보다 높았습니다.[16]

테스토스테론 감소와 장기 장애의 기전은 아직 명확하지 않지만, 테스토스테론은 활성 산소에 의한 산화 스트레스를 감소시키는 작용이 있으므로 테스토스테론의 저하가 혈관 건강에 장애를 일으킨다고 생각합니다. 실제로 테스토스테론과 산화 스트레스 지표 8-hydroxy-2 deoxyguanosine (8-OHdG) 및 발기부전(erectile dysfunction, ED) 증증도와 관련이 있었으며, 테스토스테론이 낮으면 ED가 중증이며 산화 스트레스 지표가 증가하는 것이 보고되었습니다.[17] 또 테스토스테론이 낮으면 활력과 성 기능이 저하되어 QOL에 영향을 주는 것이 보고되었습니다(표 3).[18]

이런 소견에서 노화에 의한 LOH가 주목을 받고 있으며, 남성의 건강을 "men's health"라는 키워드에서 테스토스테론을 치료하는 안티에이징 의학이 연구되고 있습니다.

(堀江重郎)

■■■■■■■■■ 문헌 ■■■■■■■■■

1) Bagatell CJ, Bremner WJ: Androgens in men: uses and abuses. N Engl J Med 1996; 334: 707-14.

2) Coates JM, Herbert J: Endogenous steroids and financial risk taking on a London trading floor. Proc Natl Acad Sci USA 2008; 105: 6167-72.

3) Muller M, Grobbee DE, et al: Endogenous sex hormones and metabolic syndrome in aging men. J Clin Endocrinol Metab 2005; 90: 2618-23.

4) Bhasin S, Cunningham GR, et al: Testosterone therapy in adult men with androgen deficiency syndromes: an endocrine society clinical practice guideline. J Clin Endocrinol Metab 2006; 91: 1995-2010.

5) Yasuda M, Honma S, et al: Diagnostic significance of salivary testosterone measurement revisited: using liquid chromatography/ mass spectrometry and enzyme-linked immunosorbent assay. J Men Health Gender 2008; 5: 56-63.

6) Morley JE, Perry HM 3rd. Andropause: an old concept in new clothing. Clin Geriatr Med 2003; 19: 507-28.

7) Yasuda M, Furuya K, et al: Low testosterone level of middle-aged Japanese men - the association between low testosterone levels and quality-of-life. J Men Health Gender 2007; 4: 149-55.

8) Roy M, Kirschbaum C, et al: Intraindividual variation in recent stress exposure as a moderator of cortisol and testosterone levels. Ann Behav Med 2003; 26: 194-200.

9) Harman SM, Metter EJ, et al: Longitudinal effects of aging on serum total and free testosterone levels in healthy men. Baltimore Longitudinal Study of Aging. J Clin Endocrinol Metab 2001; 86: 724-31.

10) Mulligan T, Frick MF, et al: Prevalence of hypogonadism in males aged at least 45 years: The HIM study. Int J Clin Pract 2006; 60: 762-9.

11) Shores MM, Matsumoto AM, et al: Low serum testosterone and mortality in male veterans. Arch Intern Med 2006; 166: 1660-5.

12) Laughlin GA, Barrett-Connor E, et al: Low serum testosterone and mortality in older men. J Clin Endocrinol Metab 2008; 93: 68-75.

13) Bhasin S, Cunningham GR, et al: Testosterone therapy in adult men with androgen deficiency syndromes: An endocrine society clinical practice guideline. Clin Endocrinol Metab 2006; 91: 1995-2010.

14) Shabsigh R, Katz M, et al: Cardiovascular issues in hypogonadism and testosterone therapy. Am J Cardiol 2005; 96: 67M-72M.

15) Nieschlag E, Swerdloff R, et al: Investigation, treatment and monitoring of late-onset hypogonadism in males. ISA, ISSAM, and EAU recommendations. Eur Urol 2005; 48: 1-4.

16) Shores MM, Sloan KL, et al: Increased incidence of diagnosed depressive illness in hypogonadal older men. Arch Gen Psychiatry 2004; 61: 162-7.

17) Yasuda M, Ide H, et al: Salivary 8-OHdG: a useful biomarker for predicting severe ED and hypogonadism. J Sex Med 2008; 5: 1482-91.

18) Novak A, Brod M, et al: Andropause and quality of life: Findings from patient focus groups and clinical experts. Maturitas 2002; 43: 231-7.

표3 | 노화성 성선 기능 저하증의 증상

성욕 저하	골밀도 저하
발기부전(ED)	액모, 음모가 가늘어짐
사정량 감소	수염 감소
불임	고환 위축
안절부절	여성화 유방
주의력 감소	안면 홍조, 발한
우울	기억력 저하
근력 저하	건강감 감소
피로	

11 여성 호르몬

사람의 노화와 관계된 성 호르몬의 영향에는 성차가 있습니다. 여성 호르몬 저하는 남성 호르몬 저하에 비해 급격합니다. 따라서 여성의 노화에서 여성 호르몬 저하의 영향은 남성의 노화에서 남성 호르몬 저하의 영향보다 큽니다. 여기서는 여성 호르몬으로 에스트로겐(난포 호르몬)의 기본적 사항에 대해 해설합니다.

에스트로겐의 생산과 분비

에스트로겐은 난소에서 분비되는 성 스테로이드 호르몬이며, 생식기를 중심으로 여성의 성 기능 발달과 성숙에 관여합니다. 그 밖에 각 조직의 아로마타제(P-450arom) 발현[1]에 의해, 지질·당대사, 골, 간, 뇌, 혈관 등 생식기 이외의 장기에도 작용이 있습니다.[2]

에스트로겐은 난소의 과립막 세포(granulosa cell)에서 주로 생산, 분비되며, 에스트로겐 생산 조절의 주역은 뇌하수체 전엽에서 분비되는 성선자극 호르몬(gonadotropin)인 난포 자극 호르몬(follicle stimulating hormone: FSH)입니다. FSH의 생산·분비는 월경 주기를 통해 시상하부-뇌하수체-난소계의 네트워크에 의해 조절되고 있습니다(그림 1). 즉 황체기 후기에 황체가 퇴축되어 혈중 에스트로겐과 프로게스테론(황체 호르몬)이 감소하면 시상하부에서 고나도트로핀 방출 호르몬(gonadotropin releasing hormone, GnRH)의 분비 펄스 빈도가 증가하여 뇌하수체에 대한 음성 피드백이 해제됩니다. 이 시기에 뇌하수체에서 FSH 분비를 억제하고 있던 inhibin이 감소되어 다음 번 월경 시작 2~3일 전부터 FSH 분비가 증가하기 시작합니다. 또한 FSH는 과립막 세포의 FSH 수용체와 아로마타제 발현을 유도하여 세포 증식과 에스트로겐 생산을 유도합니다. 난소의 스테로이드 생산에는 2종류의 세포, 즉 과립막세포와 내협막세포(theca interna)가 관여하며, 이것을 two cell, two gonadotropin theory라고 부릅니다(그림 2).

에스트로겐의 종류

에스트로겐의 생합성은 주로 난소에서 일어나지만, 임신 중에는 태반에서, 또 폐경 후 여성이나 남성에서는 난소에서 에스트로겐이 생산되지 않기 때문에 말초 조직이 에스트로겐의 주된 생산 부위입니다. 에스트로겐은 암컷 동물에 발정 현상을 일으키는 천연 및 합성 물질의 총칭이며, 에스트로겐형이라고 부르는 탄소수 18개의 스테로이드를 기본 골격을 가진, 에스트론(estrone, E_1), 에스트라디올(estradiol, E_2), 에스트리올(estriol, E_3) 등이 있습니다. 임신 중에는 각종 성 스테로이드가 증가하지만 특히 E_3는 비임신시 보다 1,000배 생산됩니다. 임신시에 이런 특수한 스테로이드 호르몬의 생합성은 태아 및 태반이 관여하여 일어납니다. 임신시에 E_1 및 E_3는 태반의 아로마타제(P-450arom)에서 만들어지며, 이 생산원은 모체 및 태아의 부신에서 생산되는 디히드로에피안드로스테론 설페이트(dehydroepiandrosterone sulfate, DHEA-S)입니다. 모체 및 태아의 DHEA-S는 태반에서 가수분해를 받아 DHEA가 됩니다. 다시 안드로스테론(androsterone), 테스토스테론(testosterone)이 되고 P-450arom에 의해 방향화를 받아 E_1 및 E_3가 됩니다.

폐경 후 및 남성의 에스트로겐 생산

폐경 후 여성이나 남성에서는 말초 조직이 에스트로겐의 주 생산 부위이며, 그 기질은 안드로스텐디온(androstenedione)입니다. 이 안드로스텐디온이 P-450arom이나 17β-HSD, 3β-HSD의 작용으로 E_1, E_2가 말초조직에서 생산됩니다. 난소의 에스트로겐론 생산에서 콜레스테롤의 스테로이드 호르몬으로 변화는 미토콘드리아 내막에 존재하는 시토크롬 P-450scc (cholesterol side chain cleavage enzyme)의 작용으로 일어납니다(그림 2). 이 p-450scc는 말초 조직에는 발현하지 않기 때

그림 1 시상하부-뇌하수체-난소계

혈중 에스트로겐 및 프로게스테론이 감소하면 시상하부에서 GnRH 분비가 증가하여 뇌하수체에서 FSH 분비가 항진한다. 이때 혈중 인히빈 감소가 FSH 분비 항진을 촉진한다. 이에 의해 에스트로겐이나 프로게스테론 생산이 유도된다.

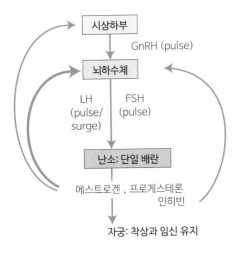

그림 2 난소의 에스트로겐 생산

난소의 에스트로겐 생산은 콜레스테롤이 미토콘드리아 내막에 존재하는 P-450scc에 의해 DHA를 거쳐 androstenedione이 되고 이어서 E_1 및 testosterone를 거쳐 E_2가 된다.

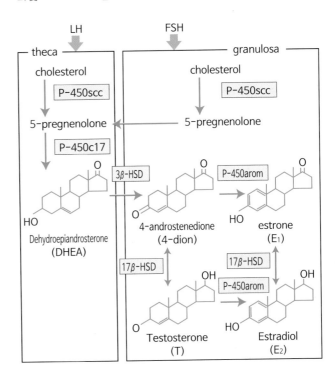

문에 콜레스테롤을 안드로스텐디온으로 변환할 수 없습니다. 말초 조직에서는 혈중 콜레스테롤이 아니라 안드로스텐디온 자체가 에스트로겐 생산의 기질이 됩니다.

마지막으로

여성 호르몬 중에서 주된 생리작용이 있는 에스트로겐의 기본 지식을 정리했습니다. 여성에서 중요한 다른 호르몬은 프로게스테론이지만, 에스트로겐에 의해 여성의 생물학적 작용이 나타나므로 여기서는 설명하지 않았습니다.

（太田博明）

━━━━━━━━━━━━━━ 문헌 ━━━━━━━━━━━━━━

1) Meinhardt U, Mullis PE: The aromatase cytochrome P-450 and its clinical impact. Horm Res 2002; 57(5-6): 145-52.
2) ホルモン補充療法ガイドライン2012年度版
3) Ryan KJ: Granulosa-thecal cell interaction in ovarian steroidogenesis. J Steroid Biochem 1979; 11: 799-800.
4) Levitz M: Steroid metabolism in the fetal-placental-maternal unit. Iffy L, Kaminetzky HA, eds, In principles and practice of obstetrics and perinatology, New York, A Wiley Medical Publication, 1981, p261-7.
5) Payne AH, Hales DB: Overview of steroidogenic enzymes in the pathway from cholesterol to active steroid hormones. Endocr Rev 2004; 25: 947-70.

1 노화에서 인지 기능 변화

노화에 의한 인지 기능 변화; 생리적 건망증, 신경원섬유 변화 치매, 알츠하이머병

노화에 의한 인지기능 변화를, 생리적 건망증, 신경원 섬유 다발형 노인성 치매, 알츠하이머병으로 나누어 설명합니다.

생리적 건망증

나이가 들면서 "사람들의 이름이 빨리 생각나지 않는다"는 생리적 건망증이 나타납니다. 이런 생리적 건망증에서는 지연 회상 같은 단기 기억의 문제는 없어 일상생활에는 지장이 없습니다. 또 영상 검사에서는 알츠하이머병에서 보는 해마를 비롯한 다양한 부위의 병적 위축이 없습니다. 생리적 건망증의 기전은 신경세포의 시냅스 기능 저하라고 생각됩니다.

신경원 섬유다발형 노인성 치매(senile dementia of the neurofibrillary tangle type)

타우 병변을 주로 하는 신경원 섬유 다발형 노인성 치매는 고령에서 발생 빈도가 높은 치매입니다. 이 질환에서는 알츠하이머병처럼 해마 영역을 중심으로 신경원섬유 변화(그 본태는 과인산화된 타우)와 신경세포 탈락이며, 알츠하이머병과의 차이는 노인반(그 본태는 β 아밀로이드)이 없는 것입니다. 발병 연령은 알츠하이머병에 비해 고령입니다(그림 1). 신경원섬유 변화는 노인반보다 뇌의 노화 과정 자체라고 생각합니다.

알츠하이머병(Alzheimer disease)

알츠하이머병은 치매의 반수 이상을 차지합니다. 알츠하이머병은 기억력 장애만 있는 경도인지 장애의 시기를 거쳐, 실행, 실인, 실어, 수행기능 장애 기능 중 하나 이상을 나타내는 치매 단계에 이릅니다. 또한 치매의 행동심리증상(behav-ior psychological symptom of dementia, BPSD)을 나타내는 중기를 거치는데 이때는 비교적 신체 기능은 유지됩니다. 하지만 종말기가 되면 와병 생활을 하게 됩니다.

알츠하이머병에서는 해마, 측두엽을 중심으로 한 뇌위축이 나타나며, 노인반, 신경원섬유 변화, 신경세포사가 관찰됩니다. 노인반에 침착하는 β 아밀로이드는 아밀로이드 전구단백질에서 2회의 절단 과정을 걸쳐 생성됩니다. 가족성 알츠하이머병 가계에서 아밀로이드 전구단백 유전자 변이가 발견되어 β 아밀로이드가 알츠하이머병의 발생과 진행 기전의 최상류에 있다는 아밀로이드 캐스케이드 가설이 제창되었습니다. 이 아밀로이드 캐스케이드 가설의 각 단계를 치료 표적으로 하여 병의 진행을 변화시키려는 disease modifying drug이 개발되어 연구 중에 있습니다. 특히 β 아밀로이드를 표적으로 한 치료제로, 절단 효소 저해제나 β 아밀로이드 표적 항체를 이용한 치매 예방 효과의 입증하는 임상시험이 시행되고 있습니다. 알츠하이머병의 95% 이상은 고립성이며 그 원인으로 선천적 유전 인자나 후천적 위험 인자가 알려졌습니다. 지질 운반을 담당하는 아포단백 E (apoprotein E, ApoE)의 ε4 대립유전자가 하나 있으면 알츠하이머병 발생 위험이 5배로 높아지고, 2개가 있으면 위험이 15배가 됩니다. ApoE ε4를 가진 정상인에서 아밀로이드 PET을 찍으면 신호 증강을 보이는 경우가 높아 ApoE ε4가 노인반 형성을 촉진하는 작용이 있음을 시사하고 있습니다.

생리적 건망증은 시냅스 변화로 나타나고, 신경원 섬유 다발형 노인성 치매는 신경 노화에 의한 신경원섬유 변화 증가로 발생하며, 알츠하이머병은 노인반이 선행하고 노화에 의한 신경원섬유 변화를 촉진시켜 신경세포 소실을 가속화한다고 생각합니다.

그림 1 연령 증가에 의한 인지 기능의 변화. 신경원 섬유 다발형 노인성 치매, 알츠하이머병

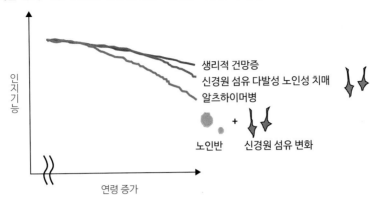

그림 2 Alzheimer병의 인지기능을 생활 습관병이 수식하는 기전

생활 습관병이 Alzheimer병을 수식하는 기전은 혈관인자와 대사 인자로 나눌 수 있다. 또한 단기 작용과 장기 작용으로 나눌 수 있으며, 이런 인자의 역할은 환자에 따라 다양한다.

(문헌8에서 인용)

	혈관인자	대사인자
단기(가역적)	혈관 반응성 장애	저혈당, 고혈당
장기(비가역적)	혈관 병변	알츠하이머 병리 증가

환자 1   환자 2   환자 3

노화에서 증가하는 생활 습관병의 알츠하이머병 유발

노화에 따라 증가하는 생활 습관병이 알츠하이머병 환자의 인지 기능저하를 유발하는 기전을 혈관 인자와 대사 인자로 나누어 생각할 수 있고 가역적, 비가역적인 것으로 나눌 수 있습니다(그림 2). 가역적 혈관 인자로는 뇌혈관 반응성을, 비가역적 인자로는 뇌혈관 병변이 있습니다. 또한 가역적 대사 인자로 저혈당, 고혈당이 있으며, 비가역적 인자는 알츠하이머병의 병리적 영향입니다. The Rotterdam study에서 당뇨병은 알츠하이머병 발생 위험을 2배 증가시켰고, 일본의 연구에서도 내당능이상은 알츠하이머병의 발생을 2~4배 증가시켰으며, 메타분석에서 당뇨병은 알츠하이머병 발생 위험 인자로 알려졌습니다.[2]

당뇨병이 단순하게 혈관성 치매나 알츠하이머병만을 촉진하는 것은 아니라고 생각합니다. 히사야마마치의 연구에서, 75 g 당부하 검사를 시행하고 평균 15년 후 부검에서 노인반 등 알츠하이머병의 병리 조직을 조사하여, 인슐린 저항성이 신경 변성을 동반한 노인반 출현과 관계가 있는 것을 알 수 있었습니다.[3] 한편 Kalaria는[4] 알츠하이머병 환자의 부검 뇌를 이용한 임상 연구의 메타분석에서 혈관 병변의 중요성을 강조하였으며, 당뇨병성 망막증이 있으면 치매 위험이 높아지는

것도 보고하였습니다.[5,6]

당뇨병 동반 알츠하이머병 마우스 모델에서 신경세포에서 인슐린 신호가 변화한다고 알려졌습니다. 뇌의 인슐린 신호[7]는 신경세포의 당대사, 시냅스 기능, 노화에 중요한 역할을 한다고 생각할 수 있습니다. 당뇨병 모델 마우스에서 타우의 인산화가 항진된다는 보고가 있으며, 당뇨병에 의해 타우 병변을 촉진시킨다고 생각할 수 있습니다.

이런 소견은 연령 증가에 따른 인지 기능 변화가 아밀로이드(노인반)나 타우(신경원섬유 변화)에 노화에 따른 변화가 더해지고, 노화에 의해 증가하는 생활 습관병에 의해 유발된다고 생각할 수 있습니다.

(里 直行)

|||||||||||||||||||||||||||||||||| **문헌** ||||||||||||||||||||||||||||||||||

1) Ott A, Stolk RP, et al; Diabetes mellitus and the risk of dementia: The Rotterdam Study. Neurology 1999; 53: 1937-42.

2) Kopf D, Frolich L: Risk of incident Alzheimer's disease in diabetic patients: a systematic review of prospective trials. Journal of Alzheimer's disease: JAD 2009;16: 677-85.

3) Matsuzaki T, Sasaki K, et al: Insulin resistance is associated with the pathology of Alzheimer disease: the Hisayama study. Neurology 2010; 75: 764-70.

4) Kalaria RN: Neurodegenerative disease: Diabetes, microvascular pathology and Alzheimer disease. Nat Rev Neurol 2009; 5: 305-6.

5) Bruce DG, Davis WA, et al: Mid-life predictors of cognitive impairment and dementia in type 2 diabetes mellitus: the Fremantle Diabetes Study. J Alzheimers Dis 2014; 42 Suppl 3: S63-70.

6) Exalto LG, Biessels GJ, et al: Severe diabetic retinal disease and dementia risk in type 2 diabetes. J Alzheimers Dis 2014; 42 Suppl 3: S109-17.

7) Sato N, Takeda S, et al: Role of Insulin Signaling in the Interaction Between Alzheimer Disease and Diabetes Mellitus: A Missing Link to Therapeutic Potential. Curr Aging Sci 2011.

8) Sato N, Morishita R: Roles of vascular and metabolic components in cognitive dysfunction of Alzheimer disease: short- and long-term modification by non-genetic risk factors. Front Aging Neurosci 2013; 5: 64.

2 기억의 변화와 안티에이징

기억의 종류

단기 기억, 최근 기억, 장기 기억

단기 기억은 전화를 걸 때 전화 번호를 일시적으로 기억하거나, 암산할 때 사용하는 기억입니다. 최근 기억은 몇 분에서 수주일 전의 기억이고, 장기 기억은 수십일에서 수십 년 전의 기억입니다.

서술 기억과 비서술 기억

서술 기억은 체험한 사건의 기억(에피소드 기억)이나, 말의 의미, 일반 상식 등(의미 기억) 말로 나타낼 수 있습니다. 비서술 기억은 자전거 타는 방법 등 몸이 느끼는 기억(수속 기억)이며 말로 나타낼 수 없습니다.

노화에서 기억의 변화

노화에 따른 기억의 변화는 수시간에서 며칠 간의 최근 기억이 우선 떨어지며, 수십년의 장기 기억은 유지되는 특징이 있습니다. "벚꽃, 고양이, 지하철" 같은 3단어의 즉시 재생(단기 기억)은 유지되지만, 3~5분 정도 후에 재생하는 지연 재생에 장애가 발생합니다. 치매 환자의 사건 기억은 최근 기억 장애가 심하며, 절차 기억은 장애받지 않습니다. 의미 기억은 고령자에서 유지되며, 고령에서도 어휘가 증가할 수 있습니다.

고령자는 잘 알고 있는 사람이나 유명한 연예인의 이름을 순간적으로 생각해 내기 어렵고, 하려는 말이 나오지 않는 일이 있습니다. 이것을 언어 상기(言語 想起) 장애※라고 합니다.

기억의 요소와 노화에 의한 변화

기억에는 기록(또는 부호화), 보관 유지(또는 저장), 회상(또는 검색)의 3개 요소가 있습니다. 고령자는 기억 단계에 단서(힌트)를 주면 개선되지만, 젊은 사람에서는 개선되지 않습니다. 기억은 한 번에 저장할 수 있는 용량에 제한이 있습니다(기억 용량). 성인에서 7±2개의 숫자를 단시간 보관 유지할 수 있습니다(숫자 기억 용량). 숫자 기억 용량은 노화에 따라 감소하여 60대에 5.5, 70대에 5.4정도 입니다. 기억은 관련을 짓거나 관련이 있는 것과 정리하면 기억하기 쉬우며 이것을 주관적 체제화라고 합니다. 고령자에서는 주관적 체제화가 잘 이루어지지 않습니다.

기억의 회로와 노화에 의한 변화

서술 기억에는 2개의 회로가 있으며, 하나는 대뇌 피질 연합야에 들어간 정보가 내후각피질(entorhinal cortex)에 모여 관통지에 의해 해마 치상회(dentate gyrus)로 보내지고, 해마 CA3에서 CA1, 해마지각(해마이행부(subiculum))을 통해 내후각피질로 되돌아와 대뇌피질 각부에 투사 되는 회로입니다(그림 1). 이 해마 부분의 회로에 기억이 단기간 저장되며, 선택되어 중요한 것은 대뇌피질에 보내져 장기 기억이 이루어집니다. 다른 하나는 해마-뇌궁 유두체-유두체 시상속-시상 전핵-대상회-해마체로 이루어지는 회로(Papez 회로)입니다. 이 회로는 알코올 과음, 비타민 B₁ 결핍증에서 손상되어 현저한 기억 장애를 일으키는데 이를 Wernicke-Korsakov 증후군이라고 부릅니다.

해마의 용적은 연령 증가에 따라 축소되며 이것은 투사 신경돌기, CA1 영역의 추체 세포 수상돌기, 수상돌기 극의 감소에 의합니다. 노화에 의한 기억 기능의 저하는 시냅스 수 감소, 시냅스 가소성 저하와 관계 있습니다. 또 내후각피질에서 해

※역자 주:

• 언어 상기(言語 想起) 장애: 단어찾기 어려움(word-finding difficulties)

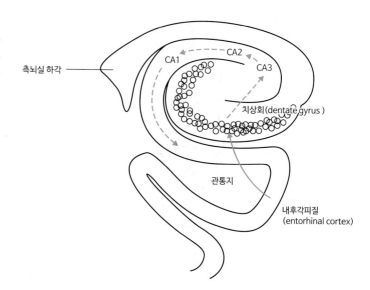

그림 1 해마의 기억 회로

그림은 해마의 단면이다. 대뇌 피질 연합 영역 정보는 내후각피질로 들어가고 관통지를 통해 치상회에 전달된다. 이 정보는 CA3→ CA2→ CA1으로 전해지고 정보처리를 받아 해마지각(subiculum)을 거쳐 내후각피질로 돌아온다. 이 회로에 단기 기억이 일시 보존된다. 중요한 정보, 인상적 정보는 대뇌피질 연합영역 보내져 장기 기억으로 보존된다. 고령자, Alzheimer병에서는 이 회로가 장애 되어 기억의 단기 보관이 어렵게 된다.

마 치상회에 투사 하는 신경돌기 수는 노화에 의해 감소하며, 이것은 노화에 의한 내후각피질 신경세포의 신경원섬유 변화에 의한다고 생각합니다. 또한 해마 치상회 과립세포의 신경세포 신생 저하는 기억 기능 저하에 관여합니다.

기억의 안티에이징

콜린의 전구 물질인 레시틴이 많은 식품은 콩, 땅콩, 달걀 노른자 등이지만, 이런 식품을 섭취하여 기억력이 회복된다는 근거는 없습니다. DL-/PO-phosphatidylcholine을 포함한 기능식품이 Mini-Mental State Examination (MMSE) 점수를 올렸다는 보고가 있으나[1] 추가 연구가 필요합니다. 도네페질(donepezil) 등 아세틸콜린 에스테라제 저해제는 뇌의 아세틸콜린을 늘려 기억 기능을 개선하는 작용이 있습니다. 아밀로이드 백신은 알츠하이머병 모델 마우스의 기억 기능을 개선시켰습니다.

양하(Zingiber mioga) 섭취는 기억에 도움이 되지 않았습니다. 과음 후 black-out에 saffron이 들어 있는 빠에야 섭취가 사람을 대상으로 한 연구에서 효과 근거가 없었습니다. 일단 없어진 장기 기억이 히스톤 탈아세틸화 효소 저해제로 회복된 동물 실험이 있습니다.[2] 좋은 환경에서 사육한 마우스는 기억 기능이 높다고 알려졌습니다. 심한 스트레스를 주면 해마 CA3의 신경 세포사가 일어나며, 사람에서도 스트레스 노출에 비례하여 해마 위축이 나타납니다. 운동 특히 유산소 운동과 레저 활동은 고령자의 기억 기능을 개선 하며, 산소 섭취량과 해마 위축은 반비례한다고 알려졌습니다.

（田平 武）

━━━━━━━━━━━━━━━━━━━━ **문헌** ━━━━━━━━━━━━━━━━━━━━

1) Nishizaki T, et al: DL-/PO-phosphatidylcholine may shed light on the treatment of Alzheimer dementia. *Personalized Medicine Universe* 2013; 2: 12-5. http://dx.doi.org/10.1016/j.pmu.2013.04.001

2) Peleg S, et al: Altered histone acetylation is associated with age-dependent memory impairment in mice. *Science* 2010; 328: 753-6.

③ 인지(認知) 기능과 안티에이징; 운동

고령사회가 되면서 치매 증가가 사회 문제가 되고 있으나 이에 대한 의학적 해결책은 아직 없습니다. 운동은 뼈나 근육, 심장이나 혈관 등의 노화에 의한 구조적, 기능적 퇴행에 대해 안티에이징 효과가 있는 것이 알려져 있으며, 이런 효과가 뇌에도 있다고 밝혀져 간편하게 시행할 수 있는 치매 예방 방법으로 유망합니다. 여기서는 유산소 운동이 인지 기능에 미치는 영향과 설명 가능한 기전(그림 1), 그리고 운동에 의해 인지 기능의 안티에이징 효과를 얻기 위해 최소한으로 필요한 운동 강도에 대해 소개합니다.

해마와 전전두 영역(prefrontal cortex)에 효과 있는 유산소 운동

노화에 따른 뇌 위축은 대뇌피질(특히 전전두 영역)과 해마에서 현저히 나타나며,[1] 운동은 이런 뇌 부위의 위축을 방지합니다. 전두엽 앞쪽의 전전두 영역과 변연계의 일부인 해마는 인지 기능에 중요한 영역이며, 전전두 영역은 주의, 집중력이나 선택, 판단력(실행 기능)을, 해마는 기억, 학습능을 담당합니다. Erickson 등의 연구에 의하면 65세 시점에서 1주간의 보행 거리가 많은 고령자는 9년 후 조사에서 전전두 영역이나 해마의 체적이 크게 유지되어 13년 후에 경도 인지 장애(mild cognitive impairment, MCI)나 치매로의 이행 위험이 낮았습니다.[2] 또 동물 연구에서, 거의 운동을 시키지 않고 기른 고령 흰쥐에서 1개월간 원통 돌리기 운동을 시키면 해마에서 신경 신생 수가 증가하여 체적이 커지고, 공간 학습능도 향상되었습니다.

인지 기능의 안티에이징은 특정 뇌영역 위축을 억제할뿐 아니라 효과적 신경 활동 유지나 다른 영역과의 제휴 강화에 의해서도 달성됩니다. 인지 예비력이라는 개념을 기초로 생각하면 어느 뇌영역이 위축 또는 손상되어도, 첫째는 뇌활동이나 신경 네트워크를 효율적 상태로 유지하며(neural reserve), 둘째로 본래 사용하지 않았던 다른 뇌영역을 보상적으로 동원하여(neural compensation) 기능 저하를 방지합니다.[4] 유산소 운동 트레이닝을 1년간 계속하면 뇌영역끼리의 기능적 연결이 강해지는 것이 광범위하게 확인되었습니다.[4] 고령자에게 10분간 중등도 운동을 시행시키면 본래 과제 수행을 담당하는 부위의 신경 활동이 증가하여 실행 기능이 향상됩니다.[6] 즉 운동은 특정 뇌영역 위축을 억제할 뿐 아니라 뇌내 네트워크를 정상적으로 유지하여 보상적 뇌활동을 유발하여 인지 예비력을 높이는 효과가 있습니다.

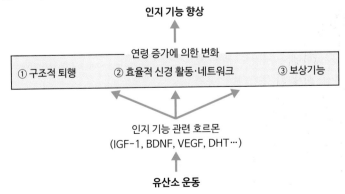

그림1 유산소 운동이 인지 기능의 안티에이징을 수행하는 기전의 예상도

인지 기능 향상

연령 증가에 의한 변화

① 구조적 퇴행　② 효율적 신경 활동·네트워크　③ 보상기능

인지 기능 관련 호르몬
(IGF-1, BDNF, VEGF, DHT…)

유산소 운동

유산소 운동이 인지 기능을 높이는 분자 기전

유산소 운동에 의해 구조적, 기능적 변화가 일어나는 분자 기전으로 다양한 호르몬의 관여가 예상됩니다. 그 중에서도 간에서 합성, 분비되어 혈중에 비교적 농도가 높은 인슐린양 성장 인자-1(insulin-like growth factor-1, IGF-1)은 운동을 하게 되면 중추신경계에 작용한다는 것이 Soya 등의 연구로 알려졌습니다.[9] 신경 활동 증가에 따라 국소 혈류량이 증가하면, IGF-1는 혈액-뇌관문을 통과하여 뇌실질(세포간질액) 내로 이행합니다. 활동이 일어난 신경세포에 IGF-1가 들어가서 신경 활동은 더욱 항진되어 기능적으로 작용합니다. 이런 현상은 해마뿐 아니라 전전두 영역에서도 일어나는 것으로 생각됩니다.

IGF-1 이외에 뇌유래 신경 성장인자(brain derived neurotrophic factor, BDNF)나 혈관내피세포 성장 인자(vascular endothelial growth factor, VEGF), 남성 호르몬인 디하이드로테스트스테론(dihydrotestosterone, DHT) 등 인지 기능에 효과가 좋은 호르몬 합성이 운동시에 뇌내에 높아지므로 유산소 운동이 인지 기능을 높이는 것을 설명하는 분자 기전의 하나로 생각되며, 앞으로의 검증이 기대됩니다.[8~10]

저강도 운동에도 효과 기대

유산소 능력 향상을 목표로 할 때 최대 산소 섭취량의 50~60% 정도의 중간 강도의 운동을 1회에 30분 이상 시행이 바람직합니다. 그러나 중간 강도 운동은 운동이 서툴거나 신체 어디에 통증이 있으면 계속 시행이 어렵습니다. 따라서 저강도의 숨이 약간 차는 운동(최대 산소 섭취량의 30% 정도)으로 인지 기능 향상이 되면 바람직합니다. 쥐를 이용한 동물 실험에서 저강도 운동 트레이닝에도 해마의 신경 신생이 증가하여 공간 학습능력이 향상되었습니다. 사람을 대상으로 한 연구에서도 10분간의 저강도 운동은 각성도를 증가시키고 이에 따라 전전두 영역의 활동이 증가되고 실행 능력이 향상 되었습니다.[11] 다른 연구 프로젝트에서도 저강도 운동의 효과가 확인되었

습니다. 실험 참가자는 월 2~6회의 운동 교실에 더해 집에서 음악에 맞추어 시행하는 저강도 운동 프로그램을 매일 30분간 시행했습니다. 2년간의 개입 결과 운동을 시행한 고령자는 전전두 영역 위축이 억제되어 기억이나 실행 기능 과제 성적이 향상되었습니다.[12]

마지막으로

유산소 운동은 뇌의 위축을 억제하여 인지 예비력을 높이는 것으로 인지 기능의 안티에이징에 기여합니다. 심혈관 기능의 단련이 어떻게 인지 기능 향상으로 연결되는지 그 기전은 아직 불명한 점이 많지만 저강도 운동에서도 충분한 효과를 얻을 가능성이 있어 앞으로의 연구가 기대됩니다.

(諏訪部和也 , 兵頭和樹 , 征矢英昭)

문헌

1) Raz N, Lindenberger U, et al: Regional brain changes in aging healthy adults: general trends, individual differences and modifiers. Cereb Cortex 2005; 15: 1676-89.
2) Erickson KI, Raji Ca, et al: Physical activity predicts gray matter volume in late adulthood: the Cardiovascular Health Study. Neurology 2010; 75: 1415-22.
3) Van Praag H, Shubert T, et al: Exercise enhances learning and hippocampal neurogenesis in aged mice. J Neurosci 2005; 25: 8680-5.
4) Barulli D, Stern Y: Efficiency, capacity, compensation, maintenance, plasticity: emerging concepts in cognitive reserve. Trends Cogn Sci 2013; 17: 502-9.
5) Voss MW, Prakash RS, et al: Plasticity of brain networks in a randomized intervention trial of exercise training in older adults. Front Aging Neurosci 2010; 2: 1-17.
6) Hyodo K, Dan I, Swabe K, et al: Acute moderate exercise enhances compensatory brain activation in older adults. Neurobiol Aging 2012; 33: 2621-32.
7) Nishijima T, Piriz J, et al: Neuronal activity drives localized blood-brain-barrier transport of serum insulin-like growth factor-I into the CNS. Neuron 2010; 67: 834-46
8) Okamoto M, Hojo Y, et al: Mild exercise increases dihydrotestosterone in hippocampus providing evidence for androgenic mediation of neurogenesis. Proc Natl Acad Sci 2012; 109: 13100-5.
9) Soya H, Nakamura T, et al: BDNF induction with mild exercise in the rat hippocampus. Biochem Biophys Res Commun 2007; 358: 961-7.
10) Tang K, Xia FC, et al: Exercise-induced VEGF transcriptional activation in brain, lung and skeletal muscle. Respir Physiol Neurobiol 2010; 170: 16-22.
11) Byun K, Hyodo K, Suwabe K: et al: Positive effect of acute mild exercise on executive function via arousal-related prefrontal activations: An fNIRS study. Neuroimage 2014; 98: 336-45.
12) Tamura M, Nemoto K, et al: Long-term mild-intensity exercise regimen preserves prefrontal cortical volume against aging. Int J Geriatr Psychiatry 2015; 30: 686-94.

4 인지 기능의 안티에이징; 영양

치매 중에서도 알츠하이머병(Alzheimer disease, AD)은 위험 인자, 방어 인자가 밝혀 있으며, 특히 식생활을 중심으로 한 생활 습관 개선으로 어느 정도 예방 가능성이 알려져 있습니다. 그러나 동물 실험이나 대규모 역학 연구에서 알려진 다양한 위험 인자, 방어 인자가 개입 연구에서는 재현성있게 확실한 예방 효과가 증명되지 않은 것도 사실입니다.

항산화제

비타민 B, 비타민 C, 비타민 E, 카로틴, 플라보가노이드(폴리페놀의 일종) 등 항산화제는 자유 라디칼에 의한 신경세포 손상을 줄이고, 아밀로이드 β 단백(Aβ)에 의한 독성을 약하게 합니다. 항산화제가 많은 식품으로는 채소, 과일, 녹차, 커피, 와인 등을 들 수 있으며, 카레에 들어있는 커큐민(카레의 향신료 타메릭의 황색 색소로 폴리페놀의 일종)도 항산화제로 작용하여 AD 진행을 예방할 가능성이 있습니다.

비타민 B군

호모시스테인 합성 보조 인자로 작용하는 비타민 B_6, 비타민 B_{12}, 엽산의 결핍은 인지 기능 저하와 AD를 일으킵니다. 즉 Aβ나 타우 단백 침착과 신경 세포사를 유발하여 인지 기능을 저하시킵니다.

비타민 D

비타민 D 부족 고령자는 치매나 AD의 발생 위험이 증가합니다. 그 이유로 비타민 D의 뇌내 신경세포나 신경교 세포, 마크로파지, 수초에 대한 강한 친화성이 알려져 있습니다.

지방산

대부분의 관찰 연구에서 ω3 지방산 특히 도코사헥사엔산(docosahexaenoicacid, DHA)의 인지 기능에대한 유용성이 보고되었으며, 프래밍햄 연구의 세부 분석에서 16년간의 추적 조사에 의하면 혈중 DHA 농도가 높은 군에서 치매 발생률이 47% 낮았습니다.[1] 최근 coconut oil에 들어있는 중쇄 지방산 섭취가 기억력 저하를 억제한다는 보고가 있으나, 추가 연구가 필요합니다.

식생활

오렌지나 사과 주스, 토마토나 브로콜리 등의 채소, 완두콩 등의 두류, 빵이나 쌀 등의 곡류, 올리브오일, 생선은 많고 육류는 적고, 적당량의 와인 등으로 구성된 지중해 식사(mediterranean diet)(그림 1)가 심혈관 질환 예방에 도움이 되며, AD나 인지 기능 저하 예방에도 효과가 있다고 알려지고 있습니다. DASH 식사(Dietary Approaches to Stop Hypertension diet)는 소금 배출 작용이 있는 미네랄(칼륨, 칼슘, 마그네슘)을 충분히 섭취하여 고혈압을 개선하는 식사법이며, 인지 기능 개선 작용도 있습니다.[2] 또한 콩이나 해산물이 많은 식사에 우유, 유제품을 추가한 식생활이 치매 예방에 된다는 보고도 있습니다.[3]

대사증후군, 영양 불량

혈관성 치매의 위험 인자로 대사증후군을 생각할 수 있으며, AD의 위험 인자로 알려진 비만, HDL 콜레스테롤 저하, 중성지방 증가, 고혈당 등의 구성 인자가 많을수록 치매에 걸리기 쉽다는 보고가 있으나 부정적 보고도 있습니다.

고령자에서 영양 불량이 치매 위험을 높이므로 인지 기능 유지를 위해서는 육류나 유제품의 적극적 섭취가 필요합니다.

당뇨병

당뇨병에 동반된 치매는 뇌혈관성 치매라고 생각했으나, AD와도 관련이 있는 것이 밝혀졌습니다(당뇨병성 치매). 인슐린 저항성과 고인슐린혈

그림1 지중해식 피라미드

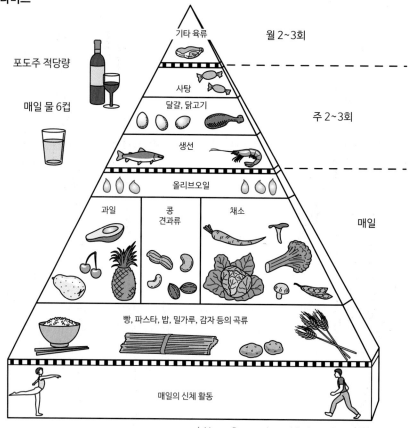

기타 육류 — 월 2~3회

포도주 적당량

사탕

매일 물 6컵

달걀, 닭고기 — 주 2~3회

생선

올리브오일

과일

콩
견과류

채소 — 매일

빵, 파스타, 밥, 밀가루, 감자 등의 곡류

매일의 신체 활동

(oldways Preservation and Exchange Trust 인용)

증이 중추 신경계의 저인슐린 상태를 일으켜 뇌 내에 Aβ가 축적될 가능성이 있습니다.[5]

마지막으로

AD의 원인으로 노화와 유전적 소인이 있지만 한편으로 AD가 생활 습관병의 연장 선상에 위치한다고 알려지면서 식사 영양 인자가 깊이 관계하는 것으로 인식되고 있습니다. 그러나 항산화제나 지방산 등 성분의 기능식품에 의한 재현성 있는 예방 효과는 증명되지 않았습니다. 따라서 이 분야의 기능식품 개발은 앞으로 큰 규모의 시장이 형성될 것으로 생각합니다.

(山下一也)

문헌

1) Schaefer EJ, Bongard V, et al: Plasma phosphatidylcholine docosahexaenoic acid content and risk of dementia and Alzheimer disease: The Framingham Heart Study. Arch Neurol 2006; 63: 1545-50.

2) Smith PJ, Blumenthal JA, et al: Effects of the dietary approaches to stop hypertension diet, exercise, and caloric restriction on neurocognition in overweight adults with high blood pressure. Hypertension 2010; 55: 1331-38.

3) Ozawa M, Ninomiya T, et al: Dietary patterns and risk of dementia in an elderly Japanese population: the Hisayama Study. Am J Clin Nutr 2013; 97:1076-82.

4) Vanhanen M, Koivisto K, et al: Association of metabolic syndrome with Alzheimer disease: a population-based study. Neurology 2006; 67:843-7.

5) 横野浩一: 糖尿病合併症としてのアルツハイマー病. 日老医誌 2010; 47: 385-89.

5 노인성 뇌신경 질환과 안티에이징

연령 증가에 따른 뇌의 노화

나이가 들면서 발생하는 뇌신경 질환의 발병 요인으로 "뇌의 노화"가 있으며, 대표적 질환은 표 1과 같습니다. 병리적으로 다음 3개의 변화가 노인성 뇌신경 질환과 관련이 있습니다.

뇌의 위축

여기에는 "생리적 뇌위축"과 "병적 뇌위축"이 있습니다. 생리적 위축에는, 뇌신경 세포 수 감소, 시냅스 감소, 개개 뇌신경 세포 기능 저하 등이 있으며, 이에 따른 뇌 위축은 미만성이며 균형이 잡힌 것입니다. 예를 들어 회백질과 백질, 또는 뇌엽 사이의 체적 균형은 거의 일정합니다. 그런데 병적 뇌위축의 대표 질환인 알츠하이머병(Alzheimer disease, AD)의 뇌에서는 해마 위축이 현저한 불균형이 있습니다. 병적 뇌위축에는 뇌신경계의 중요 구성 요소인 뇌신경 세포의 변화와 지지 조직인 뇌혈관계의 변화로 나누어 생각하는 것이 실제적입니다.

뇌신경 세포의 변화

AD 뇌에서는 신경세포 독성을 가진 아밀로이드 β (Aβ) 단백이 신경 세포 밖에 침착한 노인반이나 인산화 된 tau(타우) 단백이 신경 세포 안에 축적된 신경원섬유 변화가 현저합니다. 그 밖에 Lewy(레비) 소체형 치매에서는 α 시누크레인(α−synuclein) 변화와 축적이, 전두측두엽 치매에서는 타우 단백과 TDP−43이라는 특정 단백의 축적이 있습니다. 이런 뇌내병변 출현에는 당뇨병을 비롯한 생활 습관병이 관여한다고 생각할 수 있습니다.

뇌혈관계 변화

노화에 따른 대표적인 뇌혈관 변화는 뇌혈관의 동맥경화입니다. 이것은 생리적으로 개체에서 피할 수 없지만 고혈압, 당뇨병, 이상지질혈증 등과 같은 생활 습관병 촉진 인자가 있으면 진행이 촉진되어 뇌졸중(뇌출혈, 뇌경색, 지주막하 출혈)을 일으키는 원인이 됩니다. 또한 뇌혈관 장애와 치매 사이에 인과관계가 있는 혈관성 치매, 뇌의 전두엽에 생긴 뇌경색이 뇌신경 세포를 파괴하여 일어나는 뇌혈관성 우울증 등은 모두 뇌혈관의 동맥경화와 관련이 있습니다. 실제 임상에서 노인성 뇌신경 질환의 대표는 치매입니다.

치매와 안티에이징

치매의 4가지 병형으로, AD, Lewy 소체 치매, 전두측두엽 치매, 혈관성 치매가 있습니다. 앞의 3가지 원인 질환에는 특징적 단백 축적이 알려져 있으며, 아직 근본적 치료가 없습니다. AD에서 Aβ의 과잉 축적이 병리 과정의 단서가 된다는 아밀로이드 가설(아밀로이드 캐스케이드 가설)을 기초로 Aβ 절단 효소 저해제, Aβ 응집 저해제, Aβ 분해 촉진제 등 Aβ를 줄이기 위한 치료제가 개발되고 있으나, 현재까지 치료에 이용되지 못하고 있습니다. 한편 혈관성 치매가 진단된 환자

표1 노인성 뇌신경질환

뇌신경 세포 변성을 기반으로 생기는 질환
• 치매 　Alzheimer병 　Lewy 소체 치매(Dementia with Lewy Body) 　전두측두엽 치매(Frontotemporal Dementia) • Parkinson병 • 근위축성 축색경화증
혈관계 노화를 기반으로 일어나는 질환
• 뇌졸중: 뇌출혈, 뇌경색, 지주막하출혈 • 혈관성 치매 • 뇌혈관성 우울증
기타
• 노년기 우울증 • 섬망

는 이미 뇌혈관 장애가 있으나 치매의 근본적 치료법은 없고 뇌혈관 손상에 대한 예방이 중요합니다.

따라서 현 단계에서 어느 형태의 치매에도 위험 인자인 당뇨병, 고혈압, 고콜레스테롤혈증, 흡연 등에 대한 대책이 중요하며, 방어 인자로 잘 알려진 적당한 운동이 권고됩니다. 안티에이징의 관점에서는 되도록 조기에 치매나 치매 전 단계를 발견하여 생활 습관에 대한 개입이 필요합니다. 최근 정상 노화와 치매의 경계 영역이라고 생각하는 경도 인지장애(mild cognitive impairment, MCI)가 주목받고 있으며, MCI와 관련된 인자를 찾아 이에 대한 개입의 시도가 안티에이징에 유용할 것으로 생각하고 있습니다.

MCI와 안티에이징

MCI는 65세 이상 고령자의 약 5%에서 볼 수 있으며, 연간 약 10~15%가 AD로 이행하는 것으로 알려졌습니다. MCI 진단에는 치매의 진단에 사용되는 Consortium to Establish a Registry for Alzheimer's Disease (CERAD)가 선별 검사로 임상에 사용되고 있습니다. 치매에서 기립성 혈압 불안정의 악화, 고혈압, 당뇨병이 있는 것이 알려져 있으나 최근 MCI 환자에서도 기립성 혈압 불안정성의 증가,[2] 야간 혈압 변동 이상[3] 등의 보고도 있어 운동요법을 포함한 일상생활 개선으로 치매 예방이 되는지 연구가 필요합니다. 실제로 유산소 운동에 의해서 해마 용량이 증가되고 인지 기능 개선되었다는 보고가 있고,[4] 유산소 운동이 치매에 대한 안티에이징 효과를 나타낼 가능성도 있습니다.

(伊賀瀬道也)

||||||||||||||||||||||||||||||||||||||||||||||| **문헌** |||||||||||||||||||||||||||||||||||||||||||||||

1) Shankle WR, Romney AK, et al: Methods to improve the detection of mild cognitive impairment. Proc Natl Acad Sci USA 2005; 102: 4919-24.

2) Kido T, Tabara Y, et al: Postural Instability Is Associated with Brain Atrophy and Cognitive Impairment in the Elderly: The J-SHIPP Study. Dement Geriatr Cogn Disord 2010; 29: 379-87.

3) Guo H, Tabara Y, et al: Abnormal nocturnal blood pressure profile is associated with mild cognitive impairment in the elderly: the J-SHIPP study. Hypertens Res 2010; 33: 32-6.

4) Erickson KI, Voss MW, et al: Exercise training increases size of hippocampus and improves memory. Proc Natl Acad Sci USA 2011; 108: 3017-22.

1 청각 변화와 안티에이징

노인성 난청의 특징

명확한 원인 없이 생리적 노화에 의한 난청을 일반적으로 노인성 난청이라고 합니다. 65세 이상의 25~40%, 75세 이상의 40~66%, 85세 이상의 80% 이상에서 노인성 난청이 있다고 합니다. 노인성 난청은 잘 알려져 있듯이 고음부 청각 장애로 시작됩니다. 그림 1과 같이 하강형 감각신경성 난청(deafness with down slope audiogram pattern)이 나이에 따라 진행됩니다. 작은 소리가 들리지 않는다는 단순한 현상뿐 아니라, 소음에서 청취 곤란, 자음(子音) 변별 곤란 등 "소리는 들리는데 말로 들리지 않는다"는 복합적 청각 능력 저하를 일으킵니다.

노인성 난청의 발생 기전

노화에 의한 난청의 원인으로 가장 중요한 것은 와우의 유모 세포 기능 저하, 소실로 생각합니다. 고령자에서는 기저단 부근의 유모 세포가 장애되며 중–저음부를 담당하는 기저단에서 먼 세포는 장애되기 어려우므로 고음형 난청 상태가 나타나는 것이 설명됩니다. 말초 청각(와우) 기능 저하 이외에 중추 청각, 인지 기능 전반의 저하 등 고령자의 청취 장애에 복합적으로 작용하는 것을 잊으면 안 됩니다.

노인성 난청의 분자생물학적 발생 기전(와우 장애 기전)에 여러 가설이 있으나, 자유라디칼 과잉 생산에 의한 산화 스트레스가 미토콘드리아 DNA 손상을 일으키고 그 결과 세포가 세포자멸사를 일으켜 장기 기능이 없어져 간다는 mitochondrial clock theory of aging이 중요합니다. 이 가설은 다른 전신 장기의 노화에 대한 이론이지만 청각 연구에서도 이것을 지지하는 결과가 보고되었습니다.

노인성 난청의 발생 위험

노인성 난청의 위험 요인으로 이전부터 알려져 있는 것은 음향, 소음 노출입니다. 또 당뇨병, 동

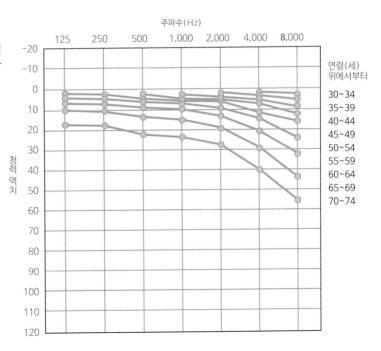

그림 1 **연령에 따른 평균 청력**

그래프 오른쪽: 고음 영역의 청력을 중심으로 연령에 따라 가청 영역이 증대된다 (하강형 감각신경성 난청)

맥경화, 신 장애, 순환기 질환, 비만, 지질 이상, 흡연 습관 등이 노인성 난청의 진행과 관련이 있다고 여겨지며, 특히 당뇨병과 흡연은 각국의 역학 조사에서 관련성이 증명되었습니다. 생활 속에서 큰 소리를 피하고, 금연, 고혈당 위험을 줄이는 것이 현 시점에서 난청 예방 대책입니다.

노인성 난청의 예방

현재 노인성 난청을 예방하는 검증된 방법은 없습니다. 그러나 난청 모델 마우스의 동물 실험에서 칼로리 제한이 노화에 동반한 난청 발생을 억제하는 것이 알려졌으며, 항산화제를 마우스에 투여하여 난청 진행을 억제했다는 보고도 있습니다. 칼로리 제한이나 항산화제 투여는 모두 자유라디칼 생산에 의한 세포자멸사 유도라는 노화 기전을 차단하는 것이 추측되고 있으나, 다른 생활 습관병이나 안과 질환(황반 변성)처럼 사람에서 연구가 필요합니다.

발생된 노인성 난청의 대응

노인성 난청을 회복시키는 방법은 아직 없으며, 커뮤니케이션 장애 보완을 목적으로 보청기 사용을 권고합니다. 고령자 대상 연구에서 보청기 착용은 인지 기능, 사회성, 감정, 우울 경향, 커뮤니케이션 개선에 유익하다고 보고되었습니다. 고령자의 언어 커뮤니케이션 소실은 정신적, 사회적 퇴행에 연결되는 것을 시사합니다. 또 경도의 난청에서도 난청이 없는 고령자에 비해 우울 경향이 강하며, 충분한 시간의 보청기 착용이 우울 경향을 방지할 수 있습니다.

보청기 기술의 발전도 고령자의 청취 향상에 도움이 될 것으로 기대하고 있습니다. 현재 디지털 보청기에는, 아날로그 보청기에는 없던 주파수에 따른 음압 보정 기능, 노이즈 축소 기능, 지향성 처리 등이 있어, "소리는 들리지만 들을 수 없다"는 증상 완화에 도움이 되고 있습니다. 앞으로 말하는 사람에 따른 해석 등 음성 신호 처리 기술이 보청기에도 응용이 기대됩니다.

(越智 篤)

|||||||||||||||||||||||||||||||||||||||||||||||||||||||||| **문헌** ||||||||||||||||||||||||||||||||||||||||||||||||||||||||||

1) 染谷慎一:【感覚のアンチエイジング】老人性難聴と摂取カロリー制限. アンチ・エイジング医学 2008; 4(5): 614-20.
2) 山岨達也: 聴覚に関わる社会医学的諸問題「加齢に伴う聴覚障害」. Audiology Japan 2014; 57: 52-62.

② 시각 변화와 안티에이징

현대 사회에서 시력 변화는 삶의 질(quality of life)을 좌우하는 중요한 요인의 하나입니다. 안구에는 노화에 따라 다양한 변화와 질환이 생기며, 그 중에는 비가역적 시력이나 시야 변화를 동반하는 질환이 적지 않습니다. 여기서는 시력 변화, 수정체, 초자체, 망막, 시신경의 노화에 따른 변화와 대표적 질환에 대해 설명합니다.

노안

노안은 연령 증가에 따라 모두에게 생기는 조절 기능 이상입니다. 먼거리와 가까운 거리에 초점을 맞추는 조절은 모양체 윤상근의 수축에 의한 수정체 두께 변화에 의해 이루어지나, 나이가 들면서 수정체의 탄성이 저하되고 모양체 윤상근의 쇠약으로 조절력이 감소되어 갑니다. 개인차가 있으나 보통 40대부터 가까운 거리의 작업에 불편감이 생기며, 연령에 따라 진행되어 갑니다.

백내장

수정체에 나이가 들면서 내부의 피질, 핵, 후낭에 혼탁이 생기는 병태이며, 80세 이상은 거의 100%에서 백내장이 있습니다. 나이가 들면서 수정체 단백의 응집으로 수정체가 혼탁하여 투명성이 없어지면(그림 1) 외부의 빛이 망막에 도달하지 못하고 시력이 저하됩니다. 초기에는 약물 치료를 시도하지만 효과는 제한적이며, 근본 치료에는 수술 요법이 필요합니다. 체질량 지수(body mass index, BMI)가 높거나 당뇨병 등의 대사 질환에서 진행이 빠른 경우가 많습니다.

후부 초자체 박리

안구 내강에는 젤리 같은 조직이 초자체를 채우고 있습니다. 후부 초자체 박리는 나이가 들면서 초자체의 액화와 변성이 서서히 진행되어 망막과 초자체 사이의 접착이 저하되어 초자체가 망막에서 박리되는 노화 현상입니다. 40대 경부터 관찰되나 근시에서는 젊은 나이에도 생길 수 있습니다. 후부 초자체 박리 발생에 의해 망막에 접하는 초자체 면의 혼탁이 망막에 비추어져서 비문증이 갑자기 나타나며 여러가지 형태의 그림자가 시야 내에 부유합니다. 합병증으로 망막 열공, 망막 박리가 있으며, 이 경우는 망막 광응고 요법이나 망막 정복술 등의 치료가 필요하나 대부분 경과 관찰만으로 문제가 없습니다.

노인성 황반변성

외부의 빛을 받아들이는 망막의 시력 중심 부분인 황반부에 노화에 의해 생기는 대표 질환이 노인성 황반변성이며, 60세 이상에 발생하는 비가역적 질환입니다. 전구 병변으로 망막하에 침착하는 세포와 침착물인 두르젠(drusen)이 있어 주의가 필요합니다. 노인성 황반변성에는 안구벽의 혈관층인 맥락막에서 기원하는 맥락막 신생 혈관을 본태로 망막에 출혈 등 삼출성 변화를 일으키는 삼출형 노인성 황반변성(그림 1)과 신생 혈관을 동반하지 않고 망막의 위축성 변화에 의한 위축형 노인성 황반변성이 있습니다. 양형 모두 망막하에 침착한 두르젠이 망막 심층의 망막 색소상피 세포에서 혈관 신생 관련 인자의 균형 변화나 산화 스트레스에 의한 세포사 유발[1]에 의해 발생합니다. 삼출형에서는 신생 혈관 발생과 함께 급격한 중심 시력 저하로 발병합니다. 위축형은 망막 위축 진행에 따라 서서히 시력 저하가 생기는 것이 특징입니다.

최근 삼출형의 새로운 치료법으로 혈관내피 증식 인자를 표적으로 한 항체 요법을 시행하여 좋은 효과를 보고 있습니다. 위축형에는 현재 효과적 치료법이 없습니다. 기능식품으로 황반부 황반색소의 주성분인 루테인, 제아잔틴(zeaxanthin), ω3 장쇄 지방산인 docosahexaenoic acid (DHA)이나 eicosapentaenoic acid (EPA)을 시도하고 있으나, 최근 미국의 무작위 비교 연구에서 위약에 비

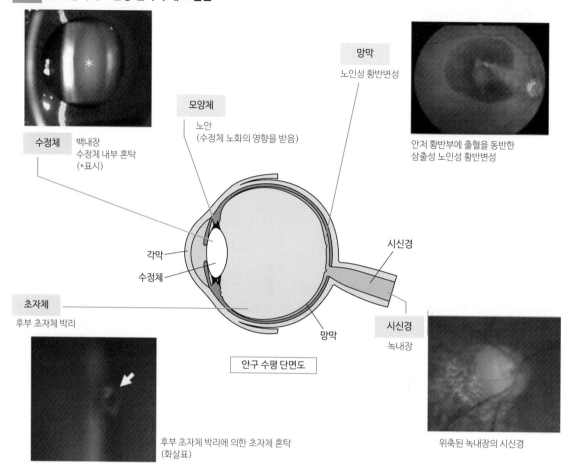

그림1 안과 영역의 노인성 변화와 대표 질환

수정체
백내장
수정체 내부 혼탁
(*표시)

모양체
노안
(수정체 노화의 영향을 받음)

망막
노인성 황반변성

안저 황반부에 출혈을 동반한 삼출성 노인성 황반변성

각막

수정체

시신경

초자체
후부 초자체 박리

망막

시신경
녹내장

후부 초자체 박리에 의한 초자체 혼탁
(화살표)

안구 수평 단면도

위축된 녹내장의 시신경

해 진행에 차이가 없다고 보고되었습니다.[2]

녹내장

일본의 녹내장 역학 조사에 의하면 40대의 녹내장 유병률은 2.0%였으나, 70대는 7.6%로 연령 증가가 녹내장의 위험 요인으로 알려졌습니다. 연령 증가가 녹내장 발생이나 진행을 촉진하는 이유는 시신경의 취약화와 눈 안을 순환하는 방수 유출로의 변화라고 생각합니다. 시신경 유두는 노화에 의해 결합 조직에 변화가 생기거나 세포외 침착물의 침착으로 시신경 유두의 유연성이 없어져서 시신경 유두를 통과하는 신경 섬유나 영양 혈관에 장애를 일으켜 색깔이 창백하게 되며(그림 1), 그 범위에 따라 시야 결손을 일으킵니다. 또 망막신경절 세포의 미토콘드리아는 노화에 따른 유전자 변화에 의해 산화 스트레스의 영향을 받아 장애를 일으켜서 시야 결손이 생깁니다.[3] 방수 유출로의 노화에 의한 변화로 메쉬워크 구조를 가진 섬유주대 부위에 세포외 침착물이 침착하여 방수 유출 저항이 상승되어 시신경의 장애에 이른다고 생각하고 있습니다.

마지막으로

눈은 나이가 들면서 다양한 영향을 받는 조직입니다. 최근의 의학 발전에 따라 안과 질환 치료도 크게 발전하고 있습니다. 그러나 일단 발병하면 비가역적 질환이 많아 치료해도 발생 전 상태로 돌아가기 어렵습니다. 안티에이징의 발전으로 눈의 노화 변화나 질환 발생 예방에 효과적 대책이 기대됩니다.

（吉田武史, 大野京子）

문헌

1) Ohno-Matsui K: Molecular mechanism for choroidal neovascularization in age-related macular degeneration. Nippon Ganka Gakkai zasshi 2003; 107: 657-73.

2) Age-Related Eye Disease Study 2 Research G: Lutein + zeaxanthin and omega-3 fatty acids for age-related macular degeneration: the Age-Related Eye Disease Study 2 (AREDS2) randomized clinical trial. Jama 2013; 309: 2005-15.

3) Abu-Amero KK, Morales J: Mitochondrial abnormalities in patients with primary open-angle glaucoma. Investigative ophthalmology & visual science 2006; 47: 2533-41.

③ 평형감각 변화와 안티에이징

어지럼과 평형 장애는 고령자에 가장 많은 증후의 하나이며, 일본의 조사에서 65세 이상 고령자의 약 20%가 어지럼 증상을 가지고 있다고 합니다. 고령자의 평형 장애는 넘어져서 골절이되는 위험 인자의 하나이며, 골절은 와병 생활이 될 수 있는 중요한 원인이므로 그 대책은 의료 경제 면에서 매우 중요합니다. 몸의 평형은, 전정, 시각, 고유 지각의 입력을 소뇌, 뇌간을 중심으로 중추 신경계에서 처리하여 하지 골격근에 출력해서 유지됩니다. 고령자의 평형 장애는 이런 각 요소의 기능이 나이가 들면서 서서히 저하되어 일어납니다. 여기서는 연령 증가에 의한 전정계의 변화와 대책에 대해 설명합니다.

노화에 의한 전정계 세포의 변화

말초 전정은 회전 속도를 감지하는 3개의 반규관(전, 후, 외측 반규관)과 직선 가속도를 감지하는 2개의 이석기(난형낭, 구형낭)로 구성됩니다. 이런 기관에는 내이의 감각세포인 유모 세포가 있으며, 흥분과 억제에 의해 가속도를 감지하는 점은 공통입니다.

전정의 유모 세포는 나이가 들면서 점차 감소합니다. Richter등의 보고에서, 이석기나 반규관의 유모 세포는 20대부터 감소하기 시작하여 80대가 되면 20대에 비해 약 절반으로 감소했습니다(그림 1).[2] 또 전정계의 1차 구심 섬유인 전정 신경 세포 수나 뇌간의 전정 신경절 신경세포도 나이가 들면서 감소되나 유모 세포 감소에 비해 심하지 않습니다.

전정 유모 세포의 노화에 의한 변화에 대한 기초 연구는 석고 그 기전도 아직 명확하지 않습니다. 노인성 난청은, 유전적 소인이나 체질 등의 내인적 요소와 소음 노출 같은 외부 요인이 큰 영향을 미치며, 세포 수준에서는 산화 스트레스에 의한 미토콘드리아 유전자의 손상이나 미토콘드리아 기능 저하에 의한 세포자멸사 유도가 중요한 역할을 하고 있습니다.[3] 전정 유모 세포의 노화에 의한 변화도 같은 기전에 의해 일어나는 것으로 생각하고 있습니다.

노화에 의한 전정계 기능 저하

전정계의 기능은 반규관 기능 검사인 회전 검사나 head impulse test, 온도안진 검사(caloric test), 이석기 기능 검사인 전정 유발 근전위 검사(vestibular evoked myogenic potential, VEMP) 등에 의해 평가합니다. 이런 검사에 의해 나이가 들

그림1 연령 증가에 따른 전정 유모세포 수의 변화

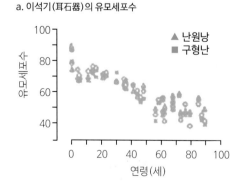

a. 이석기(耳石器)의 유모세포수

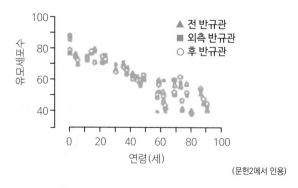

b. 반규관(半規管)의 유모세포수

(문헌2에서 인용)

그림2 전정 유발 안근 전위(oVEMP)의 노화에 의한 변화

a. 노화에 의한 oVEMP 진폭 변화

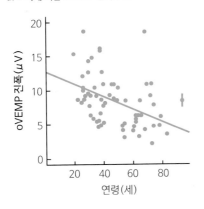

b. 노화에 의한 oVEMP잠시(latency) 변화

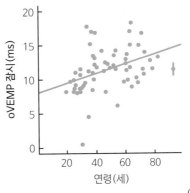

(문헌4에서 인용)

면서 전정 기능이 저하되어 가는 것을 알 수 있습니다.

예를 들어, 외측 반규관의 기능을 측정하는 회전 검사에서 전정안 반사(vestibulo-ocular reflex)는 노화에 따라 저하하며 특히 고주파수의 회전 자극에서 현저합니다. 저주파수의 반규관 기능을 반영하는 온도 자극 검사는 노화에 의한 변화가 명확하지 않으며, 매우 높은 주파수의 반규관 기능을 평가하는 head impulse test는 노화 초기부터 변화가 나타납니다. 이런 소견은 노인성 난청이 고주파수의 청력이 저주파의 청력보다 빨리 장애되는 것 같으며, 전정 기능도 고주파수에 대응하는 부분의 기능이 저하하는 것을 시사합니다.

이석기 기능 검사인 VEMP는 노화에 따라 반응 진폭 저하와 잠시 지연이 나타납니다(그림 2).[4] 이것은 반규관 기능처럼 이석기 기능도 노화에 따라 저하하는 것을 나타냅니다.

노화에 의한 평형 장애의 대책

고령자에서 평형 장애의 원인은 다양하며, 전정 기능 저하뿐 아니라 하지 근력이나 유연성, 시력, 고유 지각, 소뇌, 뇌간 기능 등의 기능 저하에 의해도 일어납니다. 고령자의 평형 장애 대책은, 여러 기능 검사를 조합하여 개개 증례에 대한 대책이 중요합니다. 전정 기능 저하에 의한 평형 장애에는 전정 재활 요법이 효과적 입니다. 전정 재활은 머리 부분의 운동을 반복 시행하여 말초 전정

의 자극으로 중추 신경계의 가역성이나 다른 부위에 의한 전정 장애 보상을 촉진하는 것입니다. 전정 장애에 의한 평형 장애뿐 아니라 심인성 현기증이나 소뇌 장애에 의한 평형 장애에도 효과적입니다.[5] 또 전정 장애의 대책으로 진동이나 전기 자극에 의한 바이오피드백을 이용한 평형 장애 개선 시스템도 개발되고 있습니다.

노화에 의한 전정 기능 저하를 방지하는 효과적 약은 아직 개발되지 않았습니다. 그러나 노인성 난청 예방에 코엔자임 Q10이나 α-리포산 등의 항산화제가 유효하다는 보고가 있어 노화에 의한 전정 장애 예방에도 효과적일 가능성이 있습니다. 앞으로 노화에 의한 전정 장애에 대한 치료와 대책 개발이 필요합니다.

(岩﨑真一)

|||||||||||||||||||||||||||||||||||||||||||||| **문헌** ||||||||||||||||||||||||||||||||||||||||||||||

1) Iwasaki S, Yamasoba T: Dizziness and imbalance in the elderly: Age-related decline in the vestibular system. Aging Dis 2015; 6: 38-47.

2) Yamasoba T, Lin FR, et al: Current concepts in age-related hearing loss: Epidemiology and mechanistic pathway. Hear Res 2013; 303: 30-8.

3) Richter E: Quantitative study of human Scarpa's ganglion and vestibular sensory epithelia. Acta Otolaryngol 1980; 90: 199-208.

4) Iwasaki S, Smulders YE, et al: Ocular vestibular evoked myogenic potentials to bone conducted vibration of the midline forehead at Fz in healthy subjects. Clin Neurophysiol 2008; 119: 2135-47.

5) Yardley L, Donovan-Hall M, et al: Effectiveness of primary care-based vestibular rehabilitation for chronic dizziness. Ann Int Med 2004; 141: 598-605.

1 피부, 외모, 체형, 피부다공증(dermatoporosis)

외모 변화는 노화를 가장 알기 쉬운 기준이 되는 눈으로 보기 쉬운 영역이며, 안티에이징 의학의 대상이 됩니다.

▌외모의 중요성[1]

영상이나 비주얼의 중요성이 더욱 강조되는 이미지 시대가 되었습니다. 나이가 들면서 노화에 의한 외모에 불만을 갖게되며, 이런 사람은 거울을 볼 때 행복하지 못하다는 느낌이 있다고 합니다. 인지적 불만입니다. 젊으면 아름답다고 생각하는 경우도 많습니다. 아름다움과 좋음을 인식하는 뇌중추 부위가 가깝다고 합니다. 안티에이징 의학에서는 각 장기의 균형있는 노화를 추구합니다. Hakim C는 외모를 제4의 자산이라고 했으며, 자산으로 외모의 구성 요소는 표 1과 같습니다.

▌외모와 장수[2]

외모가 생명 예후 및 텔로미어 길이와 관계있는 것이 쌍둥이의 역학 연구에서 밝혀졌습니다. 또 원숭이에서 칼로리 제한이 암, 심혈관 질환, 뇌기능 등을 좋게하여 젊은 상태의 유지로 생명 예후에 차이가 있었으며, 외모에서도 용모(눈주위 주름, 팔자 주름, 모질, 눈빛), 체형(전체 골격), 피부(탈모, 피부 미란) 등이 달랐습니다. 미국의 쌍둥이 연구에서 자외선 노출, 비만(40세 이하에서는 마른 편이 젊게 보임), 흡연, 우울 증상 등이 늙어 보이는 인자였습니다.

▌외모의 과학(신체 소견의 고려)

외모는 표현형으로 생각할 수 있으며, 유전자를 포함한 내적 인자와 외적 인자에 의한 영향의 결과라고 생각할 수 있습니다. 외모는 피부, 용모, 체형으로 나누어 생각하면 좋습니다(표 2). 더마드롬(dermadrome)은 암이나 간 질환과 관계가 알려진 피부 증상이며 체형까지 포함한 개념입니다. 신체 진단학의 발전으로, 외모의 수량화(가능도비, Likelihood ratio, LR), 상대 위험도(relative risk, RR) 등을 이용하여 진단 정확도를 올릴 수 있게 되어 노화의 계량화에 도움이 됩니다.

▌체형

체형에 해당하는 지표에서, 키, 체중, 가슴둘레, 배둘레, 엉덩이 둘레, 앉은 키, 다리 길이, 피하지방, 지방량, 근육량, 내장 지방, 바디라인 등의 자세, 행동거지 등은 건강에 대한 좋은 지표입니다.

여성에서는 폐경 후부터 배둘레가 증가합니다. 배둘레는 체질량 지수(body mass index, BMI)와 독립적인 사망 위험 인자입니다. 허리/엉덩이 비(waist/hip ratio, WHR)가 남성에서 1.0, 여성에서 0.85을 넘으면 건강 장애가 증가합니다.

표1 외모

외모는 생체의 내적 상황을 표현한다. 생물계의 입장에서 표현계로 외모가 중심이 되며, 소리, 냄새, 근육의 긴장도와 태도 등도 중요하다. 또한 본인의 뇌 활동의 일부로서 개인적 또는 장식적 외모도 중요하다. 체취는 생체 사이의 커뮤니케이션에 사용되고 있다.

물리적 (체형, 얼굴, 자세)	피부, 용모, 체형
동작(소행)	목소리, 태도, 자세
개성적 외관	모습, 인상, 아우라
의복 외관	패션, 화장품, 향수, 헤어스타일

표2 안티에이징의 대응

	피부	용모	체형
운동	건선, 땀 미토콘드리아	자외선 마사지	골격근, 뼈 미토콘드리아, 당대사
식사	비타민 D, C, E 항산화제, 펩티드 레스베라트롤	Ca, P, 비타민 D 피토에스트로겐	당질 제한 절식 ω3 레스베라트롤
정신(뇌, 수면)	장-뇌-피부 관계	눈빛 표정근	자세 제어
치료(약, 기구)	레이저, 고주파, 광치료기 HT (Estrogen therapy/ Testosterne therapy/ GH therapy)	레이저, 고주파, 광치료기 HT	고주파, 초음파 비만약, 골다공증약, 당질 조절 HT
기초 표현계	촉각(수용체) 외모 연령	안면 해부학 외모 연령	해부학, 신체 미학 외모 연령

* HT; Hormone Therapy

BMI가 같아도 성별, 키, 체중에 따라 피하지방, 내장 지방의 비율이 다릅니다. 내장 지방은 인슐린 저항성을 나타내지만, 피하지방은 오히려 나타나지 않게 합니다. 남성은 복부의 체내 지방이 항아리 모양의 체형을 나타내며, 여성은 허리나 종아리에 지방이 쌓여 서양배 모양의 체형을 나타냅니다. 내장 지방은 대사 활성이 높으며 유리 지방산을 방출하여 지질 이상이나 죽상경화 병변, 인슐린 저항성을 일으키며, 엉덩이, 대퇴의 피하지방은 임신 중, 출산 후 이외에서는 대사 활성이 낮습니다. 비만의 관점에서, 지방을 흡인하면 대사 균형의 변함 없이 체중은 감소되나, 운동에 의한 내장지방 감소와는 대사 활성이 다릅니다. 비만에서 장내 세균과의 관련이나 수면 장애 등의 관련이 관심을 끌고 있지만 외모의 접근도 중요한 영역이라고 생각합니다.

용모

늙어 보이면 생명 예후에 차이가 있다는 점이 주목을 받고 있습니다. 텔로미어 길이, 외모 상 추정 연령(얼굴 사진으로)과 수명의 관계에 대한 연구에서 외모와 수명의 관계가 밝혀졌습니다. 외모 상 연령(용모. 피부: 표현형)에서 중요도는, 팔자 주름의 길이, 주름의 깊이, 눈썹의 위치, 헤모글로빈의 분포, 헤모글로빈의 농도, 멜라닌 분포, 피부의 거침 순서로 외모와 관련이 있었습니다. 외모의 차이에 흡연, 대기 오염, 자외선, 비만, 식사 습관, 수면, 우울 경향 등이 관여하는 것으로 알려졌습니다.

머리의 모발은 나이에 따라 다르며 외모에 영향을 줍니다. 남성형 탈모와 전립선 암의 관련이나 여성 탈모에서 호르몬의 영향이 알려져 있습니다.

표정이나 눈의 움직임, 눈 빛, 냄새에 반응(후신경) 등도 뇌기능을 반영하고 있으며, 앞으로 뇌의 노화나 노쇠의 조기 발견에 유용할 것으로 생각 하고 있습니다.

피부[3]

주름은, 피부의 거침, 잔주름, 주름, 큰 주름, 피부 늘어짐 등으로 구분합니다. 피부의 늘어짐은 얼굴뿐 아니라 유아나 노인에서는 몸통, 복부, 사지에서도 볼 수 있으며 피부 탄력성 소실이 원인입니다. 노화에 따른 상피 세포의 비대와 지방 조직, 근육량의 감소, 골다공증에 동반한 뼈의 얇아짐이 관여합니다. 귓불의 주름, 안검 황색종, 전두부나 두정부의 탈모 소견 등은 심혈관 질환과 관련이 있습니다. 발목의 아킬레스건이 두꺼우면(아킬레스건 비후) 결절성 황색종을 생각하여 고콜레스테롤혈증을 의심합니다.

피부다공증(dermatoporosis)[4]

원래의 개념은 피부 노화에 따라 상피의 얇아짐, 진피의 콜라겐, 히알론산 등 지지조직의 감소, 지방조직의 감소, 혈관 취약성 등에 의한 피하 출혈이 20~30대에 비해 일어나기 쉬운 상태를 말합니다. 또한 자반이 생기기 쉬워 혈관 지배 신경의 관여도 생각하고 있습니다. 골다공증과 대비한 안티에이징 의학에서 유용한 개념입니다.

광노화는 외모에 큰 영향을 줍니다. 백인은 광노화(특히 주름) 발생률이 높으며, 주름, 기미, 혈관 확장에 관여하며, 피부색이나 민족, 거주 지역(자외선 양), 문화에 따라 광노화가 차지하는 비율이 다릅니다. 자외선 예방이 외모의 노화를 막을 수 있으나, 활성형 비타민 D (VD_3)의 합성에는 자외선이 필요하며, 비타민 D 저하는 60세 이후에 심혈관 질환, 당뇨병, 비만, 골다공증과의 관련이 있습니다. 또한 햇빛에 의한 β-엔돌핀 생산도 보고되어,[5] 적절한 자외선 조사에 의한 건강 장수를 생각해야 합니다.

마지막으로

외모 영역을 체형, 용모, 피부로 나누어 설명했습니다.

(山田秀和)

|||||||||||||||||||||||||||||||||||||||||||||| **문헌** ||||||||||||||||||||||||||||||||||||||||||||||||

1) Hidekazu Yamada: Anti-Aging for Appearance. Anti-Aging Medicine 2012; 9: 114-8.
2) 山田秀和: 見た目と長生き. アンチ・エイジング医学 2014; 10: 856-63.
3) 山田秀和: 皮膚の加齢徴候とメカニズム. 見た目のアンチエイジング研究会編, 見た目のアンチエイジング, 東京, 文光堂, 2011, 30-40.
4) Kaya G, Saurat J: Dermatoporosis: a chronic cutaneous insufficiency/fragility syndrome. Clinicopathological features, mechanisms, prevention and potential treatments. Dermatology 2007; 215: 284-94.
5) Fell GL, Robinson KC, et al: Skin β -endorphin mediates addiction to UV light. Cell 2014; 157: 1527-34.

2 피부 노화: 주름, 검버섯, 기미

피부가 외모의 젊음으로 가득 차 있는 것은 20세 전후까지입니다. 사람에서 노화 원인의 75%는 환경 인자라고 합니다. 피부도 예외가 아닙니다. 피부는 소아기부터 거의 매일 외부 스트레스에 노출되고 있습니다. 그 중에서도 태양의 자외선은 피부를 현저히 노화시켜 광노화라고 부르며, 주름, 기미, 늘어짐에 더해 종양을 일으킵니다. 또 태양 광선에 대량 들어있는 적외선도 광노화를 유발합니다. 한편 옷으로 덮힌 피부도 나이가 들면서 위축되어 잔주름이나 늘어짐이 눈에 띄는 동시에 양성 종양(상피성과 혈관성)이 발생합니다. 안티에이징의 관점에서 피부 노화를 늦추기 위해서는 태양 자외선에 대한 적절한 대책이 중요합니다.

피부의 노화와 광노화

소아기부터 매일 태양 광선을 계속 받으면 상피 및 진피 표층 세포의 유전자는 자외선에 특이한 시클로부탄형 피리미딘 2량체 손상이 일어나며, 약 50%는 회복되지 않고 다음 날까지 남게 됩니다. 손상이 많이 일어나면 일부는 잘못 회복될 가능성이 있으며, 세포 기능에 영향을 주는 변이가 생깁니다. 태양 자외선이 원인이 되어 발생하는 일광성 반점(기미)은 상피 각화 세포의 줄기세포 인자(stem cell factor, SCF)나 endothelin-1 (ED-1) 유전자 변이 또는 이 유전자가 결합하는 색소 세포 수용체의 변이에 의해 색소세포의 신호 전달계에서 멜라닌 생성이 항진되기 때문이라고 생각하고 있습니다(그림 1). 빠르면 20세경에 얼굴이나 손등에 기미가 나타납니다.[2] 한편 태양 광선에 의한 활성 산소를 통한 효소 발현에 의한 변화는 30세경에 나타나기 시작합니다.

검버섯은 나이가 들면서 상피 각화 세포의 증식, 분화에 이상을 일으켜 발생합니다. 즉 상피 각화 세포의 증식 저하뿐 아니라, 상피의 가장 바깥층 각층 세포의 탈락에 필요한 효소 활성 저하로 박리가 지연되어 상피 회전이 길어진 결과라고 생각합니다. 또한 각화 세포 성분의 당화도 원인으로 생각하고 있습니다.

양성 종양인 지루성 각화증도 빠르면 30~40세경에 발생합니다. 일본에는 1990년 이후 피부 암이나 피부 전암(일광 각화증) 발생 증가 경향이 있습니다.

직업 상 매일 대량의 자외선을 계속 받은 사람의 얼굴이나 목부분 피부에 깊은 주름이 생기며 만져보면 고무처럼 단단하고 탄력성이 없고 색소 침착이 동반됩니다. 목부분에 특징적으로 삼각형이나 마름모형 피부 영역이 만들어져 마름모형 피부라고도 부릅니다. 40세가 지난 사람의 얼굴이나 목부분의 피부에는 진피 상층~중층에 걸쳐 탄성 섬유가 당화 스트레스에 의해 carboxymethyl-lysine (CML)화를 일으켜 일광성 탄성 섬유 변성증(solar elastosis, SE)이라고 부르는 특징적 조직 변화를 나타냅니다.[2] 원인 파장은 자외선 A와 B 모두에 있다고 합니다. SE의 원인으로, 당화 스트레스에 더해 자외선 A에 의해 섬유아세포에서 생성되는 엘라핀(elafin)이라고 부르는 물질의 침착도 관여합니다.[3] 엘라핀은 오래된 변성 탄성섬유의 절단을 저지하므로 변성 탄성섬유 덩어리가 생기는 원인이라고 생각합니다. 또 당화 스트레스를 일으키는 당화 종산물(advanced glycation end products, AGEs)은 진피의 콜라겐 등 수명이 긴 단백질의 당화에 의해 기능을 손상시키므로 AGEs가 침착된 피부는 탄력성을 잃습니다. 그러나 AGEs가 주름 형성에 어떻게 관여하는지 과학적 연구는 없습니다.

자외선 B를 받은 각화 세포에서 분비된 IL-6나 IL-1α가 진피 섬유아세포에 작용하여 matrix metaoproteinase (MMPs)를 생성, 방출하면 진피의 콜라겐과 탄성섬유가 절단, 감소되어 주름을 만든다고 생각합니다.[4] 자외선 B는 또한 섬유아세포의 콜라겐 합성을 억제합니다.

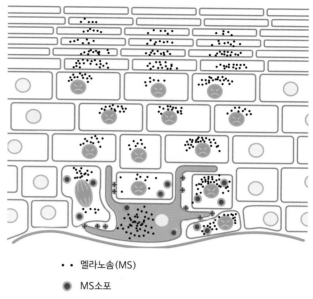

그림 1 검버섯의 기전

자외선의 반복으로 DNA 손상 결과 표피 각화세포(keratinocyte, KC)의 stem cell factor나 endothelin 1 등이 색소세포의 멜라닌 생성을 자극하는 사이토카인 유전자에 변이가 생기며, 이런 사이토카인이 계속 나온 결과 피부 일부에 멜라닌이 과잉으로 생성되어 검버섯이 생긴다고 생각한다.

• • 멜라노솜(MS)

⬤ MS소포

⊗ 유전자 변이 KC

한편 자외선 A는 진피에 도달하여 직접 섬유아세포에서 활성 산소를 통해 MMPs를 생성, 방출하며 멜라닌 생성을 자극하는 콜라겐이나 탄성섬유를 절단하여 주름을 만듭니다. 최근 가시광선보다 파장이 긴 적외선 A (760~1,400 nm)에 MMPs 활성화 작용이 있어 주름의 원인이 되는 것도 밝혀졌습니다.[5]

피부 노화의 예방과 치료

현 시점에서 광노화(기미, 주름)의 가장 좋은 예방법은 선스크린제(자외선 B뿐 아니라 A도 방지) 사용입니다. 한 여름에도 sun protection factor (SPF) 50 제품을 사용하면 햇빛에 그을리지 않습니다. 또 발생되는 활성 산소를 제거하기 위한 비타민 C 등의 항산화제가 들어있는 선스크린제도 있습니다. 출근 시에도 피부에 대한 부하가 적지 않아 대책이 필요하며, 물로 쉽게 씻겨 나가는 선스크린제는 유아에도 사용할 수 있는 독성이 없는 소재로 된 것이 좋습니다.

기미에 대한 치료는 과잉의 멜라닌 생성을 억제하기 위해 효소 티로시나제(tyrosinase) 활성의 저지 또는 효소를 파괴하는 작용이 있는 물질을 미백제로 피부에 도포합니다[알부틴(arbutin), 코직산(kojic acid), 하이드로퀴논(hydroquinone), 리놀레산(linoleic acid) 등]. 기미를 유발하는 POMC (proopiomelanocortin: 색소세포에서 멜라닌 생성을 자극하는 펩티드 α-MSH의 전구 물질)의 mRNA 발현은 항산화제로 억제되므로, 항산화제의 피부 도포나 경구 섭취로 미백 효과를 기대할 수 있습니다.

기미나 주근깨 치료에는 intense pulsed light (IPL)가 효과적입니다. 또 진피성 색소 침착에는 레이저 치료가 이용됩니다.

깊은 주름 치료에는 비타민 A 유도체인 레티노익산(retinoic acid)이 효과적입니다. 그 기전은 자외선에 의해 생성된 활성 산소를 통한 신호 전달계를 저지하여 콜라게나제의 mRNA 발현 상승 억제입니다. 또한 레티노익산은 콜라겐 합성을 높여 주름 개선 효과도 있습니다. 그러나 레티노익산은 피부에 염증성 반응을 강하게 일으킬 수 있어 장기간 사용에는 적합하지 않습니다.

CoQ10은 진피 섬유아세포에서 자외선 A, B에 의한 콜라게나제 mRNA 발현 상승을 억제하고, 자외선 A에 의한 DNA 손상(단쇄 절단)을 억제하여 주름 개선에 도움이 됩니다. 약한 레이저 광선으로 진피 표층에 손상 유발 또는 라디오파로 진피 심부에 장애를 주어 그 회복 과정에서 진피의 회춘을 시도합니다. 엔더몰로지(endermology)는 혈류를 촉진하여 주름이나 늘어짐을 개선합니다. 최근에는 자신의 세포(피부 섬유아세포)를 배양하여 주름 부위에 주입하는 재생 의료나, 고농도의 혈소판을 얼굴 주름 치료에 이용하는 방법도 있습니다. 현재 임상시험 단계이지만 섬유아세포 증식인자(basic fibroblast growth factor, FGF)를 피부에 주입하여 주름과 늘어짐의 개선을 시도하고 있습니다.

광노화는 유아기부터 시작되므로 피부의 안티에이징은 소아기부터의 적절한 대책이 필요합니다.

(市橋正光)

문헌

1) Ichihashi M, Ando H, et al: Photoaging of the skin. Anti-Aging Med 2009; 6: 46-59.

2) Mizutari K, Ono T, et al: Photo-enhanced modification of human skin alastin in actinic elastosis by Nε-(carboxymethyl) lysine, one of the glycoxidation products of the Maillard reaction. J Invest Dermatol 1997; 108: 797-802.

3) Muto J, Kuroda K, et al: Accumulation of elafin in actinic elastosis of sun-damaged skin: elafin binds to elastin and prevents elastolytic degradation. J Invest Dermatol 2007; 127: 1358-66.

4) Fisher GJ, Datta SC, et al: Molecular basis of sun-induced premature skin ageing and retinoid antagonism. Nature 1996; 379: 335-9.

5) Schroeder P, Lademann, et al: Infrared radiation-induced matrix matalluproteinases in human skin: Indication for protection. J Invest Dermatol 2008; 128: 2491-7.

Ⅲ
안티에이징(노화방지) 의학의 기초

3 용모 노화: 늘어짐, 주름, 윤곽, 안면 골격

노화에 의한 얼굴, 목의 변화(그림 1)

이마에 가로 주름(horizontal forehead lines)과 눈썹 사이에 세로 주름(glabellar frown line)이 생기고, 코뿌리에 수평 주름(horizontal procerus wrinkles)이 출현합니다. 위 눈꺼풀의 함몰(sunken eye)을 일으켜 피부가 늘어집니다(상안검 피부 이완). 아래 눈꺼풀 바깥쪽에 까마귀 발자국(crow's feet)이 생기고, 아래 눈꺼풀 안쪽에 안협구(naso-jugal groove, tear trough depression)가 생기고, 안와지방이 돌출하여 주머니 모양 안검(baggy eyelid)으로 진행합니다.

볼의 피부가 늘어져 귀 앞과 볼에 주름이 생깁니다. 비순구(nasolabial folds, 팔자주름, smile lines)가 뚜렷해집니다. 입술이 얇아지고, 세로 주름(perioral wrinkles, mouth frown)이 생깁니다. 입꼬리가 늘어지고, 협악선(melomental folds, marionette lines)이 나타납니다. 목에는 가로 주름(necklace lines)이 눈에 띄게 되고, 앞쪽에 수직 방향의 피부 늘어짐(vertical platysma lines, turkey gobble neck)이 나타나고 경하악각(cevicomandibular angle)이 둔각이 됩니다.

노화의 해부학적 변화[1]

지방조직

얼굴에는 진피 아래에 표층 지방과 표정근보다 깊은 부위에 심층 지방이 있으며 각각 지방 구획(fat compartment) 또는 지방체를 구성합니다. 표층 지방층에는 콧날개 바깥쪽의 naso-labial fat compartment, 협골부의 cheek fat compartments(협골 지방체, malar fat pad), 아래 입술 바깥쪽에서 아랫턱에 걸친 jowl fat compartment가 있습니다. 심층 지방에는 협지방체(buccal fat pad)나 하안검 안륜근하의 안륜근하 지방(suborbicularis occuli

그림 1 얼굴과 목의 늘어짐, 주름, 윤곽

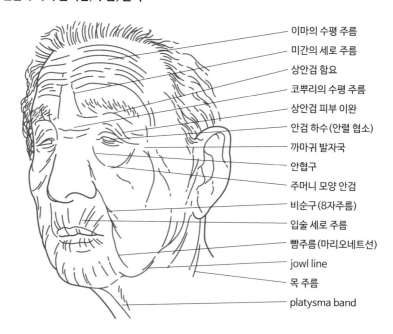

- 이마의 수평 주름
- 미간의 세로 주름
- 상안검 함요
- 코뿌리의 수평 주름
- 상안검 피부 이완
- 안검 하수(안렬 협소)
- 까마귀 발자국
- 안협구
- 주머니 모양 안검
- 비순구(8자주름)
- 입술 세로 주름
- 뺨주름(마리오네트선)
- jowl line
- 목 주름
- platysma band

fat, SOOF)이 있습니다.[2,3]

이런 지방 구획, 지방체는 노화에 따라 변화되어 노인에 특이한 용모를 만듭니다. 뺨(볼)의 지방체는 노화에 따라 위축됩니다. 협골 지방체는 위축에 더해 늘어지며, 눈꺼풀 아래쪽의 orbital retaining ligament를 끌어 당겨 아래 눈꺼풀의 함몰(안협구)나 주머니 모양 눈꺼풀(baggy eyelid)을 만듭니다. naso-labial fat compartment와 협골 지방체의 위축과 늘어짐은 비순구(팔자주름)을 깊게 합니다. jowl fat compartment가 늘어지면 불독 모양의 뺨이나 마리오네트 선(marionette line)을 만들어 얼굴의 윤곽을 사각형으로 만듭니다.[3]

근육

전두근의 수축에 의해 이마의 수평 주름이 생깁니다. 추미근은 눈썹 사이에 세로 주름을, 비근근은 코뿌리에 가로 주름을, 안륜근은 까마귀의 발자국을, 구륜근은 입술의 세로 주름을 만듭니다. 광경근은 목에 세로 주름(platysma band)을 만듭니다. 젊었을 때는 유동적이던 주름이 노화가 되면서 고정화되어 깊어집니다.

지지 인대(retaining ligament)

얼굴에는 피부와 심부 조직을 계속 연결하는 지지 인대(retaining ligament)가 있습니다. 안와 지지 인대(orbital retaining ligament)는 안협구나 주머니 모양 눈꺼풀에 관여합니다. 하악 인대는 마리오네트 선이나 jowl line 발생에 관여합니다.[4]

안면골

노화에 따라 안와가 얕아지고 안검 하연이 바깥쪽을 향하여 확대됩니다. 아랫턱 길이와 하악체가 단축되어 하악각이 명확하게 확대됩니다.[5]

▌노인성 안검하수와 상안면의 변화

상안면 용모 노화로 노인성 안검하수가 나타납니다. 나이가 들면서 위 눈꺼풀 피부가 늘어지고(피부 이완증), 상안검 거근건막(levator aponeurosis)이 안검판에서 후퇴하여 안검 하수가 생깁니다. 건막의 후퇴에 동반하여 안와격막과 안와 지방도 후퇴하여 상안검 함요(sunken eye)가 나타납니다. 안검하수에 의한 시야 장애를 보상하여 불수의적으로 전두근이 수축합니다. 이것으로 이마에 가로 주름이 생기고 눈썹이 올라가 八자 모양이 됩니다.

(大慈弥裕之)

|||||||||||||||||||||||||||||||||||||||||||||||||||||||||| **문헌** ||||||||||||||||||||||||||||||||||||||||||||||||||||||||||

1) 大慈弥裕之:【見た目のアンチエイジングupdate】容貌老化のメカニズム.アンチエイジング医学 2014; 10: 877-84.
2) Gierloff M, Stohring C, et al: Aging changes of the midfacial fat compartments: a computed tomographic study. Plast Reconstr Surg 2012; 129: 263-73.
3) Rohrich RJ, Pessa JE, et al: The youthful cheek and deep medical fat compartment. Plast Reconstr Surg 2008; 121: 2107-12.
4) Alghoul M, Codnar MA: Retaining ligaments of the face: review of anatomy and clinical applications. Aesth Surg J 2013; 33: 769-82.
5) Shaw RB Jr, Katzel EB, et al: Aging of the Mandible and Its Aesthetic Implications. Plast Reconstr Surg 2010; 125: 332-42.

4 비타민 D; 건강과 자외선

비타민 D의 대사와 작용(그림 1)

비타민 D는 비타민 D$_2$ (ergocalciferol)와 비타민 D$_3$ (cholecalciferol)로 나눌 수 있으며, 비타민 D$_2$는 식물(버섯류)에, 비타민 D$_3$는 동물(지방질이 많은 어류, 달걀 노른자)에 들어 있습니다. 비타민 D의 특징은 식사 섭취뿐 아니라 피부에서 자외선 조사에 의해 생산된다는 점입니다. 피부 표면에서 provitamin-D$_3$ (7-dehydrocholesterol])가 자외선(290~315 nm)에 의해 pre-vitamin-D$_3$가 되고 체온으로 이성화를 일으켜 비타민 D$_3$를 만듭니다. 비타민 D$_3$는 간에서 25 수산화 효소의 작용으로 25-수산화 비타민 D[25(OH)D]로 대사됩니다. 25(OH)D는 비타민 D 결합 단백과 결합하여 혈중에 장기간 안정 상태로 존재하므로 비타민 D의 영양상태를 정확히 반영하는 영양 지표로 측정하고 있습니다. 25(OH)D는 신장에서 1,25-디히드록시 비타민 D [1,25(OH)$_2$D]로 대사되어 활성형이 됩니다. 1,25(OH)$_2$D의 기본적 작용은, 십이지장에서 칼슘 흡수 촉진, 신장에서 칼슘 재흡수 촉진, 뼈의 재구축입니다. 비타민 D의 부족이나 결핍은, 골연화증, 골다공증과 관계가 있습니다. 최근에는 비타민 D가 근력(넘어짐), 암, 심혈관 질환, 당뇨병, 면역질환 등에 관여하는 것도 보고되었습니다.[1] 이것은 혈중 25(OH)D가 신장 이외의 세포에서 국소적으로 1,25(OH)$_2$D로 변환되어 작용을 나타내는 것과 관계가 있습니다. 이런 대사 특성으로 역학 연구에서 혈중 25(OH)D 농도와 질환의 인과관계가 나타나기 쉽습니다. 각종 질환 발생 예방에 대한 필요한 혈중 25(OH)D 농도는, 뼈 건강(구루병, 골연화증, 골절 예방 등)에는 20 ng/mL 정도이며, 이런 혈중 농도 도달에 필요한 비타민 D 섭취량은 성인에서 600 IU/일[2]이며, 넘어짐, 순환기 질환, 대장암 예방에는 30~44 ng/mL이 필요하고 이때는 1,800~4,000 IU/일을 섭취해야 합니다.[3]

현재 비타민 D 수준은 세계적으로 부족한 상태입니다. 구루병의 초기 증상으로 생각되는 신생아 두개로 발생 빈도가 적지 않으며, 그 원인으로 모체의 비타민 D 부족이나 결핍이 관여하는 것으로 생각합니다.[4]

피부의 비타민 D 생산(표 1)

비타민 D의 영양 상태는 피부 생산에 의해 결정되며, 사람의 피부에서 생산하는 비타민 D가 필요량의 약 90% 정도를 차지한다는 보고도 있습니다. 피부에서 비타민 D 생산에 효과적인 파장은 자외선 B이지만, 자외선 B는 피부의 기미나 피부 암의 원인이 되므로 햇빛에 과잉 노출은 위험성을 높일 가능성도 있습니다. 피부 건강을 고려하여 어느 정도의 햇빛 노출을 허용할지는 명확하지 않으며, 미국 피부과학회도 햇빛 노출의 의의는 인정하지만, 비타민 D 섭취에 의한 영양 상태 유지를 권장하고 있습니다.

노출 설정 조건으로, 북위 42도(미국 보스턴)에서 봄날 10~15시 시간대에 skin type II인 사람이 얼굴, 목, 손, 팔만을 노출하면(노출 면적이 몸 전체의 25% 정도) 1일 10분의 햇빛 노출로 1,000 IU/일의 비타민 D가 생성된다는 보고가 있습니다. 최소 홍반량을 1로 하면 이 조건은 0.24가 되어 일광 화상의 영향이 없습니다.[5] 이 조건으로 주 2~3회, 6개월간 밝은날 오후(10~15시)에 손발을 노출시켜 5~15분간 햇빛을 쏘이면 1회의 조사로 경구 비타민 D 400~1,000 IU에 해당합니다. 이때 얼굴은 항상 햇빛에 노출되기 쉽고, 쏘이는 면적이 작으며 햇빛 노출의 유해성이 상대적으로 높으므로 선스크린 사용을 권고합니다. 15분 이상 옥외에 있으면 SPF 15 이상의 선스크린을 사용하여 햇빛 화상의 위험을 방지할 필요도 있습니다. 일본에서 양손 면적에 15분간 햇빛 노출 또는 응달에서 30분 정도의 노출로 식품에서 평균 섭취하는 비타민 D 정도가 공급된다고 보고되었습니

그림 1 **비타민 D의 대사와 작용**

비타민 D_3는 식사나 약제 섭취와 피부의 자외선 조사에 의해 생산된다. 비타민D_3는 간의 25 수산화 효소의 기능에 의해 $25(OH)D_3$로 대사된다. $25(OH)D_3$는 혈중에 장기간 안정되게 존재하므로 비타민D의 영양상태를 정확히 반영하는 영양 지표로 되어 있다. 그 후 $25(OH)D_3$는 필요에 따라 신장에서 활성형 비타민 D의1α,25-디히드로비타민 D $(1,25(OH)_2D)$로 대사된다. $1,25(OH)_2D$의 기본 작용은 십이지장에서 칼슘 흡수 촉진이나, 골 흡수, 골 형성의 조절이다. 신장에서 비타민 D 활성화 이외에, 근력, 암, 심혈관 질환, 당뇨병, 면역계 질환에도 관여하고 있다.

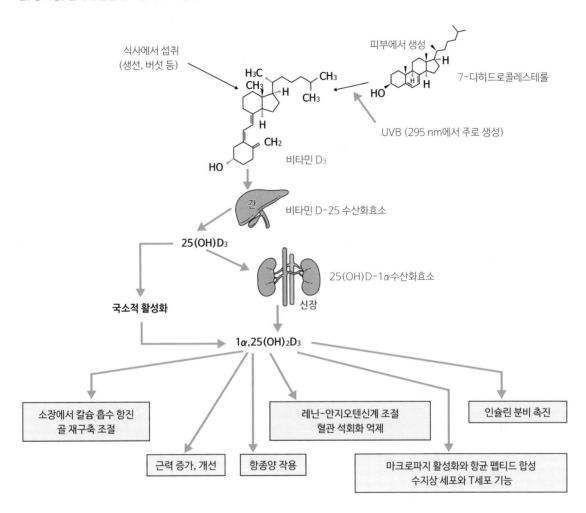

표 1 **햇빛 노출 면적별 비타민 D 생산양과 피부 생산에 필요한 시간과 최소 홍반량의 관계**

북위 42도(Boston), 봄 10~15시(skin type Ⅱ)의 경우. 괄호 안은 MED(최소 홍반량)에 대한 비. 안정성을 고려하여 0.25 이하를 기준으로 한다.
F: Face, N: Neck, H: Hands,
A: Arms, L: Legs

(문헌5에서 인용)

햇빛 노출 부위 (체표면적에 대한 비율)	비타민 D 생산량		
	400 IU	1,000 IU	4,000 IU
F, N, H (11.5%)	9분 (0.21)	22분 (0.54)	89분 (2.16)
F, N, H, A (25.5%)	4분 (0.09)	10분 (0.24)	40분 (0.97)
F, N, H, A, L (57.5%)	2분 (0.04)	4분 (0.10)	17분 (0.43)

다. 다만 계절과 지역에 따라 태양의 자외선 강도가 다르며, 이것이 피부에서 비타민 D 생성에 큰 요인이 될 수 있습니다.

비타민 D 영양 상태의 유지에 일상 식사만으로는 불충분할 가능성이 있어 햇빛 노출이 필요합니다. 그렇다고 특별히 햇빛을 쪼일 기회를 만들기 보다 자외선을 과잉으로 방어하지 않고 일상생활을 하는 것이 바람직하다고 생각합니다. 고령자는 피부의 비타민 D 생산능이 저하되어 비타민 D 식품의 병용도 필요합니다.

(桒原晶子)

########################### 문헌 ###########################

1) Norman AW, Bouillon R: Vitamin D nutritional policy needs a vision for the future. Exp Biol Med (Maywood) 2010; 235: 1034-45.
2) Institute of Medicine: Dietary reference intakes for calcium and vitamin D. Washington, DC, The National Academies Press, 2011.
3) Bischoff-Ferrari HA, Shao A, et al: Benefit-risk assessment of vitamin D supplementation. Osteoporos Int 2010; 21: 1121-32.
4) Yorifuji J, Yorifuji T, Tachibana K, et al: Craniotabes in normal newborns: the earliest sign of subclinical vitamin D deficiency. J Clin Endocrinol Metab 2008; 931784-8.
5) Webb AR, Engelsen O: Ultraviolet exposure scenarios: risks of erythema from recommendations on cutaneous vitamin D synthesis. Adv Exp Med Biol 2008; 624: 72-85.

5 뼈와 외모

연령 증가에 따른 외모의 변화는, 뼈의 변화에 의한 척추 후만(후방으로 굽어짐) 증가입니다. 척추 후만 증가는 골다공증성 추체 골절이나 추간판강의 협소화에 의해 척추 전방 요소의 단축에 의해 생기는 것이 많습니다(그림 1). 특히 여성에서 골다공증성 추체 골절이 척추 변형의 원인이 되기 쉽습니다.

골다공증과 척추 후만증(kyphosis)

골다공증에서는 추체 하나의 골절에도 변형이 심하면 국소적으로 척추 후만이 일어날 수 있으나 대부분은 다발성 골절에서 서서히 후만이 진행합니다. 골다공증 환자는 추체 골절 자체에 의한 척추 단축과 함께 후만의 증가 결과 키가 줄어듭니다(그림 2). 골다공증이 되어도 하지 길이는 변하지 않아 키 저하에서 앉은 키가 단축됩니다. 따라서 골다공증 환자의 앉은 키가 줄어 서 있으면 상대적으로 다리가 길어 보입니다.

골다공증에 의한 척추 변형은 후만 정도나 부위에 따라 흉추 후만이 증가되는 원배(円背), 흉추 후만이 요추 전만으로 보상하는 요원배(凹円背), 흉추 요추가 모두 후만되는 전후만(全後彎), 흉요추 이행부에 비교적 국한된 후만에 보상성 흉추 전만을 동반한 거북이등으로 분류합니다(그림 3).[1)

등 근력 저하와 척추 후만

고령자의 척추 후만 증가는 추체 골절 이외에 등 근육(방척추근)의 위축에 의한 배근력 저하도 관여합니다. 자세 유지에는 체간근 중에서도 특히 등 근육이 중요하기 때문에 배근력이 저하되면 척추 후만이 증가합니다.[2] 등 근육이 위축되면 추골의 극상 돌기가 돌출되어 보입니다(그림 4).

그림 2 골다공증과 키의 줄어듬

골다공증으로 추체 골절에 동반한 척추 후만 증가에 의해 키가 줄어든다. 하지 길이는 변화하지 않기 때문에 키 저하는 앉은키 단축에 의한다.

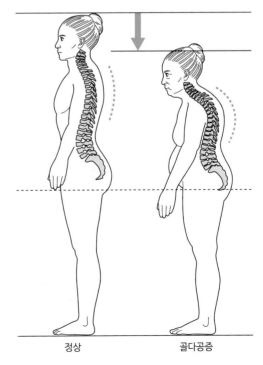

정상	골다공증

그림 1 척추 후만 변형을 일으킨 고령자의 요추 방사선 측면상

골다공증 추체 골절(화살표)과 추간 연골강의 협소화(화살표 머리)에 의해 척추 전방 요소가 단축되고 후만이 증가되어 있다.

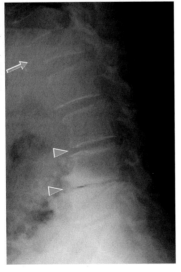

그림 3 골다공증에 의한 척추 변형의 분류

골다공증에 의한 척추 변형은 정상 자세에 대해 흉추 후만이 증가한 원배, 흉추 후만이 요추 전만에 의해 보상된 요원배(concave back), 흉추 요추가 모두 후만을 나타내는 전후만(全後彎), 흉요추 이행부에 국한되어 후만 보상성의 흉추 전만을 동반한 거북등으로 분류된다.

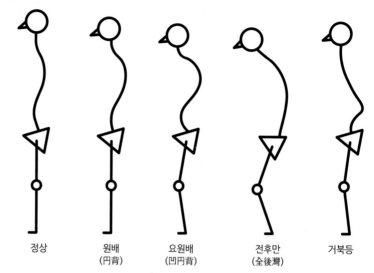

| 정상 | 원배
(円背) | 요원배
(凹円背) | 전후만
(全後彎) | 거북등 |

그림 4 척추 후만에 의한 체표의 변화

척추 후만의 증가와 등 근육 (paraspinal muscle; 척추 주변 근육)의 위축에 의해 극돌기 돌출이 보인다.

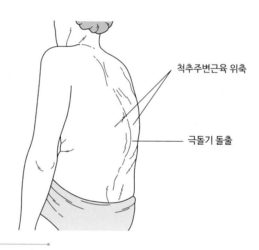

척추주변근육 위축

극돌기 돌출

※역자 주:

• 비정상적 만곡(abnormal curvature)
1. 후만증(kyphosis): 척추의 만곡이 후방향으로 증가된 만곡, 脊柱後弯症 (円背／亀背)
2. 전만증(lordosis): 요추부가 전방으로 과도한 만곡형성
3. 측만증(scoliosis): 척추분절에서 외측편위가 일어난 만곡

척추 후만에 위한 증상

골다공증에 의한 척추 후만 증가는 만성 허리 통증을 일으켜 일상생활 동작에 장애되어 삶의 질 (quality of life, QOL)을 저하시킵니다. 후만 부위를 흉추부와 요추부로 나누었을 때, 흉추 후만 보다 요추 후만 증가에서 QOL이 저하되기 쉽습니다.[3] 또 요추 후만 증가는 몸 중심의 전방 이동에 의한 균형 장애를 일으키기 쉬워 넘어질 위험을 증가시키며,[4] 또 위식도 역류증의 원인이 됩니다.[5]

（宮腰尚久）

문헌

1) Satoh K, Kasama F, et al: Clinical features of spinal osteoporosis: spinal deformity and pertinent back pain. Contemp Orthop 1988; 16: 23-30.
2) Sinaki M, Itoi E, et al: Correlation of back extensor strength with thoracic kyphosis and lumbar lordosis in estrogen-deficient women. Am J Phys Med Rehabil 1996; 75: 370-4.
3) Miyakoshi N, Hongo M, et al: Back extensor strength and lumbar spinal mobility are predictors of quality of life in patients with postmenopausal osteoporosis. Osteoporos Int 2007; 18: 1397-403.
4) Kasukawa Y, Miyakoshi N: et al. Relationships between falls, spinal curvature, spinal mobility and back extensor strength in elderly people. J Bone Miner Metab 2010; 28: 82-7.
5) Miyakoshi N, Kasukawa Y, et al: Impact of spinal kyphosis on gastroesophageal reflux disease symptoms in patients with osteoporosis. Osteoporos Int 2009; 20: 1193-8.

IV

안티에이징 의학 임상

1 안티에이징 검진이란?

안티에이징 검진

신체는 다양한 조직, 기관, 장기로 구성되어 있으며 이들이 동시에 노화되는 것은 아닙니다. 개인차나 부위에 따라 차이가 있습니다. 노화를 촉진하는 위험 인자도 사람에 따라 다릅니다. 30대 후반부터 신체 일부에 연령 승가에 의한 병석 퇴행 변화가 생겨 그것이 질환으로 연결되고, 다른 정상 부위에도 나쁜 영향을 미칩니다. 장수하는 백세 고령자의 조사 결과 분석에서, 백세 고령자는 전신이 균형있게 노화되며, 노화 위험인자가 적은 것을 알 수 있습니다. 따라서 안티에이징 검진은 노화의 취약점을 조기에 진단하여 전체적인 조화를 통해 노화 위험 인자를 교정하는 것이며, 이것이 건강 장수의 길입니다(그림 1).[1,2]

안티에이징 요법을 시작하기 전에 노화의 평가, 즉 노화 정도나 노화를 촉진시키는 위험 인자를 진단합니다. 안티에이징 검진은 건강 진단의 장래 방향을 보여줍니다.[3] 일반인의 건강 진단은 암이나 생활 습관병의 예방과 조기 진단, 치료에 주 목적을 두고 있으나 안티에이징에서는 병적 노화의 발견, 예방·치료가 더해집니다. 생활 습관병의 대부분은 노화 위험 인자로 자리매김을 하고 있습니다.

검사 항목; 노화도와 노화 위험 인자

안티에이징 검진을 시행하는 의료 기관이 증가하고 있으나, 국민들이 그 내용을 충분히 이해하고 있다고는 말하기 어렵습니다. 지난 수 년간 각 의료 기관이 다양한 기준으로 시행해 온 것도 그 원인의 하나입니다. 기준의 통일성에 더해, 국민들에게 "안티에이징 검진으로 무엇을 알 수 있는가"를 명확히 알릴 필요가 있습니다.

노화와 관계된 검사 항목을 노화도와 노화 위험 인자의 2개 범주로 나눌 수 있습니다. 안티에이징 검진에서 노화도를, 근육 연령, 혈관 연령, 신경 연령, 내분비 연령, 골연령의 5항목으로 평가합니다. 그리고 노화 위험 인자는, 면역 스트레스, 산화 스트레스, 당화 스트레스, 심신 스트레스, 생활 습관의 5개 항목에서 평가합니다. 노화도 검사 결과의 설명은, 수치가 "높다거나 낮다", "증가되었거나 감소되었다"라고 설명하기 보다는 기능 연령으로 평균 몇세에 해당하는지 설명하면 수진자가 이해하기 쉽습니다.

안티에이징을 한마디로 말하면 "기능(機能) 연령의 노화 예방, 회춘"입니다. 앞의 10개 항목 중

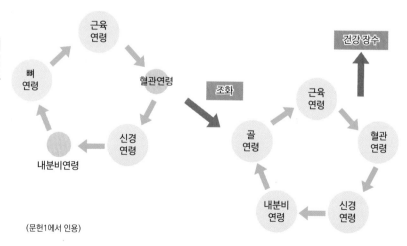

그림1 건강 장수의 길

노화의 약점을 조기 발견하여 신체 균형을 시도한다. 평균 수명과 건강 수명의 차이를 없애는 것이 목표이다.

(문헌1에서 인용)

노화의 취약점(가장 기능 연령이 높은 항목)과 가장 큰 위험 인자 2개 항목의 교정으로 전체의 80%를 달성할 수 있습니다. 이것은 "Pareto 법칙(80 대 20 법칙)"의 응용입니다.

기능 연령의 절대 평가법은 아직 없습니다. 상대 평가로 간편한 방법은, 특정 파라미터에 대한 연령 증가에 따른 표준 곡선을 작성하여 몇 세 수준에 해당하는지를 구합니다. 기능 연령의 목표치는 실제 연령의 80% 정도이며, 검사치는 연령 평균치의 플러스 0.5~1.0 SD(표준 편차)가 타당합니다. 현재 이용 가능한 대표적 측정 방법은, 바이오마커, 연령 증가에 따른 표준 곡선, 최적치에 대해서는 각각의 해당 항목을 참고하기 바랍니다.

안티에이징 검진을 지원하는 소프트웨어로 Age Management Check®, Aging Check®, Lifestyle Compass® 등이 개발되어 있습니다.[4] 이것은 대규모 데이터가 축적 되어 유용합니다.

결과에 근거한 교육

예를 들어 실제 연령 55세 남성의 골밀도가 60세의 평균 골밀도에 해당하면 골연령 60세라고 평가합니다. 데이터베이스를 조회하여 기능 연령을 산출할 수 있습니다. 예방의학은 1차 예방에 중점을 두나, 안티에이징 검진 결과를 기준으로 생활 습관 개선 교육(식사, 운동, 지식)을 시행합니다. 또 필요에 따라 의학적 치료(약물 요법, 호르몬 보충 요법, 재생 의료)를 시행합니다. 교육에는 동기마련, 행동 변화가 중요하며, 안티에이징 전문의나 교육 담당자의 재량(교육 기술, 지식, 열의)이 필요합니다.

가설 증명을 위한 데이터 축적

기능 연령이 가장 노화된 부위(노화의 취약점)와 가장 중요한 위험 인자를 조기에 발견하여 교정하여 전신이 균형 있게 노화되면 평균 수명과 건강 수명의 차이가 줄거나 건강 수명을 연장할 수 있다고 생각합니다. 안티에이징 검진에 의한 기능 연령과 노화 위험 인자의 평가, 그리고 지원 소프트웨어 사용에 의한 대규모 데이터의 축적은 안티에이징의 실천에 중요한 역할을 할 것입니다.

마지막으로

안티에이징의 목적은 기능 연령의 노화방지와 회춘입니다. 건강 장수의 달성에는 안티에이징 검진에 의해 기능 연령과 위험 인자의 진단과 조기 개입이 중요합니다. 노화의 취약점과 가장 중요한 위험 인자를 교정하여 신체 기능의 균형을 유지하면 건강 장수의 연장이 가능할 것으로 생각합니다. 이를 실증하기 위해서는 대규모 데이터가 필요합니다. 안티에이징 검진을 시행하는 의료 기관이 증가하여 많은 국민이 진료 받기를 바랍니다.

(米井嘉一)

문헌

1) 米井嘉一: 抗加齡医学入門. 第2版, 慶應義塾大学出版会, 東京, 2011.
2) 吉川敏一(編): アンチエイジングドック. 診断と治療社, 東京. 2007.
3) Yonei Y, Mizuno Y: The human dock of tomorrow: Annual health checkup for anti-aging. Ningen Dock 2005; 19: 5-8.
4) 伊藤 光 : アンチエイジングドック支援システムAging Check® の使用経験. モダンフィジシャン 2006; 26: 605-8.

2 혈관 연령 평가

현재 맥파 진단뿐 아니라 영상 진단을 포함한 다양한 방법으로 연령 증가에 따른 혈관 연령이 몇 세에 해당한다는 표현을 사용하고 있습니다. 혈관 연령을 측정하기 위해 등장한 장치로 지첨용적 맥파(photoplethysmogram, PTG)의 2차 미분파인 가속도 맥파(second derivative of photoplethysmogram, SDPTG)가 있으며 이를 소개합니다.

안티에이징 검진

혈관 연령이라는 말이 처음 등장한 것은 가속도 맥파계(FCP4731, 후쿠다전자)에 의한 추정 혈관 연령의 측정입니다. 일본은 1986년부터 가속도 맥파 연구회를 시작하여 연령 증가에 따른 특징적 파형이나 패턴을 보고했습니다.[1] 가속도 맥파

와 혈압 변화의 관계를 비롯한 여러 연구에서,[2] 나이가 들면서 b파가 얕아지고, d파가 깊어지는 것을 보았습니다. 이어서 구성 성분의 모든 파형이 나이가 들면서 어떻게 변화 하는지 조사하여 b파, c파, d파, e파의 a파에 대한 비 b/a, c/a, d/a, e/a와 연령의 관계를 조사했습니다. 1994년 6월부터 12월까지 20대에서 70대 남녀 각 50명씩 합계 600명의 기록을 분석하여 1998년 미국 Hypertension 잡지에 발표했습니다. 각 파형은 나이가 들면서 일정한 방향으로 변화되어, b/a는 상승하고, 그 이외의 c/a. d/a, e/a는 감소했습니다 (그림 1). 이렇게 b/a-c/a-d/a-e/a가 연령에 따라 상승하는 지표가 될 수 있으므로 가속도 맥파 연령 증가 지수(SDPTG aging index, SDPTG AI)

그림1 가속도 맥파 높이의 연령대 별 변화

b/a, c/a, d/a 및 e/a와 연령의 관계이다. 남녀 모두(남성 ── 선, 여성 ── 선) b/a가 연령에 따라 상승 한다. 한편 c/a.d/a 및 e/a 는 연령 증가에 따라 감소한다.

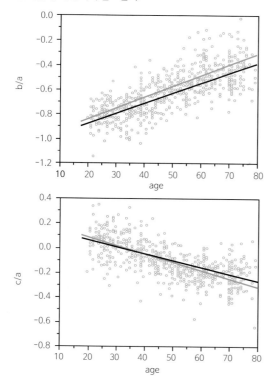
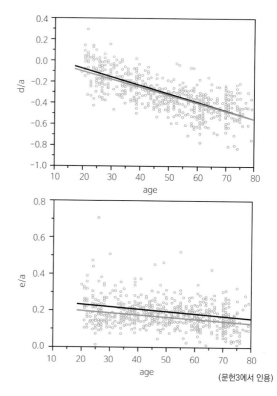

(문헌3에서 인용)

그림2 **가속도 맥파 연령지수(SDPTG aging index)와 연령의 관계**

20대에서 70대를 향하여 연령 증가에 따라 SDPTDAI가 직적적으로 상승되고 있다. 여성(━)의 SDPTGAI가 남성(━)에 비해 높다. 남여 모두 연령에 따라 상승되며 직선 회귀식에서 위쪽은 여성 아래쪽은 남성이다. 기록된 SDPTG AI치를 이 회귀직선에 도입하여 얻은 수치가 혈관 연령이다.

(문헌3에서 수정인용)

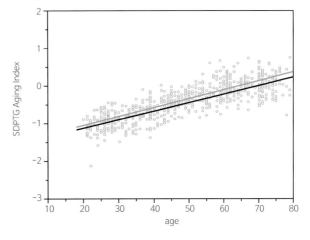

그림3 **생활습관병에서 가속도 맥파의 연령별 지수와 혈관 연령의 차**

a는 고혈압, 당뇨병, 이상지질혈증의 병력이 있는 사람의 SDPTG AI 값이다. 병력이 있는 사람에서 모두 높았다. b는 SDPTG AI치를 바탕으로 각각의 질환군의 혈관 연령이 실연령에 비해 몇 세 높았는지 그래프화한 것이다. 고혈압, 당뇨병, 이상지질혈증 등의 생활 습관병에서는 실연령에 비해 혈관 연령이 10세 이상 높았다.

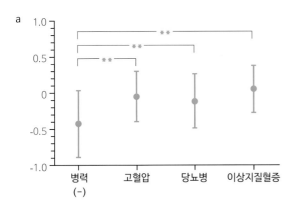

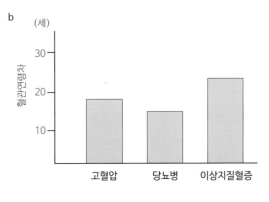

(문헌3, 4에서 수정인용)

라고 명명했습니다. 그리고 이 SDPTG AI와 연령을 직선 회귀식으로 계산한 것이 추정 혈관 연령입니다(그림 2).

남녀 차이가 있어 여성에서 SDPTG AI가 높게 나오며, 이것은 여성의 혈관 협소화 또는 저신장에 의한 수축기 반사파 증가를 생각할 수 있었습니다. 여성 추정 혈관 연령은 41.67×SDPTG AI+61.75, 남성은 43.48×SDPTG AI+67.39로 계산할 수 있습니다. 이를 이용한 측정 장치가 발매되어 지역 집단의 조사에서 연령과 좋은 상관이 있었습니다.[4]

안티에이징 검진

그림 3은 건강 진단을 시행한 600명 중에서 관상동맥 질환 위험 인자인 당뇨병, 고혈압, 이상지질혈증이 있는 사람의 혈관 연령이 실제 연령보다 10세 이상 높았다는 결과입니다. 증상 없이 갑자기 발생하는 심근경색이나 뇌졸중 예방에 혈관 연령 측정이 유용하다고 생각합니다.

2000년부터 가속도 맥파 측정 전용기가 발매되었으며, 증폭한 파형을 주파수 특성 10.3 Hz 필터와 20 dB/decade 필터한 파형을 미분하여 표시합니다. 이 미분 특성은 전에 사용하던 아날로그식 가속도 맥파계와 달리 10 msec의 시정수로 기록한 파형입니다. 또 미분하기 전 원래 맥파의 아날로그 앰프는 10.6 Hz 필터에 의해 노이즈를 제거하고 있습니다. 가속도 맥파계로 몇 종류의 기기가 판매되고 있으나 노이즈 처리나 미분 처리 방법에 따라 파형과 수치가 다르므로 개개 기기의 원리와 데이터소스를 알고 사용할 필요가 있습니다.

(高沢謙二)

|||||||||||||||||||||||||||||||||||||||||||||||| 문헌 ||||||||||||||||||||||||||||||||||||||||||||||||

1) 佐野祐司, 片岡幸雄, ほか: 加速度脈波による血液循環の評価とその応用. 労働科学 1985; 61: 129-43.
2) Takazawa K, Fujita M, et al: Clinical usefulness of the second derivative of plethsysmogram (Acceleration plethysmogram). J Cardiol 1993; 10: 330-6.
3) Takazawa K, Tanaka N, et al: Assessment of vasoactive agents and vascular aging by the second derivative of photoplethysmogram waveform. Hypertension 1998; 32: 365-70.
4) 高沢謙二, 黒須富士夫, ほか: 加速度脈波による血管年齢の推定. 動脈硬化 1999; 26: 313-19.
5) 日本循環器学会: 血管機能の非侵襲的評価法に関するガイドライン. 循環器病の診断と治療に関するガイドライン 2013.

3 신경 연령 평가

뇌는 복잡한 기능을 담당하는 기관이며, 노화에 따른 변화의 지표인 신경 연령 평가에는 적절한 검사 선택이 필요합니다. 뇌의 위축이나 형태 변화를 보는 magnetic resonance imaging (MRI) 검사나 국소 뇌혈류를 측정하는 single photon emission tomography (SPECT) 검사를 뇌 검진에서 시행하고 있으나 안티에이징 검진에서는 설비상의 제약으로 시행하기 쉽지 않습니다. 그러나 인지 기능을 평가하는 신경심리검사(고차 뇌기능 검사)는 쉽게 시행할 수 있으며, 비침습적이고 비교적 단시간에 시행할 수 있어 신경 연령 검사로 널리 사용하고 있습니다. 여기서는 고차 뇌기능과 노화의 관계를 간단히 설명하고, 안티에이징 검진에 사용하는 고차 뇌기능 검사인 Wisconsin Card Sorting Test (WCST)를 소개합니다.

노화와 고차 뇌기능

노화는 인지 기능에 영향을 미치지만, 저하 과정은 각각의 기능에 따라 다릅니다.[1] 예를 들어 언어의 의미기억은 고령까지 유지되지만 처리 속도는 30대를 넘으면서 서서히 저하합니다. 안티에이징 검진 진찰자의 대부분은 거의 건강하며, 시간적 제약으로 여러가지 인지 기능 검사를 조합한 종합적 평가가 어렵습니다. 따라서 신경 연령 평가는 기능 저하와 연령의 관계가 비교적 직선적이며, 지식량 등 개인적 요인에 의한 차이가 적은 인지 기능을 표적으로 한 검사가 바람직합니다.

문제 해결 능력이라고 표현하는 수행 기능은, 추론이나 개념 형성, 추상화 등 다양한 인지 요인을 포함한 고차원적 인지 기능이며, 그 평가는 여러 검사 조합이 필요합니다. 대표적 수행 기능 검사의 하나인 Wisconsin Card Sorting Test (WCST)는 추론 능력처럼 나이가 들면서 저하하는 개념 전환 능력이나 반응의 유연성 등을 평가합니다.

전두엽의 전전두 영역(prefrontal cortex)은 노화에 의한 위축이 다른 영역보다 현저하며, 수행 기능의 신경 기반은 전전두 영역을 중심으로 한 광범위한 네트워크에 있어 노화와 인지 기능의 관계 이해에 중요한 인지 영역입니다.

WCST

개념의 전환 장애나 반응의 유연성 등을 조사하는 WCST는 전두엽 손상 환자에게 예민한 검사로 작성된 카드 분류 검사이며 수행 기능 장애 평가에도 이용됩니다. 일본에서는 간략하게 수정한 케이오판 KWCST를 이용하고 있습니다.[2]

사용하는 것은 적색, 녹색, 황색, 청색으로 칠해진 한 개에서 4개 까지의 삼각형, 별 모양, 십자형, 원형의 도형이 인쇄된 카드입니다. 카드는 색깔, 숫자, 모양의 3개의 카테고리가 있으며, 피험자는 어느 카테고리에 해당하는지 48매의 반응 카드를 1매씩 구분하도록 지시받습니다. 구분에 따라 정답(카테고리 일치)과 오답(불일치)이 힌트로 주어지고, 정답 카테고리는 도중에 예고 없이 변경됩니다. 따라서 피험자는 항상 정답 카테고리를 유추하여 구분해야 하는 추상적 사고가 요구되는 검사입니다(그림 1).

평가에는 달성 카테고리 수(연속하여 6개의 정답을 달성한 구분 카테고리 수), 넬슨형 보통수(직전의 오답과 같은 카테고리로 분류된 오답의 수), 세트 유지의 어려움(2~5회 연속 정답 반응 후에 오답 반응이 생긴 회수) 등의 지표를 이용합니다.

KWCST의 연령별(20~80대) 정상 데이터에서, 3개의 지표가 모두 나이가 들면서 상승하여 유의한 성적 저하가 있습니다.[3]

KWCST를 컴퓨터 소프트웨어화한 WCST FS version은 피험자가 PC 화면의 설명에 따라 혼자 시행할 수 있어 안티에이징 검진에서 신경 연령 평가에 널리 사용하고 있습니다. 소요 시간은 10분 정도로 다른 사람을 신경 쓰지 않고 편하게 검

그림1 케이오판 위스콘신 카드 분류 검사(KWCST)

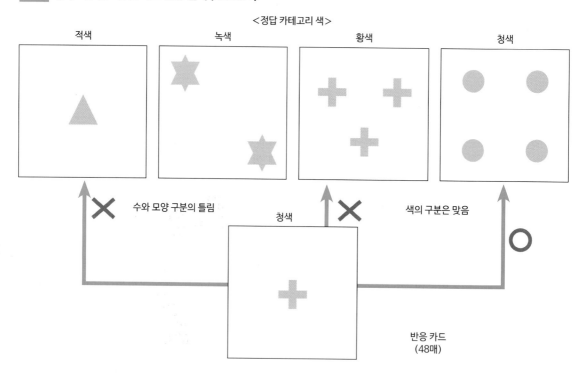

사할 수 있다는 것은 PC 검사의 이점입니다.

마지막으로

신경 연령 평가와 고차 뇌기능 검사 및 WCST에 대해 설명하였습니다. 고령화 사회의 진행으로 치매로 이행될 위험이 높은 경도 인지장애(mild cognitive impairment, MCI)가 주목받고 있으나 치매의 근본적 치료는 확립되지 못했고, MCI의 조기 치료 개입 효과도 아직 불명합니다. 하지만 운동이나 금연 등의 건강한 생활 습관이 MCI나 치매 위험을 줄인다는 연구 결과가 보고되고 있습니다.[4] 안티에이징 검진에서 신경 연령 평가에 의한 인지 기능 저하를 조기에 발견할 수 있

으며, 신체의 포괄적 평가를 기반으로 건강한 생활 습관으로 바꿀 수 있으면 새로운 치매 예방 효과가 기대됩니다.

(仲地良子 , 加藤元一郎)

문헌

1) Harada CN, Natelson Love MC, et al: Normal Cognitive Aging. Clinics in Geriatric Medicine 2013; 29: 737-52.
2) 鹿島晴雄, 加藤元一郎: Wisconsin Card Sorting Test (Keio Version) (KWCST). 脳と精神の医学 1995; 6: 209-16.
3) 鹿島晴雄, 加藤元一郎: 慶應版ウィスコンシンカード分類検査・マニュアル. 京都, 三京房, 2013.
4) Roberts RO, Petersen RC: Predictors of early-onset cognitive impairment. Brain 2014; 13: 1280-81.

4 골연령 평가

골연령과 안티에이징 검진

골연령은 뼈의 성장, 발육이 자신의 연령에 해당하는지 또는 지연이나 조숙이 있는지 알기 위해 측정되어 왔습니다. 안티에이징 검진에서 골연령은 성인에서 노화에 따라 저하되는 골밀도가 자신의 연령에 해당하는가, 그렇지 않으면 보다 젊은 사람 정도에 있는지 또는 연령이 더 많은 사람 정도로 저하되어 있는지 판정하는 지표입니다.

골량 또는 골밀도를 측정하는 표준 방법은 이중방사선 흡수법(dual X-ray absorptiometry, DXA)이며, 다른 방법으로 측정한 경우에는 이것을 기준으로 골밀도에 해당하는 계측치를 이용합니다.

여성은 폐경 후 여성호르몬 분비 저하에 의해 현저한 골밀도 감소가 있습니다. 따라서 골밀도 측정치에는 연령 변화에 따라 남녀별 통계 데이터베이스가 장치에 내장되어 있어 골연령을 제시합니다.

골연령을 평가하는 방법으로 표준 계산식과 그에 기초한 그래프도 작성되었습니다(그림 1). 이것은 DXA법에 의한 청년 성인 평균치(young adult mean, YAM)와의 비(%YAM/골연령 대응표)를 이용한 수식으로 표현합니다. 측정 기종에 따라 특징이 있어 표준화를 목표로 한 것입니다. 앞으로 %YAM/골연령 대응표 및 개선된 수식이 발표될 예정입니다. 골다공증 치료 지침이 정기적으로 개정되고 있으며, 안티에이징 의학회와

그림1 골연령의 수식 표현(%YAM)

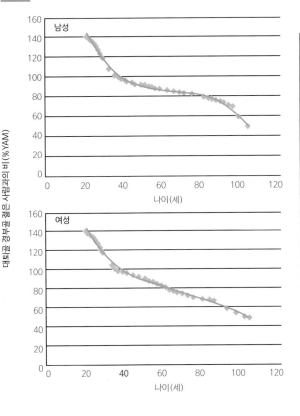

Hologic DEXA

$$y = -0.0006x^3 + 0.1226x^2 - 7.9546x + 260.54$$

% YAM < 75
$$x = -3\times10^{-7}y^5 + 0.0001y^4 - 0.025y^3 + 2.0172y^2 - 77.906y + 1265.4$$
$$R^2 = 0.9909$$

% YAM ≥ 75
$$x = 1\times10^{-8}y^6 - 7\times10^{-6}y^5 + 0.0016y^4 - 0.1945y^3 - 13.034y^2 - 448.39y + 6289.0$$
$$R^2 = 0.9982$$

$$y = 5\times10^{-6}x^4 - 0.0016x^3 + 0.1801x^2 - 9.3042x + 271.59$$
$$x = -5\times10^{-6}y^4 + 0.0019y^3 - 0.265y^2 + 14.346y - 162.74$$
$$R^2 = 0.9935$$

(Anti-Aging Medical Research Center 2014.에서 인용)

협력이 바람직합니다. 골량은 20대에서 40대 전반까지는 크게 변화하지 않으므로 연령 평가를 위한 측정 방법, 측정 부위, 기종별의 평가 방법 시행에 대한 기준이 필요합니다.

어쨌든 골연령의 판정 기준은 골밀도나 이와 관계된 지표입니다. 골밀도 측정법은 개발 후 오랜 시간이 경과하면서 남녀별로 연령대의 평균 치가 데이터베이스화되었습니다. 따라서 안티에이징 검진에서 측정한 골밀도 치 또는 계측 치를 평균 치와 비교하여 몇 세에 해당하는지 산정할 수 있습니다.

골밀도 측정법

골밀도 측정법은 DXA가 표준이며 가능하면 이것을 이용합니다. 측정 부위로 과거 요추를 표준으로 하는 경우가 많았으나, 국제 기준은 대퇴골 근위부입니다. 골다공증 진단 기준은[2] 요추 또는 대퇴골 근위부를 측정하게 되어 있습니다. 이 측정은 전신 측정 DXA 장치가 필요하여 소규모 기관은 도입이 어려울 가능성이 있습니다. 이런 경우에는 보다 간편한 요골이나 종골을 측정하는 말초 DXA 측정 장치를 사용합니다. 이런 DXA법 측정은 정밀도가 좋고 신속히 측정할 수 있습니다. 제2 중수골에서 알루미늄판을 이용하여 방사선 촬영을 시행하는 (microdensitometry MD)법에 의한 골밀도 측정은 가능하지만 정밀도가 낮습니다. 그 밖에 정량적 CT 측정법(quantitative CT)이 있으나 검진 목적으로는 잘 사용하지 않습니다.

안티에이징 검진에 보급할 수 있는 것으로 간편하며, 방사능 노출도 없는 정량적 초음파 측정법(quantitative ultrasound, QUS)이 있습니다. 종골에서 측정하여 초음파의 전파 속도와 감쇠율에 의해 뼈 상태를 평가하는 방법이며 골밀도와 상관된 계측치를 산출하며, 데이터베이스를 참고하여 골연령을 계산합니다. 그러나 골밀도 자체를 측정하는 것은 아니므로 정밀도가 높지 않아 평가에 신중해야 합니다.

골밀도 이외의 골연령 평가법

골량을 기준으로 한 골연령을 설명했으나 뼈의 취약성이나 골절되기 쉬움은 골량만으로 결정되는 것은 아니며 뼈의 질이나 형태, 넘어지기 쉬움 등과 관계가 있습니다. 골질은 정량적 CT 측정법에 의한 3차원 구조에서 추측할 수 있는 부분이 있으나 재질의 특징에 근거하는 부분도 있어 생화학적 지표를 응용합니다. 골흡수 지표나 골형성 지표에 의한 평가나, 골기질을 반영하는 저카복실화 오스테오칼신(undercarboxylated osteocalcin), 호모시스테인, 펜토시딘 등의 측정치가 참고 될 가능성을 생각할 수 있어 앞으로 이 분야의 연구가 기대됩니다. 또 취약성 골절의 병력이나 가족력, 과도한 알코올 섭취나 흡연, 또는 스테로이드 등의 약제 사용에서는 같은 골량에서도 골절을 일으키기 쉽습니다. 유전 요인도 골밀도를 규정하는 인자로 반 정도 기여하고 있으며, 유전자 다형이나 단일 뉴클레오티드 다형태(single nucleotide polymorphism, SNP)검사로 장래의 골다공증을 예측하는 것이 안티에이징 검진에 응용 가능합니다.[3]

이상을 종합적으로 평가하여 골절 위험을 예측하는 FRAX가 있습니다.[4] 컴퓨터 상의 질문에 대답하여 장래 10년간의 주요 골다공증 골절 위험률을 수치로 제공하며, 골밀도 측정보다 정확하고, 골밀도를 측정하지 않아도 대응 값을 산출할 수 있습니다. 따라서 수진자에게 설득력이 있는 설명을 하기 위해 안티에이징 검진에 활용할 수 있는 접근법입니다.

(井上 聡)

━━━━━━━━━━━━ 문헌 ━━━━━━━━━━━━

1) 骨粗鬆症の予防と治療ガイドライン2011年版. ライフサイエンス出版.
2) 原発性骨粗鬆症の診断基準(2012年度改訂版)
3) Urano T, Inoue S: Recent genetic discoveries in osteoporosis, sarcopenia and obesity [Review]. Endocr J 2015 in press.
4) FRAX® WHO骨折リスクツール: https://www.shef.ac.uk/FRAX/tool.jsp?lang=jp

5 내분비 연령 평가

연령 증가에 따라 많은 호르몬의 혈중 농도가 저하되지만, 분비 자극 호르몬의 피드백 기전에 의해 반대로 증가하는 것이나 거의 변화하지 않는 것이 있습니다.[1] 나이가 들면서 나타나는 호르몬 분비의 저하는 내분비 기관의 노화 변성이며, 내분비 세포 감소 및 기능 저하 즉 자극에 대한 반응성 분비 저하가 특징입니다. 또 호르몬 농도뿐 아니라 호르몬 수용체 발현 저하나 수용체 신호의 감소도 나타날 수 있습니다. 실제 진료에서 수용체 다음 단계의 평가는 어려우며, 혈중 호르몬 농도를 측정하여 내분비 연령 평가에 이용합니다. 최근 타액 호르몬 농도를 측정하고 있지만 아직 보편적으로 시행되지 못하고 있습니다.

노화에 따라 분비가 저하되는 대표 호르몬은 여성의 에스트로겐이며 폐경(menopause)이라고 부르는 급격한 분비 정지가 일어납니다. 그 밖에 노화와 관계되어 측정하는 호르몬은 테스토스테론과 부신 유래 안드로겐 dehydroepiandrosterone (DHEA), 뇌하수체계의 성장 호르몬(growth hormone, GH)과 인슐린양 성장 인자(insulin-like growth factor, IGF)입니다. 이런 호르몬은 에스트로겐과 달리 완만하게 저하되지만 연령 증가에 의한 호르몬 분비 저하를 menopause처럼 각각 andropause, adrenopause, somatopause라고 부릅니다. 여기서는 이 4가지 호르몬을 중심으로 평가에 대해 설명합니다.

성선 호르몬

에스트로겐

여성의 혈중 에스트로겐[주로 에스트라디올(E2) 측정] 농도는 청년에서 월경 주기에 따라 주기적으로 변동하지만, 50세 전후의 폐경기를 경계로 급격히 저하되어 같은 연령대의 남성보다 저하됩니다. 이 시기부터 갱년기 장애, 피부나 질의 위축과 미용상의 문제에 더해, 이상지질혈증, 골량 감소, 고혈압, 비만 등이 나타납니다. 그러나 폐경이나 갱년기 상태의 평가 이외에 노화나 다른 병태에서 E2 농도 측정의 의의는 명확하지 않습니다. 폐경 후 여성에서 E2 저하가 현저하여 측정 감도 이하가 많기 때문입니다. 남성의 E2는 테스토스테론의 대사 산물로 연령 증가에 따라 불변하거나 서서히 저하되어 측정 의의는 없습니다.

테스토스테론

유리 테스토스테론 농도는 20대 이후 10년마다 1.6 pg/mL (9.2%) 저하되나(그림 1),[2] 총 테스토스테론 농도는 뚜렷하게 저하되지 않습니다. 따라서 일본의 성선 기능 저하 지침[3]은, 유리 테스토스테론 농도가 20대의 평균 - 2SD인 8.5 pg/mL를 정상 하한치, 8.5 pg/mL 이상에서도 20대 평균치의 70%인 11.8 pg/mL 미만을 저하 경향 군으로 하고 있습니다. 미국과 유럽의 지침[4]은 총 테스토스테론 측정에서 8 nmol/L (230 ng/dL) 미만을 안드로겐 보충 요법 대상으로 하고 있습니다. 식사와 관계없이 아침 7~11시에 채혈하도록 권고하고 있으며, 이것은 테스토스테론이 아침에 높고 저녁에 저하되는 일중 변동이 있기 때문입니다.

부신피질 호르몬

DHEA는 스테로이드 생합성계의 비교적 상류에 위치하며, DHEA의 독자적 수용체는 확인되지 않았기 때문에 대사되어 테스토스테론이나 아로마타제에 의해 변환되어 에스트로겐으로 작용을 나타낸다고 생각합니다. 그런 의미에서 남녀 양쪽에 생리 작용을 가질 수 있으며 항노화 호르몬으로 주목받고 있습니다. 같은 부신 피질 호르몬이지만 코티솔은 연령 증가에 따라 변화하지 않습니다.

DHEA의 대부분은 황산염(DHEA-sulfate, DHEA-S)으로 존재합니다. 혈청 DHEA-S는 사춘기 이후에 증가하여 20대에 피크에 도달하고 그

그림1 **혈청 유리 테스토스테론의 연령 별 분포**

(문헌2에서 인용)

	20대	30대	40대	50대	60대	70대
n	294	287	235	189	120	38
Xbar+2SD	27.9	23.1	21.6	18.4	16.7	13.8
Xbar	16.8	14.3	13.7	12.0	10.3	8.5
Xbar−2SD	8.5	7.6	7.7	6.9	5.4	4.5

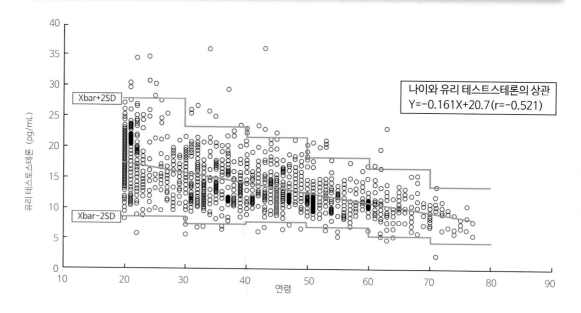

나이와 유리 테스트스테론의 상관
$Y=-0.161X+20.7(r=-0.521)$

표1 **혈청 DHEA-S의 연령별 변화**

CI: confidence interval

(문헌5에서 인용)

age group	mean		95% CI	n
men (n=2,006)				
40~49	1,894.7	±	88.5	331
50~59	1,576.8	±	55.5	659
60~69	1,322.3	±	49.7	713
70~79	995.1	±	59.9	303
women (n=1,307)				
40~49	1,128.0	±	75.5	234
50~59	928.2	±	44.9	419
60~69	739.1	±	36.6	473
70~79	605.2	±	51.5	181

후 연령에 따라 직선적으로 저하합니다(표 1). 남성 $Y=-31.922X+3346$, 여성 $Y=-19.031X+1974$ [Y: 혈청 DHEA-S 농도(ng/mL), X: 연령(세)]라는 회귀식도 있습니다.[5]

GH/IGF−1

GH는 뇌하수체에서 분비되어 IGF−1 생산을 통해 간, 뼈, 근육, 성선 등의 장기에서 세포 증식, 단백 합성 작용을 나타냅니다. GH 분비는 GH 방출 호르몬(GH−RH)과 소마토스타틴에 의해 조절되며, 위장관 호르몬 그렐린(ghrelin)도 GH 분비에 작용합니다. GH 준비능과 혈중 IGF−1 농도는 노화에 따라 저하합니다. 그러나 GH/IGF−1계에 결손이 있는 마우스의 수명 연장이 알려져 있어,[6] GH/IGF–1 저하 만으로 노화도 평가는 어렵습니다.

(秋下雅弘)

######## 문헌 ########

1) 高柳涼一: 内分泌・代謝疾患. 日本老年医学会編, 老年医学テキスト(改訂第3版), 東京, メジカルビュー社, 2008, p472-74.
2) 岩本晃明, ほか: 日本人成人男子の総テストステロン, 遊離テストステロンの基準値の設定. 日泌尿会誌 2004; 95: 751-60.
3) 日本泌尿器科学会, 日本Men's Health医学会「LOH症候群診療ガイドライン」検討ワーキング委員会／編. LOH症候群 加齢男性性腺機能低下症候群 診療の手引き. 東京, じほう, 2007, p60.
4) Wang C, Nieschlag E, et al: Investigation, treatment and monitoring of late-onset hypogonadism in males: ISA, ISSAM, EAU, EAA and ASA recommendations. Eur J Endocrinol 2008; 159: 507-14.
5) Nomoto K, Arita S, et al: Development of a model of functional endocrine age in Japanese people-serum dehydroepiandrosterone-sulfate (DHEA-s) concentration as an index of aging-. Anti-Aging Medicine 2011; 8: 69-74.
6) Bartke A, Minireview: role of the growth hormone/insulin-like growth factor system in mammalian aging. Endocrinology 2005; 146: 3718-23.

IV

안티에이징 의학 임상

6 근연령 평가

근육 평가에는 크게 나누어 근육량과 근력의 2개가 있습니다.

근육량 평가

근육량은, 생체 전기 저항(impedance)법, 전신 계측, CT-MRI 또는 이중 에너지 X선 흡수 측정법(dual-energy X-ray absorptiometry, DXA)에 의해 측정합니다.

생체 전기 저항법(bioelectrical impedance analysis, BIA)은 지방이나 뼈는 전기를 통하기 어렵고 근육이나 혈액은 통하기 쉬운 성질을 이용해 체내 전기 저항을 측정하여 신체 조성을 계산하는 방법입니다. 사지 및 몸통에 12개의 전극을 부쳐 BIA를 측정하면 전신 및 좌우 사지의 몸 조성[1]을 침상에서 계측할 수 있어 간편하며, 측정 결과도 MRI로 측정한 근육량과의 상관계수가 0.9 이상입니다. 정상인(남성 4,365명, 여성 5,970명)의 데이터에 의하면 총 근육량, 상지, 팔뚝, 대퇴, 대퇴사두근의 근육량은 남녀 모두 50세 이후에 감소하며, 감소 정도는 남성에서 더 심한 경향이 있습니다(그림 1).

측정 결과는 연령 성별에 따라 평균±표준편차의 비교에 의한 상대 평가가 가능합니다. Janssen 등의 BIA를 이용한 사코페니아(sarcopenia) 평가에서는, 측정한 골격근량을 체중으로 나눈 골격근 지수(skeletal muscle index, SMI) 평균 -2SD ~1SD를 class I, 그 이하를 class II로 했습니다.[2] 최근 아시아인의 사코페니아 기준은, BIA의 근육량으로 남성 7.0 kg/(키 m)², 여성 5.7 kg/m²로 했습니다.[3] BIA 측정시 주의점은, 체내 수분량에 좌우되므로 심한 운동 후나 대량의 물이나 술을 마신 후, 아침에 일어난 직후나 목욕 직후 등에서는 측정하지 않습니다. 또 미약하지만 전류를 사용하므로 페이스메이커 등 체내 삽입 기기가 있는 환자에서는 사용할 수 없습니다.

신체 계측은 비교적 간단하고 쉽게 근육량을 측정하는 방법입니다. 일본은 2002년 신체 계측 기준치(Japanese Anthropometric Reference Data 2001; JARD 2001)를 보고했습니다.[4] 측정 방법은 줄자로 견갑골의 견봉돌기와 척골의 주두돌기의 중간점에서 상완 둘레 길이와, 같은 부위에서 피하지방 계늑기로 상완 삼두근 피하지방 두께를 각각 2회 측정하여, 각각의 평균치에서 상완근 면적, 상완근 둘레를 산출합니다. 하지의 근육량은 종아리의 최대 둘레 측정치를 이용합니다. 상완근 둘레, 종아리 둘레는 남녀에서 BMI에 비해 50, 60세 이후 저하 경향을 나타냅니다. 근육량이 5퍼센타일 이하이면 저하로 판단합니다(그림 2). 침상에서 3개월에 1회 측정한 근육량의 시간적 변화가 중요합니다.

근력의 평가

근력 평가로서 간편한 것은 악력 검사입니다. 일본의 체력, 운동력 조사에 의하면, 20~50세의 평균은 남성 47~48 kg, 여성 27~28 kg로 거의 변화가 없으나, 50세 이후에는 연령에 따라 저하되어 75~79세에 남성 35 kg, 여성 22 kg이 됩니다.

측정법은 바로 서서 집게 손가락의 제2 관절이 직각이 되도록 조절하여 잡고, 손목 관절을 펴고 팔을 내린 상태에서 좌우 2회씩 측정하여 평균을 산출합니다. 하지 근력을 간편히 평가하는 방법으로 30초 의자 일어서기 검사[30-s chair stand (CS-30) test]가 있으며, 재현성도 높고 고령자의 하지 근력 평가에 적당합니다. 측정 방법은 높이 40 cm 의자에 피험자를 앉게 하며, 등을 펴고 양팔을 부쳐 "시작" 신호로 등을 펴고 양 무릎이 완전히 펴지도록 일어섰다가 신속하게 앉는 것입니다. 이것을 30초동안 반복하여 일어선 회수를 기록합니다. 5~10회 연습 후 시행은 1회로 합니다. 노화에 의한 변화 보고가 있습니다.[5]

(三輪佳行)

그림1 BIA에 의한 근육량 평가

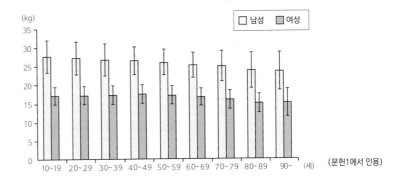

(문헌1에서 인용)

그림2 JARD2001의 종아리 둘레(Calf Circumference)

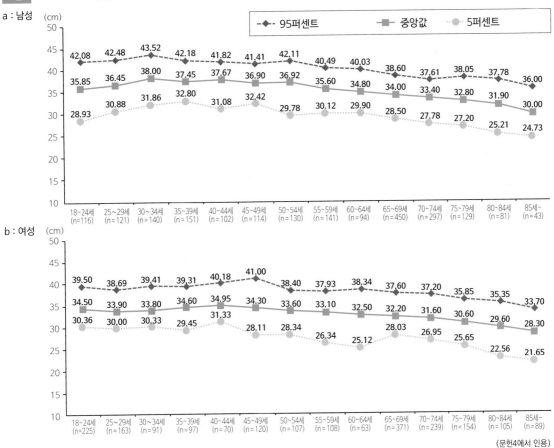

a : 남성 (cm)

b : 여성 (cm)

(문헌4에서 인용)

IV

인티에이징 의학 임상

||||||||||||||||||||||||||||||||| 문헌 |||||||||||||||||||||||||||||||||

1) Yonei Y, Miwa Y, et al: Japanese anthropometric reference data-special emphasis on bioelectrical impedance analysis of muscle mass. Anti-Aging Medicine 2008; 5(6): 63-72.

2) Jansen I, Heymsfield SB, et al: Low relative skeletal muscle mass (sarcopenia) in older persons is associated with functional impairment and physical disability. J Am Geriatr Soc 2002; 50: 889-96.

3) Chen LK, Liu LK, et al: Sarcopenia in Asia: Consensus report of the Asian working group for sarcopenia. JAMDA 2014; 15: 95-101.

4) 森脇久隆, ほか: 日本人の新身体計測基準値JARD 2001. 栄養評価と治療, 大阪, メディカルレビュー社, 2002.

5) 中谷敏昭, 瀧本雅一, ほか: 30秒椅子立ち上がりテスト(CS-30)成績の加齢変化と標準値の作成. 臨床スポーツ医学 2003; 20(3): 349-55.

7 외모 연령의 평가(주로 피부 연령)

외모에서, 외모 연령은 피부, 용모, 체형으로 나누어 생각합니다. 외모가 늙어 보일수록 수명이 짧으며, 텔로미어 길이와 관련 있다는 연구도 있어, 이 분야의 이해가 안티에이징의 필요성을 이해할 수 있게 합니다. 칼로리 제한 원숭이 연구에서 피부(털의 결, 두피의 퇴행, 체모 감소, 홍반), 용모(눈 주위 주름, 팔자 주름, 늘어짐, 눈빛), 체형(척추, 궁둥이 털) 등이 젊은 원숭이와 같았으며, 수명 연장, 암 위험 저하, 심혈관 질환 이환율 저하, 뇌 기능 유지 등에 차이가 있어 외모의 중요성을 인식하게 되었습니다. 특히 피부 노화는 몸 전체의 노화와 강한 관계가 있는 것이 알려져 독립된 영역이 아닌 것도 이해하게 되었습니다.

연령에 따른 외모의 변화

일반적으로 피부 노화에서 표 1과 같은 변화가 나타납니다. 최근 영상 분석 장치(로보스캔 등)나 프로그램이 개발되어 각각의 논리로 검토가 가능해지고 있습니다. 피부, 용모, 체형을 나누어 논하지만 중복도 많습니다. 그 특징은 내적 노화와 외적 노화로 나눌 수 있습니다. 내적 노화는 주로 체형과 용모에 관여하는 골격, 근육에 의한 운동기 증후군과 관련 및 대사증후군과 관련된 형태 변화, 그리고 내분비 기능 저하에 따른 형태 변화(피하지방 조직 측정치, 탈모 등)나 내장 여러 기관 노화에 따른 형태 변화와 환경(특히 자외선, 적외선)에 강한 영향을 받는 피부(상피, 진피)의 변화입니다. 외적 노화는, 색소 침착, 모세혈관 확장, 그리고 감각기의 노화로 감각 기능 저하(온도센서, 촉각센서 기능 저하)나, 반대로 C형 신경 섬유의 상피 내 신장(노인성 피부 가려움) 등이 나타납니다.

피부 연령의 고려[1]

노화의 판단에는 기미, 주름, 늘어짐 등이 평가에 이용하기 쉽습니다. 평가 기준으로 아시아인의 피부 노화 컬러 아틀라스[2]의 부위별 정도가 있으며, 한국인을 모델로 한 문헌도 있습니다.[3]

피부의 늘어짐은 각각 독립적이기보다 연속되어 있다고 생각하는 것이 좋으며, 잔주름, 보통주름, 굵은 주름, 늘어짐을 연속된 변화로 이해하는 것입니다. 노화에 따른 변화를 피부에서 보면 상피 세포의 확대, 편평화, 진피 감소, 지방조직 감소, 근육량 감소, 골다공증에 동반한 골량 저하로 주름과 늘어짐이 생깁니다(표 2).

계측 방법

살결[4]

살결을 규정하는 요인은 상피 세포입니다. 살결은 손바닥, 발바닥에서 상피 돌기가 피부능선(rete ridge), 피부의 crista profunda limitans(피구皮溝 아래) 양쪽 모두에서 형태 구성을 규정합니다. 또 진피 쪽의 엘라스틴이나 옥시타란 섬유도 관여한다고 생각하나, 반흔 형성에서 살결이 회복되므로 상피 세포가 거의 결정하는 것으로 생각합니다. 노화에 따라 살결이 거칠어집니다. 이 평가에는 리플리카법이나 3D 측정 장치를 한 직접 계측법이 있습니다. 실제 임상에서는 더모스코피가 유용합니다(그림 1).

살결의 분류(표 3)에는 피부표면, 피부표면의 변화, 투명도, 색, 모공의 열림 등의 항목을 이용합니다. 각질층이 벗겨지는 정도도 유용하며 보습능을 관찰합니다. 미용 영역에서는 테이프스트립핑으로 각질층을 박리하여 형태 관찰이나 단백 등의 계측에 이용합니다.

건성 피부가 살결 형성에 큰 역할을 하며, 장벽 기능 이상의 관점에서, 각질층의 수분 유지능이나 경피 수분 상실량(transepidermal water loss, TEWL)의 측정은 보습력 평가에 유용합니다. 장벽 기능에는 각질층 관련 인자[세포 사이 지질, 각질 세포, 천연 보습 인자(natural moisturizing

표1 외모의 노화(주로 피부, 용모 기록)

내적 노화와 외적 노화로 나누어 기록한다. 최근 표현계와 내적 노화에 동반한 상관 결과가 알려져 진료에서 진단 보조에 유용하다고 생각한다. 체형의 변화에서는 허리둘레 증가가 현저하며, 지방조직의 분포가 변화한다.

내인성 노화(자연 노화)	외인성 노화
• 색소 침착 　황색 변화 　얼룩 • 작은 주름 • 얇고 투명한 피부 • 지방조직 감소, 셀룰라이트 • 피부 늘어짐 • 건조 피부 • 발한 감소, 노인취 • 백발 • 탈모 • 불필요한 털: 코털, 귀털 • 손톱 변화 • 셀룰라이트	• 일광 흑변, 노인반, 얼굴의 거미모양 혈관종, 가죽모양 피부, 일광 각화, 피부 암, 깊은 주름(햇빛 노출) • 표정 주름(얼굴 표정) • 늘어짐 • 수면선(수면시) • 갈색 피부, 주름(흡연)

그림1 더모스코피(여성의 팔뚝)

80대　　40대

30대　　5세

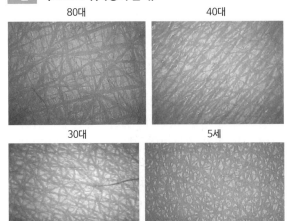

표2 피부 노화(주름, 기미, 늘어짐)의 원인과 주된 인자의 계측법

비침습적 계측 장치의 소견을 주로 기재한다. 피지선, 모유두의 퇴축, 백모화도 중요하다. 상피 세포 변화는 테이프 스트립핑법 등으로 각질층 세포를 벗겨 염색한 현미경 관찰도 가능하다. 연구소에서 MIF/IL-1α/IL-1RA/HSP27/DJ-1/Galectin-7을 각질층에서 검출 가능하다.

1. 상피 세포
   • 상피 세포의 비대: 공초점 레이저 현미경, 병리 조직 관찰
   • 상피 유두층의 편평화: 상피의 얇아짐
   • 각층 세포: 수분 유지능의 저하, 세포간 지질 감소, 접착 분자 감소
   • 상피 세포: TEWL 상승
2. 진피의 탄력성 저하: 탄력계 계측
   • 섬유아세포
   • 간질
   • 섬유계 성분: 공초점 레이저 현미경, OCT 등
   • 교원섬유(I형 콜라겐 80% 진피 망상층), (III형 콜라겐 15% 진피 유두계나 혈관 · 피부 부속기 주위), 탄력 섬유
   • 세망 섬유의 감소, 기질
   • 당단백질: 피브로넥틴
   • 프로테오글리칸: 글루코사미노글리칸(산성 무코당류): 히아론산, 더르마탄 황산 등
3. 피하지방의 변화: 피부 초음파
   • 안면의 지방 유닛 하수
   • 피하지방 비대화
   • 셀룰라이트 형성(지방조직 유닛의 변화)
4. 근육의 얇아짐과 열화: 초음파
   • 표정근(안면)
   • 골격근
5. 골다공증: MRI, CT, 단순 방사선
   • 골안면(광대뼈, 상악골, 하악골)의 변화
   • 추골 등의 변화

(문헌6 , 7에서 수정인용)

표3 살결의 분류

종류	특징	조직학적 특징	부위·치료
1: 살결 microrelief, smooth surface	가역적. 불균일한 살결과 노화 관련. 주름과 직접적 관련 없음	개구부의 분산. 상피 세포가 주체. 유두층을 넘지 않음	체표 모두
1-1: 제1선	십자형. 육안으로 확인	평균 깊이는 생후부터 성인까지 차이 없음. 20~200 μm	손등, 팔 앞. 방향과 깊이는 부위에 따라 다름
1-2: 제2선	십자형. 육안으로 확인		
1-3: 제3선	육안으로 확인할 수 없음	각화 세포 끝에 해당	치료: 박층 케미칼필링, 레이저, 광치료기
1-4: 제4선	육안으로 확인할 수 없음. 주름은 얇은 선	각화 세포의 막. 각층 세포 박리에 의해	치료: 박층 케미칼필링, 레이저, 광치료기

(Pierard 분류 수정인용)

factor, MMF) 뿐 아니라, 상피 세포(치밀반 등 접착분자), 진피 성분(섬유아세포, 콜라겐, 피브로넥틴, 히알루론산 등)이 관여합니다.

노화에 따라 피부 색의 변화도 나타납니다. 기미는 얼굴에서 헤모글로빈 농도 분포나 멜라닌 분포와 관련이 있습니다. 자외선의 영향(UV A/UV B의 작용)에 의해 상피 세포뿐 아니라 진피에서 염증성 사이토카인이 생산되어 일광 각화증, 일광 흑변, 지루성 각화증 등의 질환이 증가합니다. 색소반이 증가하나 이것은 여성호르몬과 관련하는 갱년기에 증가하는 간반(기미)과는 다릅니다. 색소반을 만드는 기전은, 먼저 각화 세포에서 α-멜라노사이트 자극 호르몬(α-melanocyte-stimulating hormone, α-MSH), 섬유아세포 성장인자(basic fibroblast growth factor, bFGF), 칼시토닌 유전자 관련 펩티드(calcitonin gene-related peptide, CGRP), endothelin를 생성하여 색소세포에 전달하여 멜라닌 색소를 만드는 경로가 있습니다. 다른 경로는 자외선에 의해 멜라닌 대사 이상이 일어나서 이미 형성된 멜라닌 색소가 배출되지 않고 수상돌기를 사용하여 주위의 각화 세포에 멜라닌 과립을 보내 색소성 병변을 만드는 것입니다. 피부의 기미 형성을 예상하는 검사 방법으로, MLSTD1, MOGAT1, Mcp9, Krt2-6b 등의 mRNA 양을 측정하여 기미 형성 위험을 판단한다는 보고가 있습니다. 피부에서 광노화와 내적 노화의 차이는 표 4와 같습니다.

황반은 당화와 관련된 당화 종산물(advanced glycation end products, AGEs) 축적에 동반하는 것과 지질 산화에 동반하는 것이 있다고 생각합니다. 당뇨병 환자에서는 황반을 볼 수 있으며 병태와의 관계가 연구되고 있습니다.

노화에 따라 주사(rosasea)와 감별이 필요한 얼굴의 모세혈관 확장이 나타나며 광노화의 일부라고 이해하고 있습니다. 비침습 검사법으로 공초점 레이저 현미경으로 상피를 관찰하면 나이가 들면서 상피가 커지거나 얇아집니다. 유두의 형태는 원형이 없어지고 수가 감소되어 편평화가 진행됩니다. 또 색소 과립이 관찰되어 색소량 계측이 가능해집니다. 얼굴처럼 상피가 얇은 부위에서는 진피 유두층의 섬유다발이 관찰되어 교원섬유의 변화 관찰이 가능합니다.

노화에 따른 유전자 발현 조사에서, 피부 배리어에 대한 유전자나 피부 유지 기능과 관련이 있는 지질 생합성 및 상피 분화에 관여하는 유전자 발현의 감소, 산화 스트레스에 관련된 유전자 발현 증가와 항산화 방어 유전자 발현 감소가 있었습니다. 내인성 노화와 광노화의 차이는, 내인성 노화에서 간질성 콜라겐 유전자 발현 저하, 광노화에서 탄성 조직 유전자 발현 증가와 세포외 매트릭스 유전자 발현입니다.[5]

이렇게 피부 노화의 고려에서 상피 세포뿐 아니라 세포 사이 메트릭스가 Wnt signal 등을 통해 세포 유지에 영향을 주고 있다고 생각합니다.

용모 연령

연령 추정을 훈련 받은 사람은, 얼굴 사진으로 연령을 추정하는 기준으로, 두발 감소도, 살결 변화, 안색(생기 정도), 눈주위 주름, 팔자 주름, 입꼬리의 늘어짐, 아랫턱 부분 늘어짐(때로 목의 주름) 등으로 평가합니다.

기계적 계측 방법은, 사진 영상을 컴퓨터 프로그램으로 분석하여 생기도, 눈주위 주름, 기미, 팔자 주름 등을 측정하여 표준 곡선에서 환산하며, 개인차가 커서 10세 정도의 편차가 있습니다. 최근에는 컴퓨터 분석과 인공지능이 발전되어, 영상의 개인 식별 연구를 통해 연령별 집단의 근사성과 차이를 조사하고 있으며, 얼굴을 세분하여 각 부분의 차이 단계를 인식하는 기법으로 연령을 추정하는 연구가 진행되고 있습니다.

기본적으로 두개골에서는 얼굴뼈의 변화(골다공증), 아랫턱뼈의 변화가 심하며 연령에 따라 감소합니다. 또한 얼굴 중앙 부분에서는 지방조직의 감소와 근조직의 감소, 지지조직(인대)의 느슨함에 동반하여 늘어짐이 생깁니다. 여기에 피부 조직 감소가 관여합니다.

외모 변화는 두발 감소와 그에 따른 이마의 확대 또는 두정부의 대머리와 색소세포 활성 저하에 따라 백발이 나타납니다. 귀의 모양은 개인차가 크며, 발생시에 형태가 만들어집니다. 개인 식

표4 광노화와 연령 증가의 차이	광노화	연령 증가 노화(내인성 노화)
광노화와 연령 증가에 의한 노화는 피부 조직에서 비슷한 소견도 있지만 차이 점도 많다. 예를 들어 광노화에서는 상피가 비후되지만, 연령 증가에서는 얇아진다.	• 탄력성 상실 • 색조의 황갈색화 • 건조, 모세혈관 확장 • 상피 비후 • 불규칙한 상피 위축 • 멜라닌 과립의 불규칙한 분포 • 진피 천층(papillary dermis)의 탄성섬유 변성 • 글리코사미노글리칸 축적 • 내인성 노화 이상의 I형, III형 콜라겐 감소 • 섬유아세포 증가	• 피부의 얇아짐 • 옅은 색소 변화 • 멜라노사이트 감소 • 멜라노솜 감소 • 글리코사미노글리칸 감소 • 탄성섬유 감소

별에도 이용되나, 노화에 따라 귀 크기가 변화하거나 늘어짐이 나타나서 연령 평가의 지표가 되기도 합니다.

체형 연령

3D계측의 간편화로 체형, 자세와 노화의 관계가 보고되고 있습니다. 골다공증에서는 키의 줄어듦으로 쉽게 평가하며, 여성에서는 허리둘레 변화가 특징입니다.

(山田秀和)

문헌

1) 山田秀和: エイジング度の測定法－皮膚・容貌・体形－. 第1部 皮膚状態の測定・評価編, 第13章 年代別での皮膚の測定方法. 皮膚の測定評価法バイブル, 東京, 技術情報協会, 2013: 405-12.

2) ローラン・バザン, フレデリック・フラマン: スキンエイジングアトラス 第2巻, アジア系編, Paris, MED'COM, 2010.

3) Chung J, Lee S, et al: Cutaneous photodamage in Koreans: influence of sex, sun exposure, smoking, and skin color. Arch Dermatol 2001; 137: 1043-51.

4) Pierard GE: Skin ageing, a fresh look at an old story. J Cosmet Dermatol 2004; 3:1.

5) McGrath JA, Robinson MK, et al: Skin differences based on age and chronicity of ultraviolet exposure: results from a gene expression profiling study. Br J Dermatol 2012; 166 Suppl 2: 9-15.

6) Gierloff M, Stöhring C, et al: Aging changes of the midfacial fat compartments: a computed tomographic study. Plast Reconstr Surg 2012; 129: 263.

7) Shaw RB Jr, Katzel EB, et al: Facial bone density: effects of aging and impact on facial rejuvenation. Aesthet Surg J. 2012; 32: 937.

8 구강 연령 평가

‖ 구강 노화 항목의 설정과 평가

구강 노화도를 평가하려면 나이와 관계된 기준치를 설정하기 위한 기초 데이터가 필요하므로, 문헌이나 실태 조사 보고서에서 연령에 따른 변화가 추정되는 항목을 잠정적으로 선택하여 검토해 왔습니다. 약 300례를 분석하여 설성한 검사 항목이 연령 증가에 따라 변동하는 것이 명확하여 구강 노화도 평가법으로 적절하다고 생각할 수 있습니다(그림 1). 검사 방법으로 특수한 기기를 이용하지 않고 일상 진료에서 시행 가능한 조건을 만족하여 이 방법의 보급이 가능하도록 했습니다.

평가에서는 구강내에 있는 치아 수를 파악하고, 치주 질환 정도, 교합력, 삼키는 능력을 측정합니다. 치주 질환이나 충치에 의한 치아 상실은 교합력이나 삼키는 능력을 감소시키고, 타액 분비량이 감소합니다. 타액 분비량이 나이가 들면서 생리적으로 변화하지 않는다고 하지만, 치아 노화에 따라 타액 분비량이 저하된다는 보고가 많아 노화도 판정에 타액 분비량 검사를 시행합니다. 또 Candida균이 연령 증가에 따른 타액 분비량 감소, 면역력 저하, 의치 장착이나 구강 관리 등에 의해 변화되는 것이 보고되어,[1] 이런 검사 항목을 종합적으로 분석하여 구강 노화도를 판정합니다. 검사 방법을 간단히 설명하며 구체적 내용은 문헌을 참고하기 바랍니다.[2]

치아 연령: 현재 치아 수

구강 진단으로 건강 치아 및 처치(處置) 치아 수를 합하여 현재 치아 숫자로 합니다.

치주 연령: 잇몸 상태[지역 치주질환 지수 (community periodontal index, CPI)]

치주 포켓의 깊이를 측정합니다. 프로브 삽입을 치면에 따라 치축과 평행하게 부드럽게 시행합니다. 프로브를 상하로 움직이며 치육구 또는 포켓에 따라 이동합니다. 치석이나 출혈을 확인하고 CPI 코드를 이용하여 1~4로 분류합니다. CPI는 구강 안을 6부분으로 나누어 상하 좌우의 대구치부와 웃턱 오른쪽, 아랫턱 왼쪽의 중절치에서 측정하여 최대 코드를 판정합니다.

교합 연령: 교합력

옥살포스메터 GM10를 이용하여 상하 제일 대구치 사이를 천천히 최대한으로 물게하며, 3회 측정한 최대치를 평가합니다.

삼키기 연령: 침 삼키기 반복 검사(repetitive saliva swallowing test, RSST)

피험자를 바로 눕히고 후두 융기 및 설골에 손가락을 대고 침 삼키는 운동을 반복시켜 회수를 측정합니다. 후두 융기와 설골은 연하 운동에 따라 손가락 위로 이동했다가 원래로 돌아오며 이것을 1회로 합니다. 30초간의 촉진에서 확인된 연하 운동 회수로 판정합니다. 갈증이 심하여 삼키기 운동이 어렵다고 생각하면 물 1 mL 정도를 혀에 떨어트려 검사합니다.

타액 연령: 타액 분비량, Candida균 수

안정시 타액 검사: 검사자는 앉아서 저작하지 않고 안정된 상태를 유지하여 15분간 자연스럽게 유출하는 타액을 컵에 받아 모은 타액량을 측정합니다. 1.5 mL/15분 이하를 타액 분비 저하라고 생각합니다.

자극시 타액 검사(껌 검사): 10분간 껌을 씹는 저작 운동과 미각 자극에 의해 유출되는 타액을 컵에 받아 모은 타액량을 측정합니다. 10 mL/10분이 기준입니다.

자극시 타액 검사(흡인 검사): 거즈를 씹어 구강내에 분비된 타액을 흡수시켜 타액량을 측정하는 방법입니다. 씹기 전 거즈의 무게와 2분간 씹은 후 거즈의 무게를 재서 그 차이를 타액 분비량으로

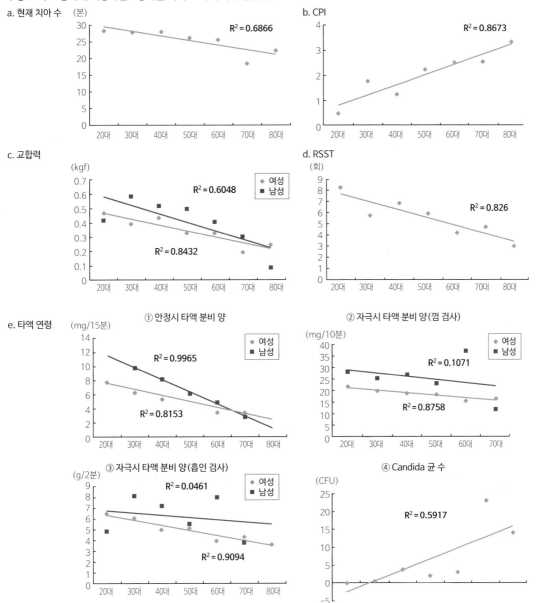

그림1 구강 노화도

구강 노화도 평가에 이용하는 5항목은 각각 노화에 따라 변한다.

a. 현재 치아 수 (본)

$R^2 = 0.6866$

b. CPI

$R^2 = 0.8673$

c. 교합력 (kgf)

여성 / 남성

$R^2 = 0.6048$

$R^2 = 0.8432$

d. RSST (회)

$R^2 = 0.826$

e. 타액 연령

① 안정시 타액 분비 양 (mg/15분)

여성 / 남성

$R^2 = 0.9965$

$R^2 = 0.8153$

② 자극시 타액 분비 양(껌 검사) (mg/10분)

여성 / 남성

$R^2 = 0.1071$

$R^2 = 0.8758$

③ 자극시 타액 분비 양(흡인 검사) (g/2분)

여성 / 남성

$R^2 = 0.0461$

$R^2 = 0.9094$

④ Candida 균 수 (CFU)

$R^2 = 0.5917$

IV
안티에이징 의학 임상

합니다. 2 g/2분 이하를 타액 분비 저하로 합니다.
Candida 균 검사: 혀 위를 멸균 면봉을 약 10회 가볍게 긁어 CHROMagar Candida 배지에 발라 배양 후 콜로니 형성 단위(colony forming unit, CFU)를 측정합니다.

마지막으로

안티에이징 의학에서 다양한 진단법과 대책이 보고되고 있으나 치과 영역의 검토는 많지 않습

니다. 많은 증례를 모아 구강 노화도의 기준치 설정 등 근거에 의한 치과 노화도 검사가 제시되기를 기대합니다.

(梁 洪淵)

||||||||||||||||||||||||||||||||| 문헌 |||||||||||||||||||||||||||||||||

1) Akpan A, Morgan R: Oral candidiasis. Post grad Med J 2002; 78: 455-9.
2) 吉川敏一: アンチエイジング医学－その理論と実践－. 口腔から考える全身のアンチエイジング医学, 吉川敏一編集, 東京, 診断と治療社, 2006, p236-41.

9 청력 연령 평가

나이가 들면서 나타나는 청각 장애는 다음 3개로 나눌 수 있습니다; ① 내이를 중심으로 한 말초 청각기 기능 저하, ② 내이 이후의 청각 중추 신경계의 기능 저하, ③ 인지 기능 전반의 저하. 고령자의 청력 연령 평가는, 말초, 중추, 인지의 3기능을 복합적으로 고려할 필요가 있습니다. 청력 평가 검사는 많지만, 어느 검사도 이 3요소를 개별적으로 평가할 수는 없습니다. 여기서는 대표적 검사와 노화에 따른 변화의 특징을 설명합니다.

▌순음 청력 검사(pure tone audiometry)

단일 주파수(보통 125, 250, 500, 1,000, 2,000, 4,000, 8,000 Hz의 7개)의 순음을 들려주어 피험자가 인지할 수 있는 최소의 음압(역치)을 측정하는 검사입니다. 그림 1은 1,521명의 정상 성인을 대상으로 30대에서부터 5세 간격으로 74세까지의 순음 청력 역치 결과와 일상 대화의 주파수 및 강도에 대한 자료입니다.[2]

노화에 따른 역치 변화의 특징적 소견으로 ① 초기에 고주파수 영역부터 장애가 일어납니다. 난청의 진행에 따라 저음에서 중음 영역으로 장애가 확대되며, ② 노화에 따라 특히 고주파수 청력 저하 진행이 가속화됩니다. 고음 주파수가 장애되어 무성 자음(t, k, s, h, p) 구별이 어려워지나, 모음은 비교적 잘 들립니다.

노화에 따른 청력 장애에 영향을 주는 인자는, 유전적 요인 이외에 인종 차이, 소음 노출력, 흡연, 음주, 당뇨병, 순환기 질환 등의 동반, 성 호르몬의 영향 등에 따라,[1] 같은 나이에서도 개인차가 큽니다. 남녀 사이의 청력 역치 비교에서, 같은 연령에 남성이 여성에 비해 나쁜 경향이 있습니다. 그러나 최근의 보고에서는 남녀 차이가 감소되고 있다고 하여 남녀의 생활 양식 유사성의 영향으로 생각하고 있습니다.[1]

순음 청력 검사는 비교적 간편하여 일상 임상에서 흔히 측정하여 청력 연령 추정에 효과적이라고 생각하고 있으나, 어디까지나 소리 인지 계측

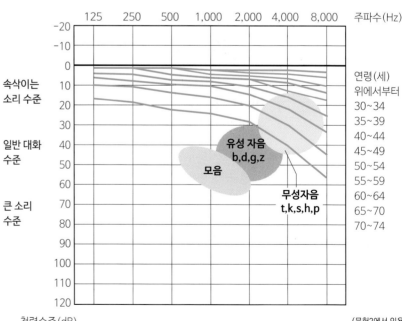

그림1 연령별 청력 역치와 대화의 주파수 및 강도

주파수(Hz)

속삭이는 소리 수준

일반 대화 수준

큰 소리 수준

유성 자음 b,d,g,z

모음

무성자음 t,k,s,h,p

연령(세) 위에서부터
30~34
35~39
40~44
45~49
50~54
55~59
60~64
65~70
70~74

청력수준(dB)

(문헌2에서 인용)

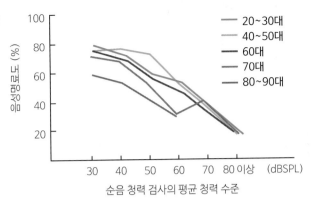

그림2 연령별 대화 청력 수준

순음 청력 검사의 평균 청력 수준

(문헌3에서 인용)

에 지나지 않고, 일상 생활의 듣기를 모두 반영하는 것은 아닙니다. 실제로 고령자의 특징적 호소는 "소리는 들리지만 무슨 말인지는 모르겠다"이므로 중추 청각 기능 평가를 반영하는 검사가 필요합니다.

어음청력(語音聽力) 검사 (speech audiometry)

정보 전달을 위해 일상 생활에서 사용하는 "언어 음(言語音)"을 검사 음으로 사용하여 정답률을 측정하는 검사입니다. 일반적으로 단음절을 이용하여 평가합니다. 언어 음 청력 검사의 정답률은 순음 청력 수준과 상관이 있으나, 순음 청력 수준이 같은 사람과 비교해 보면 고령자에서 정답률 저하가 있습니다. 특히 순음 평균 청력 수준 30~60 dB대에서 이런 경향이 현저합니다(그림 2).[3] 또 제시 음압을 올리면 정답률이 좋아지지만 일정 음압을 넘으면 반대로 정답률이 저하되는 현상(roll over 현상)도 보고되었습니다. 이 롤 오버 현상은 연령 증가에 따라 현저해 집니다.[4]

그 밖에 고령자는 소음이 있을 때 언어 청취능 악화가 잘 알려져 있으며, "소음에서 청취 곤란"이라는 호소도 흔합니다. 실제로 청년이나 고령자에서 소음을 추가해 언어 음 청력 검사를 시행하면 고령자는 적은 소음 부하에도 언어 음 청취 성적이 악화됩니다.[1]

temporal gap detection 검사

아직 연구 단계이지만 청각 중추 기능을 평가하는 검사입니다. 청각의 시간 분해능은 와우 신경 이후의 중추 기능에 근거한다고 생각하고 있습니다. temporal gap detection 검사는 고대역 잡음의 중간에 시간적 무음 구간(temporal gap)을 삽입하여, 이 gap을 검출 가능한지 측정하는 검사입니다. 청년에 비해 고령자에서 검출 역치(검출할 수 있는 gap의 길이) 상승이 알려졌으며, 이것은 순음 청력 검사 역치 상승이 없는 고령자에서도 나타나서 말초 청각 장애 유무와 관계없이 중추 청각에서 시간 분해능이 노화에 따라 저하하는 것을 나타냅니다.[1]

마지막으로

청력 연령을 평가하는 대표적 검사를 설명했습니다. 고형자의 난청은, 말초 청각기뿐 아니라 중추 청각 경로 또 주변 영역의 다양한 부분의 장애에 의해 나타나므로 그 평가는 간단하지 않습니다. 고령자에서 일상 생활의 종합적 청취 능력을 보다 간편하고 정확하게 평가할 수 있는 기법 개발이 필요합니다.

(樫尾明憲 , 山岨達也)

||||||||||||||||||||||||||||||||||| 문헌 |||||||||||||||||||||||||||||||||||

1) 山岨達也, 越智篤: 聴覚に関わる社会医学的諸問題「加齢に伴う 聴覚障害」. Audiology Japan 2014; 57: 52-62.
2) 立木孝, 一戸孝七: 加齢による聴力悪化の計算式. Audiology Japan 2003; 46: 235-40.
3) 前田知佳子, 広田英子, ほか: 感音性難聴者における語音明瞭度 と補聴器使用の年齢別検討. Audiology Japan 1990; 33: 215-9.
4) 安江穂, 杉浦彩子, ほか: 補聴器外来受診高齢者における語音聴 力検査結果の検討. 日耳鼻 2014; 117: 1080-6.

10 폐 연령 평가

폐 연령이란?

폐 연령은 실제 연령과 차이가 있을 때 호흡 기능 이상을 초기 단계에서 발견하려는 개념입니다. 같은 성별, 같은 세대에 비해 자신의 호흡 기능이 어느 정도인지 확인할 수 있습니다. 호흡 기능(1초량)은 20세 전후에 피크이며, 나이가 들면서 점차 저하합니다. 폐 연령을 알면 폐 건강에 대한 의식이 높아져서 건강 유지나 금연 교육, 호흡기 질환의 조기 발견, 조기 치료에 활용되기를 기대합니다.

호흡 기능 검사

폐활량측정법(spirometry)에서 가장 중요한 항목은 폐활량과 1초간 노력성 호기량(forced expiratory volume in 1 second, FEV_1)입니다. 폐활량은 가능한 많은 숨을 내쉬는 것을 나타내며(시간과 관계 없이), 1초간 노력성 호기량은 1초에 내쉬는 숨의 양 즉 얼마나 강하게 숨을 내실 수 있는지 나타냅니다. FEV_1의 표준치는 성별, 연령, 키에 따라 결정되어 있습니다. 중요한 점은 FEV_1이 20대에 피크가 되고 나이가 들면서 서서히 감소되는 지표라는 것입니다(그림 1). 폐 연령은 나이에 따른 표준치와 비교하여 자신의 FEV_1이 어느 정도인지 확인하여 폐의 건강 상태를 알 수 있는 기준입니다.

일본 호흡기학회는 폐활량측정법(spirometry) 검사로 간단하게 폐연령을 계산하는 폐 연령 계산식을 발표했습니다.

남 $[0.036 \times 키(cm) - 1.178 - FEV_1(L)]/0.028$
여 $[0.022 \times 키(cm) - 0.005 - FEV_1(L)]/0.022$

계산 결과에 의해 폐 연령만을 보는 것이 아니라 반드시 1초량과 1초율에서 그룹에 따른 평가 코멘트와 상세 코멘트를 표시하여 폐 연령에 대한 이해와 질환 위험에 대해 주의시키는 것이 중요합니다(그림 2).

당신의 폐는 몇 살입니까?

FEV_1 감소를 가속시켜 실제 연령보다 폐 연령을 높이는 가장 큰 원인은 흡연입니다. 폐 건강 유지를 위해서는 금연이 무엇보다 중요합니다. 폐 연령이 실제 연령보다 낮은 사람에도 같습니다.

흡연을 하지 않아도 나이가 들면서 호흡 기능은 서서히 저하되어 가지만 장기간에 걸친 흡연은 호흡 기능 저하를 급속히 앞당깁니다. 금연하고

그림1 연령과 1초간 노력성 호기량(FEV_1)의 관계

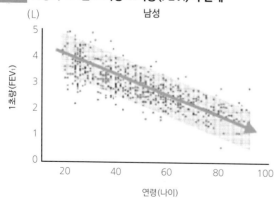

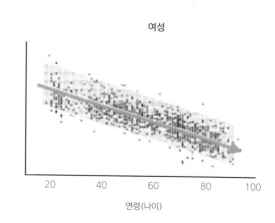

그림2 검사 결과의 그룹 정의와 상세 설명

a: 그룹 정의

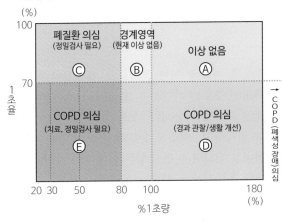

※역자 주:

1. **노력성 폐활량(FVC, Forced vital capacity)**
   안정된 상태에서 천천히 최대한 깊히 숨을 들이 마신 후 최대한 빠르게 세게 내어뱉는 공기량

2. **1초간 노력성 호기량**
   (FEV1, Forced Expiratory Volume in one second)
   최대 노력성 호기(숨을 최대로 들이 쉼)를 시작한 후 1초간 자기의 노력을 다해 내쉰 공기량을 의미하며, '1초량'이라고 함.

3. **1초간 노력성 호기량의 노력성 폐활량에 대한 비율(FEV1/FVC)**
   기도폐쇄 유무를 확인하는 유용한 지표로 '1초율'이라고 함.
   일반적으로 정상인은 자기 노력성 폐활량(FVC)의 70% 이상을 첫 1초에 내쉴 수 있습니다.

b: 검사 결과에 따른 해석

Ⓐ **이상없음**	폐질환 가능성이 낮다. 동년배 평균치에 비해 수치 양호, 앞으로도 정기적 폐 기능 검사를 계속하여 건강 유지 필요	1초율 70% 이상 %1초량 100% 이상
Ⓑ **경계 영역** (현재는 이상 없음)	동년배 평균치에 비해 수치가 나쁨. 앞으로도 정기적 폐 기능 검사를 계속하여 건강 유지 필요	1초율 70% 이상이나 %1초량 80% 이상 100% 미만
Ⓒ **폐질환 의심** (정밀검사 필요)	COPD 가능성은 낮지만 동년배 평균치에 비해 수치가 나쁨. 다른 폐질환을 의심. 전문의에게 재검사 필요	1초율 70% 이상이나 %1초량 80% 미만
Ⓓ **COPD 의심** (경과·관찰/생활·개선)	경증 COPD 의심. 현재 증상이 없어도 방치하면 중증화될 수 있음. 전문의에게 재검사 필요	1초율 70% 미만이나 %1초량 80% 이상
Ⓔ **COPD 의심** (치료, 정밀검사 필요)	증등도 이상의 COPD 의심. 전문의에게 재검사 필요 조기에 적절한 치료로 증상 개선과 진행 억제 필요.	1초율 70% 미만이며 %1초량 80% 미만

적절한 치료를 받으면 병의 진행을 늦추어 호흡 곤란 같은 증상을 줄일 수 있습니다.

흡연자 6명 중 한 명은 FEV₁이 급속히 감소하여 만성 폐쇄성 폐질환(chronic obstructive pulmonary disease, COPD)이 발생하는 "흡연 감수성"이 있다고 생각합니다. COPD의 초기에는 기침, 가래, 숨참 등의 증상이 없으며 흉부 방사선에도 이상이 없으나 FEV₁ 저하(=폐의 노화)는 초기에 나타납니다. 자신의 폐연령을 알아 COPD를 조기에 발견해야 합니다.

(別役智子)

11 눈 연령 평가

눈의 연령 평가는 겉에서 보는 외모 평가와 눈의 시(視) 기능 자체의 평가가 있습니다. 누구라도 젊은 사람처럼 안경이나 콘택트렌즈를 쓰지 않고 먼 곳에서 가까운 곳까지 보기를 바랍니다. 특히 후자를 quality of vision(시 기능의 질)이라고 부르며, 나이가 들면서 기능이 저하되어 가지만 개체 차이가 큰 것도 사실입니다. 예를 들어 60세에 백내장 수술을 받는 사람이 있으며, 80세에도 백내장 수술을 받지 않고 먼 곳에서 가까운 곳까지 잘 보는 사람도 있습니다. 여기서는 눈의 노화 변화 소견과 검사 방법을 정리합니다.

▌눈의 모습 평가

눈의 외관 변화는 나이가 들면서 나타납니다. 노인성 안검 하수증, 결막 이완증(결막 부위의 이완), 검열반, 익상편(코 쪽 결막에서 각막으로 혈관 침입을 동반한 증식 조직), 노인환(콜레스테롤이나 인지질 침착에 의한 각막 주위의 고리 모양의 백탁), 안검연 요철의 불규칙(마이봄선 기능 부전 등에서 볼 수 있다) 등입니다.

이런 눈의 외관적 변화는 세극등 현미경이나 확대경 검사로 명확하며, 대부분의 변화는 수술로 개선됩니다. 그러나 노인환과 안검연의 요철 불규칙은 대처 방법이 없으며 평소부터 전신의 안티에이징 대책이 필요합니다.

▌눈의 시 기능 평가

여기서는 중요도가 높은 조직과 그와 관련된 중요 질환을 요약합니다.

수정체: 노안과 백내장

사람의 수정체는 직경 9 mm 정도이지만 평생 성장을 계속하여 커집니다. 또 노화에 따른 변화를 일으키기 쉽고 서서히 경화되어 황갈색으로 변화되어 갑니다. 초기 과정의 수정체 경화에 의해 모양이 바뀌지 않으면 노안이 됩니다(그림 1). 또

수정체 경화에 의한 혼탁으로 백내장이 됩니다. 백내장 정도는 다양하며, Ernery-Little 분류에 의해 5 단계로 나눕니다. 노안은 조절 기능 측정으로 검사하고, 백내장 유무와 정도 판정은 세극등 현미경 검사나 눈부심 없는 카메라로 시행합니다. 백내장 발생에는 산화 스트레스도 관계하므로 전신성 대사 질환 유무에 영향을 받습니다.

황반부 망막: 노인성 황반변성

황반부는 시세포 특히 추체 세포가 고밀도로 존재하는 부위이며, 정상적으로 1.0 이상의 시력을 나타내는 부위입니다. 이 황반 부위가 노화에 따라 변성 되는 것이 노인성 황반변성이며, 초기 변화는 단순 안저 검사로는 알 수 없습니다. 교정 시력 검사, 안저 검사와 함께 광간섭 단층법(optical coherence tomography, OCT)에 의한 황반검사, 자가 형광 검사, 때로 형광 안저 검사를 시행합니다. 노화가 원인의 하나이지만, 산화 스트레스, 유전 소인 등이 복잡하게 관련되므로 연령은 위험 인자라고 말합니다.

시신경 유두: 녹내장

망막 신경절 세포는 안내압 상승에 취약하여 세포자멸사에 빠지기 쉬우며, 녹내장에서 특징적 병태가 나타납니다. 망막 신경절 세포의 축색 모임이 시신경으로 관찰되며, 녹내장에서 유두함요가 있습니다. 일본에서 40세 이상의 약 4%가 녹내장이라고 하며, 노화에 따라 빈도가 증가 합니다. 시신경 유두 이상은 OCT에 의한 시신경 유두 분석, 스테레오 안저 촬영, 정적 양적 시야검사, 동적 양적 시야 검사 등을 이용하여 진단합니다.

주 눈물샘과 결막: 안구 건조

노화에 따라 눈물 분비가 감소하면 안구 건조증이 됩니다. 안구 건조증은 눈물 저장량과 분비량을 조사하는 쉬머 검사로 진단합니다. 또 각막에

그림1 조절력의 노화성 변화

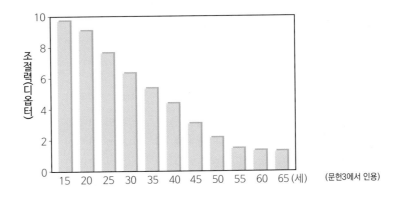

조절력(디옵터)

15 20 25 30 35 40 45 50 55 60 65 (세)

(문헌3에서 인용)

서 눈물 안정성을 보는 눈물막 파괴 시간(tear break up time, BUT) 검사가 있습니다. 전자는 5분에 5 mm 이하, 후자는 5초 이하이면 비정상입니다.

초자체: 비문증과 망막 박리

초자체 내의 혼탁이 비문증을 일으키며, 때로 망막 열공을 동반한 망막 박리를 볼 수 있습니다. 대부분 50~60대에 발생하는 초자체 박리가 원인입니다. 안저 검사가 필수입니다.

각막 내피: 수포성 각막증

약 500 미크론 두께인 각막 가장 안쪽에 각막내피 세포가 있습니다. 이 각막내피 세포 밀도는 정상인에서도 매년 0.4%씩 감소합니다. 이 세포가 극단적으로 감소하면 수포성 각막증이 됩니다. 검사에는 경면현미경(specular microscopy)을 사용합니다. *in vivo*에서 생체 세포를 관찰할 수 있는 중요한 기기입니다.

(木下 茂)

|||||||||||||||||||||||||||||||||||||||||| **문헌** ||||||||||||||||||||||||||||||||||||||||||

1) 石橋達朗編：加齢と眼. 新図説臨床眼科講座 第6巻, 東京, メジカルビュー社, 1998.
2) 川北哲也, 坪田一男：アンチエイジングドックの理論と実践眼の年齢. アンチエイジングドック, 東京, 診断と治療社, 2007. p49-65.
3) 野田実香, 野田航介：目の老化度検査と評価. アンチエイジング医学の基礎と臨床, 日本抗加齢学会専門医・指導士認定委員会編, 東京, メジカルビュー社. =2008. p212-3.

12 산화 스트레스 검사와 평가

노화에 가장 큰 영향을 주는 인자로 산화 스트레스가 주목받고 있습니다. 산화 스트레스에 대항하기 위해 항산화 작용을 가진 천연물이나 식품이 개발되고 있으나, 실제 안티에이징 작용 평가나 과학적 근거에는 문제점이 적지 않습니다. 이런 문제를 해결하기 위해서는 산화 스트레스, 산화 손상을 정확히 반영하는 생체 지표, 산화 스트레스 지표가 필요합니다. 산화 스트레스의 정확한 평가는 병태나 병인 규명으로 연결되며, 또한 효과적 치료법, 예방법의 임상적 평가도 가능해집니다. 여기서는 안티에이징 검진에서 어떤 지표 측정이 유용하고, 어떤 점에 주의해야 하는지 설명합니다.

혈액과 소변의 항산화능 측정

안티에이징 검진에서는 혈액이나 소변을 이용하여 항산화능을 측정하며, 식품, 음료, 기능식품, 천연물이나 추출물의 임상시험에는 자유 라디칼 포착 활성이나 항산화 활성을 수치화합니다. 자유 라디칼 포착 활성과 항산화능은 기본적으로 다르지만, 자유 라디칼 포착 활성으로 정량한 활성 산소 흡수 능력(oxygen radical absorbance capacity, ORAC)을 항산화능이라고 기재하여 혼란을 일으킨 원인이 되었습니다. 여기서는 각 측정법의 특징을 설명하여 유용성과 문제점을 지적합니다.

ORAC

미국 농무부(United States Department of Agriculture, USDA)에서 개발한 항산화력 평가법이며 수용성 아조화합물 2-2'-아조피스(2-메틸아미딘프로판) 2염산염(AAPH)에서 발생한 자유 라디칼 소거능을 항산화력으로 평가하므로, 자유 라디칼 포착활성이라고 부르는 것이 정확합니다. 2012년 USDA는 ORAC 데이타베이스를 철회했습니다. 그 이유는, 특정 항산화제의 ORAC치가 사람의 건강과 직접 관계가 없고, 다른 방법으로 측정한 항산화 활성과 상관이 없으며, 항산화제 효과가 라디칼 포착만이라고 할 수 없고, 식품이나 기능식품의 평가, 사용에 대한 오해의 원인이 되기 때문이었습니다.[1] 혈장 ORAC치를 총 항산화능(total antioxidant capacity, TAC)으로 생각하여 정상인과 환자의 비교, 기능식품 섭취 후 ORAC치 변화 측정 등에 이용되어 왔습니다.

ORAC법의 문제점은, 항산화제에 의한 라디칼 포착 속도와 양(농도)을 구별할 수 없는 것, 프로브로 이용하는 형광 물질에 따라 결과가 크게 좌우되는 것 등이며, ORAC법을 바꾼 항산화력 측정법이 기대되고 있습니다.[1] 최근 플루오로세인의 약점을 보충하도록 반응성이 다른 프로브인 피라닌과 BODIPY를 조합하여 라디칼의 포착과 양의 개별적 측정이 가능하다는 보고가 있어,[2] *in vivo* 또는 사람에 응용을 기대하고 있습니다. 이 법을 응용하면 식품 등에서 시험관내 라디칼 포착의 속도와 양뿐 아니라 식품을 섭취 후 혈중 라디칼 포착능 변화를 파악할 가능성이 있습니다.

각종 항산화 효소 측정

수퍼옥시드의 불균화(不均化) 효소 superoxide dismutase (SOD)는 항산화 효소로 유명하며, SOD 활성의 정량, SOD 단백질 양을 사람의 혈청에서 측정 가능합니다. 사람 혈액 중에는 수퍼옥시드를 제거하는 작용이 있는 물질이 많으며, SOD 활성으로 보고된 데이터가 결코 SOD를 정량한 것은 아닙니다. 혈청 전체의 수퍼옥시드 제거(SOD 유사) 활성, 히드록시 라디칼 제거 활성, 페르옥시 라디칼 제거 활성은 자기공명스핀 장치로 측정 가능하며, 최근에는 측정법 자동화도 시도되어 건진에서 시행한 보고도 있습니다.[3,4] 혈청 SOD 유사 활성 측정 결과, SOD 유사 활성이 비만도와 역상관 관계가 있어 동맥경화 진행의 위험 지표라고 했습니다.

항산화력(Biological Antioxidant Potential, BAP) 검사

항산화능 보다는 시료의 환원 능력을 평가하는 검사입니다. 3가 철염($FeCl_3$) 용액에 평가하려는 혈장, 혈청, 식품의 수용성 추출물 등 샘플을 첨가하여 2가 철 Fe^{2+} 이온으로 환원력을 정량하는 검사 입니다. 사람에서 몇개의 보고가 있으나, 샘플 수집에 주의가 필요하여 혈청 분리시 킬레이트제(EDTA 등)를 사용하지 않고, 또 식품의 기능성 성분 중에는 철 킬레이트 작용을 나타내는 것도 있어 주의가 필요합니다.

▌혈액, 소변의 산화물 측정

단백질, 지질, DNA 등은 활성 산소 공격을 받으면 비교적 특이적 산화 생성물을 만듭니다. 이런 산화 생성물을 미량 정량하는 기술이 발전 되고 있습니다. 또 이에 대한 특이 항체를 제작하여 enzyme-linked immunosorbent assay (ELISA) 키트로 혈액, 소변 검체 측정도 가능합니다.

8-OHdG

8-hydroxy-2'-deoxyguanosine (8-OHdG)은 DNA를 구성하는 염기의 하나인 deoxyguanosine (dG)의 8위치가 히드록실화된 구조이며, DNA 산화 손상 지표로 자주 이용하는 산화 스트레스 지표입니다. 소변을 이용하여 비침습적으로 생체내 산화 스트레스를 평가할뿐 아니라, 혈청, 백혈구, 조직 등 다양한 시료에서 측정이 가능합니다. 8-OHdG 증가는 발암 위험 증가와 관련이 있다고 생각합니다.

8-OHdG 측정은 과거 고속액체크로마토그라피/전기 화학 검출(HPLC-ECD)법으로 측정했으나, 8-OHdG ELISA 키트가 개발되어 안티에이징 검진에 사용하고 있습니다. 일반적으로 24시간 수집 소변으로 측정하여 체중 당 1일 배설량(ng/24시/kg)으로 평가합니다. 소변 8-OHdG 농도는 일중 변동, 흡연, 운동, 식사 등에 의해 영향을 받기 쉬워, 단회뇨(spot urine)으로 측정하면 생성 속도 보정이나 크레아티닌으로 보정합니다. 생성 속도 보정은, 배뇨 시 소변 모두를 받아 지난번 배뇨 후부터 경과 시간 비율, 소변량, 농도에서

단위시간 당 생성 속도를 계산합니다(ng/hr/kg). ELISA 키트는 유리 8-OHdG, 올리고 DNA의 8-OHdG, 황산 포합체 등도 반응하여 HPLC-ECD법에 비해 2배 정도 높은 수치를 나타냅니다. 혈액, 혈청 샘플의 ELISA 키트에 의한 8-OHdG 측정은 고분자 성분에 의한 간섭을 받아 신뢰성이 높은 데이터를 얻기 어렵습니다. 또한 혈청 분리법, 시간 등의 영향도 크고, 한외여과(ultrafiltration) 처리를 병용해도 문제점이 있어 주의합니다.

혈중 과산화지질 측정

티오바르비틀산(thiobarbituric acid) 반응 물질 측정법은 생체에서 과산화지질을 간접적으로 평가하며, 안티에이징 검진을 비롯하여 임상적으로 널리 이용되고 있습니다. 각종 히드로페르옥시드(hydroperoxide)를 초고감도이며 특이적으로 정량할 수 있는 가스크로마토그래피(gas liquid chromatography, GLC)나 고속 액체크로마토그래프(high performance liquid chromatography, HPLC)법과 화학발광법의 병용이 개발되고 있습니다. 사람 혈중에 있는 라디칼 산화 유래 과산화지질 양은 보고에 따라 차이가 있으나, 혈장 인지질 히드로페르옥시드(phosphatidylcholine hydroperoxide, PC-OOH) 양은 10~100 nM 범위라고 보고되었습니다. Niki[5]는 현재까지 얻을 수 있었던 혈장 과산화지질에 대한 보고를 정리하여 정상인에서 혈장에 축적되는 라디칼 산화 유래의 과산화지질 농도는 많아도 1 μM 을 넘지 않는다고 했습니다.

과산화지질을 비교적 간단히 측정하려는 시도가 있으며, 임상적 유용성도 알려지고 있습니다. 산화 스트레스도(reactive oxygen metabolites-derived compounds, ROMs) 검사는 산성 완충액(pH 4.5)으로 희석하여 트란스페린에서 유리되는 철 이온과 히드로페르옥시드 반응에서 생성되는 지질 라디칼을 발색 크로모겐과 반응시켜 발색을 측정합니다. 과산화지질에 비교적 특징이 높은 diphenyl-1-pyrenylphosphiline (DPPP)를 이용하여 혈청 히드로페르옥시드를 정량합니다.

과산화 수식을 받는 단백질

생체 내 단백질은 각종 번역 후 수식을 받으며, 산화 번역 후 각종 수식은 그 중의 하나로 노화 병태에 관여합니다. 단백질의 티로신(tyrosine)기나 리신(lysine)기의 산화는 비교적 안정된 수식체를 형성하므로 이것을 화학적이나 면역화학적으로 정량 분석하는 기법이 확립되어 있습니다. 티로신기의 할로겐화는 myeloperoxidase 등의 효소에 의해 생성되므로 호중구 활성화의 좋은 지표입니다. 티로신기의 니트로화는 일산화질소(NO) 등의 질소 산화물에서 유래하므로 유도형 NO 합성 효소를 가진 마크로파지 활성화 지표로 이용합니다. 안티에이징 효과가 기대되는 플라보노이드나 폴리페놀은 티로신기 수식을 억제하는 작용으로 항염증 작용의 과학적 근거가 됩니다.

지질과산화 반응의 중간 활성체가 단백질을 부가 수식(付加修飾)하는 것이 알려져 있습니다. 특히 ω6, ω3 다가 불포화 지방산의 초기 산화물에서 유래한 hexanoyl lysine (HEL)이나 propanoyl lysine (PRL) 지질 부가 수식 리진이 주목받고 있습니다. HEL, PRL은 혈중뿐 아니라 소변에서 ELISA 키트로 측정 가능합니다. 안티에이징을 목표로한 전향적 연구에 이용할 수 있는 지표, 특히 비침습적으로 소변 바이오마커에 의한 자료 축적이 기대됩니다.

이소프라스탄

이소프라스탄(15−isoprostane $F_{2\alpha}$)은 세포막이나 지단백에 있는 인지질이 자유 라디칼에 의해 산화되어 형성된 프로스타글란딘과 비슷한 화합물이며 특히 동맥경화와 관련이 주목받고 있습니다. 시판 ELISA 키트는 15−이소프라스탄 $F_{2\alpha}$ (15−isoprostane $F_{2\alpha}$: 8−isoprostanes)을 정량합니다. 혈중 이소프라스탄은 유리형 이외에 인지질에 에스테르 결합한 형태도 존재하므로 가수분해 처리 후 고상(固相) 추출 처리하여 총 이소프라스탄 농도(유리형+결합형)를 측정합니다.

산화형 CoQ10 비율

혈중에 존재하는 코엔자임 Q10 (CoQ10)은 95%가 환원형이며, 산화형은 5% 이하입니다. 환원형으로 변환하는 힘은 노화나 스트레스에 의해 서서히 약해져 가므로 총 CoQ10에 대한 산화형 CoQ10의 비율은 혈중 산화 스트레스 지표라고 생각할 수 있습니다. 노화에 따라 각 장기의 CoQ10 저하가 알려져 있으며, CoQ10 총량뿐 아니라 산화형 CoQ10 비율이 바이오마커가 될 가능성이 있습니다.

마지막으로

혈액이나 소변의 항산화능이나 산화 생성물을 간편한 측정 요구는 많지만 아직 gold standard가 없습니다. 표지가 되는 수식 단백질을 확인하는 여러 지표 펩티드를 동시에 정량하는 기술이 발전되고 있어 안티에이징에서 산화 스트레스 지표 측정의 새로운 기법 도입을 기대합니다.

(內藤裕二)

문헌

1) 二木鋭雄：抗酸化物の活性, 効能に関する話題：USDAによるORACデータベースの撤回. ビタミン 2012; 86: 519-20.
2) Morita M, Naito Y, et al: Assessment of radical scavenging capacity of antioxidants contained in foods and beverage: rate and amount of radical scavenging in plasma solution. Food & Function 2015; 6: 1591-9.
3) Isogawa A, Yamakado M, et al: Serum superoxide dismutase activity correlates with the components of metabolic syndrome or carotid artery intima-media thickness. Diabetes Res Clin Pract 2009; 86: 213-8.
4) Nakagawa H, Isogawa A, et al: Serum gamma-glutamyltransferase level is associated with serum superoxide dismutase activity and metabolic syndrome in a Japanese population. J Gastroenterol 2011.
5) Niki E: Lipid peroxidation: physiological levels and dual biological effects. Free Radic Biol Med 2009; 47: 469-84.

13 심신 스트레스의 검사와 평가

스트레스는 생체 내에 일어나는 심리적, 신체적 일그러짐이며, 일상 생활의 모든 사건이 스트레스를 일으킵니다. 스트레스에 대한 방어 작용으로 일련의 스트레스 반응이 일어나지만 일반적으로 스트레스가 있다고 해도 심신의 건강 균형은 유지됩니다. 그러나 스트레스가 장기적이며 만성적으로 지속되면 생체 방어 기능이 파탄되어 질병이나 장애를 일으킵니다. 이런 스트레스 과잉은 신경계에서 해마 신경 세포에 손상을 주어 인지 기능 장애나 우울증을 일으키고, 신체적으로는 고혈당, 고혈압, 골밀도 저하 등 여러 질환과 관계가 있다고 알려졌습니다. 안티에이징 검진에서는 노화 위험 인자(면역 기능, 산화 스트레스, 심신 스트레스, 생활습관, 대사 기능)의 하나로 심신 스트레스를 평가합니다.

검사 항목

심신 스트레스 검사 항목으로, 주관적 평가 척도인 안티에이징 QOL 공통 문진표와 객관적 평가 척도인 혈청 코티솔, dehydroepiandrosterone-sulfate (DHEA-S), 코티솔/DHEA-S 비 등이 있습니다.

안티에이징 QOL 공통 문진표

일본 안티에이징 의학회에서 작성한 문진표이며, 생활 습관 등의 기초 항목과 신체 증상, 마음 증상 등 자각 증상에 대한 질문 항목이 포함됩니다. 마음의 증상(표 1)에는 의욕 저하, 우울, 불면 등 우울증 관련 증상, 자신감 관련 증상, 불안 관련 증상이 포함됩니다. 특히 고령자에서 정년, 세대 교체, 배우자의 죽음, 건강 상실 등 다양한 상실 체험을 거치며 스트레스 반응으로 우울 상태를 나타내기 쉽습니다. 우울 증상은 인지 기능과도 관련이 있으며, 우울 증상의 평가는 심신 스트레스뿐 아니라 고령자의 정신 상태 평가에도 중요합니다. 안티에이징 검진 결과는 또한 식사 요

법, 운동요법 등 행동 변화를 일으키기 위한 동기 마련의 관점에서도 심리 상태의 평가는 의의가 있습니다.

혈청 코티솔, DHEA-S, 코티솔/DHEA-S 비

스트레스 반응의 기전은 복잡하며, 정량 방법이 충분히 확립되지 않았으나 부신에서 생산되는 코티솔이나 DHEA같은 스트레스 호르몬과 스트레스 반응의 관련이 생물학적, 임상적으로 알려져서 안티에이징 검진에서 이들을 정량 지표로 측정하고 있습니다. 대뇌 변연계가 스트레스 요인을 감지하면 내분비계 및 자율 신경계 경로를 통해 생체에 스트레스 반응이 일어납니다. 적당한 스트레스는 면역 기능을 높여 저항력이 생기도록 작용하지만 이것이 과잉이 되면 생체 반응이 파탄됩니다. 과잉의 스트레스가 호르몬에 미치는 영향은 그림 1과 같습니다.

코티솔

코티솔은 스트레스 호르몬이라고도 부르며, 스트레스가 있으면 혈중 농도가 올라갑니다. 코티솔은 혈압이나 혈당을 상승시켜, 몸이 투쟁 또는 도피 반응에 대비하게 합니다. 코티솔이 과잉으로 분비되면 항염증 작용을 나타내며 면역 기능이 저하됩니다.

DHEA

DHEA는 테스토스테론이나 에스트로겐 등 성 호르몬의 전구 물질이 되는 호르몬입니다. 또 스트레스 저항성, 면역 기능 유지, 골밀도 유지, 인슐린 저항성 개선 등의 작용이 있습니다.

DHEA가 저하되면 당지질 대사이상이나 수분 전해질 균형 유지에 지장을 주어, 당뇨병, 이상지질혈증, 고혈압, 골다공증 등 생활 습관병 위험을 높입니다. 혈중 DHEA-S 농도는 연령 증가에 따라 감소되며, DHEA 생산 세포가 산화 스트레스

표1 마음의 증상

표1 마음의 증상

마음의 증상에는 우울증 관련 증상, 자신감 결핍 관련 증상, 불안 관련 증상이 포함 된다.

- 초조하다
- 신경질적
- 의욕이 없다
- 행복을 느끼지 않는다
- 사는 보람이 없다
- 일상생활에 즐거움이 없다
- 자신감을 잃는다
- 사람과 말하기 싫다
- 우울
- 도움이 되는 인간이 아니다
- 잠이 얕다
- 수면 불량
- 끙끙거린다
- 잘 잊는다
- 집중할 수 없다
- 문제 해결이 되지 않는다
- 쉽게 판단하지 못한다
- 걱정으로 잠을 잘 수 없다
- 긴장감
- 이유 없이 불안하다
- 무언가 두려운 느낌이다

(일본항가령학회 : 항가령 QOL 공통 문진표에서 발췌)

그림1 스트레스 과잉이 호르몬에 미치는 영향

스트레스 과잉에서 코티솔이 우선 생산 되고 dehydroepiandrosterone-sulfate (DHEA-S)를 포함한 다른 호르몬 생산은 감소된다.

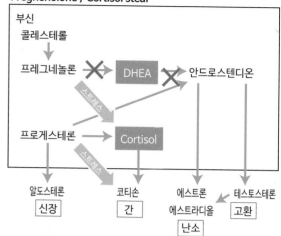

Pregnenolone / Cortisol steal

를 받아 분비 저하를 일으키는 것도 알려졌습니다. DHEA-S는 심신 스트레스의 바이오마커가 될뿐 아니라 내분비 연령, 면역 기능 등의 지표로도 이용합니다.[1] DHEA는 99% 이상이 황산 포합체(DHEA-S)로 존재하므로 검사에서는 이것을 측정합니다.

코티솔/DHEA-S 비

스트레스 과잉에서는 코티솔이 우선 생산되며 DHEA를 포함한 다른 호르몬 생산은 감소합니다 (그림 1). 전구 호르몬도 코티솔로 변환됩니다. 코티솔과 DHEA는 길항적으로 작용하므로 코티솔/DHEA-S 비가 중요합니다. 코티솔/DHEA-S 비가 높으면, 뇌신경 세포사, 골밀도 감소, 근육 밀도 감소, 피부 재생 장애, 면역 기능 장애, 혈당 상승, 비만 등 다양한 생체 변화를 일으킵니다. 안티에이징 검진에서 코티솔/DHEA-S 비(같은 단위) 20 이상을 목표로 합니다.[2]

마지막으로

고령자에서 스트레스는 중요한 노화 위험 인자이며, 그것을 감소시키려는 시도가 안티에이징에 필요합니다. 일반적 대책은 스트레스 요인의 회피입니다. 스트레스를 받으면 먼저 충분한 휴식과 수면으로 몸을 회복시키며, 그리고 나서 스트레스를 일으킨 원인에 대해 알아 봅니다. 인간 관계에 의한 스트레스는 혼자서만 생각하지 말고, 가족, 친구, 의사와 상의합니다. 가만히 앉아 끙끙거리기보다 밖으로 나가 걷는 것도 권합니다. 우울 증상에 대한 감정의 관리를 포함한 스트레스를 이겨내는 방법으로 저항력을 키우면 감정적 스트레스를 감소시킬 가능성이 있습니다. 같은 스트레스에 노출되어도 질병이 되는 사람과 건강을 유지할 수 있는 사람이 있는 것은 흥미로우며, 스트레스 평가는 스트레스와 저항성의 양면에서 중요합니다.

(色本 涼 , 三村 將)

▥▥▥▥▥▥▥▥▥▥▥▥▥▥▥▥▥▥▥▥▥▥▥▥▥▥▥▥▥ **문헌** ▥▥▥▥▥▥▥▥▥▥▥▥▥▥▥

1) 米井嘉一: アンチエイジング医学の現状と展望. 医学のあゆみ 2007; 222: 415-20.
2) 米井嘉一: アンチエイジングとは何か. Angiotensin Research 2009; 6: 1-6.
3) 日本抗加齢医学会ホームページ(http://www.anti-aging.gr.jp/anti/clinical.phtml.

14 당화 스트레스의 검사와 평가

생체에서 당화(glycation)는 혈중 포도당(혈당)과 단백이 비효소적으로 반응하여 아마도리 전위(amadori rearrangement)에 의해 당화 단백이 되고, 그 후 카보닐 화합물을 중심으로 한 중간체 생성을 거쳐 당화 종산물(advanced glycation end products, AGEs)에 이르는 반응입니다. 당화 스트레스(glycation stress)는 고혈당에 의한 환원당이나 알데히드 부하에 의한 생체 스트레스와 그 후의 반응을 종합적으로 나타내는 개념입니다(그림 1).[1] 당화 스트레스에 의한 AGEs 생성과 축적은 당뇨병 합병증, 동맥경화증, 골다공증, 불임, 알츠하이머병 등의 질환과 피부의 기미, 탄력성 저하 등 노화를 악화하는 인자가 됩니다. 특히 피부, 골, 연골 등 콜라겐 조직의 AGEs화는 갈색화나 물리적 변화를 일으켜 미용이나 건강 분야에서 주목받고 있습니다.

당화 스트레스 지표

당화 스트레스 검사에는 AGEs 생성에 관여하는 다양한 물질이 지표가 됩니다.

혈당, HbA1c, 당화알부민(glycoalbumin)은 현재부터 과거의 혈당 상태를 반영하는 지표로 당뇨병 평가에 이용되고 있으며, 유용한 당화 스트레스 지표입니다.

당화 반응의 중간체에 3-deoxyglucosone (3DG), glyoxal (GO) 등의 카보닐 화합물이 있습니다. 3DG는 아마도리 화합물에서 생성되며, 포도당보다 10,000배나 AGEs 생성 반응성이 높습니다. 혈장 3DG농도가 100 nmol/L 상승하면 당뇨병성 망막증, 신병증의 위험이 약 2배가 됩니다.[2]

AGEs에는 여러 종류가 있으며, 형광성과 가교성 유무에 따라 분류합니다. 당화 스트레스 지표

그림1 당화스트레스의 개념도

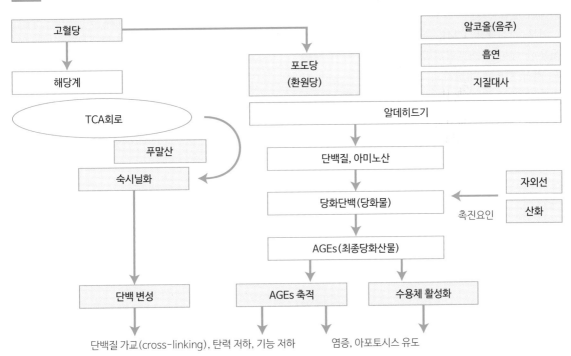

로 흔히 측정하는AGEs에는 carboxymethyl lysine (CML), 펜토시딘(pentosidine)이 있습니다.

CML은 GO를 중간체로 리진에서 생성되는 비형광성, 비가교성 AGEs이며, 당뇨병이나 산화 스트레스 항진에서도 생성됩니다. CML화 콜라겐을 사람의 피부 섬유아세포 배양계에 첨가하면 세포 자멸사가 유도됩니다. CML은 피부에 있는 대표적 AGEs이며, 각질증에 축적되면 거친 피부를 만듭니다.

펜토시딘은 주로 리보스, 알기닌, 리진에서 생성되는 형광성, 가교성 AGEs이며 나이가 들면서 피부에 증가합니다. 혈중 펜토시딘은 신증(腎症)의 조기 지표로 측정합니다. 또 혈중 및 소변의 펜토시딘은 뼈의 매트릭스 관련 지표이며 골대사 지표로 이용합니다.

피부의 AGE는 AGE Reader™ (Diagn Optics사)를 이용하여 비침습적으로 간편하게 측정합니다.[3] 이 측정기는 피부에 자외선을 조사하여 AGEs가 내는 특이한 자기 형광(autofluorescence, AF)을 측정합니다. 간편한 측정 방법이지만 표준 물질이 없기 때문에 측정치의 기기간 차이 교정이 어렵습니다. 또 피부색이나 썬탠의 영향이 있고, 비형광성 AGEs는 측정 할 수 없으며, 피부 조직 측정 깊이의 불명확한 점 등 측정 결과 평가에 문제가 있습니다.

피부 각질층의 CML 측정에는 점착 테이프를 이용한 테이프 스트립핑법이 있습니다.[4] 이 방법은 점착 시트를 피험자의 피부에 몇 초간 눌러 각질층 일부를 채취한 후 시트에서 각질층 단백을 추출하여 CML을 측정합니다.

당화 스트레스 지표

당화 스트레스 억제제의 유용성은, α-글루코시다제 저해 작용, 당화 반응 억제 작용, AGEs 가교 절단 작용 및 작용 경로 등을 *in vitro*나 동물 실험으로 평가합니다.[5] 이런 작용이 확인된 제제는 안전성을 조사하고 임상시험으로 효과를 검증합니다. 임상시험 결과는 제제의 강도뿐 아니라 피험자의 건강 상태에도 영향을 받습니다. 시험 전 AGEs 축적량이 적고 당화 스트레스가 낮은 피험자는 시험 제제의 섭취나 도포에 의한 변화가 적습니다. 건강인을 대상으로한 시험에서, 피험자가 당대사 등의 질환이 없고 식후 혈당치가 높으며, 피부 AGEs 축적량이 많은 사람 즉 당화 스트레스가 높은 사람을 대상으로 선정하면 시험 제제의 효과를 보기 쉽습니다.

(八木雅之)

||||||||||||||||||||||||||||||||||||||| 문헌 |||||||||||||||||||||||||||||||||||||||

1) Ichihashi M, Yagi M, et al: Glycation stress and photo-aging in skin. Anti-Aging Medicine 2011; 8: 23-9.

2) Kusunoki H, Miyata S, et al: Increase in 3-deoxyglucosone levels in diabetic rat plasma. Specific in vivo determination of intermediate in advanced Maillard reaction. Diabetes Care 2003; 26: 1889-94.

3) Nomoto K, Yagi M, et al: A survey of fluorescence derived from advanced glycation end products in the skin of Japanese: Differences with age and measurement location. Anti-Aging Medicine 2012; 9: 119-24.

4) Kamitani Y, Yagi M, et al: Non-invasive collection of stratum corneum samples by a tape-stripping technique. Anti-Aging Medicine 2013; 10: 55-9.

5) 八木雅之, 米井嘉一: 抗糖化食品素材の探索と有用性評価. 食品と開発 2013; 48: 4-7.

15 면역력의 정량적 측정과 평가

인구의 고령화와 함께 근력 저하, 균형력 저하, 건망증 증가 등을 자각하는 사람이 많아지고 있습니다. 일본인의 사망 원인 조사에서, 1위는 암, 2위는 심 질환, 3위는 감염과 뇌혈관 장애입니다. 3위에 2개 질환이 있는 것은 감염이 증가하여 뇌혈관 장애와 거의 같은 수준이 되었기 때문입니다.

노화에 의한 면역력 변화

사람의 몸을 건강하게 유지하기 위해 면역계가 큰 역할을 하고 있습니다. 면역의 가장 중요한 기능은 바이러스나 세균 등의 감염에 대항하는 것이며, 또한 암의 발생과 진행을 막는 기능도 있습니다.[1] 심 질환·뇌혈관 장애는 동맥경화가 원인이지만, 동맥경화의 진행에 면역 부전에 동반한 염증의 관여도 밝혀졌습니다.[2] 다시 말해서 고령화에 동반한 면역 기능 저하가 주요 사망 원인의 배경에 있다고 말할 수 있습니다.[3] 면역계의 기능은 림프구나 대식세포, 호중구 등 기능이 다른 다양한 세포의 협조적 기능으로 이루어지고 있습니다. 면역 기능 수준은 노화나 스트레스에 의해 저하되며, 여러 질환의 진행에 따라 변동합니다. 병의 발생이나 노화 정도가 사람에 따라 다르듯이 면역계의 기능 수준에도 개인차가 있습니다. 80세를 지나도 40대 기능인 사람이 있으며, 반대로 40대에 일찍 기능이 저하되는 사람도 있습니다. 이런 면역력의 변화 정도와 수명이 관련된다는 보고도 있습니다.[4] 즉 면역 기능의 수준(면역력)은 건강 유지에 중요한 데이터이며 개개인에서 평가해야 할 필요가 있습니다. 면역력을 파악하기 위해서는 면역계를 구성하는 다양한 세포의 수와 기능을 총괄적으로 분석할 필요가 있습니다.

노화에 의한 면역력 변화

혈액 중의 림프구를 구성하는 세포(T세포와 세부 집단, B세포, NK세포) 수를 계산하고, 림프구를 배양하여 증식능이나 생산하는 단백질을 측정하여 정량적으로 면역력을 판정하는 면역력 측정 평가 시스템이 개발되었습니다.[4,5] 이런 분석 서비스를 제공하는 벤처 기업이 설립되었습니다.

사람의 생명은 10개 이상의 시스템으로 유지되며 각 시스템은 100 종류 이상의 세포로 구성되어, 기적처럼 훌륭한 조화를 이루어 정교하게 작동하고 있습니다. 이것을 담당하는 것은 신경계, 내분비계, 혈관계 그리고 면역계입니다. 이들은 서로 협조하며, 예를 들어 신경계에 스트레스가 있으면 면역력이 저하됩니다. 면역력 수준이 높은 상태에 있으면 약간 저하되어도 다시 회복할 때까지 일정하게 유지되지만, 면역력이 낮으면 스트레스를 이기지 못하고 몸에 다양한 이상이 일어납니다. 따라서 건강을 유지하려면 면역력에 어느 정도의 수준 유지가 필요합니다.

면역력 측정 평가 시스템은 2~10 mL의 말초혈액(측정 항목 수에 따라 다름)에서 림프구를 분리하여, 면역 지표로 T세포 수와 세부 집단 6종의 수, B세포 수 및 NK 세포 수를 유세포 분석기(flow cytometry)로 측정합니다. 또 림프구를 배양하여 T세포 증식능을 측정합니다. 이것을 정상인 데이터베이스와 비교하여, 각 파라미터가 높으면 3점, 중간 정도이면 2점, 낮으면 1점으로 합니다. 측정 항목의 합계 점수를 다시 5 단계(충분히 높음 단계에서 위험 단계까지)로 나누어 면역력 정도를 평가합니다. 필요 하면 배양시에 생산되는 사이토카인도 측정합니다. 정상인의 데이터베이스는 각 연령대별 정상인 약 500명의 데이터를 이용합니다.

면역력 측정 평가

서비스 신청자에게는 각 항목의 수치 이외의 분석 결과로 면역 연령, T림프구 연령, 면역력 점수, 면역력 단계 등에 대한 전문적 코멘트나 개선 방법 조언 등을 기록한 보고서를 의료 기관을 통

그림1 면역력 측정 평가 예

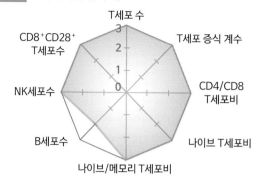

64세, 여성
면역력 연령: 52~55세
면역력 점수: 23/24
면역력 등급 Ⅳ
안정권

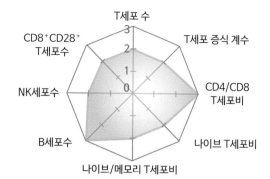

56세, 남성
면역력 연령: 59~62세
면역력 점수: 17/24
면역력 등급 Ⅲ
요주의

해 제공합니다(그림 1). 이런 결과를 건강 유지에 유용하게 이용할 수 있습니다.

면역력 측정 평가는 기능식품 섭취나 투약의 효과 판정에 사용하여 치료 방침을 결정하는 자료도 됩니다. 예를 들어 기능식품 섭취 전과 일정기간 섭취 후에 면역력을 측정하여 효과를 판단할 수 있습니다. 기능식품 섭취가 면역계에 영향을 주는 정도는 개인차가 있습니다. 면역력을 올리는 효과가 있다고 알려진 기능식품도 섭취 후 면역력 측정 결과 반대로 내려갈 수도 있어 무분별한 기능식품 섭취가 건강에 해로울 수도 있다는 것을 알 수 있습니다.

(廣川勝昱)

문헌

1) Hirokawa K, Utsuyama M, et al: Decline of T cell-related immune functions in cancer patients and an attempt to restore them through infusion of activated autologous T cells. Mech Ageing Develop 2009; 130(1-2): 86-91.
2) Shah PK, Chyu KY, et al; Vaccine for atherosclerosis. J Am Coll Cardiol 2014; 54: 2779-91.
3) Hirokawa K, Utsuyama M, et al; Immunity and Aging. Principle and Practice of Geriatric Medicine,ed MSJ Pathy et al, John Wiley & Sons, Ltd, 2006, pp19-36.
4) Hirokawa K, Utsuyama M, et al: Slower immune system aging in women versus men in the Japanese population. Immunity & Ageing. 2013; 10(1): 19.
5) Utsuyama M, Kikuchi Y, et al: Age-related Changes in Subpopulations of Peripheral Blood Lymphocytes in Healthy Japanese Population. Handbook on Immunosenescence, ed Fulop T et al, Springer, 2009, pp203-18.

16 생활 습관: 신체 활동 및 체력의 측정과 평가

신체 활동 측정 평가의 의의

신체 활동 정도는 생활 습관병의 발생 및 단명, 또 체력이나 생활 기능과 관련이 있습니다.[1,2] 따라서 건강 증진이나 안티에이징에 대한 대처나 교육 시행에서 신체 활동 상황의 파악은 중요합니다.

한마디로 신체 활동이라고 해도 그 내용은 복잡하며 다양합니다. 강도에 따라 수면, 좌식 행동을 포함한 안정(1.5 METs 미만), 1.5~2.9 METs의 저강도 활동, 3~5.9 METs의 중등도 활동, 6 METs이상의 고강도 활동으로 분류할 수 있습니다(METs는 대사 당량이며, 안정 시 에너지 소비량을 1로하여 몇배의 에너지가 소비되는가에 대한 개념). 활동 목적에 따라 스포츠나 체력 만들기 등의 운동(여가 시간에 일정한 목적으로 시행하는 활동)과 생활에 필요한 활동인 생활 활동(다시 세분하여 이동, 가사, 노동으로 분류함)으로 분류합니다. 신체 활동의 측정 평가에는 총량을 나타내는 총신체 활동량이나 에너지 소비량의 정량도 중요하지만 강도별 또는 목적별 내역(도메인이라고 부름)으로 구분할 수도 있습니다.

신체 활동의 측정과 평가의 실제

신체 활동량의 측정 평가법은 다양하여, 각 측정 평가법으로 출력되는 활동량의 단위도 열에너지(kcal) 이외에 시간·빈도 점수(임의적 단위) 등으로 다양합니다. 신체 활동량의 측정·평가는 이런 단위를 종합하여 METs·시 단위로 표시하는 것이 많습니다. METs·시 = METs(활동 강도)×활동시간(시)이며, 에너지 소비량(kcal) = METs·시×체중(kg)×1.05(계수)로 산출할 수 있습니다.

사람이 자유롭게 생활할 때 신체 활동량 측정의 표준법은 이중표지수(二重標識水)를 이용하는 방법, 습관적 신체 활동량을 비교적 간편하게 평가하기 위한 질문지법, 매일의 행동을 기록하는 활동 기록법, 간편하며 객관적 평가가 가능한 활동량 계측법 등을 이용합니다.

이중표지수법은 에너지 소비량이나 신체 활동 수준을 엄격하게 측정할 수 있으나, 이중표지수 비용이 비싸고 정기적 채뇨 및 고도의 분석 기술이 필요하여 의료 현장에서 거의 이용하지 않아 여기서는 설명하지 않습니다.

질문지법과 활동 기록법

각 평가법의 용도는 목적에 따라 다르며, 비교적 대규모 집단의 활동량 평가에는 질문지법이나 활동 기록법을 이용합니다. 질문지법으로 비교적 간편하게 습관적 신체 활동 상황 파악이 가능합니다. 그러나 간편하지만 신체 활동 강도나 도메인을 정확하게 인지하여 기억하는 사람은 많지 않고, 정량성이나 타당성이 높다고는 할 수 없습니다. 역학 조사를 위해 많은 질문지가 개발되고 있으나, 일본에서 많은 사람이 사용하며 타당성이 검토된 질문지의 하나에 후생노동성이 추진하는 특정 건강 진단에 이용하는 표준 질문표가 있습니다. ① 1회 30분 이상의 가볍게 땀을 흘리는 운동을 주 2일 이상, 1년 이상 시행, ② 일상생활에서 보행 또는 이 정도의 신체 활동을 1일 1시간 이상 시행, ③ 같은 연령대에 비해 걷는 속도가 빠르다, 등의 질문에 예, 아니오로 대답하는 매우 단순한 질문지이지만, 활동량계와 비교하여 타당성이 검증되었습니다.[3] 강도나 도메인 파악을 목

※역자 주:

- 이중표지수법(二重標識水法)
  동위원소인 중수소와 18가 산소로 만들어진 물을 마신 후 소변의 동위원소를 분석하여, 일상에서 칼로리를 특정하는 하루 에너지 소비량 조사의 표준적인 방법

적으로 WHO가 국제 비교를 위해 개발한 국제 표준 신체 활동 질문표(international physical activity questionnaire, IPAQ)[4]나 일본 동맥경화 예방 연구 기금이 개발한 일본 동맥경화 종단 연구 신체 활동량 질문표(Japan Arteriosclerosis Longitudinal Study Physical Activity Questionnaire, JALSPAQ)가 있습니다.[5] 질문지는 다음 URL에 있으므로 참고하기 바랍니다.

http://www.tmu-ph.ac/pdf/IPAQ%20Japanese%20version(short%20version%20 usual%20week).pdf# search='IPAQ'

http://www.crsu.org/chears/pdf/sintai.pdf# search='JALSPAQ'

활동 기록법은 24시간 생활에서 사건을 시간과 함께 기록하는 방법이며, 정확하지만 습관적 신체 활동을 파악하기 위해서는 수주간 단위의 기록이 필요하여 대상자의 부담이 큽니다. 최근에는 휴대 전화의 어플이 개발되어 기록이나 분석의 간편화가 발전되고 있습니다.[6]

http:/lifestyle24.jp/hp/

활동량계

활동량계(보수계(步數計) 포함)는 목욕이나 수영 등 특별한 활동을 제외하면 기본적으로 기기 장착만으로 활동량을 측정할 수 있어 대상자에게 활동 변화를 일으키는 부담을 강요하지 않습니다. 이런 이점으로 후생노동성의 국민 건강 영양 조사는 보수계로 측정한 "보행 수"를 중~고강도의 신체 활동 지표로 이용하고 있습니다. 후생노동성의 건강 만들기를 위한 신체 활동 지침(액티브 가이드)에서도 1일 8,000보를 목표치로 하고 있습니다.[7] 최근에는, 압전 소자를 응용한 3차원 가속도계를 내장한 활동량계가 일반화되어, 사람의 활동으로 생기는 전후, 좌우, 상하 방향의 충격(가속도)의 크기나 그 출현 빈도에서 보행 수뿐 아니라 에너지 소비량이나 활동 강도(METs)를 객관적으로 추정할 수 있게 되었습니다. 한편 활동량계로 신체 활동의 도메인 구별은 어렵습니다. 대상자가 어떤 목적이나 의도를 가지고 활동하는지 가속도로 구별하기는 어렵기 때문입니다.

최근의 활동량계는 라이프로그라고 부르며 단순한 신체 활동의 강도, 시간, 양을 평가할뿐 아니라 좌식 행동 중단의 상황, 보행과 보행을 동반하지 않는 활동의 구별, 이동 수단의 구별(전철, 승용차, 자전거, 보행, 달리기의 구별), 수면 상황 평가도 가능합니다. 앞으로 활동량계를 이용한 신체 활동 평가는 연구나 조사뿐 아니라 건강 만들기 툴로 우리의 생활에 밀착할 것으로 예상합니다.

체력 측정 결과는 집단이나 개인의 스포츠 기능이나 운동 능력의 기초적 신체 기능을 파악할뿐 아니라 그 후 건강 유지, 향상에 유용하게 쓸 수 있습니다. 여기서 체력은 ① 전신 지구력,[8] ② 근력,[9] ③ 유연성 등의 행동 체력에 초점을 맞춥니다. 질환에 대한 내성을 의미하는 방어 체력은 언급하지 않습니다. 체력 측정에서 중요한 것은 ① 타당성, ② 안전성, ③ 간편성 등의 균형을 되도록 높이 만족시키는 것이며, 측정 목적이나 조건에 따라 적절한 방법을 선택할 필요가 있습니다.

체력 측정의 실제

일본에서 많이 사용하는 체력 측정은 문부과학성이 고안하여 시행하는 신체력 테스트입니다. 문부과학성은, 고령화에 따라 아동기에서 고령기에 이르는 국민의 체력 현황을 파악하고, 추이를 알기 위해 체력을 측정하고 있습니다. 신체력 테스트는, ① 전신 지구력, ② 근력, 근 지구력, ③ 유연성, ④ 기타 체력으로 구성되는 행동 체력을 복수의 종목에서 종합적으로 파악하고 있습니다. 20~64세를 대상으로 한 신체력 테스트는, 악력, 상체 일으키기, 자리에 앉아 앞으로 굽히기, 반복하여 옆으로 뛰기, 빠르게 걷기 또는 20 m 왕복 계속 달리기, 제자리 뛰기의 6종목으로 구성되어 있습니다. 65세 이상에서는 안전을 고려하여, 악력, 상체 일으키기, 앉아서 앞으로 굽히기, 눈뜨고 한발 서기, 10 m 장애물 보행, 6분간 보행 등을 시행합니다. 자세한 시행 방법 및 평가법은 다음 URL을 참고하기 바랍니다.

http://www.mext.go.jp/component/a_menu/sports/detail/_icsFiles/afieldfile/2010107/30/1295079

_03.pdf

http://www.mext.go.jp/component/a_menu/sports/detail/_icsFiles/afieldfile/2010/07/30/1295079_04.pdf

（宮地元彦）

|||||||||||||||||||||||||||||||||||||||||| **문헌** ||||||||||||||||||||||||||||||||||||||||||||||||||||||

1) Hamer M, Chida Y: Walking and primary prevention: a meta-analysis of prospective cohort studies. Br J Sports Med 2008; 42: 238-43.
2) Sattelmair J, Pertman J, et al; Dose response between physical activity and risk of coronary heart disease: a meta-analysis. Circulation 2011; 124: 789-95.
3) Kawakami R, Miyachi M: Validity of a standard questionnaire to assess physical activity for specific medical checkups and health guidance. Nihon Koshu Eisei Zasshi 2010; 57: 891-9.
4) Tomioka K, Iwamoto J, et al: Reliability and validity of the International Physical Activity Questionnaire (IPAQ) in elderly adults: the Fujiwara-kyo Study. J Epidemiol 2011; 21: 459-65.
5) Ishikawa-Takata K, Naito Y, et al: Use of doubly labeled water to validate a physical activity questionnaire developed for the Japanese population. J Epidemiol 2011; 21: 114-21.
6) Namba H, Yamaguchi Y, et al: Validation of Web-based physical activity measurement systems using doubly labeled water. J Med Internet Res 2012; 14: e123.
7) 厚生労働省, 運動基準・運動指針改定に関する検討会: 健康づくりのための身体活動指針(アクティブガイド). 2013.
8) Kodama S, Saito K, et al: Cardiorespiratory fitness as a quantitative predictor of all-cause mortality and cardiovascular events in healthy men and women: a meta-analysis. JAMA 2009; 301: 2024-35.
9) Fujita Y, Nakamura Y, et al: Physical-strength tests and mortality among visitors to health-promotion centers in Japan. J Clin Epidemiol 1995; 48: 1349-59.

IV

안티에이징 의학 임상

17 생활습관: 식생활 평가

식생활에서 문제가 되는 것은 생활 습관병으로 대표되는 장기간에 걸친 생활 습관입니다. 영양소 부족이나 과잉 섭취에 의한 건강 장애가 나타날 때까지의 기간은 영양소 종류나 개인의 건강 상태에 따라 차이가 있으나, 어느 날 하루에 먹은 것으로 평가하는 것이 아니라, 습관된 식사 내용을 평가해야 합니다. 안티에이징에는 균형이 좋은 식사가 기본이며, 극단적으로 치우친 식사나 단일 영양소만을 섭취하는 식사로는 안티에이징 실천이 어렵습니다. 여기서는 식생활 평가 방법을 소개하며, 식생활을 평가하는 목적 및 대상에 따라 구분하여 사용할 것을 권합니다.

6개의 기초 식품

6개의 기초식품은 영양 성분이 비슷한 식품을 6개로 나누어 어떤 식품을 어떻게 조합해서 먹으면 좋은지 알도록 구성한 것입니다. 이것을 활용하여 먹은 식품을 분류하면 식사 내용을 어느 정도 평가할 수 있습니다.

식사 균형 가이드

생활 습관병 예방을 목적으로 한 식생활 지침이 있습니다. 하루에 무엇을 얼마나 먹으면 좋을지 그림으로 표현한 것을 이용하면 하루 식습관을 평가할 수 있습니다. 3~4일 또는 1주간의 일정기간을 기준으로 식생활 균형을 조사합니다. 또 기초 식품의 어느 부분이 부족하고, 무엇을 보충할 것인지 알기 쉽게 보여주는 수단으로도 이용할 수 있습니다.[1]

식사 섭취 기준을 이용한 평가

식사 섭취 기준은 국민의 건강 유지, 증진을 위해 바람직한 에너지와 영양소 섭취 기준을 나타낸 것입니다. 최근의 기준은 건강 유지뿐 아니라 생활 습관병 발생 예방에 더해 중증화 예방도 목표로 하고 있습니다. 식사 섭취 상황은 식사 조사법을 이용하여 파악하며, 에너지나 영양소 섭취의 적절함을 식사 섭취 기준을 참고하여 평가합니다. 식사 기록법의 식품 섭취 상황을 식품 성분표의 수치를 이용하여 영양가를 계산합니다. 에너지 섭취량의 과부족 평가는 BMI 또는 체중 변화량을 이용합니다.

식사 섭취 기준은 과학적으로 제정되었다고 하지만 근거가 충분하지 않은 것도 있습니다. 특히 안티에이징의 시각에서 제정되지 않았기 때문에 앞으로의 연구가 필요합니다.

식사 섭취 상황 조사에는 생체 지표 평가와 함께 식사 기록법, 24시간 식사 회상법, 음식 섭취 빈도 조사법, 식사력법(食事歷法) 등의 조사표를 이용합니다. 이런 조사표는 유용성과 한계가 있으므로 이것을 이해하여 이용하는 것이 바람직합니다.[2] 식사력 질문표(diet history questionnaire, DHQ)는 음식 섭취 빈도 및 식사력을 이용한 질문표이며 식사 기록, 24시간 소변, 혈청, 이중 표지 물 등을 이용하여 타당성을 평가합니다. DHQ의 간이판인 간이형 식사력 질문표(brief type diet history questionnaire, BDHQ)도 타당성을 연구하고 있으며,[3] 신뢰도와 문제점을 이해하여 사용합니다. 자기 신고에 의한 식사 조사법은 과소 신고 가능성이 높으며, 에너지 섭취량이 실제보다 남성에서 11%, 여성에서 15% 정도 과소 신고된다는 보고가 있습니다.[4] 따라서 실제 섭취는 식사 기록법으로 알아낸 결과보다 많다고 생각하는 것도 필요합니다. 또 과소 신고, 과대 신고 정도가 비만도의 영향을 받는 것도 알려져,[5] BMI가 낮은 군은 과대 신고, BMI가 높은 군은 과소 신고의 경향이 있습니다.[4]

식생활의 종합적 평가

식생활 평가에서 우선 식사 섭취 상황을 파악하여 에너지 및 영양소 섭취량이 적정한지 판단합니다. 이 식사 평가를 근거로 식사 개선 계획을

그림1 식사 섭취 기준의 활용과 식사 섭취 상황의 평가

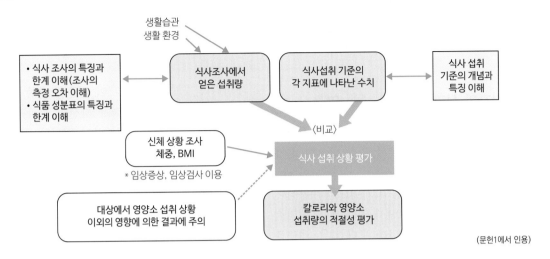

(문헌1에서 인용)

세워(Plan), 식사 개선을 시행하고(Do), 다시 평가하고 검증하여(Check), 재개선 시행(Act)을 반복하는 PDCA 사이클을 기초로 진행합니다. 이때 주의해야 할 점은, 식사 조사에 대상자의 신체 상황이나 임상 증상, 임상 검사치를 포함하여 종합적으로 평가하는 것입니다(그림 1). 식사에서 섭취량뿐 아니라 식사 회수(결식 유무), 식사 시간이나 먹는 속도 등 비만이나 순환기 질환 발생에 관여할 가능성이 알려진 항목, 사람의 생체 리듬, 소화 상태, 심리 스트레스 등 식품의 소화, 흡수에 주는 영향의 고려도 필요합니다.

（小椋真理）

|||||||||||||||||||||||||||||| 문헌 ||||||||||||||||||||||||||||||

1) 厚生労働省・農林水産省. 食事バランスガイド
http://www.mhlw.go.jp/bunya/kenkou/eiyou-syokuji.html
2) 佐々木敏: Chapter l 食事調査法 4. 食事調査法の妥当性と精度. 管理栄養士要請過程におけるモデルコアカリキュラム準拠 食事摂取基準 理論と活用第2巻. 特定非営利活動法人日本栄養改善学会監修. 鈴木 公, 木戸康博編, 2012, 24-36.
3) 菱田 明, 佐々木敏監修: 日本人の摂取基準. 厚生労働省「日本人の食事摂取基準(2015年版)」策定検討会報告書.
4) Murakami K,Sasaki S, et al: Misreporting of Dietary energy, protein, potassi-umand sodium in relation to body mass index in young Japanese women. Eur J Clin Nutr 2008; 62: 111-8.
5) Zang J, Temme EHM, et al: Under-and over reporting of energy intake using urinary cations as biomarkers: relation to body mass index. Am J Epidemiol 2000; 152: 453-62.

IV

언테에이징 의학 임상

18 생활습관: 심리적 well-being(웰빙)의 평가

고령자의 심리적 well-being 연구

well-being은 쾌적하고 건강하여 행복한 상태를 말합니다. 이것은 고령자에서 가장 중요한 문제이며 심리적 well-being은 행복감, 성공 노화(successful aging), 사는 보람 등의 키워드를 이용하여 연구되어 왔습니다. 1980년대 이후에는 심리적 well being을 고령자뿐 아니라 보다 넓은 연령을 대상으로 그 개념의 구조나 긍정적 효과에 대한 연구를 하고 있습니다. 한편 이런 연구와 더불어 정신의학적 연구에서는 우울증의 부정적 효과에 대한 연구를 해 왔습니다. 심리적 well-being 연구에 이용하는 척도 중에서 노화 연구에 이용 가능한 것을 개념의 구조와 함께 소개합니다.

고전적 well-being 척도

고령자 연구 초기에 개발된 척도에는, Neugarten 등[1]의 생활 만족도 척도(Life Satisfaction Index), Lawton 등[2]의 PGC 모럴 스케일(Philadelphia Geriatric Center Morale Scale)이 있습니다. 이런 척도는 늙음을 어떻게 인식하는가에 대한 노화의 인지 측면과 심리적 안정이나 기분같은 감정적 측면으로 구성되어 있습니다. 이것은 행복감 또는 성공 노화를 평가하는 척도로 지금도 사용하고 있습니다. 역학 연구에는 Center for Epidemiologic Studies Depression Scale (CES-D)나, 항목 내용을 고령자에게 맞도록 개발한 Geriatric Depression Scale (GDS)[3]이 우울 감정이나 우울 증상 스크리닝을 목적으로 한 척도가 심리적 well-being의 지표로 이용되고 있습니다.

심리면을 포함한 고령자의 well-being를 평가하려면 앞의 척도를 이용한 주관적 평가뿐 아니라 객관적으로 평가 할 수 있는 기능 상태의 고려도 필요합니다. 성공 노화에 대한 Rowe & Kahn의 정의는 〈질병이나 장애가 없고, 인지 기능이 유지되며, 사회적 관계 형성〉의 3개 요인이 모두 있는

것입니다. 그러나 실제로 이 기준을 만족 시키는 고령자는 소수이며, 고령자 자신의 주관적 평가와도 일치하지 않습니다. 한편 심리학에서는 노화에 따른 기능 저하에 적응하는 과정 자체를 성공 노화라고 생각하는 등 개념적으로 아직 정리되지 않아, 성공 노화 평가법이 확립되었다고는 말 할 수 없습니다.[4]

최근의 well-being 척도

고전적 연구에서는 well-being을 하나의 대표치로 파악할 수 있는 1차원 구조라고 생각했습니다. 그러나 최근 모델은, 그 때 그 때 느끼는 쾌락적(hedonic) 차원과 인생 의미의 이해나 목적 달성 등에 의한 기쁨과 관련된(eudemonic) 차원과 상관이 높은 2개의 독립된 차원으로 이루어진다고 생각하고 있습니다.[2] Hedonic 차원은 현재 감정 상태의 좋음을 의미하며, 긍정적 감정이나 부정적 감정에 의한 주관적 행복감(subjective well-being)(표 1)과 생활 만족감으로 평가합니다. 한편 eudemonic 차원의 구조는 복잡합니다. 이 분야 연구의 1인자인 Ryff는 지금까지 알려진 동기 부여 이론이나 인간성 발달 이론을 통합하여 6개 인자를 찾아냈습니다. 이 인자는, 자립(autonomy), 환경 제어력(environmental mastery), 인격적 성장(personal growth), 긍정적 대인 관계(positive relations with others), 인생의 목적(purpose in life), 자기 수용(self acceptance) 등이며, 이들은 다른 측면에서 깊은 기쁨과 연결된다고 생각합니다.

이와 같이 심리적 well-being을 2차원적으로 나누는 것이 생물학적으로 어떤 의미가 있는지는 알 수 없습니다. Fredrickson 등[6]은 80명의 유전자 발현 조사에서, eudemonic 측면이 높은 사람은 스트레스를 받을 때 활성화하는 유전자군 CTRA (conserved transcriptional response to adversity) 활동이 낮으며, hedonic 측면이 높은 사람은 반대 발현 패턴이 나타난다고 보고했습니다.

표1 본문에 소개한 척도(尺度)의 예

	원문	일본어 판
1	생활 만족도 척도(문헌 1)	吉谷野亘: 생활 만족도의 구조- 인자 구조의 불변성, 노년 사회과학1990:12;102-16
2	PGC 모럴 스케일(문헌 2)	吉谷野亘: PGC 모럴 · 스케일의 구조- 최근의 개정 작업. 사회 노인학 1981:29;64-74
3	Geriatric Depression Scale (GOS) (문헌 3)	Niino N et al: A Japanese translation of the Geriatric Depression Scale. Clin Gerontol 1991:10;85-7 杉下守弘: 고령자용 우울 척도 축소판 일본판(Geriatric Depression Scale-Short Version-Japanese. GOS-S-J)의 작성에 대해. 인지 신경 과학 2009:11[1];87-90
4	Subjective well-being (Mroczek DK: J Pers Soc Psychol 1998; 75: 1333-49.)	中原純: 감정적 well-being 척도의 인자 구조의 검토 및 축소판 작성. 노년 사회과학 2011:32; 434-42
5	Ryff의 6 인자 척도(Ryff CD: J Pers Soc Psychol 1989; 57: 1069-81.)	西田裕紀子: 성인 여성의 다양한 라이프 스타일과 심리적 well-being에 대한 연구 교육. 심리학 연구 2000:48: 43343.(주;개념에 근거하여 항목은 독자적으로 작성)
6	WHO-Five Well-being Index	http://www.med.oita-u.jp/oita-lcde/WHO-5%5B1%5D.pdf 稲垣宏樹: WHO-5 정신 건강 상태표 간이판(S-WHO-5-J) 작성 및 신뢰성, 타당성 검토. 일본 공중위생잡지 2013:60;294-301

우울 감정의 평가는 응답자의 심리적 부담을 고려한 긍정적 표현을 이용한 질문지가 WHO에서 개발되어 널리 이용하고 있습니다(표 1). 이 척도는 5개 항목으로 구성되어 단시간에 실시 가능하며, 절단치(cut-off value)가 설정되어 정신적 불건강의 선별 검사에 이용할 수 있습니다.

마지막으로

고령자의 심리적 well-being의 구성 개념과 평가 척도가 지금까지 많은 연구를 통해 발전하고 있습니다. 여기서 '사는 보람'은 소개하지 못했으나, 이것이 심리적 well-being에 중요한 개념이라고 생각하고 있습니다. 서양 문화에서는 사는 보람이라는 개념이 비교적 낮으며, 앞으로 이를 보다 명확히할 필요가 있을 것입니다. 심리적 well-being은 건강이나 장수와 관련이 있으며, 생리적 경로도 밝혀지고 있습니다. 심리적 well being의 규명은 인간으로 보다 나은 삶을 살아가는 방법이나 이상적으로 나이드는 방법을 생각하는데 많은 공헌을 할 수 있을 것입니다.

(権藤恭之)

문헌

1) Neugarten BL, Harvighurst RJ, et al: The measurement of life satisfaction. Journal of Gerontology 1961; 16:134-43.
2) Lawton MP: The Philadelphia Geriatric Center Morale Scale: a revision. Journal of Gerontology 1975; 30: 85-9.
3) Brink TL, Yesavage JA, et al: Screening tests for geriatric depression. Clinical Gerontology 1982; 1:37-43.
4) 権藤恭之: 学際研究による老年社会科学からの健康長寿へのアプローチ. 日本老年医学雑誌 2014; 51:35-8.
5) Ryff CD: Psychological Well-Being Revisited: Advances in the Science and Practice of Eudaimonia. Psychotherapy and Psychosomatics 2014; 83: 10-28.
6) Fredrickson BL, Grewen KM, et al: A functional genomic perspective on human well-being. Proc Natl Acad Sci USA 2013; 110: 13684-9.

1 대사증후군 도미노

대사증후군 도미노란?

21세기 내과 의료는, 악성 질환과 더불어 대사증후군을 기반으로 한 대사 질환에서 순환기 질환으로 이어지는 2대 질환이 주류를 이룰 것으로 생각합니다. 이렇게 대사 질환에서 순환기 질환으로 이어지는 과정에서 생활 습관병이 중첩되며, 그 원인과 발생의 순서 즉 생활 습관병의 흐름 및 심혈관 합병증의 발생에 이르는 생활 습관병의 연쇄를 파악하는 개념으로 대사증후군 도미노라는 개념이 제시되었습니다(그림 1).

식생활의 편향이나 운동 부족이라는 생활 습관의 잘못이 처음에 하나의 도미노를 넘어뜨리고, 그 결과로 먼저 비만 특히 내장 비만 그리고 아디포사이토카인 분비 이상, 인슐린 저항성 등을 일으킵니다. 이어서 고혈압, 식후 고혈당, 이상지질혈증이라는 병태가 거의 같은 시기에 생기며, 이것이 대사증후군 단계입니다. 지방간, 비알콜성 지방간염(non-alcoholic steatohepatitis, NASH) 병태도 이 단계에서 생겨 당지질 대사의 중심 장기인 간 기능 장애가 여러 도미노를 동시에 넘어지게 합니다. 동맥경화증은 이 단계에서부터 서서히 진행되어 생명 예후를 결정하는 허혈성 심질환이나 뇌혈관 질환이 발생됩니다.

그러나 이 단계에서는 아직 당뇨병은 발병하지 않으며, 췌장 기능 장애, 인슐린 분비 부전이 생기면 당뇨병이 시작됩니다. 그 후 당뇨병의 3대 합병증은 당뇨병이 발병하고 난 뒤 일정한 기간의 고혈당 지속으로 발생합니다. 대사증후군 도미노가 모두 무너진 상태가 심부전, 치매, 뇌졸

그림1 대사증후군 도미노

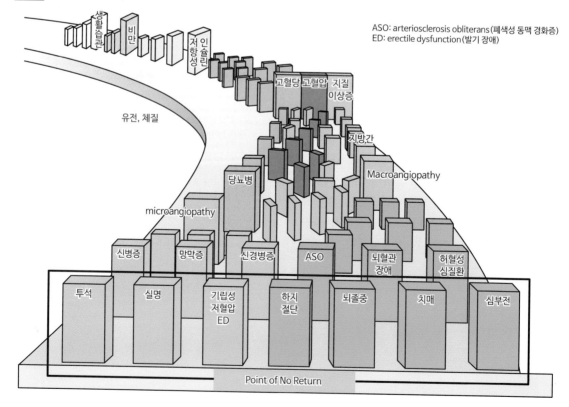

ASO: arteriosclerosis obliterans(폐색성 동맥 경화증)
ED: erectile dysfunction(발기 장애)

중, 하지 절단, 신장 투석, 실명 등의 상태이며, 이 단계는 point of no return입니다.[1]

대사증후군 도미노의 임상적 의의

이런 대사증후군 도미노 흐름의 각 단계에서 여러 도미노가 서로 넘어지는 것에 관여한다는 근거가 보고되고 있으며, 예를 들어 당뇨병 발생에 이르지 않은 내당능 이상(impaired glucose tolerance, IGT) 상태이며, BMI 25 kg/m² 이상인 비만 환자를 대상으로 α-글루코시다제 저해제를 이용한 당뇨병 발생 예방 연구(Study To Prevent Non-insulin-dependent Diabetes Mellitus, STOP-NIDDM)에서 당뇨병 발생이 약제 투여군에서 유의하게 억제되었으며, 또한 흥미로운 것은 고혈압 발생도 34% 억제된 것입니다. 이것은 식후 고혈당이 당뇨병뿐 아니라 고혈압 발생에도 관여하는 것을 나타내고 있습니다.

이와 같이 생활 습관병이 중첩되어 발생하는 것을 시간적으로 인식하는 동시에 흐름의 과정에서 각각의 질환이 상승적으로 서로 영향을 주면서 병태가 발전하여 한꺼번에 심혈관 이벤트가 일어난다는 개념이 대사증후군 도미노입니다. 따라서 대사증후군 도미노의 개념에서는 과거부터 알려진 위험 인자의 중복에 더해 위험 인자의 흐름과 그 흐름 속에서 위험 인자가 연쇄 반응을 일으키는 것을 중요시합니다.

대사증후군 도미노와 시간과 공간의 의료

대사증후군 도미노의 개념은 장기의 관련과 장기의 시간이라는 2개의 개념이 근간을 이루고 있습니다. 만성 신질환 환자에서 심혈관 이벤트 빈도가 높은 것이 알려져 "심신(心腎) 관련"이라고 부르며, 이것이 장기 관련의 전형적 예입니다. 또 장기 장애 진행의 베이스 즉 장기의 시간 흐름을 결정하는 페이스메이커가 되는 장기로는 신장과 장관이 중요합니다.[2] 이 2장기는 공급되는 혈액을 소비하는 1위(장 30%), 2위(신장 20%) 장기입니다. 에리스로포이에틴(erythropoietin)이나 레닌을 생산하여 전신에 산소 공급을 조절하는 중요한 기능이 있는 신장에서 허혈 장애는 고혈압, 만

성 신질환을 일으킵니다. 한편 당 지방 등 영양소의 소화, 흡수를 담당하는 장에 부담을 주는 과식은 큰 스트레스가 되어 기능 이상을 일으켜 내장 지방 축적과 당뇨병 발생과 연결됩니다.

이런 배경에서 여러 장기의 공간적 커뮤니케이션과 장기 장애 진행의 시간적 경과를 고려하여 효율적 의료를 전개하는 접근으로 시공(時空) 의료(space-time medicine)라는 개념이 필요합니다 (그림 2).

cardio-metabolic memory와 치료의 기억

대사증후군 도미노와 시공(時空) 의료에서 강조하는 것은 치료 시기와 치료 장기의 중요성입니다. 최근 당뇨병, 고혈압 등을 대상으로 한 다양한 대규모 임상시험에서 개입 시험 종료 후 관찰기에도 개입 시험의 치료 효과 우월성이 지속하는 현상이 보고되어 'cardio-metabolic memory'라고 부릅니다.

당뇨병 합병증에 대한 개입 시험 The Diabetes Control and Complications Trial/Epidemiology of Diabetes Interventions and Complications (DCCT/EDIC) 연구(2005년), United Kingdom Prospective Diabetes Study (UKPDS) 연구(2008년)에서 엄격한 혈당 치료군이 그 후 추적 기간에도 표준 치료군에 비해 심혈관 이벤트 발생률이 낮은 것이 관찰되어 'glucose memory' 또는 'legacy effect'라고 부릅니다. 비슷한 현상이 스타틴을 이용한 West of Scotland Coronary Prevention Study (WOSCOPS) 연구(2007년), 혈압 조절에 의한 만성 신질환(chronic kidney disease, CKD) 진행 억제에 대한 African American Study of Kidney Disease and Hypertension (AASK) 연구(2010년) 등에서도 보고되었습니다. 정상 범위 내에서 혈압이 높은 사람을 대상으로 고혈압 발생 예방을 위한 개입 효과가 TRial Of Preventing HYpertension (TROPHY) 연구에서 보고되었으며, 고혈압에 대한 Short Treatment with the Angiotensin Receptor Blocker Candesartan Surveyed by Telemedicine (STAR CAST) 연구도 보고되었습니다.[3]

이와 같이 다양한 임상시험 결과는 모두 적절한

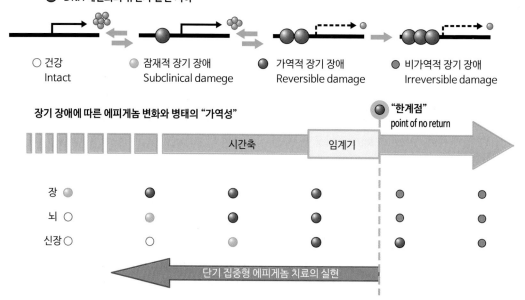

그림2 시공(時空)의료를 응용한 치료 전략

DNA 메칠화와 유전자 발현 저하

○ 건강
Intact

잠재적 장기 장애
Subclinical damege

가역적 장기 장애
Reversible damage

비가역적 장기 장애
Irreversible damage

장기 장애에 따른 에피게놈 변화와 병태의 "가역성"

"한계점"
point of no return

시간축 / 임계기

장 / 뇌 / 신장

단기 집중형 에피게놈 치료의 실현

시기(골든 타임)의 치료 개입은 치료를 중지해도 그 '치료 기억'이 생체에 남을 가능성을 시사하고 있습니다.

대사증후군 도미도에서 에피제네틱스 (epigenetics)

치료 기억의 분자 기전으로 유전자의 epi-genetics에 의한 제어를 생각할 수 있습니다. 즉 DNA나 히스톤 단백의 메틸화, 아세틸화가 유전자 발현을 제어하며, 이 변화를 epigenetic 제어라고 합니다. 과거에 세포가 받은 스트레스에 대한 반응은 epigenetics 변화로 유전자 구조에 각인되어 그 유전자 기능은 본래의 기능과 다르게 됩니다. 이것이 치료나 스트레스의 기억으로 고착되어 memory effect나 legacy effect가 나타난다는 것입니다.[4]

마지막으로

생활 습관병이 발생하여 심혈관 이벤트에 이르는 과정을 대사증후군 도미노라는 개념으로 인식

할 수 있습니다. 이런 대사증후군 도미노에서 도미노가 연쇄적으로 복잡하게 넘어지는 마지막에 도달하면 넘어짐을 저지하기 어렵게 됩니다. 질환의 확대와 흐름 속도를 늦추게 할뿐 아니라 흐름을 멈추기 위해서는 흐름을 거슬러 올라갈 수밖에 없을 것이며 이것이 앞으로 의료의 방향성입니다. 이런 회춘(rejuvenation) 실현이 시공 의료의 중요한 주제 입니다. 질병 발생의 "골든 타임"에 집중 치료하여 치료 기억을 이용할 수 있으면 그 실현이 가능하게 될 것 입니다. 최적 의료를 개발하기 위해서 대사증후군 노미노 개념은 중요합니다.[4]

(伊藤 裕)

||||||||||||||||||||||||||||||||||| **문헌** |||||||||||||||||||||||||||||||||||

1) 伊藤　裕: 代謝症候群と心血管リスク. Medical Practice 2004; 21: 2013-8.

2) 伊藤　裕:「臓器の時間」を考える. 心臓 2011; 43: 1489.

3) Sasamura H, et al: Feasibility of regression of hypertension using contemporary antihypertensive agents. Am J Hypertens 2013; 26: 1381-8.

4) 伊藤　裕: 時空医療-「治療の記憶」を生かした医療オプションの提言. 日本医事新報 2013; 4655: 29-34.

2 심혈관 대사와 노화 과정

나이가 들면서 심근경색으로 대표되는 동맥경화 질환이나 생활 습관병 발생 빈도가 증가하는 것은 잘 알려져 있으며, 이런 질환의 병태에 공통된 기반으로 만성 염증이 주목받고 있습니다.[1] 심혈관 질환에는 노화에 따른 저수준의 만성 염증 과정의 지속적 활성화에 의한 조직 파괴와 재구축이 항진되며, 최종적으로 비가역적 기능 장애에 이릅니다. 그러나 그 과정은 다양하여 노화에 따른 만성 염증 유도 기전은 충분히 규명되지 않았으나, 최근 실험 기술 발전에 의해 그 병태의 이해가 진행되고 있습니다.

연령 증가와 만성 염증

고령자에서 혈중 interleukin-6 (IL-6)나 tumor necrosis factor-α (TNF-α) 등 염증성 사이토카인 증가가 있는 것으로 알려졌습니다. 100세 이상 생존한 장수자에서 IL-6 유전자가 발현되기 쉬운 유전자 다형은 적고, 항염증성 사이토카인 inter-leukin-10 (IL-10)을 발현하기 쉬운 유전자 다형을 많이 볼 수 있습니다. 장수자 중에서도 노화 형질이 심하지 않고 건강한 군에서는 대조군에 비해 IL-6이 낮다는 보고도 있습니다.[2] 이와 같이 장수자 집단은 염증이 일어나기 어렵고, 또 노화 형질에서도 만성 염증에 차이가 있다는 것이 알려졌습니다.

노화에 따른 만성 염증 유도 기전으로, 노화된 세포에서 분비하는 각종 전달 물질이 주위 조직에 염증을 일으키는 현상 즉 senescence-associated secretory phenotype (SASP)가 중요한 역할을 수행하는 것으로 생각하고 있습니다. 이 과정에는 노화 세포에서 활성이 상승된 nuclear factor-κB (NF-κB), 또는 C/EBPβ 의존 염증성 사이토카인이나 monocyte chemoattractant protein (MCP) 패밀리 등의 분비가 유도되어 각 장기에서 염증과 리모델링이 촉진됩니다. 또 노화 세포에서 만성적 DNA 손상 반응 관련 인자의 활성화가 염증성 사이토카인의 지속적 분비를 일으키는 것도 알려졌습니다. SASP의 면역 반응은 노화 세포 제거에 유용하지만, 고령자에서는 연령 증가에 따른 노화 세포 증가에 의해 유해 작용이 더 크다고 추정합니다.[3]

노화 세포에서 DNA 손상 반응 인자의 활성화를 설명하는 중요한 기전으로 텔로미어 가설이 잘 알려졌습니다. 세포 분열에 따라 단축되어가는 텔로미어가 최종적으로 DNA 손상으로 인식되어 ataxia telangiectasia mutated (ATM)나 ATM and rad-3 related (ATR) 활성화를 통해 check point kinase (Chk) 1, 2를 인산화시키며, 전사 인자 p53 등의 효과 분자 인산화 활성화로 세포 주기 정지나 세포자멸사 또 염증성 사이토카인 분비같은 세포 반응을 일으킵니다. 또 이런 세포 노화 신호는 많은 유전자 손상을 일으키는 스트레스나 생활 습관병의 위험 인자 등에 의해 텔로미어 비의존성으로 활성화되는 것도 시사되고 있습니다.[3]

만성 염증과 심혈관 대사

만성 염증과 동맥경화성 질환의 관계는 과거부터 지적되었으며, 순환기 영역에서는 염증 지표인 C-reactive protein (CRP)이 독립된 관상동맥 위험 인자로 알려져 있습니다.[4] 만성 심부전에 의한 지속적 심근 부하는 심근에 미세 염증을 일으키며, 심근 세포나 섬유아세포 등 간질세포와 상호 작용하여 심부전을 일으키는 병적 심근 조직 재구축이 일어납니다. 동맥경화 병소에는 포말화된 마크로파지(포말세포; foam cell)가 많으며, 포말 세포에서 염증성 사이토카인 분비나 혈소판에서 증식 인자 방출은 혈관벽 구성 세포와 간질세포에 복잡한 세포 반응을 일으켜서 세포사, 조직 파괴, 재수축 과정의 진행으로 동맥경화 병변을 만듭니다.[5]

심근경색 등의 심혈관계 손상 반응에서,

Ly-6C^{high} 단구 방출에 의한 국소 염증 유도 및 괴사 심근을 제거하면, Ly-6C^{low} 단구에 의해 회복이 일어난다는 모델이 있습니다.[6] Ly-6C^{high} 단구의 75%는 비장에서 유래하며,[7] 심근경색 후 뇌-교감신경 β3 경로를 통해 골수에서 방출된 조혈 모세포가 비장에서 단구로 분화하는 것으로 알려졌습니다. 또 만성 신질환에서도 신 장애에 동반한 케모카인에 의해 Ly-6C^{high} 단핵구가 신장에 모이며, 신장 국소에 단핵구로부터의 염증성 사이토카인 분비에 의해 신장 실질의 염증 및 신 장애가 진행합니다. 비만에서는 내장 지방조직의 염증이 염증성 사이토카인 및 유리 지방산을 통해 췌도나 혈관의 염증 유도에 관여합니다. 일반적으로 고령자는 한 개인에게 여러 장기의 이상 동반이 많으며, 이런 장기 연관을 통한 만성 염증의 파급 확대가 심혈관 질환의 중첩에 관여할 것으로 생각합니다.[8]

이와 같이 동맥경화성 질환에서 생활 습관병을 배경으로 한 만성 염증에 여러 장기가 연관되어 파급, 증가하는 것으로 밝혀졌습니다. 노화는 세포 노화에 의해 유도되는 염증 전달물질을 통해 만성 염증 병태를 크게 수식하며, 심혈관 질환의 진행에 다양한 단계에 깊이 관여한다고 생각할 수 있습니다.

(藤井健太郎 , 伊藤 裕)

문헌

1) Freund A, et al: Inflammatory networks during cellular senescence: causes and consequences. Trends Mol Med 2010; 16: 238-46.

2) Franceschi C, et al: Inflammaging and anti-inflammaging: a systemic perspective on aging and longevity emerged from studies in humans. Mech Aging Dev 2007; 128: 92-105.

3) 中込敦士, 南野 徹: 老化と慢性炎症. 医学のあゆみ 2012; 243(1): 109-14.

4) Ridker OM, et al: Inflammation, aspirin, and the risk of cardiovascular disease in apparently healthy men. N Engl J Med 1997; 336: 973-9.

5) 真鍋一郎: 生活習慣病におけるマクロファージ. 医学のあゆみ 2012; 243(1): 104-8.

6) Nahrendorf, M. et al: The healing myocardium sequentially mobilizes two monocyte subsets with divergent and complementary functions. J Exp Med 2007; 204: 3037-47.

7) Swirski, FK, et al: Identification of splenic reservoir monocytes and their deployment to inflammatory sites. Science 2007; 325: 612-70.

8) 藤生克仁, 真鍋一郎: 臓器間連携・細胞間相互作用による心血管代謝疾患発症メカニズム. 実験医学 2013; 31(20): 85-92.

3 안티에이징에서 본 동맥경화증

혈관 노화의 예방과 치료

'Man is as old as his arteries.'라는 말이 있듯이 혈관 노화와 고령자의 건강 상태는 밀접한 관련이 있습니다. 혈관 노화나 동맥경화는 나이가 들면서 무증상으로 진행되어 최종적으로 장기의 기능 장애를 일으킵니다. 노화는 고혈압, 당뇨병, 고콜레스테롤혈증 등과 함께 심혈관 질환의 독립된 위험 인자입니다. 혈관 노화에 따라 동맥벽에 형태적 및 생리적 변화가 일어납니다. 구조 변화로 동맥벽이 비후되고, 내막 세포 하에 콜라겐이 증가하며 엘라스틴은 감소합니다. Matrix metalloproteinase 활성이 항진되고 프로테오글리칸 및 혈관 평활근 세포가 증가합니다. 또 혈관 내피의 산화 스트레스 감수성이나 염증 전달물질이 증가하고, 일산화질소(NO) 생산은 감소합니다. 이런 결과에 의해 동맥의 신장성 저하, 말초 혈관 저항 증가, 혈압 상승, 맥파 전도 속도 증가 등이 일어납니다. 맥압 증가는 혈관 노화의 지표로 되어 있습니다.[1,2]

혈관 노화의 예방과 치료

혈관 노화의 예방에 대한 대책은 표 1과 같습니다.

게놈 불안정성

원인의 하나에 산화 스트레스가 있으며, 산화 스트레스 증가는 노화 속도를 빠르게 합니다. 산화 스트레스에 의해 핵내나 미토콘드리아의 DNA가 손상되면 세포 기능이 저하됩니다. LDL 콜레스테롤을 저하시키는 스타틴은 콜레스테롤뿐 아니라 혈관 노화도 예방합니다. 이것은 스타틴의 항산화 작용이 영향을 준다고 생각합니다. 미국 심장병 학회 지침은 심혈관 위험이 있는 환자에게 LDL 콜레스테롤 치와 관계없이 스타틴 치료 계속을 권고하고 있습니다.

텔로미어 단축

혈관 내피에 산화 스트레스가 계속되면 텔로미

표1 노화에 따른 혈관 노화 예방

특징	예방 대책
게놈 불안정성	산화 스트레스 제거, 스타틴
텔로미어 단축	산화 스트레스 제거(텔로메라제 재활성화)
에피제네틱 변화	레스베라트롤(SIRT1 활성화), HDAC 저해제
단백질 항상성 소실	라파마이신(mTOR 저해) 스페르미딘(오토파지 촉진) ω6 불포화 지방산(오토파지 촉진)
영양 센싱의 변화	칼로리 제한 메트포르민(AMPK 활성화)
미토콘드리아 기능 부전	운동 2, 4 디니트로페놀(산화적 인산화의 탈공역제(uncoupler))
세포 노화	
줄기세포 소모	줄기세포 이식
세포간 전달 변화	아스피린, IL-1β 저해 저용량 메토트렉세이트 프로바이오틱스, 프리바이오틱스(장내 세균)

어가 단축되어 혈관 노화가 진행되나, 산화 스트레스가 해소되면 혈관 노화가 억제됩니다.

에피제네틱스

DNA의 메틸화, 히스톤 수식(아세틸화나 메틸화) 등의 게놈의 에피제네틱스 변화는 다양한 유전자 발현을 조절합니다. Sirtuin (SIRT) 1, 3, 6의 발현 저하는 노화나 장수에 관여합니다. 특히 SIRT1은 혈관 노화와 관련이 있으며, SIRT1을 억제하면 혈관내피 세포 수명이 단축됩니다. 레스베라트롤은 SIRT1을 간접적으로 활성화시키며, 일산화질소 생산을 증가시켜 혈관 노화를 억제하므로 치료제로 연구가 진행되고 있습니다.

단백질 항상성 소실

면역 억제제인 라파마이신은 포유류 라파마이신 표적 단백(mammarlian target of rapamaycin, mTOR)을 저해하여 동맥벽 내 콜레스테롤 축적을 감소합니다. 라파마이신은 고콜레스테롤 상태에서도 동맥경화 진행을 늦추는 것이 동물 실험으로 확인되었습니다.

영양 센싱의 변화

칼로리 제한은 노화를 늦추는 효과가 있으며, 혈관 노화도 억제하는 것이 원숭이 실험으로 밝혀졌습니다. 칼로리 제한은 mTOR 세포내 전달 경로에서 liver kinase B1 (LKB1) 단백을 통해 AMP 활성화 프로테인키나제(AMP-activated protein kinase, AMPK)가 인산화됩니다. 그 결과 mTOR 활성화가 저해되어 혈관 노화가 억제됩니다. 또 칼로리 제한은 SIRT1을 활성화시켜 동맥경화를 억제합니다. 당뇨병 치료제인 메트포르민은 세포내에서 AMPK를 활성화시키고, mTOR 신호 전달 경로를 저해하여 혈관 노화를 억제합니다. 마우스 실험에서 메트포르민은 동맥경화 진행을 억제했습니다.

미토콘드리아의 기능 부전

미토콘드리아 DNA 변이에 의한 미토콘드리아 기능 부전이 혈관 노화에 관여합니다. 미토콘드리아의 DNA 변이는 노화에 따라 진행하며, 미토콘드리아 기능 부전으로 활성 산소 생산이 증가합니다. SIRT1은 미토콘드리아를 활성화하기 위한 예방약으로 기대되고 있습니다. 운동은 미토콘드리아 변성을 방지하여 노화를 예방합니다. 또한 운동은 내피세포 기능을 개선시켜 평활근 증식을 억제하는 것으로 동맥경화를 예방합니다.

세포 사이 커뮤니케이션의 변화

염증성 환경이나 염증성 사이토카인은 동맥경화를 진행합니다. 아스피린은 항염증 작용, 항산화 작용이나 일산화질소 합성 증가 작용으로 혈관 노화 예방에 효과가 있을 것으로 생각합니다. 그 밖에 IL-1β 저해제나 저용량의 methotrexate에 의한 염증 억제가 혈관 노화나 동맥경화 예방에 시도되고 있습니다. 최근 메타게놈 분석에 의해 장내 세균총 분석이 진행되고 있으며, 그 결과 장내 세균총 변화가 염증이나 대사에 관여하는 것으로 밝혀졌습니다. 장내 세균총 변화에 의해 혈관 노화를 예방할 가능성도 시사되고 있습니다.

동맥경화에 대한 새로운 인자로서 혈관 석회화를 촉진하는 receptor activator for nuclear factor kappa B ligand (RANKL), 신생 내막 형성을 유도하여 혈관 리모델링에 관여하는 micro RNA, 조직의 콜레스테롤 유입이나 배출에 관여하는 유전자 발현을 제어하는 liver X receptor (LXR), 혈액 유래 회춘 인자 등이 보고되었습니다. 이런 인자의 저해나 활성화는 혈관 노화의 억제에 유용한 가능성이 있어 치료제로 기대되고 있습니다. 또한 혈관 노화나 동맥경화를 규정하는 유전자 및 그 변화의 분석으로 혈관 노화의 병태 규명이나 예방으로 연결될 가능성이 있습니다.

（ 親川拓也 , 楠原正俊 ）

############################### 문헌 ###############################

1) Najjar SS, Scuteri A, et al: Arterial Aging: Is It an Immutable Cardiovascular Risk Factor? Hypertension 2005; 46: 454-62.

2) Rubio-Ruiz ME, Pérez-Torres I, et al: Aging in blood vessels. Medicinal agents FOR systemic arterial hypertension in the elderly. Ageing Research Reviews 2014; 18: 132-47.

3) López-Otín C, Blasco MA, et al: The hallmarks of aging. Cell 2013; 153: 1194-217.

4) Scott CT, DeFrancesco L: Selling long life. Nature Biotechnology 2015; 33: 31-40.

5) Blagosklonny MV: Validation of anti-aging drugs by treating age-related diseases. AGING 2009; 1: 281-8.

4 대사증후군과 치매

인지 기능에 영향을 주는 대사증후군

노년기의 치매에는 알츠하이머병(Alzheimer disease, AD)이 많으며, 그 다음으로 혈관성 치매(vascular dementia, VaD)가 많습니다.[1] 고령자에서는 AD나 VaD 동반의 빈도도 높습니다.

내장 지방형 비만에 더해 고혈압, 이상지질혈증, 고혈당, 인슐린 저항성 중에서 2개 이상이 동반된 대사증후군은 심근경색이나 뇌경색 발생 위험을 증가시킬뿐 아니라 치매 특히 VaD 발생 위험을 높인다고 보고되었습니다. AD 발생 위험에는 상반된 보고가 있어 일치된 견해가 없습니다.[2] 또한 횡단 연구에서 대사증후군이 인지 기능 저하에 관련한다는 보고는 많지만, 종단 연구를 메타분석한 최근의 보고에서, 70세 이하는 대사증후군이 인지 기능 저하와 관련이 있으나, 70세 이상 고령자에서는 관계가 없다고 보고되어,[3] 대사증후군이 인지 기능에 미치는 영향에는 연령 인자가 관여할 가능성이 높습니다.

대사증후군은 앞의 설명처럼 여러 인자로 구성된 상태이며, 대사증후군 치료에 의한 치매 발생 예방에 대한 보고는 없습니다. 하지만 개개 인자 치료에 의한 치매 발생 억제 효과에 대한 연구는 많습니다.

고혈압과 치매의 관련

고혈압 치료 지침에서 중년기의 고혈압은 고령기 치매의 위험 인자이며, 치매 예방의 관점에서 적극적 치료를 권고하고 있습니다(권고 등급 C1).[4] 한편 고령자의 고혈압과 치매 발생은 보고에 따라 결과가 일치하지 않지만, 혈압약이 인지 기능을 악화시킨다는 보고가 없기 때문에 혈압약 치료는 권고 등급 C1입니다.[4] 또 인지 기능 장애나 치매 동반 고혈압에서 혈압약 치료 효과에 대한 근거는 적지만 혈압 치료의 고려도 권고합니다(권고 등급 C1).[4]

AD와 VaD에 대한 조사에서, 중년기(40~64세)의 고혈압이 고령기(65세 이상)의 인지 기능 저하나 AD 발생 증가와 관계있는 것으로 보고되었습니다. 일본에서 시행된 대규모의 전향적 코호트 연구에서 고혈압은 VaD의 위험 인자였으나, AD의 위험 인자는 아니었습니다. 이와 같이 고혈압과 VaD는 관련성이 있으나, AD와의 관련성에 대해서는 일치된 견해가 없습니다.

치매 발생 기전으로 고혈압에 의한 혈관 내피 세포나 평활근 세포 장애로 뇌순환 자동조절 기능 저하나 혈관, 신경 글리어 세포로 구성되는 'neurovascular unit' 장애, 병태의 진행에 레닌-안지오텐신계에 의한 산화 스트레스 관여 등이 보고되었습니다.

이상지질혈증과 치매의 관련

이상지질혈증과 치매의 관련성에 대해, 중년기의 고콜레스테롤혈증이 고령기 치매 발생의 위험 인자가 된다는 관찰 연구가 많이 있으나 충분한 위험 인자는 되지 못한다는 역학 조사 보고도 있습니다. 고령자에서 혈청 콜레스테롤 수치가 높을수록 AD 위험이 저하된다는 보고도 있어 이상지질혈증과 치매의 관계는 아직 명확하지 않습니다.

스타틴 복용 환자에서 AD 발생 빈도가 적은 것이 보고되었으며, Rotterdam Study에서 스타틴 복용자는 스타틴 이외의 지질 저하제 복용자에 비해 AD 발생률이 약 반 정도 발생한다고 했습니다. 그러나 심혈관질환 또는 뇌졸중의 병력 또는 고위험 고령자에서 pravastatin의 혈관 질환 예방 효과를 검토한 Prospective Study of Pravastatin in the Elderly at Risk (PROSPER) 및 경도~중등도 AD 환자 640명에서 atorvastatin (80 mg)을 투여한 무작위 비교 시험(Lipitor's Effect in Alzheimer's dementia, LEADe)에서는 스타틴에 의한 명확한 효과는 없어 현 시점에서 스타틴의 치매 발생 예방 및 치료의 유효성은 뚜렷하지 않습니다. 그러나 이런 임상시험에서는 관찰 기간이 효과를 보기에는 짧은 등의 문제점이 있고, 기초 연구에서 스타틴에 의한 아밀로이드 β 단백(amyloid-β-protein, Aβ) 응집 억제, 분해 및 대사 촉진 작용, 그리고 항염증 작용, 항산화 작용이 보고되어 새로운 연구가 필요한 상황입니다.

대사증후군 도미도에서 에피제네틱스 (epigenetics)

고혈당, 인슐린 저항성이 있는 경우 말초 인슐린 저항성으로 뇌의 인슐린 저항성이 생길 가능성이나 뇌 자체의 변성에 의한 뇌 인슐린 저항성이 생길 가능성이 있습니다.[5] 또한 해마 등 AD 병변이 잘생기는 특징적 부위에서는 포도당 이용능력 및 에너지 대사능력의 저하가 있습니다. 뇌에서는 인슐린이나 인슐린양 성장인자(insulin like growth factor, IGF)가 포도당 이용능력과 에너지 대사를 제어하나, 말초의 인슐린 저항성으로 고인슐린혈증이 지속되면 혈액-뇌 관문의 인슐린 수용체가 하향 조절되어 인슐린의 뇌내 유입이 억제됩니다. 그 결과 뇌의 인슐린 및 IGF 신호 저하가 AD의 원인 물질로 생각되는 인산화 타우단백의 증가, Aβ의 축적, 산화 스트레스, 미토콘드리아 기능장애, 염증성 사이토카인 발현을 증가시킵니다. 또 콜린 작동성 뉴런의 유지에 필요한 분자들의 발현을 저하시킬 가능성도 있습니다.[5] 실제로 메타분석에서 당뇨병은 AD의 위험 인자로 보고되었습니다. AD 치료를 위하여 코로 인슐린을 투여하는 연구가 진행되고 있습니다.

대사증후군은 여러 병태가 복잡하게 작용하므로 지질 대사 이상 같은 하나의 인자가 치매 발생 원인이 되는지 확실하지 않지만 다른 인자와의 상호작용에 의한 치매 발생 위험을 증가시킬 가능성을 생각할 수 있습니다.

(島村宗尚 , 森下竜一)

문헌

1) 「認知症治療ガイドライン」作成合同委員会: 認知症疾患治療ガイドライン2010. 2010.

2) Misiak B, Leszek J, et al: Metabolic syndrome, mild cognitive impairment and Alzheimer's disease—the emerging role of systemic low-grade inflammation and adiposity. Brain Res Bull 2012; 89: 144-9.

3) Siervo M, Harrison SL, et al: Metabolic syndrome and longitudinal changes in cognitive function: a systematic review and meta-analysis. J Alzheimers Dis 2014; 41: 151-61.

4) 日本高血圧学会高血圧治療ガイドライン作成委員会編集: 高血圧治療ガイドライン. 2014.

5) De la Monte SM: Brain insulin resistance and deficiency as therapeutic targets in Alzheimer's disease. Curr Alzheimer Res 2012; 9: 35-66.

5 장내 세균과 대사증후군

대사증후군은 장기 노화를 가속화하는 중요한 인자의 하나이며, 그 기점은 식습관 변화로 대표되는 생활 습관의 변화라고 생각합니다. 그러나 최근 대사증후군 발생에 영향을 미치는 인자로 체내에 공생하는 장내 세균이 중요한 역할을 담당하는 것이 밝혀졌습니다.

에너지 대사 이상을 일으키는 장내 세균의 특징

인체 장내 세균 구성은 개인차가 커서 다양성이 풍부하지만, 그 조성은 개인 내에서 안정되어 있는 것으로 알려졌으며, 장내 세균 구성이 숙주의 에너지 대사 상태를 반영한다고 2005년 처음으로 보고되었습니다.[1,2] 비만한 사람과 비만하지 않은 사람의 장내 세균총의 비교에서, 비만한 사람은 Firmicutes문에 속하는 장내 세균총이 많고, Bacteroidetes문에 속하는 세균총이 적다는 장내 미생물 불균형(dysbiosis)이 마우스 및 사람을 대상으로 한 연구에서 발견되었습니다. 또한, 비만한 사람을 식이 요법으로 감량시키면 장내 미생물 불균형이 개선되며, 비만한 사람의 장내 세균을 무균마우스에 이식하면 비만 마우스로 바뀌는 현상이 관찰되었습니다. 장내 세균총은 숙주 개체의 대사 상태를 반영하며, 변화된 장내 세균 자체가 숙주의 대사이상을 일으킨다는 에너지 대사 이상증과 미생물의 관련에 대한 새로운 개념이 제시된 것입니다.

비만한 사람과 비만하지 않은 사람의 장내 세균총 차이에 대해 많은 기초·임상 연구가 시행되었으나 일관된 결과를 보여주지는 않습니다. 일부 보고에서는 두 군의 차이가 특정 장내 세균의 차이가 아니라, 세균총의 기능적 차이 즉 비만한 사람에서는 장내 세균 유전체가 비만하지 않은 사람과 비교하여 상대적으로 비교해 적으며, 기능적으로 유연성이 부족하다고 하였습니다.[3] 2형 당뇨병 환자에서도 유사한 결과를 보였는데, 당뇨병 환자에서 장내 유익균이 많기는 하지만, 부티레이트를 생산하는 장내 세균이 적고, 특히 Roseburia 속 장내 세균이 적은 현상이 여러 인종에서 일관적으로 관찰됩니다.[4]

이와 같이 대사 이상증 환자에서 특정 장내 세균 변화가 일정한 경향이 있는 것은 아니지만, 장관내에서 단쇄지방산 생산의 변화 등 기능적 변화를 보인다는 여러 연구결과가 보고되었습니다. 이는, 대사증후군의 병인에서 장내 대사를 담당하는 장내 세균의 중요한 역할을 한다는 점을 의미합니다.

장내 세균이 숙주의 에너지 대사에 영향을 주는 기전

장내 세균은 숙주의 에너지 대사, 에너지 회수, 에너지 분배, 소비, 만성 염증 유도 등 영향을 미칩니다.[5]

포유류는 식물 세포벽의 주성분인 셀룰로오스 등의 섬유성 다당류를 분해하는 효소가 없어 장내 세균이 섬유성 다당류를 단쇄지방산 등으로 발효, 분해하여 에너지원으로 사용하게 됩니다. 이 에너지는 사람에서 1일 200 kcal 정도이며, 따라서 무균 동물은 대변으로 에너지 소실이 많아 비만이 발생하지 않으며, 무균 마우스에 일반 마우스의 장내 세균을 이식하면 체지방 축적이 일어납니다. 비만 마우스는 일반 마우스에 비해 장내 단쇄지방산 양이 많고 대변으로 에너지 소실이 적습니다.

단쇄지방산은 에너지원으로 사용될 뿐만 아니라 에너지를 분배하는 신호경로에도 관여합니다. G protein-coupled receptor 43 (GPR43) (free fatty acid receptor 2, FFAR2)는 초산과 프로피온산을 리간드로 하는 수용체이며, 백색 지방조직에 많이 발현하고 있습니다. GPR43 결손 마우스나 과발현 마우스를 이용한 연구에서 장내 세균의 발효에 의해 장관 내에서 생산된 단쇄지방산의 일부는 혈중을 순환하여 백색 지방조직의 GPR43를 통해 지방 축적을 억제하는 것으로 알려졌습니다. 말초 지방조직의 GPR43를 통해 장내 세균이 생산하는 단쇄지방산이 증가하면 말초에서 에너지 축적을 저하시키며, 단쇄지방산이 감소되면 에너지를 축적하는 방향으로 숙주의 에너지 균형이 조절되고 있습니다.

체지방 분포를 조절하는 소장 상피에서 생산되어 방출되는 순환 lipoprotein lipase (LPL) 저해 단백인 fasting−induced adipose factor (Fiaf)/angio-poietin−like 4 (ANGPTL4)도 단쇄지방산에 의해 조절됩니다. 지방조직에서 혈중 지방을 유입되기 위해서는 지방조직에 발현하는 LPL에 의한 지단백 분해가 필요하지만, ANGPTL4는 말초 지방조직에서 LPL 활성을 억제하여 지방 축적을 줄입니다. 장내 세균은 장내 단쇄지방산 생산 및 장관 ANGPTL4 발현을 촉진하여 말초 지방조직의 지방 축적을 억제합니다.

무균 마우스의 근육과 갈색 지방조직에서는 지방산 산화와 에너지 소비가 증가합니다. 에너지 소비와 관련된 신호 분자인 담즙산이 장내 세균에 의해 대사되며, 장내 세균의 차이가 혈중 담즙산 조성 차이를 일으켜서 갈색 지방조직 등에서 에너지 소비에 영향을 미치는 것으로 생각됩니다.

대사이상증에서는 경미한(low grade) 만성 염증이 지방조직 등에 발생하여 인슐린 저항성의 원인이 된다고 생각하며, 염증 발생에는 장내 세균이 생산하는 내독소(lipopolysaccharide, LPS)도 관여합니다. 실제로 고지방식을 섭취한 마우스에서 장내 세균총 변화에 따라 혈중 내독소가 증가하며, 이것을 대사성 내독소혈증(metabolic endotoxemia)이라고 합니다. 내독소혈증이 일어나는 기전은 고지방식 섭취에 의해 장상피의 치밀이음(tight junction) 관련 단백 발현이 저하되며, 식사 성분이나 장내 세균총 변화가 장관 장벽(barrier) 기능을 변화시켜 내독소의 체내 유입이 증가된다고 생각하고 있습니다. 사람에서도 고지방식 섭취 후 정상인 및 2형 당뇨병 환자에서 혈중 내독소 농도가 증가하며, 정상인에서 식사의 에너지 섭취와 혈중 LPS 농도가 연관성이 있는 것으로 알려져 있습니다.

마지막으로

대사증후군에서 장내 세균총 불균형에 의해 숙주의 대사이상이 발생하고 진행됩니다. 장내 세균이 형성하는 장내 환경을 개선하는 치료에 의해 대사이상증의 발생 및 장기 노화를 예방할 수 있을 것으로 기대됩니다.

（ 入江潤一郎 ）

문헌

1) Ley RE, Backhed F, et al: Obesity alters gut microbial ecology. Proc Natl Acad Sci USA 2005; 102: 11070-5.
2) Ley RE, Turnbaugh PJ, et al: Microbial ecology: human gut microbes associated with obesity. Nature 2006; 444: 1022-3.
3) Le Chatelier E, Nielsen T, et al: Richness of human gut microbiome correlates with metabolic markers. Nature 2013; 500: 541-6.
4) Hartstra AV, Bouter KE, et al: Insights into the role of the microbiome in obesity and type 2 diabetes. Diabetes Care 2015; 38: 159-65.
5) Cox LM, Blaser MJ: Pathways in microbe-induced obesity. Cell Metab 2013; 17: 883-94.

6 대사증후군과 골연령 증가

당뇨병, 고혈압, 이상지질혈증 등의 생활 습관병이 골다공증의 위험 인자가 되는 것이 알려졌습니다. 한편 비만은 골다공증의 방어 인자라고 생각해 왔지만 내장 지방형 비만에서는 골절 위험이 높을 가능성이 보고되었습니다. 따라서 대사증후군에서 골다공증 동반 가능성을 생각해야 합니다.

당뇨병과 골다공증

2형 당뇨병에서는 골밀도에 의존하지 않는 골절 위험 상승이 알려져 있습니다. 메타분석 결과에 의하면 2형 당뇨병에서는 같은 연령대의 정상인에 비해 골밀도 저하가 없어도 대퇴골 근위부 골절 위험이 약 1.4배 증가했습니다.[1] 따라서 2형 당뇨병에서는 골밀도에 의존하지 않는 골절 위험이 증가하므로 골밀도 측정은 골절 위험 평가에 유용하다고 할 수 없습니다.

당뇨병에서 골절 위험 상승은 주로 골질의 연약화가 원인입니다.[2] 골질이 연약해지는 기전은 골형성이 저하되는 골대사 회전 저하, 골 미세 구조의 연약화(피질 다공성, 해면골 치밀도 저하 등), 콜라겐 가교의 당화 종산물(advanced glycation end products, AGEs) 형성 등을 생각할 수 있습니다. 또 당뇨병 합병증인 망막증, 신경병증, 근육 감소증인 사코페니아, 치료에 동반한 저혈당 등은 넘어질 위험을 증가시킵니다. 당뇨병 치료제가 뼈에 직접 영향을 줄 가능성도 있으며, 특히 티아졸리딘디온(thiazolidinedione) 유도체가 폐경 후 여성의 골절 위험을 올리는 것으로 알려져 있습니다. 한편 dipeptidyl peptidase-4 (DPP-4) 저해제나 메트포르민은 골절 위험을 감소할 가능성이 보고되었습니다.

대규모 코호트 연구에서 HbA1c 7.5% 이상인 환자는 골절 위험이 높으나 당뇨병 치료에 의한 위험 저하는 아직 명확하지 않습니다. 또 당뇨병에서 골절 위험 평가에 유용한 지표는 아직 확립되지 않았지만 HbA1c 7.5% 이상, 고AGE혈증, insulin-like growth factor-1 저하 등에서 골절 위험이 높을 가능성이 있습니다.

현 시점에서 당뇨병에 관련된 취약성 골절에 특이한 1차 예방법은 없습니다. 따라서 당뇨병 환자는 골밀도가 정상 이어도 취약성 골절의 병력이나 기존 추체 골절이 있으면 골절 재발을 예방하기 위해 골다공증 치료제를 이용한 치료가 필요합니다.

이상지질혈증과 골다공증

지금까지 많은 연구에 의해 고콜레스테롤혈증이 골다공증의 위험 인자로 알려졌습니다. 연령과 BMI로 보정 후에도 LDL 콜레스테롤이 높으면 골밀도 저하나 비추체 골절의 위험 인자이며, 종단 연구에서 총 콜레스테롤 증가가 취약성 골절 발생의 위험 인자로 알려졌습니다.

산화 LDL이 조골세포에 직접 영향을 미쳐 골강도를 저하시키는 것이 보고되었습니다. 한편 고콜레스테롤혈증 치료제 스타틴은 조골세포에 작용하여 골 형성을 촉진하는 작용이 있다고 알려졌습니다. 따라서 스타틴은 산화 LDL을 감소시키는 간접적 작용뿐 아니라 직접 조골세포에 작용하여 골 형성을 증가시킬 가능성을 생각할 수 있습니다. 스타틴 투여의 메타분석에서 대퇴골 밀도를 증가시켜 골절 위험을 저하시키는 것으로 보고되었습니다.[3] 골절을 종말 점으로 한 무작위 비교 시험 보고는 없으나, 고콜레스테롤혈증을 동반한 골다공증 환자는 적극적인 스타틴 사용을 권고합니다.

고혈압과 골다공증

고혈압에서 칼슘 대사이상은 오래전부터 알려졌습니다. 혈압이 높으면 신장에서 칼슘 배출이 증가하여 속발성 부갑상선 호르몬 증가를 일으켜 뼈에서 칼슘 동원이 높아져 골량이 감소합니다.

최근 혈압이나 미네랄 대사 조절 호르몬인 renin-angiotensin (RAA)계가 골대사에 영향을 주는 것도 알려졌습니다. 안지오텐신 II 과잉 발현 고혈압 모델 마우스는 조골세포에서 파골세포 분화 유도 인자(receptor activator of nuclear factor κ-B ligand, RANKL) 발현 증가를 통해 골 흡수가 항진되어 해면골량이 저하한다고 보고되었습니다. 안지오텐신 II 수용체에는 1형(AT1)과 2형 (AT2)이 있으며, 뼈에서 AT1 수용체와 AT2 수용체의 역할이 다를 가능성도 있어 앞으로 연구가 필요합니다.

교감신경계 항진은 골대사를 억제적으로 제어합니다. 교감신경 자극은 골형성을 억제하는 동시에 조골세포의 RANKL 발현 촉진으로 파골세포를 활성화시켜 골흡수를 촉진합니다.

혈압약의 골다공증에 대한 영향을 조사한 몇개의 연구가 있습니다.[4] 티아자이드계 이뇨제나 β-차단제는 골밀도를 증가시켜 골절 위험을 감소합니다. ACE 저해제에 의한 골량 증가, 골절위험 저하에 관여한다는 보고가 몇개인가 있으나, AT1 수용체 길항제에 대해서는 아직 보고가 적어 RAA계 약제가 골다공증 위험을 저하시키는지 앞으로의 연구 과제입니다.

▌ 비만과 골다공증

과거부터 체중이나 BMI는 골밀도와 양의 상관 관계가 있어 비만은 골다공증의 보호 인자라고 생각해 왔습니다. 실제로 체중의 역학적 부하는 골량의 증가와 유지에 작용하며, 피하지방 조직은 넘어졌을 때 물리적 충격에서 보호하므로 골절이 되기 어렵다고 생각할 수 있습니다. 그러나 비만한 사람은 균형 능력 저하에 의한 넘어질 위험이 높아 상완골, 늑골, 발목 관절, 추체에서는 골절 위험이 오히려 증가합니다. 또 대사증후군에서 내장 지방 축적에 의한 종양괴사 인자-α (tumor necrosis factor-α, TNF-α) 등의 염증성 사이토카인이 생산되고, 산화 스트레스나 만성 염증을 일으킵니다. 산화 스트레스나 만성 염증도 골질 연약화의 원인이 됩니다. 내장 지방에서 분비되는 아디포사이토카인이 골대사에주는 영향도 알려졌습니다.[5]

생활 습관병은 골다공증의 위험이 되므로 대사증후군 환자에서 골절 위험이 높아질 가능성을 고려해 진료할 필요가 있습니다.

(金沢一平 , 杉本利嗣)

문헌

1) Vestergaard P: Discrepancies in bone mineral density and fracture risk in patients with type 1 and type 2 diabetes-a meta-analysis. Osteoporos Int 2007; 18: 427-44.

2) Yamaguchi T, Sugimoto T: Bone metabolism and fracture risk in type 2 diabetes mellitus. Endocr J 2011; 58: 613-24.

3) Bauer DC, Mundy DR, et al: Use of statins and fracture: results of 4 prospective studies and cumulative meta-analysis of observational studies and controlled trials. Arch Intern Med 2004; 164: 146-52.

4) Ilic K, Obradovic N, et al: The relationship among hypertension, antihypertensive medications, and osteoporosis: a narrative review. Calcif Tissue Int 2013; 92: 217-27.

5) Biver E, Salliot C, et al: Influence of adipokines and ghrelin on bone mineral density and fracture risk: a systematic review and meta-analysis. J Clin Endocrinol Metab 2011; 96: 2703-13.

7 대사증후군(MetS), 비만과 정신건강 장애

대사증후군, 비만과 정신건강 장애는 동반 비율이 높으며, 서로가 위험 인자로 영향을 미칩니다. 대사증후군(Metabolic Syndrome, MetS), 비만은 염증성 사이토카인이나 신경 전달계를 통해, 그리고 정신건강 장애(mental health disorders, MHDs)는 기분, 감정의 변화를 통해 양 방향으로 서로 작용합니다(그림 1).[1]

여기서 말하는 MHDs는 조현병, 양극성 장애, 우울증, 불안, 주의력 결핍/과잉 행동 장애(attention deficit/hyperactivity disorder, ADHD), 자폐증 스펙트럼 장애(autism spectrum disorders, ASD) 등입니다.

역학

미국에서 MetS와 비만 환자의 45%가 MHDs를 동반한다는 보고가 있으며, 일반 인구의 발생률 25%보다 높습니다.[2] 반대로 MHDs에서 비만이나 MetS 동반 빈도도 높습니다. MHDs 환자에서 비만을 일으키는 정신병약 복용이 많지만, 복용 전에도 이미 높은 비율이라고 합니다.

우울증에서도 MetS나 비만을 많이 볼 수 있습니다. 전향적 연구에 의하면, 우울증 발병 위험은 BMI 25 미만의 정상 체중군에 비해 BMI 30 이상 군에서 55%, BMI 25 이상 군은 27%로 높았습니다.[3] 한편 우울증에서 장차 비만이 될 위험은, 우울증이 없는 사람보다 58%로 높았습니다. 이런 결과는 비만이 우울증의 위험 인자이며, 우울증은 비만의 위험 인자라고 할 수 있습니다.

ADHA나 ASD도 비만에서는 일반 인구에 비해 빈도가 높습니다. 야식 증후군이나 폭식증 등의 섭식 장애도 비만에서 높습니다.

MetS와 MHDs의 관계에는 성차가 있습니다. 남성 고도 비만에서는 우울증 발생 위험이 높고, 비만 여성에서는 불안증(不安症)이 일어나기 쉽습니다. 비만한 2형 당뇨병에서도 여성이 남성보다 우울증이 많습니다.

MetS가 MHDs에 주는 영향

MetS는 감정 장애나 우울증 발생을 높이며, 특히 사회 경제적 지위가 높은 남성에서 빈도가 높습니다. 비만에 대한 차별이나 수치심은 MHDs 위험을 높이며, 당뇨병 발생에 대한 불안이나 생활 습관에 대한 제약이 우울증 발생에 관여합니다. 당뇨병 진단 후나 치료를 시작하며 항우울제 복용 증가가 알려졌습니다.

MHDs에 의한 MetS, 비만 위험

우울증은 당뇨병이나 비만을 증가시킵니다. 우울증 남성에서 장차 비만이나 MetS으로 발전 되기 쉬운 것으로 알려졌습니다. 우울증 자체에 더해 치료에 사용하는 정신병약이나 우울증 치료제가 비만이나 당뇨병, 이상지질혈증을 일으킵니다. 선택성 세로토닌 재유입 저해제(selective serotonin reuptake inhibitors, SSRI)는 단기적으로 당대사를 개선하지만, 3환계 항우울제나 노르아드레날린계 약은 대사를 악화시킵니다. 특히 여성에서 항우울제 복용은 2형 당뇨병을 일으키기 쉽습니다. 우울증이나 감정 장애 환자는 단 것이나 지방이 많은 식품을 좋아하여 칼로리 섭취가 증가되기 쉬우며, 활동성이 부족하고 앉아 있는 시간이 길며 치료에 저항성이면 MetS나 비만이 되기 쉽습니다. 그러나 비만 수술이나 내과 치료에 성공하여 체중이 줄면 정신 증상이 개선됩니다. 이런 변화는 여성에서 많이 볼 수 있으나, 반대로 MHDs 개선에 의한 대사 기능을 개선은 어렵습니다.

MHDs와 MetS의 상호 관계

고지방식과 그에 의한 비만에서는 내장지방 축적으로 CRP나 TNF-α, interferon-γ, IL-6, IL-8 등 염증성 사이토카인의 작용이 강해집니다. IL-6는 해마계를 억제하여 스트레스나 섭식 행동 이상을 일으키며, 조현병이나 우울증 발생에 관

그림1 대사증후군, 비만·정신건강장애 관련도

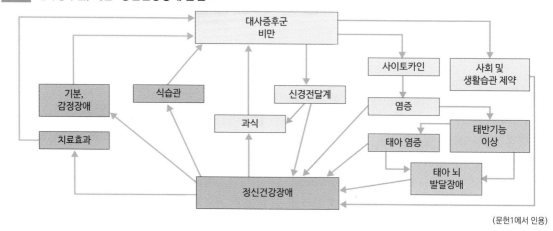

(문헌1에서 인용)

여합니다. 조현병이나 우울증에서 TNF-α나 IL-6 증가도 알려졌습니다. 우울증 환자에서 TNF-α, CRP, IL-6 증가가 MetS 발생의 한 원인으로 생각하고 있습니다. ADHD나 ASD에서도 염증성 사이토카인 이상이 있습니다.

신경 전달계, 내분비계 이상의 영향

세로토닌이나 도파민, 뉴로펩티드 Y (neuropeptide Y, NPY), 부신 피질 자극 호르몬 방출 호르몬(corticotropin-releasing hormone, CRH), 내인성 카나비노이드계 등 신경 조절 경로의 이상은 MetS와 MHDs의 상호 관계에 관여하고 있습니다. 세로토닌은 기분이나 행동 조절에 관여하며, 불안증이나 우울증, ADHA, ASD에서는 세로토닌 작용이 저하되어 있습니다. 세로토닌 활성 저하는 음식 섭취를 늘리며, SSRI로 치료하면 세로토닌 작용이 높아져 섭식이 억제됩니다. 세로토닌의 전구 물질인 트립토판에도 같은 작용이 있습니다. 도파민 작용 저하는 조현병이나 우울증에서 볼 수 있습니다. 정신병약은 도파민 2 수용체에 작용하여 약효를 나타냅니다. 한편 비만에서도 도파민 2 수용체 활성이 저하되어 뇌내 대사 억제에 관여합니다. NPY 활성은 조현병, 양극성 장애, 우울증에서 저하되며, ADHD에서는 항진됩니다.

시상하부의 신경 전달계에서 NPY/agouti 관련 단백과 α-멜라노사이트 자극 호르몬(α-melanocyte stimulating hormone, α-MSH)가 체중이나 섭식 조절에 관련합니다. 조현병이나 우울증에서 NPY 발현은 저하되어 있습니다.

시상하부-뇌하수체-부신(HPA)계도 MHDs, MetS와 관련이 있습니다. HPA계의 활성 항진은 섭식을 촉진하여 지방 조직량을 늘립니다. 섭식은 HPA계를 억제하며, 과식은 HPA계를 억제하여 만성 스트레스를 감소시킵니다. MHDs에서도 HPA계 조절 이상을 볼 수 있습니다. 우울증에서는 CRH 분비 증가에 의해 혈중 코티솔을 상승시켜 MetS를 일으킵니다.

모친의 대사이상이 태아에게 미치는 영향

모친의 MetS나 비만은 염증을 일으키며, 태반을 통해 태아의 세로토닌, 도파민 대사에 관여하여 태아의 뇌 발달에 영향을 미치는 결과 IL-8은 조현병을 IL-6은 ASD 발생에 관여합니다. 모친의 고혈당은. 태아의 췌장 β세포의 인슐린 분비를 높여 태아를 비만시켜 장래 MetS가 되기 쉽게 합니다.

（宮崎 滋）

|||||||||||||||||||||||||||||||||| **문헌** ||||||||||||||||||||||||||||||||||

1) Nousen EK, Franco JG, et al: Unraveling the mechanisms responsible for the comorbidity between metabolic syndrome and mental health disorders. Neuroendocrinol 2013; 98: 254-66.

2) Carpiniello B, et al: Mentaldisorders in patients with metabolic syndrome. The key role of central obesity. Eat Weight Disord 2012; 17: e259-66.

3) Luppino FS, et al: Overweight, obesity, and depression; A systematic review and meta-analysis of longitudinal studies. Arch Gen Psychiatry 2010, 67: 220-9.

1 비만 극복을 목표로 한 식사

비만과 병적 비만

비만에는 원인이 명확한 2차성 비만이 포함되나, 비만 원인이 명확하지 않으며 과식이나 운동부족 등 생활 습관 혼란과 관련이 강한 것은 원발성 비만으로 정의합니다. 2차성 비만에는 내분비성 비만, 유전성 비만, 시상하부성 비만, 약제성 비만 등이 포함됩니다.

원발성 비만의 원인에는 과식, 운동 부족, 수면부족이나 수면의 질 저하(불면증 등), 생활 리듬의 혼란, 과잉 스트레스 등 생활 습관의 복합 요인이 관련됩니다. 운동요법, 식사요법, 행동요법을 일정 기간 시행하여 명확한 비만 개선이 없으면 내분비성 비만[갑상선 기능 저하증, 쿠싱(Cushing) 증후군, 성선 기능 저하증, 성인 성장호르몬 분비 부전증, 다낭포성 난소 증후군, 인슐린종]이나 약제성 비만이 숨어 있는지 주의합니다.

체질량지수(body mass index: BMI) 25 kg/m² 이상을 비만으로 합니다. 2011년 일본 비만학회는 비만 중에서 의학적 치료가 필요한 건강 장애인, ① 내당능 장애, ② 이상지질혈증, ③ 고혈압, ④ 고뇨산혈증, ⑤ 관상동맥질환, ⑥ 뇌경색, ⑦ 지방간, ⑧ 월경 이상, 임신 합병증, ⑨ 수면 무호흡 증후군, 비만 저환기 증후군, ⑩ 정형외과 질환, ⑪ 비만 관련 신장병 등을 비만증으로 규정하고 있습니다. 비만 관련 신장병은 단백뇨 등의 신기능 장애(초점성 사구체 경화)가 비만에 동반되며, 감량에 의해 개선되는 병태입니다.

한편 현재 건강 장애가 없어도 장차 당뇨병 등의 건강 장애가 동반되기 쉬운 내장 지방형 비만(BMI 25 kg/m² 이상에서 배꼽 부위의 CT 검사에서 내장 지방 면적 100 cm² 이상)을 고위험성 비만으로 생활 습관 개선의 개입 대상으로 합니다. 또 비만이 아니어도 내장 지방 과잉 축적에서도 예방, 개입 대상으로 합니다(그림 1).

비만에서 식사요법의 의의

적정 섭취 칼로리에서 불과 1%를 초과한 식사를 30년간 계속하면 평균 27 kg의 체중이 증가한다고 계산할 수 있습니다. 중년 남성은 매일 적정 섭취 칼로리보다 약 10%를 더 많이 섭취하고 있다고 합니다. 이 10%에 해당하는 200~300 kcal는 만보 보행으로 소비되는 칼로리에 해당하므로 1일 10,000보를 권고하는 근거의 하나입니다.

식사요법에 의한 감량은 목표가 명확한 이론적 감량 프로그램 시행에 의해 달성됩니다. 개인적으로 그래프로 표시한 체중일기에 의한 체중 변화의 가시화, 의식적으로 씹는 회수를 늘려서 만복감의 조기 달성 등이 효과있는 것으로 알려졌습니다.

비만에서 증가한 인슐린 저항성에 대해 보상적으로 인슐린 분비가 증가하는 초기에는 췌장 β 세포가 증가하지만 고혈당 상태가 지속되면 β 세포량 감소로 바뀝니다. 비만에 동반된 당뇨병을 비만인 채 방치하면 병태를 악화시키므로 생활 습관의 적극적 개선으로 감량에 노력하여 적어도 체중이 증가되지 않게 하여 인슐린 저항성 개선으로 혈당을 조절하는 것이 바람직합니다.[2]

인슐린 저항성은 비만 자체에 더해 지방간, 근육 지방 축적 등 이소성 지방 축적, 골격근 감소증(사코페니아), 동물성 지방 과잉 섭취, 유리 지방산 상승(협의의 지방 독성), 만성적 고혈당(당독성), 생체 리듬 혼란에 의한 내분비 불균형 등 매우 다양한 복합 요인에 의해 일어납니다. 게다가 기호식의 편이(고지방식 의존), 장내 세균총 수나, 불균형에 의해 같은 것을 먹어도 살찌기 쉬움, 혹은 혈당 상승 폭 등이 개개인에 따라 크게 차이가 나는 것으로 알려졌습니다.

기호식의 편이 문제나 장내 세균총의 기능, 역할을 고려하지 않고 비만도나 혈당치에 의해서만

섭취 칼로리를 교육해 온 과거의 영양 교육은 근본적 변화가 필요합니다.[3]

이런 배경에서 생활 단계에 따른 식사요법의 개별화가 긴급한 과제라고 생각할 수 있으며, 이론적 근거로 분자 영양학이나 식품 과학, 식품 의존과 관련된 뇌과학이나 장내 세균 기반 연구의 성과가 급속하게 임상에 피드백되고 있습니다.[4]

비만 환자에서 식사요법의 기본은 영양소 균형을 고려한 적절한 에너지 섭취량의 이해입니다. BMI 22에서 건강 장해가 적다고 생각되지만 단번에 BMI 22까지 감량하지 않아도 현재 체중의 3%, 또는 3 kg 정도의 감량으로도 내당능 이상, 고지혈증, 고혈압 개선이 적지 않습니다. 급격한 체중 감소 후 반동을 방지하고 장기적으로 식사요법의 효과를 올리기 위해서는 운동요법, 행동요법, 심리요법의 적절한 조합으로 개개인의 사정에 따른 적절한 에너지 섭취량과 목표 체중을 정하는 맞춤 의료 실천이 필요합니다.

감량과 인슐린 저항성 감소를 위해서는 단순 당질 과잉 섭취의 개선, 당질 지수(glycemic index, GI)가 낮은 식품 섭취, 수용성 식이 섬유나 난소화성 다당류 섭취, 고지방식 과잉 섭취 개선, 다가 불포화 지방산의 적절한 섭취, 식염 과잉 섭취 방지 등을 교육합니다.

비만 환자는 빨리 먹기, 몰아 먹기, 과자나 청량 음료의 간식 습관 등으로 대표되는 만성 고혈당 상태, 야식 증후군(야식 습관, 취침 전 3시간 이내의 식사 습관 등), 고지방식에 대한 기호성 등 식습관 이상 동반이 적지 않습니다. 단시간 수면이나 수면의 질 이상, 밤샘 습관 등 생체 리듬 장애 동반도 많습니다. 야근 근로자나 교대 근무자에 비만을 동반한 당뇨병 빈도가 높은 것이 주목을 받고 있으며, 시간 리듬을 형성하는 시계 유전자군의 기능 파탄이나 식욕 조절 호르몬의 분비 이상 관여가 알려지고 있습니다. 사람에서 하루 리듬은 약 25시간이지만 아침에 햇빛을 받고 아침 식사를 거르지 않아 일중 리듬을 정상으로 설정하는 것이 중요합니다.

(益崎裕章)

||||||||||||||||||||||||||||||||||||||||||| 문헌 |||||||||||||||||||||||||||||||||||

1) 益崎裕章: 肥満症の内分泌学的解析. 日本内科学会雑誌(日本内科学会)2011; 100: 2638-45.
2) 斎藤　康, 白井厚治, ほか(日本肥満学会肥満症診断基準検討委員会): 肥満症診断基準2011. 肥満研究2012; 17: 1-78.
3) 益崎裕章, 矢部大介, ほか：肥満症の日常診療: 最近のアプローチ・私の工夫～栄養・食事・運動・行動変容・心理・生活リズムの観点から～. 日本内科学会雑誌 2015; 104: 748-62.
4) 益崎裕章, 小塚智沙代, ほか：慢性的な高脂肪食習慣に伴う視床下部の炎症と小胞体ストレス. Diabetes Frontier 2014; 25: 51-7.

그림1 일본의 비만 진료 동향

■ 남성과 여성
• 남성에서는 비만의 청년화(비만한 젊은 사람 수가 30년간 약 2배 증가), 여성에서는 연령 증가에 따라 BMI 증가(비만한 사람 수 자체는 증가 없음).
• 젊은 여성에서는 마른 경향, 저체중 출생아 증가가 문제.

■ 일본의 비만 진료 여건 3가지
• 내장 지방 과잉 축적 유무(배꼽 부위 CT내장 지방 면적(VFA) 100 cm² 이상)
• 건강 장애 (합병증) 동반
• BMI 25 이상

■ 비만과 관련이 깊은 질환
  담석증, 정맥혈전증, 폐색전증
  기관지 천식, 정신질환(우울·조현증, 해리성 장애, 불안 장애 등)
  암(담관계, 대장, 유방, 자궁내막 등)

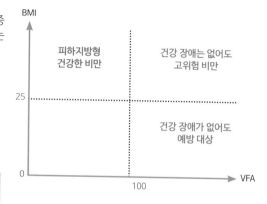

② 태아·소아기의 영양 교육

태생기의 영양 교육

일본은 OECD 가입국 중에서 저체중 신생아 비율이 높아, 임신부에 대한 과도한 체중 증가 제한이나 출산 가능 연령 여성의 저체중에 경종이 울리고 있습니다.[1] 태생기의 저영양(저체중 출생)은 네프론 수를 감소시켜 신 기능 저하의 위험 요인이며, 성인에서 당뇨병, 비만, 고혈압 위험이 됩니다. 2차 세계 대전 말 네덜란드에서 나치 독일이 항구를 폐쇄하여 심각한 식량난으로 고생한 지역이 있었으며, 네덜란드 기아(Dutch famine)라고 알려졌습니다. 그 후의 역학 조사에서 태생기에 모체에서 Dutch famine을 경험한 성인은 고혈당이나 과체중 비율이 유럽에 비해 높았습니다.

출생 후 생활 습관이나 유전 소인에 더해 태생기, 신생아의 영양 환경이 성장 과정에서 성인기의 비만 위험에 영향을 준다는 developmental origins of health and disease (DOHaD) 가설이 제창되었습니다. 저영양에 의한 태생기 프로그래밍이 출생 후 인슐린 저항성이나 혈압 상승, 중추 신경계의 식욕 제어 이상에 영향을 주는 분자 기전에는 환경 인자에 의한 게놈 수식(에피게놈) 기전이 관여합니다.[2]

마우스 실험에서도 영양 부족 상태로 사육한 모체에서 출생한 마우스는 체중이 작고 나중에 비만이나 당뇨병, 고혈압을 일으키기 쉽습니다(그림 1).[3] 이 기전에 대표적 아디포카인 렙틴 분비 조절이 관여할 것으로 생각합니다. 렙틴(leptin)은 지방세포가 중추 신경계에 에너지 축적 상황을 전달하여 식욕이나 당대사를 제어하는 기능을 하며, 모체가 저영양에 노출되면 생후 렙틴 농도 조절(렙틴) surge라고 부르는 일과성 혈중 농도 상승) 이상으로 타이밍이 어긋나서 시상하부의 뉴런 네트워크가 적정하게 구축되지 않습니다.[4] 실제로 유전적으로 렙틴이 결손된 비만 마우스(ob/ob 마우스)의 시상하부 신경 회로가 파탄되어 있으며, 신생아기부터 렙틴을 적정한 타이밍에 주사하여 신경 네트워크가 정상화되는 것이 증명되었습니다.

임신 중 무리한 다이어트나 편식이 차세대 생명의 "장래 생활 습관병 위험"을 결정할 가능성을 시사하고 있습니다.

소아기의 영양

성장기를 고려하여 섭취 에너지를 엄격하게 제한하지 않고 영양 균형을 우선합니다. 기본적 개념은 성인 비만과 같으며, 골격근은 줄이지 않고 체지방을 줄이는 목표로 고단백질 저탄수화물(에너지 비율을 단백질 20%, 지방질 25%, 탄수화물 55% 전후)을 기준으로 3대 영양소를 배분합니다. 채소, 해조류, 버섯, 식이 섬유 섭취를 장려하며, 과일이나 채소를 주스로 대용하지 않습니다. 부모에게 채소, 어패류, 콩류를 맛있게 먹을 수 있는 조리 메뉴 개발을 촉구합니다. 외식, 인스턴트 식품, 패스트푸드, 인공 감미료 이용을 줄이는 교육을 시행합니다.[5]

그림1 마우스 실험 결과

- 저영양 모체에서 출생한 마우스는 시상하부 기능 이상을 일으켜 비만, 당뇨병에 걸리기 쉬운 체질을 획득한다.
- 환경 인자가 유전자의 발현 프로그램을 변화시키는 것이 생활 습관병의 발생에 중요한 역할을 한다.

식생활 습관에 의한 게놈 수식을 시사한다.

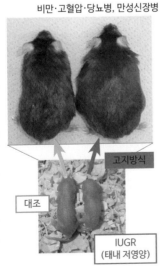

비만·고혈압·당뇨병, 만성신장병

고지방식

대조

IUGR
(태내 저영양)

(문헌4에서 인용)

유전자 게놈 수식 조절의 일정 부분을 식품 성분이 담당하고 있는 것은 주목할 만합니다(그림 2). 게놈 수식은 DNA 염기 서열 변화를 동반하지 않는 정보 기억과 유전자 발현 조절이며, 발생이나 분화 등 다양한 생명 현상과 관계가 있고, DNA 메틸화나 히스톤 수식, 크로마틴 구조 형성과 재구축 등에 의해 제어되고 있습니다. microRNA나 small RNA에 의한 전사 후 발현 조절 관여도 밝혀지고 있어 이런 기전이 암 발생뿐 아니라 비만이나 생활 습관병의 발생, 진행, 악화에도 관여할 것으로 생각합니다.[6]

태생기에서 유아기의 영양 환경에 의한 게놈 수식이 장래의 심혈관 질환이나 당뇨병, 비만 등의 대사질환 발생 위험을 높일 가능성이 지적되었으며, 피마 인디언 연구에서 임신 중에 당뇨병에 이환된 모친에서 태어난 아이는 당뇨병이 아닌 모친에서 태어난 아이에 비해 청년 발생 당뇨병 비율이 10배나 높다고 보고되었습니다.[7] 수컷 Sprague-Dawley (SD) 흰쥐에 만성적 고지방식 부하에 의해 차세대 암컷 래트의 췌장 β세포 기능 부전으로 당뇨병을 일으키는 것이 보고되었습니다. 차세대 흰쥐에서 칼슘, MAPK, Wnt 신호계, 세포자멸사, 세포 주기 등에 관계된 유전자 발현 제어가 크게 변화되었으며, 특히 *Il13ra2*유전자의 메틸화가 감소되었습니다. 포유류에서 식사 변화에 의한 에피제네틱스 변화가 차세대에 전달되어 당뇨병을 일으킨다는 놀라운 보고입니다.[8]

태생기에 어미 흰쥐에 정크푸드를 주어 태생기 흰쥐의 뇌에서 보상 신호계 도파민 신호 전달을 담당하는 μ오피오이드 수용체나 DAT (dopamine active transporter)의 복측피개야(VTA)에서 유전자 발현이 항진되어 보상 자극이 증강되며 소아기에 정크푸드를 선호하여 비만이 됩니다. 정크푸드 의존이 부모에서 아이에게 계승될 가능성을 나타내서, 섭식 행동 변용에 의한 비만, 당뇨병 제어의 중요성이 시사되는 소견이라고 할 수 있습니다.[9]

(益崎裕章)

그림2 영양 성분의 히스톤·DNA 메틸화 상태 제어 보효소 작동 기능

엽산, 비타민 B12, 콜린(choline), 베타인(betaine) 섭취량에 따라 히스톤·DNA 메틸화 상태가 변하고 당뇨병, 비만증 위험이 상승한다.

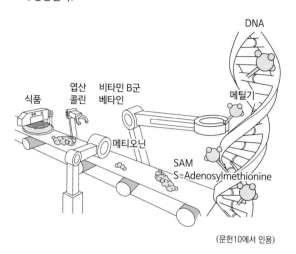

(문헌10에서 인용)

|||||||||||||||||||||||||||||||||||||||||| 문헌 ||||||||||||||||||||||||||||||||||||||||||

1) 益崎裕章, 矢部大介, 大西由希子, ほか: 肥満症の日常診療: 最近のアプローチ・私の工夫 ～栄養・食事・運動・行動変容・心理・生活リズムの観点から～ 日本内科学会雑誌 2015; 104: 748-62.

2) 益崎裕章, 小塚智沙代, ほか: 総説 三つ子の魂百まで ～子供の食育が人生を決める～. 日本抗加齢医学会雑誌(日本抗加齢医学会)2012; 8: 67-78.

3) 益崎裕章: 肥満症の内分泌学的解析. 日本内科学会雑誌 2011; 100: 2638-45.

4) Yura S, Itoh H, Masuzaki H et al : Role of premature leptin surge in obesity resulting from intrauterine undernutrition. Cell Metabolism 2005; 1: 371-8.

5) 日本肥満学会: 肥満研究: 小児肥満症ガイドライン2014(概要). 日本肥満学会誌 2014; 59.

6) 益崎裕章, 小塚智沙代, 土井基嗣, ほか : 太りやすい体質は変えられますか？ エピゲノム医学の進歩を踏まえて. Modern Physician 2014; 35: 141-5.

7) Dabelea D, Hanson RL, Lindsay RS, et al : Intrauterine exposure to diabetes conveys risks for type 2 diabetes and obesity: a study of discordant sibships. Diabetes 2000; 49: 2208.

8) Ng SF, Lin Rc, Laybutt DR, et al : Chronic high-fat diet in fathers programs b-cell dysfunction in female rat offspring. Nature 2010; 467: 963-6.

9) Ong ZY, Muhlhausler BS: Maternal "junk-food" feeding of rat dams alters food choices and development of the mesolimbic reward pathway in the offspring. FASEB J 2011; 25: 2167.

10) Waterland RA, Jirtle RL: Transposable elements: targets for early nutritional effects on epigenetic gene regulation. Transposable elements: targets for early nutritional effects on epigenetic gene regulation. Mol Cell Biol 2003; 23: 5293.

③ 심혈관 질환 예방을 목표로 한 식사

많은 선진국에서 가장 많은 사망 원인을 차지하는 심혈관 질환은 식습관과 관련이 있으며 식사 내용 개선으로 심혈관 질환 예방을 기대할 수 있습니다. 심혈관 질환 예방을 목표로 한 식사는 심혈관 질환 발생 위험 인자인 고혈압, 비만, 이상지질혈증, 당뇨병 등의 대사이상과 동맥경화를 예방하려는 식사이기도 합니다. 여기서는 영양소나 식품군 섭취와 심혈관 질환 위험에 대해 최근 지견을 소개합니다.

▌에너지 섭취와 심혈관 질환

여분으로 섭취한 에너지는 지방이 되어 몸 안에 축적됩니다. 즉 비만은 에너지 출납의 불균형이 원인입니다. 비만은 고혈압, 당이나 지방질의 대사이상을 일으켜 심혈관 질환 위험을 올리는 것으로 보고되었습니다.[1,2] 세계 58개 코호트, 미국과 유럽인이 90%를 차지하는 약 22만명을 대상으로 한 통합 연구에서 체질량 지수(BMI)가 4.56 kg/m², 배둘레가 12.6 cm 증가하면 심혈관 질환 사망 위험은 7%, 10% 높아졌습니다.[10] 일본은 비만한 사람이 다른 나라보다 많지 않지만 일본인을 대상으로 한 코호트 연구를 모은 통합 연구에서도 BMI가 높을수록 남녀 모두에서 뇌졸중 발생 위험이 증가했고, 남성에서는 심근경색 위험이 높았습니다.

▌소금 섭취와 심혈관 질환

과다한 소금 섭취가 혈압을 올린다는 관찰 연구[3]가 많으며, 소금 섭취를 줄여 혈압이 내려가는 것도 보고되었습니다.[4] 추적 기간이 3년 이상인 13개 코호트 연구의 메타분석[5]에서 소금 섭취량과 뇌졸중 사망 위험의 관계는, 1일 소금 섭취량이 6 g 증가하면 23% 높았습니다.

▌어류 섭취와 심혈관 질환

지방질에는 동물의 지방에 많이 들어 있는 포화지방산과 식물성 기름이나 생선 기름에 많은 불포화 지방산이 있습니다. 다가 불포화 지방산은 사람의 생체 내에서 합성할 수 없어 음식으로 섭취할 필요가 있으며, ω6계와 ω3계로 분류합니다. ω3계 다가 불포화 지방산 중에서 어패류에 많은 에이코사펜타엔산(eicosapentaenoic acid, EPA)이나 도코사헥사엔산(docosahexaenoic acid, DHA)이라는 탄소 고리가 긴 장쇄 ω3계 지방산 섭취가 심혈관 질환 발생이나 사망의 예방 작용이 있다고 보고 되었습니다.[6~8] 일본에서 1980년 국민 영양 조사 대상자 약 9,000명을 24년간 추적한 National Integrated Project for Prospective Observation of Non-communicable Disease And its trends in the Aged (NIPPON DATA) 80에서[8] EPA와 DHA로 섭취하는 에너지 비율을 4군으로 나누어 심혈관 질환 사망 위험과의 관련을 조사했습니다. 그 결과 EPA와 DHA 섭취량이 가장 적었던 군에 비해 가장 많았던 군에서 심혈관 질환 사망 위험이 20% 낮아 EPA와 DHA 섭취가 많은 사람에서 24년간의 위험이 낮아진 것을 보고했습니다.

▌채소 및 과일 섭취와 심혈관 질환

채소와 과일에는 식이 섬유나 비타민 C 그리고 칼륨이나 마그네슘 등의 미네랄이 많이 들어 있습니다. 그 중에서도 칼륨은 나트륨 배설을 촉진하므로 소금 섭취량이 많은 사람에서 충분히 섭취해야할 미네랄이지만 섭취 목표에 도달하지 못하고 있습니다. 채소나 과일 섭취와 심혈관 질환의 관련에 대한 미국과 유럽의 메타분석[9]과 대규모 전향적 코호트[10,11] 연구에서 모두 관련성이 있었습니다. 과일 섭취량과 심혈관 질환 발생 위험의 관련성을 1일 과일 섭취량을 4군으로 나누어 검토한 결과, 과일 섭취량이 가장 적었던 군에 비해 가장 많은 군에서 5~8년간의 심혈관 질환 발생 위험이 19% 낮았습니다. 또 NIPPON

DATA80의 장기 추적[11]에서 채소와 과일을 합하여 섭취 칼로리 1,000 kcal당 약 130 g 먹는 사람에 비해 약 310 g 먹는 사람에서 24년간 심혈관 질환 사망 위험이 26%, 허혈성 심질환 사망 위험이 43% 낮았습니다.

음주와 심혈관 질환

음주와 혈압의 관련에 대한 관찰 연구에서 비음주자에 비해 습관성 음주자에서 수축기 혈압이 높았습니다.[12] 15개 무작위 비교 시험의 메타분석[13]에서 알코올 감량에 의한 혈압 강하가 보고되었습니다. 음주와 심혈관 질환 위험에 대해 뇌졸중과 허혈성 심질환의 영향이 다르다는 보고가 있으나, 일본인에서[14] 일본술로 환산하여 하루 2홉 이상 음주하는 사람에서 비음주자에 비해 뇌졸중 발생 위험이 39%, 3홉 이상 음주자는 71% 높았습니다.

이런 결과로 볼 때 심혈관 질환 예방을 위해 다량 음주자는 절주하고 에너지 섭취량을 적정하게 하며, 어패류와 채소, 과일을 섭취하고 소금 섭취량을 줄이는 식사가 바람직합니다.

(宮川尚子 , 三浦克之)

|||||||||||||||||||||||||||||||| **문헌** ||||||||||||||||||||||||||||||||

1) Emerging Risk Factors Collaboration, Wormser D, Kaptoge S, et al: Separate and combined associations of body-mass index and abdominal adiposity with cardiovascular disease: collaborative analysis of 58 prospective studies. Lancet 2011; 377: 1085-95.

2) Yatsuya H, Toyoshima H, et al: Body mass index and risk of stroke and myocardial infarction in a relatively lean population: meta-analysis of 16 Japanese cohorts using individual data. Circ Cardiovasc Qual Outcomes 2010; 3: 498-505.

3) Elliott P, Stamler J, et al: Intersalt revisited: further analyses of 24 hour sodium excretion and blood pressure within and across populations. Intersalt Cooperative Research Group. BMJ 1996; 312: 1249-53.

4) He FJ, Li J, et al: Effect of longer term modest salt reduction on blood pressure: Cochrane systematic review and meta-analysis of randomized trials. BMJ 2013; 346: f1325.

5) Strazzullo P, D'Elia L, et al: Salt intake, stroke, and cardiovascular disease: meta-analysis of prospective studies. BMJ 2009; 339: b4567.

6) Mozaffarian, D, Wu JH: Omega-3 fatty acids and cardiovascular disease: effects on risk factors, molecular pathways, and clinical events. J Am Coll Cardiol 2011; 58: 2047-67.

7) Yamagishi K, Iso H, et al: Fish, omega-3 polyunsaturated fatty acids, and mortality from cardiovascular diseases in a nationwide community-based cohort of Japanese men and women the JACC (Japan Collaborative Cohort Study for Evaluation of Cancer Risk) Study. J Am Coll Cardiol 2008; 52: 988-96.

8) Miyagawa N, Miura K, et al: Long-chain n-3 polyunsaturated fatty acids intake and cardiovascular disease mortality risk in Japanese: a 24-year follow-up of NIPPON DATA80. Atherosclerosis 2014; 232: 384-9.

9) He FJ, Nowson CA, et al: Increased consumption of fruit and vegetables is related to a reduced risk of coronary heart disease: meta-analysis of cohort studies. J Hum Hypertens 2007; 21: 717-28.

10) Takachi R, Inoue M, et al: Fruit and vegetable intake and risk of total cancer and cardiovascular disease: Japan Public Health Center-Based Prospective Study. Am J Epidemiol 2008; 167: 59-70.

11) Okuda N, Miura K, et al: Fruit and vegetable intake and mortality from cardiovascular disease in Japan: a 24-year follow-up of the NIPPON DATA80 Study. Eur J Clin Nutr 2015; in press.

12) Marmot MG, Elliott P, et al: Alcohol and blood pressure: the INTERSALT study. BMJ 1994; 308: 1263-7.

13) Xin X, He J, et al: Effects of alcohol reduction on blood pressure: a meta-analysis of randomized controlled trials. Hypertension 2001; 38: 1112-7.

14) Ikehara S, Iso H, et al: Alcohol consumption and mortality from stroke and coronary heart disease among Japanese men and women: the Japan collaborative cohort study. Stroke 2008; 39: 2936-42.

4 암 예방을 목표로 한 식사

암의 원인

암은 사망의 가장 큰 원인입니다. 1981년 미국 보건연구원(National Institutes of Health, NIH)의 발표나 1996년 하버드 대학 조사에서, 암 원인의 40%는 식사, 30%는 흡연이었습니다. 이것은 식사를 바꾸고 생활 습관을 개선하면 암의 70% 정도를 예방할 수 있다는 것이며, 이런 견해가 세계적으로 지지를 받고 있습니다(그림 1).[1]

암의 3대 치료법인 수술 절제, 항암제 투여, 방사선 조사에 더해 최근에는 식사요법(영양 대사 요법)을 병용하여 치료 성적이 좋아지고 있습니다. 이런 관점에 암 예방을 위한 식생활 개선이 제시되었습니다.[2]

임상 경험을 통해 암의 발생에 관계된다고 생각하는 식사 요인은

① 소금 과잉
② 동물성 단백질, 지질 대사 장애
③ 구연산 회로 대사 장애
④ 혈중 활성 산소 과잉의 4항목으로 정리할 수 있습니다.

식재 선택의 골자

암의 식사요법으로 100년의 역사를 가진 거슨(Gerson) 요법이나 코다(甲田)요법 등이 있으며, 미국에는 약 180년의 역사를 가진 'Natural Hygene' 사상이 있습니다. 앞의 발암 요인 4항목을 피할 목적의 식사 교육은 다음 8항목입니다.

① 소금 제한(1 일 5 g 이하)
② 동물성 단백질, 지방질 제한(주 3회 이하)
③ 대량의 채소, 과일 섭취(750 mL의 새로 짠 주스)
④ 현미, 잡곡, 전립 밀, 콩(두부)과 감자의 적당량 섭취
⑤ 유산균(요구르트 200 cc), 해초, 버섯류를 매일 섭취
⑥ 벌꿀(큰 수저 2), 레몬 2개, 에비오제 20정
⑦ 식용유는 올리브 오일, 참기름, 유채유 등 식물성을 중심으로
⑧ 자연수(내추럴 미네랄 워터)를 마심

이것을 1년 이상 계속하여 암을 예방하는 효과를 경험하고 있습니다.

필자의 치료 예

말기 암 개선 증례

지난 16년간 경험한 말기 암 402 증례는 표 1과 같으며, 대장암이 111예로 가장 많았고, 그 다음에 위암 53예, 유방암 49예, 전립선암 36예, 췌장암 35예, 림프종, 담도암 등이었습니다. 과반 수의 증례가 진단 시 근치 절제 불능이었으며, 약 반 수는 근치술 시행 후 재발했으나 재수술 불가능 등의 이유로 전체의 90%가 Stage IV의 말기 암이었습니다. 영양 대사 요법과 더불어 약 반 수에서 화학요법을 시행했고, 25%에서 방사선 조사를 시행했습니다.

402예 중에서 생존 284예, 사망 118예(29.4%)였

그림1 암 발생의 원인

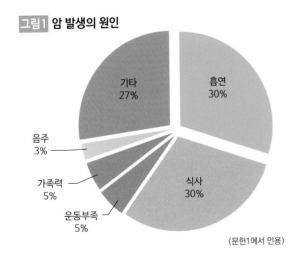

- 흡연 30%
- 식사 30%
- 기타 27%
- 음주 3%
- 가족력 5%
- 운동부족 5%

(문헌1에서 인용)

으며, 완전 관해 52예, 유효 194예로 전체적 효과는 246/402(61.2%)였습니다(표 1).

수술 후 재발 예방 성적

근치 수술 후 예방적으로 암 식사요법을 교육하여 2년 이상 계속한 145예에서 재발 유무를 조사한 결과 20예(13.8%)에서 재발, 125예(86.2%)에서 재발이 없었습니다.

▌ 고찰

암의 개선을 위한 식재 선택의 이론이 밝혀지고 있습니다.

1) 세포 내액에는 칼륨이 많이 들어 있으며, 세포 내 칼륨 결핍과 나트륨 과잉은 세포 노화와 암화를 일으키는 원인입니다. 미네랄 균형을 유지하는 세포막의 Na-K 교환 효소는 구연산 회로에서 생성되는 ATP를 에너지로 이용하며, 이 효소의 활성도는 세포의 암화와 관련이 있습니다.

2) 30여 년에 걸친 미국 코넬대학 TC 캠벨 교수의 연구에서, 음식 중 암 유발성이 가장 높은 식품은 동물성 단백질이었으며, 그의 저술 'China Study'에서 자세히 설명하고 있습니다.[3]

3) 배아 성분인 비타민 B (VB) 부족은 구연산 대사 장애를 일으켜 암을 발생시키며, VB 투여로 암이 소퇴되었다는 소르본느 대학 P 레스틴의 연구가 있습니다.

4) 발암 억제의 기전을 활성 산소 제거의 관점에서 보아 단계적 암 예방 대책도 고안되어 있습니다(그림 2).

▌ 총괄; 암 식사요법(영양 대사 요법)의 의의

소금, 동물성 단백질, 지방질을 줄이는 것이 21세기의 건강식일 것입니다. 중화 요리, 지중해 요리와 함께 일식이 세계 건강식의 조류가 될 가능성이 있습니다. 미국은 1990년 이후 디자이너 프로젝트에 의한 국민 영양교육으로 암 사망률이 20년 동안 22% 저하되었습니다.[5]

식품의 기능성을 고려하여 현미나 채소를 선택하고, 체내 대사 장애를 일으키기 쉬운 동물성 단백질이나 지방질을 줄이고, 수도물의 염소나 잔류 농약을 배제하고 미네랄 균형유지 목적으로 소금 제한과 칼륨 섭취가 암 개선과 예방에 중요합니다.

영양 대사 요법에 근거한 식사교육 방침은 단순한 영양소 보충에 머물지 않고 식품의 기능성을 기반으로 암의 병태를 개선하여 암 예방의 생활 지침으로 도움이 될 것으로 생각합니다.

(済陽高穂)

표1 영양, 대사 교육과 치료 성적

CR+PR ; (52+194) / 402=61.2%

장기별 증례 수		관해	개선	불변	진행	사망
위	53	4	26	3	2	18
대장	111	10	65	1	5	30
간	17	3	4		1	9
췌장	35	4	8	1	1	21
담도	17	1	5		3	8
식도	11	3	3			5
전립선	36	9	18	3	3	3
유방암	49	9	27	1	2	10
림프종	15	3	10			2
기타	58	6	28	2	10	12
합계	402	52	194	11	27	118

(2014) 평균관찰기간 : 4.5년

그림2 만성 미량 방사선 방사능 노출에 의한 발암의 억제 기전

방사선 피폭뿐 아니라 스트레스나 담배 등이 활성 산소를 증가시켜 발암 위험을 높인다.

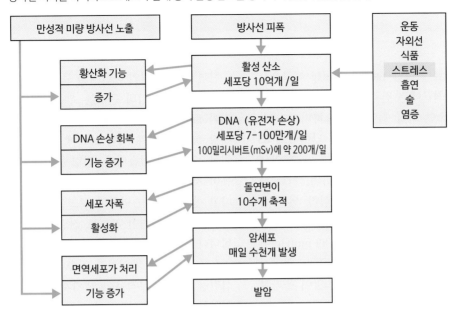

문헌

1) Walter C Willett, et al: Summary-Causes of Cancer. Cancer Prevention: The Causes and Prevention of Cancer, Vol.1, Kluwer Academic Publishers, 2000, p161.

2) 済陽高穂, ほか: 晩期がん病態改善のための栄養管理と食事指導. 静脈経腸栄養 2008; 23(4) 33-9.

3) コリン・キャンベル著, 松田麻美子訳: 葬られた「第二のマクガバン報告」グスコー出版, 2009.

4) 中村仁信: 低量放射線は怖くない. 遊タイムス出版, 2011.

5) 米国・がん統計2015. CA Cancer Journal Clinic 2015.

5 고혈압 예방을 목표로 한 식사

고혈압은 진료실 혈압 140/90 mmHg 이상으로 정의합니다.[1] 최근에는 진료실 혈압과 가정 혈압에 차이가 있으면 가정 혈압이 중요하다고 생각하며, 가정 혈압은 진료실 혈압보다 낮아 135/85 mmHg 이상을 고혈압이라고 합니다. 고혈압의 발생과 진행에는 생활 습관이 관여하며, 치료 뿐 아니라 예방을 위해서는 식사를 포함한 생활 습관 개선이 필요합니다. 특히 혈압이 정상인 사람에서도 고혈압 전단계(130~139/85~89 mmHg)이면 고혈압 유전 소인을 가질 수 있으며, 혈압이 높지 않아도 비만이나 신 장애 등 혈압이 올라갈 요인이 있으면 고혈압 예비군으로 대책이 필요합니다. 또 고혈압이 없어도 심혈관 질환 위험(65세 이상, 흡연, 이상지질혈증, BMI 25 kg/m² 이상의 비만, 대사증후, 50세 미만에 발생한 심혈관 질환 가족력, 당뇨병)이 있으면 같습니다. 여기서는 생활 습관 중에서 가장 친밀한 식사에 대해 설명합니다.

소금 제한

소금 과잉 섭취가 혈압 상승의 원인이 되는 것은 잘 알려져 있습니다. 또 소금 섭취를 줄여 고혈압이 개선되거나 예방 된다는 연구가 있습니다.[2] 대규모 임상연구에서 유의한 혈압 저하를 위해서는 1일 6 g 미만으로 줄여야 했으며, 세계의 주요 고혈압 치료 지침에서 5~6 g/일 미만을 권고하고 있습니다. 일본 고혈압학회의 고혈압치료 지침(JSH 2014)도 6 g/일 미만을 목표로 하고 있습니다. 그러나 일본에서 소금 섭취량은 10 g/일을 넘어 동기가 높지 않으면 이 목표치 달성은 어렵다고 생각합니다. 일반 정상인을 대상으로 일본 후생노동성의 '일본인의 식사 섭취 기준 2015년판'은 소금 섭취 목표를 남성 8 g/일 미만, 여성 7 g/일 미만으로 고혈압 지침의 권고량보다 높게 하고 있으나, 6 g/일 미만을 목표로 해야 합니다.

한편 소금 섭취의 하한치를 규정한 지침은 많지 않습니다. 하한치의 근거는 부족하지만 만성 신 질환(chronic kidney disease, CKD) 환자에게 일본 신장 학회의 진료 지침 2013에 하한으로 3 g/일 이상으로 되어 있습니다. 연령 증가에 따라 신 기능이 저하되므로 고령자에서 이런 주의가 필요하다고 생각합니다. 명확한 보고는 없지만 정상인에서는 보다 엄격한 제한도 견딜 수 있다고 생각됩니다.

소금 섭취량은 개인차가 있습니다. 급격한 소금 섭취량 감소로 부작용이 생기지 않도록 실제 섭취량을 평가하여 시간을 들여 목표치에 도달하도록 서서히 줄여가야 합니다.

칼로리 제한

칼로리 과잉 섭취는 비만의 원인이 됩니다. 비만이 고혈압의 발생과 유지에 관여한다는 많은 연구가 있습니다. JSH 2014[1]는 고혈압 환자의 생활 습관 교정에 대해, 비만한 사람은 BMI 25 kg/m² 미만을 목표로 체중을 줄이고, 비만하지 않은 사람도 이 BMI 수준을 유지하도록 되어 있어 예방적 입장에서 이 목표치 달성이 바람직합니다. 그러나 급격한 체중 감량에 부작용이 나타날 수 있어 5~10%의 가벼운 감량을 지속적으로 서서히 시행합니다. 그러기 위해서는 과식에 의한 칼로리 과잉 섭취를 피하고, 운동을 하지 않는 사람은 25 kcal/kg 목표(理想) 체중으로, 어느 정도 운동을 하는 사람은 30 kcal/kg 목표 체중으로, 운동량이 많은 사람은 35 kcal/kg 목표 체중으로 합니다. 같은 체중에서도 복부 비만이 있으면 고혈압을 일으키기 쉬우며, 내장 지방 증가는 이상지질혈증이나 고혈당같은 대사이상이나 신 장애 등 고혈압 및 그 합병증의 발생과 진행을 촉진하므로 허리 둘레(waist circumference; 남성 85 cm 미만, 여상 90 cm 미만)[5]도 고려하여 감량합니다.

칼륨, 칼슘, 마그네슘의 적극적 섭취

칼륨, 칼슘, 마그네슘은 채소, 과일, 저지방유 제품에 많으며, 혈압 저하 효과가 있는 식사 패턴인 Dietary Approach to Stop Hypertension (DASH) 식에서 중요 영양소의 하나입니다. 이런 미네랄의 혈압 저하 작용은 단독으로는 약하며 다른 영양소와 조합하여 효과를 나타낸다고 생각합니다. 즉 칼륨의 혈압 저하 작용은 식염 섭취량이 많으면 현저하며, 나트륨에 길항 작용을 하는 것으로 생각하고 있습니다. 실제로 일반 집단을 대상으로 한 역학 연구에서 나트륨/칼륨 섭취 비가 심혈관 질환 위험 증가나 전체 사망과 관계가 있는 보고도 있습니다. 식품의 가공 과정에서 나트륨이 첨가되고 칼륨이 소실되므로 가공 식품 소비가 많은 선진국에서 나트륨 섭취가 증가하고 칼륨 섭취는 부족한 경향이 있어 채소를 통한 칼륨의 적극적 섭취를 권고합니다. WHO는 3,510 mg/일 이상 섭취를 권고합니다. 그러나 신 장애가 있으면 경증이라도 고칼륨혈증에 주의가 필요하며, 특히 신 장애의 진행에서 칼륨의 적극적 섭취는 피해야 합니다.

지방질

포화 지방산과 콜레스테롤은 혈압을 올리는 방향으로 작용할 가능성이 있습니다. 한편 불포화 지방산은 혈압 저하 작용을 나타낼 가능성이 있습니다. 특히 어유의 ω3계 지방산[다가 불포화 지방산(eicosapentaenoic acid, EPA), 도코사헥사엔산(docosahexaenoic acid, DHA) 도코사펜타엔산(docosapentaenoic acid, DPA) 등]은 가벼운 혈압 강하 작용이 보고되어 고혈압 환자에서 적극적 섭취를 권고합니다. 그러나 혈압 저하 효과를 보려면 3 g/일 이상으로 어유를 대량 섭취해야 하며 그 작용은 약합니다.

단백질

콩 단백이나 우유 단백에 의한 혈압 강하 작용 보고가 있으나 그 작용은 약하고 모순되는 성적도 있습니다.

탄수화물

탄수화물 섭취를 단백질이나 불포화 지방산으로 바꾸어 혈압이 저하되었다는 보고가 있으며, 대량의 탄수화물 섭취는 혈압 조절에 불리한 가능성이 있습니다. 특히 당질 지수가 높은 당질 섭취는 혈압을 올릴 가능성이 있습니다. 한편 식이섬유는 혈압을 내린다는 보고가 있습니다.

기호품

1회의 알코올 투여는 몇시간 동안 혈압을 저하시키지만, 대량의 음주는 장기적으로 혈압을 올립니다. 대량 음주자에서 급격한 금주는 일시적으로 혈압을 올릴 수 있으나, 절주를 계속하면 혈압이 저하됩니다. 음주는 에탄올로 계산하여 남성은 20~30 mL/일 이하, 여성은 10~20 mL/일 이하로 해야 합니다.

커피를 마시면 일시적으로 혈압이 올라갈 수 있으나, 장기적으로는 혈압을 올리지 않습니다. 담배에 의한 혈압 상승도 일과성이지만 동맥경화성 질환의 원인이 되므로 고혈압 환자나 고혈압 전 단계에서는 금연해야 합니다.

(安東克之)

|||||||||||||||||||||||||||||||||| **문헌** ||||||||||||||||||||||||||||||||||

1） 日本高血圧学会高血圧治療ガイドライン作成員会: 高血圧治療ガイドライン2014(JSH2014). 東京, 日本高血圧学会, 2014.
2） 安東克之, 河原崎宏雄, ほか: 食塩と高血圧・心血管疾患. 日本高血圧学会減塩委員会報告2012年版. 東京, 日本高血圧学会, 2012; 1-26.
3） 厚生労働省「日本人の食事基準(2015年版)」策定検討会: 日本人の食事基準(2015年版). 菱田 明, 佐々木敏監修, 東京, 第一出版, 2014.
4） 日本腎臓学会: エビデンスに基づくCKD診療ガイドライン2013. 日本腎臓学会誌 2013; 55: 585-860.
5） 日本肥満学会肥満症診断基準検討委員会: 肥満症診断基準2011. 肥満研究 2011; 17(臨時増刊号).

※역자 주:
- 대한비만학회의 한국인 비만의 진단 기준치는 BMI 25이상, 허리둘레는 남자 90 cm, 여자 85 cm 이상 참조 요망.
- 대한고혈압학회의 2018년 고혈압 진료지침 참조 요망.

6 당뇨병 예방 식사요법

일본의 2012년 국민 건강 · 영양 조사에서 당뇨병 환자는 약 950만 명, 당뇨병 전 단계는 약 1,100만 명이었습니다. 당뇨병은 동맥경화나 치매, 암 등의 위험을 높이는 것으로 알려졌습니다. 여기서는 안티에이징의 일환으로 당뇨병 예방을 목표로 한 식사에 대해 설명합니다.

생활 습관 개선에 의한 당뇨병 예방

최근의 라이프 스타일 변화로 활동량 저하나 식사의 다양화, 섭취량 증가에 의한 칼로리 수요와 공급의 균형이 무너지기 쉬워졌습니다. 그 결과 내장 지방형 비만이나 인슐린 저항성을 일으켜 당뇨병이 발생된다고 생각하고 있습니다. 특히 아시아인은 BMI 25 kg/m² 미만에서 서구인 기준의 비만에 미치지 않아도 체중 증가에 따라 2형 당뇨병 발생률이 증가합니다.[1] 내당능 이상이 있는 남성을 BMI 22 kg/m² 이하로 감량 하도록 적극적으로 교육한 연구에서 일반 대상군에 비해 당뇨병 발생이 67.4% 감소했습니다.[2] 건강 진단에서 발견된 공복 혈당이 정상 범위이지만 높은 군에서 생활 습관 개선의 적극 지원을 3년간 계속하여 당뇨병 발생이 약 20% 감소했다는 보고도 있습니다.[3] 이런 결과는 당뇨병 발생 예방에 생활 습관 개선이 효과적인 것을 나타내며, 식사요법은 중요한 대책입니다.

총 칼로리 섭취량과 영양소 균형의 설정

역학 연구를 통해 총 사망률이나 질환 발생률이 가장 낮은 BMI 범위가 정해졌으며(표 1), 이것을 목표로 총 칼로리 섭취량을 설정합니다.[4]

탄수화물은 에너지 원으로 중요한 역할을 합니다. 소화성 탄수화물이 하루에 필요한 최저량은 대략 100 g/일로 추정되나 당뇨병 발생 예방을 위한 적정 섭취량은 명확하지 않습니다. 그러나 탄수화물이 당뇨병 또는 체중 증가를 악화시킨다는 보고가 있어 총 칼로리의 50~65%의 탄수화물 섭취를 권고합니다. 탄수화물에 들어있는 식이 섬유량은 심근경색의 발생 및 사망, 당뇨병의 발생[6]과 관련이 있습니다. 일본에서는 식이 섬유 섭취 목표로 1일 20 g 이상(여성은 18 g)을 권고합니다.

단백질 섭취 비율이 총 칼로리의 20%를 넘으면 당뇨병 발생 위험 증가와 심혈관 질환을 증가시킬 가능성이 있습니다.[6] 따라서 총 칼로리에서 13~20% 범위의 단백질 섭취를 권고합니다.

당뇨병 예방이나 사망률과 관련하여 지방산의 섭취량, 탄수화물이나 단백질의 섭취 균형을 조사한 연구에 의해 총 칼로리의 20~30% 지방질 섭취를 권고합니다. 또한 포화 지방산 섭취 증가에 의해 비만, 인슐린 저항이 악화되므로 포화 지방산 섭취는 총 칼로리의 7% 이하가 바람직합니다.

일본의 여러 학회에서 권고하는 식사요법 치료

표1 목표 BMI 범위(18세 이상)

연령(세)	목표 BMI (kg/m²)
18~49	18.5~24.9
50~69	20.0~24.9
70 이상	21.5~24.9

목표를 비교하면 표 2와 같습니다. 세세한 부분에 차이가 있지만 기본적으로 중요한 사항은 공통입니다.

국제적 관점에서 본 식사 교육의 비교

세계 당뇨병 연맹(International Diabetes Federation, IDF), 미국 당뇨병 학회(American Diabetes Association, ADA)는 식사요법의 기본으로 개개 환자의 상태에 따라 개별 대응하도록 권고하고 있습니다.

ADA는 2014년 과학적 근거에 의한 Nutrition Therapy Recommendations를 발표했습니다. 여기서는 개인의 기호, 문화 배경, 생활 습관, 치료 목표 등 당뇨병 환자의 배경이 다르므로 개개 환자에 따라 계속 가능한 식사 교육을 시행하도록 권고하며, 총 칼로리나 3대 영양소의 섭취 기준을 설정하지 않았습니다. 다만 권고하는 총 칼로리는 적절한 체중을 유지하는 양입니다. 또한 ADA는 설탕이나 과당 등을 첨가한 고칼로리 식품을 피하고, 채소, 전립분(통밀가루), 두류(콩 종류) 등 다양한 식품 섭취가 바람직하고. 포화 지방산과 트랜스 지방산은 줄이며, 불포화 지방산 섭취를 권고하고 있습니다. 비타민이나 미네랄 등의 기능식품이 당뇨병 환자에게 유익하다는 근거가 없다고 권고 하지 않았습니다.

마지막으로

앞으로 라이프 스타일이나 식생활 문화는 더욱 다양하게 될 것으로 예상하며, 이런 변화 과정에서 획일적 교육은 안티에이징 식사 대책에 충분하지 않을 것으로 예상합니다. 새로운 근거 축적이 필요하며 그 결과에 따라 개별적으로 대응하는 식사 교육 시행이 필요합니다.

(井上宏美 , 石川 耕 , 横手幸太郎)

표2 여러 지침의 식사요법 비교

	일본인의 식사 섭취 기준 2015	과학적 근거에 입각한 당뇨병 진료 가이드라인 2013	동맥 경화 질환을 예방하기 위한 지질 이상 치료 가이드 라인 2013	고혈압 치료 가이드 라인 2014
에너지	목표하는 BMI범위 내에 들어가도록 섭취 에너지량 설정	섭취 에너지량=표준 체중×신체 활동량 신체 활동량 (kcal/kg 표준체중) =25~30 가벼운 노동량 =30~35 보통 노동 =35~ 중노동	에너지 섭취량(kcal) =표준체중(kg) ×25 ~30(kcal)을 목표하나 250 kcal/일 정도 줄임	
탄수화물	섭취 에너지량의 50~65% 식이섬유 1일 20 g 이상(남성), 18 g 이상(여성)	섭취 에너지량의 50~60% 식이섬유 1일 20~25g	에너지 비율 50~60% GI가 낮은 식사 식물섬유 25 g/일 이상 과당류 과다 섭취 주의	
단백질	섭취 에너지량의 13~20%	표준 체중 1 kg당 1.0~1.2g		CKD 3단계 이상에서 0.6~0.8 g/kg/일
지방질	섭취 에너지량의 20~30% 포화 지방산은 7% 이하 제한	포화지방산과 고포화지방 각각 총섭취 칼로리의 7%, 10% 이내 제한	에너지 비율 20~25% 포화지방산 4.5~7% 미만 ω3계 다가불포화 지방산 증가 트랜스지방산 섭취 제한	콜레스테롤이나 포화지방산 섭취 제한 어유(油) 적극적 섭취
염분	8 g/일 미만(남성) 7 g/일 미만(여성)	고혈압, 신부전 동반 동반에서 6 g으로 제한	6 g/일 미만	6 g/일 미만 보다 적은 염분 섭취
기타	비타민, 미네랄은 섭취 기준 없음	비타민, 미네랄 섭취 부족 방지		

문헌

1) Hsu WC, Araneta MR, et al: BMI Cut Points to Identify At-Risk Asian Americans for Type 2 Diabetes Screening. Diabetes Care 2015; 38:150-58.
2) Kosaka K, Noda M, et al: Prevention of type 2 diabetes by lifestyle intervention: a Japanese trial in IGT males. Diabetes Res Clin Pract 2005; 67: 152-62.
3) 村本あき子, 津下一代: 特定保健指導の効果検証(解説). 肥満研究 2013; 19(2): 75-81.
4) 厚生労働省「日本人の食事摂取基準(2015年版)策定検討会」報告書, p54.
5) Schulze MB, Schulz M, et al: Fiber and magnesium intake and incidence of type 2 diabetes: a prospective study and meta-analysis. Arch Intern Med 2007; 167: 956-65.
6) Pedersen AN, Kondrup J. et al: Health effects of protein intake in healthy adults: a systematic literature review. Food Nutr Res 2013; 30; 57.

7 신장투석 예방과 치료를 위한 식사

만성 신부전과 투석 요법

신장 투석 예방과 치료를 위한 식사는, 급성 질환보다 만성 신질환(chronic kidney disease, CKD)과 관련이 있습니다. 투석 요법이 필요한 말기 신부전으로 진행을 억제하기 위해 CKD라는 질환 개념이 도입되었습니다. CKD는 '요단백 등 신 질환의 존재를 나타내는 소견' 또는 '신 기능 저하(추정 사구체 여과량: eGFR 60 mL/분/1.73 m² 미만)가 3개월 이상 지속 되는 상태'라고 정의하며, 원인 질환은 문제삼지 않습니다(표 1).[1] GFR은 1분간에 원뇨가 사구체에서 나오는 여과량을 말하며, 나이, 성별, 혈청 크레아티닌 치로 계산한 eGFR을 이용합니다.

CKD는 일반적으로 서서히 진행하지만 상기도 감염이나 설사, 탈수 등이 있으면 신 기능이 갑자기 저하되면서 투석이 필요한 상태로 진행할 수 있습니다. CKD 단계 G5 (eGFR 15 mL/분/1.73 m² 미만)는 요독증(uremia)이며, 메스꺼움, 구토, 식욕 부진, 토 · 하혈 등의 위장 증상, 빈혈, 출혈 경향, 중증 고혈압, 심부전, 폐수종 등이 나타납니다. 투석 요법(혈액 투석, 복막 투석)을 도입하면 CKD 단계 G5D입니다. CKD 단계 G5 진행을 방지하기 위해서는 적절한 식사요법이 필요합니다.

투석 예방과 만성 신질환 치료를 위한 식사

체중

식사 제한은 영양소 섭취를 제한하는 기준으로 표준 체중 kg(신장 m²×22)을 이용합니다. 비만이나 여윈 환자는 체질량 지수(body mass index: BMI, 체중÷신장 m²)를 이용하여 BMI 25 이상은 비만으로, 18.5 이하는 저체중으로 교육합니다.

칼로리

25~35 kcal/kg 체중을 목표로 하며, 비만에서는 20~25 kcal/kg 체중으로 하고 체중 변화를 보아 증감합니다.

단백질

체내에 흡수된 단백질은 대사되어 질소를 포함한 노폐물이 되어 소변으로 배설됩니다. 신 기능이 저하하면 신 독성이 있는 노폐물이 체내에 축적됩니다. 또 단백질은 GFR을 올리며, 장기적인 GFR 상승은 신장에 부하를 걸어 신 기능을 더 저하시키므로 단백질 제한을 권고합니다. 그러나 과도한 단백 제한은 영양 부족에 의한 체단백 이화 항진으로 노폐물이 축적되므로 바람직하지 않습니다. CKD 단계 G3에서는 0.8~1.0 g/kg 체중/일의 단백 섭취를 권고합니다. CKD 진행에 따라

표1 CKD 중증도 분류

CKD 단계	eGFR (mL/분/1.73 m²)
G1	90 이상
G2	60~89
G3a	45~59
G3b	30~44
G4	15~29
G5	15 미만

(문헌1에서 인용)

표2 탄수화물로부터 섭취해야 할 에너지량

- 증례: 표준 체중 60 kg, CKD 단계 G3a, 남성
- 섭취 에너지량=30 kcal/표준 체중 kg/일 x 60 kg=1800 kcal/일
- 단백질 섭취량=0.8 g/표준 체중 kg/일 x 60 kg=48 g/일≒50 g/일
- 단백질 에너지량=50 g/일 x 4kcal/일=200 kcal/일
- 지방질 섭취량=1,800 kcal x 0.25(25%로 설정)=450 kcal/일
- 탄수화물로 섭취하는 에너지량=1,800 kcal/일-(200+450)Kcal/일
  =1,150 kcal/일

이상과 같이 탄수화물로 섭취하는 칼로리 양은 1,150 kcal/일이 된다.

(문헌2에서 인용)

보다 엄격한 단백 제한(0.6~0.8/kg 체중/일)을 시행할 수도 있으나, 그 효과는 명확하지 않습니다. 단백질 섭취량을 24시간 소변을 모아 Maroni 식 [1일 단백질 섭취량(g/일)]=[1일 소변 질소 배설량(g)+0.031×체중(kg)×6.25]로 구할 수 있습니다.

지방질

단백질 섭취 제한에 의한 칼로리 부족을 보충하기 위해 지방질 섭취를 조금 늘립니다. 그러나 동맥경화를 예방하기 위해 총 칼로리의 20~25% 정도가 좋습니다.

탄수화물

탄수화물 섭취량은 총 칼로리에서 단백질과 지방질 섭취량(칼로리 환산)을 빼서 결정합니다(표2). 당뇨병에서는 설탕 등의 단순 당질은 제한하고 다당질(전분)을 이용합니다.

소금

정상인에 비해 나트륨(Na, 소금)을 배설하는 능력이 저하되며, 소금 과잉 섭취는 혈압을 올려 혈액의 Na을 소변으로 배출시키려는 작용으로 고혈압이 지속됩니다. 체내에 Na이 저류 되면 체액의 삼투압이 상승하며, 이것을 저하시키기 위해 수분도 체내 저류되어 부종, 심부전, 폐수종 등이 일어납니다. 따라서 소금 섭취량은 하루 3~6 g 미만으로 제한할 필요가 있습니다. 그러나 실제 식사 환경에서 이렇게 엄격한 제한은 어려우며, 처음에는 하루 6 g 미만을 목표로 합니다. 1일 소금 섭취량을 24시간 소변을 모아, 추정 식염 섭취량(g/일)=소변 Na배설량(mEq/일)÷17을 구합니다.

수분

소변이 충분히 나오는 상태(CKD 단계 G3에서 G4의 일부까지)에는 자유로운 수분 섭취가 가능합니다. 그러나 소변량이 감소하는 CKD 단계 G4부터 G5에는 수분을 과잉 섭취하면 부종, 심부전, 폐부종을 일으킬 수 있어 수분 제한이 필요합니다.

(富野康曰己)

|||||||||||||||||||||||||||||||||||| 문헌 ||||||||||||||||||||||||||||||||||||

1) 日本腎臓学会編: CKD診療ガイド2012. 東京, 東京医学社, 2012, p1-4.
2) 清水芳男, 増田 稔 : 慢性腎不全. スマート栄養管理術 1 2 3, 富野康曰己編, 東京, 医歯薬出版, 2014, p142-152.

8 골량 증가를 위한 식사

연령 증가에 따른 골량 변화와 식생활 개선

사람은 일생 동안 그림 1처럼 골량이 변합니다. 골형성이 왕성한 성장기에서 골량 피크(최대 골량) 및 충실기를 지나 여성에서는 폐경 직전부터 급격한 골량 감소가 일어납니다. 남성에서는 고령기에도 골량이 서서히 감소하며 남녀 모두 노화에 의한 골량 감소로 골다공증 발생 위험이 높아집니다. 따라서 사람의 일생 어느 시기에도 골량 증가를 목표로 하여 골다공증을 예방하려는 노력이 중요합니다. 이 때 가장 중요한 기본적 사항은 매일 3회 식사이며 골량 증가를 목표로 한 식사 개선 대책이 중요합니다. 따라서 ① 보다 높은 골량을 얻기 위한 튼튼한 뼈를 만드는 식사, ② 최대 골량을 유지하기 위한 식사, ③ 골량 감소를 방지하기 위한 식사, ④ 넘어짐 방지 및 골절 예방을 위한 식사 등을 목표로 개개인의 연령에 따른 식생활 개선이 필요합니다.

식생활 개선을 위한 식사의 기본 사항은 적정한 식사량 확보입니다. 적정 체중의 유지, 확보를 위한 식사량(에너지 소비량에 맞춘 칼로리 섭취량)을 결정하여 시작하는 것이 중요합니다.

골량 증가 및 골다공증 예방 목적의 식사 요점

최고 골량을 달성으로, 튼튼한 뼈를 만드는 식사(골량 증가를 기대할 수 있는 시기의 식사)

이 시기는 이른바 성장기이지만, 날씬함의 소망이나 결식의 습관화 같은 식생활의 혼란으로 칼슘(이하 Ca) 부족 경향이 우려되는 시기입니다. 따라서 골량 증가 및 골다공증 예방 즉 뼈의 건강 유지를 위해서 하루 3번 식사하며(매끼 주식과 부식의 준비) 또 Ca이 많은 식품(우유, 유제품, 콩 제품, 녹황색 채소, 작은 생선 등)을 매끼 한 종류 이상 먹어 충분한 양의 Ca(표 1의 Ca 섭취 기준 참고)을 섭취하고, 적극적 신체 활동의 습관화가 중요합니다.

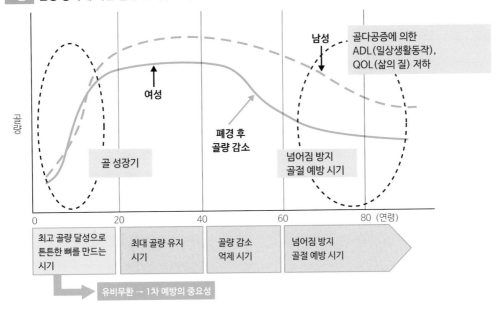

그림1 연령 증가에 따른 골량 변화(요추)

골량

여성

남성

폐경 후 골량 감소

골다공증에 의한 ADL(일상생활동작), QOL(삶의 질) 저하

골 성장기

넘어짐 방지 골절 예방 시기

0   20   40   60   80 (연령)

최고 골량 달성으로 튼튼한 뼈를 만드는 시기 | 최대 골량 유지 시기 | 골량 감소 억제 시기 | 넘어짐 방지 골절 예방 시기

유비무환 → 1차 예방의 중요성

233

최대 골량 유지와 골량 감소 억제를 위한 식사

이 시기의 식사도 골량 증가를 기대할 수 있는 시기의 식사와 같으며, 하루 3번의 식사를 확실히 먹는 것과 충분한 양의 Ca 섭취는 물론이지만 골다공증 예방과 치료 지침 2006년판에서 지적한 저골량의 위험 인자 중에서 영양 관련 인자로 알려진, 저체중, 영양 불량. Ca 섭취 부족 이외에 비타민 D(이하 VD) 부족, 비타민 K(이하 VK) 부족 등에 대한 대책으로 VD, VK 그리고 칼로리(적정 체중을 유지하는 칼로리 섭취량 확보)나 단백질(약 1 g/kg체중/일) 섭취도 부족하지 않도록 주의하는 것이 중요합니다. 폐경기 여성에서는 지방질 섭취 과잉에도 주의할 필요가 있습니다. 그러기 위해서 육류는 살코기를 유제품은 저지방의 식품을 사용합니다. 또 조리 시에 기름 사용량의 억제 등에 대한 배려도 중요합니다.

넘어짐 방지 및 골절 예방을 위한 식사

이 시기에는 골량 감소를 조금이라도 억제하고, 넘어짐 방지 및 골절 예방에 대한 주의가 중요합니다. 물론 식사의 기본은 하루 3번 확실히 먹고, 충분한 양의 Ca을 섭취합니다. 이 시기에 대부분 골다공증이 있다고 생각하여 골다공증의 예방과 치료 지침에 따라 골다공증 치료를 위한 Ca, VD, VK 권장 섭취량(표 2)을 목표로 한 식사가 바람직합니다. 특히 Ca은 식품으로 섭취가 중요하고 또 골다공증으로 골절 위험성이 높은 상태에서는 골다공증 치료제의 효과가 충분히 나타나도록 일상생활에서 Ca, VD의 충분한 섭취가 중요합니다. 따라서 일상의 Ca 섭취 상황을 파악하여 권고 섭취량의 Ca 섭취를 실현할 수 있는 구체적이며 실현 가능한 식사 교육이 중요합니다. 또 Ca, VD 뿐 아니라 VK 그리고 고령자에서 적정량의 단백질 섭취도 중요하며, 필수 아미노산 투여에 의한 근육 효과 보고가 있으므로 단백질의 양과 질(필수 아미노산이 균형있게 들어 있는 양질의 단백질) 고려도 중요합니다. 골 강도를 결정하는 콜라겐 형성에는 비타민 B군(비타민 B_6, 비타민 B_{12},

표1 칼슘의 식사 섭취 기준(mg/일)

일본인의 식사 섭취 기준(2015년)

연령	남성				여성			
	추정평균 필요량	권장량	기준량	허용상한치	추정평균 필요량	권장량	기준량	허용상한치
0~5 (개월)	-	-	200	-	-	-	200	-
6~11 (개월)	-	-	250	-	-	-	250	-
1~2 (세)	350	450	-	-	350	400	-	-
3~5 (세)	500	600	-	-	450	550	-	-
6~7 (세)	500	600	-	-	450	550	-	-
8~9 (세)	550	650	-	-	600	750	-	-
10~11 (세)	600	700	-	-	600	750	-	-
12~14 (세)	850	1,000	-	-	700	800	-	-
15~17 (세)	650	800	-	-	550	650	-	-
18~29 (세)	650	800	-	2,500	550	650	-	2,500
30~49 (세)	550	650	-	2,500	550	650	-	2,500
50~69 (세)	600	700	-	2,500	550	650	-	2,500
70 이상 (세)	600	700	-	2,500	500	650	-	2,500
임신부					-	-	-	-
수유부					-	-	-	-

(문헌1에서 인용)

표2 특히 주의해야할 영양소 권장 섭취량

골다공증의 예방과 치료의 가이드 라인(2011년)

영양소	섭취 권장량	식사 섭취 기준(2015년도)
칼슘	식품으로 700~800 mg (건강 보조식품 복용에서 과잉에 주의)	성인 남성 650~800 mg 고령 남성 700 mg 성인 여성 650 mg 고령 여성 650 mg (권장량)
비타민 D	400~800 IU (10~20 μg)	성인 남녀 5.5 μg (기준량)
비타민 K	250~300 μg	성인 남녀 150 μg (기준량)

(문헌1 , 3에서 인용)

엽산 등)도 중요한 영양소 입니다. 또 적절한 영양 상태에 있는지 체성분 분석을 이용한 평가도 필요합니다.

고령자의 식사에서 가장 중요한 요점은 매일 3끼 식사를 먹는 것이며 영양에 균형이 있는 식사를 맛있고, 즐겁게 먹는 것입니다.

그러기 위해서는 주위 가족이나 의료 종사자가 식욕 개선, 기호에 대응 및 섭식 기능 저하 해결 등에 노력해야 합니다. 또 넘어짐과 골절 예방을 위한 라이프 스타일 개선 등도 포함한 개개인의

QOL의 유지, 향상을 위한 대응과 효과적인 식사, 생활 교육 및 지원이 중요합니다.

(塚原典子)

문헌

1) 厚生労働省策定：日本人の食事摂取基準(2015年版). 東京, 第一出版, 2014.
2) 折茂　肇, ほか：骨粗鬆症の予防と治療ガイドライン2006年版. 東京, ライフサイエンス出版, 2006.
3) 折茂　肇, ほか：骨粗鬆症の予防と治療ガイドライン2011年版. 東京, ライフサイエンス出版, 2011.

IV

안티에이징 의학 임상

9 치매 예방을 목표로 한 식사

치매의 근본적 치료제 개발은 당분간 전망할 수 없어 예방은 매우 중요한 과제입니다. 여기서는 치매 예방 식사에 대해 알아 봅니다.

치매 빈도와 증가

일본 한 지역의 조사에서 1992년에는 65세 이상 고령자의 5.7%가 치매였으나, 2005년 12.5%, 2012년 17.9%였습니다. 이런 증가는 고혈압, 이상지질혈증, 당뇨병 등 생활 습관병 증가에 의한 것으로 생각하고 있습니다.

치매의 위험 인자와 방어 인자

치매의 유전적 위험 인자에 아포단백 E (*ApoE*) ε4가 있으나 대부분은 생활 습관과 관계된 환경 인자입니다. 한편 방어 인자의 대부분도 생활 습관과 관계된 환경 인자입니다(표 1).

노화를 제어하는 식사

치매 빈도는 나이가 들면서 포물선 모양으로 증가하며 뇌의 노화는 치매의 가장 큰 위험 인자입니다.

활성 산소 제거

활성 산소는 노화의 한 요인으로 생각하며, 활성 산소 제거는 노화를 늦추어 치매를 예방할 수 있습니다. 활성 산소를 제거하는 물질로 비타민 E, C, 폴리페놀, 다가 불포화 지방산(어유), 수소수 등이 있으며, 이들이 기능성 식품으로 팔리고 있으나 사람에서는 근거가 충분하지 않습니다.

칼로리 제한

칼로리 제한에 의한 장수가 원숭이를 포함한 동물 실험에서 알려졌습니다. 장수하는 꼬마 선충의 유전자 분석으로 발견된 DAF-2는 인슐린양 성장인자-1의 수용체이며 그 하류의 전사 인자 DAF16는 장수 유전자의 전사를 억제합니다. 포유류에서 이 유전자는 인슐린 수용체와 전사 인자 Forkhead box O (FOXO)이며, 칼로리 제한에 의한 장수 기전에 관여합니다.

칼로리 제한에서 변화하는 유전자로 효모균에서 *Sir-2*라고 부르는 노화 억제 유전자가 알려졌습니다. 이 유전자는 포유류에서 서투인(sirtuin)이라고 부르며 NAD 의존성 히스톤 탈아세틸화 효소입니다. 서투인-1을 활성화하는 화합물로 레스베라트롤이 발견되었습니다. 그러나 적포도주에 들어있는 레스베라트롤은 미량이며 노화방지 효과를 보려면 적포주를 대량 마실 필요가 있어 현실적이 아닙니다. 한편 과산화지질의 산물인

표1 알츠하이머병 위험인자와 방어인자

위험인자	방어인자
연령: 고령 성: 여성 유전: *ApoE* ε4, 가족성 알츠하이머병 유전자 생활 습관 관련: 　저학력, 무취미, 머리 외상 　뇌허혈, 뇌혈관 장애, 당뇨병 　스트레스, 고칼로리, 고지방식, 흡연	연령: 젊은 연령 성: 남성 유전: 저항성 유전자 생활 습관 관련: 　고학력, 적극적 라이프스타일 　운동 습관, 30분 이하의 낮잠 　비스테로이드 소염제, 스타틴 복용, 　비타민 E, C, 생선, 녹황색 채소, 지중해식단

acrolein이나 4-hydroxynonenal은 서투인을 억제하는 화합물이며, 이들이 많이 들어있는 오래된 식품 특히 지방질의 대량 섭취는 피하는 편이 좋습니다.

또 하나의 기전은 오토파지입니다. 오토파지는 기아에서 나타나는 영양소 재이용 기전으로 발견되었으나, 칼로리 제한이나 호르미시스의 기전으로도 알려졌습니다. 손상된 미토콘드리아에서는 활성 산소가 발생되어 세포에 위험한 존재가 되지만 이것을 오토파지를 통해 제거하여 산화 스트레스가 감소됩니다. 단식이나 기아가 알츠하이머병을 비롯한 뇌의 변성 질환에 억제 효과가 있을지 흥미로우며, 우선 만복에 주의하는 것이 좋을 것입니다.

당뇨병, 이상지질혈증과 알츠하이머병

당뇨병은 치매 특히 알츠하이머병의 위험 인자이며, 메타분석에서 상대 위험도는 1.54였습니다. 당뇨병이 있는 알츠하이머병에 nut oil이 좋다고 하나 아직 근거는 없습니다. 고콜레스테롤혈증은 알츠하이머병의 위험 인자이지만 스타틴에 의한 개입 시험에서 치매 개선 효과는 확인되지 않았습니다. 이것은 발병 후 개입 지연이 원인으로 생각하고 있습니다.

어류, 지중해 식사, 비타민

어류에는 ω3 불포화 지방산이 많아 알츠하이머병의 위험도를 줄인다는 코호트 연구가 있으나, 개입 시험에서 치매의 예방, 치료에 효과가 없었습니다. 뉴욕 주민에서 올리브유, 과일, 채소, 전곡류, 어류 등의 소비량으로 지중해 식사 점수를 계산하여 알츠하이머병과의 관련을 조사한 결과, 점수가 높은 사람의 상대 위험도는 0.32였습니다. [1) 비타민 E, 비타민 C, β-카로틴 섭취와 알츠하이머병에 대한 메타분석에서 각각 0.76, 0.83, 0.88으로 억제 경향이 있었으나, 이들에 의한 개입 시험은 성공하지 못했습니다.

코호트 연구와 개입 연구의 차이

이상과 같이 치매 위험 인자, 방어 인자에 운동, 식품 등의 생활 습관과 관련된다는 코호트 연구는 많지만 개입 연구에서 성공하지 못한 이유의 하나는 그런 위험 인자 노출이 태어났을 때부터의 축적이기 때문입니다. 코호트 연구에서 어느 정도의 축적 차이는 볼 수 있으나, 이미 축적된 고령 후 개입에서는 한계가 있을 것으로 생각합니다. 또 위험 인자는 복합적이며, 비타민 E 단독 투여에 의한 효과는 제한적일 가능성이 있습니다. 기능식품도 단독이 아니라 여러 종류를 같이 사용하여 효과가 좋았던 예가 있습니다.

(田平 武)

||||||||||||||||||||||||| 문헌 |||||||||||||||||||||||||

1) Scarmeas N, Stern Y, et al: Mediterranean diet, Alzheimer disease, and vascular mediation. Arch Neurol 2006; 63: 1709-17.
2) Engelhart MJ, Geerlings MI, et al: Dietary intake of antioxidants and risk of Alzheimer disease. JAMA 2002; 287(24): 3223-9.

10 정신 질환 증상 예방을 목표로 한 식사

영양 결핍과 정신 증상

영양소 부족이나 결핍에 의한 영양 장애에서 정신 증상 동반이 알려졌습니다. 비타민 C 결핍증인 괴혈병은 우울 증상을 동반하며, 비타민 B_1 결핍증인 각기에서는 기억 장애를 주로 한 다양한 정신 증상을 나타냅니다. 비타민 B_6 부족으로 우울 증상, 착란 등을 나타내며 때로 경련 발작을 일으키는 것은 과거부터 알려져 있으며, 특히 소아에서 항경련제에 반응하지 않는 난치성 경련에 비타민 B_6 보충이 효과적입니다. 또 나이아신(비타민 B_3)이 결핍된 펠라그라에서는 수면 장애, 우울 증상뿐 아니라 결핍이 진행되면 환각이나 망상 등의 정신 증상이 나타나므로 미국과 유럽에서는 많은 정신 질환에 나이아신을 투여하고 있습니다.

이런 영양 장애에 의한 정신 증상의 대부분은, 전형적 증상이나 임상 검사에 의해 결핍증으로 진단되기 몇 년 전부터 발생하는 것이 많아 영양 장애에 동반하는 정신 증상이라고 진단되지 못할 수 있습니다.

생활 습관과 정신 증상

술을 마시면 혈중 알코올 농도 증가에 따라 쾌활하게 되고, 기분이 좋아짐 등 정신 상태 변화가 일어납니다. 그러나 장기간의 음주나 알코올 의존증에서는 다양한 정신 증상이 나타납니다. 대표적 질환은 Wenick-Korsakoff syndrome입니다. 또 음주 중지나 대량 음주에 의한 급성 증상으로 환각이나 망상 등의 정신 증상이 나타나며, 알코올 대사에 의해 나이아신이 소비되면 펠라그라의 정신 증상도 나타납니다.

생활 습관병의 하나인 당뇨병에서는, 정상인에 비해 우울증이나 우울 증상 동반 빈도가 약 2배 높으며,[1] 망막증이나 신경 증상 등의 합병증을 가진 환자에서 주요 우울증 증가가 알려졌습니다.

한편 우울 장애를 가진 환자에서 당뇨병 발생 위험이 65%로 높은 것도 보고되어, 우울증은 당뇨병의 합병증이라고 생각할 수 있습니다.

내당능 수준에 따른 치매 발생률 조사에서, 내당능 수준 상승에 따라 뇌혈관성 치매나 알츠하이머병 발생률이 높아지므로, 인슐린 저항성과 보상성 고인슐린혈증이 치매의 원인과 관계가 있을 것으로 생각합니다(그림 1).[3]

미국의 정신 질환자 영양 교육

의욕 저하, 안절 부절, 초조감, 불안 등의 정신 증상을 예방하기 위한 식사요법으로, 미국에서 시행하고 있는 정신 질환자에 대한 영양사를 포함한 정신 의료 팀 교육이 참고가 됩니다.

정신 증상을 호소하는 환자 집단에서 영양 진단 결과는 다음과 같습니다.
- 음식과 영양에 대한 지식의 결여
- 음식과 영양이 유해하다는 생각이나 믿음
- 열악한 음식 선택
- 영양소 결핍증(잠재적 영양 결핍)
- 식사로 섭취하는 지방질의 불균형
- 탄수화물 과잉 섭취
- 가공 식품 및 정제 식품 과잉 섭취
- 음식과 음료의 과잉 또는 불충분한 경구 섭취
- 저체중, 과체중, 비만

영양사는 의료 팀의 일원으로 운동과 수면의 확보, 스트레스 관리와 함께 정신 증상 개선을 위해 식사를 포함한 영양 개입을 시행합니다. 그 중심은 ω3계 지방산, 피토케미칼, 비타민 B군, 비타민 D 섭취에 대한 식사 및 기능식품을 이용한 보충입니다.

미국 정신의학회는 정상인과 정신 장애 환자에게 ω3계 지방산 섭취를 권고하고 있습니다(표 1).[4]

피토케미칼로 사과, 베리, 감귤류, 포도, 녹차, 홍차, 우롱차, 초콜릿 등 플라보노이드가 많은 식품 섭취를 권고합니다.

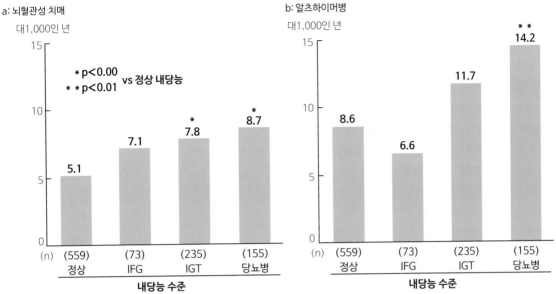

그림1 **내당능 수준에 따른 치매 발생률(WHO 기준)**

히사야마 마치 남녀 1,017명, 60세 이상, 1988~2003년, 성·연령 조정

a: 뇌혈관성 치매 / b: 알츠하이머병

IFG: 공복 혈당 이상(impaired fasting glycemia), IGT: 내당능 장애(impaired glucose tolerance)

표1 **ω3 섭취에 대한 미국 정신의학회의 권고**

대상	권고 사항
모든 성인	주 2회 이상의 어류 섭취
기분 장애, 충동 제어 장애 등 정신 장애 환자	EPA와 DHA를 합해 1g (1,000 mg)/일 섭취
기분 장애 환자	EPA와 DHA를 합해 1~9 g 함유한 기능식품 사용. 3 g/일 이상은 의사의 감시 하에 사용

DHA: 도코사엑사에노산(docosahexaenoic acid), EPA: 에이코사펜타에노산(eicosapentaenoic acid)

엽산 보충에는 브로콜리, 양배추, 아스파라거스 등의 채소 섭취가 필요합니다. 비타민 B$_{12}$는 쇠고기, 간, 조개류, 어류 등의 동물성 식품에만 들어 있어 이런 식품 섭취가 적은 경우나 채식자는 기능식품 섭취가 필요합니다. 비타민 B$_6$는 소의 간, 오트밀, 닭고기, 돼지고기, 아보카도 등에 많습니다. 비타민 D결핍은 고령자 대우울증 및 소우울증 위험 증가와 관련이 있으며, 인지 장애나 기분 장애와 관련이 알려져 있습니다. 2010년 11월 미국 과학 아카데미는 비타민 D 섭취 기준을 바꾸어 과거 권고량보다 50%가 많은 600 IU/일로 결정했습니다. 많은 사람에서 실내 생활이 중심이고 대부분 비타민 D 섭취가 권고량에 미달하기 때문입니다. 정신 증상 예방이나 치료에 비타민 D 섭취가 필요하며 기능식품에 의한 보충을 권고합니다.

정신 증상 예방 목적의 식사

이상과 같은 정신 증상 예방을 목표로 한 식사에 대한 이해가 필요합니다. 우선 "고기는 몸에 나쁘다. 사람의 주식은 밥이다" 같은 음식과 영양에 대한 잘못된 믿음을 바꾸어 줄 필요가 있습니다.

다음에 가공 식품이나 정제 식품만 먹으면 뇌에 중요한 비타민 B군 부족을 일으키므로 신선한 채소로 엽산을 충분히 섭취하고, 그 밖의 비타민 B군은 육류나 어패류를 충분히 섭취하여 공급해야 합니다.

음주는 되도록 삼가며, 알코올의 대사로 소비되는 아연, 비타민 B$_1$, 나이아신 등이 많이 들어있는 식품 섭취에 주의해야 합니다.

당질 과다 섭취에 의해 인슐린 저항성이 형성되면 당뇨병에 이르기 전 단계부터 우울 증상이나 우울증뿐 아니라 치매 위험도 상승합니다. 특히 치매는 식후 고혈당과 관계가 시사되므로 당질 섭취 제한이나 먹는 순서를 바꾸어 혈당의 급속한 상승 방지가 중요합니다. 뇌는 에너지 원으로 포도당뿐 아니라 케톤체도 이용하는 것이 주목받고 있습니다. 엄격한 당질 제한식에서 케톤체가 상승하지만, 최근에는 coconut oil에 많은 중쇄 지방산 섭취에 의한 케톤체를 증가시켜 치매를 비롯한 정신 증상을 개선하기 위한 시도가 있습니다.

비타민 D는 달걀 노른자나 지방이 많은 어류 섭취뿐 아니라 비타민 D 강화 식품이나 기능식품을 이용한 보충도 효과적입니다. 또 자외선 차단제를 사용하지 않고 햇빛을 쪼이는 시간의 확보도 식사 이외에 가능한 생활 습관 개선입니다.

（溝口 徹）

───────────────── 문헌 ─────────────────

1) Anderson RJ, Freedland KE, et al: The prevalence of comorbid depression in adults with diabetes: a meta-analysis. Diabetes Care 2001; 24: 1069-78.
2) Campayo A, de Jonge P, et al: Depressive disorder and incident diabetes mellitus: the effect of characteristics of depression. Am J Psychiatry 2010; 167: 580-8.
3) Ohara T: Glucose tolerance status and risk of dementia in the community; the Hisayama Study. Neurology 2011; 77: 1126-34.
4) Freeman MP: Omega-3 fatty acids: evidence base for treatment and future research in psychiatry. J Clin Psychiatry 2006; 67: 1954.

[11] 안티에이징과 생선 섭취

　생선은 전통적으로 중요한 단백질 공급원이었습니다. 그러나 최근 어업 자원이 지구 온난화의 영향이나 해양 오염 등에 의해 감소하고 있습니다. 그 결과 근해어 대신 양식에 의한 어업 자원 개발이나 원양어류 수입이 생선 공급원이 되었습니다. 생선은 축산 육류에 비해 결합 조직이 적고 육질이 부드러워 날로 먹어도 좋습니다. 이런 어패류에 들어 있는 기능성 성분에 의한 항노화 작용이나 생활 습관병 예방 작용이 주목받고 있습니다.

아미노산 관련 성분과 안티에이징 기능

　생선의 단백질에는 다양한 기능성 성분이 들어 있습니다. 예를 들어 몸 안에서 여러가지 작용을 하는 유황아민의 일종인 타우린은 방어, 굴, 오징어, 낙지 등에 많이 들어 있습니다. 타우린을 함유한 기능식품에 대한 연구가 시행되고 있습니다. 타우린을 섭취하면 사람의 몸 안에서 담즙의 주요 성분인 담즙산과 결합(포합)되어 타우로콜산의 형태로 존재합니다. 타우린은 소화작용을 돕는 이외에 신경전달물질로도 작용합니다.

　안세린과 카르노신은 α-알라닌과 L-히스티딘이 결합된 디펩티드이며 히스티딘 함유 디펩티드(histidine containing dipeptides, HCDP)라고 부르고, 참치 등 대형 어류에 많이 들어 있습니다. HCDP에 의한 생체의 pH 균형, 금속 킬레이트 작용, 항산화 작용 등이 알려졌으며, 산소 소비가 높은 뇌나 심한 운동 시 근육 조직을 보호하는 작용이나, 필수 미량금속 운반 작용을 비롯한 피로 방지 효과, 요산 억제 작용, 혈압 강하 작용, 항염증 작용 등이 주목을 끌고 있습니다.

　생선에 들어있는 혈압 저하 작용이 있는 펩티드가 알려졌으며, 안지오텐신 II 생산에 관여하는 안지오텐신 I 변환 효소(angiotensin converting enzyme, ACE)의 활성을 억제하는 작용이 있습니다. 이런 기능을 가진 펩티드 자원은, 진주 조개, 모시 조개, 오징어 내장, 뱀장어 뼈, 가다랑어 내장, 도미 비늘, 대구 가공 잔유물 등으로 다양하며, 기능 식품으로 인가 받은 ACE 저해 펩티드 함유 식품은 가다랑어, 정어리, 김, 미역 등입니다.[1]

ω3 다가 불포화 지방산(ω3 PUFA)의 안티에이징 작용

　ω3 polyunsaturated fatty acids (ω3 PUFA)의 심혈관 질환 예방 연구의 발단은, 그린랜드 에스키모인(이뉴잇)이 미국과 유럽인 수준으로 총 칼로리의 약 40%를 지방으로 섭취해도 허혈성 심질환이 적다는 보고였습니다. 그 이유는 주식인 바다표범 고기에서 ω3 PUFA를 다량 섭취한 결과 중성지방이나 콜레스테롤치가 낮은 것이었습니다.[2] 사람에서 6위치 탄소에 이중 결합을 가진 아라키돈산이나 리놀산 등 ω6계 다가 불포화 지방산(ω6 PUFA)은 필수 지방산으로 중요합니다. 그러나 리놀산을 비롯한 ω6 PUFA 섭취량은 충분하며, 리놀산 섭취를 줄이고 ω3 PUFA 섭취를 늘려 식사로 섭취하는 평균 ω6:ω3 PUFA비율 4:1을 2~3:1 정도로 만들어야 합니다.[3]

　ω3 PUFA는 정어리, 전갱이, 꽁치, 방어, 참치, 가다랑어 등에 많이 들어 있으나 생선을 싫어하거나 알레르기가 있는 사람을 위한 다양한 ω3 PUFA 기능식품이 판매되고 있습니다. 지금까지 보고된 docosahexaenoicacid (DHA)나 eicosapentaenoicacid (EPA)의 생리 기능은 다양하지만 가장 많이 연구된 것은 심혈관 질환에 대한 효과입니다. DHA는 뇌에 가장 많이 들어 있는 지방산(전체 지방산의 26.7% 차지)이며 노화에 따라 감소하며, 알츠하이머병 환자의 뇌내 DHA는 정상인의 절반 정도로 감소되어 있습니다. 모유에는 DHA가 있으며, 유아용 조제분유에는 DHA가 아라키돈산과 함께 첨가되어 있습니다. ω3 PUFA는 기억이나 학습 능력 향상, 시력 발달 촉진 등 뇌

기능 항진 작용도 기대되고 있습니다. 그 외 기능으로 과잉 염증 반응 억제나 면역 기능 효과도 기대되고 있습니다. 실제로 ω3 PUFA 섭취에 의해 interleukin (IL)-1, IL-6, IL-8, tumor necrosis factor (TNF) 생산을 억제하여 면역 반응 이상에 의한 류마티스 관절염이나 궤양성 대장염에 대한 효과도 보고되었습니다.

안티에이징을 기대하는 메뉴 개발

이와 같이 많은 기능이 기대되는 DHA나 EPA와 같은 ω3 PUFA는 산화되기 쉬운 결점이 있습니다. DHA 산화에 의해 생성된 히드로페르옥시드가 단백질의 리진기를 산화 수식한 생성물이 노화에 따라 뇌내에 증가하므로, 생체내 지질 산화 반응의 중요한 바이오마커였습니다. 이것은 생선 섭취시 항산화 성분의 동시 섭취 필요성을 시사합니다. 콩에서 유래한 이소플라본과 ω3 PUFA (EPA, DHA) 섭취가 인지 기능에게 주는 영향에 대한 역학 연구 결과, 이소플라본 섭취량과 DHA 섭취량이 함께 많은 군에서 다른 군보다 추정 IQ가 3~4점 높았습니다.[4] 이 결과는 생선 섭취에 의한 기능성에 항산화 성분 섭취가 필요

한 것을 시사하고 있습니다. 또한 아스타잔틴의 DHA 히드로페르옥시드에 의한 뇌내 신경세포 변성 억제도 보고되었습니다.[5]

DHA와 참깨 리그난(lignan), 세사민을 함유한 기능식품이 발매되었으며, 심황의 황색 색소 커큐민도 주목받고 있습니다. 앞으로 항산화 성분을 ω3 PUFA와 동시 섭취하여 PUFA의 기능을 효과적으로 발현시킬 수 있는지 과학적 근거를 가진 평가법으로 검토한 새로운 연구가 기대됩니다.

(大澤俊彦)

문헌

1) 松井利郎: 魚タンパク質・ペプチド, 食品機能性の科学(食品機能性の科学編集委員会編集), 食品技術サービスセンター, 2008, p387-93.
2) Dyerberg J, Bang HO, et al: Fatty acid composition of the plasma lipids in Greenland Eskimos. Am J Clin Nutri 1975; 28: 958-66.
3) 日本脂質栄養学会監修: 心疾患予防－コレステロール仮説から脂肪酸のn-6/n-3バランスへ. 学会センター関西, 2002.
4) 大澤俊彦, 丸山和佳子監修: 脳内老化制御とバイオマーカー. 基盤研究と食品素材, シーエムシー出版, 2009.
5) Liu XB, Shibata T, et al: Astaxanthin inhibits reactive oxygen species-mediated cellular toxicity in dopaminergic SH-SY5Y cells via mitochondria-targeted protective mechanism. Brain Res 2009; 1254: 18-27.

12 채식주의자의 장수; 안티에이징 의학적 검증

노화와 채식 주의의 관계

채식주의자라고 한마디로 말하지만 실제로 다양한 형태가 있어 그에 따른 건강과 장수 관계는 결코 단순하지 않습니다.[1] 예를 들어 완전 채식(vegan)과 달걀-우유 채식(lacto-ovo vegetarian)에서 체내에 섭취되는 단백질이나 지방질, 비타민, 미네랄의 내용이나 양이 크게 다릅니다.[2]

채식주의와 건강에 대한 역학적 근거

채식주의와 노화에 대해 제대로 된 연구는 안식교(SDAs) 연구에서 얻어진 것입니다. 다변량 분석을 이용한 SDAs의 역학연구에 의하면 채식주의가 기여한다고 생각하는 장수 요인이 남성에서는 상위 3위, 여성에서는 상위 5위를 차지했습니다.[3] 많은 SDAs 연구에서 얻은 최초의 결론은,[4] 평생에 걸친 제지방 체중(마른 체중, 지방 뺀 체중: lean body mass)이 건강 유지의 중요한 열쇠라는 것입니다. 이 사실은 칼로리 제한이 채식주의자의 평균 여명을 늘린다는 가설을 지지하는 것처럼 생각됩니다.

기전

채식주의의 이점은 영양학적으로 칼로리 제한이나 육류의 과잉 섭취 제한 및 풍부한 항산화물과 식이 섬유 섭취에 의한 것입니다. 칼로리 제한은 재현성이 있으며, 유전자의 영향을 받지 않고, 인종과 관계 없이 장수하는 것이 증명되었습니다. 칼로리 제한이 효과를 내는 기전은 불명하지만 동물이나 사람에서 대사율이나 산화 스트레스 저하, 인슐린 감수성을 높여 신경내분비 기능이나 자율 신경계 기능을 변화시킨다고 합니다. 그와 더불어 죽상경화증, 당뇨병과 관련된 위험 인자, C-reactive protein (CRP) 등의 염증 지표를 저하시킵니다. 칼로리 제한은 산화 손상 저하나

인슐린 관련 신호 감소를 통해 장수를 가능하게 합니다. 이것은 일종의 호르미시스 효과로 설명할 수도 있습니다. 호르미시스 효과는 생체가 저수준의 스트레스에 노출될 때 발현하는 생체에 유익한 반응입니다.

동물성 지방에는 포화 지방산이 많이 들어 있어 육류 과잉 섭취는 순환기 질환의 위험을 높입니다. 또 육류에 많은 단백질의 과잉 섭취는 인슐린 양 성장 인자(insulin-like growth factor-1, IGF-1) 분비를 촉진하여 암의 위험을 높입니다.

100세를 넘는 고령자의 대부분에서 식생활에 채소를 많이 섭취하고, 주된 단백질 원을 콩으로 섭취하는 것이 특징이며, 이것은 비교적 저칼로리, 저단백질식입니다. 이것은 칼로리 제한과 육류 섭취 제한이 장수에 효과적인 한 예입니다. 최근 오키나와 지방의 고령자 연구를 통해 알아낸 것은 저칼로리식과 30대부터 마이너스 칼로리 균형(−10.9%), 평생에 걸친 적은 체중 증가(평균 BMI 21.2 정도) 등이 수명을 늘려 노화에 따른 총사망률을 내렸습니다.[5] 또 저칼로리, 저단백질 식사를 하는 오키나와 사람은 육류 섭취량이 비교적 높은 미국인에 비해 유방암이나 전립선 암에 의한 사망률이 매우 낮은 것으로 알려졌습니다.

나이가 들면서 나타나는 DNA 손상은 항산화물이 풍부한 채소나 과일을 포함한 식사에 의해 감소 또는 감속이 가능합니다. 비타민 C 등의 항산화물을 기능식품으로 섭취해서는 이런 효과가 없으므로 채소나 과일로 섭취하는 것이 바람직합니다.[7]

식이 섬유 중에서 수용성 식이 섬유는 혈당이나 콜레스테롤을 개선합니다. 수용성 식이 섬유는 당질 흡수를 늦추어 급격한 혈당 상승을 방지하여 당뇨병 예방 효과가 있습니다. 또 수용성 식이 섬유는 담즙산 재흡수를 억제하여 콜레스테롤 생산을 억제하므로 이상지질혈증 개선 효과도 볼 수 있습니다.[1]

연구의 제약

채식주의와 건강에 대한 연구에서 주의해야할 점은 서로 상관관계가 있는 인자가 있을 때 결론이 왜곡될 가능성 입니다. 만성 질환이 채식주의자에서 적은 이유는 식생활에서 채소, 과일, 견과류, 식이 섬유를 많이 섭취하고, 살코기나 동물성 지방을 거의 섭취하지 않는 것(달걀-우유 채식은 별도)같은 인자가 서로 복잡하게 얽혀 좋은 효과가 얻어진다는 것입니다. 또 생활 습관에서 채식주의자는 흡연, 음주를 하지 않고, 평균보다 운동을 많이하여 낮은 BMI 유지같은 인자가 관여하여 건강에 좋은 결과를 나타낸다는 것입니다. 그러나 유감스럽지만 채식주의자 연구의 대부분 이런 교란인자를 충분히 조절하지 못하고 있습니다. 이처럼 어떤 예방 인자 또는 위험 인자가 채식주의자의 건강에 좋은 효과를 주는지 분석하기 어렵습니다.

결론: 채식주의와 건강, 노화, 장수

선진국이나 급속히 발전 하는 개발도상국에서 성인 사망의 주된 원인은 생활 습관병입니다. 그리고 생활 습관병의 일부는 식생활 개선에 의해 예방이 가능합니다. 습관적으로 운동하지 않는 사람이나 비만이나 대사증후군을 일으킬 위험이 있는 생활 습관 속에서 살아 있는 사람들에게 채식주의 식사는 칼로리를 제한하여 BMI를 저하시킵니다. 따라서 채식주의는 현대의 건강 문제에 공헌할 수 있습니다.[2] 채식주의는 개인의 건강에 도움이 될 뿐 아니라 고기 생산에 낭비되는 방대한 에너지량을 줄여 지구 수준의 건강에도 공헌합니다.[1]

(メリッサ・メルビー , 石川裕太 , 富永国比古)

|||||||||||||||||||||||||||||||||||||||||| **문헌** ||||||||||||||||||||||||||||||||||||||||||

1) Katz DL, Meller S: Can we say what diet is best for health? Annual review of public health 2014; 35: 83-103.
2) Fraser GE: Vegetarian diets: what do we know of their effects on common chronic diseases? The American journal of clinical nutrition 2009; 89(5): S1607-12.
3) Fraser, GE, Shavlik DJ: Ten years of life: Is it a matter of choice? Arch Intern Med 2001; 161(13): p1645-52.
4) LLU: Scientific Publications About Adventists. [accessed 11 March 2015]; Available from: http://www.llu.edu/public-health/health/pubs.page
5) Willcox BJ, et al: Caloric restriction, the traditional Okinawan diet, and healthy aging: the diet of the world's longest-lived people and its potential impact on morbidity and life span. Ann NY Acad Sci 2007; 1114: p434-55.
6) Rizza W, Veronese N, et al: What are the roles of calorie restriction and diet quality in promoting healthy longevity? Ageing research reviews 2014; 13: 38-45.
7) Benzie IF, Wachtel-Galor S: Vegetarian diets and public health: biomarker and redox connections. Antioxidants & redox signaling 2010; 13(10): 1575-91.

13 안티에이징과 지방질 섭취

지방질은 효율이 좋은 에너지원일뿐 아니라 세포막 성분이며 뇌조직의 구성 성분으로 중요합니다. 최근 지방질의 기능성에 대한 연구가 진행되고 있습니다. 안티에이징의 대책으로 지방질의 질과 기능성을 이해한 섭취가 필요합니다.

식품으로 지방질 섭취량과 경향

전 세계에서 식품의 지방질 섭취에 대한 자료에 의하면 포화 지방산, 콜레스테롤, 트랜스 지방산 섭취량은 1990년에서 2010년에 걸쳐 변하지 않았지만, ω6계 지방산, 어유 ω3계 지방산, 식물성 ω3계 지방산 섭취는 모두 증가하고 있습니다.[1] 일본의 국민 건강 영양 조사에 의하면 어류 소비량은 서서히 저하되어 2006년을 경계로 고기 소비량 보다 적어져 고기 섭취량과의 차이가 커지고 있습니다.[1] 일본은 트랜스 지방산 섭취가 미국과 유럽에 비해 적고, 질병 위험성이 명확하지 않다고 규제하지 않지만, 일본인 중에도 미국인 만큼 트랜스 지방산 섭취량이 많은 사람이 있어[2] 과잉 섭취에 주의가 필요합니다.

지방의 질을 결정하는 지방산

지방산은 포화 지방산, 불포화 지방산, 트랜스 지방산으로 나눌 수 있습니다. 포화 지방산은 탄소 길이에 따라 단쇄, 중쇄, 장쇄 지방산으로 나눕니다. 포화 지방산과 트랜스 지방산은 혈중 LDL 콜레스테롤을 증가시켜 동맥경화의 촉진으로 심혈관 질환 위험을 높입니다. 불포화 지방산인 리놀산(ω6), 아라키돈산(ω6), α-리노렌산(ω3)은 체내에서 합성할 수 없는 필수 지방산이며, α-리노렌산(ω3)은 체내에서 에이코사펜타엔산 (eicosapentaenoic acid, EPA)이나 도코사헥사엔산 (docosahexaenoic acid, DHA)으로 변환됩니다. 이런 필수 지방산이 결핍되면 피부염 등이 나타납니다. 일본인의 식사 섭취 기준(2015년판)은 하루 섭취하는 지방질량(칼로리에 대한 비율%)에 더해 포화 지방산, n-3 (ω3), n-6 (ω6) 섭취 기준이 있습니다.[2]

기능성이 주목되는 지방

ω3계 지방산은 항염증 작용, 항종양 작용, 치매 예방, 심혈관 질환 발생 위험 저하 등의 기능이 알려졌습니다. 최근 프로스타글란딘을 비롯한 지질 전달물질 연구에서 리소인지질이나 ω3계 지방산 유래 매개물질의 생리 작용, 질환과의 관련, 생산계, 작용점 등의 연구가 되고 있습니다.[3] 뇌의 세포막은 불포화 지방산이 많은 인지질로 구성되어 있으므로, 어패류에 포함된 EPA나 DHA의 뇌에 대한 작용이 주목받고 있습니다. 또 포화 지방산 중에서도 중쇄 지방산 코코넛 오일이나 팜유는 소화 흡수가 빠르고 간에서 신속히 분해되어 에너지가 되므로 체지방 축적 억제 효과가 예상되어 기능식품으로 상품화되었습니다. 최근에는 알츠하이머병 예방 연구가 진행되고 있습니다(표 1).[4]

안티에이징과 지방; 산화에 주의

최근 올레인산이 많은 카놀라유가 판매되고 있으며, 식품 가공용으로 단쇄 지방산 팜유 사용 비율이 높아지고 있습니다. 올레인산이 많은 품종의 잇꽃유(홍화유)는 카놀라유나 올리브유 이상으로 올레인산이 많습니다(표 2).

어떤 지방이나 산화되기 쉽다는 것을 잊어서는 안됩니다. 산화의 원인은 열, 공기(산소), 빛입니다. 또 지방 산화를 촉진하는 물질이 들어가면 산화가 진행됩니다. 특히 ω3 지방산은 불포화도가 높아 산화되기 쉽고, 들기름은 열과 빛이 산화 안정성에 크게 영향을 줍니다. 따라서 저온(냉장)으로 차광하는 것이 안정성을 높입니다.[5] 들기름이나 아마씨유는 가열 조리에 의해 산화가 진행되므로 조리된 요리에 사용하고, 음료 혼합이나 드레싱에는 가열하지 않고 사용하며, 개봉 후에는

표1 유지 식품과 지방산

		지방산	유지식품	작용
포화지방산		팔미틴산 스테아린산	버터, 라드, 우지 코코넛오일, 야자유	콜레스테롤 상승 동맥경화 촉진
불포화 지방산	1가 불포화 지방산	ω9계 올레인산	올리브유, 미강유(쌀겨기름) 땅콩기름, 카놀라유 홍화유, 해바라기유	LDL 콜레스테롤 증가 HDL 콜레스테롤 감소 산화에 안정되어 과산화지질 악제
	다가 불포화 지방산	ω6계 리놀산	홍화유, 해바라기유 옥수유, 면실류, 대두유, 참기름	콜레스테롤 저하 작용 *과잉 섭취에서 HDL 콜레스테롤 저하 *과잉 섭취에서 염증 유도
		ω3계 α-리노렌산 EPA, DHA	들기름(차조기 기름), 아마인유 어유 참치, 꽁치, 고등어 정어리, 방어 등	혈청 지질 개선 동맥경화 예방 심혈관 질환 예방 항염증 작용 중성지방 저하 인지 기능 개선
트랜스지방산			마가린 쇼트닝 마가린이나 쇼트닝 함유 과자	중성지방 증가 LDL 콜레스테롤 상승 동맥경화 촉진

표2 식물성 기름의 지방산 조성

종류	지질 1g당 지방량(mg)			총지방산 100g당 지방산(g)		
	포화지방산	1가 불포화지방산	다가 불포화지방산	올레인산 (ω9)	리놀산 (ω6)	α-리노레닌산 (ω3)
카놀라유	71	601	261	62.7	19.9	8.1
옥수수유	130	280	516	29.8	54.9	0.8
면실유	211	174	538	18.2	57.9	0.4
대두유	149	221	558	23.5	53.5	6.6
홍화유	74	732	136	77.1	14.2	0.2
미강유	188	398	333	42.6	35	1.3
참기름	150	376	412	39.8	43.6	0.3
해바라기유	89	572	281	60.5	29.8	0.2
올리브유	133	740	72	77.3	7	0.6
야자유	471	367	92	39.2	9.7	0.2
낙화생유	199	433	290	45.5	31.2	0.2
코코넛유	840	66	15	7.1	1.7	–
들기름*	77	152	664	16.8	13.2	61.1

* 들기름으로는 게재가 없다

(식품성분표 2010 지방산조성표에서 발췌)

냉장고에 보관하여 되도록 빨리 사용합니다. 어류에는 EPA, DHA가 많고 특히 고등어, 정어리 등 등푸른 생선이나 참치에 풍부하지만, 신선도가 떨어지면 EPA, DHA의 산화가 진행되므로 신선도가 좋은 것을 선택합니다. 어느 지방이나 유효기한(미개봉) 동안 차광하여 암냉소에 보관합니다. 조리 방법이나 개봉 후 보관 상태에 따라 산화 상태가 바뀌는 것을 고려해 사용합니다.

(小椋真理)

문헌

1) 浜崎景解説: 1990年および2010年における世界, 地域, 国別の食物油脂摂取量　266の国別栄養調査を含む統計的解析. MMJ 2014; 10: 268-70.
2) 菱田　明, 佐々木敏監修: 日本人の食事摂取基準(2015年版). 東京, 第一出版, 2014, p111-9.
3) 新井洋由: 生命を支える脂質　最新の研究と臨床. 医学のあゆみ 2014; 246: 945.
4) 青山敏明: 中鎖脂肪酸の機能性～特に最近の脳機能改善作用について～. 明日の食品産業 2014; 11: 16-22.
5) 市川和昭: エゴマ油の栄養特性と利用. オレオサイエンス 2006; 6: 257-64.

14 발효식품과 안티에이징

세계 연구에서 밝혀진 장수의 영양원

사람의 수명은 조기 사망으로 단축되지만, 생존 기간 소실 원인의 1위는 허혈성 심질환(이하 심질환)이고 3위는 뇌혈관 질환입니다. 사람은 혈관과 함께 늙어갑니다. 순환기 질환과 영양의 국제 연구(WHO-CARDIAC Study)[1,2]에서도 심질환의 사망률은 평균 수명과 역 상관 관계가 있으며 일본 여성의 평균 수명 87세의 사망률은 선진국 중에서 최저입니다.

심 질환의 영양 인자로서 이상지질혈증이 중요하며, 24시간 소변 분석으로 콩 이소플라본, 어패류 섭취 지표, 타우린과 유의한 역 상관이 알려졌습니다. 안티에이징에 관여하는 장수 영양원으로 콩과 어류 섭취가 중요하다고 할 수 있습니다. 그러나 이런 식사에 의한 식염 섭취는 뇌혈관 질환에 의한 사망률을 늘려 건강 수명이 평균 수명 보다 10년 이상이나 짧은 원인이 됩니다.

발효 콩 성분의 힘

따라서 소금 섭취를 증가하지 않는 대책이 필요하지만 된장, 나또 등 대표적 발효 식품이나, 발효 어류는 모두 소금을 과잉 섭취할 수 있습니다. 콩의 이소플라본이나 어패류의 DHA인 ω3계 다가불포화 지방산, 타우린 등의 유효 성분이 발효에 의해 흡수가 좋아지는 것이 밝혀졌습니다. 콩 이소플라폰의 심혈관 질환, 유방암, 전립선 암 예방 효과가 역학 연구에서 알려졌습니다.[2] 발효한 콩 이소플라본을 이용한 기능식품이 있습니다.[3] 배당체가 아닌 이소플라본(24 mg)이 들어있는 발효 콩 수프를 플라시보와 비교하는 이중맹검 시험을 갱년기 여성 65명에서 4주간 시행하여 골형성 지표인 오스테오칼신 증가와 인슐린 저항성 저하를 보았고(그림 1), 이에 따른 골다공증과 당뇨병 예방 효과를 기대하고 있습니다.[6]

발효의 면역 활성

콩과 생선을 많이 섭취하는 일본 음식은 장수식이라고 할 수 있으나, 소금 과잉 섭취와 칼슘 부족이라는 단점이 있습니다. 한편 칼륨과 마그네슘이 많은 유제품은 뇌졸중과 골다공증에 의한 와병생활을 예방할 가능성이 있습니다. 특히 유당 불내증으로 우유를 마실 수 없으면 발효유를 권고합니다. WHO의 영양 조사에서 '카스피해(海) 요구르트'의 효과가 알려졌습니다. 안전하게 사용할 수 있는 종균으로 생산한 요구르트가 판매되고 있습니다. 감기가 걸리면 폐렴이 되기 쉬운 중증 신체장애자 남녀 71명에서 인플루엔자 백신의 항체가 상승을 이중맹검으로 비교 시험했습니다.[5] 그림 2와 같이 H3N2 항체가 요구르트 섭취군에서 유의하게 상승되었습니다. 800명 이상의 일반인에서 시행한 건강 조사에서 요구르트 섭취군은 감기에 잘 걸리지 않았고 증상도 가벼웠습니다.

장수식에 의한 건강 수명의 연장

평균 수명이 늘면서 건강 수명의 연장도 과제입니다. 장기간 요양해야 하는 뇌졸중과 골다공증에 의한 골절 예방에 장수 영양원으로 콩과 생선 섭취 및 칼슘 부족과 소금의 해를 막는 발효유 섭취가 중요합니다. 면역력이 저하된 고령자는 감기에 의한 폐렴에 걸리기 쉬워 폐렴은 중요한 사망 원인입니다.

이를 예방하기 해서 고령자가 섭취하기 쉬운 단백질로 발효유를 권고합니다. 고령자의 사코페니아는 운동 관련 질환을 일으켜 건강 수명을 단축하므로 단백질 섭취가 중요합니다. 콩과 생선은 동양의 장수식이고, 발효유는 서양 장수식이며, 동서 장수식을 활용한 "두유 요구르트"는 동서 장수식을 융합한 발효식이라고 할 수 있습니다.

(家森幸男 , 森 真理)

그림1 발효 콩 수프가 혈청 오스테오칼신, 인슐린 저항성 HOMA-IR에 미치는 영향

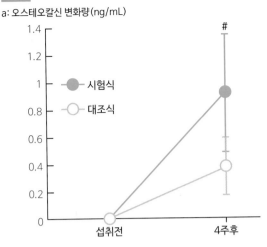

a: 오스테오칼신 변화량(ng/mL)

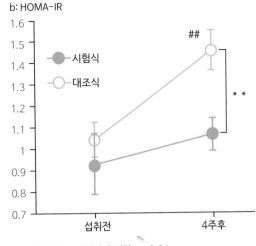

b: HOMA-IR

#, ##: 섭취 전과의 유의차 p<0.05, 0.01   **: 플라세보 식단과의 유의차 p<0.01

그림2 카스피해(海) 요구르트

Lactococcus Lactis subsp. *cremoris*
FC 발효유 섭취가 인플루엔자 백신 접종
후 H3N2 항체가 상승에 미치는 영향

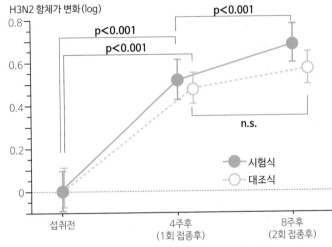

H3N2 항체가 변화(log)

p<0.001 유의차 있음   n.s.: 유의차 없음

:: 문헌 ::

1) Yamori Y, Liu L, et al: Male cardiovascular mortality and dietary markers in 25 population samples of 16 countries. Journal of Hypertension 2006; 24(8): 1499-1505.

2) Yamori Y: Food factors for atherosclerosis prevention: Asian perspective derived from analyses of worldwide dietary biomarkers. Exp Clin Cardiol 2006; 11(2): 94-8.

3) Sato Y, Higuchi A, et al: Effects of a daidzein-rich isoflavone aglycone extract on body composition in overweight premenopausal Japanese women. Clinical and Experimental Pharmacology and Physiology 2007; 34: S76-8.

4) Mori M, Okabe Y, et al: Isoflavones as putative anti-aging food factors in Asia and effects of isoflavone aglycone-rich fermented soybeans on bone and glucose metabolisms in post-menopausal women. Geriatr Gerontol Int 2008; 8 (Suppl 1): S8-15.

5) 森　真理, 小坂英樹, ほか: 日本人の健康におよぼすカスピ海ヨーグルト(Lactococcus lactis subsp. cremoris FC 発酵乳)摂取の効果－西洋の伝統食品から学ぶ－. NPO法人世界健康フロンティア研究会, 世界の長寿食文化－その発展と育成のために－. 西宮市, 2010, p105-13.

15 안티에이징 메뉴의 실제

▮ 질병 예방을 위한 식재

안티에이징 식재료로 주목해야 할 요점은 채소, 과일, 뿌리채소, 해조류, 허브, 향신료 등에 들어 있는 피토케미칼(phytochemical)입니다. 우리가 매일 먹고 있는 식물 중에는 수천종 이상의 식물 유래 화학물질(피토케미칼)이 들어 있다고 알려져 있습니다. 피토케미칼에는 폴리페놀, 플라보노이드, 카르테노이드나 유황화합물 등의 화학물질이 포함되며, 건강에 대한 작용으로, 항산화능, 항염증 작용, 종양 세포 증식 억제 작용 등이 보고 되었습니다. 최근 적포도주의 성분으로 주목받고 있는 레스베라트롤도 원래 포도 껍질 중의 피토케미칼입니다.

피토케미칼은 식물이 자신의 몸을 지키기 위해 스스로 합성하므로 가혹한 환경이나 자외선이 강한 장소에서 재배된 채소나 과일에 많이 들어 있습니다. 안티에이징 식재의 선택에는 단 것이 아니라 항산화능이 높은 식재를 선택합니다. 또 조리 과정에서 항산화능을 잃지 않는 조리 방법도 필요합니다. 샐러드나 주스 등 날로 먹는 채소나 과일은 항산화능이 소실될 걱정이 없습니다. 또 색 성분이 피토케미칼 자체이므로 음식에 색깔을 입혀 선명하게 요리하면 좋습니다.

▮ 당질 제한식과 케토제닉 다이어트

쌀을 주식으로 하면 총 칼로리에 차지하는 탄수화물의 비중이 커질 수 있습니다. 백미나 소맥분을 사용한 빵, 우동, 파스타 등의 당질은 당뇨병이나 대사증후군, 동맥경화나 치매와 관계가 있어 섭취량 제한에 주의해야 합니다. 일반적으로 1일 당질 섭취량이 120 g 이하가 되면 뇌나 근육에서 사용하는 일부 에너지원으로 당질대신 케톤체로 바뀝니다. 케톤체는 지방 세포에 축적된 지방산으로부터 간에서 합성되므로 케토제닉 다이어

트는 비만의 감량 요법으로 사용되고 있습니다. 최근 연구에서 케톤체(β-히드록시부틸산)의 히스톤 탈아세틸화 효소(histone deacetylase, HDAC)를 저해하는 활성이 밝혀져 혈중의 케톤체 농도가 오르면 항산화 효소나 혈중 항산화 물질의 활성이 상승하는 것이 알려졌습니다.[1] 따라서 식사의 탄수화물을 줄이고, 반대로 단백질, 지방질, 채소를 늘리는 식단을 고안하면 안티에이징 효과를 볼 수 있습니다.

탄수화물로는 정제된 백미나 밀가루를 피하고 현미나 전립분 등 미정제 곡물을 선택하도록 유의합니다. 단백질은 콩, 달걀, 생선에 들어 있는 양질의 단백질을 균형 있게 섭취하도록 메뉴를 구성합니다. 지방질은 ω3계 지방, ω9계 지방, coconut oil을 적극적으로 사용하며, ω6계 지방, 고기에 들어 있는 포화 지방산 양이 증가하지 않는 메뉴를 작성합니다.

▮ 안티에이징 메뉴의 예

유채 주스[2](암 예방 메뉴 소개, 표 1)

유채, 브로콜리, 차조기에 들어 있는 피토케미칼은 암 세포 증식 억제 효과가 있습니다. 또 채소의 식이섬유는 장내 세균에 작용하여 암 발생 예방 효과가 있다고 보고되었습니다.

닭고기 그린 카레[3](치매 예방을 위한 메뉴의 1예, 표 2, 그림 1)

카레에 들어 있는 커큐민의 치매 예방 효과가 보고되었습니다. 커큐민은 아밀로이드 β 단백 응집을 저해하는 작용도 있어 병의 진행을 늦추는 효과도 기대되고 있습니다. coconut oil에 들어있는 중쇄지방산은 간에서 케톤체로 변환되며, 케톤체는 알츠하이머병의 인지 기능을 개선하는 효과가 보고되었습니다. 또 채소나 어류의 ω3계 지방산도 알츠하이머병 예방 효과가 있다고 합니

표1 유채 주스 레시피와 조리법

재료
유채 150 g
양하 1개 (20 g)
브로콜리 50 g
푸른 차조기 70 g
물 260 g
올리브오일 약간

만드는 방법
① 유채를 길게 자른다.
② 다른 재료를 모두 넣어 믹서에 간다.
③ 올리브오일을 넣어 마신다.

(문헌2에서 인용)

그림1 닭고기 그린카레

(문헌3에서 인용)

표2 닭고기와 그린 카레 레시피와 조리법

재료(2인분)
닭 가슴살 200 g
술 큰 스푼 1
후추 약간
가지 2개 (180 g)
양파 1/2개 (100 g)
고추 10개 (100 g)
붉은 파브리카 1/2개 (50 g)
코코넛 오일 큰 스푼 1/2
그린 카레 10~15 g
타이 간장 큰 스푼 1
A 코코넛밀크 1컵
물 1컵
닭고기 육수 작은 스푼 1/2

만드는 방법
① 닭고기를 물로 씻어 물기를 빼서 먹기 좋은 크기로 잘라 술과 후추를 뿌린다. 가지와 양파를 자른다. 고추는 비스듬하게 반으로 자르고, 붉은 파프리카는 먹기 좋게 자른다.
② 냄비에 코코넛 오일을 부어 가온하여 그린 카레를 넣어 끓인다. 향이 나기 시작하면 닭고기를 넣어 끓인다. 고기 색이 변하면 가지와 양파를 넣어 끓인다.
③ A를 더하여 닭고기를 익히고, 고추, 붉은 파프리카를 넣어 끓이고 타이 간장으로 간을 맞춘다.

(문헌3에서 인용)

다. 채소 코코넛 카레나 씨푸드 코코넛 카레는 알츠하이머병 환자뿐 아니라 경도 인지 기능 저하 또는 치매 예방에 효과적입니다.

(白澤卓二)

############################ 문헌 ############################

1) Newman JC, Verdin E: Ketone bodies as signaling metabolites. Trends Endocrinol Metab 2014; 25(1): 42-52.

2) 白澤卓二, ダニエラ・シガ: 100歳までボケないがんにならない101のジュース. 東京, 新生出版社, 2012.

3) 白澤卓二: ボケたくなければココナッツオイル＆ミルクを摂りなさい. 東京, PHP研究所, 2015.

16 약선(藥膳)

우리 몸의 설계도는 유전적 요인에 따르지만, 몸의 구성 재료가 되는 것은 모두 일상의 음식입니다. 그런 의미에서 음식은 생명의 근원이며, 음식이 안티에이징의 근본을 이룬다고 할 수 있습니다.

"약선(藥膳)"이란 일상 식사에서 본래 음식이 가진 약의 효과를 살린 식사요법이며, 약효가 부족하면 식품에 가까운 생약제를 더하여 강화시킵니다. 현대의 영양학과는 달리 생약제의 효과를 살린 식사요법이라고도 할 수 있습니다.

약선의 역사

약선의 역사는 그리 오래되지 않았으며, 1980년 10월 중국의 성도 중의학원(成都中医学院)과 성도시 식품공사의 협력으로 성도 동인당 자보약국이 약선 레스토랑으로 동인당 약선식당을 연 것이 시작입니다. 일본에선 1985년 NHK의 "중국 한방 기행(中国漢方紀行)" 소개가 처음입니다.

이와 같이 약선이라는 명칭은 새롭지만, 그 개념은 이미 주나라의 제도를 기록한 "주례(周禮)" 천관총재편의 "4가지 의료"에 "식의(食醫)"가 등장한 무렵에 시작되었다고 생각할 수 있습니다. 그 다음에 전국 말기부터 전한 시대에 저술된 "소문(素門)"의 이정변기론에 "병이 들면 침으로 밖을 치료하고, 탕액으로 안을 치료한다"고 내치의 기본으로 탕액을 채택하고 있습니다. 여기서 말하는 탕액은 오곡의 수프입니다. '소문'에는 오늘날 약선의 기초가 되는 오미(五味)도 등장하지만 본격적으로 발전된 것은 후한 시대 "신농본초경(神農本草経)"을 중심으로 본초학에서 많은 식품의 약효 연구에 의합니다. 또 장중경의 "상한 잡병론(傷寒雑病論)"의 처방에 계지, 생강, 대조, 붉은 팥, 백합뿌리, 양고기, 달걀 등 식품 배합이 있으며, 당시부터 배합 이론이 발전했습니다. 당나라 이후에는 "천금식치(千金食治)"를 비롯한 식품계 본초학이 저술되어 식사요법의 기초가 확립되었습니다.

한방 요법에서 약선의 자리 매김

한방을 생약제를 복용하는 요법이라고 생각하기 쉽지만, 한방 요법에는 침, 뜸, 기공, 안마, 약선 등이 포함됩니다.

- 몸 안의 기혈수를 움직여 정을 보강하여 병을 치료; 한방 요법-약선
- 겉의 기를 움직여 경락이 잘 돌게하여 병을 치료; 침구, 기공, 안마

침이나 기공은 환자가 가지고 있는 기를 움직여 주지만, 기가 허약한 사람에게 외적 자극 치료인 침구, 안마, 기공 요법 등으로 기를 움직이면 오히려 몸이 지치게 되는 일이 많습니다. 따라서 허약한 사람은 침구, 기공 치료를 받기 전에 자양이 있는 식사나 약선을 섭취하여 체내 기를 보충할 필요가 있습니다.

또 한방 요법을 받을 때 약효에 도움이 되는 약선을 미리 섭취하면 효과가 좋아집니다. 반대로 한약의 약효와 반대 되는 식사를 하면 한약의 효과가 떨어집니다.

약선의 3 단계

약선은 식양(食養), 식료(食療), 약선의 3단계로 나누어 생각합니다

식양

이른바 식사를 통한 양생입니다. 일상의 식사 재료나 식사 방법으로 병에 걸리지 않게 요양하는 것입니다.

예를 들어 비만 체질이나 당뇨병 전 단계 사람이 지방질이나 과자를 많이 먹으면 안 되며, 먹자마자 바로 잠을 자는 생활 방법도 안 됩니다.

식료

음식의 약효를 이용하여 병이나 증상을 치료하

거나 완화하는 것입니다. 이 때 주의 해야 할 점은 조리 방법이며 맛있게 조리하는 것보다 약효를 살린 조리법의 선택이 중요합니다. 또한 함께 조리하는 식재에 의한 약효의 방향을 일치할 필요도 있습니다.

예를 들어 붉은 팥은 이뇨 작용이 있어 부종, 관절 수종, 방광염 등에 효과가 있으며 조리법으로 죽을 만들면 안 됩니다. 붉은 팥의 이뇨 효과를 살리기 위해서는 처음 삶은 물을 버리면 안 되며 또 설탕이나 떡을 넣어도 안 됩니다.

약선

일상 요리에 인삼이나 복령 등의 생약재를 넣고 조리하여 효과를 높이는 것입니다. 예를 들어 강장 약선으로 인삼이나 복령 등의 생약을 더하며, 이 때 조미료로 생강이나 마늘을 이용하면 효과를 올릴 수 있습니다. 눈의 피로나 충혈에는 인삼을 주로 사용하고 구기자, 생강, 마늘은 사용하지 않습니다. 이런 조미료는 눈의 충혈 증상을 악화시킵니다.

▌한방 약선학의 배합 이론

약선에도 배합 이론이 있으며, 단순하게 효과가 있을 것 같은 식품이나 생약을 혼합하면 좋다는 것이 아닙니다. 상한 잡병론의 처방을 기본으로 영양 성분의 효과뿐 아니라 식품의 본초학적 약효나 오미의 작용도 숙지할 필요가 있습니다.

여기서는 감기의 약선을 소개합니다.

기본은 상한론의 계지탕(桂枝湯)입니다. 계지탕은 허증의 감기약입니다. 계지(시나몬), 생강(진저), 대저(대추), 감초(천연 감미료), 작약의 5가지 생약으로 구성됩니다.

계지+생강은 발한 해열 작용이 있으며, 생강+대저+감초의 건위 강장 작용으로 체력을 보충하고, 감초+작약으로 긴장 완화 작용을 담당합니다. 발한제인 계지가 주역이므로 계지탕이란 이름이 붙어 있습니다. 계지탕을 복용할 때는 진하고 뜨거운 죽을 먹어 땀이 나기 쉬운 상태를 만드는 것이 필요합니다. 가볍게 땀을 내서 감기를 낫게 할 수 있습니다. 계지탕의 기본은 계지+생강의 발한 작용에 있습니다. 계지탕의 발한 작용을 높이기 위해 죽에 생강을 넣거나, 죽 대신에 계피차+생강을 이용할 수 있으며, 생강 5 g+파뿌리 20 g의 수프를 복용해도 좋습니다. 두통, 어깨 결림에는 갈근탕을 이용합니다. 어느 경우에나 옷을 두껍게 껴입어 땀을 낼 필요가 있습니다. 목 감기에는 무즙에 생강을 더해, 묽은 간장을 넣고 뜨겁게 마시면 좋습니다. 무는 열을 내리는 청열 작용이 약해지므로 주의가 필요합니다.

여기서 이론이나 식품의 약효를 모두 설명할 수는 없으며 자세한 것은 참고서를 찾아보기 바랍니다.

(根本幸夫)

1 새로운 기능성 표시 식품의 등장

기능성 표시 해제의 배경

일본 약사법으로 규제되는 의약품 이외에 건강증진법으로 정해진 기능식품(영양 기능식품, 특정 건강 식품)이 있으며, 그 이외 범주의 건강 식품이 있습니다(그림 1). 건강 식품은 법률적 관점으로는 일반 식품과 차이가 없어 법적 제약의 밖에 있으며, 효과와 같은 말을 쓸 수 없었습니다. 따라서 변죽만 울리는 이미지 광고나 개인적 감상같은 추상적 광고가 중심이며 소비자 구입에 필요한 정보는 제공되지 못했습니다.

미국이나 EU 여러 국가에서 기능성 표시는 일반적이며, 기능성을 표시를 할 수 없는 국가는 소수입니다. 일본에서 기능성 표시를 금지한 결과, 아무 것도 알 수 없는 상황이 되어 소비자의 문의가 압도적으로 많은 것은 상품의 성분이나 섭취 방법 등에 대한 것이며, 소비자의 요구를 만족시킬 수 없었습니다. 소비자위원회의 설문 조사에서 60%가 기능성 표시를 희망하고 있어 일본에서 2015년 4월 기능성 표시 금지가 해제되었습니다.

이런 기능성 표시 금지 해제에 따라 소비자는 필요한 식품을 알기 쉽게 손에 넣을 수 있어, 자기 관리나 치료가 확대될 것으로 생각하며, 의료비 억제 가능성도 생각되고 있습니다. 실제로 미국에서 기능식품 이용에 의한 의료비 절감 보고가 있습니다. 일본에서 시행된 엽산 개입 연구에서 2년간 약 23.3억엔의 의료비 절감이 가능했다는 보고도 있습니다.

기능성 표시 식품

기능성 표시 식품은 기업의 책임에 의해 기능성 표시를 시행할 수 있습니다. 소비자청에는 기능성 표시에 대한 검토 위원회가 설치되어 있습니다. 미국을 참고하여 그림 2와 같은 구조가 기본입니다.

소비자청의 지침

기능성 표시는 과학적 근거가 있는 것이 조건이며, 소비자청의 지침은 특정 건강 식품에 준한 임상 시험이나 체계적 리뷰(systematic review, SR)가 조건으로 되어 있습니다. SR은 건강인 또는 질병 전단계 환자를 대상으로 한 임상시험 논문의 평가이며, 환자를 이용한 데이터는 이용할 수 없게 되어있습니다. 일본인의 데이터가 우선되지만 외

그림1 일본 건강 식품의 분류

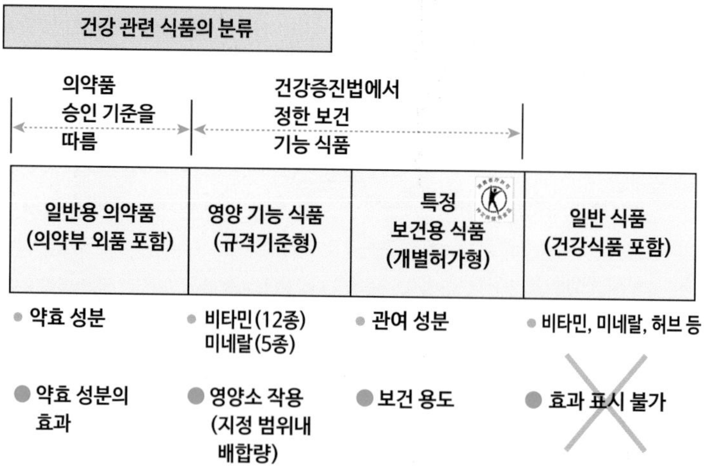

건강 관련 식품의 분류

의약품 승인 기준을 따름 | 건강증진법에서 정한 보건 기능 식품

일반용 의약품 (의약부 외품 포함)	영양 기능 식품 (규격기준형)	특정 보건용 식품 (개별허가형)	일반 식품 (건강식품 포함)
• 약효 성분	• 비타민(12종) 미네랄(5종)	• 관여 성분	• 비타민, 미네랄, 허브 등
● 약효 성분의 효과	● 영양소 작용 (지정 범위내 배합량)	● 보건 용도	● 효과 표시 불가

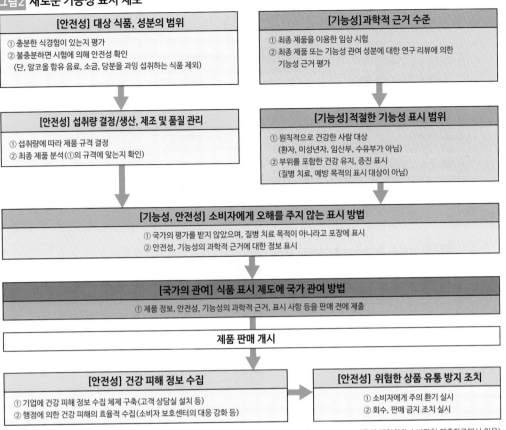

그림2 새로운 기능성 표시 제도

[안전성] 대상 식품, 성분의 범위
① 충분한 식경험이 있는지 평가
② 불충분하면 시험에 의해 안전성 확인
  (단, 알코올 함유 음료, 소금, 당분을 과잉 섭취하는 식품 제외)

[기능성] 과학적 근거 수준
① 최종 제품을 이용한 임상 시험
② 최종 제품 또는 기능성 관여 성분에 대한 연구 리뷰에 의한 기능성 근거 평가

[안전성] 섭취량 결정/생산, 제조 및 품질 관리
① 섭취량에 따라 제품 규격 결정
② 최종 제품 분석(①의 규격에 맞는지 확인)

[기능성] 적절한 기능성 표시 범위
① 원칙적으로 건강한 사람 대상
  (환자, 미성년자, 임산부, 수유부가 아님)
② 부위를 포함한 건강 유지, 증진 표시
  (질병 치료, 예방 목적의 표시 대상이 아님)

[기능성, 안전성] 소비자에게 오해를 주지 않는 표시 방법
① 국가의 평가를 받지 않았으며, 질병 치료 목적이 아니라고 포장에 표시
② 안전성, 기능성의 과학적 근거에 대한 정보 표시

[국가의 관여] 식품 표시 제도에 국가 관여 방법
① 제품 정보, 안전성, 기능성의 과학적 근거, 표시 사항 등을 판매 전에 제출

제품 판매 개시

[안전성] 건강 피해 정보 수집
① 기업에 건강 피해 정보 수집 체제 구축(고객 상담실 설치 등)
② 행정에 의한 건강 피해의 효율적 수집(소비자 보호센터의 대응 강화 등)

[안전성] 위험한 상품 유통 방지 조치
① 소비자에게 주의 환기 실시
② 회수, 판매 금지 조치 실시

(규제 개혁회의 소비자청 제출자료에서 인용)

국 데이터도 일본인에게 이용할 가치가 있으면 사용 가능합니다. 자세한 내용은 소비자청의 홈페이지를 보기 바랍니다. 일본 안티에이징학회는 기능성 식품의 품질 조사를 통해 기능성 표시 식품 자료집 편집을 진행하고 있습니다.

한편 미국의 제도는 기능성 표시의 허용대신에, ① 성분이나 원료의 안전성: 제품 중 성분의 안전성 확보, ② 제조 기준: 품질의 확보, ③ 표시와 클레임, ④ 유해 작용 보고가 제정되어 있습니다(그림 3). 기능성 표시 건강식품에는, Good Manufacturing Practice (GMP)나 Hazard Analysis and Critical Control Point (HACCP) 등 생산 과정의 품질 관리에 더해 제품 규격 기준 준수가 필수적이며, 현행 건강 식품보다 품질이 높은 기능성 표시 건강 식품이 등장하고 있습니다. 또 건강 피해 정보를 신고하는 창구의 일원화 등 소비자에게 알기 쉬운 형태로 정비할 필요성이 정해져 있습니다.

농림수산물의 기능성 표시

농림 수산물 및 그 가공품도 기능성 표시를 인정하고 있습니다. 이미 다양한 성분에 대한 연구가 진행되어 농림수산물에 들어 있는 기능 성분의 양이나 품종에 따른 재현성을 평가하여 농림수산물 특히 식품 자체를 평가하고 있습니다. 농림수산부는 농업 식품의 산업 경쟁력 지원 사업을 시작했으며, 예를 들어 혈류를 개선하며 항산화 작용있는 안토시아닌 함량이 많은 보라 감자 개발이나, 녹차의 아토피 피부염 개선 효과에 대한 임상 자료가 모아지고 있습니다. 그림 4는 농림 수산부가 소비자청의 검토위원회에 제시한 예이며, 이런 기능 식품의 유통으로 소비자가 스스로 학습하여 건강 유지에 대한 이해가 높아지기를 기대합니다. 농작물 및 가공 식품은 임상 시험의 SR을 요구하지 않으며, 관찰 연구만의 SR로 기능성 표시가 가능하게 되어 보다 간편한 제도

그림3 미국의 건강 보조식품 표시 제도

크게 4분야의 구성요소
발 4개 의자 같은 규제

1. 성분과 원료의 안전성
   제조중 성분의 안전성 확보

2. 제조 기준
   품질의 확보

3. 표시와 책임
   표시는 정확하고 진실해야 한다
   성분은 효과가 있어야 한다

4. 유해 작용 보고
   제품의 안전성을 시판 후
   조사에서 모니터한다

그림4 일본의 농림수산물 기능성 표시

2가지 성분 구성을 가정한 기능성 표시의 예

밀감 (β-크립토키산틴)	홍차 (메틸화 카테킨)
이 제품은 β-크립토키산틴이 들어있는 뼈 건강을 유지하는 식품이며 갱년기 이후 여성에게 적합하다	이 제품에는 메틸화 카테킨이 들어있으며, 화분병이 있는 사람에게 눈이나 코의 상태를 좋게 해 준다

- 주의사항-

신선 식품의 특성으로 산지, 수확 시기 등에 따라 성분 함량 차이가 있을 수 있음.

가 되었습니다.

일본은 성장 전략의 하나로 건강 식품의 기능성 표시 금지를 해제했습니다. 농림 수산물의 해외 진출도 기능성 표시를 통해 1조엔까지 늘릴 계획이며, 앞으로 농업의 발전을 기대하고 있습니다.

마지막으로

건강 식품의 기능성 표시 금지 해제는 일본 정부의 건강 의료 전략의 큰 그림에 위치하고 있다는 인식이 중요합니다. 미국에서 식이보충제(dietary supplement)의 기능성 표시를 규정하는 〈영양 보조식품 건강 교육법〉에 교육이라는 말이 들어가 있듯이 국민을 교육하는 것이 큰 목적입니다. 일본의 기능성 표시 금지 해제는 기능성 표시를 통해 국민 스스로 건강 정보를 배워 건강에 대한 관심을 높여 건강 수명을 연장하려는 것이 목적입니다.

(森下竜一)

※역자 주:
• 우리나라는 식품의약품 안전처 홈페이지에서 '건강기능식품'에 관한 자료를 확인할 수 있다.

2 기능식품의 기능성: 감각 기관

시각, 눈

노인성 황반변성

미국 국립 눈 연구소 주도로 시행한 Age-Related Eye Disease Study (ARDES)[1]는 11개 기관에서 3,640명(55~80세)을 대상으로 시행되었으며, 참가자를 무작위로 4개 그룹으로 나누어 ① 항산화 비타민(비타민 C 500 mg, 비타민 E 400 IU, β-카로틴 15 mg), ② 아연 80 mg, ③ 항산화 비타민+아연, ④ 위약을 투여했습니다. 아연 투여군은 구리 결핍을 막기 위해 구리 2 mg을 추가했습니다. 흡연자에서 β-카로틴 섭취가 폐암 위험을 증가한다는 보고가 있어, 항산화 비타민 투여군 중에서 흡연자는 중단했습니다. 평가는 안저 사진과 시력 검사로 했습니다. 연구 결과, 검사시 중형 또는 대형 연성 두르젠이 있거나 한쪽 눈에 노인 황반변성이 있을 때 항산화 비타민+아연 투여군에서 병변 진행 확률이 28% 감소했습니다. 또 고위험군에서는 아연 단독 투여군에서도 진행이 억제되었습니다.

ARDES의 좋은 결과를 보고, 다시 ARDES2라는 무작위 비교 시험이 시행되었습니다.[2] 이 연구는 82개 기관에서 4,203명(50~85세)의 진행성 황반변성이 있는 고위험 환자를 포함하여 평균 4.8년간 경과를 관찰했습니다. 여기서는 ① ω3 다가 불포화 지방산(350 mg DHA+650 mg EPA), ② 루테인 10 mg+제아잔틴 2mg, ③ DHA+EPA+루테인+제아잔틴, ④ 위약으로 나누었습니다. 또한 ARDES의 기본 투약도 시행했으며, 이것은 ① ARDES에서 이용한 항산화 비타민+아연, ② β-카로틴 제거, ③ 아연을 25 mg으로 감량, ④ β-카로틴 제거와 아연의 25 mg으로 감량한 4군이었습니다. 연구 결과, 루테인과 제아잔틴 투여군에서 비투여군보다 진행 위험이 10% 감소되었으며, β-카로틴과의 비교에서도 효과가 있었습니다. 아연의 고용량과 저용량의 차이가 없었습니다. 이 결과에 의해 항산화 비타민에서 β-카로틴은 빼고 루테인과 제아잔틴으로 바꾸는 것이 권고되었습니다. 이 연구에서 ω3 다가 불포화 지방산의 효과는 없었습니다. 설문 조사에서 식사의 DHA, EPA 및 어류의 섭취량과 노인 황반변성 발생과 역 상관 자료가 있으며[3], 또 증례 연구에서도 ω3가 많은 어류 섭취가 위험을 감소시킨 보고가 있습니다.[4]

백내장

백내장은 흡연, 당뇨병, 햇빛 노출, BMI와의 관계가 알려져 많은 예방 연구가 이루어지고 있으며 대부분은 비타민 C, E, β-카로틴 등 항산화제를 이용한 것입니다. 그러나 그 효과는 확실하지 않습니다. ARDES 참가자에서 수정체 핵의 백내장 위험은 저하했으나, ARDES2 보고에서 루테인과 제아잔틴의 효과는 없었습니다. 이탈리아의 멀티 비타민(Centrum, 비타민 A 500 IU, 비타민 E 30 IU, 비타민 C 60 mg 등)을 이용한 연구[6]에서 수정체 핵의 혼탁은 억제했으나, 후낭하 백내장은 증가했다고 보고되었습니다. 중국의 무작위 비교 시험[7]에서는 멀티 비타민 투여군에서 유의한(36%) 수정체 핵 백내장 발생이 억제되었고, 다른 연구에서 리보플라빈과 나이아신 투여군에서 수정체 핵 백내장이 44% 억제되었으나, 피질 혼탁에는 효과는 없었고, 리보플라빈과 나이아신 투여군에서 반대로 후낭하 백내장이 증가한 결과였습니다.

안구 건조증

식사의 ω3 다가 불포화 지방산 섭취량과 역 상관이 보고되어, 일반적으로 ω3 다가 불포화 지방산이 효과적이라고 생각하나,[8] 무작위 비교시험 등 명확한 근거는 아직 없습니다.[9]

청각

동물 실험에서는 항산화제를 이용하여 노인성 난청 억제 효과가 있었으나, 모두 효과가 있는 것은 아닙니다. 예를 들어 흰쥐에 비타민 C, 비타민 E, 멜라토닌, 라자로이드, 레시틴 투여나 마우스에 CoQ10, α 리포산, N 아세틸시스테인 등은 효과가 있었으나, L 카르니틴과 항산화제 조합은 효과가 없었습니다. 사람에서 기능식품의 효과에 대해 근거는 아직 없습니다. 식사 내용의 설문 조사 연구에서 난청과 역 상관은, ① 비타민 A나 비타민 E 섭취량, ② 비타민 C, E, 루코핀, 리보플라빈 섭취량, ③ β-카로틴, 비타민 C, 마그네슘 섭취량, ④ ω3 다가 불포화 지방산 섭취량과 관계가 있었습니다.

후각

노화에 따른 후각 장애치료에 대한 보고는 없으나, 감기에 걸린 후 후각 장애에 대한 약물 치료가 있습니다. 기능식품의 유효성에 대한 보고도 거의 없습니다. 일반적인 후각 장애에는 부신 피질 스테로이드를 사용하며, 테오필린의 효과도 보고되었습니다. Ikeda 등은[11] 만성 부비강염과 감기 후 후각 장애에 스테로이드를 전신 투여하여 전자에서는 사용 후 유의한 인지 역치 개선이 있었으나, 후자에서는 차이가 없다고 했습니다. Heilmann 등[12]은 감기 후 후각 장애에 국소 또는 전신 스테로이드를 투여하여, 국소에는 차이가 없었으나, 전신 투여에서는 후각 점수 개선을 보았습니다. 테오필린은 비특이적 포스포디에스테라제 저해제이며 세포내 cAMP농도를 올려 신경 흥분성을 높입니다. Henkin 등[13]은 테오필린(200~800 mg)을 감기 후 후각장애 97명을 포함한 312명의 후각 장애 환자에게 2~8개월 투여하는 개방 시험으로 50.3%의 환자에서 후각 개선 효과를 보았습니다.

기능식품으로 아연의 감기 후 후각 장애에 대한 효과는 명확하지 않습니다. Henkin[14]은 이중맹검의 위약 대조 시험으로 아연 투여군에서 위약 이상의 개선 효과가 보이지 않았다고 보고했습니다. Aiba 등은 184명의 감기 후 후각 장애 환자를 3군으로 나누어 제1군은 황산아연, 제2군은 점비 스테로이드+복합 비타민 B+황산아연, 제3군은 점비 스테로이드+복합 비타민으로 치료했으나 개선 효과는 볼 수 없었다고 보고했습니다. α 리포산에 대한 Hummel 등의 예비 연구에서 23명의 감기 후 후각 장애에 600 mg/일을 4.5개월 투여하여 후각 역치 검사, 후각 식별 검사를 시행하여 개선 61%, 불변 30%, 악화 9%였다고 보고했으나, 그 후 이중맹검에 의한 추가시험에서는 유의한 차이를 증명하지 못했습니다. 비타민 A에 대한 Reden 등의 위약 대조 이중맹검 부작위 비교 시험에서 10,000단위/일을 3개월 투여하였으며, 최초 후각 검사 후 평균 5개월 후에 재검사를 시행하여 유의한 차이를 보지 못했습니다.

미각

일반적으로 미각 장애에 아연이 효과적이라고 알려져 있습니다. 미각 장애와 아연 결핍의 관련성이나 아연 복용 치료 효과의 보고가 많은 것이 그 배경입니다. 예를 들어 특발성 및 아연 결핍성 미각 장애에 대한 이중 맹검시험[18]에 효과가 있었습니다. 고령자에서 미각 역치 저하가 알려졌지만, 건강 고령자(70~87세) 189예를 대상으로 아연(15 mg 또는 30 mg)이나 위약을 투여한 연구에서 짠맛 역치가 아연 30 mg 섭취군에서 개선되었으나 다른 미각에는 효과가 없었습니다.

(山岨達也)

문헌

1) Age-Related Eye Disease Study Research Group: A randomized, placebo-controlled, clinical trial of high-dose supplementation with vitamins C and E, beta carotene, and zinc for age-related macular degeneration and vision loss: AREDS report no. 8. Arch Ophthalmol 2001; 119: 1417-36.

2) Age-Related Eye Disease Study 2 (AREDS2) Research Group: Secondary analyses of the effects of lutein/zeaxanthin on age-related macular degeneration progression: AREDS2 report No. 3. JAMA Ophthalmol 2014; 132: 142-9.

3) Christen WG, et al: Dietary ω-3 fatty acid and fish intake and incident age-related macular degeneration in women. Arch Ophthalmol 2011; 129: 921-9.

4) Seddon JM, et al: Cigarette smoking, fish consumption, omega-3 fatty acid intake, and associations with age-related macular degeneration: the US Twin Study of Age-Related Macular Degeneration. Arch Ophthalmol 2006; 124: 995-1001.

5) Age-Related Eye Disease Study 2 (AREDS2) Research Group: Lutein/ zeaxanthin for the treatment of age-related cataract: AREDS2 randomized trial report no.4. JAMA Ophthalmol 2013; 131: 843-50.

6) Clinical Trial of Nutritional Supplements and Age-Related Cataract Study Group: A randomized, double-masked, placebo-controlled clinical trial of multivitamin supplementation for age-related lens opacities. Clinical trial of nutritional supplements and age-related cataract report no. 3. Ophthalmology 2008; 115: 599-607.

7) Sperduto RD, et al: The Linxian cataract studies. Two nutrition intervention trials. Arch Ophthalmol 1993; 111: 1246-53.

8) Miljanovic B, et al: Relation between dietary n-3 and n-6 fatty acids and clinically diagnosed dry eye syndrome in women. Am J Clin Nutr 2005; 82: 887-93.

9) Hobbs RP, Bernstein PS: Nutrient Supplementation for Age-related Macular Degeneration, Cataract, and Dry Eye. J Ophthalmic Vis Res 2014; 9: 487-93.

10) Yamasoba T: Interventions to Prevent Age-Related Hearing Loss. Josef Miller, Colleen G. Le Prell, Leonard Rybak (eds), Free Radicals in ENT Pathology. Oxidative Stress in Applied Basic Research and Clinical Practice, 2015, pp 335-49.

11) Ikeda K, et al: Efficacy of systemic corticosteroid treatment for anosmia with nasal and paranasal sinus disease. Rhinology 1995; 33: 162-5.

12) Heilmann S, et al: Local and systemic administration of corticosteroids in the treatment of olfactory loss. Am J Rhinol 2004; 18: 29-33.

13) Henkin RI, Velicu I, et al: An open-label controlled trial of theophylline for treatment of patients with hyposmia. Am J Med Sci 2009; 337: 396-406.

14) Henkin RI: A double blind study of the effects of zinc sulfate on taste and smell dysfunction. Am J Med Sci 1976; 272: 285-99.

15) Aiba T, Sugiura M, et al: Effect of zinc sulfate on sensoryneural olfactory disorder. Acta Otolaryngol 1998; Suppl 538: 202-4.

16) Hummel T, et al: Lipoic acid in the treatment of smell dysfunction following viral infection of the upper respiratory tract. Laryngoscope 2002; 112: 2076-80.

17) Reden J, Lill K, et al: Olfactory function in patients with postinfections and posttraumatic smell disorders before and after treatment with vitamin A: a double-blind, placebo-controlled, randomized clinical trial. Laryngoscope 2012; 122: 1906-9.

18) Yoshida S, et al: A double-blind study of the therapeutic efficacy of zinc gluconate on taste disorder. Auris Nasus Larynx. 1991; 18(2): 153-61.

19) Stewart-Knox BJ, et al: Taste acuity in response to zinc supplementation in older Europeans. Br J Nutr 2008; 99(1): 129-36.

Ⅳ

안티에이징 의약 임상

③ 기능식품의 기능성: 구강, 치과

▌치과 영역의 기능성 식품

생명 활동을 유지하기 위해 음식을 먹는 입은 위장관이나 호흡기 및 감각 기관의 일부이며, 인두, 후두를 거쳐 식도에 연결되어 음식 섭취와 삼키는 기능 이외에 발성, 미각, 호흡 등의 생명 유지나 희로 애락의 표정도 담당하는 기관입니다. 나이 듦에 따른 기능 저하나 노화에 의한 질환으로 구강의 기능이 저하되므로 여러 가지 대책이 시도되고 있습니다. 건강에 대한 요구가 높아지며 운동, 영양 등 다양한 건강 활동을 실천하는 사람이 적지 않습니다. 그 중에서도 일상 생활에서 건강식품으로 일반 식품이나 기능식품(특정 건강 식품, 영양 기능 식품)을 많이 이용하고 있습니다. 2015년 4월부터 도입된 식품의 기능성 표시는 사람 대상 연구의 과학적 근거가 전제가 되지만 소비자에게 취사 선택을 맡기게 되었습니다. 여기서는 지금까지의 구강에 대한 보고 중에서 구강 질환이나 구강 기능성 유지에 관련된 식품을 소개합니다.

▌충치

충치는 섭취한 당을 구강내 세균이 이용하여 산을 생산하므로 치아가 탈회되는 질환입니다. 따라서 충치 예방은 세균 증식 억제가 기본이지만, 다른 대처 방법으로 껌이나 정제에 의한 자일리톨 섭취도 효과적입니다.

자일리톨은 과일이나 채소에 들어 있는 당 알코올의 하나로 자작나무에서 추출한 키시란헤미셀루로스를 원료로 만든 감미료이며, 혈중 포도당 농도에는 거의 영향을 주지 않는 것으로 알려졌습니다. 충치균의 하나인 뮤탄스 균은 자일리톨을 에너지로 변환할 수 없어 뮤탄스 균 수를 감소시키므로 충치 방지 효과를 기대합니다.

▌치주병

치아를 잃게되는 2가지 큰 원인은 충치와 치주병이며, 세균 감염에 의한 생활 습관병의 하나입니다. 증상이 진행되면 치주 포켓이 깊어지고 치아를 지지하는 치조골은 흡수되어 치아를 잃게 됩니다. 효과적 예방이나 증상의 개선은 칫솔에 의한 청소이지만, 보조적 수단으로 코엔자임 Q10(coenzyme Q10, CoQ10)의 효과가 연구되고 있습니다. CoQ10은 ATP 생산에 관여하는 조효소이며, 항산화 작용이 있는 의약품, 건강식품으로 다양한 임상 연구에서 효과가 알려지고 있습니다. 2013년 Cell 학술지에는 골지체의 환원형 CoQ10이 내피형 일산화질소 합성 효소(endothelial NO synthase, eNOS)를 활성화시켜 심혈관계를 보호할 가능성이 보고되었습니다.[1] 같은해 The New England Journal of Medicine (NEJM)에는 다계통 위축증에서 COQ2 유전자 변이가 발견되어 환원형 CoQ10 대량 투여에 의한 임상시험으로 과학적으로 검증되고 있습니다.[2]

CoQ10의 치주병 임상 연구에서, 환원형 CoQ10(150 mg/일) 또는 위약을 2개월간 투여하여 플라크 부착 정도나 프로브에 의한 출혈이 감소되고, 타액의 항산화력 증가 경향이 있었으며, 구취가 반 수 정도에서 저하하는 경향이 있었습니다. 이렇게 환원형 CoQ10 섭취가 구강내 환경을 개선시킬 가능성이 있습니다.

▌구강 건조증

구강 건조증은 침 분비 저하로 구강 건조감이나 구강 통증, 미각 장애를 일으킵니다. 구강 건조증은 약제 부작용, 당뇨병 등의 생활 습관병, 구강 주위 근력의 저하나 스트레스 등 복합적 요인에 의해 발생하며, 병태 형성에 산화 스트레스 관여도 보고되었습니다.[3] 약물 요법(타액 분비 촉진제)이 필요한 증례도 있으나 대부분 대증요법을 시행합니다. 타액 분비 장애에 항산화력과 타액 분비능 촉진을 기대하여 CoQ10, 아스타잔틴, 이소플라본의 구강 건조 개선 효과가 연구되었습니다.

CoQ10

구강 건조 환자와 정상인을 대상으로 산화형, 환원형 CoQ10 및 위약 캡슐을 1개월간 투여(100 mg/일)시킨 결과 구강 건조군에게 침 분비량과 침의 CoQ10 양이 증가 했습니다(그림 1). 위약군에서는 변화가 없어 구강 건조에 CoQ10의 효과가 시사되었습니다.[4]

아스타잔틴(astaxanthin)

아스타잔틴(Ast)은 카르티노이드의 하나이며, 활성 산소 제거나 과산화지질 억제에 더해 미토콘드리아에 특이적으로 축적되어 활성 산소에서 보호하고, nuclear factor-κB (NF-κB) 활성을 제어하여 NO나 염증성 사이토카인 생산을 억제합니다. 쇼그렌 증후군(Sjogren's syndrome, SS)에서 타액 분비량에 대한 영향을 조사한 연구가 있습니다. SS 환자에 Ast를 2주간 투여(12 mg/일)하여 산화 스트레스 지표인 헥사노일리진(hexanoylelyzine, HEL)의 저하(p=0.08)가 있었습니다(그림 2).

이소플라본(isoflavone)

이소플라본은 콩 배아에 많은 플라보노이드의 일종으로, 섭취하면 장내 세균의 작용으로 아글리콘형이 되어 흡수됩니다. 여성호르몬(에스트로겐)의 화학 구조와 비슷하며, 항산화 작용이 있어 골다공증에 의한 치조골 흡수 억제, 칼슘과 함께 치아의 재석회화 촉진, 구취 예방 가능성도 시사되고 있습니다. 폐경 후 여성에서 혀의 통증이나 구강 건조 등 입에 관련된 부정 수소[※1] 가 많아 이소플라본 투여는 갱년기 증상을 예방하고 감소시키는 수단의 하나로 생각하고 있습니다. 구강 건조 환자에게 아글리콘(25 mg/일)을 2개월간 투여하여 침 분비량 개선과 입이 마르는 증상, 식사 시 수분의 필요성 등 주관적 항목의 개선이 있었습니다. 또 타액의 산화 스트레스 지표가 감소 경향을 나타내고, 타액 중에 콩 대사 산물인 게니스테인의 증가가 있었습니다(그림 3). 이런 결과에서 이소플라본 투여는 타액 분비 장애 증상의 개선에 효과적 수단의 하나가 될 가능성이 있습니다.[5]

구강 캔디다증

*Candida*균은 사람의 피부, 점막의 상재균으로 보통 병원성이 없으나, SS 등의 구강 건조나 스테로이드 흡입 시, 고령자 등 숙주 면역력 저하에서 구강 내외에 발병하며, 현저한 QOL 저하는 없습니다.

그림1 CoQ10에 의한 타액 분비량과 타액 중 CoQ10 양 변화

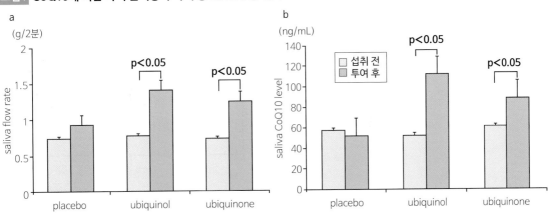

a
(g/2분)
saliva flow rate
p<0.05
p<0.05
placebo   ubiquinol   ubiquinone

b
(ng/mL)
saliva CoQ10 level
□ 섭취 전
■ 투여 후
p<0.05
p<0.05
placebo   ubiquinol   ubiquinone

※역자 주:

1. 부정 수소(不定愁訴), 갱년기 유사 증상, 일본 인기 TV드라마에서 유행한 말.
   몸에 이렇다할 탈이 없는데도 막연히 몸의 어느 부분의 고통이나 장애를 호소하는 증상.

그림2 **아스타잔틴 섭취에 의한 타액 HEL 양 변화**

a: 구강건조증 군

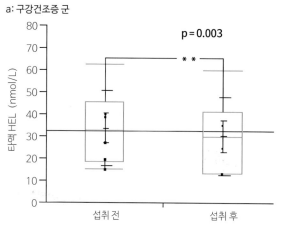

b: 정상인 군

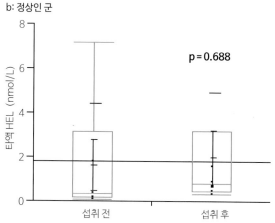

그림3 **이소플라본 섭취에 의한 타액 분비량 변화와 주관적 평가**

타액 분비량에 유의한 차이가 있었다(p=0.005). 구강건조에 의한 입마름(p=0.031)과 식사 때 물마심 필요(p=0.020) 항목의 개선이 있었다.

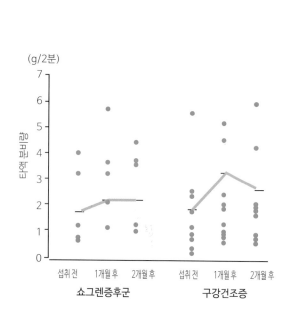

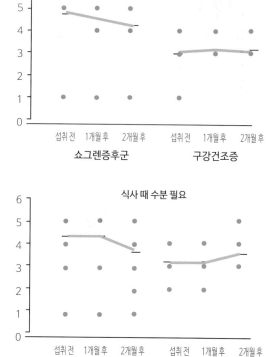

※역자 주:

• HEL: hexanoylelyzine

In vivo에서 식품에 의한 개선 효과 조사에서, 레몬글라스 정유는 Candida균의 균사체 발육에 억제 작용이 있었고, 클로브, 와사비, 시나몬 등에는 균사체와 효모형 발육을 억제했으며, 락토페린은 감염 방어 효과가 있었습니다.[6]

마지막으로

입은 인간의 기본적 생명 활동을 담당하며, 구강 기능 저하는 섭식 행동에 큰 영향을 주므로 사코페니아, 쇠약 개선이나 예방을 위해 구강 기능 유지는 불가결하며 기능성 식품 대처법이 기대되고 있습니다.

(梁 洪淵 , 斎藤一郎)

문헌

1) Mugoni V, Postel R, et al: Ubiad1 is an antioxidant enzyme that regulates eNOS activity by CoQ10 synthesis. Cell 2013; 152: 504-18.
2) Mitsui J, Matsukawa T, et al: Mutations in COQ2 in familial and sporadic multiple-system atrophy. The New England Journal of Medicine 2013; 369: 233-44.
3) Ryo K, Yamada H, et al: Possible involvement of oxidative stress in salivary gland of patients with Sjogren's syndrome. Pathobiology 2006; 73: 252-60.
4) Ryo K, Ito A, et al: Effects of coenzyme Q10 on salivary secretion. Clin Biochem 2011: 44: 669-74.
5) Ryo K, Takahashi A, et al: Therapeutic effects of isoflavones on impaired salivary secretion. J Clin Biochem Nutr 2014: 55: 168-73.
6) Takakura N, Wakabayashi H, et al: Oral lactoferrin treatment of experimental oral candidiasis in mice. Antimicrob Agents Chemother 2003: 47: 2619-23.

IV

안티에이징 의약 임상

4 기능식품의 기능성: 내분비 대사

기능식품은 특정 성분이 농축된 정제나 캡슐 형태로 판매되고 있습니다. 의약품은 아니지만 기능식품으로 병을 치료하는 시도는 심혈관 질환이나 암 영역에서 광범위하게 시행되고 있습니다. 내분비 영역에서는 특히 골다공증의 예방, 치료 목적으로 기능식품을 투여한 보고가 있습니다. 여기서는 내분비 대사 영역에서 기능식품의 기능성에 대해 설명합니다(표 1).

골다공증

골다공증은 유전적 소인을 배경으로, 노화에 따른 성선 기능 저하증에 의해 발병하는 질환입니다. 2009년 일본에 골다공증 환자 수는 1,300만명 정도로 추정되고 있습니다. 뼈의 성분은 미네랄과 기질 단백으로 대별합니다. 칼슘은 뼈의 미네랄 성분으로 중요한 구성 성분이며, 비타민 D는 장에서 칼슘 흡수 및 뼈의 석회화를 촉진 합니다. 비타민 K는 뼈기질 단백의 성숙에 필요한 조효소

입니다.

칼슘

칼슘은 뼈 미네랄의 중요한 구성 성분이며, 충분한 섭취가 어려운 영양소의 하나입니다. 일본 성인의 칼슘 권장량은 650~800 mg[1]이지만 평균 섭취량은 499 mg으로 낮습니다.[2] 식품으로 충분한 섭취를 기대할 수 없을 때 기능식품으로 칼슘 섭취가 유용하다고 생각할 수 있으나, 기능식품에 의한 칼슘의 과잉 섭취와 심근경색 등의 혈관 장애와의 관련이 문제되고 있어,[3] 과잉 섭취에 주의가 필요합니다. 칼슘과 비타민 D를 조합하여 섭취하면 골밀도 상승 효과 골절 억제 효과가 있습니다.[4]

비타민 D

비타민 D는 칼슘의 장 흡수에 필요한 영양소입니다. 비타민 D는 음식으로 섭취되는 것과 동시

표1 골다공증, 갑상선 기능 이상에서 비타민, 미네랄 필요량

a: 골다공증

영양소	평균 섭취량 (/일)	권장량 (/일)	골다공증 치료를 위한 섭취 목표량	허용 상한량 (/일)	함유량이 많은 식품
칼슘	499 mg	650~800 mg	식품으로 700~800 mg	2,500 mg	우유, 유제품, 작은 생선, 녹황색 채소, 콩, 콩제품
비타민 D	7.3 μg	5.5 μg	400~800 IU (10~20 μg)	100 μg	생선, 버섯
비타민 K	229 μg	150 μg	250~300 μg		나또, 녹황색 채소

b: 갑상선 기능 이상

영양소	평균 섭취량 (/일)	권장량 (/일)	허용 상한량 (/일)	함양이 많은 식품
요오드	1~3 mg	130 μg(임산부+75 μg, 수유부+100 μg)	3,000 μg	해조류 (다시마)

(일본인의 식사섭취기준 2015년판, 국민건강 · 영양조사 · 골다공증 예방과 치료 가이드라인 2011년판에서 인용수정)

에 피부에서 합성됩니다. 비타민 D는 간에서 25-수산화 비타민 D로 대사되고 다음에는 신장에서 활성형 1α-25 수산화 비타민 D로 대사됩니다. 특히 고령자에서 비타민 D 부족 상태가 많은 것으로 보고되었습니다. 혈중 25-수산화 비타민 D를 측정하여 비타민 D 영양상태를 추정할 수 있습니다.[4] 비타민 D는 어류나 표고버섯에 많이 들어 있으나 식사로 섭취가 어려우면 기능식품으로 비타민 D 섭취를 고려합니다.

비타민 K

비타민 K는 골 기질 단백질의 하나인 오스테오칼신의 γ-카르복실화에 필요한 조효소입니다. 비타민 K부족은 고령 여성에서 대퇴 근위부 골절 위험을 올립니다.[5]

갑상선 기능 이상

갑상선 호르몬은 성장 발육이나 대사 유지에 중요한 호르몬입니다. 갑상선 호르몬의 65%는 요오드입니다. 예로부터 요오드 부족은 내륙 지방에서 흔한 문제였으며, 갑상선 기능 저하증, 갑상선종, 발육 장애, 지적 발달 장애를 동반한 크레틴증이 됩니다. 최근 미국과 유럽에서 요오드를 소금에 섞어 공급하여 크레틴증을 일으키는 지역은 거의 없어졌습니다. 일본은 요오드가 풍부한 지역이지만 다시마에 대한 기호에서 요오드 과잉으로 갑상선 기능 저하를 자주 볼 수 있습니다. 정상인이 요오드를 과잉 섭취해도 갑상선 기능은 정상적으로 유지되는 경우가 많지만, 갑상선에 하시모토병 등의 병변이 있거나 소변으로 배설 장애가 있으면 가역성 갑상선 기능 저하증이 일어나기 쉬워 요오드가 많은 식품 섭취 제한이 필요합니다.[6]

생활 습관병

비만, 고혈압, 당뇨병, 이상지질혈증 등 생활 습관병과 그에 의한 합병증인 뇌졸중, 심장병에 대한 기능식품 투여는 어디까지나 생활 습관을 개선한 후 보조적으로 시행해야 합니다. 비교적 근거가 있는 것으로 복용에 주의가 필요하다고 생각하는 것을 설명합니다.

이상지질혈증

어류 유래 장쇄 ω3계 지방산: ω3계 지방산에는 식용유의 α 리노렌산과 어류 유래 에이코사펜타엔산(eicosapentaenoicacid, EPA), 도코사헥사엔산(docosahexaenoic acid, DHA) 등이 있습니다. 일본인의 ω3계 지방산 섭취 중앙치는 30~49세 남성 2.1 g/일, 여성 1.6 g/일, EPA 및 DHA 섭취 중앙치는 남성 0.32 g/일, 여성 0.23 g/일입니다.[1] EPA 및 DHA를 기능식품으로 투여하여 혈중 트리글리세리드 저하 작용은 47개 개입 시험의 메타분석[7]에서 확인되었으나, 관상동맥 질환의 메타분석에서는 논문의 선택에 따라 결론이 달랐습니다. 최근 시행된 ω3 지방산(1 g/일, EPA와 DHA 85% 이상 함유) 섭취 개입 시험에서는 심혈관 질환 위험 감소 효과가 없었습니다.[8] 일본인을 대상으로 한 관찰 연구에서 EPA 및 DHA 0.9 g/일 투여하여 비치사성 심근경색의 감소가 있었습니다.[9] EPA 제제의 관상동맥 질환 위험 감소 보고도 있어,[10] 종류나 양에 더해 지역 차이도 고려한 새로운 연구가 필요하다고 생각합니다. DHA나 EPA는 항혈소판 작용이 있어 수술 전이나 항응고 요법시에는 기능식품으로 대량 섭취에 주의가 필요합니다.

홍국: 홍국에 들어있는 모나콜린 K(로바스타틴[3-hydroxy-3-methylglutaryl coenzyme A (HMG-CoA) 환원효소 저해제])는 스타틴[3-hydroxy-3-methylglutaryl coenzyme A (HMG-CoA) 환원효소 저해제]와 같은 기전으로 콜레스테롤을 저하시킵니다. 임상 연구에서 홍국 1.2~2.4 g/일 8~12주간 섭취하여 총 콜레스테롤, LDL 콜레스테롤, 트리글리세리드 저하가 있었습니다.[11] 스타틴처럼 횡문근 융해증 등의 부작용이 생길 가능성이 있습니다. 로바스타틴은 동물 실험에서 태아에게 기형을 일으킬 가능성이 있어 임신 중 섭취는 피해야 합니다.

2형 당뇨병

α 리포산은 치옥토산이라고도 부르며, 항산화 작용이 있는 물질입니다. 2형 당뇨병에서 인슐린 감수성 개선 작용이나 비만 여성의 칼로리 제한에 의한 체중 감소 효과 증강 보고 등이 주목을 끌고 있으나, 부정적 보고도 있어, 앞으로 연구가 필요합니다. 리포산 섭취가 원인으로 추정되는

부작용으로 인슐린 자가면역 증후군이 보고되었으며, 일본인은 미국과 유럽에 비해 특정 유전적 소인(HLA-DRB1*0406)을 가진 사람이 대부분이며, 이런 유전적 소인이 있으면 인슐린 자가면역 증후군을 일으키기 쉬워 주의가 필요합니다.[12]

마지막으로

2013년 Annals of Internal Medicine에는 정상 식생활을 시행하는 정상인에서 심혈관 질환, 암 예방을 위한 비타민, 미네랄 등 기능식품 섭취는 권고하지 않는다고 보고가 있습니다.[13] 그러나 식습관이나 주위 환경이 다른 나라의 자료를 그대로 적용할 수 없으며, 개개인의 섭취량을 이해하여 기능식품 적응을 생각할 필요가 있습니다.

(小林佐紀子 , 伊藤 裕)

문헌

1) 厚生労働省: 日本人の食事摂取基準2015年版
http://www.mhlw.go.jp/stf/shingi/0000041824.html

2) 平成24年国民栄養・健康調査報告
http://www.mhlw.go.jp/bunya/kenkou/eiyou/dl/h24-houkoku.pdf

3) Bolland MJ Avenell A, et al: Effect of calcium supplements on risk of myocardial infarction and cardiovascular events: meta-analysis. BMJ 2010; c3691.

4) 骨粗鬆症の予防と治療ガイドライン作成委員会編: 骨粗鬆症の予防と治療ガイドライン2011年版.

5) Booth SL, Tucker KL, et al: Dietary Vitamin K intakes are associated with hip fracture but not with bone mineral density in elderly men and women. Am J Clin Nutr 2000; 71: 1201-08.

6) 岡村 健, 萬代幸子: 甲状腺とヨード. よくわかる甲状腺の全て, 伴良雄編, 改訂第2版, 大阪, 永井書店, 2009, p397-403.

7) Poh ZX, Goh KP: A current update on the use of alpha lipoic acid in the management of type 2 diabetes mellitus. Endocr Metab Immune Disord Drug Targets 2009; 9(4): 392-8.

8) Roncaglioni MC, Tombesi M, et al: n-3 fatty acids in patients with multiple cardiovascular risk factors. N Engl J Med 2013; 368(19): 1800-8.

9) Iso H, Kobayashi M, et al: Intake of fish and n3 fatty acids and risk of coronary heart disease among Japanese: the Japan Public Health Center-Based (JPHC) Study Cohort I. Circulation 2006; 113(2): 195-202.

10) Yokoyama M, Origasa H, et al: Effects of eicosapentaenoic acid on major coronary events in hypercholesterolaemic patients (JELIS): a randomised open-label, blinded endpoint analysis. Lancet 2007; 369(9567): 1090-8.

11) Pharmacist's Letter/Prescriber's Letterエディターズ編: 健康食品データベース, (独)国立健康・栄養研究所監訳, 第一出版.

12) 厚生労働省医薬食品局食品安全部基準審査課新開発食品保健対策室: αリポ酸に関するQ&A
http://www.mhlw.go.jp/topics/bukyoku/iyaku/syoku-anzen/hokenkinou/alipoic-qa.html

13) Guallar E, Stranges S, et al: Enough is enough: Stop wasting money on vitamin and mineral supplements. Ann Intern Med 2013; 150(12): 850-1.

5 기능식품의 기능성: 소화기 · 면역

2014년 일본 소비자청은 JAS법, 식품위생법, 건강 증진법에 근거하여 후생노동부와 농림부의 협력으로 건강식품의 새로운 기능성표시 제도를 검토하였습니다. 제 14회 일본 안티에이징 의학회 총회에서는 "기능성 표시 건강식품의 과학적 근거 평가"라는 특별 프로그램을 건강식품 산업 협의회와 공동으로 개최하여 과학적 근거가 비교적 증명된 건강식품에 대해 토론했습니다. 여기서는 당시 발표된 소화기 기능, 면역에 관여하는 기능식품에 대해 소개합니다.

▌소화기계

소화기에 작용하는 식품은 많지만, 식품에 들어있는 어떤 성분이 주된 작용을 하고 있는지 명확히 알 수 없는 것이 많습니다. 특정 성분이 밝혀져 분리되고 또 작용 기전과 효과를 증명하면 의약품이 됩니다. 기능식품은 의약품이 아니라 식품으로 분류되며, 어디까지나 식품으로 과학적이며 안전하고 임상적 효과가 있는 것이 당연합니다.

Bifidobacterium longum

미국에서 이미 기능성이 표시된 장내 세균입니다. 요구르트의 일종이지만, 내산성 캡슐을 이용하여 비피더스 균이 살아서 장에 도달하도록 고안된 것도 있습니다. 비피더스 균 등 장내에 유용균이 증가하면 장관 내에 젖산이나 초산같은 유기산 생산이 증가하여 장내 pH가 저하되고 유기산 자체의 직접 작용으로 장내 세균 구성이 변화합니다. 장내 세균총 정상화 및 유기산의 장관 연동운동 촉진으로 대변 회수나 대변 상태가 정상화됩니다. In vitro 시험 이외에 정상 여성 11명, 성인 39명, 성인 남녀 55명, 고령자 83명, 초미숙아 5명, 정상 성인 49명, 고령자 209명, 정상 성인 10명 등을 대상으로 단일군 시험, 무작위화 군간 비교 시험(개방 시험), 무작위화 위약 대조 이중맹검 군간 비교 시험, 무작위 위약 대비 이중맹검

교차 시험 등의 보고가 있으며, 배변 개선 효과가 검증되었습니다. 또 꽃가루 알레르기에 대한 보고도 있습니다.

▌면역계

면역계에 작용하는 식품이 많다고 생각하지만, 임상적으로 면역 활성을 객관적으로 평가하는 방법은 아직 부족합니다. 앞의 Bifidobacterium longum도 꽃가루 알레르기에 유익한 효과가 있으며 그밖에 다른 식품도 효과가 있습니다. 효과를 나타내는 성분이 결정되었어도 기능식품으로 유효 성분이 들어있는 양과 질의 확보 등 품질관리가 필요합니다.

다시마 "후코이단"

홋카이도 하코다테 근해에서 자라는 다시마의 일종인 가고메 다시마(ガゴメ昆布)에 들어 있는 후코이단이 고분자 상태로 장관의 면역 세포(Peyer's patch)에 작용하여, ① 수지상 세포나 마크로파지 등 항원 제시 세포의 interleukin-12 (IL-12) 생산을 촉진하며, ② T세포의 interferon γ (IFN-γ)나 IL-2 등 사이토카인 생산을 높이고, ③ natural killer (NK) 세포 활성화 작용이 알려졌습니다. 마우스를 이용한 동물 실험에서 면역 활성 작용이 있었으며, 고령자 18명, 암 환자 26명의 개방 시험에서 NK 활성 상승이 있었고, 고령자 30명에 대한 위약 대조 단일 맹검시험에서 혈액에서 분리한 세포에서 IFN γ나 IL-2 생산이 증가했다는 보고가 있습니다.

브라질산 그린 프로폴리스(Brazilian green propolis)

브라질산 프로폴리스에는 아르테피린 C, p-쿠말산, 드르파닌, 팍카린, 클리오린, 켐페라이드 등이 들어 있으며,[3] 한국, 중국에서 기능성 표시를 하고 있습니다.

그린 프로폴리스 섭취에 의해 꽃가루 알레르기 증상 감소, 코막힘 개선, 꽃가루 알레르기 치료제 이용 감소, 감기의 조기 치유, 몸의 나른함 감소 등이 보고되었습니다. 또 운동 전후에 혈청 알부민에 들어 있는 환원형 알부민 비율이 증가하여 산화 스트레스가 완화되었다는 보고가 있습니다. 그 밖에 피부염 감소, 침의 세균 수 감소, 잇몸의 건강화, 방향에 의한 혈압 저하 작용 등의 보고가 있습니다. 밝혀진 작용 기전은 Cys-루코트리엔 방출 억제에 의한 코막힘 감소입니다.

프로폴리스는 벌이 옮기는 물질이며, 다양한 지역에서 채취되어 지역마다 벌이 옮기는 성분이 다른 점에 주의하지 않으면 안 됩니다.

락토페린

중국에서 면역력 증가, 빈혈 개선 효과의 기능 표시가 있습니다. 대장 폴립 진행 억제 작용이 보고되었으며, 작용 기전의 하나로서 NK세포나 T-helper 1 (Th1)형 면역 활성화를 생각하고 있습니다. 한편 동물 시험에서 락토페린 투여에 의해

tumor necrosis factor-α (TNF-α)나 IL-6 생산 억제 등의 작용으로 염증 상태 개선이 작용 기전의 하나로 생각합니다. 유아에서 알레르기 개선이 보고되었고, 수술 후의 합병증 예방, 폐경 후 여성의 에스트로겐 결핍에 의한 염증 상태 개선 작용 등 위약 대조 무작위 이중맹검 또는 단일 맹검 비교 시험 보고가 있습니다. 면역 조절 작용의 일부는 장관 상피의 락토페린 수용체를 통할 가능성이 있습니다.[4]

(齋藤英胤)

|||||||||||||||||||||||||||||||||||||||||||||||||||||||| **문헌** ||||||||||||||||||||||||||||||||||||||||||||||

1) Kondo J, et al: Modulatory effects of Bifidobacterium longum BB536 on defecation in elderly patients receiving enteral feeding. World Journal of Gastroenterology 2013; 19: 2162-70.

2) 鈴木信孝, ほか: がん患者に対するガゴメ昆布フコイダンの長期摂取の安全性評価. 日本補完代替医療学会誌 2013; 10: 17-24.

3) Tani H, et al: Inhibitory activity of Brazilian green propolis components and their derivatives on the release of cys-leukotrienes. Bioorg Med Chem 2010; 18: 151-7.

4) Lonnerdal B, et al: Bovine lactoferrin can be taken up by the human Intestinal lactoferrin receptor and exert bioactivities. J Pediat Gastroenterol Nutr 2011; 53: 606-14.

6 기능식품의 기능성: 피부

안티에이징 의학은 외모 분야도 대상이며, 피부, 용모, 체형으로 나누어 관리하고 있으나 여기서는 주로 피부 노화를 설명합니다. 피부는 내적 노화와 외적 노화로 나누어 생각합니다. 내적 노화는 골다공증을 비롯한 다른 항목과 비슷한 부분이 많으며, 외적 노화는 환경 인자의 영향(습도, 온도, 화학물질, 빛)이 크고, 특히 광노화가 중요합니다. 주름, 기미, 검버섯의 대부분은 광노화에 의해 일어난다고 생각합니다. 미용 영역과 관련이 깊어 사회적으로 주목을 끌기 쉬워 대응에 주의가 필요합니다. 사용하는 물질의 대부분이 안전성, 유효성의 평가를 받지 않은 것이 많습니다. 전문의는 이 점을 충분히 고려하여 교육할 필요가 있습니다.

기능성 식품과 피부의 특징

일본은 2015년 4월 식품법의 개정으로 다양한 기능성 표시 식품이 발매되고 있습니다. 과거에도 특정 건강 식품, 영양 기능식품이 있었으나, 국민의 건강 유지에 필요한 정보를 제공하고, 농산물의 해외 진출을 목표로 알기 쉬운 기능성 표시 시스템을 목적으로 새로운 기능성 표시 식품 제도가 생긴 것입니다. 앞으로 이 제도를 안티에이징 의학에서 응용할 필요가 있으며, 기능성 식품을 제대로 이용하기 위해 피부에서 특이성 2가지를 강조합니다.

① 외모(피부, 용모, 체형)의 결과는 누구나 눈으로 볼 수 있습니다. 따라서 효과를 알기 쉽습니다. 외모 분야는 안티에이징에서 특이한 영역이며 앞으로 기능식품 평가에 유용한 개념이 될 것입니다. 외모 영역을 피부, 용모, 체형을 나누어 평가하거나 또는 전체를 대상으로 표현하는 바이오마커라고 알면 이해하기 쉽습니다.

② 위장관을 통해 작용하는 경구 투여가 일반적이지만 외용 수단도 이용합니다. 약사법에 화장품은, 인체의 청결, 미화, 매력 증진, 용모 변경 또는 피부나 모발을 건강하게 유지하기 위해 신체에 도포, 살포나 그 밖의 방법으로 사용하는 인체에 대한 작용이 가벼운 것이며, 외용 의약품을 제외한다고 정의하고 있습니다. 외용은 실제 효과를 알기 쉽고, 농도를 올리기 쉬우며, 효과 발현도 높습니다(의약품으로 에스트로겐 외용은 호르몬 보충 요법(hormone therapy, HT)에서 부작용이 적고, 유용성이 높은 예입니다). 따라서 기능성 화장품도 등장하고 있습니다.

임상 시험에서 유용한 엔드포인트 결정이 중요합니다. 피부 건강을 위해 기능 식품을 경구 투여하지만, 예를 들어 항산화제 경구 투여의 기초 연구에서 항산화 기능이 있어도 실제로 그 것이 국소에서 효과가 나타날지 검증하기는 매우 어렵지만 외용에서는 효과 검정이 비교적 쉽다고 생각합니다(섭취 후 피부 기능 측정이 대부분 비침습적이므로).

피부의 특징은 외용으로 사용 가능성입니다. 각질층의 기능은 보습 작용 등에 중요하지만 다른 기능은 제한적입니다. 분자량 500 이하 물질은 피부 흡수가 쉽습니다. 그러나 배리어 기능 이상(아토피 피부염이나 건조 상태)이 있으면 그 보다 커도 흡수 가능성이 있습니다. 생체를 내부와 외부로 나누는 치밀 결합(tight junction)보다 안 쪽은 살아 있는 세포라고 이해하여 대응에 주의가 필요합니다. 피부(점막)에는 항원 제시 세포(APC)가 있어 알레르기 감작을 일으킬 가능성이 높아(구강 쪽에서는 내성 유도 가능성이 높지만) 안전성에 대해 외용에서는 주의가 필요합니다. 피부, 장관의 세균총 연구의 발전으로, 피부를 면역 장기로 보는 관점도 주목할 필요가 있습니다.

외모에서 노화와 관련하여 특히 문제가 되는 것은 피부 건조, 기미, 검버섯, 창상 치유 기전 등입니다. 그러나 외모는 피부, 용모 체형과 비만이나 호르몬도 중요한 표적이므로 내적 노화의 조절 인자에도 작용하는 기능성 물질에 주목할 필요가 있습니다. 몸 상태 조절에는 생체 방어, 질병 예방, 질병 회복, 신체 리듬 조절, 노화 억제 등의 기능이 있습니다. 주목 받고 있는 소재에 대해 설명합니다.

영양 기능식품의 피부 관련 표시

영양 기능식품은 미네랄이나 비타민을 대상으로 하며, 성분의 기능이나 피부, 뼈 등 부위에 대한 기능을 표시할 수 있습니다. 가공 식품뿐 아니라 신선 식품에도 표시할 수 있습니다. 영양 기능 표시로, "피부나 점막의 건강 유지를 돕는 영양소"라고 기재할 수 있는 것은 아연, 나이아신, 판토텐산, 비오틴, 비타민 A, 비타민 B_1, 비타민 B_2, 비타민 B_6, 비타민 C, β-카로틴(비타민 A 전구체로 표시 가능) 등입니다.

주의점은 흡연자에서 β-카로틴(20 mg 이상) 섭취는 폐암이나 전립선 암 위험의 증가입니다.

특정 건강 식품과 피부 관련 표시

올리고당, 키시리톨, 식이섬유(소화가 어려운 덱스트린), 펩티드, 유산균, 비피더스균, 구아바 잎 폴리페놀, 모노글루코시드, 헤스페리딘, 네오코타라놀 등이 대상 성분입니다. 개별 심사, 허가가 필요하며, 글루코실세라미드가 피부 건조에 신청되었으며, 앞으로 미용, 피부 영역에도 표시될 가능성이 있습니다. 특정 건강 식품은 장 건강, 충치, 혈압 등의 질환에도 사용할 수 있습니다.

기능성 표시 식품과 피부 영역

기능성 표시 식품은 눈이나 피부 등 신체 특정 부위의 건강 유지 기능을 표현할 수 있습니다. 기능성 표시 식품은 임상시험 또는 일정한 지침에 따른 체계적 분석으로 표시가 가능합니다(표 1). 소비자청에서 인정하지 않는 표현은, 질병의 치료, 예방 효과를 암시하는 것입니다.

기능성 표시 식품에는, 정제도, 농도, 불순물 정도, 식품이며 약품이 아닌 것 등 소비자를 혼란시키지 않는 표시가 필요한 것을 충분히 이해할 필요가 있습니다.

신선 식품으로 귤(β 클립토키산틴: 골 대사), 보리(β 글루칸: 당 흡수), 시금치(루테인: 눈 건강), 가공품으로 녹차(메틸화 카테킨: 화분병 대책), 두유(β 글리시닌: 유리 지방산 억제), 메밀(루테인: 콜레스테롤 억제) 등을 들 수 있습니다. 외모 영역에 직접 적용하는 것은 아직 많지 않으며, 내적 노화 조절에 사용하고 있습니다(표 2).

특히 주목하는 소재

콜라겐 펩티드

콜라겐을 섭취하면 콜라겐 펩티드(프로릴하이드록시프로린: Pro-Hyp)가 수 시간내에 혈중에 상승하는 것이 알려져 기능성 식품의 가능성이 있습니다. 그러나 콜라겐을 만드는 재료로 작용하는 것은 아니며, 콜라겐 펩티드가 섬유아세포를 자극하여 콜라겐, 히알론산, 일라스틴 생산을 촉진합니다. 욕창 연구나 콜라겐 섭취의 이중 맹검 비교 시험에서 창상 치유 촉진 효과나 보습 효과가 인정되어 앞으로 대규모 데이터 축적이 기대 됩니다. 피부 조직 장애가 있을 때 유용하다고 생각되어 광범위하게 응용될 것입니다.

표1 영양 기능 식품

2015년 4월부터 ω3계 지방산, 비타민 K, 칼륨이 추가되어 신선식품에도 표시 가능하게 되었다. 표시 가능한 항목에 뼈, 치아, 피부, 세포 등의 부위에 대해 정해진 영양 기능 성분을 표시할 수 있다.

미네랄	칼슘, 아연, 구리, 마그네슘, 철, 칼륨
비타민	나이아신, 판토텐산, 비오틴, 비타민 A, 비타민 B_1, 비타민 B_2, 비타민 B_6, 비타민 B_{12}, 비타민 C, 비타민 D, 비타민 E, 엽산, 비타민 K
기타	ω3계 지방산

프로바이오틱스, 프리바이오틱스

장내 세균총 변화가 비만이나 수면 장애, 우울증 등과 관련이 있다고 알려져 기능성 유산균이 주목을 끌고 있습니다. 피부와의 관계에서 알레르기나 헬리코박터 균 조절에 이용될 가능성이 있습니다.

에크올(equol)

콩 이소플라본(isoflavone)과 여성 갱년기 장애 연구에서 활성 물질로 에크올이 알려졌습니다. 콩 이소플라본(다이제인; daidzein)을 먹어도 장내 세균의 차이에 의해 50%의 사람에서만 이소플라본으로 변환되므로 에크올을 직접 먹는 것이 효과적입니다. 여성 갱년기 장애, 피부 보습과 탄력 개선 효과가 보고되었습니다.

비타민 D₃

비타민 D_2의 D_3 변환에 자외선이 필요하며, 영양소로서 비타민 D_2 저하가 문제가 되고 있습니다. 고령자에서 우울, 심혈관 질환, 피부 질환과의 관련이 알려져 적극적 개입이 필요하다고 생각합니다.

▍자외선 예방

주름, 기미 등의 용모 변화에 광노화가 관여하므로 자외선 예방이 중요합니다. 이때 UV A/UV B를 같이 억제하는 선스크린제가 유용하며, UVA는 진피에 염증 반응을 일으키므로 비타민 C나

그림1 Natural Mediciene Comprehensive Database에 의한 노화 피부에 대한 안정성, 유용성 평가
(Natural Medicine in the Clinical Management of Aging Skin)

2015년 4월 1일 현재 데이터베이스에서 안전성, 유용성을 그림에 표시했다. 교육시 지표의 하나가 된다.

Safety / Effective	Likely Safe	Possibly Safe	Insufficient Evidence	Possibly Unsafe	Likely Unsafe	Unsafe
Effective						
Likely Effective	• Alpha hydroxy acids					
Possibly Effective	• Beta-caroten • Melatonin • Vitamin C • Vitamin E	• DHEA (short-term) • Pyruvic acid				
Insufficient Evidence	• Acetyl-L-carnitine • Aloe gel • Cocoa butter • Coenzyme Q-10 • Glycerin • Green tea • Hyaluronic acid • Jojoba • Lecithin • Niacin • Rose hip • Vitamin A • Zinc	• Acerola • Alpha-lipoic acid • DMAE • Grape seed extract • Papaya • *Polypodium leucotomos* • Tyrosine	• Acai • Avocado • Emu oil • Kinetin • Papain • Resveratrol			
Possibly Ineffective						
Likely Ineffective						
Ineffective						

KEY :
Consider recommending this product.
Don't recommend using this product.
Recommend against using this product.

비타민 E 또는 항산화제 섭취가 필요합니다. 기본은 햇빛에 대한 최적의 안전 대책이며, slip(입는다), slop(바른다), slap(덮는다)입니다. 셔츠를 입고(slip), sun screen제를 바르고(slop) 모자를 쓰자(slap)를 교육합니다.

AGEs와 피부

노화에 따라 콜라겐이 감소할뿐 아니라 가교 수식된 피부 콜라겐 증가는 노화 단백질의 일종으로 피부나 혈관 탄력성 저하에 관여합니다. 노화 단백질 축적의 대부분은 활성 산소에 의한 산화 수식 작용이며 카보닐화에 의해 일어납니다. 또한 과산화지질에서 유래한 알데히드나 포도당이 단백질과 반응하는 당화 반응으로 당화 종산물(advanced glycation end products, AGEs)이 생깁니다. 이런 반응은 콜라겐에서도 볼 수 있으며, 피부의 늘어짐, 탈력 소실, 황색 변화 등을 일으킵니다. 노화 단백질의 생산 억제나 분해하는 물질이 필요하며, 당대사에 관여하거나 항산화제 중에서 AGEs에 관여하는 기능성 식품이 개발되고 있습니다.

마지막으로

피부에 대한 기능성 소재가 안티에이징 의학에서 주목을 끌고 있으나, 증거가 충분하지 않아 주의가 필요합니다. 안전성, 유용성, 법적 근거를 고려하여 외모도 아름다운 건강 장수 영역을 목표로 해야 합니다.

(山田秀和)

문헌

1) 健康食品の安全性・有効性情報: 国立健康・栄養研究所 HP; http://hfnet.nih.go.jp
2) ナチュラルメディシンデータベース: 健康食品・サプリメント(成分)のすべて. 同文書院(データベースは, 日本医師会会員なら医師会HPからアクセス可能).
3) Natural standard comprehensive database: April 1, 20151 時点.
4) 日本抗加齢協会編: サプリメントデーターハンドブック2015.

표2 **기능성 표시가 가능한 식품(미용 관련)**

기능식품뿐 아니라 신선 식품, 가공 식품도 충분한 데이터베이스가 있으면 기능 표시가 가능하다. 글루코시세라미드는 2015년 3월 특정보건 식품을 신청했다.

• 히알루론산, α-히드록시산
• N-아세틸글루코사민
• DHA/EPA
• 세라민
• 센트 존스 워트, 레드 클로버, 달맞이꽃유
• 이소프라본 글루코시세라미드
• 프라반제놀
• 글리신, 카푸세이드, 아미노L40
• 이미다졸디 펩티드
• 루테인
• 울금(강황), 오르니틴(ornithine), 굴 추출물
• 은행 잎, 레시친
• 톱야자, 식물 스테롤
• 자이리톨, 멀티토스, 파라치노스

• 유산균, 글루타민, 코엔자임 Q10
• 아스타잔틴, 프로테오글리칸
• 헤스페리딘
• 티아닌
• 난소화성(難消化性, 소화가 어려운) 덱스트린
• D-프시코스
• β-글루칸
• 메틸화카테킨
• 구연산
• β-카로틴
• β-그립토키산틴
• 헴 철
• 블루베리
• 5-아미노레프린산
• 레스베라트롤

7 기능식품의 기능성: 남성 의료

남성 의료에서 기능성 식품의 효과가 알려지고 있는 전립선 암, 전립선 비대증, 발기부전에 대해 소개합니다.

전립선 암

미국과 유럽에서 전립선 암은 남성 암 사망자의 약 20%를 차지하여 이환율이 높습니다. 생활 습관의 서구화 및 고령화에 따라 환자 수가 급속히 증가하고 있으며, 2020년이 되면 1995년에 비해 약 5.9배 증가할 것으로 예상하고 있습니다. 전립선 암의 진단 지표로 전립선 특이 항원(prostate specific antigen, PSA)이 유용합니다.

커큐민은 카레에 사용되는 향신료 심황에 들어 있는 폴리페놀이며, 심 질환, 간 질환, 알츠하이머병, 알코올 과음에 의한 질환 등에 효과가 기대되는 영양 성분입니다. 커큐민의 안전성에 대해, 3개월간 8 g/일 섭취해도 독성이 없었고, 염증 예방에 유효량인 2.5 g/일 섭취의 안전성도 확인되었습니다.[1] 이소플라본도 폴리페놀의 일종이며 플라보노이드 골격을 기본으로 하는 플라보노이드입니다. 주된 종류에 게니스틴, 다이지닌, 글리시틴이 있으며, 장내 세균에 의해 당쇄가 제거되면 게니스테인, 다이제인, 글리시테인이 되어 흡수됩니다. 일본인과 미국과 유럽인의 식사 내용을 비교한 연구에서, 일본인은 콩 제품으로 이소플라본 섭취량이 많은 것이 전립선 암의 발생률, 사망률이 낮은 원인의 하나라고 생각합니다. 실제로 이소플라본을 많이 섭취하여 전립선 암 위험이 감소한다는 역학 데이터도 발표되었습니다.[2]

PSA가 높아도 전립선 암이 발생하지 않은 것에 대한 커큐민과 이소플라본의 효과를 조사한 보고가 있습니다.[3] 조사에 동의한 전립선 생검 음성 환자 89명에 커큐민과 이소플라본이 주성분인 기능식품을 6개월간 섭취시켰습니다. 이중 맹검으로 시작 시, 3개월, 6개월 후에 PSA를 측정하여 위약군과 비교했습니다. 그 결과 PSA 10 ng/mL 이상군에서 기능식품 섭취에 의해 혈청 PSA가 저하되었습니다. PSA만 높고 전립선 암을 발생하지 않은 상태에서 폴리페놀 기능식품이 전립선 암 예방에 효과적일 가능성이 있습니다.

전립선 비대증

전립선 비대증은 연령 증가에 따라 전립선이 통과하는 요도 주위에 결절이 생기고 전립선 용적이 커진 상태입니다. 전립선이 커지면 소변이 나올 때 요도가 확장되지 않아 소변 배출이 나쁘거나(배뇨 곤란), 소변이 끊기는 느낌(잔뇨감)이 있으면 전립선 비대증(benign prostatic hyperplasia, BPH)라고 합니다. 전립선 용적 증가가 없어도 배뇨가 어려우면 전립선 비대증에 포함하기도 합니다. 따라서 남성에서 뇌신경계 이상에 의한 배뇨 장애를 제외한 배뇨 곤란을 전립선 비대증이라고 부르기도 하지만, 배뇨 증상은 전립선 크기와 관계가 없어 최근에는 하부 요로 증후군이라고 부릅니다.

톱야자는 북미산 야자과 식물이며 미국과 유럽에서 BPH에 널리 사용되어 왔습니다. 미국에서는 1906~1916년 미국 약전(United States of Pharmacopeia, USP)에 수재되었고, 1926~1950년에는 United States National Formulary에 수재되었으며, 현재는 기능식품으로 판매되고 있습니다. 독일의 Commission E는 경증에서 중등도의 BPH(스테이지 I, II)에 유효성을 인정하고 있습니다. 임상 연구의 메타분석에서 톱야자가 BPH에 의한 배뇨 장애에 효과적이었으나, 고용량 투여에 효과가 없다는 보고도 있습니다.[4,5]

발기부전

포유동물은 발기 기전을 이용하여 생식 활동을 하므로 남성의 상징적 생리 현상이라고 할 수 있습니다. 발기가 성행위에 충분하지 않은 상황을 발기부전(erectile dysfunction, ED)이라고 합니다. 일본 한 지역에서 ED 빈도는 20~30세 연령층에서 50% 정도이고, 50세 이상의 남성은 대부분이 자각하고 있었습니다.[6]

발기 현상은 성적 자극에 의해 부교감신경이 활성화되고, 신경 말단에서 내피형 일산화질소 합성효소(endothelial nitric oxide synthase, eNOS)에 의해 일산화질소(NO)가 생산되고, 해면체 평활근에서 환상 구아노신인산(cyclic guanosine monophosphate, cGMP)가 생산되어 음경 해면체가 이완되며, 혈액이 이완된 해면체에 유입되어 일어납니다. 또 혈관내피의 eNOS에 의해 NO가 지속적으로 방출되어 발기가 유지됩니다. 발기에는, 부교감 신경의 활성화와 혈관내피의 충분한 NO의 공급 그리고 역치를 넘는 테스토스테론치가 필요합니다.[7,8]

피크노제놀은 프랑스 해안송의 나무 껍질에서 얻은 성분으로 항산화능이 강하다고 알려져 있습니다. NO의 기질이 되는 아르기닌과 피크노제놀을 투여하면 경증 ED가 개선됩니다. 적절한 기능식품이 경증 ED에 효과를 나타낼 가능성이 시사되었습니다.[9]

(堀江重郎)

|||||||||||||||||||||||||||||||||||||||||||||||||||||| **문헌** ||||||||||||||||||||||||||||||||||||||||||||||||||||||

1) Chainani-Wu N: Safety and Anti-Inflammatory Activity of Curcumin: A Component of Tumeric (Curcuma longa); J Altern Complement Med 2003; 9(1): 161-8. Review.

2) Kolonel LN, Hankin JH, et al: Vegetables, fruits, legumes and prostate cancer: a multiethnic case-control study. Cancer Epidemiol Biomarkers Prev 2000; 9(8): 795-804.

3) Ide H, Tokiwa S, et al: Combined inhibitory effects of soy isoflavones and curcumin on the production of prostate-specific antigen. Prostate 2010; 70(10): 1127-33.

4) Wilt TJ, Ishani A, et al: Saw palmetto extracts for treatment of benign prostatic hyperplasia: a systematic review. JAMA 1998; 280(18): 1604-9.

5) Barry MJ, Meleth S, et al: Alternative Medicine for Urological Symptoms (CAMUS) Study Group. Effect of increasing doses of saw palmetto extract on lower urinary tract symptoms: a randomized trial. JAMA 2011; 306(12): 1344-51.

6) Imai A, Yamamoto H, et al: Risk factors for erectile dysfunction in healthy Japanese men. Int J Androl 2010; 33(4): 569-73.

7) Chitaley K, Wingard CJ, et al: Antagonism of Rho-kinase stimulates rat penile erection via a nitric oxide-independent pathway. Nat Med 2001; 7(1): 119-22.

8) Wu FC, Tajar A, et al: Identification of late-onset hypogonadism in middle-aged and elderly men. N Engl J Med 2010; 363(2): 123-35.

9) Aoki H, Nagao J, et al: Clinical assessment of a supplement of Pycnogenol® and L-arginine in Japanese patients with mild to moderate erectile dysfunction. Phytother Res 2012; 26(2): 204-7.

8 기능식품의 기능성: 여성 의료

여성 의료는 여성에게 특이한 배경을 고려한 종합적 의료입니다. 여성의 건강 수명 저하는 여성 호르몬인 에스트로겐 분비 저하에 의해 나타납니다. 따라서 여성 의료에서는 에스트로겐 저하를 보완하는 치료를 시행합니다.[1] 여성의 건강을 해치는 질환은, 운동기 질환으로 골절, 넘어짐과 관절 질환, 치매, 쇠약, 뇌졸중의 순서이며, 이런 질환에 대한 약제 처방과 더불어 적극적 예방에 기능식품을 이용합니다.

▌ 갱년기 증상 개선에 이용하는 기능식품

갱년기 증상은 갱년기에 나타나는 hot flush, 안면 홍조, 열감, 발한 등의 혈관 운동 증상에 더해 우울, 불면이 대표적 증상입니다.

갱년기 증상에 효과가 있는 기능식품으로 콩이 이용되어 왔습니다. 콩의 효과는 콩의 배아에 들어 있는 에스트로겐과 비슷한 작용을 가진 게니스테인, 다이제인 등에 의합니다. 주된 작용을 나타내는 것은 이소플라본의 일종인 다이제인이 장내 세균에 의해 생산되는 활성 대사 산물 "에크올"이며, 그 생리적 의의가 주목을 받고 있습니다.

레드 클로버에도 게니스테인이나 다이제인이 있으며, 허브의 일종인 블랙코호슈를 비롯한 석류나 로얄젤리도 사용합니다. 갱년기 증상에 사용하는 기능식품은 다양하나 유효성, 안전성을 조사한 자료는 거의 없습니다.

▌ 여성 의료에 근거가 있는 에크올(equol)

갱년기 증상에 콩 이소플라본 효과에 대한 연구에서 효과가 일정하지 않은 것이 발견되었습니다. 그 이유는 콩을 섭취해도 에크올 생산 여부에 따라 효과가 다른 것으로 밝혀졌습니다. 즉 에크올의 소변 배설량이 많은 사람은 갱년기 증상이 가볍고, 반대로 소변 배설이 적은 사람은 갱년기 증상이 심했습니다. 한편 다이제인이나 게니스테인 배설량과 갱년기 증상의 관계는 없었습니다. 이것으로 콩 이소플라본의 효과는 에크올에 의하며, 콩을 섭취해도 에크올을 만들 수 없으면 효과가 없게 됩니다. 이런 에크올 생산은 개인차가 있어 에크올을 생산할 수 있는 사람은 서구에서 약 30%, 일본에서 약 50%라고 보고되었습니다.[1]

장에서 콩을 에크올로 바꾸어주는 유산균인 락토코커스 속(락터코커스 20-92균주)을 이용하여 콩 배아를 발효 시킨 SE5-OH(콩 배아 유산균 발효식품)는 근거가 있습니다. 10 mg/일 투여한 임상 시험 결과, 갱년기 증상, 골대사 및 골밀도, 심혈관 위험 인자가 개선되었고, 30 mg/일을 3개월 섭취하여 피부 노화에 대한 효과가 있었습니다.

갱년기 증상이 있는 폐경 후 여성(n=126)에서 위약에 비해 홍조 회수가 약 60% 이상 감소했고(그림 1), 목이나 어깨 결림도 개선되었습니다.[2]

폐경 후 5년 미만의 에크올 비생산자(n=93)에서 에크올 섭취군은 소변의 골흡수 지표인 데옥시피리디놀의 저하와 전신 골밀도 감소를 개선했습니다(그림 2).[3]

폐경 후 비만, 체중 과다 여성(n=54)에서 에크올 섭취에 의해 HbA1c, 심장-발목 혈관지수(cardioankle vascular index, CAVI), LDL-콜레스테롤(LDL-C)을 개선했습니다(그림 3).[4] 이런 3가지 지표의 유의한 개선으로 심혈관 이벤트 예방에 효과가 있을 가능성이 시사됩니다.

피부 노화 시험(n=101)에서 에크올 30 mg/일을 3개월 섭취하여 주름 면적률 및 최대 주름 깊이가 감소되어 피부 노화에 효과가 있었습니다(그림 4).[5]

이상과 같이 SE5-OH는 갱년기 폐경 후 여성의 건강 관리 즉 여성 의료에 대해 효과를 기대할 수 있는 근거가 있습니다.

그림1 에크올의 홍조 회수에 대한 효과

에크올 10 mg을 12주 투여하여 홍조 회수가 대조군에 비해 유의하게 개선되었다. 대조군에서 30% 감소되었으나 에크올에서 60% 감소되었다.

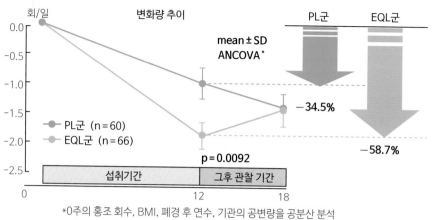

변화량 추이

mean ± SD
ANCOVA *

PL군 (n=60)
EQL군 (n=66)

p=0.0092

섭취기간   그후 관찰 기간

−34.5%
−58.7%

*0주의 홍조 회수, BMI, 폐경 후 연수, 기관의 공변량을 공분산 분석

(문헌2에서 수정인용)

그림2 골대사 지표와 골밀도에 대한 효과

a: 소변 데옥시피리디놀린

b: 전신 골밀도(12개월 후)

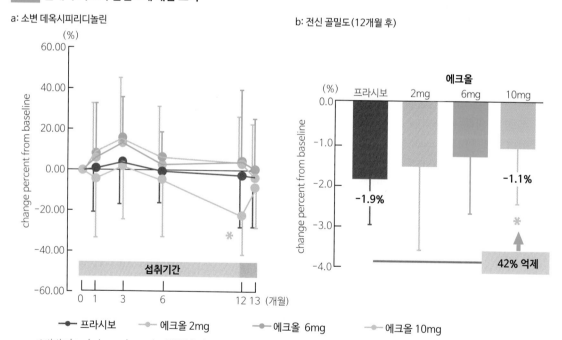

섭취기간

−1.9%
−1.1%
42% 억제

→ 프라시보   에크올 2mg   에크올 6mg   에크올 10mg

statistical analysis was done usint ANCOVA (covariate : height, weight, energy intake, protein, Ca and Vit. D)

mean ± SD * : p<0.05

(문헌3에서 수정인용)

그림3 **폐경 후 비만, 체중 과다 여성에서 HbA1c, LDL-C에 대한 효과**

3 지표의 유의한 개선 효과에서 심혈관 질환 예방에 효과가 있을 가능성을 시사한다.

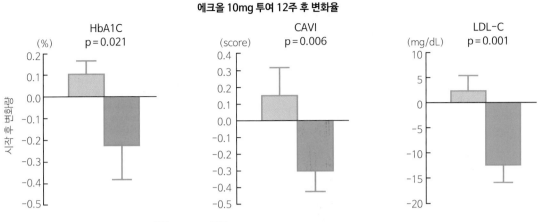

에크올 10mg 투여 12주 후 변화율

데이터는 평균±표준편차: ▢ 프라시보, ▨ SE5-OH
결과는 t-검증으로 분석(SE5-OH 섭취 vs 프라시보 섭취)
CAVI: Cardio-Ankle Vascular Index, a new index of arterial stiffness: 심장혈관발목지수

(문헌4에서 수정인용)

그림4 **눈 주위 주름에 대한 에크올의 효과**

폐경 후 여성에서 에크올 투여에 의해 주름의 면적률 및 최대 주름의 최대 깊이(에크올 30 mg만)가 의미 있게 축소되어 주름 노화에 효과가 있었다.

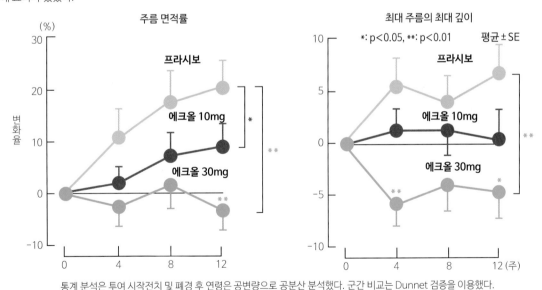

통계 분석은 투여 시작전치 및 폐경 후 연령은 공변량으로 공분산 분석했다. 군간 비교는 Dunnet 검증을 이용했다.

(문헌5에서 수정인용)

마지막으로

　사용 목적이 다양한 여성 의료 영역에서 질환이나 부위의 따른 건강식품의 기능 표시는 소비자의 요구에 따른 것입니다. 기능성 표시에 대한 올바른 이해와 효과적인 기능식품 사용으로 건강수명이 연장되기를 기대합니다.

（太田博明）

||||||||||||||||||||||||||||||||||||| **문헌** |||||||||||||||||||||||||||||||||||||

1) 太田博明. ウェルエイジングのための女性医療. メディカルレビュー社, 2011.

2) Aso T, Uchiyama S, et al: A natural S-equol supplement alleviates hot flushes and other menopausal symptoms in equol nonproducing postmenopausal Japanese women. J Womens Health (Larchmt). 2012; 21(1): 92-100.

3) Tousen Y, Ezaki J, et al: Natural S-equol decreases bone resorption in postmenopausal, non-equol-producing Japanese women: a pilot randomized, placebo-controlled trial. Menopause 2011; 18(5): 563-74.

4) Usui T,Tochiya M: Effects of natural S-equol supplements on overweight or obesity and metabolic syndrome in the Japanese, based on sex and equol status. Clin Endocrinol (Oxf). 2013; 78(3): 365-72.

5) Oyama A,Ueno T, et al: The effects of natural S-equol supplementation on skin aging in postmenopausal women: a pilot randomized placebo–controlled trial. Menopause. 2012; 19(2): 202-10.

9 기능식품의 기능성: 뇌신경

기능성 식품은 뇌신경계에 다양한 영향을 줄 수 있으며, 여기서는 뇌신경계에서 특히 관심이 높은 치매와 뇌졸중에 대해 설명합니다.

EPA, DHA

등푸른 생선에 들어있는 eicosapentaenoic acid (EPA), docosahexaenoic acid (DHA)의 뇌졸중 예방 효과는 대규모 임상시험으로 증명되었습니다. 한편 치매 예방 효과는 프랑스 보르도 지역에서 65세 이상 주민 1,214명을 4년간 추적한 결과 5.4%에서 치매가 발생했으나 혈청 EPA가 높은 군은 33% 감소했고, DHA가 높은 군은 24% 감소했습니다(그림 1).[1] 또한 혈청 리놀산이 높은 군은 1% 증가하고, ω6/ω3 비율이 높은 군은 9% 증가했습니다.[1] 일본인 알츠하이머병 환자와 혈관성 치매 환자에서 EPA 복용에 의한 증상 악화 억제가 보고되었습니다.[2] 미국의 19개 기관에서 시행한 경도 인지장애(mild cognitive impairment, MCI) 대상 임상 연구에서 DHA 1일 900 mg 복용하여 6개월 후에 학습 능력을 Cambridge Neuropsychological Test Automated Battery/Paired Associates Learning (CANTAB/PAL) 테스트나 기억력을 보는 Verbal Recognition Memory (VRM) 테스트에서 경미하지만 유의한 개선 효과가 있었습니다(MIDAS 연구 Memory Improvement with DHA Study)(그림 2).[3]

뇌에 함량이 많은 DHA, EPA는 주로 세포막 인지질에 존재하여 막의 유동성을 높이며, 흥분막을 가진 뇌신경 세포의 기능을 개선한다고 생각하고 있습니다. 최근 연구에서 DHA 대사물인 neuroprotectin D1 (NPD1)가 뇌 아밀로이드 베타의 생산을 직접 억제한다고 보고되었습니다.[4] 그러나 어유에 의한 치매 예방 효과가 경증에서 중등도의 알츠하이머병에 효과가 없다는 보고도 있어 앞으로 새로운 검토 여지가 남아 있습니다.

카테킨

차를 마시는 습관과 치매 위험에 대한 2006년 Kuriyama 등의 연구는 녹차를 하루 5잔 이상 마시면 치매 위험이 0.46배 저하되지만, 홍차나 우롱차, 커피에는 이런 효과가 없다고 해서 주목을 받았습니다(표 1).[6] Kuriyama는 그 이유로 녹차에 카테킨이 67.5 mg (/100 mg 함유)으로 높기 때문이라고 했습니다. 카테킨은 플라빈 골격이 있어 안토시아닌, 플라본, 퀘르세틴과 같은 산화 스트레스 감소 효과가 있으며, 에피카테킨, 에피가로카테킨, 에피가로카테킨가라트 등의 성분이 혈압 강하 효과를 비롯한 항콜레스테롤 작용, 항혈당 작용, 항산화 효과, 항노화 효과, 항암작용, 항알레르기 작용 등이 있어 혈관 노화 억제를 통해 2차적으로 또는 직접적으로 뇌세포의 노화를 억제할 가능성이 있습니다.

은행 잎 엑기스

은행 잎 엑기스에 대해 여러 보고가 있으나 뇌졸중 지침 2009은 "혈관성 인지 장애를 포함한 치매 치료에 대한 은행 잎 엑기스의 효과는 충분한 근거가 없다"로서 C1 수준의 권고(시행을 고려할 수 있으나 근거가 없다)로 되어 있습니다. 혈관성

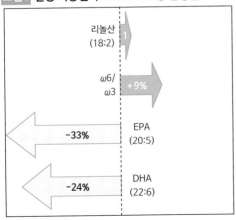

그림1 혈청 지방질과 Alzheimer병 발생률

리놀산 (18:2) 1

ω6/ω3 +9%

EPA (20:5) -33%

DHA (22:6) -24%

그림2 DHA는 경도인지 기능 장애의 인지 기능을 개선한다

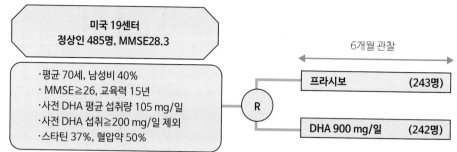

미국 19센터
정상인 485명, MMSE28.3

· 평균 70세, 남성비 40%
· MMSE≧26, 교육력 15년
· 사전 DHA 평균 섭취량 105 mg/일
· 사전 DHA 섭취≧200 mg/일 제외
· 스타틴 37%, 혈압약 50%

6개월 관찰

프라시보　　　(243명)

R

DHA 900 mg/일　　(242명)

MMSE: mini mental state examination

표1 차를 마시는 습관과 치매 위험

*p<0.05

차 마심 (1일)	녹차	홍차 우롱차	커피
<1잔	1.00	1.00	1.00
2~4잔	0.62	0.60	1.16
5잔≦	0.46*	0.87	1.03
카테킨 양 (100 mL 중 함양)	67.5 mg	15.5 mg	

(문헌6에서 인용)

그림3 은행 잎 추출물의 뇌혈류 증가, 뇌보호 효과

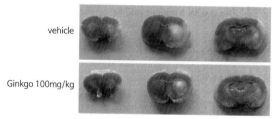

vehicle

Ginkgo 100mg/kg

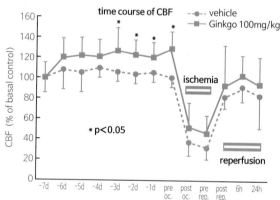

치매 항목에 기재되어 있는 기능식품은 은행 잎 엑기스뿐입니다. 은행 잎 엑기스는 혈소판 활성 인자(platelet activating factor, PAF) 저해 효과가 있어 혈액 응고계를 억제하여 뇌조직에 산소와 포도당 공급을 개선하는 것으로 생각합니다. 실제로 은행 잎 엑기스를 투여하여 뇌혈류 개선과 뇌경색이 감소된 보고가 있습니다(그림 3).[7]

(阿部康二)

문헌

1) Samieri C, Féart C, et al: Low plasma eicosapentaenoic acid and depressive symptomatology are independent predictors of dementia risk. Am J Clin Nutr 2008; 88: 714-21.

2) 大塚美惠子, 植木 彰: Dementia J 2005.

3) Yurko-Mauro K, McCarthy D, et al: Beneficial effects of docosahexaenoic acid on cognition in age-related cognitive decline. Alzheimer's and Dementia 2010; 6: 456-64.

4) Bazan N, PG, LT EFA (PLEFA) 2012 Sep 27; ePub.

5) Quinn JF, Raman R, et al: Docosahexaenoic acid supplementation and cognitive decline in Alzheimer disease: a randomized trial. JAMA 2010; 304: 1903-11.

6) Kuriyama S, Shimazu T, et al: Green tea consumption and mortality due to cardiovascular disease, cancer, and all causes in Japan: the Ohsaki study. JAMA 2006; 296: 1255-65.

7) Zhang WR, Hayashi T, et al: Protective effect of ginkgo extract on rat brain with transient middle cerebral artery occlusion. Neurol Res 2000; 22: 517-21.

10 기능식품의 기능성: 운동기, 스포츠

운동능에 개선에 대한 각종 기능식품의 체계적 고찰 논문을 검증합니다.

목적

운동능 향상 목적으로 기능식품을 섭취하는 스포츠 선수는 적지 않습니다. 또 고령자에서 운동능 유지를 위해 기능식품을 사용하는 경우도 많습니다. 그러나 그 근거는 아직 명확하지 않습니다. 다양한 기능식품의 운동능에 대한 영향의 체계적 고찰 논문을 정리하여 지금까지 밝혀진 근거 수준을 검증합니다.

방법

2014년 11월까지 기능식품의 치료 효과에 대한 논문을 문헌 데이터베이스인 PubMed에서, 통제어(Medical Subject Headings, MeSH)를 이용하여 검색했습니다(그림 1). 구체적으로, ① Performance Enhancing Substance [MeSH], ② Energy Drinks [MeSH], ③ Dietary Supplements [MeSH], ④ Sports Nutritional, ⑤ Physiological Phenomena [MeSH], ⑥ Sports Medicine [MeSH]의 6개 키워드를 이용하여 해당 논문(합계 53,388편)에서 질이 높은 논문과 메타분석을 포함한 체계적 고찰(합계 2,224편)을 추출했습니다. 추출한 논문의 초록과 본문을 참조하여 운동능의 효과를 검토한 15편 논문을 최종 검토 대상으로 했습니다(그림 1).

결과

운동능과 다양한 기능식품의 관련을 검증한 체계적 고찰 논문은 15편이었습니다(표 1).

연구 기법

각각의 논문에서 무작위 비교 시험 등 근거 수준이 높은 논문을 선택했으나 대부분은 검토 대상 환자 수가 적어 통계력이 약하여 결론을 내기에 충분하지 않다고 지적할 수 있습니다(표 1).

효과

탄수화물(carbohydrate)에 대한 체계적 고찰은 3편이었으며, 2편은 지구력과의 관련에 효과가 있다는 결론입니다. 1편은 타임 트라이얼(일정한 거리를 개별적으로 달려 걸린 시간으로 승부를 겨루는 방법) 등의 운동능에 대해 효과가 없다는 결론입니다.

에페드린(ephedrine)과 운동능, 체중 감소에 대

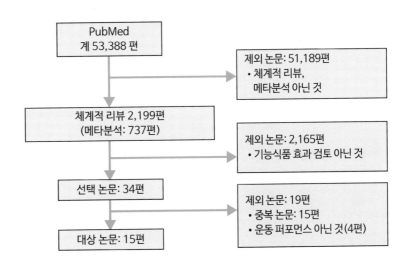

그림1 논문 검색 순서도

PubMed
계 53,388 편

제외 논문: 51,189편
• 체계적 리뷰, 메타분석 아닌 것

체계적 리뷰 2,199편
(메타분석: 737편)

제외 논문: 2,165편
• 기능식품 효과 검토 아닌 것

선택 논문: 34편

제외 논문: 19편
• 중복 논문: 15편
• 운동 퍼포먼스 아닌 것(4편)

대상 논문: 15편

표1 각종 기능식품의 운동 효과에 대한 체계적 고찰의 정리

Objective	Number	Author Journal	Design	Outcome	Conclusion	Risk
탄수화물 Carbohydrate	1	Temesi J J Nutr. 2011;141(5):890 - 7.	MA	Performance	Effective	Not described
	2	Vandenbogaerde TJ Sports Med. 2011;41(9):773 - 92.	MA	Performance	Effective	Not described
	3	Colombani PC Nutr J. 2013;12:16.	SR	Performance	Insufficient	Not described
에페드린 Ephedrine	4	Schubert MM J Strength Cond Res. 2013;27(6):1699 - 707.	SR	Performance	Effective	Not described
	5	Shekelle PG Evid Rep Technol Assess (Summ). 2003;(76):1 - 4.	MA	Weight loss Performance	Insufficient	Psychiatric, autonomic, heart palpitations, gastrointestinal symptons
	6	Shekelle PG JAMA. 2003;289(12):1537 - 45.	MA	Weight loss Performance	Insufficient	Psychiatric, autonomic, heart palpitations, gastrointestinal symptons
비타민 D Vitaimn D	7	Annweiler C J Nutr Health Aging. 2009;13(10):893 - 8.	SR	Body composition Performance	Insufficient	Not described
	8	Latham NK J Am Geriatr Soc. 2003;51(9):1219 - 26.	MA	Performance Falls	Insufficient	Not described
크레아틴 Creatine	9	Branch JD Int J Sport Nutr Exerc Metab. 2003;13(2):198 - 226.	MA	Body composition Performance	Not effective	Not described
	10	Dempsey RL J Fam Pract. 2002;51(11):945 - 51.	MA	Performance	Insufficient	Unproven
쿼르세틴 Quercetin	11	Kressler J Med Sci Sports Exerc. 2011;43(12):2396 - 404.	MA	VO2 max Performance	Insufficient	Not described
	12	Pelletier DM Int J Sport Nutr Exerc Metab. 2013;23(1):73 - 82.	MA	VO2 max Performance	Insufficient	Not described
철 Iron	13	Gera T Indian Pediatr. 2007;44(1):15 - 24.	MA	Performance	Insufficient	Not described
베타알라닌 β-alanine	14	Hobson RM Amino Acids. 2012;43(1):25 - 37.	MA	Performance	Effective	Paraesthesia
녹용 Velvet antler	15	Gilbey A N Z Med J. 2012 ;125(1367):80 - 6.	SR	Arthritis Performance	Insufficient	Not described

MA: meta-analysis, SR: systematic review

한 논문이 3편 있었습니다. 모두 만족할 만한 근거 수준은 아니라는 결론입니다.

비타민 D (vitamin D)는 근력이나 균형력, 보행 등의 운동능과 넘어짐에 대한 2편의 논문이 있었습니다. 모두 만족할 만한 근거 수준은 아니며 추후 검증이 필요합니다.

크레아틴(creatine)의 신체 조성과 운동능에 대해 검증한 논문 2편이 있었으며, 모두 효과 없다는 결론이었습니다.

퀘르세틴(quercetin)과 최대 산소 섭취량이나 지구력에 대한 논문 2편이 있었으나, 극히 작은 효과라는 결론이었습니다.

철(iron), β-알라닌(β-alanine), 녹각(antler velvet) 등에 대해 각각 1편과 2개의 체계적 고찰이 있었으며, 모두 통계력이 약하여 결론을 내릴 수 없었습니다.

위험에 대해

놀라운 사실은 부작용 등 위험에 대해 기재한 체계적 고찰은 많지 않다는 것이었습니다. 일반적으로 기능식품은 부작용이 적다고 생각하기 쉽지만 에페드린처럼, 순환기, 소화기, 정신 증상 등 중증 부작용으로(표 1, 논문 6) 미국에서 판매 금지된 것이 있으며,[1] β-알라닌처럼 이상 감각을 나타내는 것도 있어(표 1, 논문 14) 부작용 등의 위험에 대해 충분히 검증할 필요가 있습니다.

결론

기능식품과 운동능에 대한 체계적 고찰 논문의 검증 결과 충분한 근거를 나타내는 것은 적었고, 부작용 등의 위험을 충분히 검토하지 않은 것으로 나타났습니다. 앞으로 기능식품의 유효성, 안전성에 대해 충분한 의학적 근거가 필요합니다.

(青山朋樹 , 飯島弘貴 , 松田秀一)

IIIIIIIIIIIIIIIIIIIIIIIIIIIIIIIIIIIIIIIIIIIIIII 문헌 IIIIIIIIIIIIIIIIIIIIIIIIIIIIIIIIIIIIIIIIIIIIIII

1) FDA issues regulation prohibiting sale of dietary supplements containing ephedrine alkaloids and reiterates its advice that consumers stop using these products. FDA News Release 2004; p4-17.
(다른 논문은 표 1 참조)

11 기능식품의 기능성: 순환기, 혈관

허혈성 심 질환을 비롯한 동맥경화 질환이나 심부전으로 대표되는 순환기 질환은 연령 증가에 따라 유병률이 증가하므로 노화 관련 질환의 측면도 있습니다. 심부전이나 동맥경화를 일으킨 혈관에서는 노화가 촉진되어 p53를 비롯한 노화 분자가 항진되고 이에 동반한 심기능 저하, 혈관 기능 부전이 질환 발생에 관여 합니다.[1,2] 이 점이 항노화 치료에 의한 순환기 질환 발생 감소가 가능한 것을 시사합니다. 최근 순환기 질환에서 기능식품의 항노화 작용에 대해 근거가 모여지고 있어 그 일단을 소개합니다.

순환기 질환에서 기능식품

ω3계 불포화 지방산

에이코사펜타엔산(eicosapentaenoic acid, EPA), 도코사헥사엔산(docosahexaenoic acid, DHA)인 ω3계 불포화 지방산은 생선에 많이 들어 있습니다. EPA는 중성지방을 합성하는 전사 인자(sterol regulatory element-binding protein-1c, SREBP-1c) 억제와 페르옥시솜 증식 인자 활성화 수용체-α (peroxisome proliferator-activated receptor-α, PPARα)를 통한 지단백리파제(lipoprotein lipase, LPL) 활성 촉진에 의해 초저밀도 지단백(very low density lipoprotein, VLDL) 대사를 촉진하여 지질 저하 작용을 나타냅니다. 또 체내에서 아라키돈산과 치환하여 prostaglandin I_3 (PGI$_3$)나 thromboxane A_3 (TXA$_3$)를 생산하여 항혈소판 작용을 나타냅니다. 그 밖에 단구 유주 억제 작용이나 프리라디칼 생산 억제 기전으로 항동맥경화 작용을 나타냅니다. DHA는 혈액-뇌관문을 통과하여 학습 능력과 기억력 향상, 치매 예방 효과가 있다고 생각하며, ω3계 불포화 지방산은 다양한 항노화 작용을 나타냅니다.

심혈관 이벤트에 대한 Japan EPA Lipid Intervention Study (JELIS 연구)에서 유의한 억제 효과가 보고되어 이것을 기초로한 약품이 판매되고 있습니다.[3] 한편 최근 발표된 메타분석에서 유의한 예후 개선 효과가 없어 아직 일정한 결론이 없습니다.[4]

레스베라트롤

적포도주 등에 들어있는 폴리페놀의 일종인 레스베라트롤의 항노화 작용이 알려졌습니다. 레스베라트롤은 강력한 항산화 작용이 있으며, 수명 결정 유전자라고 부르는 Sirtuin 유전자를 활성화시켜 항노화 작용을 나타냅니다. 2006년 Baur 등은 고칼로리식에 의해 단축된 마우스의 수명이 레스베라트롤 투여에 의해 개선되었다고 보고하여 주목을 끌게 되었습니다.[5] 그 작용의 하나로 항동맥경화 작용이나 비만 환자의 에너지 대사개선 효과가 보고되었습니다. 항노화 작용을 나타내기 위해 필요한 양의 레스베라트롤은 적어도 적포도주 3~4잔이므로 계속 섭취하기 위해서는 기능식품이 유용하다고 생각됩니다. 그 밖에 폴리페놀의 일종으로 소나무 껍질에서 추출한 피크노제놀(pycnogenol)도 강력한 항산화 작용이 있으며, 혈압 강하 작용, 혈당 개선 작용, 혈관내피 기능 개선 작용 등이 보고되었습니다.

코엔자임 Q10 (CoQ10)

CoQ10은 미토콘드리아 전자전달계에서 전자수용체로 중요한 요소이며, 혈중에서는 항산화제로 기능하고 있습니다. 과거부터 노화나 심부전에서 체내의 CoQ10 양의 감소가 질환 발생, 악화에 관여하는 것이 알려져 심부전 환자에게 CoQ10 보충 요법이 시도되었습니다. CoQ10은 3-hydroxy-3-methylglutaryl coenzyme A (HMG-CoA) 환원 효소에 의해 생성되는 메바론산을 원료로 생합성 되며, 스타틴을 투여하면 합성이 저하됩니다. 심부전 환자의 대부분은 이상지질혈증이나 허혈성 심질환을 동반하여 스타틴 복용이 많으며, 이런 환자에게 CoQ10 보충 요법은 특히 효과를 기대할 수 있습니다. 20년 이상 전부터 기능식품이나 의약품으로 사용되고 있지만 의약품의 용량은 1일 30 mg으로 적어 충분한 효과를 얻을 수 없습니다. 최근 200~300 mg의 고용량을 사용하여 심기능이나 증상뿐 아니라 예후를 포함한 심부전 치료 효과가 확인되고 있습니다.[6]

Tie2 수용체 활성화 작용을 가진 기능식품

Tyrosine kinase with Ig-like loops and epidermal growth factor homology domains-2 (Tie2) 수용체는 CD202b라고도 알려진 수용체형 티로신키나제이며 혈관내피 세포나 조혈 세포에 발현하고 있습니다. 안지오포에틴1-4(이하 Ang1-4)이 리간드로 확인되어 Ang1, 4가 작용제로, Ang2, 3가 길항제로 작용 합니다. 자세한 기전은 문헌을 참고하기 바라며, Tie2 수용체를 통한 신호는 혈관내피 세포 및 벽세포의 세포 접착을 촉진하여 혈관 구조의 안정화에 기여하며, 골수 유래 혈관내피 전구 세포를 허혈 부위에 동원하는 작용이 있습니다. 이 신호를 저해하면 혈관벽의 불안정성으로 취약한 병적 혈관 신생이나 혈관 투과성 항진 등이 일어납니다. 이런 신호 활성 저하는 노화현상의 하나라고 인식하여 항노화 치료의 표적으로 최근 주목을 받고 있습니다. 마우스/흰쥐 모델에서 Ang1-Tie2 수용체 신호 활성화에 의해 심장, 뇌, 신장, 말초 동맥에서 허혈 장애에 대한 보호 작용이 있었습니다. 이 신호를 활성화 하는 기능식품은 히하츠(필발, Piper longum), 스타후르츠 잎, 츠르렌게(카펫돌나무, Sedum lineare), 연꽃 배아엑기스, 월도(月桃)잎 엑기스 등이 있습니다. 사람을 대상으로 한 임상시험은 아직 보고되지 않았으나 앞으로의 연구가 기대됩니다.

（ 勝海悟郎 ）

문헌

1) Minamino T, Miyauchi H, et al: Vascular cell senescence and vascular aging. J Mol Cell Cardiol 2004; 36(2): 175-83.

2) Sano M, Minamino T, et al: p53-induced inhibition of Hif-1 causes cardiac dysfunction during pressure overload. Nature 2007; 446(7134): 444-8.

3) Yokoyama M, Origasa H, et al: Effects of eicosapentaenoic acid on major coronary events in hypercholesterolaemic patients (JELIS): a randomised open-label, blinded endpoint analysis. Lancet 2007; 369(9567): 1090-8.

4) Rizos EC, Ntzani EE, et al: Association between omega-3 fatty acid supplementation and risk of major cardiovascular disease events: a systematic review and meta-analysis. JAMA 2012; 308(10): 1024-33.

5) Baur JA, Pearson KJ, et al: Resveratrol improves health and survival of mice on a high-calorie diet. Nature 2006; 444(7117): 337-42.

6) Mortensen SA, Rosenfeldt F, et al: The Effect of Coenzyme Q10 on Morbidity and Mortality in Chronic Heart Failure: Results From Q-SYMBIO: A Randomized Double-Blind Trial. JACC Heart Fail 2014; 2(6): 641-9.

※역자 주:

- **최신 임상연구 소개**:
  스타틴 치료로 LDL-콜레스테롤은 비교적 잘 조절되고 있지만 중성지방이 높은 심혈관질환자 8,179명을 대상으로 무작위 배정에 의하여 각각 고용량의 아이코사펜트 에틸(purified EPA, 4 g/일)과 위약을 투여한 대규모 무작위 3상 임상연구 REDUCE-IT를 소개한다. 연구 1차 종료점으로 심혈관 사망, 심근경색, 관상동맥 재개통술, 불안정 협심증 등의 복합 사건 발생률을 관찰하였다.

- **결과**: 평균 4.9년 추적 관찰한 결과 1차 종료점 발생률이 치료군과 위약군 각각 17.2%와 22.0%로, 통계상 심혈관 이벤트 발생의 상대적 위험을 25% 낮추었다(hazard ratio [HR] 0.75, 95% [CI] 0.68-0.83; P < 0.0001).

- **임상적 의미**: 오메가3 지방산의 심혈관질환 예방 임상연구는 대부분 실패했지만, 이번 연구에서 non-LDL-콜레스테롤을 치료목표로 수행하여 심혈관계 질환 예방의 근거를 제시한 첫 임상 연구이다.

- **출처**: Bhatt DL, et. al. N Engl J Med. Cardiovascular Risk Reduction with Icosapent Ethyl for hypertriglyceridemia. NEJM 2019 Jan 3;380(1):11-22

12 기능식품의 안전성

기능식품은 일상 식생활에서 부족하기 쉬운 성분을 보급, 보충할 목적으로 사용합니다. 미국의 식이 보충제(dietary supplement, DS)는 일반 식품 형태와 분명히 다른 제품이며 의약품에 해당하지 않는 것이라고 법률로 정의되어 있습니다. 한편 일본에서는 미국의 DS에 해당하는 제품 이외에 음료 등 분명한 식품 형태의 제품을 기능식품으로 부르고 있습니다. 분명한 식품 형태의 제품은, 부피나 맛, 향미와 기호에 따라 특정 성분을 과잉 섭취할 가능성이 거의 없지만, 정제, 캡슐, 분말 제품은 특정 성분을 과잉으로 계속 섭취하기 쉽습니다. 여기서는 다양한 기능식품의 안전성에 주의해야할 사항을 소개합니다.

다양한 기능식품

치료 성분으로 만든 의약품은 품질이 보장되고 있습니다. 그러나 식품의 범주에서 제조되는 기능식품은 품질이 다양합니다. 일본에는 기능을 표시한 식품의 종류에 특정 보건용식품, 영양 기능식품, 기능성 표시식품이 있습니다. 특정 보건용식품은 안전성과 유효성에 대해 모든 제품이 심사를 받습니다. 영양 기능식품은 제품에 들어 있는 비타민, 미네랄, ω3 지방산이 규격 기준에 맞으면 국가 심사를 받지 않고 판매할 수 있습니다. 기능성 표시식품은 안전성과 유효성에 대한 과학적 근거가 있으면, 판매 60일 전까지 소비자청에 신고하여 기업의 책임으로 기능을 표시를 할 수 있는 제품입니다. 따라서 영양 기능식품과 기능성 표시 식품은 품질이 확실히 보장되고 있다고 말할 수 없습니다. 기능 표시를 할 수 없는 식품도 행정적으로는 건강식품이라고 부르지만 열악한 제품도 있습니다. 정제, 캡슐, 분말 제품은 적정 제조 규범(good manufacturing practice, GMP)으로 제조하여 품질을 보장하는 것을 권고하며 제품에 GMP 마크가 부착되어 있습니다. 의약품은 모두 GMP로 제조하므로 별도의 GMP 마크가 없습니다. 미국의 DS는 모두 GMP 제조가 의무 사항입니다.

제품의 원 재료가 조악하면 제품이 안전하다고 말할 수 없습니다. 또한 제품의 개개 원 재료에 대한 유효성·안전성의 과학적 근거가 있어도 여러 종류의 재료가 혼합된 제품은 안전하다고 말할 수 없습니다. 예를 들어 피로리디딘 알카로이드는 간의 약물 대사 효소(CYP3A4)에 의해 강력한 알킬화제로 대사되어 단백질이나 핵산과 반응하므로, 이런 물질이 들어 있는 원 재료[버터버(butterbur, *Petasites hybridus*), 캄프리, 민들레 등]과 CYP3A4를 활성화하는 재료가 같이 들어 있는 제품은 안전하지 않습니다.

안정성에 영향을 주는 요인

기능식품에 의한 일반적 유해 반응은, 복통, 설사, 변비, 알레르기 증상 등이지만, 간기능 장애 등 중증 증상을 일으킬 수 있습니다. 유해 반응의 원인으로, 성분의 약리 작용 강도, 제품의 품질, 환자에게 사용, 의약품과 병용에 의한 상호작용 등을 들 수 있습니다. 강한 약리 작용 있는 성분은 건강 피해를 일으키기 쉽기 때문에 의약품 성분으로 규제하여 식품에는 이용할 수 없게 되어 있습니다. 식품에 의약품 성분을 첨가한 제품은 무승인, 무허가 의약품으로 행정 처벌을 받습니다. 이런 의약품 성분이 들어있는 제품으로 정력제(실데나필 등)나 다이어트제(시부트라민 등)가 있습니다.

비타민이나 미네랄을 일상 식사의 섭취량을 고려하지 않고 기능식품으로 섭취하면 과잉 섭취 상태가 될 가능성이 있습니다. 예를 들어, 칼슘 기능식품의 이용자가 식사로 충분한 칼슘을 섭취하면서 칼슘을 추가하여 과잉 섭취하면 심혈관 질환 위험이 높아집니다. 또 일상 식사에서 셀레늄을 충분히 섭취하며 셀레늄이 많은 기능식품을 사용하면 과잉증을 일으킬 수 있습니다. 허브는 천연 식품이므로 안전하다는 이미지가 있으나, 실제로 안전성 데이터는 없으며, 유해 물질이 들어 있습니다.

주의해야 할 안전 정보

아리스트로키아 속 식물에는 발암성이 있는 아리스로키아산이, 스트로판토스 속 식물에는 중증 심 장애를 일으키는 배당체가 들어 있습니다. 아가리쿠스에는 카드뮴이, 은행 잎 엑기스에는 알레르기를 일으키는 징코산이, 클로렐라 제품에는 광과민증을 일으키는 클로로필 분해물인 페오포르바이드(pheophorbide)가, 인도의 아유르베다 제품에는 위험한 농도의 중금속이 들어 있습니다. 미국 병원에서 유아를 DS 제품으로 치료 했는데 뮤코르증 진균(Mucormycosis)을 일으키는 곰팡이가 제품에 들어 있어 신생아가 사망한 예가 있었습니다.

DS는 질병의 진단, 치료·예방을 표시할 수 없으며, 의료에 이용하려면 엄격한 제품 관리가 필요합니다. 담관 장애 또는 담석 환자가 아키우콘(울금)을 섭취하면 통증을 일으키며, 체퍼랠(chaparral, 덤불콩)은 간이나 신장 장애를 일으키므로 신장 질환이나 간 질환이 있는 사람은 섭취하면 안 됩니다. 신피툼(symphytum, 컴프리)과 블랙코호슈(black cohosh)에 의한 간 장애를 일으킨 사례가 있습니다. α-리포산은 섭취자에 따라 저혈당을 일으킬 수 있으며, 칼륨이 많은 기능식품을 신장병 환자가 섭취하면 고칼륨혈증을 일으킬 수 있습니다.

마지막으로

과학 연구는 나날이 발전하고 있으며, 과거에 유효하다고 생각했던 성분이나 제품이 무효 또는 유해한 것으로 밝혀지는 일이 많습니다. 환자는 자기 판단으로 기능식품을 사용하며, 그런 사실을 의료인에게 알려주지 않습니다. 이런 상황에서는 적절한 의료를 할 수 없습니다. 따라서 의료인은 과학적 근거에 의한 최신 기능식품 정보를 참조하여 환자와의 커뮤니케이션이 필요합니다. 기능식품에 대한 안전성 정보를 인터넷에서 찾을 수 있습니다.

(梅垣敬三)

문헌

1) 厚生労働省(健康被害情報·無承認無許可医薬品情報)http://www.mhlw.go.jp/kinkyu/diet/musyounin.html
2) 国立健康·栄養研究所「健康食品」の安全性·有効性情報https://hfnet.nih.go.jp/

※역자 주:
• 한국-식품의약품 안전처, 식품의약품 안전평가원 등의 관련기관이 있다.

13 기능식품과 의약품의 상호작용

의약품과 기능식품의 상호작용에 대한 이해

의약품은 기본적으로 ADME라고 부르는 과정, 즉 흡수(absorption: A), 분포(distribution: D), 대사(metabolism: M), 배설(excretion: E)을 통해 우리 몸에 여러 가지 영향을 줍니다. 기능식품은 의약품의 흡수와 대사 부분에 강한 영향을 줍니다. 영향을 주는 방법을 크게 6개 형태로 나눌 수 있으며, 각각의 영향으로 병용한 의약품의 작용이 커지거나 약하게 됩니다(그림 1). 많은 기능식품에 많든 적든 이런 작용이 있다고 생각하면 좋습니다. 여기서는 지면의 제한으로 대표적 예를 소개하지만, 이런 상호작용에 대한 데이터베이스가 구축되어 있으므로,[1] 조금이라도 의문이 있으면 이런 자료 조사를 권고합니다.

약물 대사 효소 활성화에 의한 의약품 대사 촉진

일반적으로 사용하는 의약품의 대부분은 약물 대사 효소 시토크롬 p450에 의해 대사됩니다. 이 효소에는 여러 종류가 있으나 90% 이상은 CYP1A2, CYP2C9, CYP2C19, CYP2D6, CYP3A4 등 5 종의 효소에 의해 대사됩니다. 이 대사 효소

가 유도되면 의약품의 대사가 촉진되어 결과적으로 유효 농도가 유지되지 않습니다. 이런 활성이 강한 기능식품으로 센트 존스워트가 잘 알려져 있으며, 표 1과 같은 의약품에 영향을 주는 것이 보고되었습니다. 실제로 면역 억제제 시클로스포린을 사용하는 환자가 센트 존스워트를 먹고 시클로스포린의 효과가 없어 거부 반응이 일어난 보고도 있습니다.[3] 따라서 어떤 의약품이라도 사용하는 환자는 원칙적으로 기능식품은 피해야 합니다.

약물 대사 효소 저해에 의한 부작용 발현

약물 대사 효소의 작용이 어떤 형태로 저해되면 의약품이 대사되지 않아 결과적으로 혈중 농도가 올라가 부작용이 나타날 수 있습니다. 가장 잘 알려져 있는 예는 그레이프후르츠(자몽)나 자몽주스가 펠로디핀 복용자의 혈중 농도를 8배 정도 올려 저혈압을 일으킨 보고가 있습니다.[4] 그레이프후르츠가 영양을 주는 의약품은 비교적 많습니다(표 2).

의약품과 같은 작용이 있는 건강식품에 의한 작용 증가

은행 잎은 혈액 응고 저지 작용이 있으며, 와파린을 투여하는 사람이 은행 잎 엑기스를 먹고 뇌출혈을 일으킨 보고가 있습니다. 이와 같이 기능식품이 의약품의 작용을 증가시킬 수 있습니다. 특히 은행 잎의 혈액응고 억제능이 강하여 와파린 복용 없이 단독 섭취에서도 뇌출혈 보고가 있어 주의할 필요가 있습니다.

의약품과 길항한 작용 억제

비타민 K는 혈액 응고 촉진 작용이 있으며 비타민 K가 많은 기능식품으로 녹즙, 클로렐라, 나또 등은 혈액 응고 억제제 와파린을 복용하는 환자

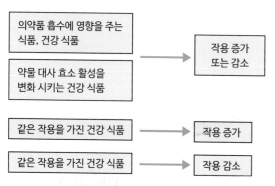

그림1 의약품과 건강 식품의 상호작용에 대한 기본적 주의점

의약품 흡수에 영향을 주는 식품, 건강 식품 → 작용 증가 또는 감소

약물 대사 효소 활성을 변화 시키는 건강 식품 → 작용 증가 또는 감소

같은 작용을 가진 건강 식품 → 작용 증가

같은 작용을 가진 건강 식품 → 작용 감소

표1 센트존스워트(St. John's wort)에 의해 약효가 감소되는 약

약효성분	일반명
기관지 확장제	테오필린, 아미노필린, 콜린테오필린
면역 억제제	시크로스포린, 타크로리무스
항HIV제	리트나빌, 사키나빌, 인디나빌
항경련제	페니토인, 카바마제핀, 페노바르비탈
항부정맥약	디소피라미드, 아미오다론, 리도카인, 퀴니딘, 프로파페논
강심제	디지톡신, 디곡신, 메틸디곡신
항응고제	와파린
경구 피임약	에치닐에스트라디올-노르에치스테론, 에티닐에스트라디올-디소게스토렐

(문헌2에서 인용)

표2 그레이프후르츠(Grapefruit: 자몽)와 상호작용을 일으키는 약

약	일반명
칼슘길항제	펠로디핀, 니카르디핀, 니페디핀, 베라파밀
α, β 차단제	카베딜롤
항부정맥약	아미오다론
고지혈증 치료제	아트로바스타틴, 프라바스타틴, 로스바스타틴, 심바스타틴
항생제	에리스로마이신
항혈소판제	실로스타졸
항경련제	카바마제핀
세로토닌 재흡수 억제제	플루복사민
항불안제	디아제팜, 부스피론
수면제	트리아졸람
발기부전약	실데나필
탈모치료제	피나스테리드
호르몬제	에스트라디올, 프로게스테론, 테스토스테론, 메틸프레드니솔론
면역억제제	시크로스포린, 타크로리무스, 실로리무스

(문헌5에서 인용)

의 와파린 작용을 줄일 가능성이 있습니다. 실제로 클로렐라를 복용하여 프로트롬빈 시간이 단축되었다는 보고가 있습니다.

흡수 촉진에 의한 부작용 증가

지용성이 높은 항진균제 글리세오훌빈을 우유와 함께 복용하면 흡수가 촉진되어 혈중 농도가 6배까지 증가된 보고가 있습니다.

흡수 저해에 의한 혈중 농도 저하

테트라사이크린제를 우유와 같이 먹으면 칼슘과 복합체를 만들어 흡수가 저해되므로 혈중 농도가 낮아집니다.

이상은 매우 전형적 예이며, 기능식품의 사용에 의해 상호작용이 나타날 수 있다고 생각할 수 있으나 알려지지 않은 것이 많기 때문에 주의해야 합니다.

(長村洋一)

문헌

1) 田中平三等監訳: 健康食品のすべて—ナチュラルメディシン・データベース 日本対応版. 第4版, 東京, 同文書院, 2015.
2) 平野和行: 医薬品と食品の相互作用. 健康食品総論第4版, 長村洋一, 加藤亮二, ほか編, 日本食品安全協会, 2014, p187-209.
3) Barone GW, Gurley BJ, et al: Drug interaction between St. John's wort and cyclosporine. Ann Pharmacother 2000; 34: 1013-6.
4) Bailey DG, Maleolm J, et al: Grapefruit juice-induced drug interactions. Br J clin Pharnacol 1998; 46: 101-10.
5) 大森正規: 薬とセントジョーンズワートとの相互作用. 健康食品管理士会報 2009; 4: 32-8.

※역자 주:
• 우리나라는 식품의약품 안전처 홈페이지에서 '건강기능식품'에 관한 자료를 확인할 수 있다.

1 한방과 안티에이징

한방과 안티에이징

한방에서는 전통적으로 예방의학을 중요시했습니다. 2000년전에 쓰여진 〈황제 내경 소문 영추(黃帝内経素問靈枢)〉에 "상공(上工)은 미병(未病)을 치료하여 이병(己病)을 고치지 않는다(수완이 좋은 의사는 미병을 치료하며, 이미 병 든 것은 고치시 않는다)"라고 했습니다. 이렇게 한방에서는 "미병(未病)"을 중요시해 왔습니다. 일본의 〈양생훈(養生訓)〉(貝原益軒 지음)은 노후를 건강하게 보내기 위해서는 젊어서부터 요양이 중요하다고 말했습니다.

현대 의료에서도 압박 골절이 일어나고 치료하는 것 보다 압박 골절이 생기기 않게 예방하는 것이 훨씬 효과적 입니다. 건강 수명 연장을 위해서 한방의 "미병" 개념을 안티에이징의 기본으로 적용하면 좋을 것 입니다.

한방에서 노화의 접근

한방에서는 노화를 '신(腎)과 기(気)'가 쇠약해진 '신허(腎虛)' 상태라고 표현합니다. 여기서 '신(腎)'은 장기로 신장이 아니라 그 사람이 선천적으로 가지고 있는 생명 에너지가 머무르는 가상의 장소입니다. 이것의 쇠약이 '신허' 즉 노화입니다. 전통적으로 신허 상태는, 정력 감퇴, 하지 근력 저하, 시력 저하, 탈모, 배뇨 이상, 발기 부전, 이명 등 노화에 따른 다양한 증상을 가리킵니다.

노화에는 여러가지 양상이 있으며, 크게 나누면 위장은 튼튼하나 혈관계가 노화되어 가는 것과, 위장부터 약해져 가는 것입니다. 대사증후군은 전자의 대표이며, 이 경우에 많이 사용하는 한약은 팔미지황환(八味地黃丸)입니다. 팔미지황환은 당뇨병, 고혈압, 전립선 비대, 요통, 발기 부전, 백내장, 이명 등에 사용합니다. 이런 병명은 현대에 와서 적용시킨 것이며, 전통적으로는 노화에 의해 일어나는 증상에 대한 처방입니다. 한편 위

장이 노화되어 소화 흡수 능력이 쇠약해지는 형태에는 진무탕(真武湯)을 많이 사용합니다. 위장 기능이 저하되어 몸이 차고, 과식하면 설사 하기 쉬우며, 전형적 설사는 아침에 추울 때 변의가 시작되어 보통 오전 중에 2~3회 설사가 있습니다. 이런 형태의 고령자에게 진무탕을 사용합니다. 팔미지황환이나 진무탕에는 부자((附子)가 배합되어 있습니다. 부자는 진통 작용 이외에 몸을 덮히는 작용이 있어 신진대사가 떨어진 고령자에게 유용한 생약입니다.

고령자에게 이용할 수 있을 수 있는 한방의 실제

요통, 저림

요통, 저림에 대해 팔미지황환(八味地黃丸), 우차신기환(牛車腎氣丸), 소경활혈탕(疎経活血揚)을 사용할 수 있습니다. 우차신기환은 팔미지황환에 우슬(牛膝), 차전자(車前子)가 더해진 것입니다. 팔미지황환과 우차신기환은 노화에 의한 여러 증상에 이용하나 위장이 튼튼할 때 사용합니다. 이것은 지황(地黃)에 들어있는 이리도이드(iridoid) 배당체가 위장 기능을 장애하여 식욕 부진이나 위통을 일으킬 가능성이 있기 때문입니다. 위장이 튼튼하지 않으면 소경활혈탕을 선택합니다.

그 밖에 작약감초탕(均薬甘草湯)을 사용할 수 있으며, 요통에서도 근육이 튼튼한 경우에 효과가 있습니다. 작약감초탕은 장딴지에 쥐가 날때 사용합니다. 즉시 효과가 날 것으로 기대하는 약이지만 하루 3번 복용하면 감초(甘草) 과잉으로 혈청 칼륨이 저하되어 가성 알도스테론증을 일으킬 가능성이 있어 통증이 심할 때만 복용하도록 지시합니다. 감초에 의한 가성 알도스테론증 발생은 장내 세균총의 조성에 따라 개인차가 크며, 정기적으로 혈청 칼륨을 검사하여 적정하게 사용합니다.

무릎의 골관절염

월비가출탕(越婢加朮湯), 방기황기탕(防己黃耆湯)을 많이 이용합니다. 체력이 좋고 국소 염증으로 무릎에 열감이 있으면 월비가출탕을 이용하며, 물이 고여 정기적으로 뽑지 않으면 안 되면 방기황기탕이 좋습니다. 월비가출탕에는 마황이 6 g 들어 있어 두근거림, 식욕 부진을 일으킬 수 있으며, 그런 경우에는 방기황기탕을 사용합니다. 위장이 튼튼하면 이 2개 처방을 조합하는 경우도 있습니다. 이 때 감초가 양쪽 모두에 들어가므로 1일 2회로 감량 하는 편이 좋습니다.

배뇨 장애

몸이 차서 나타나는 빈뇨에 위장이 튼튼하면 팔미지황환, 약하면 진무탕을 사용합니다. 이 2제제에 공통인 부자는 신진대사를 올려 몸의 냉기를 없애는 작용 있습니다. 특히 팔미지황환은 남성의 전립선 비대에 의한 야간뇨나 배뇨 장애에 이용합니다.

외출 시 화장실에 가고 싶어지는 등 정신적 요소가 큰 배뇨장애에는 청심연자음(淸心蓮子飮)을 이용합니다. 그 밖에 요로 감염에는 저령탕(猪苓湯), 용담사간탕(龍膽瀉肝湯) 등이 이용됩니다.

이명

노화에 의한 이명은 난치성이 많지만, 한방에서는 위장이 튼튼한 사람에게는 팔미지황환(八味地黃丸)을 시도합니다. 배뇨 장애 등 주변 증상이 먼저 개선되며, 조금 장기간 계속할 필요가 있습니다. 고혈압이 있으면 조등산(釣藤散)도 사용됩니다. 조등산은 동맥경화에 동반한 아침의 두통을 개선하는 작용이 있습니다.

불면

체력이 중등도이며 신경 과민 경향이 있으면 억간산(抑肝散)이 좋습니다. 체력이 저하되어 있으면 산조인탕(酸棗仁湯), 식욕 부진이 있으면 귀비탕(歸脾湯)을 이용합니다. 이들은 수면 도입제나 안정제와 달리 취침 전에 복용하는 것이 아니며, 하루 3번 복용해도 낮에 졸지 않습니다. 다른 한약을 복용하고 있으면 취침 전 복용도 좋습니다.

변비

나이가 들면 변비 호소가 많아집니다. 연령이 증가하면서 장관 세포 내 수분이 부족으로 건조하여 변비가 된 일이 많습니다. 이 때 흔히 이용하는 것은 윤장탕(潤腸湯), 마자인환(麻子仁丸)입니다. 굳고 마른 변이 조금씩 나올 때 자주 사용합니다.

▌증상이 아니라 사람에 따라 처방한다

노화에 따른 증상은 매우 다양하여 여기서 모든 것을 설명할 수 없지만, 많은 증상을 한 가지 한약으로 대처하는 것이 한방 치료의 특징입니다. 그것은 한방 치료가 병을 치료하는 것이 아니라, 병을 가진 사람을 치료하기 때문입니다. 병원 처방 약을 많이 복용하고 있을 때 이들을 감량 할 수도 있습니다. 약제 과잉(polypharmacy)을 해결하는 방법의 하나로 한방의 활용도 고려할 수 있습니다.

(渡辺賢治)

═══════════════ 문헌 ═══════════════

1) 渡辺賢治 : マトリックスでわかる! 漢方使い分けの極意. 東京, 南江堂, 2013.
2) 渡辺賢治 : 講談社選書メチエ 漢方医学, 東京, 講談社, 2013.
3) 渡辺賢治 : 今日の治療薬 解説と便覧. 東京, 南江堂, 2013.
4) 渡辺賢治 : 日本人が知らない漢方の力. 東京, 祥伝社, 2012.
5) 渡辺賢治 : 高齢者疾患と漢方. 老年精神医学雑誌 2011;22(5): 525-30.

② 생약(medicinal herb)과 안티에이징

생약은 약효 성분을 가진 식물입니다. 사용하는 부위는 잎, 줄기, 뿌리, 씨 등으로 식물에 따라 다릅니다. 약효 성분이 포함된 부분을 끓여서 복용하는 방법이나 캡슐에 넣어 복용하는 방법이 일반적입니다. 또 알코올로 성분을 추출하여 복용하거나 피부에 도포하며, 아로마테라피처럼 활용하는 방법도 있습니다. 생약의 종류는 수백종이지만 주된 효능은 표 1과 같습니다. 대표적 생약의 특징을 설명합니다.

생약의 특징

은행, Ginkgo tree, *Ginkgo biloba*

은행은 한약으로도 사용되나, 말초 순환 부전 치료제로 주목받고 있으며, 치매, 기억 장애, 현기증, 이명, 두통, 불안증 등의 신경 증상이나 간헐성 파행에 효과가 있습니다. 약 1.7%에서 구토나 위장 장애 등의 부작용 보고가 있습니다.[1]

산사, Hawthorn, *Cataegus Species*

잎이나 꽃에서 추출한 성분이 심부전에 유효합니다. 관상동맥 확장 작용이나 말초 동맥 확장 작용이 있으며 고혈압 환자에도 사용합니다. 강심 작용이 있으며, 심부전에 의한 사망률 감소에는 결론이 없습니다. 디기탈리스 같은 작용이 있어 이런 약제의 병용에 주의합니다.[2]

톱 야자, Saw Palmetto, *Serenoa repens*

열매에서 추출되는 지방산과 에스테르는 항염증 작용, 성장 인자 저해 작용, 그리고 항안드로겐 작용이 있습니다. 5α-환원 효소 저해 작용도 있어[3] 전립선 비대증에 처방합니다.

센트 존스워트, St. John's Wort, *Hypericum perforatum*

추출물이 노르에피네프린, 세로토닌, 도파민 재흡수를 저해하는 작용이 있으며, GABA 수용체에 결합하여 ACTH 분비를 억제합니다.[4] 항우울제로 사용하지만, 창상 치유 촉진이나 항균 작용 등의 목적으로도 사용합니다. 간의 약물 대사 효소 p450를 활성화시켜 와파린, 테오필린, 시클로스포린, 디곡신 등의 약효가 저하될 가능성이 있습니다.

에키나세아, Purple cone flower, *Echinacea purpurea*

미국 원주민이 베인 상처나 항염증 작용을 목적으로 사용한 약초입니다. 20세기 이후의 연구에서 감기 예방과 치료 효과, 바이러스성 상기도 감염에 효과가 알려졌습니다.[5] 에키나세아 추출물의 백혈구 탐식 작용 활성화나 T림프구 기능 향상이 보고되었습니다. 중증 부작용 보고는 없습니다.

엉겅퀴, Milk Thistle, *Silybum marianum*

그리스 시대부터 엉겅퀴 씨에 상처 치료 효과가 있는 것이 알려져 있었습니다. 최근 연구에서 씨에 들어있는 silymarin 성분의 약효가 알려졌으며, 활성 산소 제거와 과산화지질 방지 효과, 5-lipo-oxygenase 활성 억제 등이 보고되었습니다.[6] 또 DNA 의존형 RNA 폴리메라제를 활성화하여 간에서 단백 합성 촉진 작용이 있으며, 줄기세포 재생 능력을 촉진합니다. 알코올성 간 장애나 바이러스성 간염 치료에 효과가 있으며, 약제성 간 장애에도 효과가 있습니다. 무른 변 이외에 특기할 부작용 보고는 없습니다.

심황(강황, 울금), Turmeric, *Curcuma longa*

카레 가루로 사용하며, 유효 성분인 커큐민은 항염증 작용, 발암 억제 작용, 항산화 작용 등이 있고, 동맥경화 예방이나 알코올성 간 기능 장애 예방 효과도 보고되었습니다. 이담, 건위 작용도 알려졌습니다. 최근 연구에서 치매의 원인인 β-아밀로이드를 줄이는 작용도 주목받고 있습니다.[7]

표1	주요 생약제		
1	Aloe Vera	알로에베라	소화기능 개선제
2	Artichoke	아티초크	간 기능 보호
3	Ashwaganda	아쉬와간다	진정, 스트레스 완화
4	Bilberry	빌베리	시력 개선
5	Cat's Claw	고양이 발톱	면역 증가
6*	Echinacea	에키나시아	면역 증가
7	Feverfew	피버퓨	두통 대책
8	Garlic	마늘	혈압 조절
9	Ginger	생강	진해, 건위 소화
10	Ginseng	한국 인삼	자양 강장, 면역 증가
11*	Ginkgo	은행	신경계 혈류 개선
12	Gymnema	당살초	당뇨병 대책
13*	Hawthorne	산사나무	강심 작용, 혈관 관리
14	Psyllium	금불초	변비 개선, 식이섬유 보충
15	Licorice	감초	소화기능 개선
16*	Milk Thistle	큰엉겅퀴	간 기능 보호
17	Nettle	쐐기풀	면역 증가
18	Olive leaf extract	올리브 추출물	면역 증가
19	Pycnogenol	피크노게놀	항산화
20	Reishi	담자균 추출(영지)	면역 증가
21*	Saw Palmetto	톱야자	전립선
22*	St. John's Wort	센트 존스워트	항우울 작용
23*	Turmeric	강황	간 기능 보호
24	Uva Ursi	우바우르시	요로 감염 대책
25	Valerian	쥐오줌풀	수면 보조

＊ 표시는 본문에 해설을 게재한다

올리브 잎 엑기스. Olive Leaf Extract. *Olea europaea*

올리브에는 오레오펜이라는 폴리페놀이 있어 면역 기능 개선에 의해 장이나 기도 감염에 효과가 있습니다. 또 LDL 산화를 억제하는 효과, 혈소판 응집 억제 작용, 혈관 확장 작용 등도 보고되었습니다.

마지막으로

생약 성분을 이용한 기능식품의 수요는 앞으로 더욱 증가할 것으로 생각합니다. 유효 성분이 적정하게 함유된 제품의 선택뿐 아니라 의약품과 약물 상호작용을 알아 사용하는 것이 부작용 방지에 중요합니다.

(滿尾 正)

문헌

1) Schulz V, Hansel R: Rational phytotherapy: a physician's guid to herbal medicine. Berlin, Heidelberg, Springer-Verlag, 1998.
2) De Smet PAGM: Herbal remedies. The New England journal of medicine 2002; 347: 2046-56.
3) Bone K: Saw palmetto-a critical review. Eur J Herbal Med 1998; 4: 15-23.
4) Bennett DA, Phun L, et al: Neuropahrmacology of St.John's Wort. Ann Pharmacother 1998; 32: 1201-7.
5) Melchart D, Linde K, et al: Echinacea for preventing and treating the common cold (Cochrane Review). The Cochrane Library, Issue 3, Oxford, 2000.
6) Dehmlow C, Murawski N, et al: Scavenging of reactive oxygen species and inhibition of arachidonic acid metabolism by silybinin in human cells. Life Sci 1996; 58: 1591-600.
7) Shytle RD, Tan J, et al: Optimized Turmeric Extract Reduces β -Amyloid and Phosphorylated Tau Protein Burden in Alzheimer's Transgenic Mice. CAR 2012; 9: 500-6.

IV

안티에이징 의학 임상

① 안티에이징과 신체 활동, 운동의 역학

많은 실험 연구나 역학 연구 결과 정기적 신체 활동이나 유산소 트레이닝이 생리 기능, 대사 지표, 심리 지표를 개선하며, 만성 질환이나 조기 사망 위험을 감소시킨다고 알려졌습니다(표 1).[1] 이것은 일반 성인을 대상으로 한 연구이지만 고령자에게도 효과를 기대할 수 있습니다. 생애 각 시기에 이런 효과에 의해 연령 증가를 늦추면 "건강 장수(successful aging)"를 누릴 수 있습니다.

이런 효과를 기대할 수 있는 신체 활동량의 기준은, WHO나 미국 CDC가 제시한 "중등도 강도의 신체 활동(physical activity)을 1주에 적어도 150분 이상"이며, 현재 많은 나라에서 신체 활동 지침의 기준이 되고 있습니다. 운동(exercise)이 아니어도 신체를 움직이는 것(physical activity)을 늘리면 피트니스(체력)가 반드시 상승하지 않아도, 건강 증진과 질병 예방에 충분한 효과가 있습니다. 신체 활동과 건강 사이에 용량–반응의 관계가(예를 들어, 총 사망률, 심혈관 질환, 관상동맥 질환, 2형 당뇨병, 체중 감소, 근골격계, 특히 관절–근육 기능상의 건강, 대장암, 유방암, 정신 건강 등)[1,2] 중요하며, 신체 활동량을 보다 많이 하면 건강상의 이익을 기대할 수 있습니다. 원래 활

표1 정기적 신체 활동과 운동의 효과

심혈관계 및 호흡기계 기능의 개선
- 중추성 · 말초성 적응에 의한 최대 산소 섭취량 증가
- 일정한 운동 강도(최대하)에서 분시 환기량–심근 산소 소비 감소, 심박수 · 혈압 저하
- 골격근 모세혈관 밀도 증가
- 혈중 젖산 축적을 일으키는 운동 역치 상승
- 질환의 징조나 증상(흉통, 허혈성 ST저하, 파행)을 일으키는 운동 역치 상승

심혈관 질환 위험 인자 감소
- 안정시 수축기 · 확장기 혈압 저하
- 혈청 HDL 콜레스테롤 증가, 중성지방 저하
- 체지방 · 복강내 지방 감소
- 인슐린 필요량 저하, 내당능의 개선
- 혈액의 혈소판 점착능 및 응집능 저하
- 염증 감소

발생률 사망률 저하
- 일차 예방(발생 예방)
  - 신체 활동 수준 · 체력 수준과 음의 관계
    - 허혈성 심 질환에 의한 사망률
    - 심혈관 질환, 관상동맥 질환, 뇌졸중, 2형 당뇨병, 대사증후군, 골다공증에 의한 골절, 대장암, 유방암, 담낭 질환 발생률
- 2차 예방(재발 예방)
  - 메타분석에서 심근경색 후 운동 훈련 시행자(특히 다른 위험 인자도 아울러 개선하면)에서 심혈관 질환에 의한 사망 및 총 사망 저하
  - 심근경색 후의 운동 훈련 시행의 무작위 비교 시험에서 비치명적 재경색은 저하되지 않음

기타 예측 효과
- 불안이나 우울 상태 감소
- 인지 기능 개선

(문헌1에서 인용)

동량이 적던 사람은 보다 적은 양으로도 건강상의 이익이 있습니다. 고령자는 근력 강화 활동을 주 2회 이상 시행하여 균형 능력을 유지, 개선해야 합니다. 최근에는 앉아 있는(좌위 활동) 시간을 줄이는 일도 추가하고 있습니다.

일본은 2013년 운동 기준을 개정하여 "건강 만들기를 위한 신체 활동 기준 2013"을 제정했습니다. 이를 활용하는 "건강 만들기를 위한 신체 활동 지침"도 작성되었습니다. 일본의 운동 권고량은 미국의 기준보다 높은 1일 60분(65세 이상은 40분)의 신체 활동량으로 되어 있습니다. 신체 활동량과 4개의 예후지표(사망, 생활 습관병 발생, 암 발생, 운동 부족 증후군, 치매 발생)의 메타분석 결과 용량-반응 관계가 명확하여 +10(플러스 텐, 지금보다 10분 더 몸을 움직인다)라는 개념이 도입되었습니다.[3]

건강상의 이익을 얻기 위한 신체 활동 시작이 결코 너무 늦은 적은 없습니다. 신체 활동량-피트니스를 높게 유지하고 있거나, 낮은 사람도 높아지면 훨씬 낮은 사람에 비해 그 후 사망률이나 관상동맥 질환 발생률이 낮은 것을 광범위한 연령층에서 볼 수 있습니다.[4,5]

연령 증가를 늦춘다는 목적을 생각하면 신체를 움직이는 것에 의한 대처는 평생을 통한 시행이 바람직합니다. 실제로 유방암이나 골다공증에서 소아기의 신체 활동량이나 생애의 신체 활동량이 바로 직전의 활동량 보다 발생률에 관여한다는 결과도 있습니다.[6] 생활 습관이라는 의미에서도, 나이가 들어 시행하는 것보다 어릴 때부터 활동적 생활 습관을 몸에 익히고 그것을 일생 유지하며, 생애에 걸쳐 활동적인 것이 중요하다고 말할 수 있습니다.

운동부족으로 생활 습관병의 전 단계에 있는 사람은, 잠재성으로 이미 질환 특히 심 질환이 있을 가능성이 높습니다. 운동은 생활 습관병 개선에 효과적일 뿐 아니라, 심 질환이 있으면, 운동 중 심혈관 사고는 정상인의 약 10배가 됩니다. 현재보다 운동량을 늘리는 경우, 특히 강도 높은 운동의 시행에는 시작 전에 우선 건강 상태 지표를 스크리닝하고, 필요에 따라서는 의학적 평가, 운동 부하 검사를 시행할 필요가 있습니다. 자세한 내용은 해당 문헌을 참고하기 바랍니다.

(小熊祐子)

────────────────── 문헌 ──────────────────

1) Lee IM: Benefits and risks associated with physical activity. Whaley M, editor. ACSM's guidelines for exercise testing and prescription, 9th ed. Philadelphia, Lippincott, Williams & Wilkins; 2013; p3-18.

2) Williams PT: Dose-response relationship of physical activity to premature and total all-cause and cardiovascular disease mortality in walkers. PLoS One 2013; 8(11): e78777.

3) 小熊祐子: 新しい身体活動基準・アクティブガイドをめぐって. 青壮年の身体活動基準値策定のためのエビデンス, 臨床スポーツ医学 2014; 31(1): 26-9.

4) Katzmarzyk PT, Janssen I, et al: Physical inactivity, excess adiposity and premature mortality. Obes Rev 2003; 4(4): 257-90.

5) Schnohr P, Scharling H, et al: Changes in leisure-time physical activity and risk of death: an observational study of 7,000 men and women. Am J Epidemiol 2003; 158(7): 639-44.

6) Ainsworth BE, Sternfeld B, et al:Physical activity and breast cancer: evaluation of physical activity assessment methods. Cancer 1998; 83 (3 Suppl) : 611-20.

7) Bernstein L, Patel AV, et al: Lifetime recreational exercise activity and breast cancer risk among black women and white women. J Natl Cancer Inst 2005; 97(22): 1671-9.

8) 小熊祐子: 身体活動による慢性疾患の予防. 臨床スポーツ医学 2007; 24 (臨時増刊号): 2-10.

IV
안티에이징 의학 임상

※역자 주:
• 분시환기량(分時換氣量 , minute respiratory volume): 일분동안 호흡기로 들어온 공기의 총량을 뜻한다.

② 동맥의 안티에이징과 운동의 생리학, 생화학

"사람은 혈관과 함께 늙는다(윌리엄 오슬러)"라고 말했듯이 중년기부터 동맥경화 질환(심 질환, 뇌혈관 질환) 위험이 증가합니다. 나이가 들면서 나타나는 동맥경화 위험 증가는 대동맥 같은 탄성 동맥 혈관의 경화와 혈관 내피 세포 기능 장애가 주된 요인이지만, 유산소 운동은 동맥 중피 기능을 항진하여 개선시키고, 평활근의 긴장(tonus)과 증식을 억제하여 동맥경화에 좋은 효과가 있는 것으로 알려졌습니다. 최근 고령자에서 유산소 운동뿐 아니라 저항 운동이나 스트레칭 등 다양한 운동이나 신체 활동에 의한 동맥에 대한 효과가 보고되고 있습니다. 여기서는 운동에 의한 동맥의 안티에이징 효과에 대해 설명합니다.

유산소 트레이닝 운동의 효과

조깅이나 워킹, 자전거 운동 등 유산소 트레이닝은 지방을 연소하여 비만을 예방, 개선할뿐 아니라, 심혈관 질환 위험 개선에 효과적입니다. Tanaka 등은[1] 동맥경화 위험이 노화에 따라 증가하지만, 주 5일 이상의 유산소 트레이닝을 시행한 고령자에서는 노화에 따른 위험 감소를 보고했습니다(그림 1). 또한 운동 습관이 없는 고령자에서 주 4~6일, 1일 40~45분, 70~75%의 최대 심박수 운동 강도로 12주간의 유산소성 트레이닝으로 동맥경화도(경동맥 β-stiffness)를 저하시키는 효과를 보았습니다.[1] 또 8주간의 유산소 트레이닝(주 3일, 1일 45분)에 의한 동맥경화도 개선도 보고되었습니다(그림 2).[2] 이런 연구 결과를 고려하면 1일 30~60분, 주 3일 이상의 유산소 트레이닝을 8~12주 시행하면 노화에 따른 동맥경화 위험 증가를 예방, 개선할 수 있을 것으로 생각합니다.

고령자의 유산소 트레이닝에 의해, 혈관 확장 물질인 일산화질소(NO) 생산 증가나 NO생산을 촉진하는 혈중 apelin 증가에 의한 동맥경화 위험 개선 가능성이 보고되었습니다(그림 2).[2] 고령 흰쥐에서 유산소 트레이닝은 대동맥 조직에서 NO 합성 유전자 및 단백질 발현을 증가시켜[3] 운동에 의한 동맥경화 위험 개선 기전의 하나로 혈관 확장 물질 생산 증가의 관여를 생각하고 있습니다.

그림1 노화 및 운동 습관과 동맥경화도(경동맥 β-stiffness)의 영향

비훈련자 군: 운동 습관이 없는 군
신체 활동 군: 주 3일 이하의 가벼운 운동 시행 군
지구성 운동 군: 주 5일 이상의 유산소 운동 시행 군

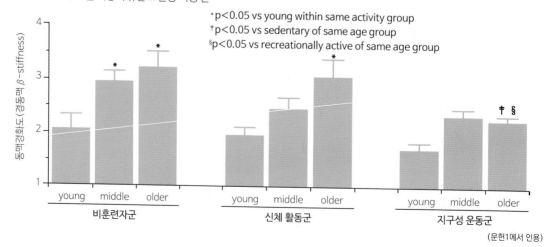

(문헌1에서 인용)

스트레트칭의 운동 효과

노화에 따라 체력을 결정하는 요소의 하나인 유연성이 저하합니다. Yamamoto 등은[4] 유연성과 동맥경화의 관련성을 조사하여, 고령자의 유연성 저하는 동맥경화 위험을 증가시킬 가능성이 있다고 보고했습니다. 또 1회 30~45분, 주 3일의 전신 스트레칭 운동을 13주간 시행하여 동맥 기능(경동맥 콤플라이언스) 개선을 보고했습니다. 유산소 운동뿐 아니라 스트레트칭 운동도 동맥경화 위험을 개선시키는 효과가 있어 운동의 시작에 스트레칭 도입도 효과적 입니다.

신체 활동량과 동맥경화

신체 활동량애는 일상의 생활 활동과 운동이 모두 포함되며, 신체 활동을 증가하면 생활 습관병 위험이 개선됩니다. Iemitsu 등은[6] 고령자에서 1일 186 kcal 이상 운동하면 신체 활동량이 적은 사람에 비해 동맥경화도(맥파 전달 속도)가 저하된다고 보고했습니다. 또 고령자에서 1.1~2.9 METs의 저강도 신체 활동 시간과 3.0~5.9 METs의 중등도 신체 활동시간에서 동맥경화 위험에 역 상관관계가 있었습니다.[7] 이와 같이 고령자는 저강도나 중등도의 신체 활동 시간을 늘리면 노화에 따른 동맥경화 위험 증가를 예방, 개선시킬 수 있다고 생각합니다.

마지막으로

노화에 따른 동맥경화 질환 위험 증가의 예방, 개선에는 습관적 운동 특히 유산소 운동이 효과적이며, 스트레칭 운동이나 신체 활동량 증가에 의한 개선 가능성도 예상됩니다. 운동 효과의 기전으로, 운동에 의한 혈관 확장 물질 생산 증가가 관여할 가능성을 생각할 수 있으며, 앞으로 새로운 연구가 필요합니다.

(家光素行)

그림2 유산소 훈련 전후의 동맥경화도 변화량(a) 및 혈중 NOx (nitrite/nitrate) 농도 변화량(b), 혈중 apelin 농도 변화량(c).

동맥경화도는 경동맥 β-stiffness를 측정, NO는 반감기가 수 초이므로 NOx (nitrite/nitrate) 측정으로 평가.

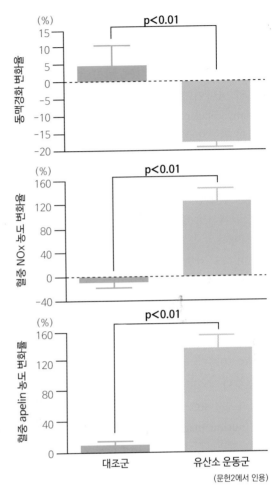

(문헌2에서 인용)

■■■■■■■■■■■■■■■ 문헌 ■■■■■■■■■■■■■■■

1) Tanaka H, et al: Aging, habitual exercise, and dynamic arterial compliance. Circulation 2000; 102: 1270-5.

2) Fujie S, et al: Reduction of arterial stiffness by exercise training is associated with increasing plasma apelin level in middle-aged and older adults. PLoS One 2014; 9: e93545.

3) Tanabe T, Maeda S, et al: Exercise training improves ageing-induced decrease in eNOS expression of the aorta. Acta Physiol Scand 2003; 178: 3-10.

4) Yamamoto K, et al: Poor trunk flexibility is associated with arterial stiffening. Am J Physiol Heart Circ Physiol 2009; 297: H1314-8.

5) Cortez-Cooper MY, et al: The effects of strength training on central arterial compliance in middle-aged and older adults. Eur J Cardiovasc Prev Rehabil 2008; 15: 149-155.

6) Iemitsu M, et al: Polymorphism in endothelin-related genes limits exercise-induced decreases in arterial stiffness in older subjects. Hypertension 2006; 47: 928-36.

7) Gando Y, et al: Longer time spent in light physical activity is associated with reduced arterial stiffness in older adults. Hypertension 2010; 56: 540-6.

③ 근·골격의 안티에이징과 운동의 생리학, 생화학

▌골격근 기능의 노화와 인슐린 저항성; 신체 활동의 효과

인슐린 저항성은 2형 당뇨병의 병인에 중요한 병태의 하나이며, 최근에는 골격근 세포내 지질(intramyocellular lipid, IMCL) 축적이 인슐린 저항성의 원인으로 주목받고 있습니다.

현재 제창된 가설의 하나는 세포 내에 축적된 지질이 인슐린 신호 전달을 저해하여 인슐린 저항성을 일으킨다는 것이며, 이것은 비만하지 않은 사람에서도 일어날 수 있습니다(그림 1). 인슐린 저항성은 노화에 의해서 증가한다고 알려져 있으며, 그 기전으로 미토콘드리아 활성 저하가 시사되고 있습니다. 제(除)지방 체중(마른 지방, lean body mass)과 지방량을 일치시킨 건강하고 마른 고령자와 젊은 사람을 대상으로 IMCL 증가와 인슐린 저항성의 관련을 조사한 연구에서, 고인슐린 정상 혈당 클램프로 측정한 인슐린 감수성(포도당 주입률로 평가)은 젊은 사람에 비해서 고령자에서 40% 저하되어 있었습니다. 핵자기 공명법(nuclear magnetic resonance, NMR)을 시행한 결과, 고령자의 IMCL은 대조군에 비해 45% 증가하였고, 고령자의 미토콘드리아 산화 활성과 인산화 활성은 대조군에 비해 40% 감소했습니다. 이런 결과는 미토콘드리아 기능이 노화에 따라 저하되고, 2차적으로 IMCL 축적을 일으켜 인슐린 저항성 발생에 관여할 가능성이 있습니다(그림 1).[1]

그러면 고령자에서 어떤 개입으로 미토콘드리아 활성 증진이 가능할까요? 예를 들어, 운동은 과거부터 IMCL를 감소하며 인슐린 저항성을 높일 가능성이 있다고 알고 있었습니다.[2] 연령을 일치시킨 활동적 고령자(산책이나 쇼핑, 정원일 등의 일상생활이나 골프, 테니스, 사이클링 등을 주 3회 이상하고 있으나 스포츠 선수는 아닌 사람)와 좌식 생활을 하는 고령 남여(골관절염 진단 이외에는 건강한 50~75세)를 대상으로 근육 생검을 시행하여, 신체 활동 생활 습관이 고령자의 골격근에서 미토콘드리아 생합성을 부분적으로 보상하여 세포의 항산화능과 관련이 있다는 것을 보았습니다(그림 1).[3] 이렇게 운동은 미토콘드리아의 활성이나 양을 높여 노화에 의한 골격근에 IMCL 증가나 인슐린 저항성에 예방적으로 작용하는 것을 시사합니다.

▌노화에서 골격근량 저하 기전과 신체 활동의 효과

노화에 의한 골격근 변화에 양적 감소(사코페니아)가 있습니다. 골격근량 감소 발생에는 다양한 기전이 복잡하게 관여합니다. 노화에 따른 성 호르몬 감소, 근육의 세포자멸사, 미토콘드리아 기능 저하, 성장 호르몬(growth hormone, GH), 인슐린양 성장 인자(insulin-like growth factor-1, IGF-1) 저하, 갑상선 기능 이상, 인슐린 저항성 등의 내분비 기능 이상, 운동 뉴런 감소 등의 신경 기전에 더해 영양 부족이나 비활동에 의한 근위축 등이 알려져 있습니다.

60~80세의 비만한 고령자에 저항 운동과 유산소 운동을 시행하여 체중 감소, 골격근량과 근력 증가, 인슐린 저항성 개선을 볼 수 있었습니다. 저항 운동군에서 6개월 후에 약 1 kg의 근량 증가가 있었으며, 저항 운동은 골격근의 세포자멸사 감소와 미토콘드리아 기능 개선에 의해 고령자에서도 효과적이며 안전하게 근육 소실을 막는다고 생각할 수 있습니다.[4]

▌골 노화와 신체 활동의 효과

골밀도 저하는 골흡수가 골형성 보다 항진되어 일어납니다. 고령자에서는 이에 더해 노화에 따른 조골세포 기능 저하 및 그에 따른 골형성 저하나 칼슘 흡수능 저하도 골밀도 저하의 요인이 됩니다. 뼈의 콜라겐 이상은 골의 재구축 항진과 독립된

그림1 골격근 기능 노화에 의한 인슐린 저항성 발생 기전과 운동의 효과

노화에 따른 미토콘드리아 기능 저하와 줄기세포 내 지질 증가로 diacylglycerol (DAG)이나 ceramide가 증가한다. DAG에 의한 protein kinase C (PKC)의 활성화는 IRS 인산화를 촉진하여 인슐린 신호를 억제한다. 또 ceramide에 의한 PKC 활성화는 Akt/PKB를 억제하여 인슐린 신호를 억제한다. 결과적으로 인슐린 저항성이 일어난다. 운동을 시행하면 ATP가 소비되며 AMP가 증가하여 AMP/ATP 비가 상승하면 AMP kinase (AMPK)가 활성화된다. 또 운동으로 세포 내 Ca^{2+} 농도상승은 Ca^{2+}/calmodulin-dependent protein kinase kinase (CMKK)가 활성화되는 경로에 의해서도 AMPK가 활성화 된다. AMPK 활성화에 의해 NAD$^+$/NADH비가 상승되며 SIRT1이 활성화되고, PPARγ coactivator-1α (PGC-1α) 탈아세틸화에 의해 PGC-1α가 활성화 된다. 또 AMPK에 의해서도 PGC-1α 탈아세틸화가 일어난다. PGC-1α는 미토콘드리아 단백의 유전자 발현을 조절하는 nuclear respiratory factor 1 (NRF1)에 작용하여 mitochondrial transcription factor A (mtTFA)를 발현시켜 미토콘드리아 기능을 활성화 한다.

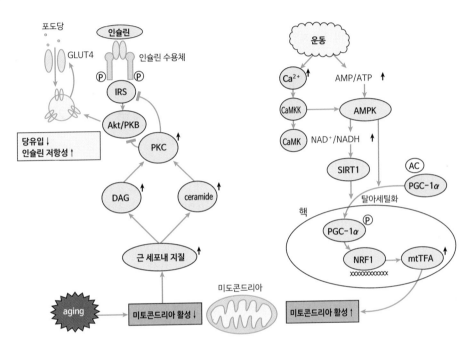

기전으로 일어나는 것으로 알려졌으며, 사람에서 뼈의 콜라겐 함량은 30~40대에 피크에 이르고, 장년기 이후에는 감소합니다. 또 나이가 들면서 이웃한 콜라겐 분자 사이에 노화형 가교가 증가합니다. 노화형 가교의 본체는 산화나 당화에 의해 유도되는 당화 종산물(advanced glycation end products, AGEs)이며,[5] 노화형 가교 증가는 미세 골절의 원인이 되며 골강도 저하를 일으킵니다.[5]

2002년까지 보고된 18개 RCT의 Cochrane Systematic Review[6]에서 요추 골밀도는 유산소 운동과 저항 운동에 의해 1.79% 상승되었고, 보행에 의해 요추 골밀도 1.31%, 대퇴골 근위부 골밀도 0.92% 상승했습니다.

에스트로겐 분비 상태나 연령, 운동 내용에 따라 효과에 차이가 있지만, 정기적 운동은 골흡수 억제

와 골형성을 증가시켜 뼈에 보호 작용을 할 것으로 생각하며, 골밀도 증가에 효과가 있습니다.

(鈴木瑠璃子 , 田村好史)

▨▨▨▨▨▨▨▨▨▨▨ **문헌** ▨▨▨▨▨▨▨▨▨▨▨

1) Petersen KF, et al: Mitochondrial dysfunction in the elderly: possible role in insulin resistance Science 2003; 300 (5622): 1140-2.

2) Tamura Y, et al: Effects of diet and exercise on muscle and liver intracellular lipid contents and insulin sensitivity in type 2 diabetic patients. J Clin Endocrinol Metab 2005; 90(6):3191-6.

3) Safdar A, et al: Aberrant mitochondrial homeostasis in the skeletal muscle of sedentary older adults. PLoS One 2010; 5(5): e10778.

4) Davidson LE, Hudson R, et al: Effects of exercise modality on insulin resistance and functional limitation in older adults: a randomized controlled trial. Arch Intern Med 2009; 169: 122-31.

5) Wang X, Shen X, et al: Age-related changes in the collagen network and toughness of bone. Bone 2002; 31: 1-7.

6) Bonaiuti D, Shea B, et al: Exercise for preventing and treating osteoporosis in postmenopausalwomen. Cochrane Database Syst Rev 2002; 3: CD000333.

④ 안티에이징을 위한 실제 운동

운동과 안티에이징

나이가 들면서 일어나는 건강상 문제 중에서 운동과 크게 관련된 것은, 대사증후군, 운동기 증후군(locomotive syndrome), 치매의 3가지입니다.

대사증후군은 심근경색, 뇌경색, 당뇨병 등의 생활 습관병에서 나타나기 쉬운 상태이며, 중년기 이후에 빈발하는 문제입니다. 운동기 증후군은 근력과 운동 기능 저하에 의해 자력으로 몸을 움직여 생활하기 어려운 상태이며 고령기 이후에 나타납니다. 치매는 노인반 형성에 의한 알츠하이머병 형태와 뇌혈관 질환에 의한 뇌 혈관성치매 형태 2종류가 있으며 고령기에 발생률이 증가합니다. 이들은 모두 운동에 의해 위험성이 저하되므로 구체적 실천법에 대해 설명합니다.

대사증후군 예방 운동

대사증후군의 위험이 높아지는 생활 습관병의 예방 특히 동맥 혈관 질환 위험 저하에는 지구력 운동이 효과적입니다. 심혈관 질환에는 운동 시행 보다는 지구력 향상이 위험을 줄이므로 미국 스포츠의학회(American College of Sports Medicine, ACSM)의 지침은 지구력 향상을 목적으로 〈주 3~5회, 심박 예비능의 50~85%에 해당하는 지구력 운동 20~60분 시행〉을 권고하고 있습니다. 심박 예비능의 50%는 가벼운 조깅 정도의 운동이지만, 이런 기준을 만족하는 운동을 시행하는 인구는 제한적입니다. 런닝이나 사이클링을 취미로 시행하고 있는 사람은 이 지침을 만족한다고 볼 수 있습니다.

일본은 국민 전체에 생활 습관병 예방 운동을 확산시킬 목적으로 ACSM보다 느슨한 정도의 신체 활동 기준을 정했습니다. 이것은 생활 습관병 위험을 감소시키는 신체 활동량의 하한치를 근거로한 것이며, 효과는 높지 않지만 많은 인구가 실행할 수 있는 현실적 기준이라고 할 수 있습니다.

실제 내용은 18세 이상 65세 미만에서는, 〈주 23 METs/시의 신체 활동, 4 METs/시 이상의 운동〉이며, 운동으로 바꾸어 말하면, 〈1일 8,000보에서 1만보 이상의 활발한 생활 활동과 주 1시간 정도의 운동〉입니다. 건강 교육은 이 기준에 근거한 운동을 교육 합니다. 구체적 신체 활동 기준은 다음에 설명합니다.

운동기 증후군 예방과 가벼운 저항 운동

근력 저하는 운동기 증후군에 영향을 주며, 노화와 생활 습관의 영향에 의해 고령자에서 근량, 근력 저하가 진행합니다. 이것을 사코페니아(sarcopenia)라고 부르며, 예방에 효과적인 운동 처방은 고부하를 이용한 저항 훈련(resistance training, RT)입니다.[2] 고령자에서 80% 1 RM [1회 최대 거상 중량 (one repetition maximum)의 80% 부하, 최대 반복 회수로 8회 정도에 해당]의 RT에 의해 큰 근육의 비대, 근력 증가 효과가 있다고 보고되었습니다.

고부하 RT의 계속 실행은 사코페니아 예방에 이상적이지만, 고령자에서 시행에 의한 정형 외과적 손상이나 혈압 상승에 따른 순환기 장애 위험이 높아지는 문제가 있습니다. 따라서 고령자의 RT는 안전성을 우선하여 가벼운 부하(50% 1 RM 이하)로 시행하며, 근육 비대, 근력 증가 효과를 기대할 수 없습니다.

사지의 기저부를 전용 벨트로 압박하고 운동하는 가압트레이닝 방법을 이용하면, 30% 1 RM 정도의 부하 강도에서도 근육 비대, 근력 증가 효과를 얻을 수 있습니다.[3] 그러나 트레이닝 근육은 벨트를 장착할 수 있는 사지에 한정됩니다. 가압트레이닝은 전용 벨트를 사용하므로 시설이 갖춰진 기관에서 시행합니다. 또 3초 올리고, 3초 내리는 속도로 근장력을 유지하는 근장력 유지법(슬로우 트레이닝)도 30~50% 1 RM 정도의 부하를 이용하여 고부하 RT와 같은 근육 비대·근력

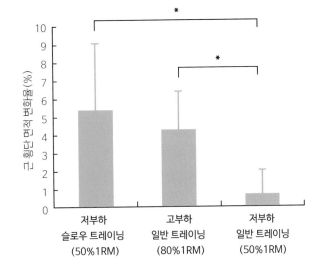

그림1 슬로우 트레이닝과 일반 트레이닝의 근 비대 효과

12주의 무릎 펴기 운동에 의한 대퇴사두근의 횡단면 면적 변화. 슬로우 트레이닝은 3초간 올리고 3초간 내리며, 일반 트레이닝은 1초간 올리고 1초간 내려 1초간 쉬는 동작을 한다.

*: 근육 횡단면 면적 변화율 (p<0.05)

(세로축) 근 횡단면 면적 변화율 (%)

(가로축)
저부하 슬로우 트레이닝 (50%1RM)
고부하 일반 트레이닝 (80%1RM)
저부하 일반 트레이닝 (50%1RM)

증강 효과를 얻을 수 있는 것으로 알려졌습니다(그림 1).[4] 최근 고령자의 운동 교육 시행이 많아지고 있습니다.

치매 예방과 운동 효과

운동에 의한 신경 염증 감소, 뇌혈관 신생, 뇌유래 신경 영양 인자(brain derived neurotrophic factor, BDNF) 생성 촉진으로 뇌의 신경세포 신생이나 세포 사이 연결 증식이 일어나는 것이 동물 실험으로 알려졌습니다.[5] 이런 뇌기능 개선 효과에 의한, 운동의 치매 예방 효과가 기대되고 있습니다.

현 단계에서 〈어떤 종류의 운동을 어느 강도와 빈도로 하면 좋은지〉 구체적으로 밝혀지지 않았습니다. 사람을 대상으로 한 실험에서, 지속적 워킹이나 게임 요소를 취한 운동에 의한 인지 기능 저하 예방 효과가 알려졌습니다. 일본의 인지 기능 저하, 예방 지원 매뉴얼에는, 워킹 등 고령자가 무리없이 시행하기 쉬운 유산소 운동, 약간 복잡한 스텝 운동을 권고하고 있습니다.

건강하게 움직이는 것은, 운동 지령을 내리는 뇌의 운동 영역을 포함하여 활발한 뇌신경 활동으로 연결될 수 있습니다. 반대로 계속 앉아 있거나 와병 생활에서는 뇌활동이 감소되어 뇌기능이 저하될 가능성이 있습니다. 임상적으로 와병생활이 되면 치매가 급속히 악화되는 것이 알려졌습니다.

(谷本道哉)

||||||||||||||||||||||||||||||||||||||| **문헌** |||||||||||||||||||||||||||||||||||||||

1) ACSM's Guidelines for Exercise Testing and Prescription. Lippincott Williams & Wilkins, 2013.

2) Borst SE: Interventions for sarcopenia and muscle weakness in older people. Age and Ageing 2004; 33(6): 548-55.

3) Takarada Y, Takazawa H, et al: Effects of resistance exercise combined with moderate vascular occlusion on muscular function in humans. Journal of Applied Physiology 2000; 88(6): 2097-106.

4) Tanimoto M, Ishii N: Effects of low-intensity resistance exercise with slow movement and tonic force generation on muscular function in young men. Journal of Applied Physiology 2006; 100(4): 1150-7.

5) Ding Q, Ying Z, et al: Exercise influences hippocampal plasticity by modulating brain-derived neurotrophic factor processing. Neuroscience 2011; 192: 773-80.

5 일본의 건강 만들기에서 신체 활동 기준, 2013 · 실행 지침

건강 일본 21 (제2차)

일본 후생노동성은 2012년 제4차 국민 건강 대책으로서 〈건강 일본 21(제2차)〉를 시작했습니다.[1] 최대 목표는 건강 수명 연장이며, 신체 활동, 운동이 중점 과제의 하나입니다. 신체 활동, 운동 분야의 목표로, ① 일상생활에서 보행 수 증가(1,000~1,500보 증가), ② 운동 습관자 비율의 증가(약 10%), ③ 주민이 운동하기 쉬운 마을 만들기, 환경을 정비하는 자치 단체 수의 증가(목표는 47개 도도부현 지역) 등 3가지입니다. 개인의 생활 습관 개선뿐 아니라, 사회 환경 개선이 필요한 수준에서 목표가 설정되었습니다.

표1 기준치, 고려 사항, 참고의 일람

〈기준치〉
- 18~64세의 신체 활동(생활 활동 운동) 기준
강도 3 METs 이상의 신체 활동을 23 METs · 시/주 시행한다. 구체적으로 보행 또는 그 이상 강도의 신체 활동을 매일 60분 이상 시행한다.

- 18~64세의 운동 기준
강도 3 METs 이상의 운동을 4 METs · 시/주 시행한다. 구체적으로 숨이 차고 땀을 흘릴 정도의 운동을 매주 60분 시행한다.

- 65세 이상의 신체 활동(생활 활동 · 운동) 기준
강도와 관계 없이 신체 활동을 10 METs · 시/주 시행한다. 구체적으로 눕거나 앉은채로 어떤 움직임도 좋으며 신체 활동을 매일 40분 시행한다.

- 성별, 연대 별 체력: 전신 지구력 기준
남성18~39세: 11.0 METs, 40~59세: 10.0 METs, 60~69세: 9.0 METs, 여성18~39세: 9.5 METs, 40~59세: 8.5 METs, 60~69세: 7.5 METs

〈고려 사항〉
- 모든 연령 층에서 신체 활동(생활 활동 운동)의 고려: 현재의 신체 활동량을 조금이라도 늘린다. 예를 들어 지금 매일 10분 이상 걷도록 한다.

- 모든 연령 층에서 운동의 고려: 운동 습관을 갖도록 한다. 구체적으로 30분 이상의 운동을 주 2일 이상 시행한다.

개인 건강을 위한 신체 활동 기준 2013

건강 일본 21은 건강 수명 연장 목표 달성을 위해 생활 습관병뿐 아니라 운동기 증후군이나 치매 위험을 감소하려고 합니다. 이를 위해 개개 국민이 달성해야할 신체 활동 기준을 제시했습니다. 이것이 〈건강을 위한 신체 활동 기준 2013〉입니다.[3] 이 기준치는 표 1과 같습니다.

신체 활동 기준의 작성

기준 책정에는 다음 점을 중요시했습니다.
① 근거에 의한 것
② 국민의 신체 활동이나 활동 습관의 실상과 현황 고려
③ 고령자를 대상으로 한 기준 책정
④ 전문 지식이 없는 사람도 이해가 가능한 표현 사용

①은 학술 논문을 모으고 메타분석같은 통계 기법을 이용하여 기준치를 산출했습니다. ②는 국민 건강 영양 조사에서 밝혀진 신체 활동 실상에 따른 기준치를 제시했습니다. 건강 일본 21은 건강 수명 연장을 목표로 하기 때문에 기준치는 현재의 평균치보다 높지만 나쁜 영향이 나타나는 수준(상한치)을 넘지 않는 범위에서 실현 가능성을 고려하여 설정했습니다(그림 1). ③은 생활 습관병뿐 아니라 암, 운동기 증후군, 치매 예방도 대상으로 했습니다. ④는 METs나 엑서사이즈 같은 어려운 단위나 전문 용어를 되도록 사용하지 않게 배려했습니다.

실행 지침과 주 메시지: +10

실행 지침[3]은 +10(플러스 텐)를 주 메시지로 하고 있습니다. +10은 〈지금보다 10분 더 몸을 움직인다〉를 +10이라는 말과 그림으로 표현했습니

다(그림2). +10에 의해 사망 위험 2.8%, 생활 습관병 발생 3.6%, 암 발생 3.2%, 운동기 증후군과 치매 발생 8.8% 저하를 목표로 합니다. 체중 감량을 위해, 체중 70 kg인 비만한 사람이 4 METs의 보행을 +10하면, 4−1METs×1/6시간×70 kg=35 kcal의 여분 에너지를 소비합니다. 1년 356일에 12,775 kcal가 축적되므로, 7,000 kcal/kg의 지방 조직을 약 1.9 kg/년 줄이는 효과를 기대할 수 있습니다.

그림1 신체 활동 기준치 설정

신체 활동량 기준은 국민의 평균적 건강 수명을 더욱 늘리는 것을 목표로 하기 때문에 현재 국민의 중앙치나 평균치를 웃도는 양으로 설정되었다. 건강 장해가 발생하지 않는 것으로 알려져 있는 신체 활동량의 최대 상한치를 넘지 않도록 해야 한다.

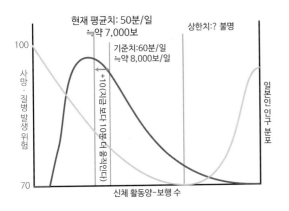

그림2 +10(플러스 텐)의 신체 활동량 증가에 의한 기준 달성의 이미지

+10에서 시작!

지금보다 10분 더 움직이는 것만으로 건강 수명을 늘릴 수 있다. 당신도 +10으로 건강하세요.

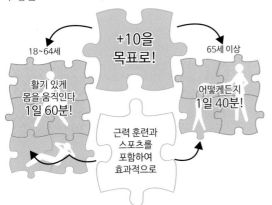

신체 활동 조사와 이에 기초한 활동 제안

실행 지침은 신체 활동 증가나 운동 습관 확립을 위한 대책이나 정보 제공 툴을 중요한 요소로 강조하고 있습니다. 신체 활동 상황은 개인차가 커서 모든 개인에게 같은 활동을 제안해도 실효성에 한계가 있기 때문입니다. 따라서 신체 활동 조사(그림 3)에 따라 개인에게 맞는 활동을 제안합니다.

이 조사는 건강 교육의 표준 질문표에 따라 작성했습니다. 3개 질문의 조합에 의해 신체 활동량의 민감도가 높은 평가가 가능하며, 간단한 조사이지만 타당성 있는 활용이 가능합니다. 신체 활동 조사에 따라 4개의 활동을 제안합니다(그림 4). 이 제안은 행동 변용 이론이나 소셜 캐피탈 같은 행동과학 이론을 활용하여 모든 사람이 무리하지 않고 신체 활동이나 운동 습관을 획득하여 계속하도록 계획되어 있습니다.

그림3 건강을 위한 신체 활동 점검

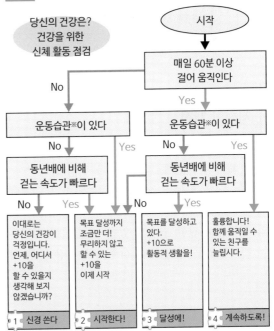

※1회 30분 이상 가볍게 땀을 흘리는 운동을 주 2일 이상, 1년 이상 계속하고 있다.

그림4 점검 결과에 의한 세그먼트별 메시지 제공

신체 활동, 운동 연구의 전망과 실행 지침의 개정

앞으로, 좌식 행동 시간의 기준치, 근력이나 유연성 체력의 기준치, 부작용이나 위험 증가가 우려되는 신체 활동의 상한치 등을 과학적 근거에 의해 설정할 수 있도록 코호트 연구나 대규모 개입 연구를 추진할 필요가 있습니다. 실행 지침은 앞으로의 연구 성과 축적 상황이나 건강 일본 21의 중간 평가 등을 근거로 2018년에 재검토하기 위한 근거와 팩트 축적이 필요합니다.

(宮地元彦)

문헌

1) 厚生労働省: 国民の健康の増進の総合的な推進を図るための基本的な方針 : 健康日本21(第二次).2012.
2) 厚生労働省, 運動基準・運動指針改定に関する検討会: 健康づくりのための身体活動基準2013. 2013.
3) 厚生労働省, 運動基準・運動指針改定に関する検討会: 健康づくりのための身体活動指針(アクティブガイド).2013.

6 치매 예방을 위한 운동의 실제

운동과 치매

치매는 노화에 따라 증가하는 질환이며 고령화의 급속한 진행으로 환자 수가 급격히 늘어나서 사회 보장비를 압박하는 원인이 되고 있습니다. 일본 후생노동성은 2015년 치매 대책 추진 종합전략을 발표하여, 지역 전체에서 치매 예방에 대한 모델을 개발하여 예방을 위한 대책을 추진하고 있습니다.

치매의 예방 인자로, 고등 교육, 복약 관리, 건강한 식사와 운동, 활동적 라이프 스타일 확립 등이 알려져 있습니다. 특히 알츠하이머병 발생과 관련된 인자로 신체 활동 저하가 있으며, 운동 습관 획득이 치매 예방에 대한 중요성이 시사되고 있습니다. 운동이 알츠하이머병 예방에 효과를 나타내는 기전으로 몇 개의 가설이 제시되었으며, 운동기의 기능 향상에 의한 간접적 예방 효과, 신경계 요인에 의한 직접적 효과, 순환기계에 대한 효과 등으로 나눌 수 있습니다(표 1). 특히

신경계에 대한 운동 효과가 중요하다고 생각하며, 운동에 의한 신경 영양 인자 발현, 신경 신생, 아밀로이드 제거 증가 등이 동물 실험에서 밝혀졌습니다. 최근 사람에서도 운동에 의한 뇌 용적 증가가 확인되었으며, 운동에 의해 분비되는 뇌 유래 신경영양 인자(brain-derived neurotrophic factor, BDNF)와 뇌 용량의 관련이 밝혀져서,[2] 치매 예방을 위한 운동의 중요성이 인식되었습니다. BDNF는 연령 증가에 따라 저하되므로 뇌 건강을 유지하기 위해서는 고령자의 운동 시행이 중요하다고 생각합니다.[3]

MCI와 치매

경도 인지 장애(Mild Cognitive Impairment, MCI)는 치매로 이행할 위험성이 높은 상태이지만 정상 인지 기능으로 회복하는 경우도 있어 치매 예방을 적극적으로 추진해야 할 상태입니다. 고령 MCI에서 운동 효과를 검증한 무작위 비교 시험이 몇 개 있으며, 제한적이지만 인지 기능에 대

표1 운동의 인지 기능에 대한 효과와 잠재적 기전

운동기계 요인	신경계 요인	순환기계 요인
유산소 능력 향상	신경영양인자 증가(BDNF , IGF-1)	신체 조성 적정화
근량, 근력 향상	신경신생	고혈압 예방과 제어
골밀도 향상	시냅스 신생	지질 대사 적정화
체지방 감소	뇌용량 증가	인슐린 저항성 개선
운동 기능 향상	신경세포사 감소	염증 지표 수준 저하
넘어짐 감소 (머리 외상 감소)	β 아밀로이드 분해	항산화 작용
	노르아드레날린계 활성화	모세혈관 증가(VEGF)
		뇌혈류 저하의 감소
		뇌의 산화 헤모글로빈 수준 향상
		뇌의 허혈내성 상승

IGF-1: insulin-like growth factor-1 (인슐린양 성장인자-1), VEGF: vascular endothelial growth factor(혈관 내피세포 증식 인자)

한 효과를 인정하고 있습니다. 워싱턴대학에서 시행한 연구는, 33명의 MCI 성인(55~85세)을 대상으로 유산소 운동의 효과를 검증했으며, 다양한 기능 검사에서 유산소 운동군이 스트레칭군에 비해 유의한 인지 기능 향상 효과가 있었습니다.[4]

또한 고령 MCI 100명을 무작위로 운동 개입군(n=50)과 교육 강좌군(n=50)으로 나누어 RCT를 시행했습니다. 개입은 1년간이었으며, 운동군은 1~80회(주 2회, 1회에 90분간) 운동 교실에 참가했습니다. 운동 프로그램은 선행 연구에서 효과가 있었던 유산소 운동에 더해, 기억이나 사고를 활성화하는 운동 과제를 도입했습니다. 건강 행동을 촉진할 목적으로 가속도 센서 부착 보수계와 기록 수첩 배포, 가정 운동의 교육, 건강 강좌 개최 등을 정기적으로 시행했습니다. 기억과 사고를 활성화하는 운동 과제는, 예를 들어 스텝 운동과 끝말 잇기를 동시에 시행하는 과제, 실외를 걸으면서 단어를 생각하는 과제, 사다리 트레이닝처럼 정해진 패턴에 따라 정확한 스텝을 밟는 과제 등을 제시하여 대상자에 따라 방법과 난이도를 변화시켰습니다. 건강 강좌군은 1년간 3회 건강 강좌를 수강했습니다.

중간 평가(개입 시작 6개월 후) 결과에서, 주 2회 운동을 시행한 군에서 언어 처리 속도와 능력 향상이 있었습니다. 또 건망형 MCI 고령자(n=50)의 분석에서, 전반적 인지 기능(mini mental state examination)의 저하 억제, 기억력 향상, 뇌 위축 진행 억제 효과가 있었습니다. 그 후 시행한 MCI 고령자 308명을 대상으로 한 추가 연구에서도 같은 결과를 얻었습니다. 이런 결과에서, 운동 시행은 고령자의 인지 기능에 좋은 영향을 준다고 생각할 수 있어 습관적 시행을 권고해야 할 것입니다.

앞으로의 치매 예방

운동이 인지 기능에 대한 효과 이외에 건강에 많은 이득을 주는 것은 잘 알려진 사실입니다. 그러나 운동을 피하는 사람이나, 운동을 적절히 시행하지 못하는 사람도 많습니다. 앞으로 지역의 운동 시설, 운동 지도자 및 지역 주민과 행정적 협력 체제를 만들어 고령자의 운동 시행이 가능한 환경을 만드는 것이 필요합니다. 또 개인의 흥미에 맞도록 다양한 프로그램의 개발이 건강 서비스 제공자에게 과제일 것입니다.

(島田裕之)

|||||||||||||||||||||||||||||||||||||||| 문헌 ||||||||||||||||||||||||||||||||||||||||

1) Barnes DE, Yaffe K; The projected effect of risk factor reduction on Alzheimer's disease prevalence. Lancet Neurol 2011; 10: 819-28.
2) Erickson KI, Voss MW, et al: Exercise training increases size of hippocampus and improves memory. Proc Natl Acad Sci USA 2011; 108: 3017-22.
3) Shimada H, Makizako H, et al: A large, cross-sectional observational study of serum BDNF, cognitive function, and mild cognitive impairment in the elderly. Front Aging Neurosci 2014; 6: 69.
4) Baker LD, Frank LL, et al: Effects of aerobic exercise on mild cognitive impairment: a controlled trial. Arch Neurol 2010; 67 :71-9.
5) Suzuki T, Shimada H, et al: A randomized controlled trial of multicomponent exercise in older adults with mild cognitive impairment. PLoS One 2013; 8: e61483.

7 운동기(運動器) 기능 향상을 위한 운동의 실제

운동기 기능 향상의 필요성

넘어짐과 골절, 관절 질환은 요양이 시작되는 원인의 각각 12%와 11%를 차지합니다. 이 두 상태를 합하면 23%이며 요양 원인의 제1위인 뇌혈관 질환의 17%를 넘습니다. 즉 질이 높은 삶을 유지하기 위해서는 생활 습관병 보다 운동기 기능 저하가 더 중요한 것을 나타내고 있습니다. 한편 최근의 개입 연구에 의해 고령에서도 운동기 기능 향상이 가능하다는 것이 알려졌으며, 고령기의 신체 기능 저하는 비가역적이 아니라 가역성이 있으므로, 운동기 기능 향상을 촉진하지 않으면 안 됩니다.

운동기 기능 향상 전략

운동기 기능 저하는 생명 예후에 직접 관계되지 않기 때문에, 질병에 비해 행동 수정의 동기 마련이 어려워 도입 초기에 강조 과정이 중요합니다. 운동 시행 자체 보다 기능 측정과 이에 기초한 카운슬링, 모니터링 등으로 동기를 높여 의욕을 유지하는 것을 중점으로 합니다.

스크리닝

조직학적, 생리학적, 그리고 기능적으로 스크리닝을 시행합니다. 조직학적으로는 impedance(Bioelectrical Impedance Analysis, BIA)법에 의한 근육량 측정이 간단하고 쉬우며 타당합니다. 기기에 따라서는 연령, 성별 입력을 필수로 하는 것이 있으나, 이것을 측정이라고는 부르기 어렵습니다. BIA법에 의한 사지의 골격근 지수(Skeletal Muscle Mass Index, SMI)는 남성 5.77 kg/m², 여성 4.52 kg/m² 미만을 절단치(cut-off value)로 합니다. 생리학적으로는, 근력을 지표로 남성 18.3 kg, 여성 10.4 kg 미만을, 기능적으로는 최대 보행 속도로, 남성 1.18 m/sec, 여성 0.71 m/sec를 절단치(cut-off value)로 합니다.[2]

평가

트레이닝 시작 전 검사에는, 일반적 활력징후 측정에 추가하여, 악력, 눈뜨고 한발로 서는 시간, 5 m 쾌적 보행 시간, Timed Up & Go Test를 시행합니다. 효과 평가에는 건강 관련 QOL(health-related quality of life)도 측정 합니다. 통증이 운동기 질환 특이적 QOL 지표, 골관절염 환자 기능 평가 척도(Japan Knee Osteoarthritis Measurement Questionnaire, JKOM), 요통 환자 기능 평가 질문표(Japan Low Back Pain Evaluation Questionnaire, JLEQ)도 병용합니다. 이런 항목을 레이더 차트에 표시하여 개선을 목표로 하는 기능이나, 운동 시행 시 금기 사항 등을 파악합니다.

근력 증강 트레이닝

근력 증강 트레이닝은 과부하의 원칙을 따릅니다. 과부하 원칙은, 근력 증강을 위해 일상 생활에 필요한 근육의 출력보다 약간 높이는 것입니다. 고령기에 위험성 없이 과부하 원칙을 달성하기 위해서는 원활한 실행이 가능한 동작을 선택하여 이 동작 속도를 천천히 시행하는 것입니다. 이렇게 근육 부하를 늘리는 방법의 선택이 좋으며, 예를 들어 대퇴사두근의 근력 강화에는 슬개골 뒤의 대퇴골 압박에 의한 통증을 피하기 위해, 굴곡 각도를 30~40도로 제한한 1/4 스쿼트(squat)를 선택합니다. 이 때 동작 속도를 늦추어 8~10회에 근육 피로감을 느끼도록 동작 속도를 조절합니다. 근력 증가에 따라 피로감이 감소하며, 정기적으로 재검토하여 피로감이 적으면 동작 시간을 늘려 8~10번째의 피로감이 일정하게 유지되도록 합니다.

목적하는 근육은 일상 생활 동작을 지지하는 하지의 큰 근육군을 1차 목표로 합니다. 한편 원활하게 동작하고 몸통의 안정성을 높이기 위한 복근, 등 근육을 추가하면 좋습니다. 항중력 자세를

취할 수 없으면 하지 근육 트레이닝이 어렵습니다. 이 때는 웨이트 트레이닝 머신 적용을 검토합니다. 스쿼트에 해당하는 레그 프레스(leg press)는 고령자용 웨이트 트레이닝 머신의 부하가 5 kg부터 준비되어 있으며, 예를 들어 체중 60 kg에서는 5/60=1/12로 자기 체중의 1/12 부하 트레이닝이 유용합니다.

앞에서 언급한 스크리닝 기준에 해당하는 사람은 신체 기능 저하가 현저합니다. 이 때는 과부하 원칙의 근력 증강 트레이닝 도입 전에 자전거 타기 같은 저부하 반복 트레이닝을 시행하여 조직 트레이닝을 일정 기간 시행한 후 시작합니다.

관절 트레이닝

무릎관절 통증이 심하면 관절 트레이닝을 적용합니다. 관절 트레이닝은 리드미칼한 관절 운동에 의해 관절 구성체를 적당히 늘려주고, 관절액을 순환시켜 관절 조건을 좋게 만드는 방법입니다. 반달판이나 관절 연골에는 혈관이 없으며 리드미칼한 관절 운동으로 관절액을 순환시켜 조직의 건강을 유지합니다. 만성 무릎관절통에서는 통증을 피하기 위해 장기간 관절 운동을 피하는 경향이 있으며, 관절액이 순환되지 않으면 치유가 늦어지는 악순환이 됩니다. 따라서 무하중(無荷重)으로 서서히 관절을 움직여 관절 조건을 개선하는 트레이닝을 권고합니다. 즉 의자에 앉아 허벅지를 교대로 올리는 동작을 50회 정도 시행하는 것부터 시작합니다. 통증이 악화되지 않으면 하루에 시행하는 회수를 서서히 증가시킵니다. 또 슬개골과 대퇴골 사이의 순환을 촉진하기 위해 앉은 자세에서 무릎을 펴고, 굽히는 동작을 시행하면 좋습니다.

관절의 통증은 뇌에서 인식되는 정서적 현상입니다. 따라서 국소 개선만으로는 통증이 개선되지 않습니다. 환지통(phantom pain)으로 알려진 통증이 있으며, 뇌에 통증의 기억이 있으면 통증의 원인이 되었던 부위를 제거해도 통증이 개선되지 않습니다. 이 때는 운동과 통증의 관계를 가시화하여 운동에 의해 통증을 조절하다는 경험을 하는 것이 유용합니다. 구체적으로 운동 전후에 visual analogue scale이나 10점법으로 통증을 가시화하며, 운동에 의해 통증이 감소되는 것을 확인합니다. 통증 변화를 기록에 남겨, 통증을 일으키는 생활 활동과 줄이는 생활 활동을 자신이 구별할 수 있게 되면 통증에 대한 대처가 가능해집니다.

（ 大渕修一 ）

||||||||||||||||||||||||||||||||||||||||||||||||| 문헌 |||||||||||||||||||||||||||||||||||||||||||||||||

1) Arai T, Obuchi S, et al: The relationship between age and change in physical functions after exercise intervention, Trainability of Japanese community-dwelling older elderly. J Jpn Phys Ther assoc 2009; 12: 1-8.
2) Seino S, Shinkai S, et al: Reference values and age and sex differences in physical performance measures for community-dwelling older Japanese: a pooled analysis of six cohort studies. PLoS One 2014 June 12; 9: E99487.

8 생활 습관병 예방을 위한 운동의 실제

운동 습관은 바람직한 건강 습관에 필수적이며, 신체 활동만을 시행한 운동 프로그램의 고려에서 개입 연구 결과를 참고하는 경우가 많습니다. 여기서는 개입 시험 성적이 많은 당뇨병의 발생 예방에 대해 알아보고, 고혈압, 이상지질혈증 예방도 설명 합니다.

당뇨병 예방을 위한 운동

내당능 이상(impaired glucose tolerance, IGT) 환자를 대상으로 운동, 식사 요법 단독 또는 양자 병용에 의한 당뇨병 발생 예방효과를 본 여러 연구에서, 모든 개입군의 당뇨병 이행이 40~60% 감소되었다고 합니다. 그중 운동과 식사를 병용한 미국의 Diabetes Prevention Program (DPP)의 추가 분석에서 예방 효과에 대한 운동과 식사(체중 감소)의 기여가 분석되었습니다.[1] 이에 의하면 개입 전후의 체중, 신체 활동량 변화를 연속 변수로 취하면 활동량은 당뇨병 발생 예방 효과에 유용했을뿐 아니라, 체중 감소만으로 도달된 것은

아니었습니다. 분석 방법을 바꾸어 운동, 식사 요법의 목표(주 150 분의 증등도의 신체 활동, 7% 감량) 달성 유무 군으로 나누어 예방 효과를 보면 감량 목표를 달성하지 못하고 운동 목표만 달성한 군은 감량 목표를 달성한 군보다 예방 효과가 작았지만 유의한 효과가 있었습니다. 그 효과는 체중 감소로 보정해도 크게 변화되지 않았습니다 (그림 1). 이것은 DPP의 당뇨병 예방 효과가 식사 (감량)에 달려 있지만 일정 수준을 넘는 활동량 증가도 예방 효과가 있다는 것을 시사합니다.

DPP 대상자의 평균 BMI는 34였으나, 평균 BMI가 26인 중국의 DaQing 연구에서는 운동, 식사 단독 개입군도 병용군과 같은 예방 효과가 있었습니다.[2] 비만자(BMI 28)와 비(非)비만자(BMI 22)에서 운동 효과는 비비만자에서 현저한 경향이었으며, 추가 분석[3]에서는 인슐린 감수성이 높은 사람에서 예방 효과가 컸습니다. DPP 결과에서 생각해 보면 비비만자나 인슐린 감수성이 높은 사람에서 운동이 보다 효과적이라고 생각할 수

그림1 **미국 당뇨병 예방 프로그램의 생활요법군의 감량과 신체 활동의 당뇨병 예방 효과에 기여**

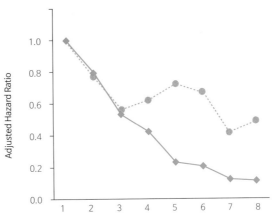

감량 목표 달성	No	No	No	No	Yes	Yes	Yes	Yes
신체 활동량 목표 달성	No	No	Yes	Yes	No	No	Yes	Yes
지방 섭취 제한 목표 달성	No	Yes	No	Yes	No	Yes	No	Yes
평균 체중 감소량(kg)	-1.5	-2.5	-2.2	-3.5	-11.5	-11.5	-11.8	-13.4
사례 수	134	32	226	103	51	34	208	187

(점선은 체중 감소로 보정 후)   (문헌1에서 인용)

있습니다.

관찰 연구에서도 신체 활동 수준이 높은 사람에서 당뇨병 발생이 적다는 점에서 소견이 일치하고 있습니다. 그러나 고강도 운동(주 1회 이상)의 유무에 따라 당뇨병 발생 저하를 BMI 계층별로 비교한 Physicians' Health Study에서는 높은 BMI에서 운동에 의한 당뇨병 발생 저하가 현저하여[4] 개입 연구 소견과 차이가 있습니다. 과체중자 중에서는 활동량이 많은 사람이 일반적으로 많지 않으며, 연령 등의 신체 활동량을 규정하는 교란인자로 보정해도, 특이하게 높은 활동 수준이 높은 사람의 배경에 잠복된 인자의 충분한 보정은 어렵습니다. 운동하는 사람과 하지 않는 사람을 비교하는 관찰 연구 결과에서, 활동 수준이 낮은 대상자에게 운동을 시행한 개입 연구의 결과와 차이가 있으나, 운동 자체의 효과는 개입 연구로 밝혀지고 있습니다.

핀란드의 Diabetes Prevention Study 추가 분석에서, 중~고강도 신체 활동의 당뇨병 예방 효과는 명확했으며, 워킹 이외의 "strenuous"의 체계적 신체 활동은 약간의 증가에도 예방 효과가 있었습니다.[5] 즉 활동량 변화를 3분위로 나누어, 변화가 가장 적은 군에 비해 주 24분 증가군에서 유의한 예방 효과가 있었습니다. 또 워킹 주 2.6시간, 생활 활동 주 3.7시간에 의한 예방 효과가 있어 DPP처럼 중등도 신체 활동의 당뇨병 예방 효과에 역치가 존재할 가능성이나 고강도 운동이 에너지 소비량과 독립적 효과를 나타낼 가능성이 있었습니다.

고혈압, 이상지질혈증과 운동, 신체 활동

고혈압 발생 예방을 위한 운동 개입 연구나, 이상지질혈증 예방 개입 연구는 많지 않습니다. 고혈압 발생에 대한 관찰 연구에서, 저강도 단시간의 신체 활동이 효과적이라는 성적이 있으며, 고혈압 환자 대상의 개입 연구에서 혈압을 저하하는 주 당 운동의 합계 시간, 빈도 조건은 당뇨병이나 이상지질혈증에 비해 적습니다.[6] 즉 HDL-콜레스테롤(HDL-C), 중성지방 개선에는 1주 당

운동량이나 1회 운동 시간의 조건은 비교적 엄격합니다.[7,8] 여성보다 남성의 HDL-C에 대한 효과는 비만자보다 비비만자, HDL-C 기저치가 크게 낮지 않은 사람에서 유효하여, 대상에 따라 운동 효과에 차이가 있습니다.[7] LDL-C은 운동에 의한 개선 효과가 없어[7,9] 운동에 대한 지질 지표 반응은 복잡할 가능성이 있습니다.

마지막으로

개입 시험 근거가 비교적 풍부한 당뇨병 예방은 생활 활동이나 워킹같은 신체 활동은 일정 수준(예를 들어 중등도 30분×주 5회)을 넘는 충분한 양의 시행이 중요합니다. 고강도 운동은 단시간이라도 에너지 소비량과 별도의 예방 효과가 있으며, 운동의 예방 효과는 인슐린 감수성이 높은 비비만자에서 더 효과적이며, 비만도가 높은 사람에서도 식사요법에 의한 감량이 보다 효과적입니다. 앞으로 개입 시험의 근거 축적과 동시에 이런 신체 활동을 어떤 대상에 도입하게 할 것인지가 과제입니다.

(勝川史憲)

문헌

1) Hamman RF, et al: Effect of Weight Loss With Lifestyle Intervention on Risk of Diabetes. Diabetes Care 2006; 29; 2102-7.

2) Pan XR, et al: Effects of diet and exercise in preventing NIDDM in people with impaired glucose tolerance: the Da Qing IGT and Diabetes Study. Diabetes Care 1997; 20: 537-44.

3) Li, et al: Effects of insulin resistance and insulin secretion on the efficacy of interventions to retard development of type 2 diabetes mellitus: the DA Qing IGT and Diabetes Study. Diabetes Res Clin Pract 2002; 58:193-200.

4) Manson JE, et al: A prospective study of exercise and incidence of diabetes among US male physicians. JAMA 1992; 268: 63-7.

5) Laaksonen DE, et al: Physical activity in the prevention of type 2 diabetes: the Finnish Diabetes Prevention Study. Diabetes 2005; 54: 158-65.

6) Cornelissen VA, et al: Exercise Training for Blood Pressure: A Systematic Review and Metaanalysis. J Am Heart Assoc 2013; 2(1): e004473.

7) Durstine JL, et al: Blood lipid and lipoprotein adaptations to exercise. Sports Med 2001; 31: 1033-62.

8) Kodama S, et al: Effect of aerobic exercise training on serum levels of high-density lipoprotein cholesterol. Arch Intern Med 2008; 167: 999-1008.

9) Kelley GA, et al: Comparison of aerobic exercise, diet or both on lipids and lipoproteins in adults: a meta-analysis of randomised controlled trials. Clin Nutr 2012; 31: 156-67.

1 음주와 안티에이징

술은 단순한 기호품일뿐 아니라 약으로 사용한 오랜 역사가 있으며, 다양한 효과를 기대해 왔습니다. 한편 과도한 음주는 의존증을 포함하여 다양한 장기 장애를 일으켜 건강에 피해를 주는 것도 과거부터 알려졌습니다. 여기서는 음주의 공죄를 안티에이징의 입장에서 설명합니다.

음주와 생명 예후의 J커브 현상은 사실인가?

알코올의 효용을 지지하는 역학적 데이터로 자주 제시하는 것은 소량 음주자에서 비음주자에 비해 총 사망률이 낮다는 J커브 현상입니다(그림 1) 이 현상은 미국과 유럽뿐 아니라 일본에서도 인정되어,[1] 건강 일본 21에서는 적정 음주량을 에탄올로 환산하여 20 g/일로 정했습니다. J커브 현상은 심혈관에 의한 사망률에서 처음 인정되었으며, 주된 요인은 음주에 동반한 혈청 지질 프로필의 변화 특히 HDL-콜레스테롤 상승이 들어 있습니다. 그러나 음주는 혈청 중성지방을 상승시키며, 용량 의존적으로 혈압을 올려 뇌혈관 장애에 대한 J커브 현상은 뚜렷하지 않으며, 중등도 이상의 음주량에서는 심혈관 질환 사망률도 상승합니다.

간질환에 의한 사망률이 과도한 음주에 의해 상승하는 것은 의문의 여지가 없지만, 비알코올성 지방성 간질환(nonalcoholic fatty liver disease, NAFLD)에 해당하는 소량 음주(남성 30 g/일, 여성 20 g/일 이하)에서는 오히려 음주자의 간 장애가 정도가 가볍다는 역학 데이터도 있습니다.[2] 그러나 NAFLD의 생명 예후는 반드시 간 질환으로 규정되는 것이 아니며 해석에 주의가 필요합니다. 또 악성 신생물에 의한 사망도 음주에서 증가하며, 여기에는 J커브 현상이 없습니다.

J커브 현상에서 주의해야 할 점은 비음주자가 소량의 음주를 시작해도 생명 예후가 좋아진다는 데이터가 없다는 것입니다. 또 비음주자를 알코올 불내응증(술을 마시지 못하는 사람)과 과거에 마시다가 금주한 사람을 나누어 생각할 필요가 있습니다.[3] 음주자와 소량 음주자 사이에는 다양한 교란인자가 있습니다. 예를 들어 알코올 불내응증 여부는 알데히드 탈수소 효소(aldehyde dehydrogenase, ALDH)의 유전자 다형에 의해 규정되며, ALDH는 에탄올 대사 이외에 생체내에서 다양한 유해 물질 해독에 관여하기 때문에 단순하게 소량 음주가 좋다고 결론내릴 수 없습니다.

과도한 음주의 소화기 장기에 대한 영향

알코올 과다 섭취는 의존증을 만들어 전신적으로 다양한 기관의 질환을 일으키는 것으로 알려

그림1 J 커브 현상

총 사망률

허혈성 심질환

간경변

져 있으며 그 대표는 소화기 질환입니다. 알코올성 간질환는 처음에 알코올성 지방간에서부터 알코올성 간염을 반복하다 간경변으로 진행하고 일부는 간세포 암을 일으킵니다. 알코올성 간장애 발생 기전은 에탄올 대사에 의한 redox 시프트나 활성 산소종(ROS) 생산에 의한 산화 스트레스 항진에 더해 미세 순환 장애나 자연 면역계 활성화 등이 관여합니다. 특히 최근에는 과다 음주에 동반한 장내 세균총 이상(dysbiosis)과 알코올성 간염의 관련이 주목받고 있습니다. 또 과다 음주는 급성 및 만성 췌장염의 원인이며 췌장암의 위험 인자로도 중요합니다. 과다 음주자에서는 위장관 장애도 자주 나타나며, 상부 위장관 점막 질환, 위궤양이나 알코올성 간경변에 동반한 식도 정맥류에 더해 식도암 발생률이 높은 것에도 주의가 필요합니다.

알코올성 간 질환의 성차(性差)와 알코올의 생식기에 대한 영향

알코올성 간장애의 발생과 진행에는 뚜렷한 성차가 있어, 여성은 남성보다 소량 및 단기간의 음주로 알코올성 간염을 일으켜 간경변으로 진행하는 것이 알려졌습니다. 그 원인의 하나로 남녀의 체격 차이를 생각하지만, 이런 요인을 보정해도 여성에서 장기 장애 발병이 쉬워 성 호르몬의 영향이 지적되고 있습니다. 실제로 동물 모델에서 알코올 장기 투여에 의한 간 장애에 암수의 차이가 있으며, 암컷의 난소 적출에 의해 간 장애 진행이 억제되며 에스트로겐 보충에 의해 악화되는 등이 보고되었습니다.

장기간에 걸친 과다 음주는 남녀 모두에서 성선 기능 저하를 일으킵니다. 남성은 장기간의 과다 음주에 의해 고환 위축이나 여성화 유방 등의 여성화 현상과 성욕 저하를 일으킵니다. 그 원인으로 에탄올의 고환에 대한 직접적 장애에 더해 간 질환에 의한 스테로이드 호르몬 대사 장애로 혈중 에스트로겐 증가가 관여합니다. 여성에서도 알코올에 의한 장애로 월경 불순이나 무월경을 일으킬 수 있습니다. 이것은 알코올에 의한 뇌하수체 기능 부전이 원인이며, 때로 섭식 장애와도 관련이 있어 주의가 필요합니다.

알코올 과다 섭취와 피부

안티에이징의 관점에서 알코올의 피부에 대한 영향도 중요합니다. 알코올성 간경변 환자는 붉은 얼굴이나 거미 모양 혈관종, 수장 홍반 등 피부의 모세혈관 확장 동반이 많으며, 그 요인으로 에스트로겐 대사 이상의 관여를 생각합니다. 그 밖에 알코올 과다 섭취에 의해 나타나거나 악화하는 피부 질환은, 건선 및 나이아신 결핍증인 펠라그라가 있습니다. 정상 식생활에서 나이아신 결핍은 드물지만 알코올 과다 섭취 및 그에 따른 영양 불량에서 나타나므로 주의가 필요합니다.

술의 불순물에 의한 약리 작용과 안티에이징

술은 단순한 에탄올 용액이 아니며 양조 과정에서 다양한 물질이 섞여 특유한 아로마나 맛을 이루고 있습니다. 또 제조 과정에서 혼합된 불순물이나 첨가물이 때로 건강에 장애를 일으킬 수 있습니다. 주류에 들어있는 에탄올 이외의 성분을 총칭하여 콘제너(congener)라고 부르며, 이들의 다양한 약리 작용이 밝혀지고 있어 안티에이징의 관점에서 흥미롭습니다.

와인

적포도주에 들어있는 레스베라트롤은 항산화 작용을 가진 폴리페놀의 대표이며 프렌치 파라독스로 알려져 기능식품으로도 보급되어있습니다. 레스베라트롤의 약리작용은 항산화 활성뿐 아니라 서투인(SIRT1)의 탈아세틸화에 의한 활성화를 통해 나타나며, 그 이외에도 AMP 활성화 프로테인키나제(AMP-activated protein kinase (AMPK)나 Nuclear factor (erythroid-derived 2)-like 2 (Nrf2) 활성화 및 포스포디에스테라제(PDE) 1, 3, 4 저해 작용 등이 보고 되었습니다. 이런 분자 기전은 동맥경화 억제나 심근 손상 억제 등에 의한 심혈관 보호 작용이나 신장 보호 작용에 관여하는 동시에 대사 개선 효과나 항 종양 작용을 나타내는 것이 동물 실험으로 알려졌습니다.

맥주

맥주에는 호프 유래의 에스트로겐 유사 물질이 들어있다고 알려졌으며, 주성분으로 프레닐플라보노이드인 8-프레닐나린게닌이나 키산트푸모르 등이 확인되었습니다. 호프 추출물은 여성의 갱년기 장애나 골다공증에 유용하며,[3] 항종양 효과도 보고되었습니다.

위스키, 브랜디

위스키나 브랜디는 숙성에 이용하는 오크통에서 침출한 폴리페놀을 비롯한 다양한 성분이 들어 있습니다. 위스키의 콘제너는 티로시나제 저해 활성이 높으며, 마우스 B16 흑색종 세포의 멜라닌 생합성을 in vitro에서 억제하는 것이 보고되었습니다.[4]

진

진의 아로마를 내기 위해 이용하는 주니퍼벨리(노간주나무 열매)의 성분에는 항균 작용이나 이뇨 작용 등 다양한 약리 작용 있는 것이 옛부터 알려졌습니다. 실제로 진은 주니퍼벨리의 이뇨 작용을 이용하는 약용주로 만들어졌다고 합니다. 한편 주니퍼벨리 오일은 간의 허혈 재혈류 장애를 억제하며, 그 기전으로 간 마크로파지(Kupffer 세포) 활성화 억제에 의한 프로스타글린딘 생산 저하가 관여하는 것이 밝혀졌습니다.[5]

안티에이징 의약 임상

마지막으로

"술은 모든 약 중에서 으뜸"이라고 말하며 건강에 대한 이점을 다양한 관점에서 모색되어 왔습니다. 그러나 현 시점에서 알코올 음료가 건강에 적극적으로 이바지한다고 말할 수 있는 과학적 근거는 부족합니다. 일본은 알코올의 건강 장애 대책 기본법을 제정하여 시행하고 있습니다. 앞으로 음주에 대한 다양한 논의를 통해 건강 증진에 이바지하는 방법의 모색이 필요합니다. 안티에이징 의학 전문가는 주류나 기능식품의 효용에 대한 상업 주의적 선전에 휘둘러서는 안 되며, 제대로된 과학적 검증에 근거한 올바른 지식 보급에 노력해야 합니다.

(池嶋健一)

문헌

1) Tsugane S, Fahey MT, et al: Alcohol consumption and all-cause and cancer mortality among middle-aged Japanese men: seven-year follow-up of the JPHC Study Cohort I. Am J Epidemiol 1999; 150(11): 1201-7.

2) Dunn W, Sanyal AJ, et al: Modest alcohol consumption is associated with decreased prevalence of steatohepatitis in patients with non-alcoholic fatty liver disease (NAFLD). J Hepatol 2012; 57(2): 384-91.

3) Erkkola R, Vervarcke S, et al: A randomized, double-blind, placebo-controlled, cross-over pilot study on the use of a standardized hop extract to alleviate menopausal discomforts. Phytomedicine 2010; 17(6): 389-96.

4) Ohguchi K, Koike M, et al: Inhibitory effects of whisky congeners on melanogenesis in mouse B16 melanoma cells. Biosci Biotechnol Biochem 2008; 72(4): 1107-10.

5) Jones SM, Zhong Z, et al: Dietary juniper berry oil minimizes hepatic reperfusion injury in the rat. Hepatology 1998; 28(4): 1042-50.

2 커피와 안티에이징

커피는 볶는 시간이나 온도에 따라 추출되는 성분이 다른 것으로 알려져 있습니다. 따라서 커피의 효과를 생각할 때, 카페인 등 특정 성분이나 커피 전체로 생각할지에 따라 다르며, 또 필터나 비등같은 많은 요소가 있어, 이들을 모두 엄격하게 끓이는 정도 등으로 조정한 연구는 없습니다. 커피의 유용성과 유해성에 대한 보고가 있으나, 안티에이징에는 대체로 유용하다는 보고가 많습니다. 그러나 커피나 카페인의 작용은 역학 연구가 대부분이며, 이것을 밝히기 위한 무작위 대조 연구(randomized controlled trial, RCT)는 없습니다.[1]

커피와 사망률

커피와 총 사망률의 관계에 영향이 없다는 보고가 있으나, 메타분석에서 커피를 하루 4잔 이상 마시는 군에서 총 사망률이 저하되고, 3잔 이상 마시면 심혈관 질환 위험이 감소한다는 보고가 있으며,[3] 특히 여성에서 작용이 컸습니다.

커피의 항산화 활성

커피에는 폴리페놀이 많아 항산화 활성이 있습니다. 일본인 고령 여성(65세 이상) 2,121명을 대상으로, 동작 저하, 근력 저하, 피로, 활동성 저하, 원인 불명의 체중 감소 등을 지표로 식사와의 관계 조사에서 커피를 포함한 총 항산화 활성과 역의 상관 관계가 있었습니다. 지중해 식사의 폴리페놀 중에서 특히 올리브유와 커피는 고령자(55~80세, 447명)의 인지 기능을 좋게 한다고 보고 되었습니다.

커피와 치매

Mirza 등은 지역의 장기적 코호트 연구를 통해, 커피 소비는 치매 발생 위험을 감소한다고 보고했습니다.[3] 핀란드, 이탈리아, 네델란드에서 676명의 정상인 코호트 연구는, 3잔/일 이상 마시는 남성의 인지 기능이 J커브를 나타낸다고 보고되었습니다. 유럽에서 65~79세, 1,409명을 21년간 추적하여, 중년기에 3~5잔/일 마시는 사람의 인지 기능 저하 위험이 65% 저하되었습니다. 이와 비슷한 연구가 세계 각국에서 보고되었습니다. 한편 일본에서 60세 이상 490명의 주민 조사에서 녹차는 인지 기능 저하 방지 효과가 있으나, 홍차나 커피에는 없다는 결과가 있습니다.[1]

커피의 신경 보호 작용은 동물 실험에서 증명되었으며, 커피가 sirt1을 유도하여 SIRT1이 인지 기능 저하에 예방 작용을 할 것으로 생각되고 있습니다.

커피와 심혈관 질환

70세 이상 비만자에서 커피 소비량과 혈압 상승의 관계가 있습니다.[4] 특히 고혈압 환자에서 커피는 단기간의 혈압 상승 위험이 되지만 장기간 마시면 혈압에 영향이 없습니다. 퇴직 교원을 대상으로 한 볼티모어 연구에서, 커피 섭취와 호모시스테인 치가 관련이 있었으며, 혈압 상승과 양의 상관 관계가 있었습니다.

일본에서, 차세대 유전자 분석 장치를 이용하여 질환 감수성 유전자를 탐색하고 있으며, 커피를 많이 마시는 사람에서 CVD 발생 위험 증가는 미토콘드리아 유전자 Mt5178A 다형이 있는 남성이라는 보고가 있습니다. 또 NADH dehydrogenase 서브유니트 2-237의 루신/메티오닌 다형은 커피와 혈압 상승에 상관이 있었습니다.

커피와 CVD 발생에 관계가 없다는 보고도 있으며, 2형 당뇨병 여성 7,170명의 전향적 조사(1980~2004년)에서 CVD 발생이나 사망률과 관계가 없었습니다.

커피와 발암

커피의 간세포 암 억제 효과에 대한 많은 보고가 있으며, 미국의 215,000명을 넘는 인구에서 커피는 만성 간 질환에서부터 간세포 암 발생 위험을 낮추었습니다.[5] 유방암에 대해 *BRCA1, 2* 변이가 있는 여성 1,690명(4개 국가 40개 센터)에서 커피 소비는 유방암 위험을 저하시킬 가능성이 있었습니다. 대장암에 대한 메타분석은 일본인 여성에서 대장암 발생과 커피 소비에 역상관 (RR=0.62, CI: 0.37-1.05)이 있었으나, 국가 코호트 연구에서는 대장암 위험을 저하시킬 가능성이 있었습니다.

유전자 다형과 커피

커피의 습관성 소비는, *ABCG2, AHR, POR, CYP1A2* (pharmacokinetics 관련 유전자)와 *BDNF, SLC6A4* (pharmacodynamics 관련 유전자)의 6개 SNPs (single nucleotide polymorphisms)와 관련 보고가 있습니다.[6] 일본인 397명에서 미토콘드리아 DNA 5178번의 다형성 조사에서, *Mt5178A* 남성은 커피 섭취량과 LDL 콜레스테롤치에 양의 상관, 빈혈 위험과 음의 상관이 보고되었습니다.

기타

커피는 유익과 유해의 논란은 계속되고 있으며, 인생이 시작되는 임신 중 카페인 섭취가 출산에 나쁜 영향을 준다는 메타분석 결과가 있으나,[7] 고령자에서 인지 기능에 유익한 작용이 많다고 생각합니다. 고령 마우스에 커피 투여는 Akt 신호 항진과 세포 증식 활성도에 따라 사코페니아에 유익하게 작용했습니다. 또 카페인이 adipose-derived stem cell이나 골수 간질세포에 유익하게 작용하는 등 골대사에 유익한 작용도 보고되었으며, 구강의 안티에이징에 좋은 결과가 있습니다. 한편 백인 폐경 후 여성에서 카페인 섭취는 에스트로겐과 양의 상관이, 생물 활성이 있는 테스토스테론과는 음의 상관이 있었습니다.

(齋藤英胤)

|||||||||||||||||||||||||||||||||||||||||||||||||||||| 문헌 |||||||||||||||||||||||||||||||||||||||||||||||||||||||

1) Carman AJ, Dacks PA, et al: Current evidence for the use of coffee and caffeine to prevent age-related cognitive decline and Alzheimer's disease. J Nutr Health Aging 2014; 18: 383-92.

2) Crippa A, Discacciati A, et al: Coffee consumption and mortality from all causes, cardiovascular disease, and cancer: a dose-response meta-analysis. Am J Epidemiol 2014; 180: 763-75.

3) Mirza SS, Tiemeier H, et al: Coffee consumption and incident dementia. Eur J Epidemiol 2014; 29: 735-41.

4) Giggey PP, Wendell CR, et al: Greater coffee intake in men is associated with steeper age-related increases in blood pressure. Am J Hypertens 2011; 24: 310-5.

5) Setiawan VW, Wilkens LR, et al: Association of Coffee Intake With Reduced Incidence of Liver Cancer and Death From Chronic Liver Disease in the US Multiethnic Cohort. Gastroenterology 2015; 148: 118-25.

6) Zhao Y, Wu K, et al: Association of coffee drinking with all-cause mortality: a systematic review and meta-analysis. Public Health Nutr 2014; 1-13.

7) Greenwood DC, Thatcher NJ, et al: Caffeine intake during pregnancy and adverse birth outcomes: a systematic review and dose-response meta-analysis. Eur J Epidemiol 2014; 29: 725-34.

Ⅳ

안티에이징 의약 임상

3 녹차와 안티에이징

녹차는 오래전부터 마셔왔으며, 일상 생활에 친밀한 음료가 되었습니다. 녹차에는 카테킨, 비타민 C와 E, 식이섬유, β-카로틴 등이 들어 있으며, 최근 다양한 효과가 밝혀져 세계적으로 주목을 받고 있습니다. 이렇게 녹차는 다양한 효능을 가진 기호 음료로 인식하고 있습니다.

녹차의 효능

녹차의 효능으로 가장 주목받고 있는 것은 생활 습관병(대사증후군)의 예방입니다. 고령화 사회를 맞이하며 대사증후군을 기반으로 한 순환기 질환이 사회적 문제가 되고 있습니다. 생활 습관(식사, 운동 등)의 혼란이 비만을 촉진하며, 비만에 의한 내당능 이상이나 지질대사 이상이 대사성 질환이나 고혈압을 일으킵니다(그림 1). 이에 의해 동맥경화 또 뇌혈관 질환, 심근경색 등 치명적 질환이 발생합니다. 대사증후군은 되도록 조기에 예방 및 치료를 시작하는 것이 중요하며 식생활이 가장 큰 인자인 것은 명확합니다.

대사증후군에 대한 녹차의 효능은 녹차에 들어 있는 카테킨이 중요한 역할을 하는 것으로 알려졌습니다. 즉 녹차의 카테킨이 비만을 개선한다는 근거가 많은 임상 시험으로 알려졌습니다[1]. 메타분석을 시행한 Hursel 등은 녹차 카테킨 또는 카테킨과 카페인이 들어있는 녹차가 비만을 개선시키는 효과가 있다고 결론지었습니다. 또 Phung 등이 발표한 메타분석은 카페인과 녹차 카테킨이 모두 비만 방지에 중요하다고 했습니다. 지질 대사나 당뇨병 등의 대사성 질환에도 많은 연구가 있습니다. 녹차 분말 캡슐의 임상 시험에서, 혈압, 총 콜레스테롤 및 LDL-콜레스테롤 저하가 있었습니다. 녹차 카테킨의 인슐린 분비 촉진 작용 증강으로 HbA1c가 개선 되었다는 보고도 있습니다[2].

최근 심혈관질환 및 뇌혈관 질환 사망자 수가 증가하여 문제가 되고 있으며, 녹차의 임상 시험에서 심혈관 질환에 의한 사망률을 개선했다는 결과가 있으며,[3] 뇌졸중 위험 감소도 알려졌습니다.[4] 또한 혈압 상승 억제 작용에 대한 최근의 임상 시험도 있습니다.

그림1 녹차 카테킨(catechin)의 효능

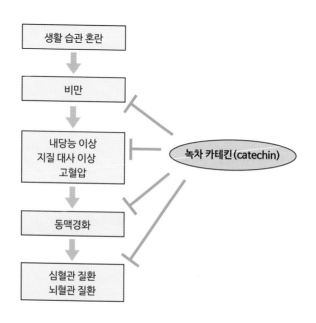

대사증후군 이외의 다양한 효능도 보고되었습니다. 현재 사회적 문제가 되고 있는 치매 개선 효과를 비롯하여 항바이러스 작용, 면역 기능, 항알레르기 작용이 역학 연구에서 알려졌습니다. 소규모 개입 연구에서 다양한 개선 효과가 알려졌으나 앞으로 대규모 임상 시험에 의한 근거 확립이 필요합니다.

녹차의 유효 성분과 항비만 효과의 기전

녹차의 유효 성분 중에서 생리 활성이 있는 카테킨이 중요합니다. 녹차 카테킨의 각종 질환 예방, 치료 효과가 확인 되었으며 작용 기전 연구도 진행되고 있습니다. 카테킨에 의한 지방세포 분화 및 증식 억제나, 지방산 산화가 촉진 된다는 보고가 있습니다.[5] 또 소장에서 당질, 지방질 흡수 저해 작용이나, 췌장 리파제 저해 효과 등이 알려졌습니다. 이런 효과에 의한 비만이 개선된다고 생각할 수 있습니다. 동맥경화는 혈관 내벽에 콜레스테롤 축적이 중요한 원인이며, 녹차 카테킨은 LDL 산화 억제 효과 등 항산화 작용, 혈관 내피 기능 개선, 혈관 염증 억제 작용으로 동맥경화를 방지하는 것으로 생각합니다.

이상과 같이 녹차(녹차 카테킨)는 지방질의 흡수나 대사 또 당질의 흡수를 억제하여 비만 방지 작용을 나타냅니다(그림 1). 또한 동맥경화를 억제하는 효과가 있어 대사증후군을 개선하여 치명적 질환인 뇌혈관 장애나 심근경색 등의 발생, 진행을 방지할 것으로 기대합니다.

마지막으로

고령화 사회가 되면서 안티에이징 의학의 발전은 사회적으로 중요한 과제입니다. 고령화 사회에서는 삶의 질을 향상시켜 건강 수명을 늘리는 것이 중요하며, 그러기 위해서는 적절한 식사나 기능식품 이용이 필요합니다. 옛날부터 사용해온 녹차에 다양한 효능이 있어 녹차를 마시는 습관이 건강 장수에 중요하다고 생각할 수 있습니다. 앞으로 녹차가 안티에이징 건강 음료로 근거가 축적되기를 기대합니다.

(刀坂泰史 , 森本達也)

━━━━━━━━━━━━━ 문헌 ━━━━━━━━━━━━━

1) Wang S, Moustaid-Moussa N, et al: Novel insights of dietary polyphenols and obesity. J Nutr Biochem 2014; 25: 1-18.

2) Nagao T, Meguro S, et al: A catechin-rich beverage improves obesity and blood glucose control in patients with type 2 diabetes. Obesity (Silver Spring) 2009; 17: 310-7.

3) Kuriyama S, Shimazu T, et al: Green tea consumption and mortality due to cardiovascular disease, cancer, and all causes in japan: The ohsaki study. JAMA 2006; 296: 1255-65.

4) Kokubo Y, Iso H, et al: The impact of green tea and coffee consumption on the reduced risk of stroke incidence in japanese population: The japan public health center-based study cohort. Stroke 2013 ;44: 1369-74.

5) Wolfram S, Wang Y, et al: Anti-obesity effects of green tea: From bedside to bench. Mol Nutr Food Res 2006; 50: 176-87.

4 금연과 안티에이징

"Death in old age is inevitable, but death before old age is not."
(늙고 나서의 죽음은 불가피하지만 늙기 전 죽음은 피할 수 있다)

담배와 건강 문제는 오래되었지만, 항상 새로운 문제입니다. 담배가 일본에 처음 소개된 것은 16세기말이지만 순식간에 담배 경작과 흡연이 전국에 확산되었으며, 1713년에 발간된 〈양생훈〉에 담배의 독성을 지적할 정도로 문제가 되었습니다. 이런 선견지명이 있었으나 담배의 건강 문제 인식은 미국과 유럽에 비해 크게 뒤졌습니다. 2003년에 비로소 세계 보건기구(World Health Organization, WHO)의 담배 규제 기본협약(Framework Convention on Tobacco Control, FCTC)[1]의 19번째 비준국이 되면서 세계 표준을 쫓아가고 있습니다.[※1] 여기서는 흡연 문제의 현황, 역학적 증거, 담배 정책의 동향 등을 개관하여 앞으로의 전망에 대해 알아봅니다.

담배 문제

담배에 의한 문제(다시 말해서 위험 노출 상황)를 알 수 있는 객관적 지표는 흡연율과 소비량입니다. 과거 80% 이상이었던 일본 성인 남성의 흡연율은 최근 40%가 되어 지난 40년간의 반감으로 감소율은 연 1% 정도입니다. 한편 성인 여성 흡연율은 평균 10% 정도로 변동이 없으나, 최근 60세 이상을 제외하면 모든 연령대에서 흡연율이 올라가고 있습니다. 남성 흡연율이 줄어들고 있는 것은 60세 이상의 연령이며, 그 이하의 연령에서는 거의 50% 이상입니다. 담배 소비량은 경제 성장에 따라 총 판매량이 계속 증가하여 1970년대 중반에 피크가 되었습니다. 그 후 한계점에 도달

했다가 1980년대 중반에 재차 상승했으나, 1990년대 중반 이후에는 총판매량과 1인당 소비량이 하강되었고, 이런 담배 소비 변화는 산업화에 의한 시장 확대의 상승 압력과 정부나 국민에 의한 소비 억제(즉 시장 축소)에 의한 하향 압력이 작용한 결과이며, 이런 요인의 세력 균형에 의한 변화입니다.

질병과 인과 관계의 규명

담배가 급·만성을 불문하고 많은 질환이나 장애의 원인인 것은 과학적으로 의심할 여지는 없으며, 인과 관계 규명의 방법론 확립과 증거의 축적은 흡연과 폐암의 관계에 시작했습니다. 영국이나 미국에서 담배 산업의 적극적 시장 개발에 따라 흡연 인구의 폭발적 유행이 일어나서 20세기 전반에 성인 1명 당 소비량이 연간 4,000개피에 이르렀습니다. 이렇게 되자 증례로 보고할 정도로 드물었던 질환인 폐암이 지수 함수적으로 증가했으며, 그 원인을 찾던 중에 나온 가설이 흡연이었습니다. 2차 세계대전 전부터 동물 실험이나 역학 연구를 통해 다양한 연구가 시작되었으며, 93세에 사망한 "역학의 신"이라고 불렸던 리차드 돌 경(1912~2005)이 1950년에 발표한 증례 대조 연구[2]나, 1951년부터 50년간에 걸쳐 영국 의사(의사회에 등록된 남성 의사 전원)를 대상으로 추적 연구[3] 등을 통해 흡연과 암을 포함한 다양한 질병과의 관계가 알려지기 시작했습니다.

이런 연구를 집대성한 영국 왕립 의사회 보고(1962년)에 의해 흡연이 폐암의 원인이라고 결론지었으며, 미국에서는 대통령 명으로 소집된 공중위생 자문위원회의 보고(1964년)는 인과 관계를 추론한 약 7,000편의 논문을 리뷰하여 "smoking is a cause of lung cancer and laryngeal cancer in men, a probable cause of lung cancer in women, the most important cause of chronic bronchitis"라고 결론지어 "appropriate remedial action"이 권고되었습니다. 이어서 2006년의 보고까지 합계 30권의 담배에 대한 공중위생 보고서가 간행되었습니다. 이 보고는 흡연(또는 담배 사용)의 건강 영향에 대한 규명이며, 지금까지 흡연이나 간접 흡연과 인과 관계가 규명된 질환은 그림 1과 같습니다. 이 그림에는 포함되지 않았지만 호흡기나 눈의 급성 증상, 유아에게 노출에 의한 급성 영향 그리고 흡연자 본인의 건강에 영향을 주는 근본적 문제인 "의존성"이 있습니다. 담배의 니코틴 및 관련 물질의 의존성은 동물 실험이나 임상 연구를 통해 기전이나 병태 규명이 진행되어, 미국 정신의학회의 진단 기준(Diagnostic and Statistical Manual of Mental Disorders IV, DSM IV)나 WHO의 국제 질병 분류(International Stastical Classification of Diseases and Related Health Problems 10, ICD-10)에 정신 및 행동 장애로 분류되고 있습니다. 일본의 의료 제도에 니코틴 의존증 → 질병관리료 제정이 이루어진 것은 2006년입니다.

앞의 돌 경의 연구에서, 흡연은 폐암을 비롯한 24개 질환의 위험을 상승시키고, 1개 질환(파킨슨병) 위험을 내렸으나, 흡연자의 반수가 24개 질환에 의해 사망하여 흡연자와 비흡연자의 평균 수명 차이가 약 10년(그림 2) 입니다. 금연하면 사망 위험은 감소하지만, 특히 50세에 금연하면 위험이 반감하고, 30세에 금연하면 사망 위험이 비흡연자 수준으로 감소하는 것도 밝혔습니다. 흡연자가 비흡연자보다 단명한 것이 증명된 것입니다.

담배 규제의 기어 바꾸기

공중 위생의 관점에서 담배 규제 움직임은 1990년대 중반부터 눈에 띄게 바뀌었습니다. 1995년 금연 행동 계획 검토회 보고서를 시작으로 본격적으로 금연 대책에 나섰습니다. 1997년에는 성인병을 생활 습관병이라는 개념으로 바꾸어 암이나 순환기 질환 등의 만성 질환 대책을 2차 예방에서 1차 예방으로 바꾸며 위험 인자의 하나로 금연이 우선 과제의 하나가 되었습니다. 일본 정부에서 담배 문제가 처음으로 제기된 것도 이 해입

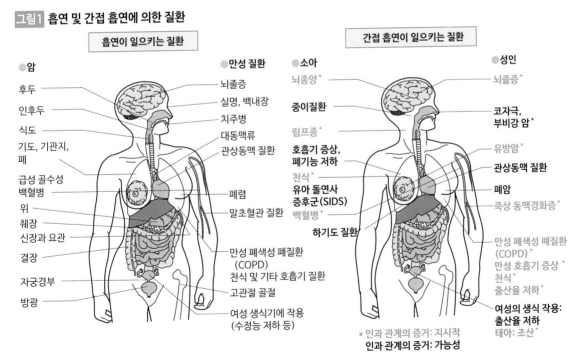

그림1 흡연 및 간접 흡연에 의한 질환

흡연이 일으키는 질환

암
- 후두
- 인후두
- 식도
- 기도, 기관지, 폐
- 급성 골수성 백혈병
- 위
- 췌장
- 신장과 요관
- 결장
- 자궁경부
- 방광

만성 질환
- 뇌졸중
- 실명, 백내장
- 치주병
- 대동맥류
- 관상동맥 질환
- 폐렴
- 말초혈관 질환
- 만성 폐색성 폐질환 (COPD)
- 천식 및 기타 호흡기 질환
- 고관절 골절
- 여성 생식기에 작용 (수정능 저하 등)

간접 흡연이 일으키는 질환

소아
- 뇌종양*
- 중이질환
- 림프종*
- 호흡기 증상, 폐기능 저하
- 천식*
- 유아 돌연사 증후군(SIDS)
- 백혈병*
- 하기도 질환

성인
- 뇌졸중*
- 코자극, 부비강 암*
- 유방암*
- 관상동맥 질환
- 폐암
- 죽상 동맥경화증*
- 만성 폐색성 폐질환 (COPD)*
- 만성 호흡기 증상*
- 천식*
- 출산율 저하*
- 여성의 생식 작용: 출산율 저하
- 태아: 조산*

*인과 관계의 증거: 지시적
인과 관계의 증거: 가능성

(문헌4에서 수정인용)

그림2 1900~1930년에 출생한 영국 남성 의사에서 지속 흡연자 및 평생 비흡연자의 35세부터의 생존율, 각 연대의 생존율

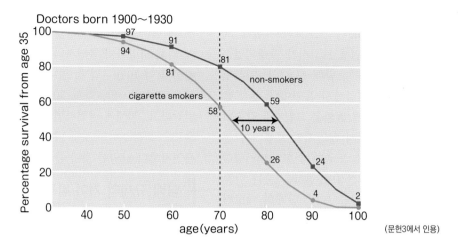

Doctors born 1900~1930

(문헌3에서 인용)

니다. 그 후 2000년의 "건강 일본 21"의 9개 중점 분야에 포함되어 건강 증진, 질병 대책으로 담배 문제가 자리를 잡았습니다.

2003년 WHO의 담배 규제 기본협약에 비준하고 정부는 건강 증진법을 제정했으며, 지방 의회는 노상 흡연 금지 조례 등을 제정하여 정부와 지방 자치단체의 담배 규제법이 정비되었습니다. 암 대책 기본법 및 암 대책 추진 기본 계획에서도 담배 소비 억제를 수치로 목표화하며, 지방 자치단체에서는 간접 흡연 방지 조례나 담배 증세 등 정책 환경을 바꾸고 있습니다. 일본 사회가 담배 문제에 대해 변화를 일으키려는 단계가 되면서 시민 단체의 의견이 견인차 역할을 하고 있습니다. 10년 전에는 상상하지도 못했던 조약이나 법률이 제정되면서 10년 후, 20년 후 이상적 사회를 구체적으로 그려보는 것이 황당무계한 것이 아니

게 되었습니다. 2000년 이후에 태어난 아이가 평생 담배를 피우지 않는 담배 없는 세대라는 생각이 WHO 조약 후 세계에 대한 비전이며 오스트레일리아, 핀란드, 싱가폴, 영국 등에서 시작되고 있습니다. 성숙한 장수 사회에서 다음 세대에 남길 수 있는 것은 이런 가치 실현에 조금씩 참여하는 것입니다.

(望月友美子)

━━━━━━━━━━━━━━━━━━━━━━━━ **문헌** ━━━━━━━━━━━━━━━━━━━━━━━━

1) WHO Framework Convention on Tobacco Control . (http://www.who.int/fctc/en/index.html)
2) Doll R, Hill AB: Smoking and carcinoma of the lung; preliminary report. BMJ 1950; 2(4682): 739-48.
3) Doll R, Peto R, et al: Mortality in relation to smoking: 50 years' observations on male British doctors. 2004; 328(7455): 1519.
4) World Health Organization: WHO Report on the Global Tobacco Epidemic, 2008-The MPOWER package . (http://www.who.int/tobacco/mpower/mpower_report_full_2008.pdf)

5 아로마와 안티에이징

안티에이징에 아로마 이용은 옛날부터 시작되었으며 향유를 피부에 발라 젊음을 유지하려고 한 시도입니다. 아름다움의 추구에 식물에서 추출한 아로마 성분을 이용하기 시작한 것 입니다. 최근의 임상 보고나 연구에 의해 아로마 성분의 다양한 작용이 알려졌으며, 과거처럼 피부의 안티에이징 작용에만 머물지 않고 전신적 안티에이징이나 뇌의 안티에이징 그리고 나이가 들면서 발생 위험이 높아지는 모든 질환의 예방에 이용할 수 있다는 것을 알게 되었습니다. 여기서는 아로마 성분의 안티에이징 역할에 대해 알아봅니다.

▌피부의 안티에이징과 아로마

피부 노화를 촉진하는 인자는 다양하지만, 햇빛을 받는 시간이나, 거주 지역의 자외선량은 중요한 위험 인자입니다. 자외선 중에서도 중파장 자외선(ultraviolet B)은 대부분 상피에 머물러 피부암이나 피부염의 위험이 되는 것으로 알려졌습니다. 일반 노화에서도 나이가 들면서 피부 대사가 저하되지만, 진피 망상층의 탄력성 섬유가 불균일하게 비대되는 등의 변화가 일어납니다. 이런 노화에 옛부터 아로마 성분을 이용했으며, 아로마 성분 중에는 피부 성분을 파괴하여 피부의 탄력성을 저하시키는 효소인 콜라게나제나 엘라스타제를 저해하는 작용을 가진 것이 있습니다. 예를 들어 노송(juniper)이나 그레이프후르츠의 아로마 성분은 강한 엘라스타제 저해 작용이 있는 것으로 보고되어,[1] 이를 이용한 아로마 치료는 아로마 성분에 포함된 오일에 의한 마사지가 미용에 효과적이라고 생각할 수 있습니다. 또 아로마 성분 중에는 강한 항산화 작용을 가진 것도 있습니다. 예를 들어 레몬글라스, 로즈메리, 일랑일랑 등의 정유(essential oil)에 의한 항산화 작용이 피부 노화를 억제 할 수 있어 앞으로의 연구가 기대됩니다.

이런 물리적 약리 작용에 더하여 심리적 스트레스 감소에 의해 피부 장애를 피할 가능성도 있습니다. 심리적 스트레스는 교감신경계를 통해 면역계에 영향을 주며, 아로마 성분을 이용한 아로마테라피는 심리적 스트레스를 감소시킵니다. 예를 들어 이완 작용을 가진 아로마 성분 흡입에 의해 피부 장벽 기능의 재생 능력이 향상된다는 보고가 있습니다.[2] 아로마 성분을 이용한 경험적 피부 안티에이징에 대한 이용은 이런 보고와 일치하여 피부의 안티에이징에 아로마 성분이 효과적이라고 생각할 수 있습니다.

▌뇌의 안티에이징과 아로마

최근의 의학 연구에서 뇌의 노화방지는 중요한 주제입니다. 인지 기능 장애에 아로마 목욕의 치료 효과를 조사한 연구에서, 경도부터 고도의 치매 특히 알츠하이머병의 인지 기능 장애가 오전에 레몬과 로즈마리, 오후에 오렌지스위트와 라벤더를 이용하여 개선되는 것이 보고되었습니다.[3] 또 약물 치료에 효과가 없는 고도의 증상을 가진 환자에도 효과가 있었다는 증례 보고가 있었습니다. 그 기전으로 레몬에 의한 전두전야 영역 자극을 생각할 수 있으며, 레몬, 그레이프후르츠, 레몬글라스 등 감귤계 성분 흡입에 의해 전두전엽 부위 활성화가 시사되었습니다(그림 1). 또 레몬글라스에 의해 치매 환자의 주변 증상이나 인지 기능 장애 완화도 시사되었습니다.

이와 같이 아로마나 성분이 사람의 뇌 기능에 접근 하여 노화에 의한 뇌 기능 장애를 억제할 가능이 있어 뇌의 안티에이징 관점에서 유망한 수단이라고 할 수 있습니다.

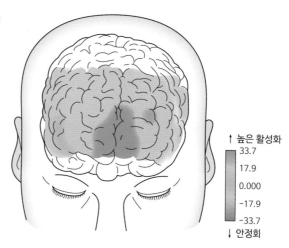

그림1 레몬글라스에 의한 전두전야 영역의 활성화 모습

↑ 높은 활성화
33.7
17.9
0.000
-17.9
-33.7
↓ 안정화

아로마가 안티에이징 작용을 나타내는 경로

아로마는 여러 경로를 거쳐 체내에 받아들여지는 것으로 알려졌습니다. 예를 들어 피부에 대한 접근은 체표의 피부나 모공을 통해 피하조직이나 모세혈관으로 들어갑니다. 이 때 아로마 성분이 어떤 동태를 하는지 완전히 규명되지 않았지만, 피부 장벽을 직접 넘어 들어가는 경로와 모근부의 모세 혈관을 통해 혈중으로 들어가는 경로가 있습니다.

호흡기를 통한 경로는 중요합니다. 아로마 성분의 대부분은 휘발성이며, 공기 중의 아로마 성분이 호흡에 의해 받아들여지면 폐포의 호기 교환을 통해 혈중으로 들어가는 것이 알려졌습니다. 또한 호흡기 통해 감각 기관으로 아로마 신호가 받아들여지는 것도 알려져 있으며, 치매 등에서 후각 장애 개선이나 정신 질환에 아로마 성분 이용에 이런 경로가 특히 중요하다고 생각하고 있습니다.

아로마의 다른 안티에이징 효과

최근의 보고는 아로마 성분을 이용한 남녀의 갱년기 장애 치료나 전립선 비대증, 발기부전, 남성형 탈모증 등에 의한 임상 보고도 있습니다.[4,5] 노화에 따라 위험성이 높아지는 질환에 대해 적절한 아로마 성분 사용은 안티에이징에 추가 효과를 얻는 것이 가능하다고 생각할 수 있습니다.

마지막으로

이상과 같이 아로마나 성분의 안티에이징 응용이 가능하다고 생각할 수 있습니다. 현재 사용하는 안티에이징 기술에 아로마의 도입으로 효과적 수기가 될 가능성이 높아 앞으로 새로운 연구를 기대합니다.

(神保太樹 , 竹ノ谷文子 , 塩田清二)

문헌

1) Mori M, et al: Inhibition of elastase activity by essential oils in vitro. J Cosm Dermatol 2003; 1: 183-7.

2) Denda M, et al: Odorant inhalation affects skin barrier homeostasis in mice and humans. Br J Dermatol 2000; 142: 1007-10.

3) Jimbo D, et al: Effect of aromatherapy on patients with Alzheimer's disease. Psychogeriatrics 2010; 9(4): 173-9.

4) 谷垣玲子: 更年期障害と香り. Aroma Research 2014; 58: 13-7.

5) 鳥居伸一郎: メンズヘルスの香りからのアプローチ. Aroma Research, 2014; 58: 18-22.

f) 수면과 안티에이징

건강 유지에 수면이 매우 중요하다는 것은 많은 연구로 밝혀졌으며, 다양한 정보가 범람하고 있습니다. 그러나 매스컴의 정보를 안이하게 해석하여 반드시 7시간을 자지 않으면 건강을 해친다고 믿어 불면에 과도하게 반응하는 사람이나, 젊었을 때처럼 아침까지 오래 자고 싶다고 수면 개선을 바라는 고령자도 많습니다.

안티에이징을 위한 수면 교육에서는 수면의 기전이나 체내(体內) 시계 기전에 대한 올바른 지식을 알려주어 수면 문제를 해소하며, 수면의 질과 양을 향상시키기 위한 잠들기 기법이나 수면 환경 정비 방법의 교육이 중요합니다.

노화에 따른 수면의 변화

나이가 들면서 신체의 기초 대사량이 저하되고, 낮동안 활동량, 소비 에너지량이 감소하므로 신체가 필요로 하는 수면량이 생리적으로 감소합니다. 또 노화에 따라 체내 시계의 위상이 앞으로 이동하므로 일찍 자고 일찍 깨서 잠 자는 시간대가 빨라집니다. 또한 아무 일도 하지 않고 늘어져서 텔레비전만 보며 지내고, 햇빛을 받지 않는 생활을 계속하며 낮잠이 증가하고, 심부 체온이나 멜라토닌 분비의 진폭이 줄어 들면 체내 시계의 동조 기능이 저하 되어 불면 등의 수면 문제가 나타납니다.

몇 시간 자면 좋은가?

수면에 문제가 있는 사람이 수면 시간을 고집하는 일이 많습니다. 사람이 몇 시간 자면 좋은가에 대한 대답은, "수면 시간은 사람마다 다르며, 아침에 깨서 피로가 없고 낮에 보통으로 활동 할 수 있으면 수면은 충분하다"고 교육하면 좋습니다. 또는 "잠 들기가 나쁘고 도중에 몇 번 깨도 낮에 보통으로 활동할 수 있으면 불면증이 아니다"고 설명하는 것이 중요합니다.

불면 치료 목표는 몇시간 잔다가 아니며, 낮에 정신적, 신체적 활동에 지장이 없는 수면을 취하는 것 입니다. 불면을 호소할 때 수면 시간의 장단에 관계 없이 다음 날 아침 각성시에 수면 부족감이 심하고, 환자 자신이 신체적, 사회적 생활에 지장이 있다고 판단하면 불면증으로 치료가 필요합니다. 나이가 들면서 필요한 수면 시간이 감소되고, 수면 주기와 관련되어 밤에 몇 번이나 깨는 것은 병이지 아니며 노화에 따른 정상적 변화라고 설명하는 것도 중요합니다.

아침에 체내 시계의 재설정

사람의 생체 리듬은 많은 동물처럼 체내 시계에 의해 조절되고 있습니다. 체내 시계는 약 25시간의 주기(circadian rhythm)로 활동과 휴식의 신호를 보내므로 24시간 주기로 변화하는 외부 환경과 매일 약 1시간의 차이가 있습니다. 이 차이의 조절에 중요한 역할을 하는 것은 햇빛입니다. 광 신호가 망막으로 들어와 체내 시계 역할을 수행하는 시교차 상핵에 전달되면 이 차이가 재설정됩니다.

수면에 문제가 있는 사람은 아침에 깨고나서 실내에 그대로 머물러 있는 일이 많습니다. 이런 경우에는 기상 후 2시간 이내에 집 밖으로 나와 적어도 30분 이상 햇빛을 받도록 교육합니다. 실내에서는 형광등을 켜도 겨우 300룩스 정도이지만, 집 밖에서는 흐린날도 3,000룩스 이상의 조도라고 알려줍니다.

체내 시계의 재설정에는 햇빛뿐 아니라 사회적 접촉, 운동이나 식사도 중요합니다. 매일 아침 규칙적으로 일어나는 것, 가벼운 체조를 하는 것은 체내 시계 재설정에 효과적입니다. 일본에서는 매일 아침 7시에 텔레비전 체조를 방송하고 있습니다. 이것은 매일 아침 6시 25분에 시작하며 고령자는 의자에 앉은 채로도 안전하게 체조할 수 있습니다.

아침 식사는 뇌에 에너지를 공급하여 신체 리듬

을 만들기 위해 중요합니다. 체내 시계의 재설정에는 균형 잡힌 식사가 필요하며, 아침 식사까지는 금식 시간이 길기 때문에 아침 식사를 충분히 해야 합니다. 아침 식사는 세로토닌이나 멜라토닌 분비에도 중요합니다. 아침 식사로 섭취한 필수 아미노산 트립토판은 낮에 햇빛을 받아 세로토닌으로 합성되어 사람이 활동적으로 행동하게 합니다. 밤이 되어 빛이 없어지면 송과체에서 세로토닌이 멜라토닌으로 합성되어 사람을 진정화시키고 잠이 들게 합니다.

짧은 낮잠의 효용

나이가 들면서 뇌나 몸을 많이 사용하지 않으며, 운동량도 적어져서 기초 대사량이 저하되기 때문에 신체가 필요로 하는 수면량이 감소합니다. 낮 동안 낮잠이 많아지면 수면 물질이 감소되어 밤에 수면의 질이 저하됩니다. 그러나 짧은 낮잠은 밤의 수면 개선에 효과적입니다.

65세 이상 고령자에게 30분의 낮잠으로 오후의 졸음이 개선되고 각성도나 작업 성적도 올라가며,[1] 밤 동안의 중도 각성 감소나 수면 효율 개선이 보고되었습니다.

고령자(남성)에서 낮잠 습관과 사망 위험률의 관계에서 낮잠 습관이 없는 고령자에 비해 1시간 이상 습관적으로 낮잠을 자는 사람의 사망 위험률은 2.61배, 2시간 이상 낮잠을 자면 13.6배 높았

습니다.[2] 낮잠 시간과 알츠하이머형 치매 발생 위험률을 조사한 보고에서, 낮잠 습관이 없는 고령자에 비해 1시간 이상 습관적으로 낮잠을 자면 위험률이 2.07배 증가했습니다(그림 1).[3] 그러나 낮잠 습관이 있어도 1시간 이내이면 사망 위험률은 낮잠을 자지 않는 고령자와 차이는 없었고, 낮잠 시간이 30분 이내이면 알츠하이머형 치매 발생 위험률은 0.16까지 저하되었습니다.[3]

이와 같이 30분간 이내의 짧은 낮잠은 오후의 졸음 예방과 야간 수면 개선에 도움이 되고, 몇가지 질환을 예방하여 안티에이징 효과를 나타낼 가능성이 있습니다.

밤의 빛에 주의

잠자기 직전까지 밝은 형광등 아래서 텔레비전을 보면서 지내는 고령자가 많습니다. 과거 2,500룩스 이상의 빛이 멜라토닌 분비를 억제한다고 생각했으나, 최근 연구는 300룩스 이하의 낮은 조도에도 장시간 노출되면 억제된다고 알려졌습니다. 형광등이나 LED에는 멜라토닌 분비 억제 효과가 있는 푸른 빛 파장이 강하며, 밤에는 적색 빛이 수면에 바람직합니다. 구체적으로 취침 1시간 전부터는 조도를 절반 정도로 떨어뜨리고, 색깔 조절이 가능하면 따뜻한 색 계열의 빛으로 조절하면 좋습니다.

고령자는 밤에 화장실에 갈 때 넘어질 위험 때

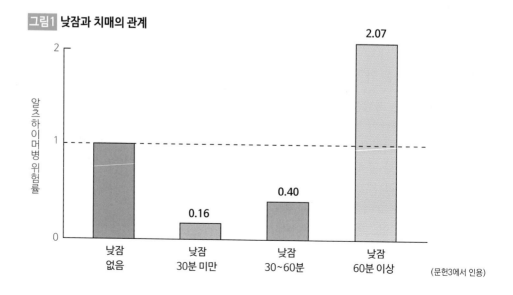

그림1 낮잠과 치매의 관계

(문헌3에서 인용)

그림2 수면의 좋은 순환과 나쁜 순환

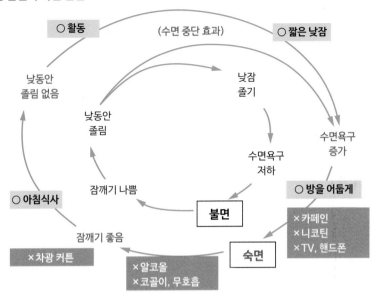

(문헌5에서 인용)

문에 소형 백열등을 켜고 자는 일이 있습니다. 최근 연구에서, 고령자 528명의 침실 조도가 평균 3룩스 이상(소형 백열등의 밝기) 군에서 3룩스 미만 군에 비해 비만이나 이상지질혈증 유병률이 1.9배 높았습니다.[4] 3룩스 정도의 빛도 밤새도록 켜 있으면 멜라토닌 분비가 장애되며, 체내 시계 이상에 의해 생활 습관병이 될 가능성이 있습니다. 이에 대한 대책은 천정에서 빛을 비추지 말고, 발 밑 라이트를 침대 옆에 설치하면 화장실에 갈 때 발 밑을 비추어 넘어짐을 예방할 수 있습니다.

자기 전 텔레비전 제한

심야의 텔레비전 시청, PC나 휴대 전화 조작은 대뇌를 활성화시켜 잠들기 장애, 중도 각성의 원인이 됩니다. 잠 자기 1시간 전에는 피하는 것이 중요합니다. 반대로 아침에 이런 기기의 시청, 조작은 뇌의 각성에 효과적이라고 설명합니다.

수면의 좋은 순환과 나쁜 순환

아침에 눈 뜨기가 힘들거나 낮 동안 졸리면 무심코 낮잠을 길게 자는 수가 있습니다. 그러면 피곤할 때 잠이 오는 수면 욕구가 저하되어 밤 동안 수면의 질이 저하됩니다(그림 2). 낮의 졸음을 참아 낮잠을 줄이고, 멜라토닌 분비에 지장이 없도록 밤에 어두운 환경을 만들며, 각성 반응을 일으키는 카페인이나 니코틴, 텔레비전이나 휴대 전화 시청을 중단하면 잠들기가 원활해지는 좋은 순환을 만들 수 있습니다. 알코올은 중도 각성이나 조조(早朝) 각성의 원인이 되므로 삼가며, 술을 제한할 수 없으면 수면제 복용을 고려합니다. 차광 커튼을 10 cm 정도 열어 두면 아침에 광자극으로 체내 시계가 재설정되므로 쉽게 눈이 떠집니다. 뇌의 중추 시계는 햇빛으로 재설정하고, 위장관을 포함한 말초의 체내 시계는 아침 식사로 재설정하여 뇌와 몸의 시계를 동기화 시켜 정상적 일중 리듬을 찾는 것이 안티에이징 달성에 중요합니다.

(宮崎総一郎)

■■■■■■■■■■■■■■■■■■■■■ **문헌** ■■■■■■■■■■■■■■■■■■■■■

1) Tamaki, M, Shirota, A, et al: Restorative effects of a short afternoon nap (<30 min) in the elderly on subjective mood, performance and EEG activity. Sleep Res Online 2000; 3: 131-9.

2) Bursztyn, M, Ginsberg, G et al: The siesta and mortality in the elderly: effect of rest without sleep and daytime sleep duration. Sleep 2002; 25: 187-91.

3) Asada T, Motonaga T, et al: Associations between retrospectively recalled napping behavior and later development of Alzheimer's disease: association with APOE genotypes. Sleep 2000; 23: 629-34.

4) Obayashi K, et al: Exposure to Light at Night,Nocturnal Urinary Melatonin Excretion and Obesity/Dyslipidemia in the Elderly: A Cross Secretional Analysis of the HEIJYO-KYO Study. J Clin Endocrinal Metab 2013; 98.

5) 宮崎総一郎, 北村拓郎: 正常な睡眠・覚醒サーカディアンリズムを取り戻そう. 医学のあゆみ 2012; 242: 861-7.

1 스트레스의 이해

근로자의 설문 조사에서 약 60%가 어떤 불안이나 스트레스를 느끼고 있다고 합니다. 사회 구조의 복잡성에 따라 심리 사회적 스트레스가 증가하며, 그에 의한 스트레스 질환이 많아지고 있습니다. 이런 질환에는 급성 스트레스에 의해 발병하는 병태가 있으며, 만성 스트레스 상황에서 부적절한 생활 습관에 의해 2차적으로 질환을 일으키는 것도 있습니다. 따라서 스트레스 관리는 치료 의학뿐 아니라 예방의학의 관점에서 중요합니다. 일본의 노동안전법에는 근로자에게 일반 건강 진단과 함께 스트레스 점검이 의무화로 되어 있습니다. 고위험자의 조기 선별과 동시에 직장 환경 개선에 의한 스트레스 질환 예방이 주된 목적입니다.

스트레스란?

스트레스 학설로 유명한 Selye는,[1] "스트레스(stress)는 생체 안에 일어나는 생리적, 심리적 일그러짐이며, 이 스트레스를 만드는 것은 밖에서 들어온 스트렛서(stressor)이다"라고 했습니다. 그리고 스트렛서에는 물리적(더위, 추위, 소음 등), 화학적(대기오염, 유해 물질, 알코올, 담배 등), 생물학적(세균, 곰팡이, 바이러스 등), 심리 사회적(심리적 고민, 갈등, 인간 관계) 원인이라고 했습니다. 최근에는 심리 사회적 스트렛서와 내적 스트레스 상태의 명확한 구별이 어려워 양자를 함께 스트레스라고 부르고 있습니다. 스트레스가 모두 부정적인가 하면 그렇지는 않으며, 적당한 자극은 교감신경계를 활성화시켜 저항력을 높이는 기능이 있어, Selye는 "스트레스는 인생의 양념이다"라고 말하여 긍정적인 면도 지적하고 있습니다. 이것을 유쾌 스트레스(eustress)라고 합니다. 이에 비해 불쾌 스트레스(distress)는 과잉의 스트레스가 만성적으로 오래 지속되는 스트레스입니다. 여기서 스트레스가 과잉인지 여부는 외부의 요구와 개인적 대처 능력의 균형에 따라 다르며 개인차가 큽니다. 우리는 자신의 스트레스 상태를 깨달아 적극적으로 스트레스를 해소하려고 노력해야 하며, 충분한 휴식이 중요합니다.

스트레스 반응의 출현

스트레스의 영향은, 불쾌한 위기적 심리적 변화(불안, 긴장, 과민, 우울, 초조, 혼란 등의 정서적 반응)와 그에 따른 생리적 반응(피로, 권태감, 두통, 두근거림, 가슴이 답답함, 현기증, 떨림, 발한 등의 자율 신경 증상)과 그런 불쾌한 상태를 해소하기 위한 행동 반응(성급한 행동, 음주 흡연이나 과식 등으로 기분을 감춘다, 엉뚱한 화풀이 등)으로 나타납니다. 이런 반응의 출현은, 개인의 성격, 스트레스 인지 방법이나 대처 차이에 따라 일정한 경향이 있으며, 심리적으로 나타나기 쉬운 사람, 행동으로 나타나기 쉬운 사람, 신체적으로 나타나기 쉬운 사람 등의 특징이 있습니다. 이런 스트레스 반응은 본래 환경 자극에 적응하기 위한 생체 방어 반응이지만, 과잉의 스트레스나 만성적 스트레스로 심신이 피폐해지면 다양한 장애를 일으킵니다. 특히 스트레스에 의한 행동 변화로 라이프 스타일의 편향은 생활 습관병의 요인으로 작용하므로 평소부터 주의가 필요합니다.

스트레스 해소법

스트레스에 의한 생체 반응을 조절 하는 대표적 방법은, ① 운동 처방, ② 이완법, ③ 바이오피드백이 있습니다.

운동 처방

스트레스의 긴급 반응으로 높아진 긴장은 '투쟁 혹은 도주(fight or flight)' 준비 상태를 만들며, 이것은 신체 활동을 충분히 시행하여(예를 들어 달려서) 해소됩니다. 현대의 스트레스 사회는 신체 활동을 동반할 수 없는 만성 스트레스 상태의 지속이 문제의 핵심이며, 이것을 운동으로 해소하면 좋은 대책입니다. 운동 처방은 개인의 연령, 체력에 따라 적절한 운동의 종류나 양을 결정하여 처방하는 것입니다.

이완법

스트레스는 심신의 긴장 상태를 만들며, 해소에는 이완이 효과적입니다. 이완 방법으로, 느긋한 목욕, 휴양, 좋아하는 음악 듣기, 자연 속에서 느긋하게 쉼 등이 좋습니다. 체계적 방법으로는, 근 이완법, 자율훈련법(自律訓練法), 요가, 기공, 선, 명상법 등이 있습니다. 이런 방법은 전문가의 지도가 필요하지만 스스로 연습하여 체득한다는 점에서는 공통적이며, 자기 훈련법(self control)으로 효과적입니다.

바이오피드백

바이오피드백은 평소에 지각할 수 없는 생체 정보를 기기를 통한 신호로 피드백하여 이것을 바탕으로 자율 신경계 제어를 시도하는 방법입니다. 생체 정보로 심박, 혈압, 뇌파, 근전도, 피부 온도 등을 이용하는 장치가 있습니다. 최근에는 스포츠 선수의 정신적 트레이닝에도 응용되고 있습니다.

▌▌ 노화와 스트레스

사람은 나이가 들면서 많은 것을 상실합니다. 육아가 끝나 아이가 독립하고 결혼해서 집을 떠나며, 정년이 되어 일을 그만두고, 여러가지 병으로 건강을 잃으며, 체력과 기력이 쇠약해져 젊었을 때처럼 힘을 쓸 수 없고, 친구나 친척 등 가까운 사람이 죽는 등 셀수 없이 많은 상실 체험을

경험합니다. 그리고 이것이 스트레스의 요인으로 부담이 되는 일이 적지 않습니다. 상실 체험에 의한 스트레스는 우울 상태로 나타나는 것이 많아 중노년기 우울증의 유발 요인이 됩니다. 따라서 안티에이징에서 스트레스 대책으로 중요한 것은 상실 체험의 대책이며 여기에는 사회적 지원이 중요합니다. 같은 스트레스가 주어져도 사회적 지원이 있는 사람과 없는 사람이 받는 스트레스에는 뚜렷한 차이가 있습니다. 가족, 친척, 친구, 또는 직장이나 학교, 지역사회에서 건강 지원 네트워크 구축이 필요합니다.

▌▌ 마지막으로

21세기는 마음의 시대, 스트레스 시대라고 합니다. 고도로 발달된 문명 속에서 어떻게 해야 인간답고 건강한 생활을 보낼 수 있을지 항상 문제입니다. 그러기 위해서는 다양한 스트레스와 공생해가는 방법론의 습득이 중요합니다. 스트레스 대책은 개인 수준에서뿐 아니라, 직장, 학교, 지역, 가정 또는 의료 현장 등 다양한 수준에서 필요하며, 이를 지원할 심신의학적, 행동과학적 대책 수립은 금세기에 최대의 과제입니다. 고령화 사회에서 수명이 늘어나는 것뿐 아니라 건강 노화가 오늘날처럼 중요한 시대는 없었습니다. 스트레스의 이해와 대책이 안티에이징에 도움이 되기를 기대합니다.

(野村 忍)

||||||||||||||||||||||||||||||||||||||||| **문헌** |||||||||||||||||||||||||||||||||||||||

1) Selye H: The general adaptation syndrome and the diseases of adaptation. J Clin Endcrinol 1946; 6: 117-230.

2 노화와 스트레스

산화 스트레스 가설은 노화 기전의 대표이며, 어떤 종류의 스트레스는 생체의 구성 분자를 손상시키며, 이런 분자 손상의 시간적 축적이 노화와 밀접하게 관련된다고 생각하고 있습니다. 노화와 스트레스의 양쪽 연구 분야에서 산화 스트레스 이외에 시상하부-뇌하수체-부신계(HPA축)와 신경·면역·내분비계의 관련성, 칼로리 제한과 기아 스트레스, 텔로미어 단축 등이 주목 받고 있습니다.[1,2]

모든 생물에서 시간적 노화는 피할 수 없지만, 노화 속도는 유전과 환경 및 양자의 상호 작용의 영향을 받아 개체에 따라 큰 차이가 있습니다. 세포나 무척추 동물을 이용한 실험에서는 스트렛서(stressor)로 열, 방사선, 중금속, 활성 산소종, 삼투압 변화 등을 주어 연구합니다. 사람에서 매일의 스트렛서는 다양하며, 환경적, 물리·화학 요인 이외에 생활 습관과 관련된 스트레스(식사 섭취, 수면, 운동 부족이나 과잉, 과음, 흡연 등)이나 직장, 학교, 가정에서 일어나는 다양한 사회적 스트레스도 더해집니다.

스트레스 적응 반응과 안티에이징

기초 연구 분야에서 무척추동물의 장수 변이체가 열, 방사선, 중금속, 활성 산소종 등의 스트렛서에 대해 내성이 있는 것이 밝혀졌습니다. 예를 들어 인슐린/인슐린양 성장 인자(insulin-like growth factol-1, IGF-1) 신호 전달계와 관계된 인자에 변이를 가진 꼬마 선충의 장수 변이체는 분자 샤프롱이나 항산화 효소 등에 상향 조절이 일어나서 여러 가지 스트렛서에 내성을 갖습니다.[1,3] 또 열충격인자(heat shock factol-1, HSF-1) 활성화에 의한 분자 샤프롱 활성 증가는 꼬마 선충에서 스트레스 내성 증가와 장수를 일으키는 것도 알려졌습니다.[1] 포유동물에서 수명 연장의 재현성이 높은 개입은 칼로리 제한이며, 칼로리 제한 동물은 산화 스트레스나 발암 물질 등 여러

가지 스트렛서에 내성을 나타냅니다.[1,3] 이렇게 장수하는 유전, 환경요인은 스트레스 내성 획득과 관련이 있으며, 스트레스 적응 반응으로 생기는 생체 방어 기전의 활성화가 안티에이징에 기여할 가능성이 있습니다(그림 1).[3]

스트레스와 안티에이징

심리 스트레스와 질환의 관련성은 과거부터 알려졌으며, 만성 심리 스트레스에 의한 HPA축의 비정상적 활성화가 스트레스 호르몬을 과잉 발현시켜 정신 질환, 면역 질환, 대사 질환, 심혈관 질환의 발생 요인이 될 수 있다고 생각합니다.

심리 스트레스가 노화 자체에 미치는 영향은 아직 불명한 점이 많지만,[1] 만성 심리 스트레스에 의한 신경 내분비계, 면역계 대사계 및 심혈관계의 변화가 노화에 촉진적으로 작용할 가능성이 있습니다.[1,3] 또 유소년기의 심리 스트레스와 텔로메어 단축의 관련도 알려졌습니다.

호르미시스(hormesis)와 성공 노화

일반적으로 스트레스는 노화를 촉진하는 작용이 있다고 생각할 수 있으나, 조건에 따라서는 억제적으로 작용할 수도 있습니다. 이것을 호르미시스(hormesis) 개념으로 설명합니다. 호르미시스는 유해성 물질이나 작용 원인이 소량이면 생체를 자극하여 생리적으로 유용한 효과를 나타내는 것을 의미합니다(그림 2).[3,4] 호르미시스의 작용 원인이 될 수 있는 스트렛서로 화학물질, 열, 방사선 등을 들 수 있으나, 성공 노화의 관점에서 호르미시스를 유도하는 스트레스는, 운동 부하, 인지 자극, 칼로리 제한, 피토케미칼(레스베라트롤, 커큐민 등) 섭취 등이 있습니다.[4] 이들에 의해 유도되는 세포내 신호 전달은 cAMP 반응 서열 결합(cAMP response element binding protein, CREB) 단백질, HSF-1, nuclear factor-κB (NF-κB), nuclear respiratory factor 2 (Nrf2), 포크

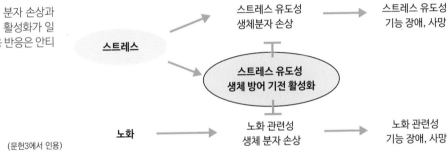

그림1 스트레스 적응 반응과 노화

스트레스에 의해 생체 분자 손상과 동시에 생체 방어기전 활성화가 일어난다. 스트레스 적응 반응은 안티에이징에 관여한다.

(문헌3에서 인용)

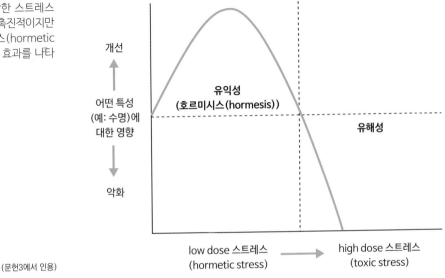

그림2 호르미시스(hormesis)와 안티에이징

생체 적응력을 넘는 강한 스트레스(toxic stress)는 노화 촉진적이지만 적당한 수준의 스트레스(hormetic stress)는 안티에이징 효과를 나타낸다.

(문헌3에서 인용)

헤드형 전사 인자(Forkhead box O, FOXO) 등의 전사 인자를 활성화합니다.[4] 이와 같이 제한적으로 생체가 대처 가능한 수준의 스트레스는 생체 방어 시스템 기능 유지에 중요합니다. 즉 스트레스 관리 목표는 스트레스의 배제가 아니라 스트레스 수준의 최적화입니다.[3] 일상 생활에서 적절한 식사, 운동 습관으로 스트레스 적응 반응의 유지, 증가가 성공 노화 전략의 핵심이라고 생각할 수 있습니다.

(布村明彦)

■■■■■■■■■■■■■■■■■■■■■■■■■■■■■■■■ 문헌 ■■■■■■■■■■■■■■■■■■■■■■■■■■■■■■■■

1) Epel ES, Lithgow GJ: Stress biology and aging mechanisms: toward understanding the deep connection between adaptation to stress and longevity. J Gerontol A Biol Sci Med Sci 2014; 69(Suppl 1): S10-6.
2) Aguilera G: HPA axis responsiveness to stress: implications for healthy aging. Exp Gerontol 2011; 46: 90-5.
3) Gems D, Partridge L: Stress-response hormesis and aging: "that which does not kill us makes us stronger". Cell Metab 2008; 7: 200-3.
4) Stranahan AM, Mattson MP: Recruiting adaptive cellular stress responses for successful brain ageing. Nat Rev Neurosci 2012; 13: 209-16.

③ 정신 위생과 스트레스 관리

현대 사회에는 스트레스가 흘러 넘치고 있습니다. 대인관계, 경제적 문제, 장래의 불안 등 원인은 다양하지만 많은 사람이 스트레스를 가지고 살아간다는 것은 사실입니다. 이런 스트레스는 신체뿐 아니라 정신에도 다양한 형태로 영향을 줍니다. 정신 질환 환자의 증가도 그 하나의 결과입니다. 그리고 그 영향은 단지 개인에만 머무르지 않고, 노동 생산성 저하 형태로 조직이나 사회에도 미칩니다. 예를 들어 일본에서 우울증이나 불안 장애에 의한 사회적 비용은 각각 연간 2~3조엔으로 보고되었으며,[1,2] 그 반 이상은 결근 등의 노동 생산성 손실에 의한 것이라고 알려져 있습니다.

이와 같이 스트레스가 개인이나 사회에게 주는 영향은 막대하지만 현대를 살아가면서 이런 스트레스에서 완전 해방은 어렵습니다. 따라서 스트레스에 잘 대처하여 자신을 지키는 방법을 몸에 익히는 것이 필요합니다.

mindfulness 인지 요법 (마음챙김 認知療法)

스트레스 관리에는 다양한 방법이 있으나, 여기서는 mindfulness 인지 요법을 소개합니다.

mindfulness 인지 요법은 핵심 기법인 위파사나 (Vipassana) 명상과 하타요가(hatha yoga)를 이용하며, 주의력 조절을 통해 사고의 반추를 억제하고, 기분을 개선시키는 정신요법의 하나입니다.

사람은 누구나 스트레스가 있으면 우울해지거나 불안하게 됩니다. 그러나 대부분의 경우에 이런 우울이나 불안은 잠시 후에 자연히 사라져 갑니다. 그러나 이런 우울, 불안이 좀처럼 머리 속에서 없어지지 않고 걱정거리나 후회가 머리 속을 반복하여 돌아다니면, 기분이 지속적으로 침체되거나 불안하게 됩니다. 이렇게 되면 스트레스를 매우 강하게 느끼게 됩니다.

이 때 우리의 마음은 현재에 머무르지 않습니다. 어디에 있는가 하면 과거나 미래입니다(그림 1). 사람은 상태가 나빠지면 의식이 과거로 날아갑니다. 그리고 "왜 그런 일을 했을까", "그런 일 하지 않았다면 좋았을 텐데" 같은 사고의 반추를 시작합니다. 이것이 항상 머리 속에서 없어지지 않으면 기분이 자꾸 침울 해져 갑니다.

한편 의식이 미래로 날아가면 이번에는 불안하게 됩니다. "잘 되지 않으면 어떻게 하지", "실패하여 추궁 받는 것은 아닌가" 같은 생각이 머리 속을 돌아다녀 안절부절 못하게 됩니다. 그리고 스트레스는 계속 증폭됩니다.

일단 이런 반추가 시작되면 거기서 빠져 나오기는 간단하지 않습니다. "생각해도 어쩔 수 없다"고 알고 있어도 생각을 그만둘 수 없습니다.

그림1 주의해야 할 장소와 기분의 관계

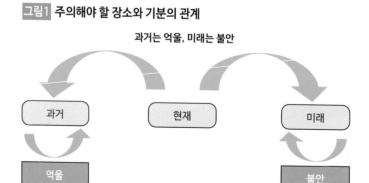

과거는 억울, 미래는 불안

반추를 멈추려면

반추는 왜 멈춰지지 않을까요? 그것은 우리의 주의력이 반추하는 사고에 갇혀 본래 주의력을 집중해야 할 장소에 의도적으로 주의를 돌릴 수 없기 때문입니다. 그러나 주의력을 조절하는 힘을 몸에 익혀 본래 주의력을 향해야할 장소에 주의를 갖게 하거나, 반추하는 사고에 말려 들어가지 않고 반추 하는 사고 자체를 "바라 본다"는 방법으로 반추를 멈추는 것 입니다. 이런 힘을 기르는 것이 mindfulness 인지 요법입니다.

mindfulness 인지 요법의 실제

실제로 mindfulness 요법은 간단한 명상 훈련으로 시작합니다. 처음 시행하는 것은, 몸의 감각에 주의를 향하여 관찰하는 명상법입니다. 여기에는 호흡에 따라 일어나는 복부 감각의 변화(숨을 들이 쉬면 배가 부풀어 오르고 내쉬면 배가 내려가는 감각이나 공기가 코 속을 지날때 느끼는 감각 등)나 몸의 각 부분에 주의를 집중합니다. 먼저 이런 감각을 느끼는 것을 배웁니다. 처음에는 당연히 주의 집중을 지속하기 어렵습니다. 호흡에 집중하고 있다고 생각해도 곧바로 다른 일이 생각납니다. 그러나 그것이 잘못이라고 생각할 필요는 없습니다. 이 때 천천히 원래의 장소로 주의를 되돌립니다. 이렇게 하면서 혼란스러운 주의를 조절하는 방법을 몸에 익혀 갑니다.

이와 같이 몸의 감각에 주의를 집중하고 그것을 관찰하는 것이 점차 가능해지면, 다음에는 관찰 대상을 생각이나 기분으로 넓혀 갑니다. "무엇에 대해 생각한다"가 아니라 "생각"을 관찰하는 것입니다. "무엇 때문에 큰일났다"라고 생각하는 것이 아니라 그런 생각이 떠오르는 것을 관찰합니다. 이렇게 하면 생각 자체와 거리를 둘 수 있게 됩니다. 거리를 둘 수 있으면 사고에 말려 들어가지 않으며 반추의 억제가 가능하게 됩니다. 결과적으로 스트레스도 완화됩니다. 필자 자신도 나날의 실천으로 이것을 체감하고 있습니다. 그러나 이런 기법이 하루 아침에 몸에 붙는 것은 아닙니다. 날마다 계속하는 이런 훈련을 계속하는 것이 중요합니다.

마지막으로

스트레스를 관리하여 정신 건강을 유지하기 위한 mindfulness 기법의 일부를 소개했습니다. 그러나 여기서 소개한 것은 개략에 지나지 않습니다. 자세한 내용은 문헌[3~5]을 참고하기 바랍니다.

(佐渡充洋)

문헌

1) Sado M, Yamauchi K, et al: Cost of depression among adults in Japan in 2005. Psychiatry Clin Neurosci 2011; 65(5): 442-50.

2) Sado M, Takechi S, et al: Cost of anxiety disorders in Japan in 2008: a prevalence-based approach. BMC Psychiatry 2013; 13(1): 338.

3) 윌리엄즈 JMG: 우울증 재발 방지를 위한 마음챙김 기반 인지치료. 이우역(역), 학지사, 2018 ※

4) 카밧진 J: 마음챙김 명상과 자기치유. 김정효(역), 학지사, 2017. ※

5) グナラタナ BH: マインドフルネス 気づきの瞑想. 東京, サンガ, 2012.

(※역자 주)

4 이완(relaxation)의 실제

스트레스 제거, 멘탈 피트니스법

일본의 "건강 일본 21" 프로그램에서 "건강은 예방 시대! 자기 관리 시대!"를 강조하고 있습니다.

현대 사회는 불안과 스트레스 시대이며, 자신도 모르게 스트레스가 축적되어 심리적 문제로 고민하여 대인 관계나 업무 처리가 어려우며, 많은 사람에서 심신증이 되고 우울에 빠지는 사람이나 전혀 외출하지 않고 지내는 사람이 증가하고 있습니다. 일본에서 자살자는 매년 3만 명 이상(하루 90명)이며, 이 숫자가 지난 14년간 지속되고 있습니다.

이런 고뇌의 시대에 스트레스를 해소하여 건강 회복을 할 수 있는 과학적이며 간단한 자기 건강 관리법으로 자율훈련법(自律訓練法, autogenic training)에 의한 멘탈 피트니스법이 있으며, 그 필요성을 실감하고 있습니다. 이런 자기 건강 관리법을 몸에 익혀 매일의 생활이 활기에 넘치면 살아가는데 큰 재산이 됩니다. 언제까지나 현역으로 건강하게 장수하는 비결의 하나입니다.

자율훈련법은 독일의 정신과 의사 슐츠가 1932년 발표했고, 일본에는 1950년대에 소개되었으며, 1961년 심료(心療)내과가 개설되면서 보급되었습니다.

자율훈련법은 자기 암시에 의해 전신의 긴장을 풀어 이상적 심신 상태인 "두한족열(頭寒足熱)" 상태로 만드는 방법입니다. 일본에서는 자율훈련법을 간단하게 시행 할 수 있는 스트레스 관리를 위한 멘탈 피트니스법으로 이용하고 있습니다 (http://www.mentalfitness.jp/).

멘탈 피트니스 프로그램은 다음 4단계로 시행합니다.

1) 전신을 느슨하게 만들어 몸의 힘을 뺀다. 이완 시키는 음악이나 근이완법 체조를 이용한다.
2) 한 점에 집중하는 연습을 한다.
3) 복식 호흡을 충분히 한다.

4) 자율훈련법 이론에 의한 멘탈 피트니스법으로 몸과 마음이 편하게 되며 긍정적 사고로 활기 찬 상태가 된다.

자율훈련법의 공식

공식 0: 안정감, 기분을 가라 앉힌다
공식 1: 무거운 느낌. 양 손, 양 발의 힘이 빠져 무겁게 느낀다. 느긋하게 된다.
공식 2: 따뜻한 느낌. "양 손, 양 발이 따뜻해진다.
공식 3: 심장 조정, 심장이 조용하게 뛴다.
공식 4: 호흡 조정, 호흡이 편하다.
공식 5: 배가 따뜻한 느낌. 위 근처(태양 신경총)가 따뜻해 진다.
공식 6: 이마가 시원한 느낌, 이마가 시원하다.

자율훈련법은 이상의 공식 0에서 공식 6으로 구성되어 있습니다. 제2 공식까지의 연습으로도 자율훈련법의 효과를 볼 수 있습니다. 공식 0에서 공식 2까지를 시행하기 쉽도록 만들어 멘탈 피트니스법①이라고 합니다.

멘탈 피트니스법①의 체감

합리적 스트레스 해소법이며, 다음과 같은 체감이 생깁니다.

• 뇌파가 α 파 상태가 되어 축적된 피로를 제거할 수 있다.
• 초조하지 않고 온화한 기분이 되어 인간 관계가 좋아진다.
• 자기 통제를 할 수 있어 충동적 행동이 적게 된다.
• 집중력이 좋아져 학습 능률이 오른다.
• 불면, 어깨 결림, 컨디션 불순 등 신체적 통증이나 정신적 고통의 감소.
• 자기 향상성이 증가하여 목적 달성, 문제 해결력이 올라간다.

그림1 멘탈 피트니스법①

❶ 의자에 편하게 앉아 눈을 감는다. 발끝을 무릎보다 앞에 둔다. 양손은 양쪽 겨드랑이에 둔다.
❷ 발끝을 약간 위로 올리고 양손은 주먹을 쥐고, 양어깨를 위로 올린다. 입을 다물고 코로 숨을 크게 들여 쉬어 멈춘다.
❸ 발끝을 내려 조금 벌리고 숨을 내쉬면서 어깨를 내리고 양손 주먹을 편다.
❹ 다음에 발뒤꿈치를 올리며 양손을 주먹을 쥐고 양어깨를 위로 올린다. 입을 다물고 코로 숨을 크게 들여 쉬어 멈춘다.
❺ 발뒤꿈치를 내리며 입을 조금 열고 숨을 내쉬면서 어깨를 내리고 양손 주먹을 편다.
❻ 양손, 양발을 흔들어 양손, 양발의 힘을 뺀다.
❼ 양 어깨를 돌리고, 반대로 돌린다.
❽ 양손을 얼굴 앞에서 흔들고, 양손을 무릎 위에 둔다.
❾ 목을 크게 돌리고, 반대로 돌린다.
❿ 눈, 입, 손을 힘껏 닫는다(2회).
⓫ 눈을 감은 채로 입과 손을 힘껏 연다(2회).
⓬ 복식 호흡으로 숨을 길게 내쉰다. 양손, 양발의 힘을 빼며 3회 한다.
⓭ 양손, 양발이 따뜻하다는 기분을 갖는다. "양손 양발이 따뜻해진다".
⓮ 자기 암시를 한다. "느긋하다. 집중할 수 있다. 내 생각대로 편하다. 나날이 모든 것이 좋아져 간다".
⓯ 각성 한다. "기분이 좋네"라고 생각하며 눈을 뜨고 스트레칭을 2회 한다.

멘탈 피트니스법①의 연습

장소: 처음에는 조용하고 안정할 수 있는 장소
자세: 의자에 깊이 앉아 허리를 펴고, 양 발을 무릎보다 앞으로 낸다.
연습: 기상 시와 취침 시 연습의 효과가 크다.

멘탈 피트니스의 실제

멘탈 피트니스법①은 그림 1과 같습니다. 끝난 후 느낌은 다음 중 어떤 것입니까?

i) 변화 없음.
ii) 조금 졸리다.
iii) 몸이 가벼워졌다.
iv) 머리가 맑아졌다.

i)인 사람은 연습을 반복합니다. ii)인 사람은 한 번 더 연습하면 좋아 집니다.

(下口雄山)

|||||||||||||||||||||||||||| **문헌** ||||||||||||||||||||||||||||

1) 下口雄山: リラクセーションは成功への道. 日本メンタルフィットネス協会, 1995.
2) 下口雄山: やすらぎのシャワー. 願望・目標達成イメージトレーニング法(CD).

IV

안티에이징 의학 임상

5 행복과 안티에이징 의학; Happy People Live Longer

안티에이징 의학은 단순한 탁상의 학문은 아니며 "과학에 근거한 실천"을 이루는 새로운 의학입니다. 따라서 실천하려는 의지와 계속하려는 정열이 필요합니다. 행복은 인생의 목적이지만, 행복해야 사람이 장수한다고 생각할 수 있습니다. 재미 없는 인생이라면 빨리 그만두는 편이 좋겠지만, 행복한 인생이라면 오랫동안 즐기자는 것입니다. 흡연자 중에는 "담배를 끊고 따분한 인생이라면 살아갈 가치가 없다. 굵고 짧고 즐겁게 살겠다"는 사람도 있습니다. 안티에이징 의학의 기본이 되는 칼로리 제한에 대해, "맛있는 것도 제대로 먹을 수 없는 인생이라면(행복하지 않아서) 살 의미가 없다"고 생각하는 사람도 많습니다. 행복과 안티에이징 의학은 다양한 면에서 밀접한 관계가 있다고 말할 수 있습니다.

우울 상태나 스트레스 과잉 상태에서는 사망률이 높아져 안티에이징 의학 실천이 어렵습니다. 그렇다면 보통 이상으로 행복하면 신체 기능이 향상되어 안티에이징 의학 실천이 쉬워질까요? 과거 오랫동안 행복은 과학의 대상이 되기는 어려웠습니다.[1] 그것은 행복의 객관적 측정이 어려워 과학적으로 접근할 수 없기 때문입니다. 그러나 이런 흐름이 바뀌고 있습니다. 최근 과학적 기법을 이용하여 행복을 평가하려는 흐름이 시작된 것입니다. 행복과 경제 활동에 대한 경제학자의 연구를 비롯하여, 뇌과학자가 뇌의 활동과 감정이나 행복을 연결하는 연구가 시도되고 있습니다.[2] 아직 발전하고 있는 분야이지만 여기서는 안티에이징 의학과 행복에 대해 알아 봅니다. 어떻게 하면 사람은 행복하게 될 수 있을까요? 그리고 안티에이징 의학의 성공 가능성을 올릴 수 있을까요?

행복의 객관적 측정

행복을 조사하는 가장 신뢰할 수 있는 방법으로 사건(event) 마다 휴대 단말기로 연구 센터에 보고하여 실시간으로 기분을 파악하는 방법이 개발되었습니다. 그 당시의 행복감을 수치로 환산하여 보고합니다. 예를 들어 만원 전철로 출근하는 이벤트가 마이너스였다거나, 가족과 함께 즐거운 식사는 만점이었다 등으로 보고합니다. 이런 데이터를 많은 사람에서 장기간 축적하면 행복감과 관련된 요인을 조사할 수 있습니다. 그러나 이 방법은 비용이 많이 듭니다. 또는 매번 보고하지 않으면 안 되기 때문에 피검자의 부담이 큰 단점이 있습니다. 이런 불편함을 개선하여 1일 구성법(daily reconstructive method, DRM)이 개발되었습니다. 이것은 하루를 이벤트에 따라 나누어(평균 24개 정도로 나눕니다) 각각의 긍정적이나 부정적 값을 0에서 6까지의 수치로 단계적으로 기록하는 방법입니다.[3] 그리고 이것을 하루의 마지막에 데이터로 수록합니다. 이 방법은 실기간 기록법과 비교하여 결과에 차이가 없다고 알려져 DRM이 효율적이며 현실적이 되었습니다. DRM에 의한 기록의 예는 표 1과 같습니다.

이와 같이 자신의 감각을 다시 생각하여 6단계 숫자로 나타내고, 긍정적 점수에서 부정적 점수를 빼서 시간을 곱하면 그 날의 행복도를 정량적으로 평가할 수 있습니다. DRM 이외에 인생 전체에 대한 만족도, 경제에 대한 만족도 등 다양한 질문을 통해 여러가지 재미있는 사실을 알게 되었습니다. 예를 들어, DRM은 아침에 낮고, 밤에 높으며, 젊었을 때는 특히 아침 DRM가 낮은 것을 알게 되었습니다.

또 일상생활의 다양한 파라메터 중에서 수면 시간의 길이가 DRM과 상관이 높은 것도 알려졌습니다. 안티에이징에서 수면시간 확보는 중요한 라이프 스타일이며, 수면시간과 장수의 관계에 행복도가 관여하는지 흥미 있는 과제입니다. 또 "빨리 일을 끝내라"는 상사의 압력은 DRM과 관계가 있습니다. 한편 "실직할 수도 있다"같은 일반적으로 중요하다고 생각되는 것이 실제로

표1 DRM의 기록 예

	시간(분)	긍정적	부정적	차
아침에 일어나 침대에서 스트레칭	30	6	0	6
옷입기	5	4	2	2
아침 식사	15	6	0	6
역까지 서두르기	5	6	0	6
출근 지하철	45	6	2	4

이벤트 마다 긍적적과 부정적 값을 0에서 6까지 단계 표기하여 그 차이를 행복도로 환산한다. 예를 들어 긍정적 6에 부정적 2이면 차이는 4가 된다(이 수치는 필자의 예).

DRM에는 영향을 주지 않는 것도 흥미 있는 사실 입니다. 단순한 방법처럼 보이지만, 행복도를 그 순간에 선택하여 주관적 수치로 나타내는 방법으로 행복을 과학으로 취급할 수 있는 기법이 생긴 것입니다.

2개 형태의 행복도

이런 연구에 의해 흥미있는 사실이 알려 지고 있습니다. 그것은 DRM으로 측정한 행복도와 인생 전체의 행복도가 반드시 상관성이 있는 것은 아니라는 사실입니다. 예를 들어 이혼과 같은 라이프 이벤트가 있을 때 인생 전체의 질문에 "나는 실패했습니다"라는 개념에 묶여 인생 전체의 행복도는 낮을 수 있습니다. 자신의 인생은 불행하다고 단정하기 쉽습니다. 그런데 DRM의 평가에서는 긍정적 값이 높을 수 있습니다. 싫어진 사람과 헤어지거나, 귀찮은 문제에서 해방되어 매일의 생활이 행복하게 될 가능성이 높다는 것입니다. 이것은 이해하기 쉽습니다. 만약 결혼 생활에 불만이 있지만 참고 살아간다면 DRM은 낮습니다. 그러나 "나는 좋아하는 사람과 결혼하여 지금 아이를 키우고 있다"라는 스토리로 평가하면, 지금의 자신을 긍정적으로 평가하며, 전체적으로 성공한 인생이 되어 전체 평가는 높아집니다. 행복도는 그 때의 DRM으로 평가할 수 있는 것과 인생 전체에 대한 이미지의 행복도라는 2개가 있는 것을 알 수 있습니다.

행복도를 올리는 방법

DRM으로 측정하는 행복도는 충분한 수면으로 크게 개선할 수 있습니다. 이 정보는 매우 중요합니다. 많은 사람이 자신의 행복도와 수면 시간이 관계가 있다고는 생각하지 않기 때문 입니다. 행복감을 느껴 안티에이징 의학을 확실히 실천하려면 우선 충분한 수면이 필요합니다. 그 밖에 다른 기법은 없을까요? 주목받고 있는 것은 "포커스 환상(focusing illusion)"이라는 개념입니다.[1] 재미있는 실험이 있습니다.

① 당신은 최근 자주 데이트를 하고 있습니까?
② 당신은 전체적으로 행복합니까?

이상 2개를 질문 합니다. ①을 먼저 묻고, 다음에 ②를 물으면, 여기에는 상관이 있으며(상관계수 0.66), 데이트 회수와 행복도에 관계가 있게 됩니다. 데이트를 하고 있는지 물었고, 최근에 데이트를 하지 않았다고 생각했는데, 다음에 "당신은 행복합니까"라고 물으면, 그렇게 행복하지 않았다고 생각하게 됩니다. 그런데 이 질문 순서를 반대로 하여, ②를 처음에 묻고 나중에 ①을 물으면 상관 관계가 없어집니다. 데이트 대신에 결혼이나 돈에 대한 질문에서도 같은 결과가 나옵니다. 이것은 무엇을 나타내고 있는 것일까요?

하나의 가설은, 사람은 전체적으로 행복할지를 판단하는 능력이 부족하다는 것입니다. 생명의 목적이 생존에 있다고 하면 항상 행복한지 모니터할 필요성은 없을 것입니다. 갑자기 무엇인가에 신경이 쓰여지면 그 무엇을 기준으로(포커스 하여) 행복을 판단한다는 것입니다. 그 무엇이 결혼이거나 승진이거나 돈이라는 가설입니다. 이것을 포커스 환상이라고 합니다.

카네만은 돈이 단지 포커스 환상에 불과한지, 진정으로 행복과 관계가 있는지 알기 위해 용의주도한 연구를 했습니다. 전체적으로 행복합니까라는 질문 대신에, "깨어 있는 시간의 몇 퍼센트에서 기분이 안 좋았는가"라는 새로운 척도를 기

335

준으로 질문을 했습니다. 또 각각의 인자가 어느 정도의 영향을 준다는 포커스 환상의 예상을 주어 실제 조사와 비교했습니다. 조사 항목은 다음 4개였습니다.

1) 연봉 2만 달러 이하와 10만 달러 이상(돈)
2) 40세 이상 여성에서 결혼 여부(결혼)
3) 상사의 감시도가 낮은가, 높은가(자유도)
4) 건강 보험 등 복지의 충실도(복지)

흥미 있는 사실은 4개 항목 모두에서 예상된 영향보다 실제 영향이 적었습니다(표 2). 이 조사 결과 이 4개 요인은 포커스 환상이었다는 것입니다(결과적으로 상사의 감시는 "기분 나쁨"에 영향을 주지만 예상보다는 적다). 특히 40세 이상의 여성에서 결혼한 쪽이 행복할 것으로 예상했으나, 실제 기분 나쁜 시간 수의 조사에서 결혼한 쪽에서 길어 예상과 반대였습니다. 연봉 2만 달러 이하와 10만 달러 이상은 영향을 줄 것으로 생각했으나, 그 영향은 생각한 만큼 크지 않았습니다.

역사적으로 일본은 1958년부터 1987년까지 평균 연봉이 5배가 되었지만, 국민의 행복도에 변화가 없었다고 합니다. 그러나 세계적으로 평균 소득 1만 2,000달러(연 수입 140만엔 정도) 이하 국가에서는 돈과 행복이 상관이 있다고 합니다. 확실히 먹고 살기 어려운 상황에서는 행복할 수 없습니다. 최저한의 배를 채우는 돈이 없으면 행복하게는 될 수 없을 것입니다. 굶어 죽는 사람이 없는 상황에서의 결론은 "행복에 돈은 크게 영향을 주지 않는다. 그것은 포커스 환상이다"라고 할

수 있습니다. 만약 포커스 환상이라면, 그 포커스를 머리 속에서 쫓아내면 행복감을 느낄 수 있을 것입니다. 예를 들어 부자가 되지 않으면 행복하게 될 수 없다는 포커스 환상을 갖고 있으면 "연봉과 행복도는 상관이 없다"는 이론을 머리 속에서 생각할 수 없습니다. 또 최근의 연구에서, 가질 수 있는 돈 보다 다른 사람에게 어느 정도의 돈을 사용할까 쪽이 행복과 더 관련이 있다고 알려져, 돈과 행복의 관련 연구는 지금부터 다시 진행될 것으로 기대됩니다.[4,5]

Happy People Live Longer

지난 10년 사이에 행복한 사람이 장수하며 병에도 걸리지 않는다는 데이터가 나오고 있습니다. 과거에는 "건강하고 장수하니까 행복하다"라는 방향의 생각이었으나(물론 그런 경로도 있지만), "행복한 사람이 장수한다"라는 반대 흐름이 나타난 것 입니다.[6,7] 런던의 역학 연구자 Andrew Steptoe 등은 런던의 장수 연구에서 이 관계를 명확하게 증명했습니다.[8] 또 일본의 연구에서도, 인생을 즐기는 사람이 병이 걸리지 않는 것을 알 수 있었습니다.[9]

안구 건조증 연구에서, 행복도와 안구 건조증 증상이 역 상관관계였습니다(그림 1).[10] 안구 건조증인 사람이 불행한 것인지, 불행한 사람이 안구 건조증 증상에 예민한지는 뚜렷하지 않지만, 병과의 관계가 이렇게 분명한 것은 흥미롭습니다. 관련 연구에서, 한가롭게 이완하여 부교감신경이 우위에 있으면 행복감과 관계가 있다고 합니다. 심호흡을 하면 긴장이 풀어져 이완된다고 하며,

표2	불편한 시간(%)			

결혼과 건강 보험의 있고 없음에는 "불편한 시간"에 차이가 없었다. 당신의 "불편함"에 영향 주는 것은 상사였다.

		실제	예상(포커스 환상)
연수입	2만 달러 이하	32.0	57.7
	10만 달러 이상	19.8	25.7
결혼	독신	21.4	41.1
	기혼자	23.1	27.9
상사	엄한 감시	36.5	64.3
	엄격함 없음	19.1	22.3
복지	건강 보험 없음	26.6	49.7
	건강 보험 있음	22.2	19.2

안구 건조증에서 복식 호흡을 3분간 시행하는 것만으로도 부교감 신경이 우위가 되어 눈물 생산이 증가하는 것을 알 수 있습니다(그림 2).[11]

단지 3분간의 이완에 의해서도 눈물이 나온다는 것은 다양한 질환에서 행복, 이완, 부교감 신경 우위 연구가 중요한 것을 나타내고 있습니다. 실제로 요가나 운동에 의한 건강에 도움이 되는 요소도 신체 활동에서만 나오는 것이 아니라 정신적 측면도 크다고 생각할 수 있습니다.

기분과 장수, 질병과의 관계를 조사하기 위해, 기분 좋은 쥐와 기분 나쁜 쥐를 만들어 연구를 하고 있습니다. 뇌유래 신경 영양 인자(brain derived neurotrophic factor, BDNF) 농도 변화에 따라 다양한 효과가 나타나서 흥미롭습니다. 일본에는 2002년 긍정심리의학회가 설립되어 연구가 진행되고 있습니다. 앞으로의 발전이 기대되는 분야입니다.

행복(기분)은 선택할 수 있다

포커스 환상에서 자유롭게 될 수 있으면, 인생의 본질을 깨달아 행복에 가까워질 수 있습니다. 연봉이나 용모는 건강 상태와 관계 없으며, 단지

그림1 안구 건조증의 객관적/주관적 증상별 행복도의 비교

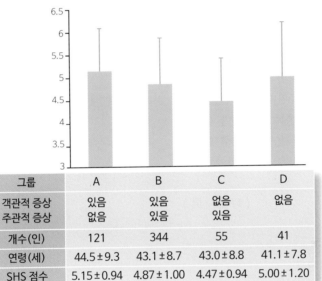

SHS 점수
Tukey 다중비교 검증

	p값
A:B	0.043
A:C	<0.001
A:D	0.843
B:C	0.029
B:D	0.861
C:D	0.049

그룹	A	B	C	D
객관적 증상	있음	있음	없음	없음
주관적 증상	없음	있음	있음	없음
개수(인)	121	344	55	41
연령(세)	44.5±9.3	43.1±8.7	43.0±8.8	41.1±7.8
SHS 점수	5.15±0.94	4.87±1.00	4.47±0.94	5.00±1.20

ANOVA , p=0.18
* ANOVA , p<0.001

SHS ; subjective happiness scale

(문헌10에서 인용)

그림2 복식 호흡에 의한 눈물량의 증가

복식호흡(이완)에 의해 누액 분비가 증가한다.

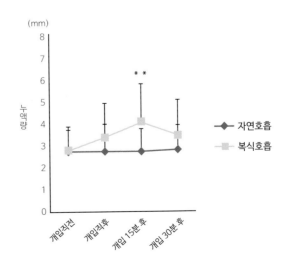

(문헌11에서 인용)

생각하고 느끼는 방법을 바꾸는 것만으로 행복감을 얻을 수 있습니다. 극단적으로 말해서 "행복(기분)은 선택할 수 있다"는 것입니다.[7] 물론 단순한 행복의 선택은 심리적으로 무리가 있습니다. 과학에 근거한 행복 이론을 이해하고, 포커스 환상을 인정하여 행복에 영향을 주는 자신의 라이프 스타일을 변화시켜 갑니다. 모든 가치는 그 자체에 있는 것이 아니라, 그것을 받아들여 우리의 뇌가 만들고 있다고 생각할 수 있으며, 이것도 현재 뇌과학의 발전에 의해 명백하게 되고 있습니다. 최근의 흥미로운 연구는, 선전되는 제품을 사용하면 실제로 뇌 혈류가 변화하는 것 보다 기분이 좋게 느끼는 것이 증명되었습니다.[12] 선전 정보의 영향을 받았다고 해도 모든 것은 자신의 생각, 감성이 결정하는 것입니다.

안티에이징 의학의 목적은 건강한 장수의 달성에 있습니다. 이것을 생각하면, 행복은 안티에이징 의학의 목적이기도 하지만 또 안티에이징을 달성하기 위한 강력한 힘이 된다고 생각할 수 있습니다(그림 3). 과거에는 행복을 단순한 이론으로 생각할 수 없었지만, 이 분야의 연구 발전에 의한 증명으로 앞으로 안티에이징 의학에 큰 영향을 줄 것입니다.

(坪田一男)

문헌

1) Kahneman D, et al: Would you be happier if you were richer? A focusing illusion. Science 2006; 312(5782): 1908-10.
2) Canli T, et al: Amygdala response to happy faces as a function of extraversion. Science 2002; 296(5576): 2191.
3) Kahneman D, et al: A survey method for characterizing daily life experience: the day reconstruction method. Science 2004; 306(5702): 1776-80.
4) Dunn EW, Aknin LB, et al: Spending money on others promotes happiness. Science 2008; 319(5870): 1687-8.
5) Vohs KD, Mead NL, et al: The psychological consequences of money. Science 2006; 314(5802): 1154-6.
6) Frey BS: Psychology. Happy people live longer. Science 2011; 331(6017): 542-3.
7) Diener E, Chan MY: Happy People Live Longer: Subjective well-being contriburtes to health and longevity. Applied Psychology: Health and Wel-Being 2011; 3(1): 1-43.
8) Chida Y, Steptoe A: Positive psychological well-being and mortality: a quantitative review of prospective observational studies. Psychosom Med 2008; 70(7): 741-56.
9) Shirai K, et al: Perceived level of life enjoyment and risks of cardiovascular disease incidence and mortality: the Japan public health center-based study. Circulation 2009; 120(11): 956-63.
10) Kawashima M, et al: Associations between subjective happiness and dry eye disease: a new perspective from the Osaka study. PLos One 2015; 10(4): e0123299.
11) Sano K, Kawashima M, et al: Abdominal breathing increase tear secretion in healthy women. Ocular Surface 2015; 13(1): 82-7.
12) Plassmann H, et al: Marketing actions can modulate neural representations of experienced pleasantness. Proc Natl Acad Sci USA 2008; 105(3): 1050-4.

그림3 행복과 건강 장수의 관계

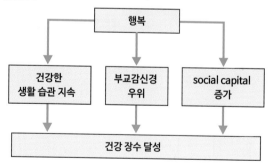

① 여성 호르몬의 의학

에스트로겐과 노화의 관련

에스트로겐이 배란기에 분비가 유도되는 것은 예로부터 경험적으로 알고 있었습니다. 1923년 에스트로겐이 발견된 후, 천연 에스트로겐으로 에스트론, 에스트라디올, 에스트리올의 존재가 알려졌습니다. 1966년경 에스트로겐 수용체 발견 후 생리적 작용 연구가 크게 발전했습니다. 여성에서 에스트로겐 생산 기관은 주로 난소 과립막 세포이지만, 부신 피질에서도 만들어지고, 남성의 고환에서도 에스트로겐이 생산됩니다. 남성의 에스트로겐 분비는 생애를 통해 크게 변화가 없으나, 여성의 에스트로겐 분비는 성 성숙기에 최대가 되고, 나이가 들어 원시 난포가 고갈되면서 에스트로겐 생산은 현저하게 저하되어 폐경기 이후에 에스트로겐 분비는 남성 수준 이하가 됩니다. 이런 저하와 동시에 노화 관련 질환 빈도가 증가하므로 에스트로겐 분비 상태 변화에 따라 노화가 영향을 받는다고 할 수 있습니다. 노화에 따라 신체의 각종 기능 저하가 일어나며, 청각계 이상, 심혈관 질환, 근육 위축, 신경 변성, 시각계 변성, 골다공증, 피부의 노인성 변화, 요실금 등 요로계 질환 등이 폐경 이후에 나타나며, 이 중 일부는 에스트로겐 투여에 의해 개선되므로 에스트로겐을 항노화 물질이라고 생각할 수 있습니다.[1]

에스트로겐

에스트로겐 생합성 경로

2차 성징 발달 후 월경 주기 즉 배란 주기에 맞

그림1 난소 과립막 세포에서 에스트로겐 생산 경로

뇌하수체의 성선자극 호르몬에 의해 에스트로겐 생산이 제어된다.

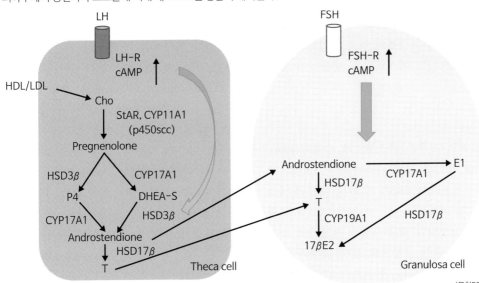

(문헌5에서 수정인용)

※역자 주:

1. 북미폐경학회(The North American Menopause Society)는 호르몬대체요법(hormonal replacement therapy: HRT)을 호르몬치료(hormon therapy: HT)로 변경하였고, 세계폐경학회(International Menopause Society)는 폐경여성호르몬요법(Menopausal hormone therapy: MHT)으로 용어 선택했지만, 여기에서는 호르몬치료 (hormonal therapy: HT)로 통일하므로 참조하기 바랍니다.

그림2 에스트로겐 작용 경로

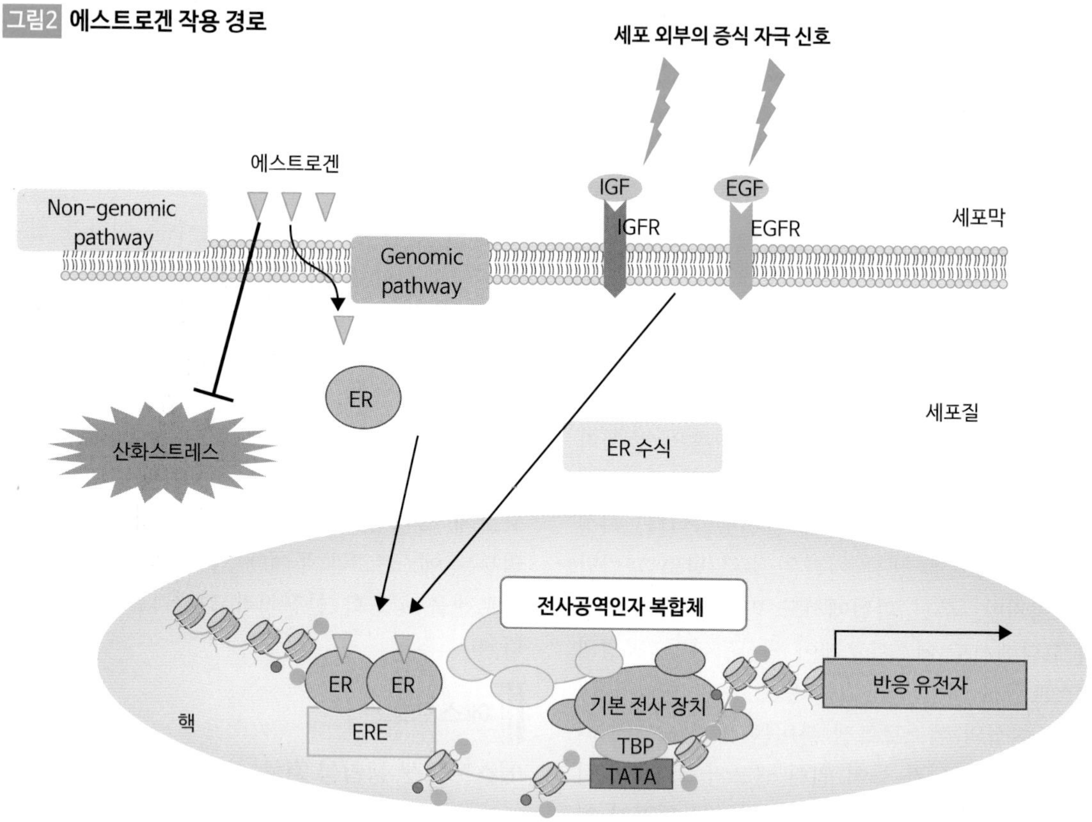

추어 에스트로겐 분비의 진폭이 변화합니다. 에스트로겐은 콜레스테롤에서 유래하여 뇌하수체에서 방출되는 성선자극호르몬의 작용과 난소과립막 세포 및 주위 협막 세포의 협조 작업으로 에스트론, 에스트라디올, 에스트리올 생합성이 일어납니다(그림 1).[1]

에스트로겐의 작용 기전

에스트로겐의 작용은 에스트로겐 수용체(estrogen receptor, ER)를 통해 나타납니다. ER에는 2종의 아형으로 ERα와 ERβ가 있으며, 대표적 에스트로겐인 17β−Estradiol (E_2) 의존적으로 전사 활성화능을 나타냅니다. E_2는 ER에 결합하여 전사 장치 복합체에 대한 작용으로 전사 활성화가 촉진되며(genomic function), 한편으로 E_2 자체의 직접 작용(non−genomic function)도 있습니다(그림 2). ER의 장기, 조직에 따른 발현 분포 특징으로 에스트로겐 작용의 조직 특이성을 설명합니다.

에스트로겐의 항노화 작용

항산화 작용

항산화 작용에는 생물종을 넘는 성차(性差)가 있다고 알려져 있으며, 망간 수퍼옥시드 디스뮤타제(Mn−superoxide dismutase, Mn−SOD), 글루타치온 페르옥시다제(glutathione peroxidase, GPx) 활성은 남성보다 여성에서 높아 여성이 장수하는 이유의 일부가 될 수 있습니다. 에스트로겐은 생체에서 항산화 작용이 강하며, 난소 적출 흰쥐는 GPx 활성 저하, 지질 산화, 미토콘드리아 손상 등이 발생하고, H_2O_2 생산이 촉진되나 에스트로겐을 보충하면 이런 산화 스트레스 축적이 개선됩니다. 배양한 피부 섬유아세포에서는 항산화 작용으로 세포사를 억제합니다. 에스트로겐에 의해 Mn−SOD나 GPx 발현이 증가하는 기전이 알려졌습니다.[2]

염증 작용

폐경 후 여성에서는 에스트로겐 저하에 의해 염증 지표인 interleukin (IL)-1β, IL-6, tumor necrosis factor-α (TNF-α)가 증가하고 CD4+ T cell이나 B cell이 감소하지만, 항염증성 사이토카인인 IL-10, transforming growth factor-β (TGF-β) 분비는 촉진됩니다. 또 Th1 사이토카인 interferon-γ (INF-γ)는 에스트로겐의 유전적 작용(genomic function)에 의한 유전자 발현의 제어를 받으며, 에스트로겐 및 ER 신호는 면역 시스템에 영향을 주고 있습니다.

텔로메라제 저해 작용

사람의 체세포는 분열 회수에 제한이 있으며, DNA 복제시마다 텔로미어(염색체 말단) DNA 복제가 단축됩니다. 텔로미어 길이는 노화의 진행에 따라 단축되며, 에스트로겐은 텔로메라제 역전사효소(human telomerase reverse transcriptase, hTERT) 발현을 촉진하여 텔로미어 길이 단축에 억제적으로 작용할 가능성이 있습니다.[3]

에스트로겐의 전신적 항노화 작용

에스트로겐의 다양한 작용이 알려져 있으나, 여기서는 대표적 조직에 대한 작용을 소개합니다.

자궁

에스트로겐의 작용 정도를 아는 지표로 동물의 자궁 비대를 이용해왔으며, 에스트로겐의 자궁 세포 증식 작용은 현저합니다. 에스트로겐이 자궁 세포를 증식 시키는 작용에는 자궁 내막 상피 세포와 간질 세포의 상호작용이 필요하며, 간질 세포에 발현하는 ERα가 중요합니다. ERα는 상피 성장 인자(epidermal growth factor, EGF), 인슐린양 성장 인자-1(insulin-like growth factor-1, IGF-1), 간세포 성장인자(hepatocyte growth factor, HGF), 케라티노사이트 증식인자(keratinocyte growth factor, KGF), 섬유아세포 증식 인자(fibroblast growth factor, FGF), 형질전환 증식인자-α (transforming growth factor-α, TGF-α)를 통해 자궁 내막 상피 세포를 증식시키는 것으로 생각되고 있습니다.

피부

장기간에 걸친 자외선 조사 등의 영향으로 나이가 들면서 피부 탄성이 저하되어 주름이 증가하고, 상피와 진피가 모두 얇아지지만 에스트로겐 보충은 이것을 개선합니다. 노화에 따라 피부 창상 치유가 지연되며, 70세를 넘으면 상피의 ERβ가 현저히 감소하므로 적절한 ERβ 자극은 항염증 작용으로 창상 치유를 개선한다는 마우스를 이용한 실험 결과가 있습니다.[4] 실제로 호르몬 보충요법에 의한 하지 궤양 감소 보고도 있습니다.

방광

폐경기 이후 성기, 요로계의 현저한 위축성 변화(vulvovaginal atrophy)가 에스트로겐 투여에 의해 개선됩니다. 에스트로겐은 요도 점막의 영양 상태를 개선하고, 요도 벽 두께를 증가시키므로 폐경 후 여성에서 복압성 요실금에 국소 투여하여 효과를 나타내는 것으로 알려졌습니다.

（平池 修, 大須賀穰）

━━━━━━━━━━━━━━━━━━ 문헌 ━━━━━━━━━━━━━━━━━━

1) Sluijmer AV, et al: Relationship between ovarian production of estrone, estradiol, testosterone, and androstenedione and the ovarian degree of stromal hyperplasia in postmenopausal women. Menopause 1998; 5: 207-10.

2) Vina J, Sastre J, et al: Modulation of longevity-associated genes by estrogens or phytoestrogens. Biological chemistry 2008; 389: 273-7.

3) Bayne S, et al: Estrogen deficiency reversibly induces telomere shortening in mouse granulosa cells and ovarian aging in vivo. Protein & cell 2011; 2: 333-46.

4) Campbell L, et al: Estrogen promotes cutaneous wound healing via estrogen receptor beta independent of its antiinflammatory activities. The Journal of experimental medicine 2010; 207: 1825-33.

5) Craig, ZR, Wang W et al: Endocrine-disrupting chemicals in ovarian function: effects on steroidogenesis, metabolism and nuclear receptor signaling. Reproduction 2011; 142: 633-46.

② 에스트로겐과 안티에이징

여성호르몬 에스트로겐에 의한 여성의 심신 보호작용은 잘 알려져 있습니다. 에스트로겐 수용체(estrogen receptor, ER)에는 ERα와 ERβ의 2 종류가 있으며, ER은 난소, 자궁, 유선과 생식기 이외의 전신에 분포되어 에스트로겐 변동이 여성의 심신에 변화를 주는 원인의 하나가 됩니다. 따라서 안티에이징에 에스트로겐이 매우 중요하다고 생각하며, 실제로 에스트로겐의 주된 분비 조직인 난소를 적출한 폐경 모델 마우스에 난소 이식에 의한 수명 연장 보고가 있습니다.[1] 50세의 폐경 이후에 성 성숙기의 1/10 이하로 저하되는 에스트로겐에 의해 나타나는 증상의 예방, 치료를 위한 호르몬 요법(hormone therapy, HT) 시행은 효과가 있습니다.[2] 여기서는 노화와 관련된 신체 기능에 대한 HT의 개선 효과를 통한 안티에이징에 대해 알아 봅니다.

▌안티에이징의 관점에서 에스트로겐의 효과

HT는 갱년기 장애, 골다공증, 이상지질혈증에 시행하고 있으며 이들에 대해 에스트로겐은 효과가 있습니다. 이런 질환 이외의 상태에도 효과가 있다고 알려졌습니다.

운동기(뼈, 근육 등)에 대한 효과

폐경후 골다공증의 치료 효과는 비스포스포네이트(bisphosphonate)가 등장하기 전까지 HT가 표준이었습니다. 실제로 HT에 의해 연간 6%의 골량 증가를 볼 수 있습니다.[3] 골다공증에서 골절을 일으키는 원인이 되는 낙상방지를 위해 근력과 균형력 유지가 필요하며 HT는 대퇴 사두근의 근육량을 증가시켰습니다.[4] 또한 일란성 쌍둥이 연구에서 HT 시행으로 수직 뛰기나 최대 보행 속도의 유의한 개선이 보고되었습니다.[5] HT는 최근 문제가 되고 있는 운동기 장애에 예방 가능성이 있습니다.

대사 효과

HT는 LDL-콜레스테롤, LP(a)를 저하시키고, HDL-콜레스테롤을 증가시키는 지질대사 개선 작용이 있습니다. 또한 혈관 내피 기능 개선, 혈관 확장, 접착인자 발현 억제 등의 작용으로 동맥경화 방지 작용이 있습니다.[6] HT의 대사증후군에 대한 메타분석에서(그림 1), 허리둘레 0.8%, 내장지방 6.8%를 감소시켰습니다.[7] 신규 당뇨병 발생 위험도(HR) 0.79로 약 20% 저하시킨 RCT 보고[8]나 CKD 오즈비(OR) 0.66으로 약 35% 저하시킨 전향적 코호트 연구가 있습니다.[9]

항산화 작용

지질대사에 대한 에스트로겐의 항산화 작용이 알려졌으며, LDL 입자의 산화 시작 시간의 지연이나 항산화능 상승 보고가 있습니다(그림 2).[10,11] 항산화가 안티에이징과 밀접한 관계에 있다는 것은 잘 알려져 있으며 에스트로겐의 안티에이징 작용이 기대 됩니다.

뇌신경계(기분, 신경보호, 치매, 수면 등) 효과

HT의 갱년기 우울 증상 개선이 알려져있습니다.[3] 에스트로겐의 항산화 작용, 항염증 작용, 항세포자멸사 작용 등에 의한 신경 보호 효과가 있으며, in vitro 실험에서 축색 변성이나 신경세포 세포자멸사 억제가 보고되었습니다.[12,13] 또한 콜린 작동계 뉴런이나 기억에 중요한 역할을 수행하는 해마에도 영향을 줍니다. 그러나 에스트로겐 투여 즉 HT에 의한 기억 등 인지 기능 개선에는 논란이 있어 의견 일치가 없습니다. 그러나 적어도 악화시키지는 않는다고 생각합니다.

불면은 삶의 질에 크게 영향을 주며, 7시간의 수면 보다 짧거나 길면 사망률이 높아지는 것이 보고되어,[14] 수면의 양과 질의 개선은 중요합니다. HT는 야간 각성이나 재입면 곤란을 감소시켜 수면을 개선하는 것으로 알려졌습니다.[15]

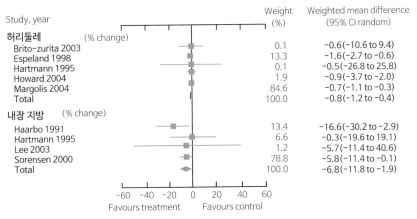

그림1 HT의 대사증후군의 효과

Study, year	Weight (%)	Weighted mean difference (95% CI random)
허리둘레 (% change)		
Brito-zurita 2003	0.1	-0.6(-10.6 to 9.4)
Espeland 1998	13.3	-1.6(-2.7 to -0.6)
Hartmann 1995	0.1	-0.5(-26.8 to 25.8)
Howard 2004	1.9	-0.9(-3.7 to -2.0)
Margolis 2004	84.6	-0.7(-1.1 to -0.3)
Total	100.0	-0.8(-1.2 to -0.4)
내장 지방 (% change)		
Haarbo 1991	13.4	-16.6(-30.2 to -2.9)
Hartmann 1995	6.6	-0.3(-19.6 to 19.1)
Lee 2003	1.2	-5.7(-11.4 to 40.6)
Sorensen 2000	78.8	-5.8(-11.4 to -0.1)
Total	100.0	-6.8(-11.8 to -1.9)

(문헌7에서 인용)

피부에 대한 효과

생식기가 아닌 에스트로겐의 가장 중요한 표적 장기는 피부이며, 그 작용은 분자생물학적으로 ER을 통하는 것으로 알려졌습니다. 에스트로겐은 조직의 수분 유지, 탄력성 유지, 혈류 개선, 분비선의 활성화 등의 작용에 관여합니다. HT 시행은 피부에서 콜라겐 양 유지, 피부 두께 유지, 수분 유지 작용, 탄력성 저하 지연, 창상 치유 과정의 작용을 나타냅니다.[17,18]

구강(치아, 치주병 등)에 대한 효과

고령자에서 남아 있는 치아 수는 식생활의 만족감뿐 아니라 평균 여명과 상관이 있는 것으로 알려졌으며,[19] 건강 장수를 위한 기본의 하나 입니다. HT는 골량을 증가시키며 턱뼈도 예외가 아닙니다. 또 치주병과 관련된 플라크 형성, 치주염 억제도 보고되었습니다.[20] 또한 폐경 후에는 타액 분비가 감소되어 구강 건조증을 일으키며, HT에 의한 이 증상이 회복되었으며[21], 이런 작용의 복합으로 치아 수 유지에 관여 합니다. 자신의 치아가 전혀 남지 않았을 때 의치 사용 위험도가 HT 시행자에서 저하되어,[22] 안티에이징에 연결된다고 생각할 수 있습니다.

그림2 HT에 의한 항산화능의 변화

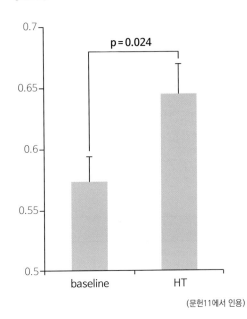

항산화능

(문헌11에서 인용)

악성 종양에 대한 영향

에스트로겐에 의한 발암 위험을 우려하기 쉽지만, HT에 의한 유방암 위험은 5년 미만 시행에서는 위험 상승이 없으며, 5년 이상의 시행에서 상승하는 위험은 지방질 섭취나 비만, 알코올 섭취 같은 생활 습관 관련 인자에 의한 위험 상승보다

※역자 주:

• HT: hormone therapy

HT 시행자의 전체 악성종양 이환과 종양 사망의 위험

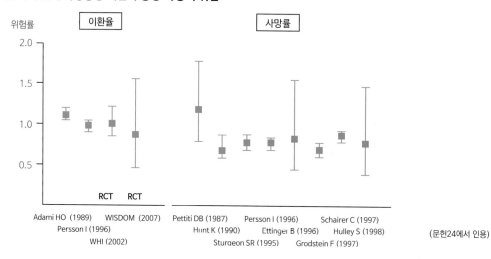

(문헌24에서 인용)

사망률에 미치는 HT의 영향

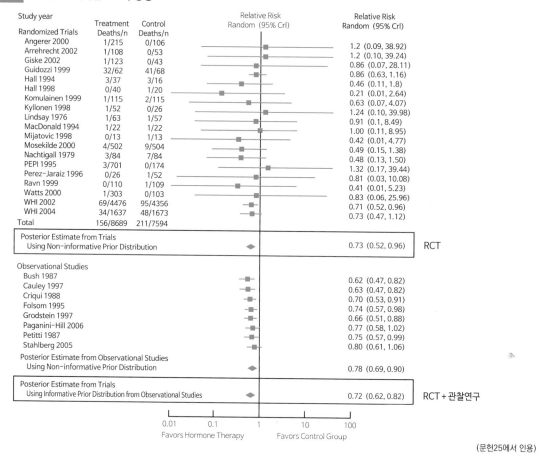

(문헌25에서 인용)

낮다는 의견 일치가 있습니다.[2] 한편 대장암[2]이나 위암[23]은 HT에 의한 위험 감소도 있어 전체 악성 종양에 대한 이환율과 사망률은 대조군과 차이가 없거나, 반대로 HT 시행군에서 낮았습니다 (그림 3).[24]

마지막으로

에스트로겐의 안티에이징 효과를 HT 시행에 의한 심신 변화로 설명했습니다. 이런 바람직한 변화에 동반하여, HT 시행자에서 사망률이 약 30% 저하되었습니다(그림 4).[25] 또한 HT 시행 기간이 늘어난 만큼 총 사망률이 저하된다는 보고도 있어,[26] 에스트로겐은 여성에서 안티에이징의 열쇠라고 해도 과언이 아닙니다.

(高松 潔)

문헌

1) Cargill SL, Carey JR, et al: Age of ovary determines remaining life expectancy in old ovariectomized mice. Aging Cell 2003; 2(3): 185-90.

2) 日本産科婦人科学会・日本女性医学学会: ホルモン補充療法ガイドライン2012年度版. 日本産科婦人科学会, 東京, 2012.

3) Mizunuma H, Taketani Y, et al: Dose effects of oral estradiol on bone mineral dinsity in Japanese women with osteoporosis. Climacteric 2010; 13(1): 72-83.

4) Taaffe DR, Sipilä S, et al: The effect of hormone replacement therapy and/or exercise on skeletal muscle attenuation in postmenopausal women: a yearlong intervention. Clin Physiol Funct Imaging 2005; 25(5): 297-304.

5) Ronkainen PH, Kovanen V et al: Postmenopausal hormone replacement therapy modified skeltal muscle composition and function: a study with monozygotic twin pairs. J Appl Physiol 2009; 107(1): 25-33.

6) Stampfer MJ, Colditz GA, et al: Postmenopausal estrogen therapy and cardiovascular disease : Ten-year follow-up from the Nurses' Health Study. N Engl J Med 1991; 325(11): 756-62.

7) Salpeter SR, Walsh JM, et al: Meta-analysis: effect of hormone-replacement therapy on components of the metabolic syndrome in postmenopausal women. Diabetes Obesity Metabol 2006; 8(5): 538-54.

8) Margolis KL, Bonds DE, et al: Women's Health Initiative Investigators : Effect of estrogen plus progestin on the incidence of diabetes in postmenopausal women: results from the Women's Health Initiative Hormone Trial. Diabetologia 2004; 47(7): 1175-87.

9) Fung MM, Poddar S, et al: A cross-sectional and 10-year prospective study of postmenopausal estrogen therapy and blood pressure, renal function, and albuminuria: tha Rancho Bernardo Study. Menopause 2011; 18(6): 629-37.

10) Sack MN, Rader DJ, et al: Oestrogen and inhibition of oxidation of low-density lipoproteins in postmenopausal women. Lancet 1994; 343(8892): 269-70.

11) Darabi M, Ani M, et al: Effect of hormone replacement therapy on total serum anti-oxidant potential and oxidized LDL/ β 2-glycoprotein I complexes in postmenopausal women. Endocrine J 2010; 57(12): 1029-34.

12) Sribnick EA, Wingrave JM, et al: Estrogen as a neuroprotective agent in the treatment of spinal cord injury. Ann NY Acad Sci 2003; 993: 125-33.

13) Samantaray S, Smith JA, et al: Low dose estrogen prevents neuronal degeneration and microglial reactivity in an acute model of spinal cord injury: effect of dosing, route of administration, and therapy delay. Neurochem Res 2011; 36(10): 1809-16.

14) Tamakoshi A, Ohno Y: JACC Study Group: Self-reported sleep duration as a predictor of all-cause mortality: results from the JACC study, Japan. Sleep 2004; 27(1): 51-4.

15) Tranah GJ, Parimi N, et al: Postmenopausal hormones and sleep quality in the elderly: a population based study. BMC Women's Health 2010; 10: 15.

16) Brincat M, Moniz CJ, et al: Long-term effects of the menopause and sex hormones on skin thickness. Br J Obstet Gynaecol 1985; 92(3): 256-9.

17) Hall GK, Philips TJ: Skin and hormone therapy. Clin Obstet Gynecol 2004; 47(2): 437-49.

18) 落合信彦, 矢野喜一郎, ほか: 更年期前後における皮膚状態の変化とHRTの効果について. 日本更年期医学会雑誌 2000; 8(1): 33-40.

19) Fukai K, Takiguchi T, et al: Dental health and longevity. Geriatr Gerontol Int 2010; 10(4): 275-6.

20) Norderyd OM, Grossi SG, et al: Periodontal status of women taking postmenopausal estrogen supplementation. J Periodontol 1993; 64(10): 957-62.

21) Niedermeier W, Huber M, et al: Significance of saliva for the denture-wearing population. Gerodontology 2000; 17(2): 104-18.

22) Paganini-Hill A : The benefits of estrogen replacement therapy on oral health. The Leisure World cohort. Arch Intern Med 1995; 155(21): 2325-9.

23) Camargo MC, Goto Y, et al: Sex hormones, hormonal interventions, and gastric cancer risk: a meta-analysis. Cancer Epidemiol Biomarkers Prev 2011; 21(1): 20-38.

24) 高松 潔, 小川真里子, ほか: 日本人におけるHRTと乳癌以外の悪性腫瘍. 日本更年期医学会雑誌 2009; 17(1): 84-93.

25) Salpeter SR, Cheng J, et al: Bayesian meta-analysis of hormone therapy and mortality in younger postmenopausal women. Am J Med 2009; 122(11): 1016-22, e1.

26) Paganini-Hill A, Corrada MM, et al: Increased longevity in older users of postmenopausal estrogen therapy: the Leisure World Cohort Study. Menopause 2006; 13(1): 12-8.

③ 여성 의학; 청년기의 질환은 노년기에 어떻게 영향을 줄까?

여성 의학이란?

여성 의학은, "여성의 삶의 질 향상을 목적으로, 여성에 특이한 심신(心身) 관련 질환을 주로 예방적 관점에서 보는 산부인과 진료 분야"로 정의합니다.[1] 출산율 저하, 만혼화, 근로 여성 증가와 같은 사회 구조 변화와 치료 의학에서 예방의학으로 전환, 전문성의 다양화와 급진화, 여성 의사 증가에 따라 의사에게 새로운 근무 형태 추구라는 의료를 둘러싼 환경 변화를 배경으로 건강 수명 연장을 목표로 하는 여성 의학이 발전하고 있습니다.

과거 산부인과학은 전문 영역으로 부인과 종양학, 주산기 의학, 생식 내분비학 등의 분야가 있었습니다. 이런 분야는 여성을 진료 대상으로 하는 공통적 연결이 있으나, 여성의 토탈 헬스케어라는 시점에서는 유감스럽지만 동떨어져 있었습니다. 예를 들어, 불임증을 전문으로 하는 의사는 임신에는 심혈을 기울이지만 그 결과로 다태 임신이 된 경우에 중요한 주산기 문제에는 크게 관심이 없었으며, 또 종양 전문의는 악성 종양 수술 후 재발 예방에 세심한 주의를 기울이나 난소절제 후 여성의 건강 문제는 뒷전으로 밀려 있었습니다. 그러나 여성 의학에서는 산부인과와 관련된 모든 영역을 유기적으로 연결하여 여성에게 특이한 질환을 청년기에서부터 노년기까지 취급하게 됩니다. 그리고 이벤트가 발병하고 나서 치료하는 것이 아니라 건강 교육, 예방 의료를 주축으로 개개인의 수준에서 여성의 병태를 파악하여 장기적으로 진료하는 것이 특징입니다.

여성 의학의 기본

여성에 특이한 질환의 대부분은 여성 호르몬(에스트로겐)과 관련이 있으며, 여성 의학의 실천을 위해서는, 여성에 고유한 생리 기능, 여성 생애 주기의 특징과 그 단계에 특징적 질환, 여성 호르몬의 생리 작용, 약리 작용이나 여성 호르몬 결핍 증상 등에 대한 이해가 필요합니다.

에스트로겐 작용 항진으로 자궁근종, 유방암, 자궁체부암 등이 생길 수 있으며, 반대로 에스트로겐 작용 고갈은 갱년기 장애, 골다공증, 이상지질혈증 등을 일으킵니다. 전자는 생식 연령에 있는 여성에서, 후자는 폐경 후 고령에게 나타나는 질환이며, 생애 주기에 따른 에스트로겐 변동과 관계가 있습니다(그림 1). 생식 연령기에 충분한 에스트로겐 분비가 없으면 에스트로겐 결핍에 의한 다양한 변화(노화)가 젊은 나이에도 나타날 가능성이 있습니다. 고령 여성에서 나타나는 질환은 나이가 들어 갑자기 발생하는 급성기 질환이 아니며, 어느 정도의 잠복기를 두고 발병하는 만성 질환이라고 할 수 있을 것입니다. 다시 말해서 청년기에 제대로 관리하면, 노년기의 질병 발생 예방이 가능하며, 건강 수명을 연장하여 생명 예후를 개선할 수 있다는 것입니다.

젊은 시절 건강이 노년기에 영향을 준다

월경 이상

월경 이상, 배란 장애 환자의 일부에서 다낭성 난소 증후군(polycystic ovarian syndrome, PCOS) 병태가 있으며, 인슐린 저항성을 배경으로 비만, 당뇨병 등의 생활 습관병 위험이 증가합니다. PCOS 병력이 있으면 45세 이후에 고혈압 위험이 약 1.8배 높아지고, 45세 미만의 당뇨병 위험은 약 3배 높아집니다.[2] 이 질환은 장기적 무배란으로 황체 호르몬 분비를 동반하지 않는 에스트로겐 자극 상태가 되어 잠재적 자궁내막암 위험이 있습니다. 월경 주기가 40일 이상인 희발 월경 환자는 2형 당뇨병 발생의 상대 위험이 2.4배 높다는 보고가 있습니다.[3]

사춘기 여성의 연간 골밀도 증가율은 11~14세에 가장 크며, 뼈에 따라 최대 골량에 도달하는 시기가 다르지만, 적어도 10대 후반에 최대 골량이 된다고 생각합니다. 폐경기에 골량을 10% 증

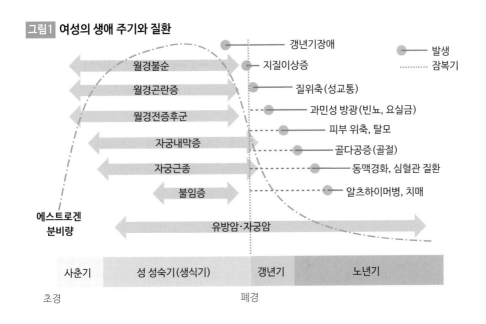

그림1 여성의 생애 주기와 질환

갱년기장애

지질이상증

질위축(성교통)

과민성 방광(빈뇨, 요실금)

피부 위축, 탈모

골다공증(골절)

동맥경화, 심혈관 질환

알츠하이머병, 치매

발생

잠복기

월경불순

월경곤란증

월경전증후군

자궁내막증

자궁근종

불임증

유방암·자궁암

에스트로겐
분비량

| 사춘기 | 성 성숙기(생식기) | 갱년기 | 노년기 |

초경　　　　　　　　　　폐경

가시켜도 골다공증이 되는 연령을 2년 밖에 늦출 수 없지만, 사춘기에 최대 골량을 10% 늘리면 골다공증이 되는 연령은 13년 늦출 수 있습니다.[4] 이렇게 중요한 사춘기에 무월경이 되면 에스트로겐 결핍으로 골량이 저하되어 충분한 최대 골량에 도달하지 않습니다. 무월경기가 길수록 또 속발성 무월경(정상이던 월경이 3개월 이상 중지된 상태)보다 원발성 무월경(18세에도 초경이 없는 상태)에서 골량이 더 낮습니다. 심하게 마르는 신경성 식욕부전증은 무월경이 반드시 동반되며 에스트로겐 결핍뿐 아니라 저체중도 골량 저하의 중요한 요인이 됩니다. 그 밖에 무월경을 일으키는 병태로 조발성 난소 부전, Turner 증후군, 과도한 운동, 소아 암 치료(방사선 치료, 항암제 투여, 외과적 절제 등)에 의한 2차성 난소 장애가 있습니다.

임신 중 합병증

임신 당뇨병은 2형 당뇨병으로 진행할 가능성이 높으며, 임신 고혈압 증후군은 그 후 고혈압이나 이상지질혈증이 나타날 위험이 있습니다. 즉 어떤 임신 합병증에서도 심혈관 질환이 발생할 위험이 높아집니다. 임신 후 골다공증(pregnancy and lactation−associated osteoporosis, PLO)은 많

지 않지만 임신 후기, 산욕기에 요통을 호소하거나 척추 압박 골절이 주 병변인 질환입니다. 임신 전부터 불현성 골다공증이 있다가 칼슘 요구 증가에 의해 나타나며, 부갑상선 호르몬(parathyroid hormone, PTH)이나 부신피질 호르몬 상승에 의해 골량 감소가 촉진되고, 운동 부족이나 임신, 육아에 동반한 요추에 부하량 증가 등을 발생 기전으로 생각하고 있습니다.

자궁 내막증

젊은 여성에서 월경 곤란증을 주소로 흔히 진단되는 만성질환 입니다. 골반 복막염의 위험 인자로 중요하고 자궁내막증성 난소낭포는 악성화 가능성이 있어 폐경 후 엄격한 추적이 필요합니다.

（望月善子）

━━━━━━━━━━━━━━ 문헌 ━━━━━━━━━━━━━━

1) 日本産科婦人科学会編: 産科婦人科用語集・用語解説集改訂第3版. 日本産科婦人科学会 2013.

2) 倉林 工: 幼少期の高アンドロゲン環境とインスリン抵抗性からみたPCOSの病因および管理に関する検討. 日産婦誌 2013; 65: 2721.

3) Solomon CG, Hu F, et al: Long or highly irregular menstrual cycles as a marker for risk of type 2 diabetes mellitus. JAMA 2001; 286: 2421.

4) Hernandez CJ, Beaupré GS, et al: A theoretical analysis of the relative influences of peak BMD, age-related bone loss and menopause on the development of osteoporosis. Osteoporos Int 2003; 14: 843-7.

④ 난자 노화와 안티에이징; 생식 의학 분야에서 노화와 안티에이징

노화의 난자에 대한 영향

보조생식술(assisted reproductive technologies, ART)(체외수정, 미세수정 등의 총칭)에서는 여성 연령 35세 이상이면 임신율 저하와 유산율 증가가 있다고 말합니다. 이것은 나이가 들면서 나타나는 난자의 염색체 이상이나, 배아 발육 부진이 그 원인이라고 생각되며, 최근 난자의 노화가 관심을 끌고 있습니다.

난소의 난자 수(원시 난포)는 태아기(임신 5개월 경)에 최고 숫자에 이르고 점차 감소하며, 폐경에 이르기까지 증가하지는 않습니다(그림 1). 그리고 태아기에서 배란까지 몇 년간 제 1감수분열 전기의 중간에 세포 주기가 정지되어 있으며, 난자는 여성의 나이가 들면서 질이 저하되어 간다고 생각할 수 있습니다. 이런 난자 질의 저하를 난자의 노화라고 말합니다.

난자 노화와 미토콘드리아 기능

난자 노화의 원인으로 미토콘드리아 기능 저하를 추정하고 있습니다. 최근 고령 마우스를 이용한 실험에서 칼로리 섭취 제한으로 배란 유발 자극에 대한 난자 획득 수 회복뿐 아니라 난자의 염색체 이상률 저하가 보고되었습니다.[1] 이것은 칼로리 섭취 제한이 노화에 동반하는 난세포 내 방추체, 염색체의 정렬 혼란이나 미토콘드리아 응집을 방지하기 때문이라고 생각합니다. 이와 반대로 고지방식을 투여한 마우스에서는 난세포 내 미토콘드리아 기능 장애를 일으켜서 난포에서 난자를 둘러싸는 과립막 세포의 세포자멸사 증가를 볼 수 있습니다.[2] 또 과립막 세포의 소포체 스트레스 반응 유전자 *ATF4* 발현이 고지방식 투여 마우스나 비만, 불임 환자에서 증가하는 것도 보고되었습니다.[2] 이와 같이, 난자 노화에 동반한 생화학적 변화는 대사이상에 의한 변화와 비슷하

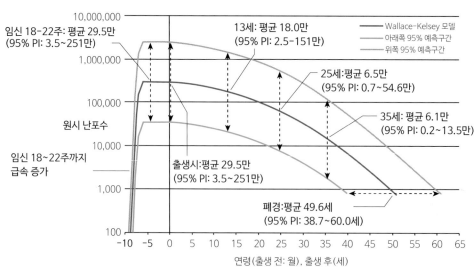

그림1 **연령 증가에 따른 원시 난포 수의 감소**

나이 듦에 따라 난소 안의 원시 난포 수가 감소하여 일정 수 이하에 이르면 폐경이 된다. 원시 난포 수는 개인 차가 커서 폐경 연령에는 약 20년의 개인 차가 있다.

임신 18-22주: 평균 29.5만
(95% PI: 3.5~251만)

13세: 평균 18.0만
(95% PI: 2.5-151만)

── Wallace-Kelsey 모델
── 아래쪽 95% 예측구간
── 위쪽 95% 예측구간

25세:평균 6.5만
(95% PI: 0.7~54.6만)

35세: 평균 6.1만
(95% PI: 0.2~13.5만)

원시 난포수

임신 18~22주까지 급속 증가

출생시:평균 29.5만
(95% PI: 3.5~251만)

폐경:평균 49.6세
(95% PI: 38.7~60.0세)

연령(출생 전: 월), 출생 후(세)

(문헌1에서 인용)

며, 원시 난포를 활성화하는 포유류 라파마이신 표적 단백(mammalian target of rapamycin, mTOR)이 영양 상태의 영향을 받기 때문이라고 생각합니다.[3] 한편 젊은 공여자의 난자에서 채취한 소량의 난세포질을 수정에 실패한 난자에 주입하여 ART 성공률이 개선되었다는 보고가 1990년대에 있었으며, 미토콘드리아 기능이 개선되었다고 생각했습니다. 그러나 다른 사람의 난세포질 이식은 다른 사람의 미토콘드리아 DNA를 자손에게 전달할 수 있어 미국 FDA는 이를 금지시켰습니다. 따라서 현재는 다른 사람의 미토콘드리아를 이용하지 않는 미토콘드리아 기능 개선을 시도하고 있습니다. 예를 들어 생체의 지질 대사에 관여하는 비타민 유사 물질인 L-카르니틴을 배양액에 첨가하면 마우스의 미성숙·미수정란에서 방추체 형성 불량이나 미토콘드리아 응집이 억제되어 동결, 체외 성숙, 수정 후 배 발육 개선이 보고되었습니다.[4] 또 미토콘드리아에서 전자 전달계의 필수 인자인 코엔자임 Q10 (CoQ10)를 고령 마우스에 투여하여 배란 개선과 난자에 미토콘드리아 수나 ATP 생산이 개선되었다는 보고도 있습니다.[5] 그러나 어떤 시도도 사람에서 효과는 확립되지 않았습니다.

난자 노화에 대한 생식 의료

앞에서 설명한 대로 현재 난자 노화 자체에 대한 치료나 예방법은 확립되지 않았기 때문에 현실적 대책은 젊었을 때 자신의 미수정란을 동결 보관해 두는 방법이 주목받고 있습니다. 난자 동결 이외에도 난소 동결이나 난자 줄기세포 등을 이용한 생식 의료도 앞으로 발전을 기대하고 있습니다.[6]

외국에서는 난자 뱅킹에 의한 난자 동결을 이용한 출산이 이미 수천 건에 이르고 있습니다. 미국 생식 의학회나 영국 국립 의료기술 평가기구는 유리화 동결법(vitrification)에 의해 동결 융해한 난자의 수정률, 임신율이 신선 난자와 같으며, 동결 융해 난자를 이용한 ART로 태어난 아이의 염색체 이상, 선천 이상, 발육 장애 증가가 없었습니다. 따라서 난자 동결 보존은 임상 연구가 없지만 효과적이고 안전한 임상 기술이라는 지침을 발표했

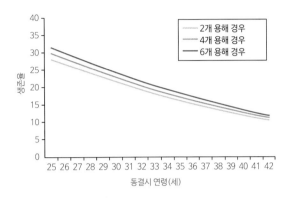

그림2 난자 동결시의 연령과 생존율

2003년부터 2010년까지 보고된 유리화 동결 보존 난자의 성적에서 산출했다. 최근 동결 보존술의 발전으로 생존율 상승이 기대되고 있다.

(문헌8에서 인용)

습니다.

이런 해외 동향에 따라 일본 생식 의학회도 "사회적 적응에 의한 미수정란 또는 난소 조직의 동결 보존 지침"[7]을 발표했습니다. 여기서는 40세 이상은 채취를 권고하지 않으며, 45세 이상은 동결 난자 사용을 권고하지 않습니다. 또한 시설, 설비, 인원, 진료 체제, 등록과 보고 등 시행 시설의 요건에 대해서도 정해져 있습니다.

그러나 이런 예방적 난자 동결 보존의 안전성, 임상 성적, 비용 대비 효과, 심리적 영향 등에 대한 보고는 부족하기 때문에 과잉 기대를 주면 안 되며, 임신을 늦추는 것을 조장 하지 않아야 하고, 연령이나 기관의 성적을 충분히 설명하는 것이 중요합니다. 그림 2는 동결시 연령과 동결 난자에 의한 생산율(유산이 되지 않고로 태어날 확률)입니다.

(高井 泰)

|||||||||||||||||||||||||||||||||||| 문헌 ||||||||||||||||||||||||||||||||||||

1) Selesniemi K, Lee HJ, et al: Prevention of maternal aging-associated oocyte aneuploidy and meiotic spindle defects in mice by dietary and genetic strategies. Proc Natl Acad Sci USA 2011; 108: 12319-24.

2) Wu LL, Dunning KR, et al: High-fat diet causes lipotoxicity responses in cumulus-oocyte complexes and decreased fertilization rates. Endocrinology 2010; 151: 5438-45.

3) Nelson SM, Telfer EE, et al: The ageing ovary and uterus: new biological insights. Hum Reprod Update 2013; 19: 67-83.

349

4) Moawad AR, Xu B, et al: l-carnitine supplementation during vitrification of mouse germinal vesicle stage-oocytes and their subsequent in vitro maturation improves meiotic spindle configuration and mitochondrial distribution in metaphase II oocytes. Hum Reprod 2014; 29: 2256-68.

5) Bentov Y, Casper RF: The aging oocyte—can mitochondrial function be improved? Fertil Steril 2013; 99: 18-22.

6) 高井　泰：がん・生殖医療の現状と展望. 女性悪性腫瘍症例に対する配偶子凍結保存の実際. 産科と婦人科 2014; 81: 1175-82.

7) 日本生殖医学会倫理委員会: 社会的適応による未受精卵子あるいは卵巣組織の凍結・保存のガイドライン. 2013: http://WWW.jsrm.or.jp/guideline-statem/guideline_2013_02.pdf.

8) Cil AP, Bang H, et al: Age-specific probability of live birth with oocyte cryopreservation: an individual patient data meta-analysis. Fertil Steril 2013; 100: 492-9 e493.

⑤ 난자 노화의 안티에이징; 불임 치료

1983년 세계 최초로 체외 수정에 의한 출생 성공 후 보조생식술(assisted reproductive technologies, ART)이 전세계에 널리 보급되었습니다. 일본 산부인과학회의 ART 등록 보고에 의하면, 2012년에 연간 326,426 주기의 치료를 시행하여 37,953명의 아이가 출생했습니다.[1] 일본의 2013년 출생아는 1,029,816명 이므로 27명 중 1명은 이런 기술에 의한 출생입니다.

여성의 사회 진출에 따라 결혼 지연과 초산 연령이 상승하고 있습니다. ART 치료를 받는 환자 수는 매년 증가하고 있으며 특히 40세 이상에서 현저히 증가하고 있습니다(그림 1). 그러나 연령별 출생률은 수년 동안 큰 변화가 없습니다(그림 2).

나이가 들면서 수태 가능성 저하에 따라 ART를 피할 수 없으나 치료 주기에 임신율을 올리기 위한 목적으로 ART를 이용하는 일도 있습니다. 실제로 연령별 ART에 의한 출생아 비율은 연령에 따라 높아지며, 30~34세 2.39%, 35~39세 6.83%, 40~44세 15.58%, 45~49세 25.11%였습니다.

▌모체 연령에 따른 난자 노화

난자 노화에는 maternal aging(모체 노화)와 post ovulatory aging(배란 후 노화)가 관여하며 연령 증가에 따른 수태 저하는 전자에 의합니다. 이에 대한 분자생물학적 기전은 아직 불명한 부분이 많습니다. 현재 알려진 것은 모체의 연령 증가에 따라 수정란의 염색체 이상률이 올라가고 난소 기능 저하에 따라 성선자극 호르몬이 높아져 난포 발육 불량이 관계 있다고 합니다.

수정란의 염색체 이상

태아 염색체에 이상과 관련하여, 최근 코히신(cohesin) 중합체가 감수 분열시 염색체 균등 분배에 필수적이라고 밝혀졌습니다.[2] 포유류의 난자는 코히신에 의해 유지되는 염색체 연결이 태아기에 완성되며 감수 분열시의 코히신은 출생 후에 재생되지 않습니다. 실제로 사람의 난세포에서 감수 분열시 코히신 양은 나이에 따라 감소하는 것이 알려졌으며, 노화에 따른 코히신 감소가 배수체 발생에 관여하는 것으로 생각합니다. 현

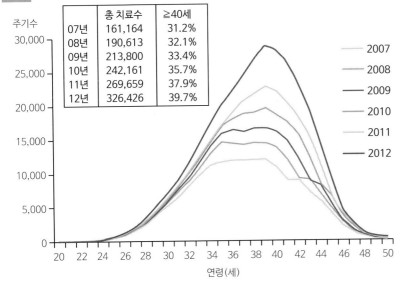

그림1 ART 치료 총 주기 수의 추이

	총 치료수	≥40세
07년	161,164	31.2%
08년	190,613	32.1%
09년	213,800	33.4%
10년	242,161	35.7%
11년	269,659	37.9%
12년	326,426	39.7%

2007
2008
2009
2010
2011
2012

(일본산부인과학회 HP. 등록 조사 소위원회 ART 온라인 등록 ART 데이터북 2007-2012년. http://plaza.umin.ac.jp/~jsog-art/에서 인용)

그림2 **연령별 치료당 출산율**

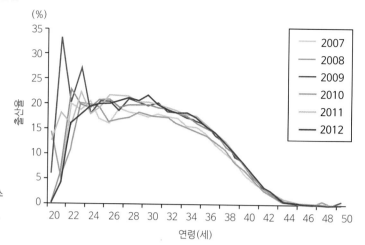

(일본산부인과학회 HP. 등록 조사 소
위원회 ART 온라인 등록 ART 데이
터북 2007-2012년. http://plaza.
umin.ac.jp/~jsog-art/에서 인용)

그림3 **고령 여성의 임신 저하**

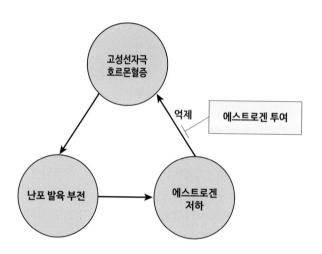

재 착상 전 진단으로 배수체 배아를 선별하여 이식을 피하는 것이 기술적으로 가능하지만, 배수체 배아의 발생 억제는 불가능하여 앞으로의 연구가 필요합니다.

성선자극 호르몬 증가

노화에 따른 내분비 환경의 변화는 뇌하수체의 성선자극호르몬 분비에 대한 난소 반응 불량, 난포 발육 부전에 의한 혈중 성선자극 호르몬 증가입니다. 고나도트로핀혈증은 글루타치온-S-전이효소 θ1(glutathione-S-transferase θ1, GST θ1) 발현을 증가시켜 c-AMP에 의한 steroidogenic acute regulatory (StAR) 발현 억제를 통한 스테로이드 형성(steroid-genesis)을 장애하여 난포 발육 부전을 일으킵니다.[3] 임상에서는 고나도트로핀 증가

→ 난포 발육 부전 → 에스트로겐 저하 → 고나도 트로핀 증가의 악순환을 개선하기 위해 에스트로겐의 지속 투여나 주기적 호르몬 보충을 시행하여 치료하고 있습니다(그림 3).

난자 노화 기전으로 텔로미어 길이 단축, 미토콘드리아와 산화 스트레스 증가 등을 주목하고 있으나 현재 임상 치료에 이용할 수 있는 성과가 없어 앞으로 이 분야의 발전이 기대됩니다.

(齊藤和毅 , 齊藤英和)

문헌

1) 日本産科婦人科学会平成25年度倫理委員会・登録・調査小委員会報告(2012年分の体外受精・胚移植等の臨床実施成績および2014年7月における登録施設名),日産婦誌 2014; 66: 2445-81.

2) Tsutsumi M, Fujiwara R, et al: Age-related decrease of meiotic cohesins in human oocytes. PLoS One 2014; 9, e96710.

3) Ito M, Muraki M, et al: Glutathione S-transferase theta 1 expressed in granulosa cells as a biomarker for oocyte quality in age-related infertility. Fertil Steril 2008; 9: 1026-35.

⑥ 여성호르몬 보충 요법의 실제

호르몬 요법(hormone therapy, HT)은 갱년기 장애 치료나 골다공증 예방 및 치료에 유용한 방법이며, 부수적 효과도 기대하고 있습니다. 국제폐경학회나 북미폐경학회의 권고나 공식 견해가 있으며,[1] 일본은 2009년 호르몬 보충 요법 지침을 출판했고, 2012년에 2판을 발간했습니다.[2]

HT 적응

① 에스트로겐 결핍에 의한 증상 완화나 질환 치료, ② 무증상 폐경 후 여성에서 에스트로겐 결핍에 의한 질환 위험 방지나 건강 관리를 목적으로 그림 1의 알고리즘에 따라 시행합니다.[2]

HT 금기와 신중 투여

HT 금기 및 신중 투여는 표 1과 같습니다. 비만 여성에서는 혈전증이나 유방암 위험이 높아지며, 60세 이상 또는 폐경 후 10년 이상이 된 폐경여성에 대한 신규 투여에서는 관상동맥 질환이나 정맥 혈전증 위험이 높아지므로 신중하게 투여합니다. 또 HT 시작 전에 당뇨병이나 고혈압 조절이 필요합니다.

호르몬 제의 종류와 특징

호르몬 제 사용의 기본

에스트로겐 결핍에 의한 갱년기 장애나 골다공증이 에스트로겐 보충의 기본 목적입니다. 그러

그림1 HT 적응과 관리 알고리즘

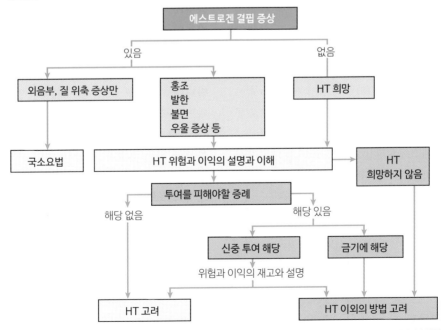

(일본산부인과학회, 일본여성의학학회 편집 · 감수, 호르몬 보충요법지침, 2012년판에서 인용)

※역자 주:

• HT: hormone therapy

표1 HT 금기 및 신중 투여 증례

금기 증례	신중 투여 또는 조건부로 투여 증례
• 중증 활동성 간질환 • 현재의 유방암 및 병력 • 현재의 자궁 내막암, 악성도가 낮은 자궁내막 간질육종 • 원인 불명의 부정 성기 출혈 • 임신이 의심되는 경우 • 급성 혈전성 정맥염 또는 정맥 혈전색전증과 그 병력 • 심근경색 및 관상동맥에 동맥경화성 병변의 병력 • 뇌졸중의 병력	• 자궁 내막암의 병력 • 난소암의 병력 • 비만 • 60세 이상 또는 폐경 후 10년 이상의 신규 투여 • 혈전증 위험 • 관상동맥 연축 및 미세혈관 협심증 병력 • 만성 간질환 • 담낭염 및 담석증의 병력 • 중증 고중성지방혈증 • 조절 불량 당뇨병 • 조절 불량 고혈압 • 자궁 근종, 자궁 내막증, 자궁 선근증 병력 • 편두통 • 경련 • 급성 포르피린증 • 전신성 홍반 루프스

(일본산부인과학회, 일본여성의학회 편집·감수, 호르몬 보충법지침, 2012년판에서 인용)

나 자궁이 있는 여성에게 에스트로겐 단독 투여는 자궁 내막 증식증이나 자궁내막암 위험이 증가하므로 황체 호르몬제 병용이 필요합니다. 자궁이 없는 여성은 에스트로겐제를 단독으로 사용합니다.

호르몬제의 종류

A. 에스트로겐제

에스트로겐제에는 경구제, 경피제, 질제가 있습니다.

경구제

① 에스트라디올(E_2제): 1정에 E_2 0.5 mg 함유

② 결합형 에스트로겐(CEE: 프레마린®)은 1정(0.625 mg)에 에스트론이나 에크린 등 약 10종의 에스트로겐 물질이 들어 있습니다.

③ 에스트리올(E_3): 생물 활성이 E_2보다 약한 에스트로겐제입니다.

경피제

① 패치제: E_2 0.72 mg 함유

② 겔제: 에스트로젤®은 1푸쉬에 0.54 mg의 E_2 함유

B. 황체 호르몬제

항체 호르몬제는 천연형과 합성형으로 나눌 수 있습니다. 합성형은 프레그난(pregnane)계와 에스트란(estrane)계/고난(gonane)계로 나눕니다. 천연

형은 발매되지 않고 있습니다. 프레그난계는 자궁내막 증식 억제 작용이 강하고 지질 대사나 당 대사에 큰 영향을 미치지 않습니다. 메드록시프로게스테론 초산 에스테르(MPA, 프로베라®)가 포함됩니다. 에스트란계/고난계는 프레그난계보다 자궁내막 증식억제 작용이 강하지만 안드로겐 작용이 있어 지질 대사나 당대사에 바람직하지 않은 영향을 나타낼 가능성이 있습니다. 노르에티스테론이나 레보노르게스트렐(LNG) 등이 포함됩니다. 천연형 프로게스테론의 입체 이성체인 디드로게스테론(듀파스톤®)은 지질 대사에 영향을 주지 않으며 다른 제제에 비해 인슐린 저항성을 개선하는 작용도 있습니다. 또 합성형에 비해 침윤성 유방암에 대한 영향이 적습니다.

C. 에스트로겐, 황체 호르몬 복합제

경피제로 메노에이드콘패치®, 경구제로 웨이르나라(Wellnara®)가 있습니다. 함유된 에스트로겐은 E_2이며, 황체 호르몬은 메노에이드콘비패치®는 초산 노르에티스테론(NETA), 웨이르나라®는 LNG가 들어 있습니다.

투여 경로에 의한 차이와 사용법

경피 투여는 간의 초회 통과 효과가 없어 중성지방이나 혈관 염증 지표 증가가 없으며 정맥 혈

전 색전증 위험을 높이지 않습니다. 체질량지수가 높은 여성에 CEE 투여는 정맥 혈전 색전증 발생이나 중성지방 증가를 일으키므로 비만이나 대사증후군이 있는 여성에게는 경피투여가 바람직합니다. 담낭 질환 위험은 경피제보다 경구제에서 높으며, 담석증이 있는 여성은 경피투여가 바람직합니다. C형 간염 여성은 간기능에 대한 영향을 생각하여 경피투여가 바람직합니다.

용량에 따른 효과 차이와 사용법

저용량으로 갱년기 장애 개선이나 골량 증가 효과가 있으며, 성기 출혈 등의 부작용을 줄인다는 근거가 있습니다. 그러나 지질 대사에 대한 근거는 확립되지 않았습니다. 저용량에서도 자궁내막에 영향을 고려하여 황체 호르몬제를 병용합니다.

투여 방법

에스트로겐제와 황체 호르몬제를 주기적으로 투여하여 정기적으로 출혈을 일으키는 주기적 투여법과 에스트로겐제와 소량의 황체 호르몬제를 지속적으로 투여하여 자궁 내막을 위축시켜 출혈을 일으키지 않게 하는 지속 투여법이 있습니다. 폐경 시작기에 정기적 출혈에 저항이 없으면 주기적 투여법을 고려합니다. 폐경 후 생식기 출혈을 싫어하면 지속 투여법을 고려합니다. 지속 투여법에서 처음 수개월간 불규칙한 출혈이 있으나 계속하면 서서히 감소합니다. 그러나 부정 출혈이 감소하지 않거나 증가하면 부인과 진료를 받습니다.

HT시행 전 검사 및 시행 중 검사

① 체중, 키 측정으로 BMI 계산
② 혈압 측정
③ 혈액검사, 혈구 계산, 생화학 검사(ALT, AST, LDH, 총 콜레스테롤 또는 LDL 콜레스테롤, 중성지방 HDL 콜레스테롤), 혈당 측정
④ 부인과 암 검진(내진, 초음파 검사, 자궁 경부 및 체부, 세포진)
⑤ 유방 검사(촉진 및 영상 진단)

혈액 응고 검사로 앞으로의 혈전증 발생을 예측하는 지표는 없습니다. 혈전증의 위험 인자인 비만이나 하지 정맥류 증례의 HT는 주의 깊은 관찰이 필요합니다. 심부 정맥 혈전증 발생은 HT 시작 초기 연도에 많아 투여 초기의 하지 통증이나 종창에 주의가 필요합니다.[3]

HT 시행 중에는 갱년기 장애 개선 정도나 성기 출혈, 유방통, 혈전증 유무를 문진합니다. 10일 이상의 장기 출혈이나 월경보다 다량의 출혈이 있으면 부인과 진료가 필요합니다. 연 1~2회 체중과 키, 혈압 측정, 혈액, 생화학 검사, 혈당 측정, 부인과 암 검진이나 유방 검사를 시행합니다.

HT를 얼마나 계속할까?

갱년기 장애가 치료 목적이면 갱년기 장애 소실까지라고 생각할 수 있으나, 에스트로겐 결핍에 의해 여성의 몸에 일어나는 다양한 영향을 생각하면 갱년기 장애가 소실되어도 계속할 의의가 있습니다. 갱년기 장애가 개선된 후에는 환자와 상의하여 결정합니다. 계속하는 경우는 막연히 계속하는 것이 아니라 몸 상태나 검사 결과를 보아 투여량을 포함하여 1년마다 재고합니다.

(安井敏之)

######## 문헌 ########

1) 安井敏之: 女性医学におけるHRTの位置づけ. 日産婦誌 2013; 65: 1293-304.
2) 日本産科婦人科学会・日本女性医学学会編・監: ホルモン補充療法ガイドライン2012年度版. 日本産科婦人科学会, 2012.
3) 安井敏之,ほか: 更年期におけるホルモン補充療法に必要な検査. 臨床検査 2011; 55: 293-7.

⑦ 여성 의료와 한방(漢方) 요법

여성의 일생에는, 월경, 임신, 갱년기, 폐경이라는 극적인 내분비 환경 변화가 있으며, 따라서 남성보다 심신 이상이 많다고 생각합니다. 한의학은 "몸과 마음은 하나"라는 생각에 근거한 치료 체계이며, 몸과 마음이 서로 영향을 준다는 입장을 근본으로 갱년기 진료에 옛부터 이용했습니다. 여기서는 여성의 안티에이징 시점에서 한방 치료를 설명합니다.

여성 한방의 특징

한의학은 서양 의학과 별개의 체계이며 여기서 모든 것을 해설하기는 불가능합니다. 기혈수의 개념은, 생체가 기, 혈, 수의 3 요소로 성립되었다는 생각이며, 각각은 신체를 순조롭게 만들고 있으며, 이런 균형이 무너지면 병이 든다는 생각입니다. 여성에서 월경 불순은 혈의 이상을 나타내는 병태를 생각하게 합니다. 혈허는 혈이 허한 상태이며 서양 의학적으로 빈혈에 동반된 증상이지만 반드시 빈혈일 필요는 없습니다. 피부 건조, 머리카락이 빠지기 쉬움 등의 증상이 동반됩니다. 어혈은 혈이 막힌 상태이며 갱년기 장애, 월경전 증후군, 기능성 월경 이상증 등의 병인으로 생각합니다. 오장의 개념은 오행설의 음양과 연결되며, 서양의학적으로는 받아 들이기 어렵지만, 진단과 처방 결정에는 그 일부를 이해하면 편리합니다. 특히 신은 생식 능력, 노화를 조정하는 장기로 생각하며, 안티에이징의 입장에서 중요한 개념입니다.

여성에게 사용하는 3대 처방

부인과 진료 지침에, 갱년기 장애 치료를 호르몬 보충 요법(HT), 한방 요법, 카운슬링 및 정신병약투여 등으로 치료법을 나누고 있습니다(그림 1).[1] HT는 자율 신경 증상(홍조)에, 한방 요법은 부정 수소에, 카운슬링 및 정신병약은 정신 신경 증상이 심한 경우에 사용합니다. 또 갱년기 장애의 한방 치료에는, 당귀작약산, 계지복령환, 가미소요산이 3대 처방으로 권고되고 있습니다. 이들은 어혈을 개선하는 치료제이며, 구성 생약을 알면 각 약제의 특징을 이해하기 쉽습니다(그림 2).

당귀 작약산(當歸芍藥散)

허증에 사용합니다. 증상으로 마르고, 피부가 희며, 냉기, 허약 체질, 두통, 현기증, 어깨 결림, 몸이 붓기 쉬움(부종 경향)을 특징으로 합니다. 창출, 택사, 복령 등 이뇨 작용이 있는 생약이 들

그림1 갱년기 장애의 한방요법의 위치

갱년기 장애 치료는?

Answer
- 홍조, 발한, 불면 등과 자율신경 증상이 주 증상인 경우에는 호르몬 보충요법 시행.
- 증상이 소위 부정 수소와 같은 다양한 증상을 호소하면 한방요법을 이용.
- 정신 신경 증상이 심하면 카운슬링과 정신병약 고려.

(문헌1에서 인용)

※역자 주:
- 부정 수소: 갱년기 유사증세, 일본 인기 TV드라마에서 유래한 말

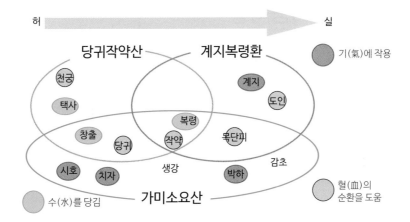

그림2 여성을 위한 3대 처방의 구성 성분

허 ➡️ 실

당귀작약산　　계지복령환

천궁

택사

계지

도인

복령

창출

당귀

작약

목단피

감초

시호

치자

생강

박하

기(氣)에 작용

혈(血)의 순환을 도움

수(水)를 당김

가미소요산

어 있습니다.

계지복령환(桂枝茯苓丸)

당귀작약산보다 실증에 사용합니다. 어혈 증상이 심하여, 증상으로 냉기에 따른 상기가 특징입니다. 가벼운 정신 신경 증상에 사용합니다.

가미소요산(加味逍遙散)

증상이 변동되는 부정 수소에 대한 대표 처방입니다. 혈관 운동 신경 증상과 전신 신경 증상이 복합된 증상에 사용합니다. 구성 생약은 시호, 박하, 산편자 등 기에 작용하는 생약이 들어 있습니다. 갱년기 여성에서 수면 장애 개선 효과가 우수한 결과가 보고되었습니다.[2]

보신제

팔미지황환(八味地黃丸)

남성 불임에 이용되므로 남성에 사용하는 한약

의 이미지가 있으나 본래는 성별에 관계없이 사용합니다. 하지 탈진감, 피로감, 사지의 냉감, 요통, 야간 빈뇨 사용합니다. 노화에 동반한 증상(신허) 전반에 사용됩니다. 골다공증 모델을 이용한 동물 실험에서 골량 증가 작용[3]이나 *in vitro*에서 근세포 증식 작용이 보고되었습니다.[3]

（武田 卓）

█████████████████ **문헌** █████████████████

1) 産婦人科診療ガイドライン・婦人科外来編2014. 日本産科婦人科学会・日本産婦人科医会編, 2014.

2) Terauchi M, Hiramitsu S, et al: Effects of three Kampo formulae: Tokishakuyakusan (TJ-23), Kamishoyosan (TJ-24), and Keishibukuryogan (TJ-25) on Japanese peri- and postmenopausal women with sleep disturbances. Arch Gynecol Obstet 2011; 284(4): 913-21.

3) Chen H, Wu M, et al: Combined treatment with a traditional Chinese medicine, Hachimi-jio-gan (Ba-Wei-Di-Huang-Wan) and alendronate improves bone microstructure in ovariectomized rats. Journal of ethnopharmacology 2012; 142(1): 80-5.

4) Takeda T, Tsuiji K, et al: Proliferative effect of Hachimijiogan, a Japanese herbal medicine, in C2C12 skeletal muscle cells. Clin Interv Aging 2015: 10; 445-51.

⑧ 여성 의료와 기능식품

중노년 여성에서 궁극적 안티에이징 치료로 이용하던 여성호르몬 요법이 2000년대에 들어와 문제가 되면서 기능식품의 중요성이 증가하고 있습니다. 여기서는 콩 이소플라본과 포도씨의 프로안토시아니딘에 대해 알아봅니다.

▌ 콩 이소플라본

이소플라본은 플라보노이드에 속하는 폴리페놀의 일종이며 항산화 작용 이외에 에스트로겐 수용체(estrogen receptor, ER)에 결합하여 작용제나

길항제로 작용합니다. ERα보다 ERβ에 친화성이 높으며, 이소플라본의 ER 결합능은 이소플라본 골격과 에스트로겐 구조의 유사성으로 설명됩니다(그림 1). 대표적 이소플라본으로 게니스테인(genistein), 다이제인(daidzein), 글리시테인 (glycitein) 등이 있습니다. 이들은 각각 전구체 게니스틴(genistin), 다이진(daidzin), 글리시틴 (glycitin)에서 장내 세균의 작용에 의해 당쇄가 제거되어(= 아글리콘화) 체내에 흡수되기 쉬운 상태가 됩니다. 다이제인이 장내 세균의 작용으로 활성

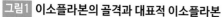

그림1 이소플라본의 골격과 대표적 이소플라본

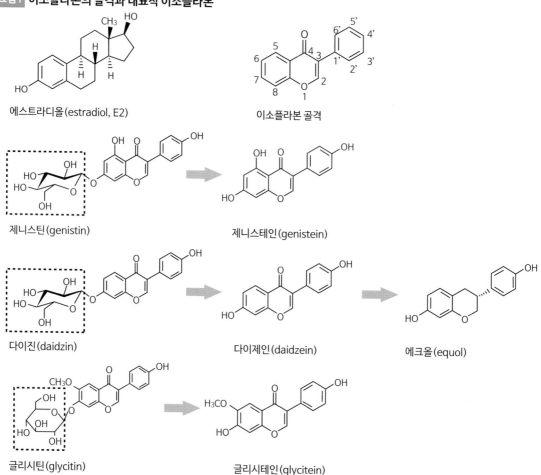

에스트라디올(estradiol, E2)

이소플라본 골격

제니스틴(genistin)

제니스테인(genistein)

다이진(daidzin)

다이제인(daidzein)

에크올(equol)

글리시틴(glycitin)

글리시테인(glycitein)

화 된 것이 에크올(equol)입니다(그림 1). 이소플라본 공급원으로 콩 및 콩 제품이 잘 알려져 있으며, red clover를 이용하기도 합니다.

콩 이소플라본이 중노년 여성의 건강 지표에 주는 영향에 대한 다양한 연구가 있으며, 메타분석에 의해 에스트로겐 수용체 작용제로 작용한다고 생각하는 것은, ① 갱년기 증상 개선,[1] ② 요추 골밀도 증가,[2] 길항제 작용에 의한다고 생각하는 것은, ③ 유방암 발생률 감소[3] 등의 효과입니다.

콩 이소플라본 사용에 대한 문제의 하나는 2006년 식품 안전 위원회가 발표한 이소플라본을 포함한 건강식품의 안전성 보고입니다. 이 보고에서 콩 이소플라본 150 mg/일을 5년간 섭취한 여성의 4%에서 자궁 내막 증식증이 진단되었으며, 식품 이외의 안전 섭취량을 30 mg/일로 규정하고 있습니다. 한편 40세 이상 60세 미만 여성 96명을 대상으로 무작위 이중맹검 대조 비교 시험을 시행한 결과 25 mg/일 섭취에서도 갱년기 증상 개선이 있었습니다.[4]

또 S-에크올에는 많은 연구가 있으며, ① 갱년기 증상 개선, ② 골밀도 증가, ③ 심혈관 위험 인자(LDL 콜레스테롤 및 CRP) 저하 등의 효과가 있었습니다.[5]

포도씨 프로안토시아니딘

한 분자 안에 여러 개의 페놀성 수산기를 가진 폴리페놀은, 페놀성 수산기의 전자 공여에 의한 뛰어난 라디칼 포착 활성으로 항산화 작용을 나타냅니다. 폴리페놀은 식물의 색소나 쓴 맛 성분이고, 약 5,000종이 있으며, 그 중 플라보노이드(flavonoid)에 속하는 녹차에 들어있는 카테킨이나 포도에 들어있는 프로안토시아니딘(proanthocyanidine)으로 구성되는 플라바놀(flavanol)이 주목받고 있습니다. 프로안토시아니딘은 플라판-3-올(주로 [+[-카테킨이나 [-]에피카테키틴] 올리고머이며, 식물의 열매, 나무 껍질, 잎, 종자에 들어 있습니다. 포도씨 프로안토시아니딘(grape seed proanthocyanidin extract, GSPE)을 이용한 무작위 이중 맹검 위약 대조 연구가 있습니다. 이 연구에서 GSPE는 ① 갱년기의 신체, 정신 증상 개선, ② 근육량 증가, ③ 혈압 저하 효과가 있었습니다(그림 2).[6]

여성 의료 분야에서 안티에이징 효과를 기대하여 사용하는 기능식품은 많이 있으며, 2015년 시작된 "식품의 새로운 기능성 표시 제도"는 과학적 근거에 의한 기능성 표시를 요구하고 있어 앞으로 이 영역의 변화가 예상됩니다.

(寺内公一)

그림2 포도씨 프로안토시아니딘 추출물의 효과

a: 근육량에 대한 효과

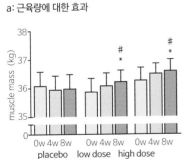

b: 수축기 혈압에 대한 효과

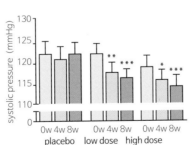

c: 확장기 혈압에 대한 효과

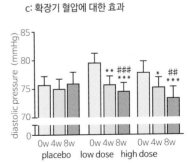

$*p<0.05$, $**p<0.01$, $***p<0.001$, vs 투여 전, paired t test.
$\#p<0.05$, $\#\#p<0.01$, $\#\#\#p<0.001$, 투여 전부터의 변화량 vs 플라세보, unpaired t test.

(문헌6에서 인용)

1) Taku K, Melby MK, et al: Extracted or synthesized soybean isoflavones reduce menopausal hot flash frequency and severity: Systematic review and meta-analysis of randomized controlled trials. Menopause 2012; 19: 776-90.

2) Taku K, Melby MK, et al: Effect of soy isoflavone extract supplements on bone mineral density in menopausal women: Meta-analysis of randomized controlled trials. Asia Pac J Clin Nutr 2010; 19: 33-42.

3) Dong JY, Qin LQ: Soy isoflavones consumption and risk of breast cancer incidence or recurrence: A meta-analysis of prospective studies. Breast Cancer Res Treat 2011; 125: 315-23.

4) Hirose A, Terauchi M, et al: Low-dose isoflavone aglycone alleviates psychological symptoms of menopause in Japanese women: a randomized, double-blind, placebo-controlled study. Arch Gynecol Obstet (in press).

5) Jackson RL, Greiwe JS, Schwen RJ: Emerging evidence of the health benefits of s-equol, an estrogen receper β agonist. Nutr Rev 2011; 69: 432-48.

6) Terauchi M, Horiguchi N, et al: Effects of grape seed proanthocyanidin extract on menopausal symptoms, body composition, and cardiovascular parameters in middle-aged women: A randomized, double-blind, placebo-controlled pilot study. Menopause-the Journal of the North American Menopause Society 2014; 21: 990-6.

① 테스토스테론의 의학

테스토스테론 치는 건강 장수의 지표

　나이가 들면서 고환에서 테스토스테론을 생산하는 Leydig 세포가 감소하고, 또 성선자극호르몬 분비호르몬(gonadotropin releasing hormone, GnRH) 분비 감소에 의해 테스토스테론 생산이 저하됩니다. 실제로 40세에 2~5%. 70세에 30~70%의 남성에서 테스토스테론 저하가 보고되었습니다.[1] 중노년 남성에서도 여성의 갱년기 증상과 비슷한 증상을 호소하는 일이 있습니다. 이 중 테스토스테론 저하가 동반된 것을 후기 발현 남성 성선기능저하증(late onset hypogonadism, LOH) 이라고 합니다. 갱년기 증상 중에서 어느 수치 이하의 테스토스테론 저하에서 어떤 증상이 나타나는지 분석한 결과, 기상시 발기 빈도 저하, 성욕 저하, 발기부전 등은 총 테스토스테론치 8~11 nmol/L (230~320 ng/dL)를 역치로 출현되었습니다(그림 1).[2] 따라서 기상시 발기 빈도 저하, 성욕 저하, 발기부전이 있으면 LOH를 의심할 수 있으며, 혈액검사를 통해 테스토스테론 저하가 확인되면 LOH로 진단받게 됩니다.

　고령 남성에서 테스토스테론 감소는 우울 상태, 성 기능 저하, 인지 기능 저하, 골다공증, 심혈관 질환, 내장 지방 증가, 인슐린 저항성 악화, HDL 콜레스테롤 저하, 총 콜레스테롤 치와 LDL 콜레스테롤 상승에 의한 대사증후군, 심혈관 질환, 당뇨병, 호흡기 질환 위험을 높입니다.[3~6] 또 테스토스테론 저하는 내경동맥 중막 비후, 하지 말초 동맥과 대동맥의 동맥경화성 질환과 관련이 있습니다. 이런 결과에서 테스토스테론 치는 노화에 동반한 생활 습관병과 관련된 질환의 바이오마커라고 할 수 있습니다.[7~10]

코호트 연구

　대규모 코호트 연구인 the European Prospective Investigation into Cancer and Nutrition (EPIC) 연구에서 테스토스테론 치를 4분위로 나누어 사망률을 조사한 결과, 테스토스테론이 높으면 모든

그림2 혈중 테스토스테론 치가 낮을 수록 사망률(모든 질환), 심혈관 질환 사망률, 암 사망률이 높다

EPIC-Norfolk Population Study에서 40~79세 11,606명을 6~10년 추적. 코호트를 4분위로 나누면 하위 2분위의 심혈관질환 사망이 상위 2분위보다 높다.

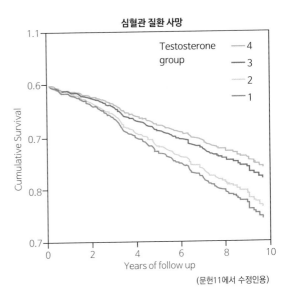

(문헌11에서 수정인용)

그림1 갱년기 증상과 테스토스테론치의 관계

테스토스테론이 10 nmol/L (290 ng/dL) 이하가 되면 기상 시 발기, 발기부전, 성욕 저하가 일어난다.

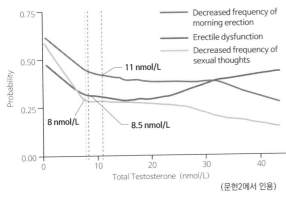

(문헌2에서 인용)

테스토스테론이 낮으면 넘어지기 쉽다

테스토스테론이 낮으면 넘어질 위험이
높다.

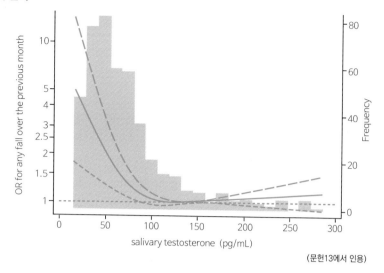

(문헌13에서 인용)

원인의 사망, 심혈관 질환 사망, 암 사망 위험이
저하되었습니다(그림 2).[11] 같은 결과를 The Study
of Health in Pomerania (SHIP)에서도 볼 수 있었
습니다.[12] 일본 고령자 코호트의 타액으로 측정한
테스토스테론의 분석에서, 테스토스테론이 낮으
면 넘어질 위험이 높다는 결과도 보고되고 있습
니다(그림 3).[13] 그러나 테스토스테론 저하 자체가
질환을 일으키는지 알기 위해서는 테스토스테론
이 낮은 고령자에서 이중맹검으로 테스토스테론
을 장기간 보충하여 비교하는 연구가 필요합니
다.

마지막으로

고령 남성에서 테스토스테론 감소는 우울 상태,
성 기능 저하, 인지 기능 저하, 골다공증, 심혈관
질환, 내장 지방 증가, 인슐린 저항성 악화, HDL
콜레스테롤 저하, 총 콜레스테롤과 LDL 콜레스테
롤 상승에 관여하여 대사증후군의 위험 인자가
되므로 테스토스테론은 남성에서 건강 장수의 중
요한 바이오마커입니다.

(堀江重郎)

║║║║║║║║║║║║║║║║║║║║║║║║║║║║║║║║║ **문헌** ║║║║║║║║║║║║║║║║║║║║║║║║║║║║║║║║║

1) Morley JE, Perry HM: 3rd. Andropause: an old concept in new
clothing. Clin Geriatr Med 2003; 19: 507-28.
2) Wu FC, et al: Identification of late-onset hypogonadism in middle-
aged and elderly men. N Engl J Med 2010; 363: 123-35.
3) Bhasin S, Cunningham GR, et al: Testosterone therapy in adult men
with androgen deficiency syndromes: An endocrine society clinical
practice guideline. Clin Endocrinol Metab 2006; 91: 1995-2010.
4) Shabsigh R, Katz M, et al: Cardiovascular issues in hypogonadism
and testosterone therapy. Am J Cardiol 2005; 96: 67M-72M.
5) Nieschlag E, Swerdloff R, et al: Investigation, treatment and
monitoring of late-onset hypogonadism in males. ISA, ISSAM, and
EAU recommendations. Eur Urol 2005; 48: 1-4.
6) Shores MM, Sloan KL, et al: Increased incidence of diagnosed
depressive illness in hypogonadal older men. Arch Gen Psychiatry
2004; 61: 162-7.
7) Mäkinen J, Järvisalo MJ, et al: Increased carotid atherosclerosis in
andropausal middle-aged men. J Am Coll Cardiol 2005; 45: 1603-8.
8) van den Beld AW, Bots ML, et al: Endogenous hormones and carotid
atherosclerosis in elderly men. Am J Epidemiol 2003; 157: 25-31.
9) Tivesten A, Mellström D, et al: Low serum testosterone and high
serum estradiol associate with lower extremity peripheral arterial
disease in elderly men. J Am Coll Cardiol 2007; 50: 1070-6.
10) Hak AE, Witteman JC, et al: Low levels of endogenous androgens
increase the risk of atherosclerosis in elderly men: the Rotterdam
Study. J Clin Endocrinol Metab 2002; 87: 3632-9.
11) Khaw KT, Dowsett M, et al: Endogenous testosterone and mortality
due to all causes, cardiovascular disease, and cancer in men.
Circulation 2007; 116: 2694-701.
12) Haring R, Völzke H, et al: Low serum testosterone levels are
associated with increased risk of mortality in a population-based
cohort of men aged 20-79. Eur Heart J 2010; 31: 1494-501.
13) Kurita N, Horie S, et al: Low testosterone levels, depressive
symptoms, and falls in older men: a cross-sectional study. J Am Med
Dir Assoc 2014; 15(1): 30-5.

② 테스토스테론 보충요법

노화에 따른 테스토스테론 저하에 의한 QOL 저하나 다장기 기능 장애가 후기 발현 남성 성선 기능저하증(late onset hypogonadism, LOH)으로 주목을 받아 테스토스테론의 중요성을 인식하게 되었습니다.[1] 테스토스테론은 뼈, 근육, 피부, 신장, 간에 영향을 주며, 인지 기능, 성 기능 등에 다양하게 작용합니다. 따라서 최근 남성의 안티에이징에 필수적 호르몬으로 자리매김되고 있습니다. 또 LOH의 중요한 증상으로 내장 지방 축적이 있으며, 안티에이징의 개념에서 대사증후군의 예방은 중요합니다. 실제로 테스토스테론과 대사증후군에 대한 횡단적 및 종단적 연구나 메타분석에서 대사증후군 환자의 혈중 테스토스테론 치 저하를 볼 수 있습니다.[2]

▌테스토스테론 보충 요법 프로토콜

LOH의 증상이 있으면서 혈청 테스토스테론이 저하된 경우 테스토스테론 보충 요법을 고려합니다. LOH 증후군의 진료 지침[1]은, 적극적 치료 대상으로 LOH 증상이 있는 40세 이상 남성입니다. 혈중 유리 테스토스테론 치 8.5 pg/mL 미만은 절대 적응, 11.8 pg/mL 미만은 상대 적응입니다.

사용 가능한 테스토스테론 제제는 제한적 입니다. 간편한 점에서는 경구제가 좋지만 메틸테스토스테론은 흡수가 나빠 혈중 농도가 불안정하며 간기능 장애 위험성이 있어 사용할 수 없습니다. 주사제로 테스토스테론(에난데이트)이 있으며, 125 mg을 2~3주마다 또는 250 mg을 3~4주마다 근육 주사합니다. 주사제는 혈중 농도가 일단 상승 후 정상 범위 이하로 급격히 저하되기 때문에 주의가 필요합니다.

▌치료 효과

테스토스테론 보충 요법으로 체지방량 저하, 총 및 LDL 콜레스테롤 감소 경향을 나타냅니다. 동시에 근육량 증가, 악력이나 완력 증가를 볼 수 있습니다. 최근 고혈압이나 당대사 이상을 개선시키거나,[3] 동맥경화를 호전시킨다는 보고도 있습니다.[4] 저테스토스테론혈증 환자의 골밀도는 보통 저하되어 있으나 고령 남성에서 테스토스테론 보충 요법으로 골밀도가 증가된다는 보고도 있습니다.

한편 인지 능력의 경우 테스토스테론 보충요법에 의해 개선되었다는 보고도 있지만 그렇지 않

표1 테스토스테론 보충 요법

1) 테스토스테론 에난데이트(testosterone enanthate)
   125 mg을 2~3주마다, 또는 250 mg을 3~4주 마다 투여, 근주

2) 태반성 성선 자극 호르몬(hCG)
   3,000~5,000단위를 2주에 1회부터 주 1~2회 투여, 근주

3) 남성 호르몬 연고
   아침, 저녁 음낭 피부에 도포(1회 3 mg testosterone 해당)

※역자 주:

1. 테스토스테론 보충요법: 남성의학에서 주목하는 '남성호르몬 치료 가이드라인'이 새롭게 발표되었으므로 참조하시기 바랍니다.
   출처: Bhasin S, et. Al. Testosaterone Therapy in Men with Hypogonadism: An Endocrine Society Clinical Practice Guideline. J Clin Endocinol Metab. 2018 May 1;103(5):1715-1744

표2	테스토스테론 보충요법의 부작용
장기	부작용
심혈관계	심뇌혈관 장애, 전해질 이상, 체액 저류
지질대사	지질 대사 이상
골수	다혈증
전립선	전립선 비대증, 전립선암
간	간 기능 장애
정신, 신경	행동 기분 변화
생식 장기	고환 위축, 불임
호흡기	수면 무호흡 증후군
기타	여성화 유방, 체모 증가, 여드름

다는 보고도 있습니다. 최근의 비교 연구에서, 대사증후군과 저테스토스테론혈증이 있는 중노년 남성에 테스토스테론 보충 요법으로 우울 증상이 개선되었다고 보고되었습니다.

테스토스테론 보충요법이 성 기능에 대해, 성욕 개선, 조조 발기를 포함한 발기 빈도, 발기 능력 개선 시킨다는 보고가 많습니다. 또 phosphodiesterase type5 (PDE5) 저해제로 호전되지 않는 발기 부전 환자에서 테스토스테론 보충 요법의 병용으로 효과를 볼 수 있습니다. 또 LOH 증상에 대한 유용성을 50대 남성에서 조사한 결과, 60~70% 정도에서 환자의 증상 호전을 보였습니다.

부작용

테스토스테론 보충 요법에서 주의해야 할 위험을 표 2와 같습니다. 전립선 암에 대한 스크리닝을 위해 정기적 PSA 측정은 필수입니다.

（辻村 晃）

문헌

1) 日本泌尿器科学会・日本Men's Health医学会「LOH症候群診療ガイドライン」檢討委員会：加齢男性性腺機能低下症候群 (LOH症候群) 診療の手引き. 日泌尿会誌 2007; 98: ガイドライン1-22.

2) Tsujimura A, Miyagawa Y, et al: Is low testosterone concentration a risk factor for metabolic syndrome in healthy middle-aged men? Urology 2013; 82: 814-9.

3) Francomano D, Lenzi A, et al: Effects of five-year treatment with testosterone undecanoate on metabolic and hormonal parameters in ageing men with metabolic syndrome. Int J Endocrinol 2014; 2014: 527470.

4) Aversa A, Bruzziches R, et al: Effects of testosterone undecanoate on cardiovascular risk factors and atherosclerosis in middle-aged men with late-onset hypogonadism and metabolic syndrome: results from a 24-month, randomized, double-blind, placebo-controlled study. J Sex Med 2010; 10: 3495-503.

③ 정자, 고환의 안티에이징

여성의 난자는 출생 시에 이미 감수 분열이 끝난 상태로 난소에 저장되어 있다가 사춘기 이후 성주기에 따라 성숙 과정을 통해 배란됩니다. 최근 난자의 노화에 대한 사회적 관심이 높아졌으며, 특히 임신 연령의 고령화와 불임 부부의 증가로 이에 대한 대책이 논의되고 있습니다.

한편 남성의 정자는 고환 안에서 약 70일의 시간 동안에 하나의 정모 세포(46XY)가 감수 분열하여 형태적으로 특이한 세포인 2개의 정자(23X와 23Y)가 만들어져 사정시에 체외로 방출됩니다. 따라서 정자에는 노화가 없다는 생각이 지배적이었습니다. 그러나 최근의 보고에서는 정자도 노화된다고 알려지고 있습니다.

여기서는 정자, 고환의 노화와 대책(안티에이징)에 대해, ① 정액 검사로 본 에이징, ② 고환 조직의 에이징, ③ 정자 기능의 에이징으로 나누어 설명합니다.

정액 검사로 본 에이징

고전적 정액 검사(정액량, 정자 농도, 총 정자 수, 정자 운동률, 직진 운동 정자율, 총 운동 정자 수, 정상 형태 정자율)에서 그림 1과 같이 모든 지표가 나이가 들면서 점차 저하됩니다. 이것은 일반 남성(불임 남성 제외)의 조사이며, 중앙 치는 나이가 들면서 저하하지만, 매 연령층의 수치 분포 폭이 큰 것을 볼 수 있습니다. 불임 외래에서 시행한 정액 검사 자료의 분석에서는 이런 경향이 더 현저 합니다. Stone 등은[2] 정액 검사의 각 지표가 저하되기 시작하는 연령을 조사했으며(표 1), 총 정자 수, 총 운동 정자 수, 전진 운동 정자 수는 34세부터, 정자 농도, 정상 형태 정자율은 40세부터, 정자 운동률은 43세부터, 정액량, 생존 정자율은 45세부터 저하한다고 보고했습니다.

여기서 중요한 점은 발생 시기의 차이는 있지만 모든 여성에서 폐경이 일어나는 난소와 달리 모든 남성의 정액 검사 소견이 똑같은 노화 변화를 일으키지 않는다는 것입니다. 불임 남성 같은 일부 집단을 분석하면 이런 경향이 두드러지게 나타납니다.

고환 조직의 에이징

고환 노화에 대해, 남성 불임 중에서 극단적인 무정자증(고환의 정자 형성이 매우 적어 정액에 정자가 없음)의 대표인 Klinefelter 증후군에서 조사가 있습니다. 현미경하 고환 정자 채취술(microdissection testicular sperm extraction, MD–TESE) 시행으로 정자 채취를 할 수 있는 비율은 나이가 들면서 저하되어 그 분기점은 35세라고 보고되었습니다.[3] 즉 정자 형성이 낮은 고환은 노화에 따라 정자 형성능이 저하합니다(그림 2).

정자 기능의 노화

자연 임신한 부부의 조사에서, 배우자의 나이 35~40세를 분기점으로 임신에 필요한 기간이 길어지며, 인공 수정, 체외 수정도 35~45세가 분기점으로 임신율 저하가 보고되었습니다.[4] 또 정자의 난자 활성화능 조사에서, 아이가 있는 남성은 노화의 영향이 없었으나, 불임 남성은 35세를 경계로 저하가 보고되었습니다.

표1 **연령과 정액 검사**

측정 항목	감소 시작 연령(세)	연간 감소율(%)
① 총 정자 수	34	1.71
② 총 운동 정자 수	34	2.3
③ 총 전진 운동 정자 수	34	2.61
④ 정자 농도	40	0.78
⑤ 정상 형태 정자율	40	0.84
⑥ 정자 운동률	43	1.74
⑦ 정액량	45	1.48
⑧ 생존 정자율	45	1.45
⑨ Y정자/X정자	55	5.05

(문헌2에서 수정인용)

그림1 노화와 정액 소견

a: semen volume

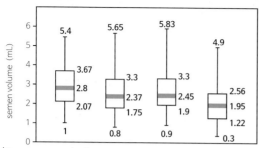

b: sperm concentration

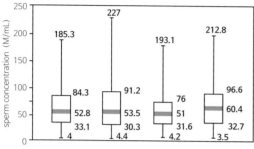

c: sperm count

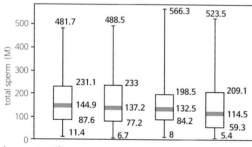

d: sperm motility

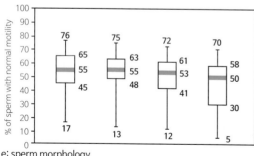

e: sperm morphology

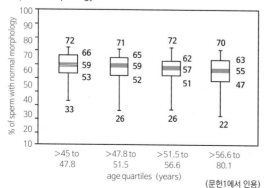

>45 to 47.8　>47.8 to 51.5　>51.5 to 56.6　>56.6 to 80.1

age quartiles (years)

(문헌1에서 인용)

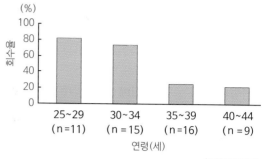

그림2 Kleinfelter증후군에의 고환의 정자 회수율

25~29 (n=11)　30~34 (n=15)　35~39 (n=16)　40~44 (n=9)

연령(세)

(문헌3에서 인용)

마지막으로

정자, 고환의 안티에이징은 이제 연구가 시작된 분야이며 확립한 데이터가 없습니다. 그러나 항산화제 CoQ10, 비타민 C, E,[5] 비크노제놀 등을 이용한 소규모 임상 시험에서 양호한 결과가 보고되어 향후 연구 성과가 기대됩니다.

(岡田 弘)

||||||||||||||||||||||||||||||||||||||| 문헌 |||||||||||||||||||||||||||||||||||||||

1) Hellstrom WJ, Overstreet JW, et al: Semen and sperm reference range for 45 years of age and older. J Androl 2006; 27: 42.

2) Stone BA, Alex A, et al: Age thresholds for changes in semen parameters in men. Fertil Steril 2013; 100: 952-8.

3) Okada H, Goda K, et al: Age as a limiting factor for successful sperm retrieval in patienrts with nonmosaic Klinefelter's syndrome. Fertil Steril 2005; 84: 1662-4.

4) Humm KC, Sakkas D: Role of increased male age in IVF and egg donation: is sperm DNA fragmentation responsible? Fertil Steril 2013; 99: 30-6.

5) Kobori Y, Ota S, et al: Antioxidant cosupplementation therapy with vitamin C, vitamin E, and coenzyme Q10 in patients with oligoasthenozoospermia. Arch Ital Urol Androl 2014; 86: 1-4.

④ 발기와 사정의 안티에이징

발기 장애(erectile dysfunction, ED)는 심혈관 질환 발생의 예측 인자이며,[1] 반대로 성교를 유지하고 있는 남성은 심혈관 질환 발생이 적다고 보고되고 있습니다.[2] 남성에서 발기와 사정 기능의 유지를 위해서는 장기적으로 건강한 부부 관계를 가지는 것이 필요하며, 이것이 안티에이징을 가능하게 합니다.

발기와 사정의 기전

성적 자극에 의해 중추의 신경 자극이 부교감 신경인 골반 신경을 통해 음경 해면체 신경 말단과 내피 세포에서 일산화질소(NO)를 방출합니다. NO의 작용으로 음경 해면체 평활근 세포내에서 환상 구아노신인산(cyclic guanosine monophosphate, cGMP)가 증가하여 칼슘 채널 활동을 억제하면 해면체 평활근이 이완 합니다. 그 결과 음경 심부동맥 혈액이 음경 해면체동에 유입되어 음경 해면체가 팽창을 시작합니다. 음경 해면체 팽창으로 백막이 관통 정맥을 눌러 정맥 폐쇄 기전의 작동으로 발기가 유지됩니다(그림 1).[2]

한편 사정은 교감신경의 작용으로 일어나며 장내장 신경, 하복신경, 골반 신경총을 통해 사정에 이릅니다. 음경 자극에 의해 사정이 가까워지면 전립선액이 전립선부 요도에서 분비되며, 전립선, 정낭, 정관의 수축과 방광경부의 부분 폐쇄가 일어나 사정이 일어나게 되어 정낭액이 사정관을 통해 구부 요도를 향해 사출됩니다.[4]

ED의 위험 인자

연령 증가, 흡연, 고혈압, 당뇨병, 이상지질혈증, 비만과 운동부족, 우울 증상, 하부 요로 증상/전립선 비대증, 만성 신질환, 수면 무호흡 증후군, 신경질환, 불임증, 약제 등이 ED의 위험 인자입니다.[1] 또 만성적 비발기 상태 지속은 음경 해면체 내에 저산소 상태를 일으켜 NO 생산을 저하시켜 음경 해면체 평활근의 섬유화에 의한 ED를 가속시킵니다.[5]

70대의 71%가 ED라고 보고되어, 연령 증가는 ED와 상관이 있으나, 노화에 의한 조직학적 변화뿐 아니라 각종 위험 인자에 의한 혈관이나 신경 장애, 그리고 테스토스테론 저하 등의 복합적 요인으로 ED가 일어납니다. 당뇨병은 ED의 위험

그림1 발기 기전

NO: 일산화질소
GTP: 구아노신3인산
GC: 가용성 구아닐산시클라제
cGMP: 환상 구아노신인산

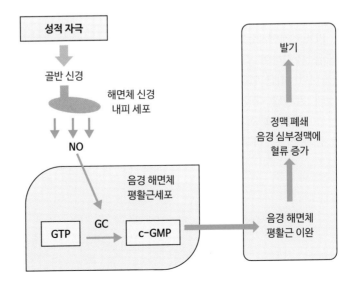

인자로 잘 알려져 있으며, 자율 신경장애 및 혈관 내피 장애가 원인입니다. ED는 합병증이 없는 당뇨병 환자에서 무통성 심근경색 발생을 예상하는 지표로도 알려져 있습니다. 하부 요로 증상/전립선 비대증도 ED와 상관이 있으며, 골반내 동맥경화나 허혈이 원인으로 생각하고 있습니다. 이런 요소를 배제 할 수 있으면 ED 예방이 가능하며, 안티에이징으로 연결되는 것입니다.

성교와 안티에이징

ED의 위험 인자로 연령 증가, 흡연, 고혈압, 당뇨병, 이상지질혈증, 비만, 만성 신질환은 심혈관 질환의 위험 인자입니다. 이렇게 ED와 심혈관 질환은 위험 인자를 공유하여 ED가 관상동맥 질환 발생의 예상 지표라고 생각하고 있습니다. 즉 ED의 예방은 곧 심혈관 질환을 예방하는 것이 되는 것입니다. 뿐만 아니라 성교 빈도와 심혈관 질환 발생률을 조사한 전향적 연구에서 성교 빈도가 낮을 수록 심혈관 질환 위험이 증가하며, 구체적으로 주 2회 이상 성교 시행군에서 심혈관 질환 발생이 적었다고 보고하고 있습니다.[2] 따라서 건강한 부부관계의 유지 즉 발기와 사정의 유지가 안티에이징에 중요하다고 생각합니다.

PDE5 저해제와 안티에이징

ED의 1차 치료는 phosphodiesterase (PDE) 5 억제제입니다. 발기에는 음경 해면체 평활근 세포에서 cGMP합성이 중요한 역할을 하고 있으나, cGMP는 PDE5에 의해 쉽게 분해되어 발기가 소퇴합니다. PDE5 저해제는 cGMP 분해를 저해하여 그 농도를 유지하여 발기 상태를 지속시키는 작용이 있습니다. 최근 연구에서, PDE5 저해제의 안티에이징과 관련된 다양한 가능성이 알려지고 있습니다. 즉 관상동맥 혈류개선 작용, 혈관내피 전구 세포 증가 작용, 하부 요로 증상 개선 작용

등이 증명되고 있습니다. 실제로 PDE5 저해제가 전립선 비대증 치료제로 인정되고 있습니다. 중노년 남성에게 PDE5 저해제는 QOL을 개선시키는 안티에이징 치료제로 기대되는 약제입니다.

발기와 사정의 안티에이징

앞에서 설명한대로 ED의 예방은 심혈관 질환 발생을 낮게할 수 있습니다. ED 발생 전에 PDE5 저해제의 정기적 복용은 ED 예방과 심혈관 질환 발생률을 저하시킬 것으로 생각합니다. 그 밖에 평소의 적당한 운동이나 항산화 작용 있는 채소, 과일 식사 섭취에 유의하는 동시에 ED 위험 인자와 관계있는 기초 질환이 되지 않도록 주의하는 것도 중요합니다.

발기가 유지된다는 것은 음경해면체에 동맥혈류가 양호한 것을 나타내며, 또 사정시에는 전립선이나 그 주변 장기에 혈류가 증가됩니다.[4] 따라서 발기 및 사정은 방광 및 전립선의 안티에이징과도 관계가 있으며, 하부 요로 증상의 개선에 도움을 줄 수 있습니다. 노후까지 성교 능력을 유지하는 부부는 행복감을 지속시켜 인생을 건강하고 가치 있게 보낼 수 있을 것입니다.

(永井 敦)

|||||||||||||||||||||||||||||||||||||||| 문헌 ||||||||||||||||||||||||||||||||||||||||

1) 日本性機能学会 ED診療ガイドライン2012年版作成委員会編: ED診療ガイドライン2012年版. 東京, リッチヒルメディカル, 2012.
2) Hall S, Shackelton R, et al: Sexual activity, erectile dysfunction, and incident cardiovascular events. Am J Cardiol 2010; 105: 192-7.
3) 萬谷嘉明: 末梢血管レベルでの勃起メカニズム. 日本臨牀 2002; 60: 71-5.
4) Nagai A, Watanabe M, et al: Analysis of human ejaculation using color Doppler ultrasonography: A comparison between antegrade and retrograde ejaculation. Urology 2005; 65: 365-8.
5) Moreland RB: Is there a role of hypoxemia in penile fibrosis: a viewpoint presented to the Society for the Study of Impotence. Int J Impot 1998; Res 10: 113-20.

⑤ 남성 건강클리닉의 실제

나이가 들면서 남성호르몬인 테스토스테론이 감소하여 기력과 체력 감퇴뿐 아니라, 당연히 있어야 할 성욕의 저하나 발기능 저하도 발생하게 됩니다. 이에 더해 하부 요로 증상이 나타나고, 남성형 탈모증이 진행합니다. 또 남성에만 존재하는 전립선의 암 유병률도 증가합니다. 외모와 내면이 쇠약하여 삶의 질은 급속히 악화되므로, 이런 문제를 모두 상담할 수 있는 남성 전문 외래(man's health clinic)가 필요합니다.

▌ LOH 증후군 관련증상

나이가 들면서 테스토스테론이 저하에 의해 나타나는 증상을 후기 발현 남성성기능저하증 (late onset hypogonadism, LOH)이라고 합니다. LOH 평가에, 성 기능, 정신·심리, 신체에 대한 자기 평가형 증상 점수 aging males symptoms rating scale (AMS)을 이용합니다.[1]

발기 장애(ED)

남성 전문 외래에서 발기 장애(erectile dysfunction, ED) 평가에는 국제 발기 기능 점수 (International Index of Erectile Function: IIEF)나 Sexual Health Inventory for Men (SHIM)를 이용합니다. 그러나 이것은 6개월 이내의 성교시 발기를 평가하는 것이며, 6개월 이내에 성적 자극이 없었으면 발기능이 정상적이어도 점수가 낮아질 가능성이 있습니다. 성교 빈도 저하가 있으면 ED 환자 평가에 대해 주의가 필요합니다. erectometer에 의한 야간 수면시 발기 평가가 현재 객관적 평가법으로 유용하며, Erection Hardness Score (EHS)는 야간 수면시 발기와 상관이 좋으며, 간편하여 발기능 평가에 유용합니다.[2]

ED는 중노년 남성에서 생활 습관병과 관련이 있으며, 전신성 혈관 병변과 관계가 있습니다. 실제로 ED가 있는 당뇨병 환자의 약 70%에서 무증상 관상동맥 협착이 있었습니다. 경구 치료가

가능한 phosphodiesterase (PDE)5 억제제의 등장으로 ED 치료는 크게 개선되었으나, 치료 저항성 환자에 대한 대책이 문제가 되고 있습니다. 최근에는 저출력 체외충격파 치료가 ED에도 이용되고 있으며, 삽입이 불가능했던 ED 환자의 60%에서 체외충격파 치료 후 삽입이 가능해졌다는 보고가 있습니다. 또한 최근에는 전립선 비대증(benign prostatic hyperplasia, BPH)에 PDE5 저해제를 매일 투여하여 하부 요로 증상(lower urinary tract symptoms, LUTS)이 있는 환자에서 발기능 개선이 기대되고 있습니다. 테스토스테론 보충요법은 단기적인 ED 개선 효과는 없지만, PDE5 저해제와 병용하여 ED 치료 효과 상승이 가능합니다.

정신 증상과 하부 요로 증상

남성 전문 외래에서는 상태-특성 불안 검사 (State-Trait Anxiety Inventory, STAI)나 아테네 불면 척도(AIS)에 의한 불안, 불면 평가와 국제 전립선 증상 점수(International Prostate Symptom Score, IPSS)에 의한 하부 요로 증상 평가도 중요합니다. 경피 흡수형 테스토스테론 겔은 LOH 증상뿐 아니라, 하부 요로 증상, 불안 증상, 불면 개선에도 유용합니다. 테스토스테론 경피흡수형제제를 62명에 사용한 이중맹검 무작위 시행에서는 IPSS, STAI의 특성 불안 점수와 AIS의 개선이 있었습니다. 반면 테스토스테론 주사 치료는 혈중 농도가 안정적으로 유지되지 않아, 우울 증상에 대한 이중맹검 무작위 시험에서 대조군에 비해 유의한 개선이 없었습니다.

신체 증상 및 대사증후군

테스토스테론 보충으로 근육량/근력, 골밀도, 지질, 인슐린 감수성이 개선됩니다. 65세 이상의 지역 주민 1,677명에서 시행한 이중맹검 비교 시험에서, 테스토스테론 보충은 슬관절 신전 근력

의 증가, BMI 저하와 지방량 감소, 신체 기능 개선, QOL 지표(신체 증상, 기능 증상) 개선 등이 6개월 후에 나타났습니다.[3] 또한 테스토스테론 보충 요법은 2형 당뇨병, HbA1c, 총 콜레스테롤, 허리 둘레의 개선 효과가 있었습니다.[4]

전립선 암

과거에는 테스토스테론 보충요법과 전립선 암의 관련성에 대한 우려가 많았으며, 테스토스테론 치가 낮은 사람에서 전립선 특이 항원(prostate specific antigen, PSA)가 비교적 낮아도 악성도가 높은 전립선 암 빈도가 높았습니다.[5] 최근 테스토스테론 보충에 의한 전립선 암 발생 위험성이 관련 없다는 연구 결과도 보고되고 있습니다. 1,300명의 LOH 증후군 환자에게 20년간의 테스토스테론 보충에서 총 14명이 전립선 암으로 진단되어, 발생 빈도는 일반 주민 남성의 발생 빈도와 차이가 없었습니다.[5] 그러나 전립선 암이 있거나 암 발생 위험이 높은 남성에게 테스토스테론 보충은 악화 인자가 될 수 있으므로, 남성 건강 클리닉에서는 테스토스테론 보충 전에 전립선 암이 없는 것을 스크리닝 하고, 정기적인(3개월에 1회) PSA 측정이 중요합니다. PSA가 4.0 ng/mL이상이면 전립선 암을 감별하기 위한 정밀 검사를 시행합니다.

남성 건강 클리닉에서 생활교육

테스토스테론 분비의 유지에는 수면, 금주, 근력 트레이닝이 중요합니다. 테스토스테론은 야간 수면 시에 황체화 호르몬(luteinizing hormone, LH)의 surge에 의해 기상 시에 피크가 됩니다. 근력 트레이닝에 의해 근조직 및 혈중 테스토스테론 농도 상승이 알려졌습니다. 이런 생활 교육은 남성 건강 클리닉에 중요합니다.

(久末伸一)

||||||||||||||||||||||||||||||||| **문헌** |||||||||||||||||||||||||||||||||

1) Legros JJ, Meuleman EJ, et al: Oral testosterone replacement in symptomatic late-onset hypogonadism: effects on rating scales and general safety in a randomized, placebo-controlled study. Eur J Endocrinol 2009; 160: 821-31.

2) Matsuda Y, Hisasue S, et al: Correlation between erection hardness score and nocturnal penile tumescence measurement. J Sex Med 2014; 11: 2272-6.

3) Srinivas-Shankar U, Roberts SA, et al: Effects of testosterone on muscle strength, physical function, body composition, and quality of life in intermediate-frail and frail elderly men: a randomized, double-blind, placebo-controlled study. J Clin Endocrinol Metab 2010; 95: 639-50.

4) Hackett G, Cole N, et al: Testosterone Replacement Therapy Improves Metabolic Parameters in Hypogonadal Men with Type 2 Diabetes but Not in Men with Coexisting Depression: The BLAST Study. J Sex Med 2014;11:840-56.

5) Feneley MR, Carruthers M: Is testosterone treatment good for the prostate? Study of safety during long-term treatment. J Sex Med 2012; 9: 2138-49.

⑥ 남성 의료와 기능식품

나이가 들면서 나타나는 비뇨기 질환에는 발기장애(erectile dysfunction, ED), 전립선 비대증, 전립선 암 등이 있습니다. 암 사망률의 예측에서, 전립선 암은 1995년에 비해 2020년에는 약 5.9배 발생 증가를 예측하여, 모든 암 중에서 증가율이 가장 높습니다. 전립선 비대증에 동반한 하부 요로 증상(lower urinary tract symptoms, LUTS)은 나이가 들면서 증가하여 삶의 질을 현저히 저하시킵니다. 당뇨병에 흔히 동반하는 ED도 연령에 따라 증가합니다. 이런 비뇨기 질환은 식생활 개선이나 운동, 기능식품 섭취 등에 의해 증상 개선이나 진행을 늦추는 것을 기대 할수 있습니다.

ED에 대한 기능식품

발기 장애는 충분히 발기되지 않아 만족스러운 성교를 할 수 없는 상태라고 정의합니다. ED는 연령, 테스토스테론 저하, 대사증후군이나 당뇨병, 고혈압을 포함한 심혈관 질환과 상관이 있으며, 이런 상관이 이환율이나 사망률에까지 영향을 준다고 보고되었습니다. 당뇨병에서는 환자의 50% 이상에서 ED가 동반되어, 정상인의 1.9~4배니다. 노화와 당뇨병은 산화 스트레스나 당화 종산물(advanced glycation end products, AGEs) 축적에 의한 해면체 조직의 손상과 NO 저하가 원인의 하나로 생각하고 있습니다. 실제로 ED 정도가 심할 수록 산화 스트레스 지표인 8-hydroxydeoxy guanosine (8-OHdG)이 높았습니다.[1]

ED에 대한 기능식품으로, 대추 야자, 당근, 마카(maca), tongkat ali, 피크노제놀(pycnogenol) 등 다양한 것이 있으며, 그 기전으로 항산화 스트레스 작용이나 테스토스테론 상승 작용을 추측하고 있습니다. 피크노제놀은 대서양 연안에서 자라는 프랑스 해안송이라고 부르는 소나무 껍질에서 추출한 폴리페놀이며 항산화 작용이 있으며, 발기 기능 개선 보고가 있습니다.[2] 그러나 대부분의 기능식품 효과는 증례 수가 적어 근거 수준이 낮아

충분한 임상시험에 의한 평가가 필요합니다. 기능식품 자체에 리도카인이나 포스포디에스테라제 5 (phosphodiesterase 5, PDE5) 저해제를 혼합하는 예도 있어 복용에 주의해야 합니다.[3]

전립선 비대증에 대한 기능식품

톱 야자(Saw palmetto; *Serenoa repens*)는 유럽이나 미국에서 전립선 비대증에 대한 기능식품으로 널리 사용하고 있으며, 전 세계에서 100종 이상의 추출물이 팔리고 있습니다. 전립선 비대증에 대한 효과로, 항안드로겐 작용, 항염증 작용, 증식 인자 억제에 의한 세포자멸사 유도 작용 등이 알려졌습니다. 전립선 비대증에 동반한 LUTS에 톱 야자 추출물의 효과에 대한 임상 연구의 2004년 메타분석에서, 최대 요류량률 증가, 야간뇨 회수 감소, 국제 전립선 증상 스코어(International Prostate Symptom Score, IPSS) 감소 등이 있었습니다. 그러나 최근 200명 이상에서 1년간 톱 야자를 투여한 2개 연구를 포함한 메타분석에서는 위약에 비한 유용성은 없어 아직 논란이 되고 있습니다.

전립선 암에 대한 기능식품

토마토에 들어있는 항산화물질 리코펜(lyco-pene)은 전립선 암 예방에 유용하다는 연구가 있습니다. 11개의 증례 대조 연구와 10개의 전향적 연구를 모은 메타분석에서, 신선한 토마토 섭취는 전립선 암 위험을 11% 감소시켰고, 가열한 토마토 식품은 19% 감소시켰습니다. 콩 섭취가 전립선 암이 낮은 발생률과 관여가 있으며, 콩에 들어있는 이소플라본의 전립선 암세포 증식 억제 효과가 실험적으로 알려졌습니다. 역학 조사와 이소플라본을 이용한 무작위 시험의 메타분석 결과에서 이소플라본의 전립선 암 예방 효과는 긍정적입니다.[4] 커큐민은 카레 등의 요리에 사용하는 향신료이며, 심황에 약 5% 들어 있는 성분입

니다. 커큐민은 nuclear factor-κB (NF-κB)나 activator protein-1 (AP-1)을 억제하여 강력한 항산화, 항염증 작용을 나타냅니다.

이소플라본 및 커큐민 함유 기능식품의 전립선 특이 항원(prostate specific antigen, PSA) 억제 효과 및 발암 억제 가능성에 대한 연구가 있습니다. 전립선 생검에 음성인 환자 89명을 대상으로 기능식품이나 위약을 6개월간 매일 투여하여 PSA를 3개월, 6개월 후에 측정한 결과 PSA 10 ng/mL 이상에서 기능식품군에서 유의한 저하가 있었습니다(p<0.001).[5] 이런 연구 결과는 커큐민의 전립선 암 예방 효과를 기대하게 합니다.

마지막으로

1900년대에 비해 65세 이상 인구가 약 10배 이상 증가하여 건강 연령의 증진은 사회적으로나 의료면에서 중대한 과제가 되고 있습니다. 신체적, 정신적 건강의 유지는 안티에이징의 관점에서 의학적 접근이 요구되고 있습니다. 비뇨기 질환과 관계된 기능성 식품에 효과가 기대되는 것

이 있습니다. 노화에 따라 AGEs 섭취를 피하는 식생활이나 폴리페놀 등 항산화제 섭취, 적당한 운동 등 라이프스타일 개선에 의한 질병 예방 전략이 중요하며, 확실한 근거를 얻기 위한 임상시험과 적절한 라이프스타일 개선을 위한 교육 방법이 필요합니다.

(井手久満 , 堀江重郎)

문헌

1) Yasuda M, Ide H, et al: Salivary 8-OHdG: a useful biomarker for predicting severe ED and hypogonadism. J Sex Med 2008; 5: 1482-91.
2) Aoki H, Nagao J, et al: Clinical assessment of a supplement of Pycnogenol® and L-arginine in Japanese patients with mild to moderate erectile dysfunction. Phytother Res 2012; 26: 204-7.
3) 合田幸広: 国立医薬品食品衛生研究所における痩身や強壮を標榜する健康食品中の医薬品成分の分析と同定. 薬学雑誌 2014; 134: 197-202.
4) MacDonald R, Tacklind JW, et al: Serenoa repens monotherapy for benign prostatic hyperplasia(BPH): an updated Cochrane systematic review. BJU Int 2012; 109:1756-61.
5) van Die MD, Bone KM, et al: Soy and soy isoflavones in prostate cancer: a systematic review and meta-analysis of randomized controlled trials. BJU Int 2014; 113: 119-30, Review.
6) Ide H, Tokiwa S, et al: Combined inhibitory effects of soy isoflavones and curcumin on the production of prostate-specific antigen. Prostate 2010; 70: 1127-33.

1 암의 역학

암 통계

일본의 현황

일본에서 전체 암 사망 수(2013년)는 36.5만명(남성 21.7만명, 여성 14.8만명)으로 총 사망의 약 29%를 차지했습니다. 주요 부위는 남성에서 폐, 위, 대장, 여성에서 대장, 폐, 위의 순서였습니다. 한편 암 환자 총 수(2010년 전국 추정)는 약 81만 명(남성 47만 명, 여성 34만 명)이며, 주요 부위는 남성에서 위, 폐, 대장, 여성에서 유방, 대장, 위의 순서였습니다.

각 연령대별 누적 암 사망 위험은, 50세까지는 남녀 모두 1% 미만이지만, 70세에는 남성 7%, 여성 4%이며, 생애를 통해서는 남성 26%, 여성 16%로 추정됩니다. 한편 누적 암 질환 위험은, 50세까지 남성 2%, 여성 5%이지만 70세에, 남성 20%, 여성 18%로 생애를 통해 남성 60%, 여성 45%라고 추정됩니다. 즉 암 발생의 최대 요인은 연령 증가입니다.

일본의 동향

모든 부위 암의 사망, 이환율은 인구의 고령화에 따라 일관된 증가 경향이 있습니다. 한편 연령 조정 사망률의 연차 추이는, 남성에서 완만하게 증가 후 1995년부터 감소 경향이고, 여성에서 전 기간에 완만한 감소 경향을 나타내고 있습니다. 부위별로, 남녀 모두 위는 감소하고 있으며, 폐, 간, 대장, 전립선은 1995년경 이후 증가하다가 그대로 유지되거나 감소 경향으로 바뀌고 있습니다. 유방은 증가 경향을 나타내고 있었으나 최근에는 유지되는 경향에 있습니다.

암의 원인

환경 요인과 유전 요인

암 발생 요인의 대부분은 후천적 환경 요인이며, 그 근거로는 이민자에서 암 이환율의 변화(이민간 나라의 암 발생 양상과 비슷해 진다)나 일란성 쌍생아에서 암 일치율이 10~20% 이하인 것 등을 들 수 있습니다.

하버드 대학 조사에 의하면,[1] 미국에서 암에 의한 사망 원인의 기여도는, 흡연 30%, 성인기의 식사·비만 30%, 좌식 생활 양식 5%, 직업 요인 5%, 바이러스나 다른 생물 인자 5%, 주산기 요인과 성장 5%, 생식 요인 3%, 음주 3%, 사회경제적 상황 3%, 환경오염 2%, 전리방사선과 자외선 2%, 의약품과 의료 행위 1%, 염장 식품과 식품 첨가물 및 오염물 1%로 추정되어, 직접적 유전 요인은 5%였습니다. 일본의 조사는,[2] 흡연 23%, 감염 22%, 음주 6%, 소금 섭취 1.4%, 간접 흡연 0.9%, 과체중과 비만 0.8%, 과일 섭취 부족 0.8%, 채소 섭취 부족 0.6%, 운동부족 0.3%라고 보고되었습니다.

흡연, 음주

국제 암 연구기관의 발암성 인과관계 평가(http:/monographs.iarc.fr/)에 의하면, 흡연은 구강, 인두, 후두, 식도, 위, 대장, 간, 췌장, 신세포, 신우와 요관, 방광, 자궁경, 난소(점액성), 골수성 백혈병에 대해 발암성이 있다고 판정했습니다. 간접 흡연도 폐암에 대한 발암성 있음으로 판정하고 있습니다.

음주는 구강, 인두, 후두, 식도, 대장, 간, 유방에 대해 발암성 있음으로 판정하고 있습니다.

식사 관련 요인(비만·운동 포함)

세계 암 연구 기금과 미국 암협회에 의한 평가(http://www.dietandcancerreport.org/expert_report/)는 인과관계가 확실한 것으로, 비만(식도, 대장, 폐경 후 유방, 자궁체, 신장, 췌장), 내장 지방(대장), 매우 큰키(대장, 폐경 후 유방, 난소), 붉은 고기와 가공육(대장), 아플라톡신(간), 음료수에 포함된 비소(폐), β-카로틴 기능식품(폐) 등

표1 암 예방법

흡연	담배를 피지 않는다. 다른 사람의 담배 연기를 되도록 피한다.
음주	마시게 되면 절제하여 마신다.
식사	편식하지 않고 균형 있게 먹는다. 특히 염장 식품, 식염 섭취는 최소한으로 하고, 채소나 과일이 부족하지 않게 하고, 음식물을 뜨거운 상태로 먹지 않도록 권한다.
신체활동	일상생활을 활동적으로 유지
체형	적정한 범위 이내로 유지
감염	간염 바이러스 감염 검사와 적절한 조치. 기회가 되면 헬리코박터균 검사

이 위험성을 올리며, 운동(대장), 수유(유방), 식이섬유(대장)는 위험성을 내린다고 판정했습니다. 또 "아마도 관련이 확실한" 것으로, 염장 식품과 소금(위), 성인기의 체중 증가(폐경 후 유방)가 위험성을 올리며, 과일(구강, 인두·후두, 식도, 위, 폐), 전분이 없는 채소(구강, 인두, 후두, 식도, 위), 비만(폐경 후 유방), 커피(자궁체)가 위험성을 내린다고 했습니다.

만성 감염

암의 원인이 되는 세균, 바이러스로는 헬리코박터 피로리균(위암), 사람 유두종 바이러스(자궁경부암), B형, C형 간염 바이러스(간암), 사람 T 세포성 백혈병 림프종 바이러스(백혈병, 림프종) 등이 있습니다.

암의 예방

국제적 인과 관계 평가를 기본으로 예상되는 노출 수준에 대해 위험(또는 예방적)이 되는 것이나 일정한 관여가 예상되는 관점에서 암 예방법이 제안되었습니다(표 1).

암 예방에는 생활 습관과 관계된 요인의 조절이 중요하며, 개인의 노력으로 대처해야 한다고 생각하기 쉽지만 생활 습관 개선을 위한 환경 정비도 중요한 요소입니다. 흡연 대책에는 공공 장소에서 흡연 제한, 담배 가격 인상, 경고 표시의 명확화에 더해 금연 치료 체제 정비가 필요합니다. 식사나 운동에 대해, 영양소 표시나 보행 환경 정비 등이 있습니다. 암 예방에 한정되지 않고 광범위한 건강 증진에 필요한 것이 많습니다.

한편 만성 감염 조절에는 백신에 의한 감염 방지, 제균 치료 등 의료에 의한 개입 요소가 강하며, 건강한 사람을 대상으로 한 예방 의료를 정당화 하기 위해서는 위험 감소 효과뿐 아니라, 불이익과의 균형 고려가 필요합니다.

（津金昌一郎）

|||||||||||||||||||||||||||||||||||||||||||| **문헌** ||||||||||||||||||||||||||||||||||||||||||||

1) Harvard Report on Cancer Prevention. Volume 1: Causes of human cancer. Cancer Causes Control 1996; 7(Suppl 1): S3-59.
2) Inoue M, Sawada N, et al: Attributable causes of cancer in Japan in 2005-systematic assessment to estimate current burden of cancer attributable to known preventable risk factors in Japan. Ann Oncol 2012; 23: 1362-9.

2 암의 분자생물학

인간 게놈 분석에 의해 게놈상에 약 22,000개의 유전자가 존재하나 단백질로 번역되는 것은 불과 2%라는 것이 알려졌습니다.[1] 또 이 유전자군이 개개 세포에서 복합적으로 작용하여 생체내에 복잡한 생물학적 표현형이 만들어지는 것도 알게 되었습니다. 분자생물학의 발전에 따라 그 기법을 임상의학에 응용하게 되었으며, 유전자군의 발현 제어 기전의 이상이 암을 비롯한 다양한 질환과 관계되는 것도 밝혀지고 있습니다.

분자생물학적 기법을 이용한 암 유전자 확인

인간 게놈 분석에 의해 분자생물학적 기법을 이용하여 많은 원암 유전자가 분석되었습니다. DNA 및 RNA 종양 바이러스 분석을 비롯하여 화학 발암 물질을 이용한 원암 유전자 탐색에 의해 바이러스 감염이 없어도 형질 전환이 일어나는 것이 밝혀졌습니다. 또 유전자 도입법의 개발에 의해 화학 발암 물질로 형질 전환이 유도된 세포 내에 원암 유전자가 있는 것도 밝혀졌습니다. 서던 및 노던 블롯법을 이용하여 세포성 원암 유전자와 종양 바이러스에서 유래한 원암 유전자의 근친 관계도 확인되었습니다.

원암 유전자(proto-oncogene)의 활성화 기전이, 유전자 클로닝으로 염기 서열을 분석하여 밝혀졌습니다. 예를 들어 사람의 원암 원유전자인 *H-ras*는 구아노신이 티미딘으로 1 염기 치환에 의해 12번째 아미노산 글리신이 발린으로 변환되어 강력한 암 유전자로 전환되는 것으로 보고되었습니다.[2] 한편 원암 유전자인 *c-myc*처럼 상시 과잉 발현에 의한 유전자 증폭이나 염색체 전좌(translocation)가 원인이 되는 것도 보고되었습니다. 또 *c-myc*와 달리 만성 골수성 백혈병에서 볼 수 있는 *bcr-abl* 암 유전자처럼 독립된 2개의 유전자 사이의 전좌에 의한 새로운 키메라 유전자 형성도 있습니다.[3]

암 관련 유전자 발견 방법

이상과 같은 분자생물학적 기법에 의한 원암 유전자 탐색 및 분석은 2004년 인간 게놈 프로젝트 완료에 따라 암의 진행에 관련된 게놈 이상의 탐색으로 이행되었습니다.[1] 현재 정상 인간게놈 서열을 기반으로 체세포 변이가 총체적으로 검증되었으며, 또 차세대 시퀀서 개발에 의해 암의 진행과 관계된 유전자 발견이 신속하게 시행되고 있습니다.

암 진행과 비번역 RNA의 역할

인간게놈 서열 분석에 더해 전사 산물 분석에 의해 단백질을 코드 하는 유전자 영역 이외의 단백질을 코드 하지 않는 비번역형 RNA (non-coding RNA, ncRNA)가 많이 만들어지는 것을 알게 되었습니다. ncRNA 중에서도 특히 microRNA (miRNA)가 암을 포함한 다양한 질환에서 중요한 역할을 담당하는 것도 밝혀졌습니다. miRNA는 20 염기 정도의 1줄 RNA이며, 표적이 되는 유전자의 메신저 RNA (mRNA)의 3'비번역 영역(3' UTR)에 결합하여 그 유전자 발현을 억제합니다 (그림 1). 현재 사람에서 약 2,600개의 miRNA가 보고되었습니다(miRbase 21, http://www.mirbase.org/index.shtml).[4]

암 억제 유전자나 원암 유전자의 변이 분석이 진행되는 한편 miRNA 발현 이상도 암의 악성화에 관여하는 것으로 밝혀졌습니다. miRNA의 기능으로, 암 촉진 또는 억제적 작용을 들 수 있으며, 그 발현 이상에 의해 항암제 내성이나 침윤, 전이능이 유도되는 것이 보고되었습니다.

miRNA의 새로운 기능으로, 세포 밖으로 분비되어 세포 사이의 커뮤니케이션 툴이 되는 것도 알려져, 생명과학에 새로운 전환점이 되었습니다. 암세포를 비롯한 다양한 세포는 엑소솜(exosome)이라고 부르는 100 nm 전후의 소포 과립이

그림1 **microRNA (miRNA)의 역할과 기능**

RNA polymerase II에 의해 핵 내에서 전사되어 primary miRNA가 생산된다. 생산된 primary miRNA는 여러개의 스템루프 (stem loop)가 있다. 이 루프 부분이 2줄의 RNA 특이 디뉴클레아제 III형의 Drosha와 primary miRNA의 헤어핀 루프 구조를 인식하는 2줄의 RNA 결합성 단백질 DGCR8의 복합체(Drosha/DGCR8)에 의해 절단되어 precursor miRNA가 형성된다. Precursor miRNA는 exportin-5에 의해 세포질로 수송되며, 그 후 제2의 뉴클레아제인 Dicer와 2줄 RNA 결합성 단백질(TAR RNA binding protein, TRBP) 복합체에 의해 루프 부근이 절단 되어 20 염기 정도의 2줄 RNA(miRNA/miRNA*)가 형성된다. 이와 같이 형성된 2줄 RNA 중 한 줄이 성숙 miRNA가 된다. RNA-induced silencing compex(RISC)에 받아들여져 Argonaute 단백질(AGO)과 함께 표적 유전자 발현을 주로 전사 후 수준에서 제어한다. 보통 표적 유전자 mRNA상의 비번역 영역인 3' untranslated region(3'UTR) 내에서 불완전한 염기쌍을 통한 결합으로 번역을 억제한다.

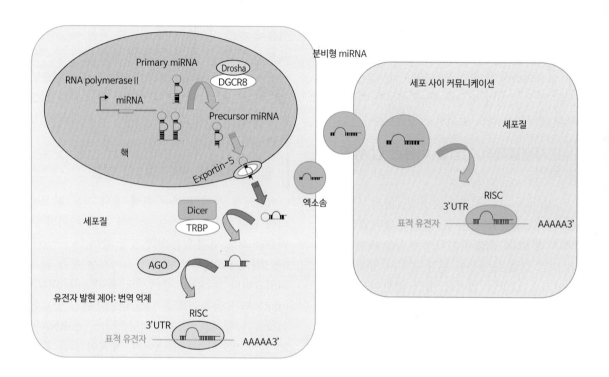

분비되며 그 안에는 단백질이나 핵산 등이 들어 있습니다. miRNA도 엑소솜을 통해 세포 밖으로 분비되어 주위 또는 원격 세포에 전달되어 표적 유전자 발현을 제어하는 것도 알려졌습니다(그림 1).[5]

miRNA 표적 암 진단과 치료법 개발

이상과 같은 염색체 이상에 더해 miRNA 발현 이상도 유전자 활성화 또는 암억제 유전자의 비활성화를 일으키는 것이 많은 암에서 발견 되었습니다. 악성도에 따른 발현 항진이나, 실험적으로 악성도를 항진 시키는 miRNA에 상보성을 나타내는 RNA 유도체(locked nucleic acid, LNA)를 이용하여 그 miRNA의 기능 억제가 시도되고 있습니다. 예를 들어 암 이외의 분야에서 C형 간염 바이러스 복제를 항진 시키는 것으로 밝혀진 miR-122에 대한 LNA (miravirsen) 투여에 의한 혈중 HCV RNA양 감소가 확인되어,[6] 임상시험 phase II가 진행되고 있습니다(clinicaltrials.gov, https://clinicaltrials.gov).

반대로 암의 악성도에 따른 발현 저하도 있으며, 실험적으로도 암 억제 작용이 있는 miRNA유사체(miRNA mimic; 화학적으로 수식하여 안정화 시킨 miRNA 유사체) 투여가 시도되고 있습니다. 암 분야에서 miR-34유사체 MRX34가 간암을 비롯한 고형 암을 대상으로 phase I study 시작되고 있습니다(clinical trials.gov).

암의 진단 및 예후 예측에 혈중으로 분비되는

miRNA를 비교하여 질환 상태에 따라 특이적으로 분비되는 miRNA를 확인하려는 시도도 있습니다. 또 이와 동시에 혈중 miRNA를 신속하게 평가하는 시스템도 구축되고 있으며, miRNA에 더해 암세포에서 분비된 특정 단백질이 혈중에 있는 것도 밝혀지고 있습니다.[7]

마지막으로

암 연구는 분자생물학적 기법을 이용한 원암 유전자, 암억제 유전자의 확인과 그 기능의 분석으로 시작하였으며, 현재 인간게놈 서열을 기초로 차세대 시퀀서를 이용한 새로운 암 관련 유전자 분류에 이르고 있습니다. 한편 miRNA를 비롯한 비번역형 RNA도 암 관련 유전자 발현 제어에 관여하고 있는 것이 밝혀지고 있습니다. 하나의 miRNA가 여러 유전자군의 발현을 제어하는 것을 보면, 암의 악성화에 동반된 miRNA 발현 변동의 평가 또 그 표적 유전자군의 네트워크를 밝히면 암의 본체 규명이나 극복으로 이어질 것을 생각

할 수 있습니다. 또 분비형 miRNA를 대상으로 한 연구가 신약 개발뿐 아니라 진단이나 예후 예측 분야의 발전에 공헌이 기대됩니다.

(高橋陵宇 , 落谷孝広)

||||||||||||||||||||||||||||||||||||| 문헌 |||||||||||||||||||||||||||||||||||||

1) International Human Genome Sequencing C: Finishing the euchromatic sequence of the human genome. Nature 2004; 431(7011): 931-45.
2) Taparowsky E, Suard Y, et al: Activation of the T24 bladder carcinoma transforming gene is linked to a single amino acid change. Nature 1982; 300(5894): 762-5.
3) Ben-Neriah Y, Daley GQ, et al: The chronic myelogenous leukemia-specific P210 protein is the product of the bcr/abl hybrid gene. Science 1986; 233(4760): 212-4.
4) Takahashi RU, Miyazaki H, et al: The role of microRNAs in the regulation of cancer stem cells. Frontiers in genetics 2014; 4: 295.
5) Valadi H, Ekstrom K, et al: Exosome-mediated transfer of mRNAs and microRNAs is a novel mechanism of genetic exchange between cells. Nature cell biology 2007; 9(6): 654-9.
6) Luna JM, Scheel TK, et al: Hepatitis C Virus RNA Functionally Sequesters miR-122. Cell 2015; 160(6): 1099-110.
7) Yoshioka Y, Kosaka N, et al: Ultra-sensitive liquid biopsy of circulating extracellular vesicles using ExoScreen. Nature communications 2014; 5: 3591.

③ 암 치료와 노화

일반적으로 암에 걸릴 위험은 나이가 들수록 증가합니다. 국민 2명 중 1명은 암에 걸리며, 3명 중 1명은 암으로 사망하는 시대에 고령자의 암은 의학적뿐 아니라 사회·경제적 관점에서 매우 중요한 과제입니다. 고령자는 개체 사이의 차이가 커서 통틀어 연령만으로 논할 수 없습니다. 생리적, 신체적으로 건강(fit)한 고령자에게 충분한 암 치료가 시행되지 않을 가능성이 있으며, 쇠약한 (vulnerable, frail) 환자에게는 암 치료가 오히려 불이익이 될 가능성이 있어 치료 선택에는 다각적이고 신중한 검토가 필요합니다.

여기서는 암 치료가 노화에 주는 영향과 고령자에서 암 치료의 문제점에 대해 알아 봅니다.

암 치료에 의한 노화 촉진

암 치료는 크게 수술, 방사선 요법, 항암제 치료, 지지 요법으로 나눌 수 있으며, 각각 고령자의 생리적 기능과 신체 기능에 영향을 줄 수 있습니다.

수술이나 방사선 요법의 영향

고령자나 노화의 동반 질환이 있으면 수술 후 합병증 위험이 높습니다. 성선 적출, 성선에 대한 방사선 치료는 성선 기능 저하, 소실을 일으켜서, 2차적으로 불임, 갱년기 증상, 골량 감소, 지질 대사이상을 일으킵니다. 뇌에 대한 방사선 요법의 지연 장애로 인지 기능 장애가 알려져 있습니다.

약물 요법에 의한 영향

화학요법은 골수 억제, 신 장애, 간 장애, 심 장애, 말초 신경 장애 등의 부작용을 일으키며, 장기 예비능이 저하된 고령자에서는 부작용 위험이 높습니다. 또 화학요법에 의해 인지 기능이 저하될 수도 있습니다. 전립선 암이나 유방암 등 호르몬 의존성 암에 대한 호르몬 요법으로 성 호르몬의 치료적 고갈은 2차성 골다공증이나 지질 대사이상을 일으킵니다.

지지(支持) 요법

뼈 전이에 대한 bone-modifying agent는 골절이나 고칼슘혈증 예방, 치료에 유용하지만 턱뼈 괴사(osteonecrosis of the jaw, ONJ)가 부작용으로 나타날 수 있습니다. 특히 치조 농루나 발치는 ONJ의 위험 인자로 알려져 있으며, 구강 위생이 나쁜 고령자에서 위험이 높습니다.

고령 암 환자의 진료상 문제

고령 암 환자의 임상에서 주의해야 할 요점은 ① 의학적 판단, ② 의사 결정, ③ 요양 환경으로 나눌 수 있습니다.

의학적 판단

암 치료의 목적은 조기에는 근치, 진행기~재발에는 연명과 QOL 유지입니다. 일반적으로 표준 치료의 근거가 되는 임상시험에 고령자는 포함되지 않거나, 들어 있어도 소수인 경우가 많습니다. 한편 건강한 고령자에서는 치료가 불충분할 가능성도 있습니다. 지지 요법의 발전에 의해 보다 안전한 항암제 치료가 가능하게 되고 있으나 노화에 동반한 신 기능, 간기능 등 신체 기능의 잠재적 저하가 있으므로 치료 선택이나 약물 요법의 용량, 지지 요법 등의 대책이 필요합니다.[1] 고령자에게는 치료에 의한 부작용의 부담이나 QOL에 대한 영향이 젊은 사람에 비해 크기 때문에 치료 방침 결정에서 이점과 단점, 사회, 경제적 환경을 포함한 평가가 필요합니다.

치료 의향 결정

과거에는 의사가 환자를 대신하여 가치 판단을 내려 치료를 진행하는 가부장적 의료가 허용되었으나 설명 후 동의 개념의 보급에 따라 암 치료뿐 아니라 의학적 개입은 원칙적으로 본인의 동의를 기본으로 해야 한다는 생각이 보편화되었습니다. 환자의 동의에 이르기까지 ① 의사에 의한 선택

표1
Comprehensive
Geriatric
Assessment
(CGA)

도메인	정의	척도
기능적, 신체적 수행능	자립 생활 능력	activities of daily living instrumental activities of daily living 넘어짐 병력 등
합병증, 약제	생명 예후나 암 치료를 견뎌냄과 관련된 합병증 약제 상호작용	Charlson comorbidity scale Medication Count 등
인지 기능	인지 기능 저하는 많은 고령자에서 볼 수 있으며, 자기 결정 능력 저하는 암 치료에 영향을 준다	Mini-Mental Status Examination (MMSE) 등
심리상태	우울과 불안은 암의 아웃컴에 부정적 영향	Geriatric Depression Scale Hospital Anxiety and Depression scale
영양	체중 감소와 식욕 부진은 암의 예후와 치료 인용성에 영향	Mini-Nutritional assessment weight loss BMI
사회 지원	암 치료를 시행하기 위해서 필요한 사회 지원	경제 상황, 이동, 돌봄 제공자 등의 상황

IV

안티에이징 의약 임상

사항의 제시, ② 환자의 선택사항 이해, ③ 환자의 사회적 환경이나 가치 판단을 고려한 의향 결정 과정이 이상적입니다.

고령자는 인지 기능 저하에 의해 이해도가 떨어지거나, 핵가족화의 영향으로 의향 결정 과정에 가족의 의견이 반영되지 않아 치료 방침 결정이 어려운 경우가 많습니다.

요양 환경

암 치료에 의해 신체 기능이 떨어지는 일이 많기 때문에, 고령 암 환자는 치료 후 요양 환경 정비가 중요합니다. 고령자 세대나, 고령자 독신 세대가 증가에 의해 요양 환경이 갖춰지지 않기 때문에 적절한 치료나 완화 케어 제공이 어려운 경우도 있습니다.

고령자의 종합적 기능 평가 (comprehensive geriatric assessment, CGA)

이상과 같은 고령 암환자가 가진 건강 상태를 종합적으로 평가하는 툴로 노인병 영역에서 개발된 CGA에 대한 관심이 암 영역에서도 높아지고 있습니다. CGA는 신체 기능, 합병증/복약 상황, 인지 기능, 심리 상태, 영양, 사회적 지원의 6개 항목으로 구성 됩니다(표 1). 암 환자에서는 CGA에 의한 평가 척도가 수술 후 합병증, 화학요법 부작용, 사망 위험 예측에 도움이 될 가능성이 있습니다.[2] 본격적 CGA는 전문가에 의한 평가와 시간이 필요하여 임상 현장에서 활용하기 어렵기 때문에 보다 간편한 vulnerable elderly Survey-13 (VES-13)나 G8 등의 스크리닝 툴이 개발되고 있습니다.

앞으로의 전망

고령자의 암 치료에서 무엇으로 유용성을 평가할 것인지, 목표점 설정이 어렵지만, 고령자에서 임상 연구가 세계적으로 추진되고 있습니다.[3] 일본은 2014년부터 시작한 암 연구 10년 전략 중에 "라이프 스테이지와 암의 특성에 주목한 중점 연구 영역" 안에 고령자의 암에 대한 연구가 추진되고 있어 고령화 사회에 대응한 암 의료 발전을 기대하고 있습니다. CGA 도입을 포함한 다직종의 포괄적 지원 체제 확립이 시급합니다.

(清水千佳子)

문헌

1) Walko CM, Mcleod HL: Personalizing medicine in geriatric oncology. J Clin Oncol 2014; 32: 2581-6.
2) Puts MTE, Hard J, et al: Use of geriatric assessment for older adults in the oncology setting: a systemic review. J Natl Cancer Inst 2012; 104: 1133-63.
3) Wildiers H, Mauer M, et al: End points and trial design in geriatric oncology research: a joint European Organization for Research and Treatment of Cancer-Alliance for Clinical Trials in Oncology-International Society of Geriatric Oncology position article. J Clin Oncol 2013; 31: 3711-8.

4 소화기의 암과 안티에이징

현재 사망 원인 중 가장 높은 질환은 암이며, 위암과 대장암을 비롯한 소화기암은 유병률 및 사망률의 상위를 차지합니다. 암은 유전자 변화나 후성유전학적(에피제네틱스) 변화가 축적되어 발생하고 진행하며, 노화에 따라 후성유전학적 변화 빈도가 증가합니다. 이러한 현상을 반영하여 역학적으로 암은 연령에 따라 증가하며, 대부분의 소화기암 유병률도 75~80세에 가장 높습니다. 안티에이징은 유전자 이상 발현을 늦추거나, 유전자 이상을 일으키는 생활 습관을 바꾸어 유전자 변화 자체를 예방하여 암 발생을 억제하는 것을 목적으로 합니다. 소화기암의 발생에는 장기간의 만성 염증 자극으로 발생한 유전자 이상이나 암 면역 관용 등이 필수적이라고 알려져 있으며, 개인의 생활 습관에도 크게 의존합니다. 실제로 만성 대장염, 위염, 췌장염, 간염 등에서 암의 발생은 정상인에 비해 높습니다.

최근 장내 세균총(마이크로바이옴) 변화가 유전자의 후성유전학적 변화나 면역 관용을 일으켜 발암의 원인이 되는 것이 알려지고 있습니다. 노화는 마이크로바이옴 변화를 일으키는 원인의 하나이며, 마이크로바이옴을 표적으로 한 안티에이징이 개발되어 발전할 것으로 기대됩니다. 대장은 만성 염증과 발암의 밀접한 관계의 연구에 좋은 장기이며, 여기서는 마이크로바이옴의 영향이 가장 큰 대장암을 모델로 그 기전과 전망을 설명하려고 합니다.

마이크로바이옴과 그 역할

사람의 상부 위장관에는 10^1~10^3의 세균이 공생하고 있으며, 소장, 대장에는 각각 10^4~10^7, 10^{13}~10^{14}의 세균이 공생하고 있습니다. 위장관에서 공생하는 세균 수 모두 합치면 인체를 구성하는 세포 수의 10배 이상입니다. 마이크로바이옴은 1,000개 이상의 계통군으로 구성되어 있는 것으로 추정되나, 그 중 200개 정도의 계통군 대부분을 차지하고 있으며, 정상 성인에서는 주로 2계통군인 편성(偏性, 절대적) 혐기성균(Firmicutes, Bacteroidetes)이 90% 이상을 차지합니다. 이들은 장내 면역 시스템의 항상성 유지나 필수 비타민 생산, 병원균에 대한 방어 역할을 수행하며 숙주와 공생하고 있습니다. 어떤 원인으로 이런 균형이 무너지는 것을 장내 미생물 불균형(dysbiosis)이라 부르고, 이러한 상태가 되면 유해 세균을 포함한 통성 혐기성균이 증가하면서 염증 반응이 일어납니다.

Dysbiosis의 원인

성인의 마이크로바이옴은 개인별로 일정하게 유지된다고 생각하였으나 최근 가역성이 보고되었습니다.[1] 만성 염증이나 식생활, 비만, 대사증후군, 임신, 항생제 및 소염제 장기 복용 등에 의해 그 구성이 일시적 또는 반영구적으로 영향을 받아 변화하게 됩니다. 비만은 인체에 가벼운 염증 상태를 유발하며, dysbiosis의 한 요인인 동시에 암의 위험 인자입니다. 연령 증가에 따른 만성적 면역 기능 변화나 면역 세포의 불균형 발생은 잘 알려져 있으며, 이는 마이크로바이옴을 직접 변화시킵니다.[2] 연령 증가에 의한 식생활 변화나 저작기능 저하, 복용하는 약의 증가 등도 마이크로바이옴에 영향을 줍니다. 이런 연령 증가에 의한 장기간의 마이크로바이옴 구성 변화가 발암의 위험 인자가 됩니다.

Dysbiosis의 발암 기전(그림 1)

Dysbiosis는 만성 염증을 일으키며, 장관 방어 기능이 저하되면 장관 내 세균이 장관 밖으로 이행하는 전이(translocation)나 염증성 사이토카인 유도를 통해 염증 반응을 더욱 악화시키고, 각종 면역 세포가 동원됩니다. 장기간의 만성 염증에 의해 상피세포 내 전사 인자인 Wnt/β-카테닌 경로 활성화가 일어나고, 이어서 종양 억제 유전자

그림1 노화와 만성 염증에 의한 마이크로바이옴(microbiome) 변화와 발암 기전

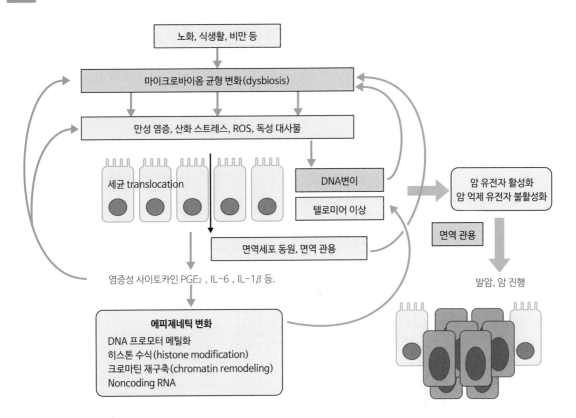

인 *TP53*의 억제성 변이나 발암 유전자 인 *K-RAS* 활성 변이가 생깁니다.[3] 염증 매개물질인 프로스타글란딘 E$_2$ (prostaglandin E$_2$, PGE$_2$)는 Wnt/β-카테닌 경로 활성화에 중요한 역할을 합니다.

만성 염증은 활성산소종(reactive oxygen species, ROS)를 생산하여 산화 스트레스를 일으켜 DNA 손상, 절단이나 돌연변이를 일으킵니다. 활성산소는 대식세포나 호중구 등 면역 세포에서 생산되지만 장내 세균도 생산합니다. 이러한 변화에 의해 불일치 복구(mismatch repair, MMR) 유전자 손상 빈도가 높아집니다. 또 일산화질소(NO)는 DNA 메틸트랜스페라제를 활성화시켜, MMR 유전자 프로모터 영역의 DNA를 메틸화하며 DNA 발현을 억제합니다. 따라서 MMR의 비활성화는 만성 염증에서 발암에 이르는 초기 단계라고 생각할 수 있습니다. 또한 만성 염증 상태에 있는 상피세포에서는 활성화 유도 시티딘디아미나제(activation-induced cytidine deaminase, AID)가 발현됩니다. AID는 시티딘기에서 탈아미

노를 일으키는 유전자 변이에 의해 발암에 관여합니다.[4]

장관 내 만성 염증은 국소적인 장관 발암에 머물지 않고 전신의 염증 상태, 면역 시스템 이상을 일으켜서 악성 림프종이나 장관 이외 장기의 발암에도 관여하는 것으로 보고되었습니다.[5]

세균이 만들어 내는 독성 물질도 발암에 관여합니다. 그람양성균인 *Fusobacterium nucleatum*은 독성 물질인 Fusobacterium adhesin A (FadA)를 발현시킵니다. FadA는 상피 세포의 세포 접착 인자 E-카드헤린을 표적으로 장관의 투과성을 항진시키거나 직접 Wnt/β-카테닌 신호경로를 활성화하여 발암을 유도합니다.

Dysbiosis 예방이나 개선 목적의 안티에이징

Dysbiosis-염증-발암 과정을 차단하는 것이 중요하며, 안티에이징에서는 dysbiosis를 표적으로 하는 예방과 개선으로 암예방 효과를 기대할 수

있습니다. *Lactobacillus*나 *Bifidobacterium* 등을 이용한 프로바이오틱스는 대장암 발생 위험을 감소시키는 것으로 보고되었습니다.[6] 식이섬유가 풍부한 식사는, 장내 세균에 의한 부티레이트 생산을 증가시킵니다. 부티레이트는 대장 상피 세포의 중요한 에너지원이며, 발암 예방에 효과가 있다고 하지만 아직 확실하지는 않습니다. 거짓막성 대장염(pseudomembranous enterocolitis)은 *Clostridium difficile*에 의한 dysbiosis가 중요한 원인이지만, 재발성 거짓막성 대장염 환자에게 정상인의 대변을 이식하는 대변 미생물 이식 치료는 항생제 투여보다 효과적인 것으로 알려져 있으며,[7] 이 분야는 계속 발전하고 있습니다.

▌암 치료에 의한 노화 촉진

연령 증가나 만성 염증에 의해 일어나는 dysbiosis는 발암과 밀접하게 연관되어 있습니다. 마이크로바이옴에는 가역성이 있으며, 이를 표적으로 한 안티에이징 치료는 매우 유망한 분야입니다.

그러나 발암이나 만성 염증을 일으키는 세균 유래 대사물질이나 중요한 면역세포는 아직 확실하게 규명되지 않아 아직 새로운 연구 결과가 나오기를 기대합니다.

(加藤 弘 , 渡邊昌彦)

문헌

1) Faith JJ, Guruge JL, et al: The long-term stability of the human gut microbiota. Science 2013; 341:1237439.
2) Guigoz Y, Dore J, et al: The inflammatory status of old age can be nurtured from the intestinal environment. Curr Opin Clin Nutr Metab Care 2008; 11: 13-20.
3) Lakatos PL, Lakatos L: Risk for colorectal cancer in ulcerative colitis: changes, causes and management strategies. World J Gastroenterol 2008; 14: 3937-47.
4) Endo Y, Marusawa H, et al: Activation-induced cytidine deaminase links between inflammation and the development of colitis-associated colorectal cancers. Gastroenterology 2008; 135: 889-98, e1-3.
5) Westbrook AM, Wei B, et al: Intestinal mucosal inflammation leads to systemic genotoxicity in mice. Cancer Res 2009; 69: 4827-34.
6) Davis CD, Milner JA: Gastrointestinal microflora, food components and colon cancer prevention. J Nutr Biochem 2009; 20: 743-52.
7) Mattila E, Uusitalo-Seppala R, et al: Fecal transplantation, through colonoscopy, is effective therapy for recurrent Clostridium difficile infection. Gastroenterology 2012; 142: 490-6.

D. 안티에이징 치료

c) 비만 대사 수술

고도 비만증의 수술적 치료

합병증이 동반되어 치료 대상이 되는 비만 환자에게 식사, 운동, 행동, 약물 요법을 중심으로 내과 치료를 시행하여, 단기적으로는 일정한 효과를 기대할 수 있으나 장기적 성적이 반드시 좋다고는 할 수 없습니다. 특히 BMI가 35 kg/m²를 넘는 고도 비만자는 내과 치료에 저항성을 나타내므로 미국과 유럽에서는 1950년대부터 외과 치료(비만 대사 수술, bariatric surgery)를 시행하고 있습니다. 최근 세계적으로 비만 인구가 증가하여 외과 치료 시행 건수가 증가하고 있으며, 국제 비만 대사 외과 연맹(International Federation for the Surgery of Obesity and Metabolic Disorders, IFSO)의 통계에 의하면, 1998년에 연간 4만 건 정도였던 수술 건수가 2003년 14.6만 건, 2008년 34.4만 건, 2013년 46.9만 건으로 증가했습니다.

고도 비만증의 수술적 치료

그림 1은 비만 대사 수술 방식의 모식도 입니다. 원리는 위를 작게 만들어 섭식량을 억제하고, 소화관(소장)을 우회하여 소화 흡수능을 억제하는 것이며, 양자의 조합에 의해 효과적 감량을 시도하는 것입니다. 섭식 제한 만의 방식에는 조절성 위 밴딩술이나 슬립(sleeve) 위절제술이 있으며, 섭식 제한에 흡수 억제를 더한 방식에는 루와이 위 우회술이나 슬립 우회술이 있습니다. 현재 대부분의 비만 대사 수술은 복강경하에 시행하고 있습니다.

복강경하 슬립 우회술을 받은 고도 비만에서 수술 후 2년간 체중 및 식사 섭취량 변화는 그림 2와 같습니다. 수술 시 평균 체중은 108.0±21.5 kg, 평균 BMI 41.4±6.5 kg/m²였습니다. 수술 후 급속히 체중이 감소되어 1년째에 정상화되었습니다. 수술 후 1년에(추적 93%) 평균 체중은 72.4±14.1 kg, 초과 체중 감소율은 80.0±25.1%였습니다. 수술 전 평균 식사 섭취량은 3,011±896 kcal/일(1,760~5,000), 수술 후 1개월에 638±200 kcal/일(300~1,150)로 현저히 감소했습니다. 그 후 서서히 증가하여 수술 후 약 1~1.5년에 정상화되었습니다.[1]

그림1 대표적 감량 수술 방법

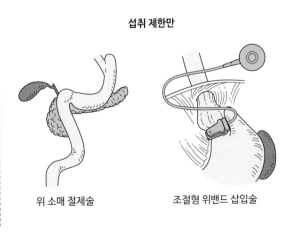

섭취 제한 + 흡수제한   섭취 제한만

루와이
(Roux-en-Y)
우회술

담도췌장 우회
십이지장 스위치술

위 소매 절제술

조절형 위밴드 삽입술

383

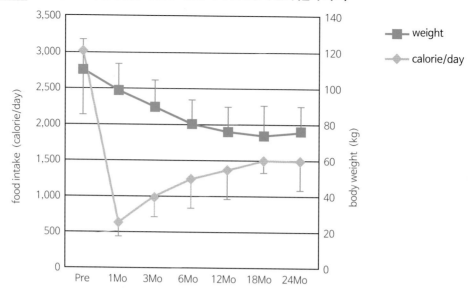

그림2 고도 비만 환자에서 감량 수술후 체중, 식사 섭취량의 변화(필자 자료)

외과 치료의 효과

체중 감량 효과

내과 치료에 비해 외과 치료의 장점은 장기 효과를 기대할 수 있다는 점입니다. SOS (Swedish Obese Subjects) 연구[2]는, 외과 치료를 받은 2,010명(수술 군)과 2,037명의 내과 치료군을 전향적으로 관찰한 장기 성적(관찰 기간 10.9년)입니다. 내과 치료군에서는 장기적 감량 효과는 거의 없었으나, 수술군은 장기간에 걸쳐 감량 효과가 유지되었습니다. 메타분석(621개 연구의 135,246명 아웃컴 분석)에 의하면 방식에 따라 효과 차이가 있으나, 감량 수술 후에 대체로 BMI 10~15 kg/m², 체중 30~50 kg 정도의 감량 효과가 있었습니다.[3]

대사증후군에 대한 효과

외과 치료는 체중 감소뿐 아니라, 비만 동반 질환에 대한 효과가 높아 대사 수술(metabolic surgery)이라고도 부릅니다. 앞의 메타분석에서, 수술 전 2형 당뇨병 동반 증례의 76.8%에서 수술 후 당뇨병 관해(remission)(당뇨병에 대한 약물 투여가 불필요하고 혈액 검사 결과가 기준 치 이내에 있는 상태)가 있었고, 86.0%에서는 임상적으로 유의한 개선이 있었다고 보고했습니다.[3] 당뇨병의 내과 치료가 혈당 치의 안전 구역내 조절이 주 목적인 것과 대조적입니다. 효과에는 방식에 따라 차이가 있어 루와이 위 우회술 등 우회술 방식에서 관해율이 높고 위 밴딩술 등 섭식량을 억제하는 방식에서는 효과가 낮았습니다.

생명 예후에 주는 효과

외과 치료가 생존율을 유의하게 개선하는 것이 많은 연구에서 알려졌습니다. SOS 연구[2]에서, 수술군은 내과 치료군에 비해 위험 조정 후 사망률이 29% 저하했습니다. 주된 사망 원인은 심근경색과 암이었습니다. Adams 등은 루와이 위 우회술을 시행한 7,925명의 고도 비만자와 7,925명의 대조군의 후향적 관찰 결과에서, 7.1년의 관찰 기간에 외과 치료군은 대조군에 비해 사망률이 40% 낮았습니다.[4] 사인 분석에서, 외과 치료군은 대조군에 비해 관상동맥 질환으로 56%, 당뇨병으로 92%, 악성 신생물로 60%의 사망률 저하가 있었습니다.

비만 대사 수술; 최근 연구

미국 스탠포드대학 메디칼센터 외과의 John Morton 교수 팀은 비만 대사 수술을 받은 51명의 고도 비만 환자(평균 연령 49세, 평균 BMI 44 kg/

m²)를 대상으로 수술 전 및 수술 후 1년에 텔로미어 길이를 측정했습니다. 텔로미어(telomeres)는 염색체 말단부에 있는 DNA 반복 서열이며 세포 노화에 따른 텔로미어 단축이 알려졌습니다. 수술 후 1년에 평균 초과 체중 감소율 즉 실체중에서 이상 체중(미국인에서 BMI 25kg/m²에 해당하는 체중)을 뺀 초과 체중 감소분은 71% 로 대폭 감량을 얻을 수 있었고, 공복 혈청 인슐린치도 수술 전의 1/4로 저하했습니다. 모든 환자에서 수술 후 1년에 텔로미어 길이 변화는 없었으나, 수술 전에 LDL 콜레스테롤 증가 및 CRP 증가가 있던 예에서는 수술 후 텔로미어 신장이 있었으며, LDL 콜레스테롤 및 CRP 감소 정도와 텔로미어 신장 정도에 상관이 있었다고 보고했습니다. 고 LDL 콜레스테롤혈증은 심 질환의 위험 인자이며, CRP는 염증 지표이므로, 이들이 증가된 그룹은 비만 대사 수술에 의한 안티에이징 효과의 혜택을 받을 것으로 생각됩니다.[5]

마지막으로

비만 대사 수술은 확실한 칼로리 제한 요법이며, 고인슐린혈증을 교정하여 대사증후군을 포함한 비만 관련 질환을 극적으로 개선시킵니다. 또 생명 예후 개선 효과도 나타나고 있습니다. 최근에는 장내 세균에 영향을 주는 것도 알게 되었습니다. 비만 대사 수술은 안티에이징이라는 시점에서 매우 흥미롭다고 생각합니다.

(関 洋介 , 笠間和典)

문헌

1) 関 洋介, 笠間和典: 腹腔鏡下スリーブ状胃切除術＋十二指腸空腸バイパス術(スリーブバイパス術)の手術手技と効果. 月刊糖尿病 2014; 6: 60.
2) Sjöström L, Narbro K, et al: Effects of bariatric surgery on mortality in Swedish obese subjects. N Engl J Med 2007; 357: 741-52.
3) Buchwald H, Avidor Y, et al: Bariatric Surgery: A systematic review and meta-analysis. JAMA 2004; 292: 1724-37.
4) Adams T, Gress R, et al: Long-term mortality after gastric bypass surgery. N Eng J Med 2007; 357: 753-61.
5) Presented at the annual meeting of American Society for Metabolic and Bariatric Surgery 2013 (Atlanta, GA, USA).

IV

안티에이징 의학 임상

d) 미용 의료

나이에 걸맞는 모습도 좋지만, 외모가 나이보다 젊게 보이고 싶다는 기분을 누구나 갖고 있습니다. 그러기 위해서는 용모나 피부 노화를 조절할 필요가 있습니다. 이런 미용 치료는 경시되기 쉽지만, 안티에이징 의료에서 효과를 실감 할 수 있어 외모의 안티에이징을 위한 치료는 매우 중요합니다.

미용 외과 치료는 2개로 나눌 수 있습니다. 하나는 쌍꺼풀이나 유방 확대같은 희망에 의한 치료이며, 다른 하나는 기미, 주름 같은 젊어 보이기 위해 시행하는 안티에이징 치료입니다. 피부는 몸 전체를 감싸는 큰 조직이며, 특히 얼굴은 나이든 변화가 가장 뚜렷하게 보입니다. 외모로 나타나는 노화 현상은, 주름, 피부의 늘어짐 같은 형태 변화와 기미, 모세혈관 확장 같은 색조의 변화입니다. 나이가 들면서 피부에는 다양한 문제가 생깁니다. 여기서는 미용 의학의 안티에이징[1] 중 환자가 많은 기미와 주름 치료를 소개합니다.

기미 치료

기미의 질환별 치료 방법

기미는 후천성 멜라닌 색소 증가이지만 어떤 질환때문에 나타날 수도 있습니다. 실제로 기미를 주소로 내원한 환자의 임상 진단은 매우 다양합니다. 기미를 치료하려면 임상 소견 및 현병력으로 진단하여 적절한 치료를 선택합니다.[2] 많은 환자는 기미=레이저 치료로 흔적도 없이 사라진다고 생각하여 진료를 받습니다. 그러나 질환에 따라 치료 방법이 다르며 치료 경과도 다릅니다. 그 중 비교적 흔한 5가지 질환 치료를 설명합니다.

노인성 색소반: 노인성 색소반은 각질세포의 이상이며 레이저 치료를 선택합니다(그림 1). 멜라닌 과립을 가진 케라티노사이트를 파괴하고 표피를 박리하여 신생 상피의 재생으로 치료되므로 멜라닌을 표적으로 한 레이저를 이용합니다. 사용하는 레이저에는, 루비 레이저(파장 694 nm), 알렉산더라이트 레이저(파장 755 nm), 반파장 Nd:YAG 레이저(파장 532 nm) 등 입니다. 레이저 이외 방법으로 광치료를 이용할 수도 있습니다. 레이저는 1 파장이나 빛의 파장은 560~1,200 nm의 광대역이므로 레이저보다 효과가 적어 반복 치료가 필요합니다.

부작용으로 염증 후 색소 침착이 있으므로, 레이저 치료 시행 전에 충분한 설명과 동의가 필요합니다.[3] 실제 치료에서 조사 후 시간적 변화 및 그에 대한 대처로 미백제 사용도 알아둘 필요가 있습니다.[2,3]

기미: 기미는 멜라노사이트의 이상이지만 증가는

그림1 노인성 색소반: 레이저 치료

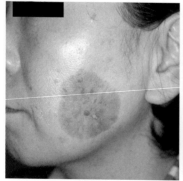 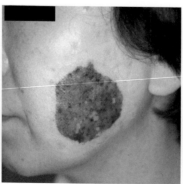 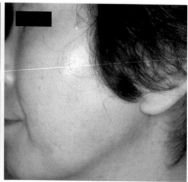

a: 치료 전   b: 레이저 치료 후 1주: 가피 형성   c: 치료 후 3개월

없습니다. 치료 원칙은 내복약(비타민 C, E, 트라넥삼산), 외용제(비타민 C, 트라넥삼산, 하이드로퀴논)으로 티로시나제 활성 억제와 자외선 방지입니다. 레이저 치료를 시행하면 치료 전보다 색소가 증가하거나 염증 후 색소 침착이 장기간 지속하는 등 합병증 빈도가 높고, 재발하므로 금기라고 생각하고 있었습니다. 그러나 최근 YAG 레이저를 사용한 레이저토닝 방법으로 기미의 레이저 치료도 과거와 같은 합병증 없이 치료가 가능하게 되었습니다(그림 2).

주근깨(freckle): 멜라노사이트의 이상인 주근깨는 햇빛 노출부에 생기는 색소반으로 유전성 소인이 있습니다. 상피 기저층 위의 각질층에 멜라닌이 존재합니다. 멜라닌을 표적으로 하는 레이저 치료를 선택합니다.

지발성 오타모반 모양 색소반: 멜라노사이트의 이상이며 진피에 멜라노사이트 모양의 세포 증가가 있습니다. 20대 이후에 발병합니다. 일반 오타모반과 다른 발생 연령, 발생 부위(양쪽 볼, 부위, 하안검, 앞이마, 코뿌리)이며, 안구 점막에는 없습니다. 레이저 치료를 선택합니다.

햇빛 각화증: 전암 병변 입니다. 기미를 주소에 내원한 환자의 약 2.5%는 햇빛 각화증입니다. 노인성 색소반과 임상적으로 비슷한 형태도 있어 의심스러우면 조직 검사를 시행합니다. 치료는 피부 암에 준해 수술에 의한 절제가 원칙이지만 최근에는 햇빛 각화증에 대한 연고 치료도 시도하고 있습니다. 고령화에 따라 증가하며, 종양이 크

면 상처가 남는 절제법을 충분한 설명과 동의를 받아 시행합니다. 연고 치료이외에 레이저, 액체질소, 케미칼필링 치료도 시행합니다.

주름, 피부 늘어짐 치료

과거 주름이나 피부 늘어짐은 주로 수술로 치료했습니다. 최근에는 효과보다 신경 쓰지 않고 계속할 수 있는, 치료 중간 기간이 짧은 방법 선택이 증가하고 있습니다. 얼굴 주름 치료는 부위에 따른 다양한 방법을 설명하여 환자의 희망 및 적응을 충분히 고려하여 치료 계획을 세웁니다(그림 3).

레이저 및 유사 기기

주름에 대한 레이저 치료는, 과거는 탄산 가스 레이저 등의 ablative 레이저를 사용했습니다.[5] 얼굴 피부를 레이저로 벗겨내는 획기적 치료 방법으로 충분한 효과를 볼 수 있는 반면 환자에 대한 침습이 컸습니다. 또 충분한 경험도 필요하여 현재 적극적으로 시행하는 의사는 적습니다. 1990년대 후반부터는 표피를 보존하는 non-ablative 레이저로 바뀌었습니다.[6]

현재는 레이저, 고주파(radiofrequency, RF), 광치료 등을 사용하고 있습니다(그림 4). 치료 중간 시간이나 위험은 적지만 효과는 ablative 레이저보다 못합니다.

최근에는 플랙셔날이라는 피부에 매우 많은 미세한 레이저를 조사하는 방법이 개발되었습니다.

그림2 기미의 레이저 치료

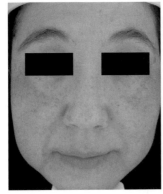
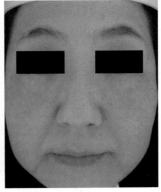

a: 치료 전

b: 8회 치료 후 6개월

그림3 **주름, 피부 늘어짐: 안면 부위별 치료 방법(Part rejuvenation)**

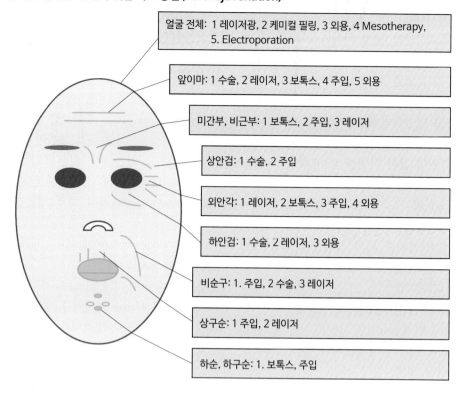

얼굴 전체: 1 레이저광, 2 케미컬 필링, 3 외용, 4 Mesotherapy, 5. Electroporation

앞이마: 1 수술, 2 레이저, 3 보톡스, 4 주입, 5 외용

미간부, 비근부: 1 보톡스, 2 주입, 3 레이저

상안검: 1 수술, 2 주입

외안각: 1 레이저, 2 보톡스, 3 주입, 4 외용

하안검: 1 수술, 2 레이저, 3 외용

비순구: 1. 주입, 2 수술, 3 레이저

상구순: 1 주입, 2 레이저

하순, 하구순: 1. 보톡스, 주입

열 손상을 받은 주변이 정상 조직으로 덮이는 상태가 되며, 병리 조직학적으로는 많은 구멍이 뚫려 있는 ablative 소견이며, 조사 후에 ablative보다 non-ablative와 비슷한 상태가 됩니다.

주사, 주입 치료

국소 주사 방법은 콜라겐, 히알론산 등의 주입이나 보툴리누스 독소에 의해 근육의 움직임을 멈추는 치료, 비타민 C나 히알론산 등을 얼굴에 다수 주사하는 메조테라피(Mesotherapy)가 있습니다(그림 5). 주입 치료에서 중요한 것은 주입제의 안전성입니다. 히알론산에 실리콘이 섞인 제품도 있으며, 미용 외과에서는 이런 제품에 의한 부작용 환자를 자주 봅니다. 환자는 값이 싸고 효과가 오래 가는 제품을 좋아하지만 주사 치료를 시행하는 의사는 모랄을 가지고 안전성을 제일로 생각하여 흡수성 제품을 선택해야 합니다.

주입 치료의 합병증으로, 출혈, 혈종 형성, 알레르기 반응(급성, 지연), 육아종, 염증, 감염, 피부 괴사, Creutzfeldt-Jacob disease, 나노 입자의 체내 흡수에 의한 장애 등이 있으며, 실명 등 회복되지 않는 합병증 보고도 있습니다. 치료에는 얼굴의 해부 지식이 필요하며 이를 이해한 주입이 중요합니다.

약제 치료

1990년대에 글리콜산을 이용한 케미칼필링 치료가 미국과 유럽에서 시작되었습니다. 케미칼필링을 계속 시행하면 멜라닌 생산능 감소, 콜라겐 증가가 있습니다.[7,8] 또 트레티노인산(tretinoin: all-trans retinoic acid)이나 α-히드록시산 등의 외용제는 얇고 얕은 주름에는 효과적입니다.

마지막으로

미용 의료에서 안티에이징 치료에는 다양한 방법이 있으며, 효과, 경과, 부작용이 다르므로 개개 환자에게 적합한 프로그램 제공이 중요합니다. 정보 범람 속에서 수많은 오보가 세상을 흐르고 있습니다. 그리고 그 희생자는 환자입니다. 각 치료의 적응과 한계를 올바르게 인식하여 올바른

그림4 안면 전체의 노화; 레이저,
고주파, 주입에 의한 복합 치료

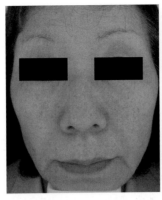 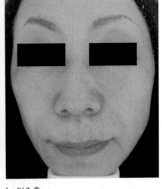

a: 치료 전　　　　　　　　　　b: 5년 후

그림5 팔자주름: 히알론산 치료

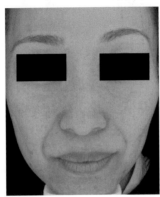 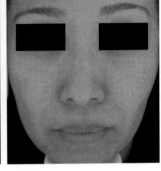

a: 치료 전　　　　　　　　　　b: 1년 후

정보를 모든 사람에게 전달 할 의무가 있는 것을
잊으면 안 됩니다. 그리고 자신의 범위를 넘는 치
료가 필요할 때 자신이 시행할 수 있는 치료 방법
의 선택이 중요합니다.

（ 山下理絵 ）

▓▓▓▓▓▓▓▓▓▓▓▓ 문헌 ▓▓▓▓▓▓▓▓▓▓▓▓

1) 山下理絵: 美容医学とアンチエイジング: シミ，シワ治療からボ
　　ディーコントロール，キレーションまで. 文光堂, 2008.
2) 山下理絵: 美容外科でのレーザー治療: agingに対するレーザー
　　治療. 日形会誌 2002; 24: 13-22.

3) 山下理絵: レーザー治療後の炎症性色素沈着に対するスキンケ
　　ア: 老人性色素斑に対するレーザー治療前後のスキンケア. 日美
　　容外会報 1998; 20: 1-7.
4) 山下理絵, ほか: 肝斑と肝斑以外のシミが混在する症例の診断と
　　治療. PEPARS 2013; 75: 123: 33.
5) 山下理絵: Skin resurfacing: ウルトラパルス炭酸ガスレーザーの
　　適応と実際. 実践皮膚レーザー療法, 永井書店, 2001, p109-128.
6) 山下理絵: Non-ablative laserとその類縁治療: オリエンテーショ
　　ンーなぜrejuvenationレーザーには多くの種類があるのか？ 文
　　光堂, 皮膚科診療プラクティス17, 2004, p128-31.
7) Rie Yamashita: Skin Resurfacing: Chemical Skin Rejuvenation in
　　Asians; Asian Facial Cosmetic Surgery. ELSEVIER 2006; 387-399.
8) 山下理絵: 美容皮膚科：ケミカルピーリング. 美容外科基本手術,
　　南江堂, 2008, p324-326.

e) DHEA 요법

부신 안드로겐인 디히드로에피안드로스테론 (dehydroepiandrosterone, DHEA)은 체내에서 가장 많이 생산 되는 스테로이드 호르몬입니다. 20 대에 최대가 되고, 나이가 들면서 서서히 저하되어 갑니다. 최근 DHEA의 면역 활성 작용, 당뇨병 방지 작용, 골다공증 예방 작용, 동맥경화 방지 작용, 항비만 작용, 항종양 작용, 중추 신경 작용 등 생체에 유익한 각종 작용이 주로 동물 실험으로 알려졌습니다. 이런 결과에 의해 미국과 유럽에서 DHEA 보충 요법이 시도되고 있습니다.

DHEA 보충에 의한 호르몬 변화

DHEA (10~25 mg)를 투여하고 혈중 DHEA-S 변동을 조사한 결과 투여 1~6시간에 기저치 보다 약 2-3배 상승하였고, 24시간 후에 기저치로 돌아왔으며, DHEA 투여 24시간의 평균 혈중 농도는 기저치의 약 2배 정도였습니다.[1] DHEA를 1년 이상 투여하다가 갑자기 중단하면 DHEA-S는 중단 2주 후에 현저히 저하되어 DHEA 투여 전보다 저하하므로 중단할 때 서서히 감소하는 것이 필요하다고 생각됩니다. DHEA 투여는 DHEA 자체의 혈중 농도를 증가시킬뿐 아니라 안드로스텐디온, 테스토스테론, 에스트라디올 등 다른 성 호르몬을 증가시키는 전구 약(prodrug)으로 작용합니다. 하루 50 mg과 25 mg 투여 후 혈중 호르몬 농도 비교에서 차이가 없어 25 mg/일 투여도 유효할 것으로 생각합니다.

DHEA 보충의 다양한 작용

비만 환자를 대상으로 DHEA 50 mg/일 또는 위약을 6개월 간 투여하고 MRI로 평가한 내장 지방과 피하 지방 면적은 DHEA군에서 감소되었고, 인슐린 저항성이 개선되었다는 보고가 있습니다. DHEA를 60대 남성에 보충하여 혈관내피 기능, 인슐린 감수성 개선을 볼 수 있었습니다.

DHEA를 비롯한 성 호르몬은 뇌내 국소에서 신경전달물질 작용 나타내는 신경 스테로이드이며, 기억이나 인지 기능에 관련할 가능성이 있습니다. 사람에서도 알츠하이머병 환자나 조현병 환자의 인지 기능과 혈중 DHEA 농도의 관련이 보고되었습니다.

DHEA 보충에 의한 폐경 후 여성의 골밀도 저하 개선 작용이 있습니다. *In vitro* 실험에서 안드로겐 수용체를 통하지 않는 DHEA의 직접 작용으로 조골세포의 분화, 증식 촉진 작용이나, 파골세포에 의한 골흡수 억제 성적이 보고되어 비스포스포네이트나 에스트로겐과 다른 기전에 의한 골다공증 억제 효과가 기대되고 있습니다. DHEA는 폐경 후 여성에서 국소에서 에스트로겐으로 변환되어 즉 intracrine 작용으로 골다공증 발생을 방지할 가능성이 있습니다.

DHEA 보충 효과

여성 부신부전 환자 24명에서 1일 50 mg의 DHEA를 4개월간 투여하여, 혈중 DHEA 농도뿐 아니라 DHEA-S, 안드로스텐디온, 테스토스테론 농도 상승이 있으며, 건강감이나 성에 대한 생각과 관심이 높아져서 DHEA 보충 요법의 유용성이 있었습니다.[2] 한편 57명의 고령 여성에서 27명은 DHEA, 30명은 위약을 투여하는 이중맹검 시험을 2년간 시행하여, DHEA 투여군에서 혈중 DHEA 농도 상승과 골밀도 증가는 있었으나, 체지방량이나 인슐린 감수성에 변화가 없고, 삶의 질 (QOL)도 개선되지 않았다는 보고도 있습니다.[3] 또한 87명의 고령 남성에도 DHEA 또는 테스토스테론과 위약의 비교에서 DHEA나 테스토스테론 보충 요법으로 신체 조성, 신체 능력, QOL, 인슐린 감수성에 영향이 없었다는 보고가 있습니다. RCT 연구의 메타분석 결과는 1,353명의 고령 남성에서 평균 36주의 DHEA 투여에 의해 체지방 감소가 있었습니다.[4] 그러나 테스토스테론 등 다른 성 호르몬 농도로 보정하면 유의성이 소실되 없습니다. 또 당대사, 골대사, 성 기능, QOL 등이 개선되지 않았습니다. 55~85세 남성 110명과 여성 115명을 DHEA 투여군과 위약 투여군으로 나누어 1년 후 인지 기능을 평가한 결과 유의한 개선이 없었습니다.[5]

그 밖에 많은 연구에서 신체 조성, 당대사, 인지 기능 등 다양한 관점에서 효과를 조사했으나, DHEA 보충이 유효한 성적은 부신 부전 증례나 안드로겐 저하 상태에 한정되어 있습니다.

마지막으로

DHEA 보충 요법은 안티에이징 의학에서 새로운 치료법으로 가능성이 기대되고 있으나, 지금까지 예상 보다 좋은 성적은 얻을 수 없었습니다. 비슷한 연구를 시행해도, 시험 마다 성적이 다른 경우가 자주 있어 안정된 성적을 얻기 어려운 것이 문제점의 하나가 되고 있습니다. 그 원인으로 시험 규모가 작고, 시험 기간도 짧아 결과가 불규칙하여 일정한 견해를 얻을 수 없었다고 생각합니다. 호르몬에는 유효하게 작용하는 최적 농도가 있으며, 호르몬의 과잉이나 저하는 생체에 유해한 작용을 일으킬 수 있습니다. 이런 문제에서 외국에서 시험 규모, 시험 기간을 확대한 임상 연구가 시도되고 있습니다.

호르몬 보충 요법으로 DHEA를 이용하려면, 인종 차이를 비롯한 유전적 요인, 환경 요인을 고려한 맞춤 의료의 일환으로 시행할 필요도 있습니다. 이를 위해 임상시험뿐 아니라 분자 기전의 규명도 필요합니다. DHEA 보충 요법이 고령화 사회에 복음이 될 것인지는 앞으로 기초 의학과 임상의학의 발전에 의해 가능해질 것으로 생각할 수 있으며, 앞으로 이 영역에 많은 관심이 모이기 바랍니다.

(福井道明)

|||||||||||||||||||||||||||||||||||||||||||| **문헌** ||||||||||||||||||||||||||||||||||||||||||||

1) 田中　孝, 永田善子, ほか: 長期DHEA補充療法の検討, 初老期, 高齢期のホルモン療法. Modern Physician 2007; 27: 1145-8.
2) Arlt W, Callies F, et al: Dehydroepiandrosterone replacement in women with adrenal insufficiency. N Engl J Med 1999; 341: 1013-20.
3) Nair KS, Rizza RA, et al: DHEA in elderly women and DHEA or testosterone in elderly men. N Engl J Med 2006; 355: 1647-59.
4) Corona G, Rastrelli G, et al: Dehydroepiandrosterone supplementation in elderly men: a meta-analysis study of placebo-controlled trials. J Clin Endocrinol Metab 2013; 98: 3615-26.
5) Donna KS, Denise M, et al: Effects of dehydroepiandrosterone supplementation on cognitive function and quality of life: the DHEA and Well-Ness(DAWN)trial. J Am Geriatr Soc 2008; 56: 1292-8.

f) 킬레이션 요법(chelation therapy)※

킬레이션 요법은 킬레이트제를 이용하여 납 등의 유해 금속을 몸 밖으로 빼내는 치료입니다. 이 치료 목적은 동맥경화 치료와 유해 금속의 배설 촉진입니다. 여기서는 에틸렌디아민 사초산(ethylenediamine tetraacetic acid, EDTA)을 이용한 킬레이션 치료에 대해 설명합니다.

역사

EDTA 킬레이션 치료는 1940년대부터 납중독 치료제로 이용되었으며, 1950년대에 심 질환에서 동맥경화의 비침습적 치료 방법으로 미국에서 사용되기 시작했습니다.[1] 2003년부터 2012년까지 시행된 미국 국립보건원(National Institutes of Health, NIH)의 임상시험(Trial to Assess Chelation Therapy, TACT study)에서 킬레이션 치료에 의한 심근경색 재발 감소 효과가 확인되었습니다.[2] 그림 1에서 보듯이 당뇨병 환자에서 치료 효과가 뚜렷하여 2차 임상시험으로 당뇨병 환자를 대상으로 한 TACT2 study 준비가 진행되고 있습니다.

EDTA 킬레이션 치료 내용

2 종류의 EDTA

EDTA를 이용하는 킬레이션 치료에는 Na_2-EDTA와 Ca-EDTA의 2종류가 있습니다. 전자는 Ca를 배설하는 효과가 있으나, 후자는 그런 작용이 없습니다. 따라서 Na_2-EDTA는 1950년대부터 동맥경화 치료, 예방 목적으로 사용하였고, Ca-EDTA는 납중독 등 중금속 배출 목적으로 사용하고 있습니다.

Na_2-EDTA 킬레이션 치료

Na_2-EDTA를 비타민, 미네랄과 함께 점적 주입합니다. 투여 방법의 기준은 American Academy

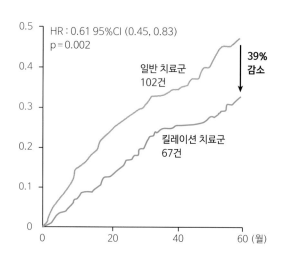

그림 1 당뇨병 환자에서 이벤트 발생률의 비교

TACT study 결과의 일부. 당뇨병 환자에서 킬레이션 치료군에서 일반 치료군과 비교하여 39%의 이벤트 발생률이 낮았다.

※역자 주:

1. 2014 ACC/AHA/AATS/PCNA/SCAI/STS Focused Update of the Guideline for the Diagnosis and Management of Patients With Stable Ischemic Heart Disease (JACC 2014;64: 1929-1949)에서 안전형 허혈성 심장질환에 킬레이션 요법은 치료 유효성이 없다고 기술하고 있다(Class of Recommendation IIb, Level of Evidecnde B). 그리고 미국 FDA에서는 특별한 경우(철분 과량, 납중독)에만 Disodium EDTA 사용 적응증을 부여하고 심혈관질환 예방이나 치료에는 승인하지 않았다고 기술한다.

2. 2016 AHA/ACC Guideline on the Management of Patients With Lower Extremity Peripheral Artery Disease (JACC 2017;69: 1465-1508)에서 하지 동맥경화성질환에 킬레이션 요법은 claudication 치료 유효성이 없다고 기술하고 있다(COR III, LOE B-R).

3. Trial to Access Chelation Therapy 2 (TACT2)는 2016년부터 2021년까지 미국에서 50세 이상의 심근경색증 기왕력 환자를 대상으로 Na_2 EDTA chelation 임상 연구중이며, 연구 결과에 따라 근거중심에 의거한 치료가이드라인에 영향을 줄 수 있겠다(clinical trials.gov, tact2.org).

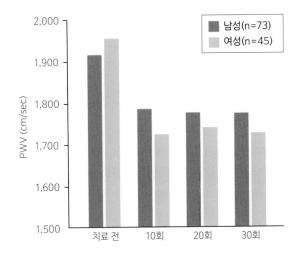

그림 2 킬레이션 요법에 의한 PWV의 변화

킬레이션 치료에 의해 PWV치의 유의한 저하가 있었다.

of Advancement in Medicine (ACAM: www.
acam.org)[3]이나 일본 킬레이션 보급 협회(www.
chelation.jp)가 공표하고 있습니다.

점적 주입은 주 1~2회를 기준으로 20~40회 시
행합니다. EDTA가 가진 항산화 작용과 Ca 대사
에 대한 영향이 치료 효과의 기전으로 생각하고
있습니다. 나이가 들면서 뼈에 들어있는 칼슘 농
도는 저하하고, 동맥벽이나 관절 연골 등에 칼슘
의 이상 침착이 일어납니다. EDTA는 유리 칼슘
농도를 저하시켜 부갑상선 호르몬 수준을 일시적
으로 상승시키므로 뼈에 칼슘 침착을 촉진하고
뼈 이외의 조직의 Ca 침착을 억제합니다.

Ca-EDTA 킬레이션

납 등의 금속 배설 목적의 치료에는 Ca-EDTA
를 사용합니다. Ca-EDTA는 Ca 배설 작용이 없어
단시간에 안전하게 투여할 수 있는 특징이 있습니
다. 미국과 유럽에서는 Ca-EDTA 정주를 권고하
나 급속 투여에서 부정맥이나 심장 정지 등의 위험
성이 있으므로 점적 주사로 서서히 투여 합니다.

치료 효과

동맥경화성 질환

Na_2-EDTA 킬레이션 치료의 동맥경화에 대한
효과는 1950년대부터 주목받았으며, 심근경색 재
발 예방, 하지 혈류 개선, 경동맥 폐색부의 개선 효
과 등이 보고되었습니다.[4] 그림 2는 30회 이상의
킬레이션 치료를 받은 환자의 맥파 전달 속도(pulse
wave velocity, PWV) 변화입니다. 킬레이션 치료

회수에 따라 동맥경화를 나타내는 PWV치의 저하
를 볼 수 있습니다. 이것은 킬레이션 치료가 동맥
경화에 효과적 치료인 것을 시사하고 있습니다.

유해 금속 오염

체내에 납 축적이 있는 신 기능 부전 환자에서
Ca-EDTA 킬레이션 치료에 의한 신 기능 악화
방지 보고가 있습니다.[5] Ca-EDTA 투여에 의해
납 등의 유해 금속이 고농도로 배설되면
Ca-EDTA 반복 투여가 유해 금속 오염 치료에
효과적입니다.

마지막으로

동맥경화의 치료나 예방 또 유해 금속 오염 치
료에 킬레이션 치료의 가능성은 매우 큽니다. 비
교적 안전한 치료이지만 킬레이션 치료에 대한 전
문적 지식을 이해하여 시행하는 것이 중요합니다.

(滿尾 正)

문헌

1) Clarke NE, Clarke CN, et al: Treatment of angina pectoris with disodium ethylene diamine tetraacetic acid. Am J Med Sci 1956; 232: 654-66.

2) Lamas GA, Goertz C, et al: Effect of disodium EDTA chelation regimen on cardiovascular events in patients with previous myocardial infarction: the TACT randomized trial. Jama. 2013; 309: 1241-50.

3) Rozema TC: The protocol for the safe and effective administration of EDTA and other chelating agents for vascular disease, degenerative disease, and metal toxicity. J Adv Med 1997; 10: 9.

4) Hancke C, Flytlie K: Benefits of EDTA chelation therapy in arteriosclerosis: A retrospective study of 470 patients. J Adv Med 1993; 6: 161-7.

5) Lin J-L, Lin-Tan D-T, et al: Environmental lead exposure and progression of chronic renal diseases in patients without diabetes. N Engl J Med 2003; 348: 277-86.

1 눈과 안티에이징

사람은 외부 정보의 80%를 눈으로 얻으므로 안티에이징의 중요성은 매우 높습니다. 안과 영역에서 노인성 질환의 예방이나 진행 억제, 안정피로 등에 대한 임상 시험 결과가 있으며, 여기서 그 중 일부를 해설합니다.

항산화 비타민과 AREDS 시험

정상인에서 항산화제의 대규모 임상 연구가 미국 국립 눈 연구소(National Eye Institute, NEI) 주도로 시행되었습니다(Age Related Eye Disease Study, AREDS 연구).[1] 비타민 A, C, E, 아연, 구리 등의 효과를 11개 기관에서 3,640명을 대상으로 조사했습니다. 백내장에는 효과가 없었으나, 노인성 황반변성이 중증으로 진행하는 것을 방지하는 효과는 있었습니다. 즉 대형/중형 두르젠이 있고 한쪽 눈에 노인성 황반변성이 있을 때 항산화 비타민 섭취(비타민 C 500 mg, 비타민 E 400 IU)+미량 미네랄(아연 80 mg, 구리 2 mg) 투여에 의해 황반변성 진행이 위약 투여군에 비해 25% 감소했습니다.

비타민 A는 항산화 작용이 있으며 로돕신의 전구체로 시각 기능에 필수적입니다. 그러나 흡연자에서 비타민 A투여에 의해 폐암 발생률이 증가하여, 흡연자에게 비타민 A섭취는 권고하지 않습니다. AREDS 연구는 비타민이나 미네랄의 의학적 유효성을 대규 무작위 비교 시험으로 증명했습니다.

다가 불포화지방산(polyunsaturated fatty acid, PUPA)과 ARED2 연구

다가 불포화 지방산은 화학 구조에 따라 ω3와 ω6계통으로 분류합니다. ω6 PUFA 리놀산에서는 아라키돈산이 합성되고 아라키돈산 캐스케이드에 의해 프로스타글란딘 E_2 등의 염증 물질이 합성됩니다. 한편 α 리노렌산, eicosapentaenoic acid (EPA), docosahexaenoic acid (DHA)로 대표되는 ω3 PUFA의 염증 유도 작용은 약하고, 생선을 먹어 섭취한 어유의 ω3와 ω6 PUFA는 체내에서 변환되지 않으며, ω3 PUFA를 많이 섭취하면 상대적으로 ω6 PUFA가 감소합니다. 동물 실험에서 EPA 섭취에 의해 체내 아라키돈산이 감소하여 맥락막의 신생 혈관이 억제되었으나, 사람에서 대규모 임상시험으로 시행한 AREDS2는 항산화 기능식품에 DHA+EPA 추가하여 노인성 황반변성 예방효과를 볼 수 없었습니다.[1] 한편 미국의 쌍둥이 연구에서는 고기보다 생선을 먹는 습관이 노인성 황반변성 발생 위험을 저하시켰습니다.[2]

루테인과 노인성 황반변성

루테인은 카로티노이드(carotinoid)의 일종으로 광학 이성체 테아키산틴과 함께 키산토필에 속합니다. 사람의 체내에는 약 40종의 카로티노이드가 있으나, 망막에서 가장 예민한 부위인 황반에 선택적으로 들어가는 것은 루테인과 테아키산틴입니다. 이들 2개의 카로티노이드를 황반 색소라고 부릅니다. 최고 흡수 파장은 446 nm로 청색빛과 가깝습니다. 유해한 청색광을 흡수하는 동시에 항산화 작용도 있습니다. 즉 필터 효과와 항산화 효과로 망막의 황반을 보호합니다. 카로티노이드를 충분히 섭취하는 군에서 노인성 황반변성 위험이 43% 감소하며, 특히 루테인/테아키산틴 6 mg/일 섭취에서 효과적이었습니다.[3]

안토시아닌과 녹내장

플라보노이드의 일종인 안토시아닌도 눈에 좋은 영향을 준다고 알려졌습니다. 안토시아닌은 블루베리, 블랙베리, 초크베리, 라즈베리, 허스컵 등의 베리나 붉은 양배추 등에 많이 들어 있습니다. 최근 카시스 과실에서 추출한 안토시아닌 섭취에 의해 녹내장, 시야 장애 진행 억제가 보고되었습니다.[4] 블루베리가 눈에 좋다고 일반인은 알고 있지만, 효과에 대한 임상시험 결과가 없어

표 1 영양소의 임상 효과

눈 질환, 증상	대상자	영양소	임상 효과
노인성 황반변성	미국인	항산화 비타민+미량미네랄 어유(ω3 다가불포화지방산) 루테인	진행 억제 발생 억제 발생 억제, 증상개선
녹내장	일본인	안토시아닌	진행 억제
안정피로	일본인	아스타키잔틴	자각 증상 개선, 안구 조절능 개선, 안저 혈류 향상

* 흡연자는 비타민 A 섭취에 의해 폐암 발생이 증가했다.

앞으로 연구가 필요합니다.

아스타키잔틴(Astaxanthin)과 안정 피로

아스타키잔틴은 연어, 갑각류 껍질에 들어있는 오렌지 색소이며, 항산화 작용, 항종양 작용 등 다양한 생리 작용이 있으며, 동물 실험에서 강력한 항염증 작용, 조직 보호 작용이 알려졌습니다. 일상적 PC 업무 등에 의해 안정 피로를 호소하는 성인을 대상으로 한 임상 연구에서, 눈이 피곤하다, 눈이 침침하다, 어깨가 결린다 등의 자각 증상의 개선과 객관적 안정 피로도 평가인 조절 기능의 개선이 있었습니다.[5] 또 정상인의 안저 혈류 속도를 향상시켰습니다.[5] 최근 아스타키잔틴이 스포츠 의학 분야나 화장품으로도 효과가 있다고 안과 영역 이외에서 인식되고 있습니다.

마지막으로

최근의 근로 환경은 신체 작업보다 관리 작업이 증가하였고, PC나 스마트 폰이 보급되어 눈에 대한 부담은 더욱 가혹하게 되고 있습니다. 임상시험으로 알려진 영양소의 효과를 정리하면 표 1과 같습니다. 이들의 적절한 섭취가 안티에이징에 도움이 되기를 기대합니다.

(北市伸義 , 石田 晋)

문헌

1) AREDS Research Group: A randomized, placebo-controlled, clinical trial od high-dose supplementation with vitamins C and E, beta carotene, and zinc for age-related macular degeneration and vision loss: AREDS report no. 8: Arch Ophthalmol 2001; 119: 1417-36.

2) Seddon JM, George S, et al: Cigarette smoking, fish consumption, omega-3 fatty acid intake, and associations with age-related macular degeneration: the US Twin Study of Age-related Macular Degeneration. Arch Ophthalmol 2006; 124: 995-1001.

3) Seddon JM, Ajani UA, et al: Dietary carotenoids, vitamins A, C, and E, and advanced age-related macular degeneration. JAMA 1994; 272: 1413-20.

4) Ohguro H, Ohguro I, et al: Two-year randomized, placebo-controlled study of black currant anthocyanins on visual field in glaucoma. Ophthalmologica 2012; 228: 26-35.

5) 北市伸義, 石田 晋: アスタキサンチンの眼疾患への応用. 吉川敏一, 内藤裕二 監修, アスタキサンチンの機能と応用, シーエムシー出版, 2012, 138-45.

2 피부와 안티에이징

성인의 피부 면적은 1.6 m², 중량은 체중의 약 16%를 차지하여 인체에서 최대 면적과 중량을 가진 장기입니다. 피부는 외부와 직접 만나 영향을 받기 쉬우며, 또 치료 효과가 눈에 보이므로 안티에이징의 치료 대상이 됩니다.

피부 노화에는 나이가 들면서 나타나는 피부의 건조나 얇아짐에 의한 생리적 노화 이외에 자외선에 의한 광노화가 있습니다. 일상생활에서 자외선의 영향을 완전히 배제하기는 불가능하므로 양자의 명확한 구별은 어렵습니다.

피부의 건조

피부 표면은 약 10층의 각화 세포로 구성된 각질층으로 덮여 있습니다. 각질층은 세포막 생체를 견고하게 덮어, 수분 유지나 침입물을 방어하는 기능을 합니다. 각질층에는 케라틴, 세포막, 각질 세포간 지질 등 다양한 구조물이 있으며, 이들이 보습에 중요한 역할하고 있습니다. 각질층은 "때"를 만들어 생활 속에서 자연스럽게 의복 등에 부착되어 탈락됩니다. 고령자는 목욕 시에 타올로 필요 이상으로 비비어 씻는 습관이 있으며, 각질층을 무리하게 벗겨내면 피부 장벽 기능이 저하되어 피부가 건조하게 됩니다. 또 땀이나 지방선의 분비물에 의한 피지도 보습에 중요한

역할을 하고 있습니다. 피지 분비량은 20대에 피크가 되고 그 후 감소되며, 특히 여성에서는 50대 이후에 뚜렷하게 감소하여 피부 건조가 악화되기 쉽습니다.[2]

건성습진(그림 1)은 피부 건조에 2차적으로 자극성 접촉 피부염이 발생된 병태이며, 겨울철 등 건조하기 쉬운 시기나 환경에서 고령자의 다리 앞쪽에 많아 발생합니다. 습진에는 스테로이드 외용제로 치료하고, 보습제로 피부 관리를 시행합니다.[1]

피부의 얇아짐

피부는 크게 나누어 상피, 진피, 피하 조직의 3층 구조로 되어있으며, 각질층은 상피에 속합니다. 진피에는 콜라겐, 탄성섬유, 혈관, 세포외 매트릭스 등의 지지조직이 있습니다. 나이가 들면서 진피 내 탄성섬유의 변성이나 콜라겐 섬유다발의 형태학적 변화가 일어나 피부의 얇아짐이나 모세혈관 취약화가 진행됩니다.[3] 따라서 고령자의 피부에 주름이 생기고 늘어지며, 가벼운 자극에도 피하 출혈을 일으키기 쉽습니다. 또 고령자에서는 기저 질환에 대한 스테로이드나 와파린 등의 항응고제 복용으로 피하 출혈에 동반한 자반도 나타나기 쉽습니다(그림 2).

그림1 피지 결핍성 습진
양쪽 다리의 현저한 건조

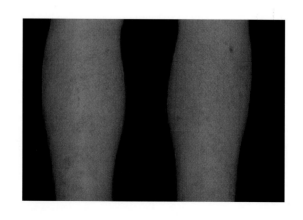

손등, 팔에 가벼운 자극에도 자반이 생긴다

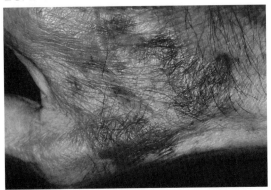

(문헌1에서 인용)

장기간의 햇빛 노출에 의해 발생

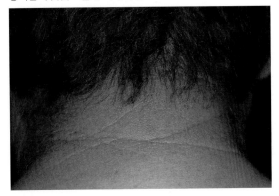

광노화

광노화에 의한 피부 변화는 얼굴에 가장 많이 나타납니다. 만성적으로 자외선에 장기간 노출되면, 기저세포암, 일광 각화증, 편평세포암, 악성 흑색종 등 피부 암을 일으키기 쉽습니다. 광노화에 따라 주름이 크고 깊어져서 앞이마나 뺨에서 눈에 띄게 됩니다.[4] 목의 피부도 자외선의 영향을 받기 쉬운 장소이며, 특히 옥외 근로자는 깊은 주름이 형성되어 마름모 모양의 피부 주름이 만들어집니다(그림 3). 광노화를 방지하기 위해서는 선스크린제 사용을 권고합니다.

마지막으로

보습, 차광을 일상 생활에 도입하여 피부 노화를 늦추는 것이 피부 안티에이징의 첫 걸음이 됩니다. 피부 노화에 대한 자외선의 영향이 세포 수준에서 규명되고 있으나 불명한 점도 많아 새로운 연구가 기대됩니다.

(野村友希子 , 清水 宏)

━━━━━━━━ **문헌** ━━━━━━━━

1) 清水　宏: あたらしい皮膚科学. 第2版, 東京, 中山書店, 2011, p1-589.
2) 小池　都, 村上泉子, ほか: 頚部・デコルテの皮膚生理機能と形態特徴の加齢変化. 日本香粧品学会誌 2013; 37: 81-9.
3) 五味貴優: 老化皮膚の真皮の特徴. Aesthetic Dermatology 2014; 24: 282-9.
4) 上出良一: 光老化のメカニズムと臨床. 医学のあゆみ 2014; 248: 571-6.

Ⅳ

안티에이징 의학 임상

③ 미용 외과와 안티에이징

안티에이징을 위한 미용 치료

미용 의료는 크게 나누어, 변신 욕구(유전적으로 다른 용모의 추구)를 만족하기 위한 미용 의료와 옛날 자신의 모습으로 되돌리기 위한 미용 의료의 2가지가 있습니다. 후자가 안티에이징 미용 의료이며, 노화에 따른 내장 기능 저하를 예방, 치료하는 다른 안티에이징 분야와 달리 외모의 안티에이징입니다.

과거 페이스 리프팅이나 눈의 주름 제거 등 외과적 치료 밖에 없었던 안티에이징 미용 의료는, 90년대에 들어와 히알론산을 비롯한 주입제 필러(filler)의 개발, 기미나 피부 늘어짐을 치료할 목적의 레이저나 광 치료 기술의 발달, 케미칼 필링의 재평가, 그리고 보톡스의 미용 목적 사용 등에 의해 비수술적 의료가 크게 발전되고 있습니다. 비만이나 탈모증에 대한 내과적 안티에이징 미용 치료도 시작되었으며, 최근에는 혈소판 농축 혈장(platelet rich plasma, PRP) 요법이나 세포 요법 등의 재생 의학적 접근 연구도 시행되어 안티에이징 미용 의료의 확대가 계속되고 있습니다.

외모의 안티에이징에 대한 환자 요구는 계속 증가하고 있으며, 안티에이징 목적의 보톡스나 히알론산 주입 등 비수술 치료가 급속히 늘고 있습니다(그림 1).

기미, 노인성 사마귀 치료

노화에 따라 증가하는 피부 변화에 햇빛성 색소반(노인성 색소반), 기미, 지루성 각화증(노인성 사마귀) 등이 있습니다. 햇빛성 색소반은 루비, 알렉산더라이트 등 초단파펄스 연속 조사 레이저로, 지루성 각화증이나 노인성 피부의 작은 종양은 탄산 가스 레이저로 치료합니다.[1] 기미나 염증 후의 색소 침착에는 레티노이드나 하이드로퀴논 등의 외용제를 사용합니다. 한편 광노화에 의한 혈관 확장이나 노인성 혈관종 등의 피부 혈관 병변 치료에는 색소(dye) 레이저를 사용합니다.

주름의 치료

주름의 치료법으로 최근 저침습적 수기가 발달되고 있습니다. 피부내, 조직내에 주사하여 물리적 충전을 목적으로 한 주입 충전제를 필러(filler)라고 부르며, 히알론산 충전제를 깊은 주름을 비롯한 함요 부위 충전 목적으로 사용합니다. 흡수성 재료이므로 반년 정도에 효과가 소실되지만, 뼈 위에 주입하여 반영구적으로 효과를 보는 것도 가능합니다.[2] 표정을 만들 때 움직이는 주름은 신경독인 보툴리누스균 독소 주사제를 사용하며, 표적으로 하는 표정근(안륜근, 추미근, 비근근 등)을 선택적으로 수개월간 마비가 가능합니다. 잔주름이나 피부의 탄력 회복 목적으로는 피부의 보습 외용제, 레티노이드 외용제, 케미칼 필링 또는 레이저나 광대역 펄스광(intense pulsed light, IPL) 조사기 등의 광치료기를 사용합니다.

피부 늘어짐의 치료

얼굴 피부의 늘어짐은 노화에 따른 피부의 얇아짐과 피하지방 조직 위축에 의한 피부 이완으로 나타납니다. 피부 표면적을 줄일 목적으로 skin resurfacing(열 등의 장해(障害)로 진피를 수축시킨다) 또는 과잉 피부를 절제하는 리프팅 수술을 시행 합니다. 외과적 절제는 과잉 피부가 눈에 띄는 상안검, 하안검, 볼이나 아랫턱 부분, 목, 늘어진 유방이나 늘어진 복부 등에서 시행합니다. 윗눈꺼풀이 노화에 따라 늘어지면 시야가 좁아지므로 거근 근막을 단축하는 근치 수술을 시행하고 있습니다. 최근에는 외과적 치료법도 침습을 작게 하여 회복기간을 단축하려는 노력이 이루어지고 있습니다.

피하 연부 조직의 용적을 늘려 피부에 탄력을 주는 기법으로 히알론산 등의 충전제 주입이나 자가 지방조직 주입 이식술에 의해서 늘어난 상

그림1 히알론산 필러에 의한 안티에이징 치료의 1례

히알론산의 뼈 위 주입으로 섬유화를 유도하여 영속적 충전 효과를 얻는 것이 가능하다. 비순구, 협부, 하악부 등 조직 충전에 의해 늘어짐이나 주름을 없애고, 피부를 늘려 얼굴 윤곽을 바꾸는 것이 가능하다. 30 G 바늘을 사용한 치료로 침습이 작고, 치료 후 회복 시간도 짧다.

a: 치료 전

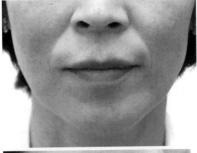
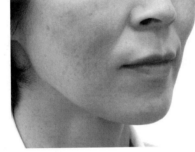

b: 치료 1년 후

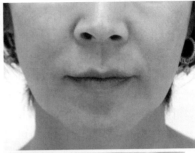
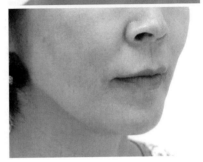

하안검, 관자놀이, 앞이마, 볼의 꺼진 부분을 부풀립니다.

안티에이징 미용 치료에 재생 의료의 도입

피부의 안티에이징을 목적으로 한 미용 목적의 재생 의학적 접근의 표적은 크게 나누어 ① 피부, ② 지방(연부 조직), ③ 모발입니다. 배양 세포나 PRP 등의 증식 인자를 사용한 치료를 생각할 수 있으며, 재생 의료의 발전으로 세포 가공의 보급이 기대되고 있습니다.

마지막으로

외모의 노화는 계속 진행하며, 치료에 의해 개선 되어도 다시 진행합니다. 외과 치료를 피하려는 사람이 많아 최근 저침습 미용 치료 기술의 발전이 이 분야의 시장을 급속히 넓히고 있습니다.

(吉村浩太郎)

|||||||||||||||||||||||||||||||||||||||||||||| 문헌 ||||||||||||||||||||||||||||||||||||||||||||||

1) Kurita M, Kato H, et al: A therapeutic strategy based on histological assessment of hyperpigmented skin lesions in Asians. J Plast Reconstr Aesthe Surg 2009; 62: 955-63.

2) Mashiko T, Mori H, et al: Semi-permanent volumization by an absorbable filler: Onlay injection technique to the bone. Plast Reconstr Surg Glob Open 2013; 1: e4.

4 모발과 안티에이징

사람은 진화에 따라 체모를 잃었으며, 이것을 보충하기 위해 옷을 입고 모자를 썼고, 실내 난방 설비를 준비해 왔습니다. 현대에서 털은 단지 자기 어필이나 위장을 위한 기능 밖에는 없다고 생각하고 있습니다. 그러나 두발이나 눈썹은 방어 기능을 가지고 있으며, 외모의 안티에이징에서 두발의 대책은 중요한 요점입니다.

두발의 털 주기

털을 만드는 조직은 모낭이며, 모낭은 일정한 주기로 성장과 퇴축을 반복합니다. 성장기라고 부르는 세포 증식 분화가 왕성한 시기 다음에는 퇴행기로 넘어갑니다. 모구부 세포가 세포자멸사 되면 모낭은 위쪽에서부터 퇴축하여, 입모근이 부착하는 털융기 부근(모낭 줄기세포가 있는 부분)까지 올라가 휴지기에 들어갑니다. 이어서 휴지기 모낭의 하단에 형성된 2차 모아가 분열 증식하여 다음 성장기에 들어가면 이전 모발은 탈락합니다. 사람의 두발은 성장기 2~6년, 퇴행기 2~3주, 휴지기 약 3개월이며, 90% 정도가 성장기, 퇴행기 모발이 약 1%, 휴지기 모발이 10% 정도라고 생각하고 있습니다. 사람의 두발은 약 10~15만 개이나, 휴지기에 있는 약 10%가 성장기로 이행하는 3개월 사이에 빠진다고 하면, 하루 50~100개 정도가 생리적 탈모량입니다.

노화에 의한 두발의 감소

일본인의 두발은 200~400개/cm² 정도이며, 20대에 피크이고 나이가 들면서 감소합니다. 두발 직경은, 남성에서는 사춘기에, 여성에서는 20~30세에 최대 지름이 되고 그 다음에는 나이가 들면서 가늘어 집니다.[1]

남성형 탈모

일본에서 20~60대 남성의 30%가 남성형 탈모증이라고 합니다.[2] 탈모는 나이가 들면서 증가하여 60대 이후 남성의 약 반 수에서 나타나므로 생리 현상으로도 볼 수 있는 병태입니다. 노인성 탈모(머리 전체의 두발 밀도 저하)와 달리 사춘기 이후 특정 패턴으로 발병하는 진행성 탈모입니다.

탈모증이라고 하지만 털이 완전히 없어지는 것은 아니며, 두정, 이마의 성숙털 성장기가 단축되고, 휴지기에 있는 모발이 증가한 결과 모낭이 위축됩니다. 성장기 시간에 따라 털의 길이가 정해지므로 모발이 짧아지며, 심한 경우는 두발이 두피에 나타나지 않게 됩니다. 다인자성 우성 유전으로 알려졌으며, 13개 유전자의 1염기 다형이 보고되었습니다.[3]

병형 분류

병형 분류에 Hamilton-Norwood-Takeshima 분류(그림 1)가 이용되며, 두정부의 탈모반이 선행하는 형태(Type II vertex)가 많습니다. 여성에서도 갱년기 이후에는 남성형 탈모증 발생도 있으나, 여성은 전두부의 헤어라인은 비교적 유지되고 두정 탈모가 진행합니다(여성형 탈모증).

발생 기전

모낭에 남성호르몬 수용체가 모유두 세포에 존재하며, 수염과 전두부모(前頭部毛)의 모유두(毛乳頭) 세포에는 II형 5α-환원효소가 발현되어 있습니다. 수염은 남성호르몬에 의해 유두 세포에서 분비되는 인슐린양 성장 인자-1 (insulin-like growth factor-1, IGF-1)가 성장기를 연장하나, 남성형 탈모증의 모낭에서는 남성호르몬 자극으로 모유두 세포에서 유도되는 형질전환 증식인자-β (transforming growth factor-β, TGF-β)나 Dickkopf1 (DKK1)가 모낭 각화 세포의 증식을 억제하여 성장기를 단축시키는 것이 알려졌습니다.[4]

그림1 남성형 탈모증의 병형 분류와 치료 알고리즘

Hamilton/Norwood 분류에 타카시마 분류의 Type Ⅱ Vertex를 더한 것을 이용한다

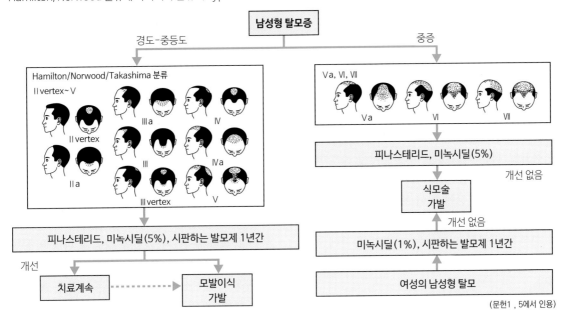

(문헌1, 5에서 인용)

치료

외용제

미녹시딜 외용액을 사용합니다. 미녹시딜은 포타슘 채널을 개방하는 혈압약으로 개발되었으며, 부작용으로 다모증이 나타나서 외용액(1~5%)으로 사용하게 되었습니다. 혈관 확장 작용이외에 모유두 세포의 설폰요소 수용체를 통해 아데노신 생산을 촉진하고 모유두 세포에서 혈관 내피 증식인자(vascular endothelial growth factor, VEGF), 각질세포 증식인자(keratinocyte growth factor, KGF)를 분비하여 성장기를 유도 유지하는 작용이 있습니다.

내복약

내복약으로 피나스테리드(finasteride)를 사용합니다. 이 약은 Ⅱ형 5α-환원효소를 저해하며 테스토스테론의 5α-테스토스테론으로 활성화를 억제하여 남성호르몬의 작용을 저하시킵니다. 즉시 효과가 나타나지 않지만 1년 복용 후 유효율은 80% 정도 입니다. 갱년기 이후 여성의 남성형 탈모에는 효과가 없습니다.

모발 이식

모유두세포에 남성 호르몬 수용체가 발현되지 않는 후두부 모낭을 이식하면 남성 호르몬의 영향을 받지 않습니다. 미용 외과 영역에서는 후두부 피부에서 모낭 단위를 이식합니다.

모발 재생 의료

배양된 모유두 세포나 각화세포를 이용하여 모낭을 재생하는 연구가 시작되었습니다. 최근 남성형 탈모나 노인성 탈모에 모낭 줄기 세포가 유지되고 있는 것이 알려졌습니다. 모낭의 미세 환경에서 유래하는 저해제도 알려져 새로운 치료 전략이 기대되고 있습니다.

(板見 智)

┃┃┃┃┃┃┃┃┃┃┃┃┃┃┃┃┃┃┃┃┃┃┃┃┃┃┃┃┃ 문헌 ┃┃┃┃┃┃┃┃┃┃┃┃┃┃┃┃┃┃┃┃┃┃┃┃┃┃┃┃┃

1) 高島　巖: 毛の医学. 小堀辰治, W. Montagna 監修, 東京, 文光堂, 1986, 107-45.
2) 板見　智: 日本人成人男性における毛髪に関する意識調査. 日本医事新報 2004; 4209: 27-9.
3) Li R, Brockschmidt FF, et al: Six novel susceptibility Loci for early-onset androgenetic alopecia and their unexpected association with common diseases. PLoS Genet 2012; 8: e1002746.
4) Inui S, Itami S: Androgen actions on the human hair follicle: perspectives. Exp Dermatol 2013; 22: 168-71.
5) 「男性型脱毛症診療ガイドライン」策定委員会: 男性型脱毛症診療ガイドライン. 日皮会誌 2010; 120: 977-86.

5 구강과 안티에이징

구강의 역할과 기능

안티에이징 의학에서는 몸 전체를 대상으로 한 횡단적 대처가 필요하며, 몸 전체의 균일한 노화를 목표로 하는 의료에는 여러 분야를 포함한 종합적 이해가 필요합니다.

구강이 전신 건강에 깊이 관여하는 것은 잘 알려져 있으며, 먹고, 맛보고, 마시고, 말하는 사람의 근본적 욕구를 담당하는 기관인 동시에 생체의 항상성 유지에 중요한 역할을 담당하고 있습니다.

생명 유지에 불가결한 섭식, 삼킴 작용은 여러 기능의 복잡한 제휴에 의해 일어납니다. 씹는 운동은 뇌간에 프로그램이 있으며, 말초의 감각 정보에 의해 작동하는 것으로 알려져 있습니다. 음식을 먹으면 후각, 시각을 통해 식욕이 항진되며, 시각은 그 음식이 먹을 수 있는지 판단하고, 섭취 방법 등 다양한 조건을 만족하여 일어나는 지각적, 인지적 행위는 대뇌가 담당합니다. 또한 음식 섭취는 수면 유도 작용, 체온 상승 등 다양한 전신적 생리 기능에 영향을 주며, 그 변화가 시상하부에 있는 섭식, 만복 중추에 전해지는 것으로 알려져 있습니다.

구강에는 정밀한 감각 기관이 갖춰져 있으며, 특히 미각은 혀나 구강 점막에 있는 미뢰를 구성하는 세포에서 받아들여 뇌에 전달됩니다. 미각 정보는 섭취한 음식이 유해한지 무해한지 구별하는 중요한 역할을 담당하고 있으며, 미각 감수성은 다양한 환경요인에 의해 제어 됩니다.[1]

당뇨병에서 적극적 혈당 조절에 의한 치주 질환 개선이 보고 되었으며, 치주염 국소에서 생산된 종양괴사 인자(tumor necrosis factor-α, TNF-α)가 인슐린 저항성을 일으키는 것이나, 치주병 치료에 의해 2형 당뇨병 환자의 HbA1c가 평균 0.8% 감소하고, 인슐린 저항성 지수(homeostasis model assessment insulin resistance index,

HOMA-IR)가 개선되는 것으로 알려졌습니다.[2] 이와 같이 생활 습관병 개선에 구강의 역할이나 병태 이해가 필요합니다.

타액의 중요성

대뇌 피질의 운동 영역이 씹는 운동에 의해 자극되는 것으로 알려졌으며, 말초와 중추가 제휴하는 강력한 신경 네트워크가 있습니다. 씹거나 무는 동작을 통한 뇌의 혈류 상승은 다양한 실험으로 증명되었으며, 혈류뿐 아니라 전신 대사 촉진 작용도 알려졌습니다. 즉 씹는 동작은 혈류 상승을 통해 뇌 기능을 활성화하며, 타액 분비를 촉진하는 중요한 기능입니다.

분비된 타액은 단순한 수분이 아니라 생체의 항상성 유지에 중요한 각종 성장 인자나 생리 활성 물질, 항균 물질, 면역 글로불린 등 다양한 성분이 들어 있으며, 세정, 용해, 소화, 해독, 점막 보호 작용을 가지고 있습니다.[3] 따라서 타액 분비 촉진은 안티에이징 의학에서 중요한 과제입니다. 또한 타액은 각종 호르몬, 스트레스 물질, 항산화 물질, 산화 스트레스도 등을 평가하는 검사 재료로 유용하며, 타액을 이용하면 비관혈적인 편리한 검사이므로 앞으로 노화도 검사에 도입될 전망입니다.

타액 분비량이 감소하는 구강 건조증의 원인은 다양하며, 대부분은 생활 습관병이나 갱년기 장애, 스트레스 등 안티에이징 의학의 대상이 되는 노화 관련 질환에 의한 것이 많습니다.[4] 이렇게 일상 생활 습관을 통한 발병이 많으므로 운동 교육, 식사 교육을 포함한 라이프 스타일 제안으로 구강 건조증에 대처하는 안티에이징 의학 접근이 필요합니다.

고령자에서 흡인성 폐렴은 사망의 중요한 원인이며, 구강이나 인두의 세균에 의해 일어납니다. 흡인성 폐렴은 섭식, 삼키기 장애에 의해 음식이나 타액이 폐로 들어가고, 전신의 면역력 저하에 의해 감염 방어 기전이 정상적으로 작용하지 않아 발병하는 질환입니다. 구강 내에는 각종 구강 내 상주균이 타액 1 mL에 약 10^8이 서식하고 있으며,[5] 타액 분비 감소에 의해 구강 내 환경이 악화되면 구강 상주균이 증식하므로, 이에 대한 대응으로 구강 관리나 충분한 타액 분비에 의한 세균 배제 기전 작동이 흡인성 폐렴을 방지하게 됩니다.

구강 기능과 안티에이징

고령 사회에서 고령자의 섭식 행동 중요성이 재인식되고 있습니다. 삼키기 장애가 있을 때 위루 조성 필요성이 있으며, 그 전에 먹는 기능 소실에 대한 섭취와 삼키기 기능 평가와 대책이 중요합니다.

내시경이나 삼키기 조영술을 이용하여 기능을 평가하고, 구강 관리나 삼키기 훈련 교육 시행이 중요합니다.[6] 구강 관리의 대책으로, 삼키기 기능을 고려한 의치나 섭취 보조 장치 도입도 필요합니다. 또한 기능 검사나 훈련뿐 아니라 구강 관리나 치과 질환 관리도 중요하며, 섭식 기능을 유지하기 위한 안티에이징이 중요합니다.

폐색성 수면 무호흡 증후군(obstructive sleep apnea syndrome, OSAS)은 구강 내 장치에 의한 치료가 효과적입니다. OSAS는 단순한 수면부족뿐 아니라 고혈압, 부정맥, 이상지질혈증 등 생활 습관병을 악화시키는 인자라고 알려졌으며, 노화를 가속화합니다. OSAS 치료에는 치과의사와 제휴가 중요하며, 수면 의료 전문 병원과 제휴하여 치료해야 합니다. 치과는 구강 내 장치 제작뿐 아니라, 방사선 사진이나 내시경 검사를 이용하여 상기도와 주위 조직, 턱 안면 형태 평가를 시행하여 구강 내 장치나 지속 양압 호흡 요법(continuous positive airway pressure, CPAP), 외과적 치료 적응증을 진단합니다.[7] 치과 검사와 수면 다원검사(polysomnography, PSG) 검사 결과를 이용하여 환자에게 적합한 치료법을 결정합니다.

그림1 구강 기능 장애에 대한 안티에이징

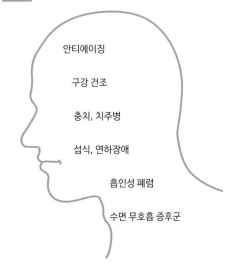

안티에이징
구강 건조
충치, 치주병
섭식, 연하장애
흡인성 폐렴
수면 무호흡 증후군

구강의 안티에이징은 다양한 생활 습관병 발생을 예방하여 전신의 안티에이징으로 이어질 수 있습니다. 안티에이징에 치의학의 도입으로 새로운 의료의 실천이 가능해질 것입니다.

마지막으로

안티에이징 의학에 구강과 관계된 영역은 다양하며 향후 발전이 기대됩니다.

(阪井丘芳, 斎藤一郎)

################################ 문헌 ################################

1) Ninomiya Y, et al: Leptin modulates behavioral responses to sweet substances by influencing peripheral taste structures. Endocrinology 2004; 145: 839-47.
2) Iwamoto Y, et al: The effect of antimicrobial periodontal treatment on circulating tumor necrosis factor-alpha and glycated hemoglobin level in patients with type 2 diabetes. J Periodontol 2001; 72: 774-8.
3) Fischer W, et al: Amelioration of cholinergic neuron atrophy and spatial memory impairment in aged rats by nerve growth factor. Nature 1987; 329: 65-8.
4) Guggenheimer J, et al: Xerostomia: etiology, recognition and treatment. J Am Dent Assoc 2004; 134: 61-9.
5) 渡部 茂監訳：唾液 歯と口腔の健康 原著第3版, 医歯薬出版, 1997.
6) 前田芳信, 阪井丘芳監著：摂食・嚥下機能改善と装置の作り方 超入門. クインテッセンス出版, 2013.
7) 睡眠時無呼吸症候群の口腔内装置治療. 阪井丘芳監, 医歯薬出版, 2014.

6 뇌 기능과 안티에이징

뇌의 노화에 따라 대부분의 뇌기능이 저하되지만, 저하 과정은 기능에 따라 다양하며 개인차도 큽니다. 지능에는 운동 지능과 언어 지능이 있으며, 운동 지능은 20~30세에 피크에 도달한 후 나이가 들면서 저하되지만, 언어 지능은 고령이 될 때까지 유지됩니다. 수학이나 물리학적 기능은 운동 지능과 비슷하게 20세경에 피크에 도달하여 나이가 들면시 저하합니다. 고학력인 사람이 고령에도 적극적 정신 활동을 계속하면 인지 기능이 유지됩니다.

뇌의 노화 변화

뇌의 중량은 나이가 들면서 감소하여 80세에는 성인기(약 1,300 g)의 89%가 됩니다. 뇌에 병이 없으면 대뇌 피질의 뉴런 수는 노화에 따라 감소하지 않으며, 뇌 중량 감소는 주로 수상 돌기 감소에 의합니다. 사람의 뇌에서 뇌실 바로 아래 있는 해마 치상회는 성인이 되어도 신경세포가 신생 되지만 고령자에서는 그 수 및 생존 기간이 줄어듭니다. 동물을 좋은 환경에서 사육하여 운동을 잘 시키면 신경세포 신생이 증가하며, 그 생존 유지에는 신경성장인자(nerve growth factor, NGF), 뇌유래 신경영양인자(brain-derived neurotrophic factor: BDNF), 글리어 유래 신경영양인자(glial cell-line derived neurotrophic factor, GDNF) 등의 신경영양인자가 중요합니다. 뇌의 노화에 따라 도파민, 노르에피네프린, 세로토닌, 아세틸콜린 등의 전달 물질이 감소합니다. 아세틸콜린은 학습, 기억에 관여하며, 고령자 특히 알츠하이머병 환자, Lewy 소체병 환자에서 감소되어 있습니다. 도네페질, 리바스티그민, 갈란타민은 아세틸콜린 에스테라제를 저해하여 뇌의 아세틸콜린 전달을 개선합니다.

전두엽 기능

사람의 1차 운동 영역은 전두엽에 있습니다. 또 전두엽은 의욕, 주의력, 집중력, 판단력, 창조성, 작업기억 등에 관여하여 수행 기능의 중심적 역할을 하고 있습니다. 전두엽 기능을 평가하는 방법으로 Wisconsin Card Sorting Test나 Frontal Assessment Battery 등을 이용하며 모두 연령 증가에 따라 그 성적이 떨어집니다. 유발뇌파 P300은 전두엽 중심부를 기록하며, 연령 증가에 따라 잠시(latency)가 늘어나고 진폭이 떨어집니다. 전두엽은 억제 기능에도 관여하며 나이가 들거나 병적 변화에 의해 이 억제 기능이 없어지면 도벽과 같은 반사회적 행위를 하게 됩니다. 전두엽은 언어 기능에도 관여하여 뇌경색에서 Broca 영역에 장애가 생기면, 운동성 실어가 되어 언어 이해는 좋지만 발어(發語)가 나쁜 상태가 됩니다.

운동이나 레크레이션은 뇌 전체를 활성화시키며, 트럼프 게임이나 언어 기억(1분 안에 되도록 많은 물건 이름 말하기 등), 수수께끼 놀이는 전두엽 기능을 활성화합니다.

두정, 후두엽

두정엽에는 1차 감각 영역과 2차 감각 영역이 있으며, 촉각 등의 감각 인지나 공간 인식에 관여합니다. 촉각은 나이가 들면서 저하되어 2점 식별(2점을 동시에 자극하여 그것이 2개라고 식별할 수 있는 최소 거리) 값이 커집니다. 알츠하이머병에서는 두정엽 장애가 초기부터 일어나 익숙한 길에서 헤매거나, 시계를 그릴 수 없는 등 도형 모사를 할 수 없는 공간 인식 장애가 비교적 조기에 나타납니다. 후두엽에는 시각 중추가 있으며 그 기능은 나이가 들면서 저하합니다. 뇌파의 α파는 후두엽에서 기록되어 주파수가 8~13 Hz이지만 나이가 들면서 주파수가 저하합니다. 사람의 얼굴을 인지하는 2차 시각 영역은 후두엽 복측에 있으며, 물체의 움직임을 인식하는 2차 시각영역은 후두엽 배측에 있습니다. 후자의 인지 속도는 나이가 1세 증가할 때 마다 0.6 msec 지연되며,

표1 생리적 건망과 병적 건망

생리적 건망	병적 건망
• 잊음을 자각한다 (예: 2층에 물건을 가지러 올라갔으나, 무엇을 가져올지 잊었다)	• 잊음을 자각하지 못한다 (예: 2층에 물건을 가지러 올라 가서, 그것을 잊고 다른 일을 한다)
• 사건 기억은 있으나 내용이 약간 어렴풋하다 (예: 아침 밥 먹은 것은 기억하나, 무엇을 먹었는지 완전히는 기억하지 못한다)	• 내용은 커녕 사건 기억도 없음 (예: 아침 밥을 먹은 것 조차 잊는다)
• 힌트를 주면 생각해 낸다 (예: 전화가 없었나? 라고 물으면 있었다고 답한다)	• 힌트를 주어도 생각하지 못한다 (예: 전화가 없었나? 라고 물으면, 없었다고 답한다)

고령자는 자동차 운전시 조심해야 합니다. Lewy 소체 병에서는 후두엽의 혈류 저하가 나타나고 환시를 호소합니다.

측두엽

측두엽에는 청각 중추가 있으며, 언어 이해 중추도 있습니다. 뇌경색으로 장애가 생기면 청각이 떨어질뿐 아니라 감각성 실어가 됩니다. 감각성 실어는 Wernicke 실어(失語)라고 부르며, 발어에 이상이 없지만 말의 이해가 나쁩니다.

측두엽은 해마와 함께 기억 기능에 중요하며 나이가 들면 누구나 건망증이 나타납니다. 뇌에 특정 질환이 없으면 이는 생리적 건망으로 간주됩니다. 이에 비해 건망증이 뇌 질환의 초기 징후로 나타나면 병적 건망증입니다. 생리적 건망증과 병적 건망증을 명확히 구별하는 방법은 없지만 어느 정도 구별할 수 있습니다(표 1). 기억 기능과 안티에이징은 다른 항목에서 설명합니다.

(田平 武)

|||||||||||||||||||||||||||||||||||||||||||||| 문헌 ||||||||||||||||||||||||||||||||||||||||||||||

1) 田平　武 : 脳(認知症). 石井直明, 丸山直記編, 老化の生物学, その分子メカニズムから寿命延伸まで, 京都, 科学同人, 2014, p12-33.

7 청각과 안티에이징

청각의 전도로와 해부

귀는 해부학적으로 외이, 중이, 내이로 나눕니다. 외이도의 안쪽에 두께 약 0.1 mm의 고막이 있으며, 중이에는 3개의 이소골(추골, 침골, 등자골)이 있습니다. 내이에는 와우, 전정, 삼반규관이 있으며, 와우는 청각을, 후 2자는 평형 기능을 담당합니다(그림 1). 와우는 2 회전반을 도는 뼈로 싸인 관을 만들어 3개의 구간(전정층, 중앙층, 고실층)으로 나누어집니다. 중앙층과 고실층은 기저판으로 나누어집니다. 전정층과 고실층은 외림프액으로, 중앙층은 칼륨 이온이 풍부한 내림프액이 들어 있습니다. 전전층의 아래에 전정창이 있어, 외이도로 들어온 소리가 이소골을 거쳐 전정창에서 와우에 전달하고, 와우 내부에 있는 기저판을 진동시킵니다. 기저판에는 코르티기라고 부르는 감각 상피가 있으며, 한줄의 내유모 세포와 3줄의 외유모 세포가 규칙적으로 줄지어 있습니다. 외유모 세포가 흥분되어 신축하면 기저판 진동을 수식합니다. 내유모 세포는 1차 감각 수용기입니다. 사람은 수십 Hz에서 20,000 Hz까지의 소리를 느끼며, 등자골에 가까운 와우 기저 회전

쪽에서 고주파수를 정회전 쪽에서 저주파수 음을 감지합니다. 와우축에 있는 라센 신경절 세포가 내유모 세포와 시냅스 결합을 형성하여 와우 신경을 거쳐 와우핵에 투사하며, 상 올리브핵, 외측 모대, 하구, 안쪽 슬상체를 거쳐 대뇌 청각 피질에 전달됩니다.

노화에 의한 난청

노인성 난청은 나이가 들면서 진행하는 양측성 감음성 난청의 총칭이며, 청력 역치 상승(특히 소음 하에서), 언어음 청취능 저하, 청각 정보의 중추 처리 지연, 음원 인지의 장애 등이 나타납니다. 그 결과 일상 대화, 음악 청취, 사회 생활 활동 등에 어려움을 느끼게 됩니다.

노화에 따른 청각 장애는 크게 나누어 3개의 요소가 있으며 ① 말초 청각 기능 저하, ② 중추 청각 기능 저하, ③ 인지 기능 전반의 저하 등이 관여합니다. 고령자의 청취 장애 호소에는 말초, 중추, 인지의 3 기능이 복합적으로 장애 되어 있다고 생각할 필요가 있습니다.[1] 일상 진료에서 흔히 듣는 "소음 속에서 대화를 알아 들을 수 없다"는 호소는 젊은 사람의 감음성 난청에서와 같은 소

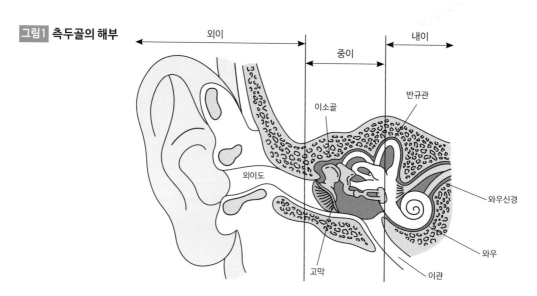

그림1 측두골의 해부

외이　　　중이　　　내이

이소골　　반규관

외이도

와우신경

와우

고막　　　이관

음에서 청취 장애이며, 말초 청각 기능 저하가 주로 영향을 준다고 생각하고 있습니다. 한편 공간 청력이나 음원 분리 기능은 뇌간에 있으며, 중추 청각 장애도(소음에서) 청취를 저하시키는 원인이 됩니다. 인지 기능 저하는 음원의 주의력에 영향을 주어 소음에서 청취가 더 어렵게 된다고 추정합니다.

역학 및 위험 인자

WHO의 청력 장애 기준은, 500, 1,000, 2,000, 4,000 Hz의 대화 음역 4 주파수의 평균 기도 청력 수준을 기준으로 좋은 쪽 귀의 청력 수준이 25 dBHL을 넘으면 "난청 있음"으로 합니다. 국립 장수 의료연구소의 노화에 대한 장기 종단 역학 연구(National Institute for longevity Sciences-Longitudinal Study of Aging, NILS-LSA)의 6차 조사(2008~2010년) 참가자의 난청 유병률 결과는 그림 2와 같습니다. 난청 유병률은 60~64세까지는 서서히 증가하나, 65세 이상에서 급속히 증가하는 경향이 있습니다. 또 어느 연령대에서도 남성 유병률이 여성보다 높습니다. 이 결과를 기초로 65세 이상의 전국 난청 유병자 수를 추계하면 1,655만 정도이며, 귀 질환 병력이 없고, 소음 직장에 취업력이 없는 사람의 집계에서 계산하면 1,569만명 정도입니다.[2] 이 결과에서 300만명 이상이 생활에 부자유를 느끼는 중등도 이상의 난청이 있다고 추정됩니다.

난청 빈도 증가는 선진국에게만 나타날 가능성이 있습니다. 예를 들어 수단의 Mabaan족 청력 검사에서 고령이 되기까지 청력이 잘 유지되고 있었습니다.[3] 이 지역은 조용한 장소이며, 인종 차이(피부 색 차이)나 유전적 소인의 영향도 있으나 선진국의 노인성 난청은 순수한 노화에 더해 환경요인이 크게 영향을 줄 것으로 생각합니다.

노인성 난청의 발생이나 정도에 영향을 주는 인자는, 유전적 요인 이외에 인종 차이, 소음 노출력, 흡연, 음주 당뇨병, 순환기 질환 등의 동반, 성 호르몬 등을 들 수 있습니다. 유전적 요인의 관여는 0.35~0.55로 추정되며, 흑인은 백인보다 난청의 정도가 가벼운 것도 알려져 있습니다.[4] NILS-LSA 연구에서는, 동맥경화나 비만에 관여하는 유전자 다형의 관여가 시사되었습니다.[5] 유전 이외의 요인으로 소음 노출력, 내경 동맥과 망막 동맥의 동맥경화, 당뇨병 등이 관여합니다.[6] 문헌적으로 고혈압, 심혈관 질환, 뇌혈관 질환, 흡연, 당뇨병, 소음 노출 등과의 상관이 보고되었습니다.[4]

노인성 난청의 발생 기전

노인성 난청의 발생 기전은 불명한 점이 많지만 산화 스트레스와 미토콘드리아 DNA 손상 축적으로 생각하고 있습니다.[4] 동물 실험에서 예를 들어 CBA 마우스의 와우에 산화 스트레스 흔적인 hydroxy-nonenal이나 nitrotyrosine이 노화에 따라

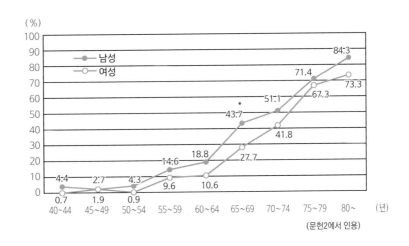

그림2 난청의 연령별 발생 빈도
2008~2010년 6차 조사 참가자의 난청 유병률
*p < 0.05 vs 남성

(문헌2에서 인용)

※역자 주:
• dBHL: hearing loss in decibels, 데시벨 청력 수준

증가하며, 내인성 항산화 기능인 superoxide dismutase (SOD)2가 저하되어 있습니다. *SOD1* 유전자 결손 마우스는 야생형보다 조기에 노인성 난청이 나타납니다. 한편 카탈라제(catalase)를 미토콘드리아 내에 과잉 발현시킨 유전자 변이 마우스는 노인성 난청 발생이 늦어 집니다. 이런 결과는 내인성 항산화 기능이 노인성 난청 진행 억제에 관여하는 것을 시사합니다. 또 17종의 자유 라디칼 소거제(free radical scavenger)를 C57BL/6 마우스에 투여한 연구에서 코엔자임Q10(CoQ10), α-리포산, N-acetyl-L-cysteine 등이 노인성 난청 발생을 억제했습니다.[7]

미토콘드리아 기능이나 미토콘드리아 DNA (mtDNA) 장애의 영향에 의한 노인성 난청이 있는 사람의 측두골 표본에서 미토콘드리아 유전자 4,977 염기쌍 결손이 많았습니다. 또 DBA/2J 마우스에서 난청이 나타나면 와우의 미토콘드리아 기능이 저하되었습니다. 미토콘드리아 DNA 변이를 증가시킨 유전자 변이 마우스(POLG 마우스)는 노인성 난청이 가속화되었습니다.[8] 이런 결과는 미토콘드리아 유전자 장애 축적이 노인성 난청 진행에 관여함을 보여줍니다. 또한 노인성 난청 발생에 와우의 *Bak* 유전자 발현 항진 관여도 시사되고 있습니다. 즉 *Bak* 유전자 결손 마우스는

노인성 난청 발현이 억제되며, 와우 배양 세포에 파라콰트 첨가에 의한 *Bak* 발현 상승에서 세포사가 일어나고, *Bak* 유전자 결손 마우스의 와우 배양 세포는 세포사가 억제되었습니다.[7] 이런 결과는 산화 스트레스가 *Bak* 발현을 통한 와우의 세포사 유도를 시사합니다.

칼로리 섭취 제한에 의한 노인성 난청 발생 억제가 알려졌습니다. C57BL/6 마우스에서 26%의 칼로리 섭취 제한은, 일반식으로 중등도의 난청이 발생되는 15개월까지 청력이 정상적으로 유지되었고, 와우의 조직 변성도 거의 없었습니다.[9] *Sirt3* 유전자 결손 마우스는 칼로리 제한으로 노인성 난청 억제 효과가 없어 *Sirt3*가 칼로리 제한의 노인성 난청 예방 효과에 중요하다고 생각합니다.[10]

사람에서 노인성 난청 발생 기전이 동물과 반드시 같다고 생각할 수는 없지만, 동물 실험 결과 및 사람의 역학 데이터에 의해 노화에 따른 와우 내 산화 스트레스에 의해 미토콘드리아 DNA 변이 축적과 미토콘드리아 기능 악화로 유모 세포, 라센 신경절 세포, 혈관계 등 청각 기능에 중요한 세포가 장애를 받아 탈락되며 난청이 진행한다고 생각할 수 있습니다(그림 3).

그림3 노인성 난청의 발병 기전(가설)

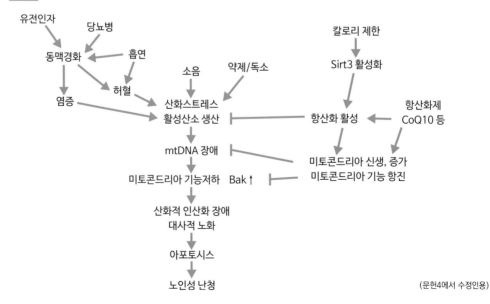

(문헌4에서 수정인용)

노인성 난청의 예방과 치료

와우 내에 과잉의 자유라디칼의 생산 방지가 중요하며, 고음 노출을 젊었을 때부터 피하는 것을 권고합니다. 소음 환경에서는 와우에 필요한 혈류가 증가하지만 동맥경화가 있으면 충분한 혈류 공급이 장애되어 상대적 허혈 후 재관류 시에 자유라디칼이 과잉 생산된다고 생각합니다. 이 의미에서 동맥경화 예방은 중요하며, 이상지질혈증, 당뇨병, 고혈압 등에 대한 개입도 중요합니다.

자유라디칼 소거제 기능식품에 의한 노인성 난청 예방 효과가 기대되지만, 사람에서 근거가 아직 없습니다. 설문지를 이용하여 식사 내용을 조사한 연구에서 β-카로틴, 루테인, 리코벤, 비타민 A, C, E 등의 자유라디칼 소거제 섭취량과 노인성 난청 정도에 상관이 보고되었습니다. 또 식사 건전성에 대한 Healthy Eating Index (5개 식품군: 육류, 유제품, 과일, 채소ㆍ곡물, 4개 영양소: 지방질 섭취 비율ㆍ포화 지방 섭취 비율, 콜레스테롤, 소금, 식사의 다양성을 각각 10점 만점으로 평가하는 것)에서 점수가 높을수록 노인성 난청이 가볍다는 보고가 있습니다.[11]

노인성 난청으로 생활에 불편이 있어 커뮤니케이션 장애가 있으면 보청기를 사용합니다. 미국에서 퇴역 군인을 대상으로 보청기 착용 후 1년간의 경과를 조사한 연구에서 보청기 사용은 인지 기능, 사회성, 감정, 우울 경향, 커뮤니케이션에 도움이 되었습니다.[12] Blue Mountains Eye Study는 양측 경도 난청에서 1일 1시간 이상의 보청기 사용으로 우울 경향 억제를 보고했습니다.[13] 보청기 사용에 의한 이런 유용성 이외에 소음 하에 청취 장애를 배려한 노이즈 축소 기능의 활용도 중요합니다. 또 대화에서 시간 분해능 장애를 염두에 두어 천천히 이야기해 주는 것을 교육합니다. 또 얼굴이 잘 보이는 위치에서 대화하면 시각 정보도 활용할 수 있습니다.

시간 분해능의 기능 저하는 보청기로 보충할 수 없으나 청각 훈련으로 개선할 가능성이 있습니다. 예를 들어 집에서 8주간의 brain fitness cognitive training 청취 훈련을 시행하고 과학이나 역사 등의 교육 DVD를 보고 다지선택 방식 문제(multiple choice question, MCQ)에 대답 하게하면, 단기 기억 향상, 소음 하 청취 성적 개선, 뇌간 반응 피크의 소음 부하 지연 감소 등이 보고되었습니다.[14] 청각에 기초한 인지 훈련이 노화에 따른 시간 분해능 저하를 개선할 가능성이 있습니다.

(山岨達也)

문헌

1) Gates GA, Mills JH: Presbycusis. Lancet 2005; 366: 1111-20.
2) 内田育惠, 杉浦彩子, ほか : 全国高齢難聴者数推計と10年後の年齢別難聴発症率. 老化に関する長期縦断疫学研究(NILS-LSAより). 日本老年医学会雑誌 2012; 49: 222-7.
3) Rosen S, Beragman M, et al: Presbycusis study of a relatively noise-free population in the Sudan. Ann Otol Rhinol Laryngol 1962; 71: 727-43.
4) Yamasoba T, Lin FR, et al: Current concepts in age-related hearing loss: epidemiology and mechanistic pathways. Hear Res 2013; 303: 30-8.
5) Uchida Y, Sugiura S, et al: Molecular genetic epidemiology of age-related hearing impairment. Auris Nasus Larynx 2011; 38: 657-65.
6) 下方浩史: 高齢者の聴力に個人差が大きいのは何故か. 全身の老化との関係において. Audiology Japan 2008; 51: 177-84.
7) Someya S, Xu J, et al: Age-related hearing loss in C57BL/6J mice is mediated by Bak-dependent mitochondrial apoptosis. Proc Natl Acad Sci USA 2009; 106: 19432-7.
8) Kujoth GC, Hiona A, et al: Mitochondrial DNA mutations, oxidative stress, and apoptosis in mammalian aging. Science 2005; 309: 481-4.
9) Someya S, Yamasoba T, et al: Caloric restriction suppresses apoptotic cell death in the mammalian cochlea and leads to prevention of presbycusis. Neurobiol Aging 2007; 28:1613-22.
10) Someya S, Yu W, et al: Sirt3 mediates reduction of oxidative damage and prevention of age-related hearing loss under caloric restriction. Cell 2010; 143: 802-12.
11) Spankovich C, Le Prell CG: Healthy diets, healthy hearing: National Health and Nutrition Examination Survey, 1999-2002. Int J Audiol 2013; 52: 369-76.
12) Mulrow CD, Tuley MR, et al: Sustained benefits of hearing aids. J Speech Hear Res 1992; 35: 1402-5.
13) Gopinath B, Wang JJ, et al: Depressive symptoms in older adults with hearing impairments: the Blue Mountains Study. J Am Geriatr Soc 2009; 57: 1306-8.
14) Anderson S, White-Schwoch T, et al: Reversal of age-related neural timing delays with training. Proc Natl Acad Sci USA 2013; 110: 4357-62.

IV

안티에이징 의약 임상

8 후각과 안티에이징

후각 전도로의 구조

후각은 화학 감각이며 외부의 휘발성 화학물질을 감지합니다. 따라서 수용체가 체표에 노출되어 있으며, 후점막은 비점막의 일부입니다. 마우스, 흰쥐, 개 등은 비강 후상부의 광범위한 영역이 후점막으로 덮여 있으나(그림 1a), 사람에서는 중비갑개, 상비갑개와 비중격으로 이루어진 후열이라는 좁은 공간에 접한 점막의 일부에만 존재합니다(그림 2b). 후점막의 미세구조(그림 1b)는 표층에 지지세포의 핵 층이 있고, 그 아래 몇 층의 후신경 세포층이 있습니다. 또 그 밑에 기저 세포가 있으며, 점막 고유층에는 비점막의 분비선인 Bowman선, 혈관, 후신경의 신경다발이 있습니다.

후신경 세포의 축색은 비강 위쪽의 사판을 통해 후구에 투사되며 여기서 2차 신경세포인 승방 세포, 방사세포의 수상돌기와 시냅스를 형성하여 사구체라고 부르는 구조를 형성합니다. 냄새 정보는 후구에서 다시 전후핵, 이상 피질, 편도체 등의 후피질에 도달하여 인지됩니다.

후신경 상피는 손상 시뿐 아니라 생리적 환경에서도 기저 세포의 분열에 의해 끊임 없이 새로운 신경세포가 만들어집니다. 젊은 마우스에 실험적으로 후점막 손상을 일으키면 기저 세포 증식이 활성화되며, 분열한 기저 세포는 약 1주에 성숙 신경세포로 분화하고 결과적으로 손상 부위는 약 1개월에 회복됩니다.[1] 포유류의 중추 신경계에서 해마와 측뇌실 하층은 항상 신경 신생이 일어나고 있으며, 후자에서 신생된 신경세포는 후구에 도달하여 과립세포가 되어 후각 기능 유지에 관여하고 있습니다.

노화에 따른 후각의 변화

노화는 후각에 영향을 주는 대표적 요인의 하나입니다. 다양한 연령층에서 후각을 검사한 과거의 연구에서 후각 인식능이 나이가 들면서 저하되는 것으로 나타났습니다.[2] 또 실험동물에서 노화에 따라 후점막 변성 진행이 알려졌습니다.[3]

이런 현상의 세포 기전은 마우스나 흰쥐를 이용한 실험에서 노화에 따라 기저 세포 분열 빈도 저하라고 알려졌습니다.[4] 각 연령대의 실험동물에서 약제로 후점막을 손상시키면 기저 세포의 후신경세포로 분화 속도는 나이에 따라 차이가 없지만 재생되는 후신경 세포의 양은 노화에 따라 줄어들었습니다.[1] 이것은 노화에 따른 후신경 상피의 줄기세포 분화능이 저하되어 일단 손상이 일어나면 회복되기 어려운 것을 시사하고 있습니다.

또 알츠하이머병, 파킨슨병 등의 고령자에 많은 신경 변성 질환에서 후각 저하가 일어나는 것이 알려져 있으며, 이것은 말초 후각기 보다 후구 이후의 중추 전도로에 장애가 있는 것으로 생각합니다. 후구, 전후핵은 알츠하이머병, Parkinson병에서 조기에 병리 변화가 나타나는 부위라고 알려졌습니다.

후각 장애 치료와 안티에이징

중노년층에 증가하는 신경성 장애는 유감스럽지만 특효약이라고 할 수 있는 치료제가 없으며, 당귀작약산 등의 한약이나 아연 제제를 경험적으로 사용하고 있습니다. 최근 후각 훈련의 효과 보고[5]가 있어 앞으로의 검토가 기대됩니다.

안티에이징의 관점에서 비점막의 노화 진행 예방 대책이 중요하며, 흡연은 후각 장애의 위험 인자이므로 금연을 권고합니다. 흡연은 화합물 대사에 필요한 효소 활성을 저하시키며, 비점막에 독성이 있는 물질 흡입에서 손상이 악화됩니다. 또 흡연은 부비강염 악화를 통해 간접적으로도 후각 장애가 될 수 있습니다.

후각 치료 이외의 일상 생활 대책은 넓은 의미에서 안티에이징에 포함됩니다. 후각 저하는 가스 누출이나 화재 등의 위험 감지가 어려워 주의

그림1 3개월령 마우스 비강의 후구 전단 부근의 관상 절편

HE 염색. 전체상(a)과 강 확대상(b)을 보임. 이 단면에서 점막면의 대부분이 후상피이다. 상피는 최표층에 지지세포(SC)의 핵 층이 있으며, 그 하층에 여러 층의 후신경세포층(ORN)이 있으며, 기저부에 기저 세포(BC) 층이 있다. 상피하 점막 고유층에는 혈관(V)이나 후신경의 신경다발(N), Bowman선의 선체(BG)가 존재하고 있다.

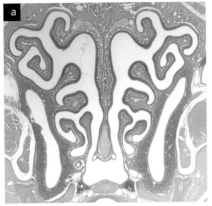

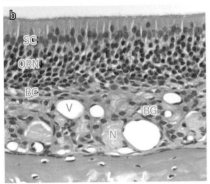

그림2 성인 비강의 관상단 절편

HE 염색(a)과 성숙 후신경세포에 특이적 olfactory marker protein에 대한 면역 염색상(b, C)을 보인다. 사람에서 후상피는 후열부 점막의 극히 제한된 영역에 존재하고 있으며, 마우스에 비해 상피가 얇고 조직 구축도 규칙적이지 않다. MT: 중비갑개. IT: 하비갑개, S: 비중격

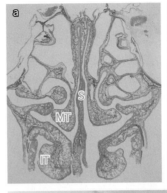

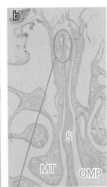

IV
안티에이징 의학 임상

가 필요하며, 특히 고령 부부에서 2명 모두 후각이 저하되면 위험을 감지할 수 없으므로 가스 누출 탐지기나 화재 경보기 활용이 필요합니다. 또 후각 장애가 있으면 식품 부패를 깨닫기 어려우며, 식품 부패가 일어나기 쉬운 여름에는 소비 기한을 기준으로 식품의 안전에 주의할 필요가 있습니다. 또한 후각 저하에서는 식욕이 떨어져서 영양면이나 정신적으로 문제가 되기도 합니다. 냄새가 나지 않아 음식 맛이 없다고 하면 맛내기에 궁리하여 해결하거나 조리 식품을 사용하여 영양 상태를 개선시킵니다.

(近藤健二 , 山岨達也)

━━━━━━━━━━━━━━━━━ 문헌 ━━━━━━━━━━━━━━━━━

1) Suzukawa K, Kondo K, et al: Age-related changes of the regeneration mode in the mouse peripheral olfactory system following olfactotoxic drug methimazole-induced damage. J Comp Neurol 2011; 519: 2154-74.

2) Doty RL, Shaman P, et al: Smell identification ability: changes with age. Science 1984; 226: 1441-3.

3) Kondo K, Watanabe K, et al: Distribution and severity of spontaneous lesions in the neuroepithelium and Bowman's glands in mouse olfactory mucosa: age-related progression. Cell Tissue Res 2009; 335: 489-503.

4) Kondo K, Suzukawa K, et al: Age-related changes in cell dynamics of the postnatal mouse olfactory neuroepithelium: cell proliferation, neuronal differentiation and cell death. J Comp Neurol 2010; 518: 1962-75.

5) Damm M, Pikart LK, et al: Olfactory training is helpful in postinfectious olfactory loss: a randomized, controlled, multicenter study. Laryngoscope 2014; 124: 826-31.

9 미각과 안티에이징

미각의 생리 기능

미각의 5개 기본 맛은 단맛, 짠맛, 신맛, 쓴맛, 감칠맛입니다. 단맛, 감칠맛, 짠맛은 각각 칼로리, 아미노산, 미네랄의 신호가 되어 식품 섭취를 촉진하도록 기능하며, 신맛과 쓴맛은 부패물이나 독소의 신호가 되어 섭취를 금지하는 신호입니다. 미각은 체내 영양 균형을 유지하는 역할을 담당합니다. 체내에 당, 필수 아미노산, 전해질이 결핍되면 생물은 그 물질의 맛을 단서로 결핍 물질을 찾아 내서 섭취하며, 반대로 과잉이 되면 섭취를 중단합니다. 이런 섭식 행동 변화는, 유쾌하거나 불쾌한 감정, 저작 운동, 타액, 소화액, 호르몬 분비 등 식사와 관계된 신경성이나 체액성 조절계의 작용에 의해 일어납니다.

미각의 노화와 염증에 의한 변화

노화에 의한 미각 기능 저하 조사에 의하면, 시각, 청각, 후각에 비해 미각은 상대적으로 저하되지 않는다고 생각합니다. 미각 역치(미각을 느끼는 최저 농도)는 50세경까지는 거의 변하지 않지만 그 이후에는 완만하게 상승하여, 식염에 2.8배, 설탕에 2~3배, 키니네에 2배, 구연산에 1.3배 상승한다는 보고가 있습니다.[1]

사람의 혀 후방에 있는 유곽 유두의 미뢰 수는 유아기에 약 240개(유두 하나 당)가 관찰 되지만 고령자(74~88세)에는 유아의 30~50%까지 감소합니다. 또 타액 분비량 감소나 타액의 아밀라아제 등의 효소 활성 저하에 의한 용매 효과나 미각을 느끼는 당 농도가 저하되어 미각을 감퇴시키는 요인이 됩니다. Lipopolysaccharide (LPS)는 그람 음성균 세포벽 외막의 내독소로 염증을 유발하는 작용이 있으며, 이 염증 모델 마우스에서 신생 되는 미세포 수 감소가 보고되었습니다. 또 염증 시에 면역 세포에서 방출되는 사이토카인 인터페론 γ (interferon γ: IFN γ)가 미세포에서 생산되어 그 수용체(interferon gamma receptor, IFNGR)를 통해 미세포의 세포자멸사를 유도할 가능성도 있습니다.[1]

호르몬의 미각 감수성 조절

렙틴은 지방세포에서 분비되어 시상하부에 존재하는 렙틴 수용체(long form leptin receptor, ObRb)를 통해 섭식 억제, 에너지 소비 항진에 관여하는 호르몬이며, 렙틴 수용체 결손 마우스(db/db, 비만 당뇨병 모델)의 감미 감수성이 정상 마우스 보다 높은 것이 알려졌으며, 그 후의 연구에서 렙틴이 미세포에 발현하는 수용체를 통해 감미 반응을 특이적으로 억제하는 것이 밝혀졌습니다.[2] 렙틴의 혈중 농도는 일중 주기성을 나타내며(사람에서는 아침에 낮고 밤에 높다), 사람의 감미 감수성은 렙틴 농도와 역 상관을 나타내서 아침에 높고 밤에 낮습니다.[3] 이 변화는 에너지가 필요한 아침에 감도가 높고, 불필요한 밤에는 저하시켜 합목적으로 칼로리 섭취를 가능하게 합니다. 흥미로운 것은 렙틴과 감미 감수성의 일중 주기성은 식사를 거르거나 편식에 의해 흐트러지며, 또 비만 환자에서는 감미 감수성의 주기성이 거의 없어집니다.

내인성 카나비노이드(endocannabinoid) [anandamided와 2-arachidonoyl glycerol (2-AG)]는 대마 유사 물질이며 중추의 카나비노이드 수용체(CB1)를 통해 렙틴과 길항하여 섭식을 촉진시키는 인자로 알려졌습니다. 이 내인성 카나비노이드가 미세포에 발현하는 CB1을 통해 감미 감수성을 특이적으로 증가시킵니다.[4] 이렇게 미각기는 렙틴과 내인성 카나비노이드를 통해 체내 에너지 저장량을 감지하여 길항적으로 감미 감수성을 변화시키며, 중추와 제휴하여 효율적으로 에너지 섭취를 가능하게 하는 것으로 생각합니다 (그림 1).

안지오텐신 II (Ang II)-알도스테론(Aldo) 계는

그림1 체액성 인자를 통한 구강-뇌-장 연관에 의한 체내 에너지 유지 기전

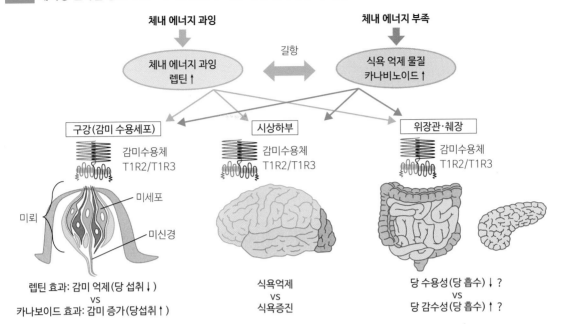

체내 Na⁺ 결핍 시에 분비가 항진되어 중추나 신장에 작용하여 Na⁺ 재흡수를 촉진하는 호르몬입니다. 최근 Ang II가 그 수용체(angiotensin II type 1 Receptor, AT1)를 통해 미세포에 작용하여 짠맛 감수성을 특이적으로 억제하는 것이 밝혀졌습니다. 또한 Ang II에 의해 유도된 Aldo가 미세포에서 짠맛 수용체(epithelial Na⁺ channel, ENaC)의 막 발현량을 늘려 짠맛 감수성을 올릴 가능성도 시사되었습니다. 이것은 체내 Na⁺ 결핍 시에 Ang II를 통해 짠맛 감수성을 억제하여 소금을 섭취하기 쉽게 하며, 섭취 후에는 Aldo를 통해 짠맛을 높여 Na⁺ 섭취량을 억제하는 정교한 Na⁺ 섭취 조절 기전이 존재할 가능성이 있습니다.[5]

미각 수용체와 안티에이징

미각 수용체는 입뿐 아니라 위장관, 췌장, 시상하부 등 많은 장기에 발현하여 다양한 기능을 하는 것이 밝혀졌습니다(그림 1). 예를 들어 감미 수용체(T1R2/T1R3)는 위장관 내분비 세포나 췌장 β세포에 발현하여 각각 인크레틴[글루카곤양 펩티드-1(glucagon like peptide-1, GLP1), 포도당 의존성 인슐린 분비 자극 폴리펩티드(glucose-dependent insulinotropic polypeptide, GIP)] 분비나 인슐린 분비를 촉진하는 것이 보고되었습니다. 이들은 구강, 뇌, 장의 미각 수용체를 통해 식사 리듬을 자극하여 우리에게 갖춰져 있는 본래의 생리 기능을 보다 많이 유도하므로 생활 습관병 예방이나 안티에이징으로 연결되는 효과적인 수단이라고 생각할 수 있습니다.

(重村憲德 , 二ノ宮裕三)

||||||||||||||||||||||||||||||||||||| 문헌 |||||||||||||||||||||||||||||||||||||

1) Feng P, Huang L, et al: Taste bud homeostasis in health, disease, and aging. Chem Senses 2014; 39: 3-16.
2) Kawai K, Sugimoto K, et al: Leptin as a modulator of sweet taste sensitivities in mice. Proc Natl Acad Sci USA 2000; 97: 11044-9.
3) Nakamura Y, Sanematsu K, et al: Diurnal variation of human sweet taste recognition thresholds is correlated with plasma leptin levels. Diabetes 2008; 57: 2661-5.
4) Yoshida R, Ohkuri T, et al: Endocannabinoids selectively enhance sweet taste. Proc Natl Acad Sci USA 2010; 107: 935-9.
5) Shigemura N, Iwata S, et al: Angiotensin II modulates salty and sweet taste sensitivities. J Neurosci 2013; 33: 6267-77.

10 호흡기와 안티에이징

폐 연령이 실제 연령보다 높거나, 폐 질환 의심이나, COPD 의심이면 정밀 검사가 필요합니다. 적절한 치료, 대처에 의해 폐 연령을 젊게 하는 것이 가능합니다(그림 1).

폐 연령과 폐의 생활습관병 COPD

만성 폐색성 폐 질환(chronic obstructive pulmonary discas, COPD)는 흡연이 주된 원인이며, 폐의 공기 흐름이 만성적으로 악화되는 서서히 진행하는 질환이며, 폐기종이나 만성 기관지염이 포함됩니다. 초기 단계에는 기침, 가래, 숨참 등의 증상이 없기 때문에 조기에 진단하기 위해서는 폐 기능 검사가 필요합니다. COPD는 장기간의 흡연 습관에 의해 폐의 호흡 기능이 실제 연령보다 낮은 노화가 가속되는 병입니다. 우선 자신의 폐 연령을 알고 정기적으로 측정하는 것이 중요합니다.

역학

일본에 COPD 환자 수는 약 500만 명 이상으로 추정되고 있으나, 대부분은 진단이나 치료를 받지 않고 있습니다. COPD에 의한 사망률은 매년 증가하고 있으며 매년 15,000명 이상이 사망합니다. COPD의 특징은 초기 단계에는 증상이 없거나 기침이나 가래가 신경이 쓰인다는 정도지만 진행하면 점차 저산소혈증이나 만성 호흡 부전을 나타냅니다. 숨참 증상은 70세 이상에서 많이 나타나므로 인구의 고령화 전에 대책이 없으면 의료비의 막대한 증가가 우려됩니다.

COPD의 원인과 병태

COPD를 일으키는 외인성 인자에는 담배 연기를 비롯한 대기오염, 간접 흡연, 직업상 분진이나 화학물질 노출, 바이오매스(biomass) 연료의 연기 등이 있습니다. 이런 유해 물질을 흡입하면 COPD에 볼 수 있는 말초 기도 병변이나 폐포벽 파괴가 일어납니다. 그러나 흡연자 중에서 COPD 발병률은 15~20% 정도이므로 원인 물질에 노출된 환자의 감수성 문제 즉 내인성 인자의 존재도 시사됩니다.[1]

그러나 COPD 환자의 90%에서 흡연력이 있으므로, COPD의 최대 위험 인자가 흡연인 것은 논란의 여지가 없습니다. 그러나 흡연은 COPD 발생과 진행의 충분 조건이지만 필수 조건은 아닙니다.[2]

담배 연기라는 외인성 인자가 사람의 호흡기에

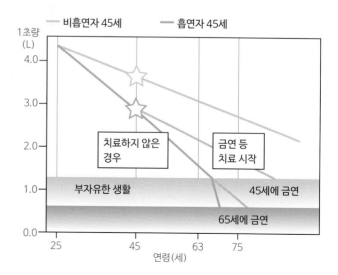

그림1 적절한 치료에 의한 폐 연령 진행의 지연

도달하면 급성 염증 반응이 일어납니다. 이 염증 반응은 COPD 및 그 전단계 이외의 모든 사람에서 일어나며 가역성입니다. 이 염증이 만성, 비가역성이 될 때 COPD로 병태가 진행된다고 생각할 수 있으며, 여기에 흡연자가 COPD가 될까를 결정하는 "스위치"가 있다고 생각할 수 있습니다.

비가역적 만성 염증으로 진행에 대한 몇개의 가설이 있습니다. 과거부터 알려진 것으로 ① 프로테아제-안티프로테아제 불균형 가설, ② 산화-항산화 불균형 가설이 있으며, 최근에는 이에 더해, ③ 에피제네틱스의 관여, ④ 기도 상피 세포 자멸사의 관여, ⑤ 노화의 영향 등이 제창되고 있습니다.

COPD의 최신 치료

COPD 치료법으로, 금연, 약물 요법, 호흡 재활 요법 등이 시행됩니다. 또 중증에서는 산소 요법을 시행합니다. 또 기관지 천식이 동반된 경우나 골다공증, 심혈관 질환, 소화기 질환, 우울증 동반이나 폐 합병증이 있으면 이런 질환을 고려한 치료가 필요합니다.

금연

COPD 치료의 시작은 금연입니다. 흡연을 계속하면 병의 진행을 멈출 수 없습니다. 니코틴 의존성에 대해 니코틴 패치나 니코틴 껌 등 니코틴 대체 요법과, 비니코틴 제제 복용에 의한 금연 치료를 시행합니다.

백신

감염이 중증화되기 쉽고, COPD의 악화 원인이 되므로 백신 접종이 중요합니다. 인플루엔자와 폐렴 구균에 대한 백신이 권고됩니다.

안정기의 약물 요법

기관지 확장제가 약물 치료의 중심이며 그 밖에 거담제, 진해제, 감염 방지 항생제, 악화가 반복되는 경우에 흡입 스테로이드제를 사용합니다.

호흡 재활 요법

호흡 재활 요법은 호흡 기능 장애 환자에서 기능 회복이나 유지에 의해 환자가 자립할 수 있도록 지원하는 의료입니다. 그 중에서도 중심이 되는 것이 호흡 물리 치료로 2개월간 이상 시행을 권고하며, 자각 증상 개선, 운동 능력 향상, QOL 향상 효과를 기대할 수 있습니다.

산소 요법

진행된 COPD에서 저산소혈증, 호흡 부전에 대해 가정에서 지속적으로 산소를 흡입하는 재택 산소요법을 시행하여 환자의 QOL 향상과 생존율을 높이는 것이 알려졌습니다. 재택 산소 요법의 적응은 제IV기(고도의 기류 폐색) 환자이며, 보통 호흡으로 동맥혈의 산소 분압 55 Torr 이하 또는 동맥혈의 산소 분압 60 Torr 이하에서 운동이나 수면 시에 현저한 저산소혈증을 일으키는 환자입니다. 또 의학적 적응 조건뿐 아니라 자기 관리 능력이나 보호자 유무, 생활 패턴 등 다면적 조건이 고려됩니다.

COPD 진단과 치료 지침

치료 지침 개정판의 요점은, 병태가 진행되어 힘들여 일할 때 호흡 곤란 증상이 나타나는 환자에게 장시간 작용형 기관지 확장제(long-acting muscarinic antagonist, LAMA) 또는 장시간 작용형 β2 자극제(long acting β2 agonist, LABA, 흡입 또는 패취) 투여입니다. 또한 천식 합병증이나 악화가 반복되는 환자는 흡입 스테로이드제나 가래 조절제를 추가합니다.

(別役智子)

|||||||||||||||||||||||||||||||||||||||||| 문헌 ||||||||||||||||||||||||||||||||||||||||||

1) 日本呼吸器学会COPDガイドライン第4版作成委員会: COPD (慢性閉塞性肺疾患)診断と治療のためのガイドライン第4版. 2013, pp9.
2) Rennard S , et al: Looking at the patient-approaching the problem of COPD. NEJM 2004; 350: 965-96.

11 심장과 안티에이징

심부전은 나이가 들면서 많아집니다. 최근 과학적 근거중심 의료(evidence-based medicine)에서 심부전의 유병률이나 사망률을 감소시켰다고 하지만 지금까지 시행된 임상시험 대상에서 고령자는 연령 제한이나 동반 질환이 있어 제외되었습니다. 따라서 고령 심부전 환자의 임상적 특징이나 optimized medical therapy (OMT)가 젊은 사람과 같은지 자료가 부족합니다. 고령 심부전 환자는 다양한 동반 질환에 의해 심부전 자체가 예후 규정 인자가 될 수 없으며, 치매나 쇠약(frailty)에 의해 심부전 증상을 이해하기 어렵습니다(숨이 참이 나이 탓?). 고령자에서 약물 대사 동태의 변화도 젊은 환자와 다른 문제입니다.[1]

연령의 기준

고령자(elderly)의 연령 기준은 뚜렷하지 않습니다. 최근의 심부전 임상시험에서 고령자의 연령 기준은 70세 이상이거나 80세 이상으로 가지각색입니다. 85세 이상은 초고령자(very elderly)라고도 분류하지만 최근의 평균 여명 연장을 경향을 보면 85세 이상을 고령자로 보는 것도 타당하다고 생각합니다.

노화 심장의 특징(그림 1)

고혈압, 비만, 만성 신질환 등의 생활 습관병은 수십년 단위로 심근에 스트레스를 주므로, 장수 사회에서 이런 스트레스가 심부전을 일으킵니다. 심혈관 질환 위험 인자에 장기간 노출에 더해 노화에 따른 변화가 더해져 고령자는 심부전을 일으키기 쉽습니다. 고령자 심부전에 특징적 임상 소견은, 심장의 노화에 따른 구조나 기능의 변화로 설명할 수 있습니다. 고령자 심부전에서 특징적 임상상으로 가장 중요한 점은 박출률 보존 심부전(heart failure with preserved ejection fraction, HFpEF) (diastolic dysfunction)이 일어나기 쉽다는 점입니다.

노화에 따라 심근 줄기세포 재생 능력이 저하되면서 세포자멸사나 네크로시스로 소실된 심근 세포를 보충할 수 없게 되어 결과적으로 심근 세포 수가 감소합니다. 그리고 남아 있는 심근 세포는

그림1 연령 증가에 동반한 심장의 구조와 기능의 변화

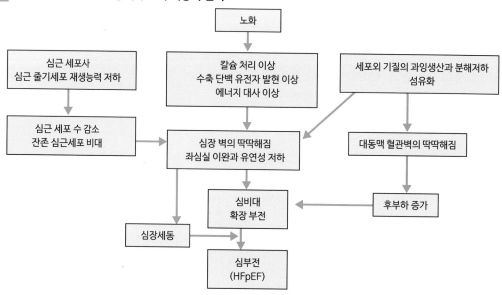

보상적으로 비대해집니다. 나이가 들 수록 칼슘 대사 이상과 수축 단백 유전자 발현이 변화되며, 최종적으로 미토콘드리아 기능 이상이 나타나서 ATP 이용 효율도 저하합니다. 세포외 기질의 과잉 생산이나 분해 저하에 의해 섬유화가 촉진되어 심근 간질의 재구축이 생깁니다. 심근 간질의 재구축은 레닌-안지오텐신계, 염증, 산화 스트레스에 의해 촉진됩니다. 그 결과 좌심실의 이완과 유연성이 저하됩니다. 노화에 의한 변화는 혈관계에도 영향을 주어 동맥 혈관벽은 섬유화와 비후에 의해 탄력성이 없어지고 딱딱해집니다. 그 결과 심장의 후부하가 증가하여 심 비대가 악화됩니다. 이런 구조적 및 기능적 변화에 동반한 심 비대와 확장 장애를 배경으로 고령자에서 HFpEF가 나타납니다. 심장이나 대혈관이 딱딱해진 상태에서 심방세동이 좌심실 충만을 더욱 장애시켜 심부전 발생의 발단이 됩니다. 허혈성 심질환을 배경으로 한 심부전은 박출률 감소 심부전(heart failure with reduced ejection fraction, HFrEF) 형태가 조기에 나타납니다.

고령자에서 심부전의 특징은 여성에서 많으며, HFpEF가 비율이 젊은 사람보다 많다는 것입니다. 대부분 심방 세동, 고혈압, 뇌혈관 질환, 빈혈, 악성 종양, 만성 신질환을 동반합니다. 그러나 고령 심부전 환자에서 관상동맥 질환이나 당뇨병 동반 비율은 비교적 적습니다. 관상동맥 질환이나 당뇨병이 있으면 고령이 되기 전에 HFrEF가 발생합니다.

HFpEF (박출률 보전 심부전)의 정의

HFpEF를 박출률(ejection fraction, EF) 몇 % 이상으로 정의할지 정해지지 않았으며, 임상 연구에 따라 40%, 45%, 50% 이상으로 다양합니다. 한편 좌심실 수축 기능 감소 심부전 환자(HFrEF)의 정의에는 EF<40%를 흔히 이용 합니다. 실제로 EF=40~50% 사이에 다양한 질환이 같이 있을 가능성이 있습니다. 허혈성 심질환 특히 진구성 심

근경색 환자는 EF=40~50%가 많으며 시간 경과에 따라 EF가 저하됩니다.

역학 연구에서 EF≥55%를 HFpEF로 정의하면 허혈성 질환이 배경인 환자가 제외되어 순수한 심장 노화 즉 심비대와 확장 부전을 특징으로 한 환자를 모을 수 있습니다. HFpEF의 효과적 치료법이 확립되지 않았습니다. HFpEF의 임상 연구에 등록된 환자가 실제 임상 상황의 HFpEF를 반영하지 않을 수 있으며, HFpEF 환자의 사인에 비심장사 비율이 HFrEF에 비해 많은 등 임상시험의 문제점도 지적되어 있습니다.

고령자의 대동맥판 협착증

고령에서 판막증이 증가하며, 반수 이상은 대동맥판 협착증입니다. 80세 이상에서 대동맥판 협착증에 의한 심부전으로 입원한 환자의 원내 사망률은 20%로 예후가 나쁩니다. 최근에는 카테터를 통한 대동맥판 유치술(transcatheter aortic valve implantation, TAVI)(그림 2)를 시행하고 있습니다. 외과 수술에 의한 대동맥판 치환술을 할 수 없거나 체외순환을 시행할 수 없는 고령자, 개흉 수술 후 활동도가 저하될 가능성이 있거나, 수술 전 생활 상태로 돌아올 수 없을 가능성이 있으며, 예후(수명)를 좌우하는 대동맥판 협착증에서 TAVI 적응이 됩니다. 다리의 대퇴 동맥으로 유치하는 침습이 적은 대퇴 동맥 접근(transfemoral approach)으로 판막을 유치하면 수술 후 수일 이내 퇴원도 가능하여, ADL이나 인지 기능에 지장 없이 대동맥판 협착증을 해결이 가능해졌습니다.

심장의 안티에이징

노화는 primary aging과 secondary aging으로 나누어 생각할 수 있습니다. primary aging은 나이가 들면서 나타나는 생리적 노화 과정이고, secondary aging은 환경요인, 라이프스타일, 질병에 의해 가속화되는 노화 과정입니다. 심장의 안티에이징에서는 무엇보다 secondary aging과 관계된

※역자 주:
1. 좌심실 이완은 좌심실 심근의 능동적 신전, 즉 좌심실이 얼마나 빨리 최대 확장에 이르는가 보는 것이며, 좌심실 콤플라이언스는 좌심실 심근의 유연성이며, 최대 이완한 좌심실이 수동적으로 어느 정도 신장할 수 있는지 나타냅니다.

그림2 카테터를 이용한 경피적 대동맥 판막치환술(TAVI)

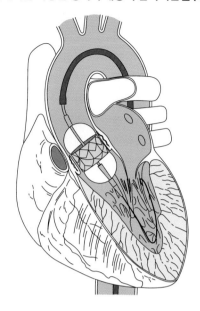

요소를 줄이는 것이 중요합니다. 그러기 위해서는 금연, 적당한 운동, 과식을 피해 비만이 되지 않게 주의하는 것이 중요합니다. 가정 혈압을 측정을 습관을 붙여 고혈압의 조기 발견, 치료도 중요합니다.

primary aging의 개입은 심장 노화를 지연시킵니다. 노화된 심장을 젊어지게 하는 것이 가능할까요? 동물 실험에서 젊은 마우스와 노화 마우스의 혈관을 이어 순환을 공유(파라바이오시스)시킨 회춘[2]과 노화 세포 제거에 의한 회춘[3]이 보고되었습니다. 심부전 환자에서 연령은 예후 불량의 예측 인자입니다. 현재 노화 촉진 인자나 회춘

인자가 탐색되고 있으며 가까운 장래의 임상 응용이 기대되고 있습니다.

(佐野元昭)

|||||||||||||||||||||||||||||||||||||| **문헌** ||||||||||||||||||||||||||||||||||||||

1) Lazzarini V, Mentz RJ, et al: Heart failure in elderly patients: distinctive features and unresolved issues. Eur J Heart Fail 2013; 15(7): 717-23.
2) Irina M Conboy, Michael J Conboy, et al: Rejuvenation of aged progenitor cells by exposure to a young systemic environment. Nature 2007; 433: 760-4.
3) Baker DJ, Wijshake T, et al: Clearance of p16Ink4a-positive senescent cells delays ageing-associated disorders. Nature 2011; 479: 232-6.

※역자 주:

최신 심부전의 분류
   심부전 관련 공식 한글 용어: HFrEF – 박출률 감소 심부전, HFpEF – 박출률 보존 심부전

1. **미국** 심장학회. 2013 ACCF/AHA Guideline for the Management of HF
   (1-1) HFrEF (Heart Failure with reduced Ejection Fraction, 좌심실수축기능 감소 심부전): LVEF ≤ 40%
   (1-2) Borderline HFpEF: LVEF 41-49%
   (1-3) Improved HFpEF: LVEF > 40%
   (1-4) HFpEF (Heart Failure with Preserved Djection Fraction, 좌심실수축기능 보전 심부전): LVEF ≥ 50%

2. **유럽** 심장학회. 2016 ESC Guidelines for the Diagnosis and Treatment of Acute and Chronic HF
   (2-1) HFrEF (Heart Failure with reduced Ejection Fraction): LVEF ≤ 40%
   (2-2) HFmrEF (HF with Mid Range EF): LVEF 40-49%
   (2-3) HFpEF (Heart Failure with Preserved Ejection Fraction): LVEF ≥ 50%

① 골다공증

병인과 증상

골조직에서는 끊임 없이 낡은 뼈는 부수고(골흡수기 약 2주), 새로운 뼈로 바꾸는(골형성기 약 4개월) 신진대사인 리모델링(재구축)이 일어나고 있습니다. 이 재구축의 1 사이클에는 4~6개월이 필요하며, 이렇게 뼈는 강도와 유연성을 유지하고 있습니다. 그러나 골다공증에서는 골형성기가 짧아지고 곧 바로 골흡수기가 되므로 골흡수에 비해 골형성이 충분하지 않아 골량이 감소하게 됩니다.

또 골다공증에서는 에스트로겐 결핍, 연령 증가, 생활 습관병에 의한 산화 스트레스에 의해 골흡수 항진과 골형성 저하에 의해 골밀도가 저하됩니다. 더욱이 골형성 저하, 산화 스트레스 항진, 비타민 D나 K 부족에 의해 2차 석회화 저하나 미세 구조의 악화로 골질에 구조적 이상을 일으킵니다. 또한 골기질도 변화되고 재질도 악화됩니다. 에스트로겐 결핍이나 연령 증가, 생활 습관병은 골밀도뿐 아니라 골질에도 나쁜 영향을 줍니다. 골질은 골 재구축이나 세포 기능, 기질 주위 환경(산화나 당화 수준), 비타민 D, K 충족 상태에 의해 제어됩니다(그림 1).

골다공증은 은밀하게 진행되므로 증상이 거의 없습니다. 진행하여 뼈 강도가 저하되면 취약성이 높아져, 어느날 갑자기 골절을 일으킵니다. 척추체 골절을 일으키면 허리나 등이 무겁거나 통증이 있지만, 이 상태에서도 2/3는 깨닫지 못합니다.

골다공증에 의한 골절의 호발 부위는 척추체, 대퇴골 근위부, 상완골 근위부, 요골 원위부 등입니다. 50세 이상의 일본인 여성에서 생애의 37%가 척추체 골절을, 22%가 대퇴골 근위부 골절을 일으켜 골절 빈도가 낮지 않습니다.

진단과 치료

골다공증 진단은 골밀도와 취약성 골절 유무에 의한 진단 기준을 이용합니다.[2] 대퇴골 근위부 또는 척추체에 취약성 골절이 있으면 골밀도와 관계없이 골다공증으로 진단합니다. 일본의 골다공증 진단 기준은, 청년 성인 골밀도 평균치(YAM, 요추: 20~44세, 대퇴골 근위부: 20~24세)의 70% 이하를 골다공증으로 진단하여 치료를 시작합니다. 또 골밀도가 YAM의 70~80%는 WHO 골절 위험 툴 FRAX®에 의한 10년간의 주요 골다공증 골절 위험 15% 이상이거나 대퇴골 근위부 골절의 가족력이 있으면 치료를 시작합니다(그림 2).

골밀도 측정은 원칙적으로 요추 또는 대퇴골 근

그림1 골다공증의 병인; 골강도 저하 기전

골질은 재질 특성과 재료를 바탕으로 만들어지는 구조 특성(미세 구조)에 의해 규정되며, 에스트로겐 결핍, 연령 증가, 생활 습관병은 골밀도뿐 아니라 골질에도 나쁜 영향을 준다. 골질은 뼈의 신진대사 기전인 골 재구축이나 세포 기능, 기질 주위 환경(산화나 당화 수준), 비타민 D나 충족 상태에 의해 제어되고 있다.

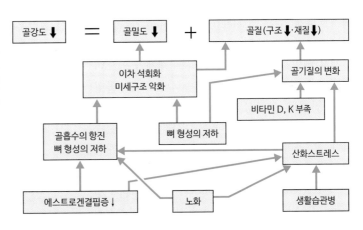

그림2 일본의 원발성 골다공증 진단 기준 및 약물 치료 개시 기준(문헌 1, 2, 3 인용)

#1: 여성은 폐경 이후, 남성이 50세 이후에 경미한 외력에 생긴, 대퇴골 근위부 골절 또는 척추체 골절이다.

#2: 여성은 폐경 이후, 남성이 50세 이후에 경미한 외력에 생긴, 전 완골원 정도 끝 골절, 위 완골 근위부 골절, 골반 골절, 하퇴 골절 또는 늑골 골절이다.

#3: 요추 및 대퇴골 근위는 T스코어(-2.5SD, -1.0SD)을 병기한다.

#4: 75세 미만에 적용한다. 또, 50대를 중심으로 하는 세대에서는, 더 낮은 컷오프치를 이용한 경우에도 기존의 진단 기준을 바탕으로 약물 치료가 권장되는 집단을 부분적으로 밖에 커버하지 않는 등 한계도 드러나고 있다.

#5: 이 약물 치료 시작 기준은 원발성 골다공증에 관한 것이기 때문에, FRAX®의 항목 중 당질 코르티코이드, 관절 류머티즘, 속발성 골다공증에 해당하는 사람들에게는 적용되지 않는다. 즉, 이들 항목이 모두 '없음'인 증례에 한하여 적용된다.

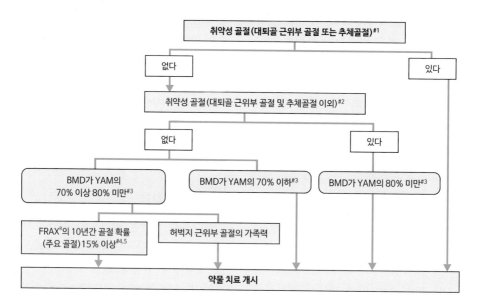

위부에서 하지만, 측정이 어려우면 요골, 제2 중수골 골밀도로 합니다. 한편 종골 초음파에 의한 측정(quantitative ultrasound, QUS)는 진단에 이용하지 않습니다. 또 골대사 지표를 치료제 선택 및 치료 평가에 이용합니다.

골다공증 치료의 기본은 단백질, 칼슘, 비타민D 등 적절한 영양소 섭취와 운동이며, 장기적 약물 요법이 필요합니다. 약제에는 골흡수 억제제 비스포스포네이트(bisphosphonate, BP)와 선택적 에스트로겐 수용체(selective estrogen receptor modulator, SERM)을 이용합니다. BP제에는, 경구제로 매일, 매주, 매달 복용하는 제제가 있으며 정주제가 있어 선택사항이 많습니다. 최근 골형성 촉진제로 부갑상선 호르몬인 테리파라타이드(teriparatide)의 매일 및 매주 주사제가 등장했습니다. 또 골다공증 치료제로 생물학 제제인 6개월에 1회 피하 주사하는 항NF-κB활성화 수용체 리간드 (receptor activator of nuclear factor kappa-B ligand, RANK) 항체(Denosumab; RANK inhibitor)

는 골흡수에 필요한 전달물질인 RANKL을 특이적으로 저해하며, 현재 사용 가능한 약제 중에서 골밀도 증가 효과가 가장 높습니다. 특히 요추 골밀도가 8년간 18.5% 증가한 보고[4]가 있어 10년간 20%의 증가도 바랄 수 있게 되었습니다. 요추 및 대퇴골 근위부의 골밀도에 의한 골다공증 치료 도달률은 3년에 약 60%, 5년에 약 70%, 8년에 80% 이상이라는 보고[5]가 있습니다.

이런 약제의 선택에는 유효성과 안전성을 고려한 적정 사용이 필요합니다.

(太田博明)

||||||||||||||||||||||||||||||||||||||||||||||| **문헌** |||||||||||||||||||||||||||||||||||||||||||||||

1) 骨粗鬆症の予防と治療ガイドライン作成委員会編: 骨粗鬆症の予防と治療ガイドライン2011年版.

2) 日本骨代謝学会・日本骨粗鬆症学会合同原発性骨粗鬆症診断基準改訂検討委員会編: 原発性骨粗鬆症の診断基準(2012年度改訂版).

3) 骨粗鬆症の予防と治療ガイドライン作成委員会編: 骨粗鬆症の予防と治療ガイドライン2015年版.

4) Papapoulos S, et al: ASBMR 2013 Annual Meeting, Abstract #LB-MO26.

5) Ferrari S et al: ASBMR 2014 Annual Meeting, Abstract #FR0391.

② 골관절염

골관절염(osteoarthritis, OA)은 관절 연골의 변성, 마모에 의해 관절 구성체의 만성 퇴행성 변성 질환이며, 2차성 활막염이나 반응성 골증식 변화에 의해 관절 변형을 일으킵니다. 골관절염은 다인자 질환이며 전신적으로는 연령 증가, 비만, 유전적 소인이나 성별, 그리고 관절 국소에서 외상, 불안정성이나 역학적 스트레스 등이 골관절염을 일으키는 요인이 됩니다. 분자 수준에서 OA 발생 기전은 뚜렷하지 않지만, 염증성 신호는 적어도 발생에 관여하지 않으며, 관절, 연골의 TGF-β1, IGF-2 발현 저하의 관여가 시사되고 있습니다.

고관절, 무릎관절 등의 하중 관절이나 척추, 손가락 관절에 많이 발병하며 여기서는 무릎관절의 골관절염에 대해 설명합니다. 최근의 코호트 연구에서, 40세 이상의 무릎 OA 유병률은 남성 42.6%, 여성 62.4%이었으며, 추정 총 환자 수는 2,400만명을 넘어 건강 수명을 단축시키는 국민병이 되었습니다.[1]

무릎 OA는 병력, 이학적 소견, 방사선 소견으로 진단하며, 병기 분류는 Kellgren and Lawrence grade (K/L grade, 그림 1)를 이용합니다. 무릎 OA의 치료는, 무릎관절 통증 증상 감소와 QOL 개선입니다. 기본적으로 환자 교육, 운동요법, 보조기요법 등의 비약물요법과 약물요법을 병용합니다.

증상

중노년 이후에는 활동을 시작할 때 관절통이 나타나는 일이 많습니다. 처음에는 활동을 쉬고 안정하면 통증이 좋아지나 다시 활동하면 악화됩니다. 초기에는 활동 시작 시의 통증이 주 증상이 되지만 계속적인 활동으로 호전되는 경우도 있습니다. OA에서 계단 오르고 내림, 특히 계단을 내려갈 때 통증이 나타날 수 있습니다. 관절염이 진행하면 통증의 악화나 관절의 종창 변형, 구축, 불안정성 등이 나타납니다. 또 안정 시에도 통증이 생길 수 있습니다.

진단

일반적으로 단순 방사선 검사를 시행합니다. 관절 간격의 협소화, 골극 형성, 연골하 골의 경화상 등 골관절염에 특징적 소견이 있으면 진단은 비교적 쉽습니다. 연골하 골의 흡수성 변화는 없기 때문에 이런 소견이 있으면 다른 관절 질환을

그림1 **골관절염의 진단**

방사선 소견: Kellgren & Lawrence 분류

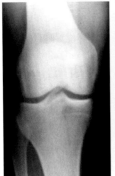 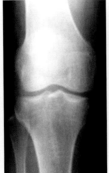 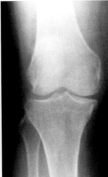 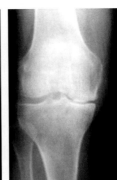 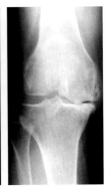

| Grade 0 | Grade I (doubtful) | Grade II (mild) | Grade III (moderate) | Grade IV (severe) |

생각해야 합니다. 최근에는 MRI를 이용하여 보다 자세한 관절 내 변화를 관찰하며, 관절 연골 변성 부위의 신호 강도 상승이나 연골하 골의 골경화 상, 반달 변성, 전·후 십자 인대 변성 등의 평가가 가능합니다. 관절 연골의 양적, 질적 변화도 어느 정도 알 수 있습니다. 혈액 검사에서 골관절염에 특이 항목은 없어 확립된 바이오마커도 없습니다. 따라서 골관절염은 임상 증상과 영상 소견으로 진단하는 것이 일반적입니다.

▌치료

초기에는 보존 요법으로 약물 요법이나 보조기 요법을 합니다. 골관절염이 진행되어 관절의 변성 변화가 뚜렷하고 통증이 악화되면 외과적 치료가 선택사항이 됩니다.

▌약물요법

일본 정형외과 학회는 2012년 무릎 OA 진료 지침을 제정했습니다.[2] 이 지침은 Osteoarthritis Research Society International (OARSI)의 지침[3]를 기본으로한 권고 강도(strength of recommendation, SOR)가 있습니다. 통증을 주 증상으로 한 무릎 OA 치료 목적은, 통증 증상 개선과 향후의 관절 변형 진행을 막는 예방적 목적으로 나눌 수 있습니다. 따라서 OA 관리에는 비약물 요법과 약물 요법의 병용이 필요합니다(권고도 A). 즉 무릎 OA 치료에 약물 치료에 더해 운동요법과 보조기 요법을 고려합니다.

경구 비스테로이드 소염제(NSAID)

무릎 OA의 약물요법으로 권고하는 것은 경구 비스테로이드 소염제(nonsteroidal anti-inflammatory drug, NSAID)를 최소 유효량으로 사용하는 것입니다(권고도 A). OA에서 통증의 원인은 완전히 규명되지 않았습니다. OA에서 통증은 근육이나 관절낭 등 관절 인근 조직을 포함한 통증입니다. 관절 연골이 변성 마모를 일으키면 생체 역학적 스트레스나 연골 분해 산물에 의해 신경 종말을 가진 활막 등 주위 조직에 염증을 일으켜 통증의 원인이 될 수 있는 것이 알려졌습니다. 따

라서 경구 NSAID가 1차 선택제로 권고 되고 있습니다.

외용 NSAID

외용 NSAID는 보조 요법으로 이용되고 있습니다.[8] 통증 완화는 치료 시작 초기에 효과적이며, 장기 사용의 근거는 없습니다. 외용 NSAID는 경피 흡수되어 피하 조직, 근, 활막으로 이행하므로 내복약 보다 안전하고, 심혈관 위험, 신장 장애 위험은 경구 NSAID보다 적다고 생각하고 있습니다.

관절 내 주사

히알론산: 히알론산은 관절 내에서 관절액 성분으로 윤활 작용, 기계적 스트레스 완화, 연골 기질 성분의 일부로 관절 연골의 기능 유지에 중요한 역할을 한다고 생각되고 있습니다. 골관절염에서 관절액의 히알론산 농도가 감소되고 있어 초기에서 중기 OA에 대해 관절 내 투여가 효과적이라고 생각하여 히알론산 관절 내 주사가 권고되고 있습니다(권고도 B). 미국에서는 NSAID에 효과가 없는 진행 예에서 사용하며, 약리 작용보다는 관절 간격의 보충재로 사용되어 권고도가 낮습니다.

부신피질 코르티코스테로이드: 경구 진통제나 NSAID의 효과가 불충분하거나 관절 국소의 염증 징후가 있으면 사용을 고려합니다. 통증 소실 작용은 빠르게 나타나지만 지속성은 없습니다. 단기적으로 효과가 있지만, 스테로이드의 장기적 관절 내 주사의 효과는 부정적입니다.[2] 히알론산 관절 내 투여를 포함하여 관절 내 주사에는 항상 조작에 의한 감염 위험이 동반되므로 철저한 멸균 조작이 필요합니다.

▌운동요법

OA의 관련 인자로 BMI 증가, 직업 동작(선다, 걷는다, 비탈을 오른다, 무거운 것을 든다) 보고가 있어 자기 관리와 요양도 중요합니다. 운동요법으로 유산소 운동, 근력 강화 훈련이 있습니다.[6] 구체적으로, 보행, 자전거, 수중 운동이 권

고되나, 과도한 보행은 OA의 변성 변화를 진행
시킬 위험이 있어 주의가 필요합니다. 특히 대퇴
사두근(quadriceps femoris)의 근력 증강(하지 신
장 거상 운동, 대퇴사두근 엑서사이즈 등)은 무릎
관절 안정화에 관여합니다. 무릎관절은 정상적으
로 관절의 안정성을 관절 구성체인 주위 연부 조
직에 의존하고 있습니다. 관절 변형에 의한 불안
정성을 개선하기 위해 근력 증강 운동은 매우 중
요합니다. 보조기 요법은 관절 변형 정도에 따라
대처법이 다르므로 전문의에 의한 처방이 중요합
니다.

(冨田哲也)

|||||||||||||||||||||||||||||||||||||||||||||||| **문헌** ||||||||||||||||||||||||||||||||||||||||||||

1) Yoshimura N, et al: Prevalence of knee osteoarthritis, lumber spondylosis, and osteoporosis in Japanese men and women; the Research on Osteoarthritis/osteoporosis Against Disability. J Bone Miner Metab 2009; 27: 620-628.

2) OARSIによるエビデンスに基づくエキスパートコンセンサスガイドライン(日本整形外科学会変形性膝関節症診療ガイドライン策定委員会による適合化終了版)2012.

3) Zhang W, et al: OARSI recommendations for the management of hip and knee osteoarthritis: part III: Changes in evidence following systematic cumulative update of research published through January 2009. Osteoarthritis Cartilage 2010; 18: 476-99.

4) Doi T, et al: Effect of nonsteroidal anti-inflammatory drug plasters for knee osteoarthritis in Japanese: a randomized controlled trial. Mod Rheumatol 2010; 20: 24-33.

5) Iannitti T, et al: Intra-articular injections for the treatment of osteoarthritis: focus on the clinical use of hyaluronic acid. Drugs RD 2011; 11: 13-27.

6) Bennell KL, et al: A review of the clinical evidence for exercise in osteoarthritis of the hip and knee. J Sci Med Sport 2011; 14: 4-9.

③ 변형성 척추증과 척추관 협착증

변형성 척추증

변형성 척추증은 나이가 들면서 나타나는 척추의 변성 질환으로 요추에 발생합니다. 중노동 등의 부하에 의해 진행하는 것이 많고 추간판강의 협소화, 추간 관절과 황색인대의 비후, 골극 형성에 의해 추간판성, 추간 관절성, 근육 근막성 통증을 일으킵니다. 변성이 심하면 척주의 정상적 얼라인먼트를 유지할 수 없게 되어 후만, 후측만 등의 척주 변형을 나타냅니다. 그러나 변성 정도와 임상 증상은 반드시 일치하지 않으며, 변성이 심해도 증상이 없는 예도 있습니다. 임상적으로 문제가 되는 것은 요부 척주관 협착증을 동반한 경우입니다(그림 1).

요부 척추관협착증

요부 척추관 협착증은, 요부의 척추관이 좁아진 결과 다음에 설명하는 다양한 증상을 일으키는 증후군입니다. 그러나 그 정의는 아직 완전한 합의가 없습니다.[1] 요부 척추관 협착증의 원인은 다양하며[2], 노화 변성에 의한 것(변형성 척추증)이 압도적으로 많습니다.

요부 척추 협착증의 특징적 증상은 걸을 때 다리의 통증이나 저림, 탈력감에 의해 걸을 수 없게 되나 휴식하면 다시 걸을 수 있는 "간헐성 파행"입니다. 요부 척추관 협착증에 의한 간헐 파행은 걸을 수 없을 때 주저 앉아 요추 굴곡위(전굴 위)로 휴식하면 증상이 경쾌되어 다시 걸을 수 있습니다. 이런 현상은 입위 중간위나 신전위(후굴위)에는 추간 연골이나 황색 인대가 팽윤되어 척주관 내 신경이 압박 받고 또 신경 내 혈류 장애로 증상이 발현되지만, 반대로 굴곡위에서는 추간 연골이나 황색인대의 팽윤이 적어져서 척추관이 넓어져 신경 내 혈류가 회복하기 때문입니다(그림 2).

허리 척추관 협착증은 척추관 내의 협착 부위가

그림1 변형성 척추증에 의한 요부 척추관 협착증

요추 단순 방사선상(a)에서 현저한 추체 골극 형성과 추간 연골강의 협소화가 보인다. 요추 MRI T2강조 시상단(b)에서 추간판이나 황색 인대 팽륭에 의해 척주관이 협착되어 경막내 신경이 압박 받고 있다.

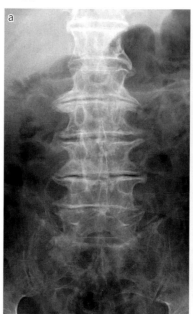
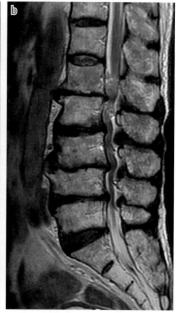

그림2 자세에 따른 요부 척추관의 변화

요부 척주관 협착증에서 척주관이 입위나 신전위(후굴위)에서는 좁아지지만, 굴곡위(전굴위)에서는 펴지므로 증상이 감소한다.

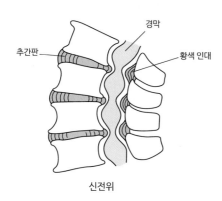

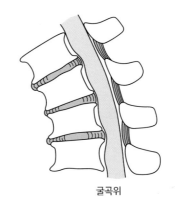

신전위 · · · · 굴곡위

신경근이 있는 외측부, 마미가 있는 정중부 또는 양쪽모에 따라 신경근형, 마미형(馬尾型), 혼합형으로 분류합니다.[3] 신경근이 장애 되면 하지의 통증이 주 증상이지만 마미 장애에서는 저린감을 강하게 호소하며 증상이 진행되면 배뇨, 배변 이상(방광과 직장 장애), 회음부의 열감이나 이상 감각, 남성에서 배뇨시 비정상 발기 등 마미 증상이 나타납니다.

보존요법

약물요법

통증에 대해 비스테로이드 소염제, 프레가발린 등을 처방합니다. 마미형 간헐성 파행이 있는 척주관 협착증에는 신경의 혈류 장애를 개선할 목적으로 경구 프로스타글란딘 E1 유도체(오팔몬)를 사용합니다.

블록요법

약물요법으로 경쾌되지 않는 추간 관절성 통증에는 추간 관절 블록을, 근육 근막성 통증에는 트리거 포인트 주사를 시행합니다. 또 신경근성 통증에는 신경근 블록이 효과적입니다.

보조기요법

요부 안정을 목적으로 요추용 코르셋을 장착합니다. 요부 척추관 협착증에 대해 척추관이 넓어지도록 Williams형 장구(약간 전굴위로 만든 코르셋) 사용을 고려합니다.

운동요법, 생활 교육

급성 통증이 없으면 척추 지지에 중요한 체간 근력 저하를 막기 위해 적당한 요통 체조를 일상생활에 도입합니다. 그러나 과도한 전굴이나 후굴은 피하고, 무거운 것을 드는 동작을 피하도록 교육합니다.

수술요법

보존요법으로 경쾌되지 않으면 수술 요법을 시행합니다. 척주관 협착증에 의한 하지 근력 저하나 배뇨 장애 등의 마미 증상이 있으면 수술 요법을 선택합니다. 불안정성이 없는 척주관 협착증에는 개창술이나 추궁절제술 등의 감압술을 시행하며, 최근에는 현미경이나 내시경을 이용하는 저침습 수술을 시행합니다. 감압 수술 후에도 저린감이 남는 일이 많기 때문에 수술 전에 잘 설명해 둘 필요가 있습니다. 척주 불안정성이나 척주 변형이 있으면 교정 고정을 위한 척추 기계장치 수술을 고려합니다.

(宮腰尚久)

||||||||||||||||||||||||||||||| **문헌** |||||||||||||||||||||||||||||||

1) 腰部脊柱管狭窄症診療ガイドライン2011. 日本整形外科学会・日本脊椎脊髄病外科学会監修. 東京, 南江堂, 2011.

2) Arnoldi CC, Brodsky AE, et al: Lumbar spinal stenosis and nerve root entrapment syndromes. Definition and classification. Clin Orthop Relat Res 1976; 115: 4-5.

3) 菊地臣一, 星加一郎, ほか: 腰椎疾患における神経性間欠跛行(第1報) 分類と責任高位・部位診断. 整形外科 1986; 37: 1429-39.

④ 사코페니아(근육감소증, Sarcopenia)

사코페니아의 개념

고령자에서 허약의 중요한 요소나 핵심 병태로 사코페니아가 알려져 있으며, 사코페니아에서는 근육량 감소나 근력 저하에 더해, 신체 기능, 장기 예비능, activities of daily life (ADL) 저하에 의해 쇠약과 요양 상태가 되는 경우가 적지 않습니다. 사코페니아의 개념은 1989년 Rosenberg가 제창했으며, sarx, penla라는 그리스어의 고기, 감소를 조합한 것입니다.[1] 처음에 사코페니아는 노화에 동반한 근육량 감소를 지칭했으나, 그 후 근육량 저하에 더해 근력 저하나 신체 기능 저하도 포함되었으며, 생활 기능 저하나 넘어짐, 골절 위험 증가와도 관련이 있는 것이 밝혀졌습니다.

사코페니아 빈도는 노화에 따라 증가하여, 미국의 지역 주민 고령자 대상 조사에서, 대상자의 22.6%(여성), 26.8%(남성)가 사코페니아로 판정되었으며, 80세 이상에서는 대상자의 31.0%(여성), 52.9%(남성)로 증가했습니다.[2]

사코페니아의 기준은 DXA법으로 구한 skeletal muscle mass index (SMI: 사지 근육량 합계치를 키의 제곱으로 나눈 값)를 이용하며, 정상 성인(18~40세)의 SMI 평균에서 −2 표준편차(SD) 미만을 사코페니아로 합니다. 사코페니아 진단에 필요한 근량 평가에는 이중 에너지 방사선 흡수법(dual energy X-ray absorption, DXA)이나 생체 impedance법(bioelectrical impedance analysis, BIA)를 이용합니다(그림 1). 사코페니아는 골다공증처럼 운동기 증후군(E-12-5 참조)의 일부로 이해할 수 있으며, 운동기 장애의 관리, 근골 관리에서 사코페니아 대책은 중요합니다.

정의와 진단

사코페니아의 정의는 2010년 The European Working Group on Sarcopenia in Older People (EWGSOP)에서 의견 일치가 발표되었으며, 근량

과 근력의 진행성이며, 전신성 감소가 특징적 증후군으로 신체 기능 장애, QOL 저하, 사망 위험을 동반하는 것이라고 했습니다.[3] 이 의견 일치는 근량 저하, 근력 저하[악력(握力, grip strength): 남성 30 kg 미만, 여성 20 kg 미만], 신체 기능 저하(보행 속도 0.8 m/초 이하) 등으로 구성되는 임상 진단 절차를 제시했습니다. 65세 이상 고령자에서는 근육량 저하가 필수 조건이며, 여기에 근력 저하, 또는 신체 기능 저하의 어느 쪽이 있으면 사코페니아라고 진단합니다. 병기 분류로는, 근육량만 저하되면 사코페니아 전단계(pre-sarcopenia), 근육량 저하, 근력 저하, 신체 기능 저하가 모두 있으면 중증 사코페니아(severe sarcopenia)라고 합니다. 그 후 Asian Working Group for Sarcopenia (AWGS)는 일본을 포함한 아시아인을 대상으로 한 사코페니아 진단 기준과 진단 알고리즘을 발표했습니다.[4] 여기서는 고령자(60세 또는 65세 이상)를 대상으로 악력 및 보행 속도를 측정하여 악력 저하(남성 26 kg 미만, 여성 18 kg 미만), 보행 속도 저하(0.8 m/초 미만)가 있으면 근육량을 측정하는 절차로 되어 있습니다. 근육량 저하(DXA법으로 남성 7.0 kg/m², 여성 5.4 kg/m² 미만, BIA법으로 남성 7.0 kg/m², 여성 5.7 kg/m² 미만)가 있으면 사코페니아라고 진단합니다(그림 1).

사코페니아와 신체, 생활 기능

고령자에서 사코페니아는 일상생활 동작(Activities of Daily Living, ADL)이나 수단적 일상생활 동작(Instrumental Activities of Daily Living, IADL)에 영향을 주는 동시에 사코페니아 진행에 동반하여 그 영향은 더 커집니다. 사코페니아에서 일상 구매 활동, 장거리 보행 등의 IADL 6 항목 중 3항목 이상에 능력 저하가 있는 상대 위험도(오즈비)가 남성 3.66배, 여성 4.08배로 사코페니아가 아닌 경우에 비해 높았습니다.[5] 또 사코페

그림1 Asian Working Group for Sarcopenia (AWGS) 합의에 의한 사코페니아 진단 절차

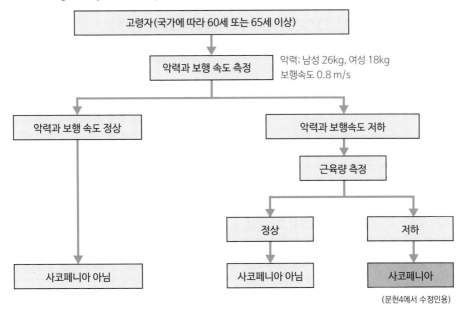

(문헌4에서 수정인용)

니아가 있는 고령자는 IADL이 어려울 빈도가 높은 것에 더해 균형 장애, 보행기나 지팡이 사용, 넘어짐 병력도 많은 경향이 있습니다. 사코페니아 여성은 식사 준비를 비롯한 IADL 장애, 일상생활에 대한 요양 필요성이 정상군에 비해 높습니다.[6] 고령사회가 되면서 앞으로 사코페니아에 대한 연구, 임상 추진 및 새로운 예방, 진단, 치료법 구축이 기대됩니다.

(小川純人)

|||||||||||||||||||||||||||||||||||||||||| **문헌** ||||||||||||||||||||||||||||||||||||||||||

1) Rosenberg IH: Summary comments. Am J Clin Nutr 1989; 50:1231-3.
2) Iannuzzi-Sucich M, et al: Prevalence of sarcopenia and predictors of skeletal muscle mass in healthy, older men and women. J Gerontol A Biol Sci Med Sci 2002; 57:M772-7.
3) Cruz-Jentoft, et al: Sarcopenia: European consensus on definition and diagnosis: Report of the European Working Group on Sarcopenia in Older People. Age Ageing 2010; 39:412.
4) Chen LK, et al: Sarcopenia in Asia: consensus report of the Asian Working Group for Sarcopenia. J Am Med Dir Assoc 2014; 15: 95-101.
5) Baumgartner RN, Koehler KM, et al: Epidemiology of sarcopenia among the elderly in New Mexico. Am J Epidemiol 1998; 147: 755-63.
6) Janssen I, Heymsfield SB, et al: Low relative skeletal muscle mass (sarcopenia) in older persons is associated with functional impairment and physical disability. J Am Geriatr Soc 2002; 50: 889-96.

※역자 주:

사코페니아 정의에 관련한 최신 논문 참고 바랍니다.
Cruz-Jentoft AJ, et al: Sarcopenia: Revised European Consensus on Definition and Diagnosis. Age Ageing. 2019;48:16-31.

⑤ 운동기 증후군(Locomotive syndrome)

▌운동기 증후군의 개념

일본은 2007년 고령화율이 21%를 넘어 초고령 사회가 되었습니다. 그 후에도 고령화율은 계속 증가하여 요양이 필요한 사람이 증가하고 있습니다. 일본의 2013년 조사에서 요양 간호가 필요한 골절이나 관절 질환 등 운동기 관련 질환을 가진 사람은 25.0%에 달하여, 뇌혈관 질환 18.5%, 치매 15.8%보다 많았습니다. 운동기 증후군에 의한 지원, 장기 간호를 방지하기 위한 예방이 중요합니다.

일본 정형외과학회는 2007년 운동기 증후군의 개념을 제창했습니다. 이것은 "노화에 따른 운동 기능 저하나 운동기 질환으로 이동 능력이 저하된 상태"로 정의하며, 진행하면 지원과 요양 위험이 높아집니다.

운동기 증후군은 노화와 유전 소인에 더해 운동 습관 부족, 활동이 적은 생활, 부적절한 영양 섭취(과잉 섭취나 영양 불량)가 겹쳐 진행됩니다. 이런 가변 요인의 개선이 운동기 증후군의 대책이며 운동기의 안티에이징이라고 할 수 있습니다.

▌평가

운동기 증후군은 서서히 진행하므로 간과되는 경우가 많습니다. 운동 기능 저하를 아는 수단으로 로코모션 체크(locomotion check; 이하 로코체크)와 로코모 테스트가 있습니다.[1]

로코 체크는 일반인 스스로 운동 기능 저하를 깨닫기 위한 기준으로 사용하며, 로코모 테스트는 운동 기능이나 신체 상황을 객관적으로 평가할 목적으로 사용합니다.

로코 체크

로코 체크는 ① 한 발로 서서 양말을 신을 수 없다, ② 집안에서 걸리거나 미끄러진다, ③ 계단 오르기에 난간이 필요하다, ④ 횡단보도를 녹색 신호에 건너지 못한다, ⑤ 15분 정도를 계속 걸을 수 없다, ⑥ 2 kg 정도의 쇼핑을 해서 돌아가기 어렵다, ⑦ 집안 일을 하기 어렵다의 7개 항목 중 하나라도 해당하면 운동기 증후군의 위험이 있다는 자기 체크입니다.

중노년 대상의 운동 기능 평가에서 로코 체크에 해당 항목이 있는 군은 없는 군에 비해 근력이나 균형 능력이 낮았습니다.[2] 로코 체크에 해당 항목이 있으면, 눈뜨고 한 발로 설 수 있는 시간이 짧고, 보행 속도가 늦으며, 무릎 신근 근력이 약하고, 넘어짐 병력이 많습니다.

로코모 테스트

로코모 테스트는, 일어서기 테스트, 2 스텝 테스트, 로코모 25 등의 3개 테스트로 구성 됩니다.

일어서기 테스트는 10 cm에서 40 cm 높이의 의자에서 어느 정도의 낮은 높이에서 양 발 또는 한 발로 일어설 수 있을지 조사하여 하지 근력을 평가합니다. 40대에서 60대 남녀는 한 발로 40 cm 높이에서 일어설 수 있는 것이 표준이며, 70대에는 양 발로 10 cm가 표준입니다.

2 스텝 테스트는 최대 보폭을 측정하는 검사로 보행 속도와 상관이 높습니다.[3] 양 발을 모은 상태에서 되도록 큰 걸음으로 2 보를 걷고 양 발을 모아 정지합니다. 2보 걸은 거리를 키로 나누어 계산한 2 스텝 테스트 치를 표준 치와 비교합니다.

로코모 25는 25개 항목의 운동기 질환 증상, 운동 기능, 생활 내 활동 상황 등에 대한 질문으로 구성됩니다. 각각의 질문에, 아프지 않다에서 매우 아프다 또는 어렵지 않다에서 매우 어렵다 까지 0점에서 4점이 부여된 5개의 선택지에 대답하는 형식으로 25개 문항에서 합계 점수(0점에서 100점)으로 평가합니다. 점수가 낮을 수록 좋은 상태입니다.

이상 3개 테스트에 대해 2015년 일본 정형외과

표1	운동기 증후군(Locomotive syndrome)의 임상 판단치			
	일어서기 검사	2계단 검사	운동기 증후군 25
운동기 증후군 1단계	한 발 40 cm 불가	1.3 미만	7점 이상
운동기 증후군 2단계	양 발 20 cm 불가	1.1 미만	16점 이상

이상의 기준에 따라 운동기 증후군 1단계와 2단계를 판정한다. 운동기 증후군 1단계는 운동기 증후군이 시작된 상태이다. 운동기 증후군 훈련을 비롯한 운동 습관을 만들고, 균형이 맞는 충분한 동물성 단백질과 칼슘을 포함한 식사 섭취에 주의한다. 운동기 증후군 2단계는 운동기 증후군이 진행된 상태이다. 운동과 영양에 조심하는 동시에 통증이 심하거나 근력이나 보행 능력이 급격히 저하되면 골관절 질환이 존재할 가능성이 있다.

그림1 운동기 증후군 훈련법

a: 스쿼트 방법(squatting)

양 발을 어깨 폭보다 조금 넓혀 30도 정도 외측을 향해 선다. 다음에 허리를 뒤로 당기듯이 천천히 무릎을 굽힌다. 이때 무릎이 발끝보다 앞으로 나오지 않게 주의한다. 앞으로 기울어진 자세가 되어 균형을 잡도록 하면 좋다. 손은 앞에 두어도 좋다. 무릎이 앞으로 나오지 않도록 시행하는 스쿼트는 대퇴4두근, 햄스트링, 대전근, 전경골근 등 하지 전체의 근육에 효과적이며 무릎이 아플 걱정이 적다. 1회당 10~12초에 걸쳐 10~15회를 1일 2~3세트 시행한다.

b: 한발로 서는 방법

균형을 높이는 운동이며 넘어짐 예방 효과가 있고 하지 근력도 강화한다. 바닥에 발이 닿지 않을 정도로 한 쪽 발을 든다. 넘어지지 않도록 반드시 손으로 잡을 수 있는 장소에서 좌우 1분간을 1일 2~3회 시행한다. 일어서기나 보행이 불안정하면 손가락이나 손을 잡고 시행한다.

학회의 임상 판단치가 제시되었습니다(표 1). 이것은 각 테스트의 역치에 의해 "로코모도 1(운동기증후군 1단계)", "로코모도 2(운동기증후군 2단계)"로 판정하는 것입니다. 로코모도 1은 운동기 증후군이 시작된 상태이며, 로코모도 2는 운동기 증후군이 진행된 상태입니다.

운동기 증후군의 대책

운동기 증후군과 관계없이, 또 연령을 불문하고 습관적으로 운동하고 균형있는 적절한 양의 식사를 하고 신체 활동이 높은 생활이 중요합니다. 로코모도 1에 해당하면 이런 대책을 실천합니다. 로코모도 2에 해당하면 통증 등의 운동기 증상이 있거나 이동 기능 저하가 진행되면 정형외과 등 의료 기관 진료를 권고합니다. 운동과 영양에 대한 구체적 대책은 다음과 같습니다.

운동 습관과 로코모 트레이닝

운동기 증후군 예방의 주된 대책은 습관적 운동과 영양 개선입니다.

중노년자에서 운동 기능 저하가 있어도 운동기 질환 개선에 운동은 효과적 입니다. 운동기 증후군 예방에는 우선 운동 습관을 붙이는 것이 중요하며, 워킹, 조깅, 자전거, 수영, 수중 보행, 머신 트레이닝, 각종 체조 등 시작하기 쉽고 계속하기 쉬운 운동을 선택하여 시행하면 좋습니다.

운동기 증후군에 의한 이동 기능 저하를 예방, 개선하기 위해 일본 정형외과 학회는 특히 스쿼트(하지 근력 증강)와 한 발서기(균형 개선)를 로코모 트레이닝으로 권하고 있습니다(그림 1). 또

추가하면 좋은 운동으로 힐 레이즈(발뒤꿈치 들기 운동, 하퇴 삼두근 강화)와 프론트런지(front lunge, 하지 근력과 균형 개선)를 권고 합니다.[1] 고령자에서 이런 운동 시행으로 운동 기능이 개선됩니다.[4]

적절한 영양 섭취

기본은 너무 많지 않고 너무 적지 않은 균형있는 식사이며, 70대를 넘으면 영양 불량에 조심합니다. 특히 단백질, 칼슘, 비타민 D가 중요합니다. 근육이나 뼈의 유지에 단백질이 중요합니다. 특히 필수 아미노산이 많은 동물성 단백질(육류, 생선, 우유, 달걀) 및 콩 제품을 충분히 섭취 합니다. 또 뼈를 위해 칼슘이 중요하며, 비타민 D도 뼈 유지에 중요합니다. 비타민 D 결핍은 근육의 속근 섬유를 위축시켜 넘어짐의 원인이 됩니다. 그 밖에 비타민 K, 비타민 B군도 중요합니다.

▌마지막으로

운동기 증후군의 본질은 나이가 들면서 나타나는 운동기의 취약화이며, 운동 습관 획득과 영양 섭취 상황 개선으로 운동기 증후군을 예방, 개선합니다. 또 운동은 대사증후군 개선에도 효과적이며, 운동은 치매 예방이나, 경도 인지 장애 개선 효과가 있다고 여겨지고 있습니다.

운동기 증후군, 대사증후군에 의한 뇌혈관 질환, 치매의 3가지가 요양, 간호의 60%를 차지하는 건강 수명을 위협하는 3대 요소입니다. 운동 습관을 붙이는 것으로 이것을 예방할 수 있을 가능성이 있으며, 운동기뿐 아니라 전신의 안티에이징에 이바지한다고 말할 수 있습니다.

（石橋英明）

|||||||||||||||||||||||||||||||||||||||||||||||| **문헌** ||||||||||||||||||||||||||||||||||||||||||||||||

1） 日本整形外科学会ロコモパンフレット2014(http://www.joa.or.jp/jp/public/locomo/locomo_pamphlet_2014.pdf)
2） 石橋英明: ロコモティブシンドローム ロコチェックの運動機能低下の予見性とロコトレの運動機能改善効果. 医学のあゆみ 2011; 236: 353-9.
3） 村永信吾: 2ステップテストを用いた簡便な歩行能力推定法の開発. 昭和医学会誌 2003; 63(3): 301-8.
4） 安村誠司, ほか: ロコモコールの有効性. 整形外科 2013; 64: 1412-5.

13 소화기계와 안티에이징

초고령화 시대 2025년을 앞두고 고령 인구가 증가하면서 고령자의 질병 관리 대책이 중요한 과제로 부각되고 있습니다. 고령화에 대한 안티에이징 의학의 추진이 질병 예방에 중요합니다.

생리적 노화에 의한 위장관 기능 저하는 개인차가 있으며, 어느 정도 불가피한 문제입니다. 노화는 개인의 유전적 배경에 환경 요인과 생활 습관이 관여하여 진행하게 됩니다. 이런 점을 고려하여 안티에이징을 추진해야 합니다. 최근 식이 및 영양에 대한 사회적 관심이 증가하고 있으며, 건강기능식품이나 보조 식품 판매가 증가하고 있습니다. 또한, 영양 개선이 안티에이징에 도움이 된다는 보고에 근거하여, 건강 증진을 시도할 수 있게 되었습니다. 소화기계 장기는 영양소를 효과적으로 흡수하여 몸에 필요한 에너지나 체성분으로 변환시킵니다. 따라서 소화기계 장기에 문제가 있으면 안티에이징을 달성할 수 없습니다. 여기서는 근거중심 의학을 바탕으로 한 안티에이징에 대해 알아 봅니다.

위장관 암

술과 발암

식이 습관에 의해 발생되는 위장 질환은 다양합니다(그림 1). 좁은 의미의 위장관 생활 습관병으로 식도암, 위암, 대장암 등은 식생활과 관련되어 있는 것으로 알려져 있습니다. 이러한 사실은 많은 역학 데이터와 동물 실험 데이터를 통해 입증되었습니다.

몇 가지 중요한 점을 소개하고자 합니다. 우선 상부 위장관의 발암과 알코올과의 관련성입니다. 일부 위장관 예를 들어 보면, 식도에서 알코올 대사 효소인 아세트알데히드 탈수소효소(aldehyde dehydrogenase 2, ALDH2) 유전자형에 따라 발암 위험이 다른 것이 알려져 있습니다.[1] ALDH2에는 완전히 기능하는 정상형과 유전자의 불완전 결손 이종형, 완전 결손 동종형이 있습니다. 식도암 환자의 유전자형은 완전 결손 동종형이 적어도 3%라는 보고가 있습니다. 정상형이나 이종형에서도 알코올을 대량 마시면 식도암 발생 위험률이 높아집니다. 나이가 들면서 발생하는 식도암 예방에 중요한 것은 금주입니다. 적당한 음주가 중요합니다.

알코올성 간질환도 마찬가지이며, 알코올성 간염, 간섬유화, 간경변은 술을 많이 마시는 사람에서 발생하며, 나이가 들면서 간경변에서 발암되는 것을 생각하면 금주가 확실히 중요합니다.

헬리코박터 감염과 위암

헬리코박터 필로리균은 만성 위염과 위암의 중요한 원인입니다. 헬리코박터 필로리균은 위점막

그림1 **위장관의 생활 습관병 예방과 치료**

위장관, 간, 담낭, 췌장으로 구성하는 위장관은 영양소의 소화와 흡수 그리고 영양 대사의 중심 장기이다.

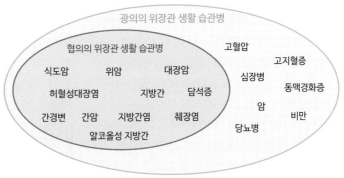

식생활 습관이 방아쇠가 되어 발병할 수 있는 질환

표1 위암 발생 억제 식품(채소의 항암 작용)	항산화 작용	비타민 C: 귤, 차
		β카로틴: 당근, 호박
		폴리페놀: 적포도주
		유황화합물: 마늘
		설포라판인(Sulforaphane): 브로콜리 싹
	해독 작용	마늘, 브로콜리
	헬리코박터 억제 작용	브로콜리 싹

점액 내에서 편모에 의해 이동하고 있습니다. 그리고 케모카인 등을 생산하여 위점막에 염증을 일으킵니다. 이런 염증에 의해 위점막에 위축성 변화가 발생합니다. 또한, 위, 십이지장 궤양을 유발합니다. 위암 발생은 역학적으로 소금 섭취나 헬리코박터 필로리균 감염과의 관련성이 증명되었습니다. 따라서, 만성 위염, 위궤양이 있으면 나이가 들면서 위암 발생이 증가할 수 있으며, 제균 치료가 중요합니다. 이러한 점은 안티에이징 의학에서도 역시 중요합니다.

위암 발생을 억제하는 식품 특히 채소는 표 1과 같습니다. 최근 브로콜리에서 설포라판인이라는 항산화 작용이 강한 성분이 헬리코박터 필로리균 활성을 억제하여 암 발생을 방지하는 것이 알려져 식생활 면에서 주목을 받고 있습니다.[2]

대사증후군과 위장 질환

지방성 간질환

내장 지방의 하나인 중성지방이 간에 축적된 것이 지방간입니다. 지방간은 영양 과잉 뿐만 아니라 산화 스트레스, 영양 결핍에서도 발생합니다. 최근 비알코올성 지방간염(nonalcoholic steatohep-atitis, NASH)이 주목받고 있습니다. NASH는 만성 간염과 유사한 변화를 일으키고, 간경변으로 진행하여 간암을 일으킬 수 있는 것으로 주목받고 있습니다. 지방성 간질환에서 NASH로 발전하는 위험 인자는, 비만, 50세 이상, 2형 당뇨병, 고혈압 등이며, 일상생활에서 생활 습관병으로 알려진 이런 위험 요인을 교정할 필요가 있습니다. NASH 발생에는 산화 스트레스가 관여되는 것으로 생각하고 있으며, 항산화제를 이용한 이 질환에 대한 예방 대책이 필요합니다. 생활 습관에 의한 영양과잉, 운동부족은 간 내에 지방을 축적하

며, 지방 대사의 악순환으로 대사증후군의 진행을 조장합니다. 산화 스트레스는 간의 섬유화, 지방화를 악화시킵니다. 항산화제로 산화 스트레스를 감소시키는 것이 간의 병적 노화를 방지할 수 있는 가능성이 있습니다. 표 1을 참조한 식생활은 이런 질환을 예방하는 데 도움이 됩니다. 현재 지방성 간질환의 치료는 식이 조절과 유산소 운동입니다. 생활 습관 개선을 통한 질환 예방이 안티에이징이라고 할 수 있습니다.

담석증

식이 습관의 서구화에 의해 담석증도 증가하고 있습니다. 여성, 과식, 비만, 다산, 경산부, 지방식 과잉 섭취, 약제(피브레이트계), 운동부족 등이 담석증과 관련된 인자입니다. 과거에는 생선을 많이 먹어 어류의 에이코사펜타엔산(eicosa-pentaenoic acid, EPA) 섭취가 많았지만, 식이 습관이 서구화됨에 따라 육류를 많이 섭취하면서 심혈관, 뇌혈관 질환이 증가하는 것처럼 담석증도 증가하고 있습니다(그림 2). 담석증도 식생활 변화와 관련된 질환입니다. ω6계 불포화 지방산은 아라키돈산 캐스케이드를 거쳐 세포 독소로 변환됩니다. 그러나 ω3계 불포화 지방산은 EPA, 도코사헥사엔산(docosahexaenoic acid, DHA)으로 변환되어(그림 3), 세포 노화를 억제할 가능성이 있습니다(표 2). 실제로 담석 환자에게 EPA를 복용시키면 담즙 중에 인지질이 증가하고 콜레스테롤 포화도가 증가하여 담석 형성을 억제하는 환경이 되어,[3] 담석 악화를 방지하거나 담석 형성을 예방할 가능성이 있습니다.

장의 안티에이징

위장관 기능과 질환에는 장내 세균이 관련되어

그림2 어유 섭취량 저하와 동맥경화성 질환, 담석증의 발생

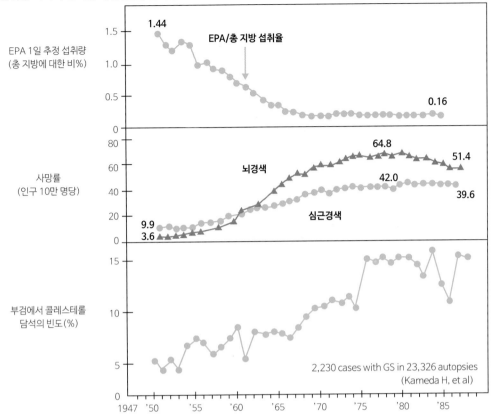

그림3 ω6계 불포화 지방산 및 ω3계 불포화 지방산의 대사

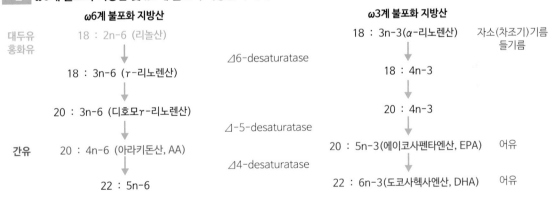

있으며, 노화에 의해 영향을 받습니다. 장 점막의 노화에 따라 장내 세균이 장점막 장벽을 통과하여 체내로 이행하는 트랜스로케이션 현상이 알려져 있습니다. 영양 결핍, 스트레스, 염증, 장관 면역 기능 저하, 나아가서 전신의 면역기능 저하를 일으킵니다. 장내 환경의 정상화는 노화방지에 중요한 안티에이징 대책입니다. 나이가 들면 남

녀 모두에서 장관 흡수능이 저하합니다(표 3).[4] 남성은 노화에 따라 혈청 지질의 변화가 거의 없으나 여성에서는 총 콜레스테롤, LDL-콜레스테롤, 중성지방 상승과 HDL 콜레스테롤 저하가 발생하고, 노화에 따라 콜레스테롤 흡수와 합성이 저하되며 HDL-콜레스테롤이 상승됩니다. 여성에서는 에스트로겐이 감소하면서 산화 스테롤인

IV

안티에이징 의약 임상

433

표2 생활습관병 발생에 ω6계 불포화 지방산/ω3계 불포화 지방산 불균형의 중요성

현대인의 ω6 지방산(리놀산, 식물유) 과잉 섭취	• ω6 지방산에 대한 과거의 잘못된 생각 • 식물유의 대량 생산 • 외식산업, 패스트푸드, 가공 식품에 의한 섭취 증가 → 아라키돈산 유래 에이코사노이드 공급 과잉 초래
ω6/ω3 지방 섭취 불균형과 관련 되는 병태	• 동맥경화, 혈전증: 심근경색, 뇌경색 • 알레르기 질환: 아토피 피부염, 천식, 꽃가루병 • 염증성 질환: 염증성 장질환 • 암: 대장암, 췌장암 • 콜레스테롤 담석증

표3 연령 증가에 의한 콜레스테롤 대사의 변화

1. 남성에서는 나이 듦에 따라 혈청 지질 변화를 볼 수 없으나 여성에서는 총 콜레스테롤, LDL 콜레스테롤, TG는 상승되고 HDL 콜레스테롤은 저하된다.
2. 여성에서는 나이 듦에 따라 콜레스테롤 흡수와 합성은 저하되나 혈청 LDL 콜레스테롤은 상승된다.
3. 여성에서 에스트로겐 감소와 27OH-CHOL 상승이 LDL 수용체 활성 저하를 일으킬 가능성이 있다.

		남성	여성
혈청지질	총콜레스테롤	→	↑
	LDL 콜레스테롤	→	↑
	HDL 콜레스테롤	→	↓
	TG	→	↑
흡수 지표	Sitosterol	↓	↓
합성 지표	Lathosterol	→	↓
대사 지표	C4	→	→
옥시스테롤	27-HC	→	↑
옥시스테롤(뇌)	24S-HC	→	↓

27-hydroxycholesterol (27OH-CHOL) 상승이 LDL 수용체 활성 저하를 일으킬 가능성이 있습니다. 노화에 의한 혈청 콜레스테롤 상승은 여성에서 뚜렷하며, 콜레스테롤의 출입 균형의 변화 보다는 LDL 수용체 활성 저하가 주된 요인으로 생각됩니다. LDL 수용체 활성 저하가 발생하는 이유는, 에스트로겐 감소에 덧붙여 에스트로겐 수용체와 SREBP2 억제 작용도 27OH-CHOL 증가에 관여하는 것으로 생각됩니다. 이러한 현상과 장내 세균의 관련성을 규명하는 것이 앞으로 중요한 연구 과제입니다.

마지막으로

인체 위장관은 입을 포함하여 사망할 때까지 사용하는 장기입니다. 즉, 생명이 유지되는 동안 기능을 원활하게 유지할 필요가 있습니다. 식사로 섭취한 성분은, 소화(담즙, 췌장액)되어 장관에서 흡수되고, 간에서 대사됩니다. 음식을 섭취하지 못 하게 되면 전신 장기에 노화가 발생합니다. 즉, 위장관 기능은 항상 좋은 상태를 유지해야 합니다. 안티에이징을 위하여 위장관은 중요한 장기입니다.

(松﨑靖司)

문헌

1) Hori H, Kawano T, et al: Genetic polymorphisms of tobacco- and alcohol-related metabolizing enzymes and human esophageal squamous cell carcinoma susceptibility. J Clin Gastroenterol 1997; 25(4): 568-75.

2) Fahey JW, Munoz A, et al: Dietary amelioration of pylori infection: Design criteria for a clinical trial. Cancer Epidemiol Biomarkers Prev 2004; 13:1610-6.

3) Abei M, Kawano H, et al: Effects of eicosapentaenoic acid on biliary lipids and gallstone formation in cholesterol fed hamsters: comparison with other fatty acids. Gastroenterology 1998; 114 (suppl): A1198.

4) 本多　彰, 池上　正, ほか: 加齢と生活習慣病によるコレステロール(CHOL)代謝の変化. 第13回日本抗加齢医学会プログラム抄録集, p123.

14 신장과 안티에이징; 만성 신질환

신장에는 심 박출량의 20% 혈류가 유입되어 사구체의 작용으로 하루에 약 150 L의 원뇨가 여과되며 그 중 99%는 재흡수 되는 동시에 일부 전해질은 반대로 분비됩니다. 이런 전해질이나 물의 재흡수와 분비는 호르몬 균형에 의해 미세하게 조절되며, ATP 에너지를 이용하는 수송체가 담당하고 있습니다. 그런 의미에서 신장은 에너지를 항상 소비하는 장기입니다. 사구체 여과율(glomerular filtration rate, GFR)은 나이가 들면서 저하하는 것으로 알려졌으며, 이것은 신장이 에너지 대사가 활발한 장기이며 일정한 수명이 있다는 것을 의미합니다. 신 기능 저하는 최근 만성 신질환(chronic kidney disease, CKD)이라는 개념으로 인식하며, 초기부터 병태를 규명하여 진행을 억제하는 치료 전략이 중요합니다. 만성 신질환의 병태가 밝혀지면서, 만성 신질환 자체가 개체의 노화를 가속시킬 가능성도 알려지고 있습니다. 따라서 "사람은 신장과 함께 늙는다"라고도 말할 수 있습니다. 여기서는 신 기능 저하와 노화에 대해 해설합니다.

신 기능 저하에 의한 노화 현상의 가속화

신장 장애 즉 만성 신질환은 임상적으로 개체의 노화를 촉진하여 조기 노화(premature senescence)를 일으킵니다. 개체 노화의 정의에 따라 다르지만, 대부분의 연구에서 노화 가속의 정의로 ① 여생 단축, ② 질환 감수성 증가, ③ 신체 활동 저하 등을 들고 있습니다.[1]

①은 말기 신부전(end-stage renal disease, ESRD) 환자 및 보상기 만성 신질환 환자의 평균 여명이 같은 연령의 정상인보다 짧은 것으로 알 수 있습니다.[1] ②는 말기 신부전 ESRD, CKD 모두 심혈관 사고 및 감염 위험이 높은 것으로 명확합니다. ③은 만성 신질환 에서 근육 위축(sarcopenia)이 있으며, 그 배경에 단백질 에너지 소모(protein energy wasting, PEW)의 존재가 알려졌습니다. PEW는 단백질과 에너지 즉 지방이나 글리코겐 축적이 감소되고 영양 불량 상태를 일으키는 병태이며 단백질 에너지 영양불량 (protein-energy malnutrition, PEM)이라고 합니다. 요독소나 산화 스트레스 항진으로 만성 신질환에서 단백질 에너지 소모가 나타날 수 있습니다. 이 단백질 에너지 소모에 관련된 병태는 쇠약(frailty)입니다.

쇠약에서는 근감소증(sarcopenia)에 의한 제지방체중(lean body mass) 저하, 근력 저하와 근육 지구력 저하, 신체 활동 저하 및 스트레스에 대한 신체 반응성 저하가 나타나며, 고령자에서 보는 병태입니다. 고령자에서 신체 활동 저하는 근감소증, 근력 저하를 조장 하는 동시에 사회적 고립, 정신적 우울 상태도 일으켜 사망률 증가에 관여하는 것이 알려졌습니다. 최근의 메타분석에서 만성 신질환 정도와 쇠약의 관련성이 알려졌으며, 쇠약이 있는 만성 신질환 환자의 사망률은 연령과 독립적으로 유의한 연관 요인이었습니다.[2] 그 밖에 노화의 특징으로 치매 증가가 있으며, 신 기능과 인지 기능의 관련성도 전향적 연구에서 알려졌습니다.[3,4] 만성 신질환에서 인지 기능 저하 기전으로 뇌혈관의 동맥경화가 알려졌습니다.[5]

인슐린 저항성과 만성 신질환에서 노화

만성 신질환에서 쇠약과 인지 기능 저하같은 노화 촉진의 배경 인자로 인슐린 저항성(insulin resistance, IR)의 존재를 생각할 수 있습니다. 먼저 쇠약의 경우에서 인슐린 저항성에 의한 근육 소실(muscle wasting)을 생각할 수 있습니다. 즉 인슐린/인슐린양사 성장인자(insulin like growth factor, IGF-1)의 세포 내 신호 저하는 근육 조직에서 Akt 인산화 저하와 그 하류에서 세포 내 단백질 합성을 유도하는 mammalian target of rapamysin (mTOR) 및 S6 kinase 활성화를 저하하니다. 또한 Akt 인산화가 근육에서 저하되어 Forkhead transcription factors (FoxO1, FoxO3, FoxO4) 인산화가 저하되고 핵내로 FoxO가 이행하여 근육 특이 E3 ubiquitin ligase인 Atrogn-1이나 MuRF-1 발현이 상승되어 근육 조직의 ubiquitin-proteasome pathway가 활성화됩니다. 즉 인슐린 저항성에 의한 ubiquitin-proteasome pathway 활성화가 근육 조직 붕괴를 일으키는 경로라고 생각하고 있습니다.

인지 기능과 관련에는 인슐린의 신경 보호 작용을 생각할 수 있습니다. 인슐린은 인슐린 수용체를 통해 혈액-뇌관문을 넘어 중추 신경 조직으로 이행이 가능합니다. 인슐린 수용제는 아스트로사이트, 신경세포의 시냅스에 풍부하게 발현하며 시냅스 형성에 관여를 시사하고 있습니다.[6] 인슐린의 뇌 기능에 대한 작용은 흰쥐나 사람에서 증명되었으며, 인슐린의 급속 투여로 기억력 향상이나 학습력 향상, 인지 기능 향상이 보고되었습니다.[7] 한편 지속적인 고인슐린혈증은 혈액-뇌관문의 인슐린 수용체 발현을 저하시켜 뇌내 인슐린 농도를 감소시키는 것도이 알려졌습니다.[8] 고인슐린혈증 지속이 뇌내에서 인슐린 신호 저하, 신경세포의 포도당 이용 저하, 즉 신경 조직의 인슐린 저항성 을 일으키는 것도 증명되었습니다.[9] 임상적으로 인슐린 저항성과 신경 활동 저하의 관련으로, 2형 당뇨병에서 인지 기능 저하가 지적되었으며, 알츠하이머병에서 신경 조직의 인슐린 저항성이 병리학적으로 증명되었습니다.[10] 이와 같이 IR의 인지 기능 저하에 대한 영향은 임상적으로 확립되었으며, 만성 신질환에 동반된 인슐린 저항성이 만성 신질환에서 인지 기능 저하에 영향을 줄 가능성을 충분히 생각할 수 있습니다.

마지막으로

신장의 장기 노화는 나이가 들면서 나타나는 전신의 노화 현상을 가속시킵니다. 따라서 신장 노화를 늦추는 수단이 개체의 수명의 연장 즉 안티에이징에 관여할 가능성이 높습니다. 신장은 노화의 영향을 강하게 영향을 받는 장기이며, 한편으로 전신의 내부 환경을 조정하는 기능을 가지고 있어 개체의 노화 진행에 주는 영향이 중요합니다. 따라서 신 기능 저하가 개체의 노화를 촉진하는 악순환을 만들 가능성이 있습니다(그림 1). 고령화에 동반된 고령자의 쇠약과 인지기능 장애 (cognitive dysfunction)는 건강 장수를 위협하므로 생활 습관병의 중요한 결과라고 생각할 수 있으며, 그런 의미에서 신 기능 보호는 건강 장수를 실현하는 방법의 하나로 새로운 치료 전략 확립이 기대됩니다.

(脇野 修)

그림1 신장 노화와 개체 노화 증가의 악순환

각종 요인에 의한 신장 및 개체의 노화는 다시 신기능 저하와 개체 노화를 촉진한다.

신장 노화
Renal Aging

eGFR 저하
CKD
말기신부전

산화스트레스
미토콘드리아 기능 이상
인슐린 신호 항진/IR
Sirtuin 유전자 활성 저하
Klotho 유전자 활성 저하
레닌-안지오텐신계 항진

노화
Aging

frailty=사코페니아+인지 기능
질환 감수성 항진
여명 단축

문헌

1) Kooman JP, Broers NJ, et al: Out of control: accelerated aging in uremia. Nephrol Dial Transplant 2013; 28(1): 48-54.

2) Robinson-Cohen C, Littman AJ, et al; Physical activity and change in estimated GFR among persons with CKD. J Am Soc Nephrol 2014; 25(2): 399-406.

3) Kurella Tamura M, Muntner P, et al; Albuminuria, kidney function, and the incidence of cognitive impairment among adults in the United States. Am J Kidney Dis 2011; 58(5): 756-63.

4) Yaffe K, Ackerson L, et al; Chronic Renal Insufficiency Cohort Investigators. Chronic kidney disease and cognitive function in older adults: findings from the chronic renal insufficiency cohort cognitive study. J Am Geriatr Soc 2010; 58(2): 338-45.

5) Weiner DE, Seliger SL: Cognitive and physical function in chronic kidney disease. Curr Opin Nephrol Hypertens 2014; 23(3): 291-7.

6) Cholerton B, Baker LD, et al: Insulin, cognition, and dementia. Eur J Pharmacol 2013; 719(1-3): 170-9.

7) Kern W, Peters A, et al: Improving influence of insulin on cognitive functions in humans. Neuroendocrinology 2001; 74(4): 270-80.

8) Schwartz MW, Figlewicz DF, et al: Insulin binding to brain capillaries is reduced in genetically obese, hyperinsulinemic Zucker rats. Peptides 1990; 11(3): 467-72.

9) Reaven GM: Insulin resistance in noninsulin-dependent diabetes mellitus. Does it exist and can it be measured? Am J Med 1983; 74(1A): 3-17.

10) Xu W, Qiu C, et al: Mid- and late-life diabetes in relation to the risk of dementia: a population-based twin study. Diabetes 2009; 58(1): 71-7.

IV

안티에이징 의학 임상

부록

안티에이징 전문가 과정 자기 평가 문제

※역자 주:
• 일본 항가령학회 의견이므로 국내 현실과는 다를 수도 있습니다.

자기 평가 문제

01

건강 장수 모델인 백세 고령자의 의학적 특징에 해당하는 것 2개를 선택하시오.

a. 동맥경화 발생이 적다.
b. 당뇨병 이환율이 낮다.
c. 비만자(BMI 25 이상) 비율이 70대와 같은 정도다.
d. 반수 이상은 생애에 걸쳐 만성 질환에 걸리지 않는다.
e. 100 세시 일상생활 자립도는 60% 정도다.

02

안티에이징 의학 실천에 필요한 사항 2개를 선택하시오.

a. 매일 복근 운동을 시행한다.
b. 완벽한 일광 노출을 방지 한다.
c. 노화 과정을 이해한다.
d. 평균 10시간 수면을 취한다.
e. 균형이 좋은 식사를 한다.

03

"건강 일본 21"에서 중요시하고 있는 것은?

a. 2차 예방
b. 약물 남용 방지
c. 고위험군 접근
d. 전국 일률적 접근
e. 건강 과제마다 목표 설정

04

분자 샤프롱(chaperone)에 대해 올바른 설명 2개를 선택하시오.

a. RNA이다.
b. 단백질에 대한 특이성이 없다.
c. 스트레스에 의해 발현은 억제된다.
d. HSP(열충격 단백)는 분자 샤프롱의 일종이다.
e. 다른 단백질이 올바른 구조가 되는 것을 돕는 분자이다.

05

유전자 결손 또는 과발현 마우스의 장수를 일으키는 유전자를 3개 선택하시오.

a. catalase
b. sirtuin-6
c. superoxide dismutase 2
d. insulin-like growth factor-1 receptor
e. growth hormone receptor/binding protein

06

노화 제어에 위험성이 높다고 예상되는 것은 어떤 것인가?

a. 칼로리 제한 요법
b. 텔로머라제 활성화제
c. 혈액 유래 회춘 인자 치료
d. 노화 세포의 선택적 제거법
e. 미토콘드리아 기능 개선제

07

줄기 세포 노화의 원인으로서 올바른 것 2개를 선택하시오.

a. 괴사
b. 자기 복제
c. DNA 손상
d. 유전자 다형
e. 산화 스트레스

08

체내 시계의 중추는 어디에 있는가?

a. 소뇌
b. 뇌하수체
c. 전두엽
d. 후두엽
e. 시교차상핵

09

칼로리 제한으로 저하하는 혈중 바이오마커는 어떤 것이 있는가?

a. 인
b. DHEA-S
c. 인슐린
d. 나트륨
e. 칼슘

10

노화에 따른 면역계의 변화 2개를 선택하시오.

a. 감염 증가
b. 흉선 비대
c. 항원 인식 다양성 상승
d. 자가면역 질환 발생 빈도 증가
e. 골수에서 B세포 생산 증가

11

생명에서 최초로 획득한 항산화 효소는 어느 것인가?

a. catalase
b. heme oxygenase
c. ascorbate oxidase
d. superoxide dismutase
e. glutathione peroxidase

12

가장 산화되기 쉬운 지방산은 어느 것인가?

a. DHA
b. 올레인산
c. 리놀산
d. 아라키돈산
e. 스테아린산

13

활성 산소에 대해 올바른 설명 2개를 선택하시오.

a. 근육을 비대화 한다.
b. SOD에 의해 제거된다.
c. DNA 변이를 일으킨다.
d. 대부분 세포질에서 발생한다.
e. 미토콘드리아를 활성화 한다.

14

세포 내 활성 산소를 제거하는 것은 어느 것인가?

a. 비타민 B1
b. 비타민 B6
c. 비타민 C
d. 비타민 E
e. 비타민 K

15

ω3 다가 불포화 지방산의 작용에 대해 올바른 것 2개를 선택하시오.

a. 염증 억제
b. 혈당 강하
c. 골밀도 증가
d. 항알레르기
e. 중성지방 증가

16

레스베라트롤에 대해 올바른 설명은?

a. 암 세포 증식 인자이다.
b. 당뇨병 치료제로 유망하다.
c. 포스포디에스테라제 저해 활성이 있다.
d. 염증을 일으키는 유전자군을 활성화 하는 기능이 있다.
e. 동물의 수명 연장 효과가 확인된 유일한 피토케미칼이다.

17

간질환에 대한 식사 교육으로 올바른 것은?

a. 간경변 환자에게 취침전 야식을 권고한다.
b. 간경변 환자에게 지방질을 많이 섭취하도록 교육한다.
c. 비알코올성 지방간염(NASH) 환자에게 비만식을 권고한다.
d. 간세포암 환자에게 이소플라본이 많은 식사를 권고한다.
e. 바이러스성 만성 간염 환자에게 조개를 많이 섭취하도록 권고한다.

18

아미노산에 대해 올바른 설명 2개를 선택하시오.

a. 식전 섭취에서 혈중 농도가 상승되기 쉽다.
b. 식사 직후에 간에서 이용된다.
c. 식후 1-2시간은 소장 벽에서 이용된다.
d. 식간에 섭취하면 혈중 농도가 상승되기 쉽다.
e. 취침전에 섭취하면 말초 조직에서 이용 되기 어렵다.

19

유해 원소 3종류를 선택하시오.

a. 수은
b. 비소
c. 옥소
d. 몰리브덴
e. 카드뮴

20

과당에 대해 올바른 설명은 어느 것인가?

a. 세포내로 이행하지 않는다.
b. 혈당치가 상승되기 쉽다.
c. 지방간의 원인이 되기 쉽다.
d. 포도당 보다 단맛이 약하다.
e. 인슐린 분비를 자극하기 쉽다.

21

콜레스테롤에 대해 올바른 설명 2개를 선택하시오.

a. 체내에서 합성된다.
b. 간세포에 축적되기 쉽다.
c. 장관에서 재흡수 되지 않는다.
d. 낮은 수치에서도 지방간이 된다.
e. 담즙 정체에서 저하 된다.

22

불포화 지방산에 대해 올바른 설명 2개를 선택하시오.

a. 리놀산은 ω3 지방산이다.
b. α-리놀렌산은 ω6 지방산이다.
c. ω3 지방산은 혈소판 응집을 촉진한다.
d. ω3 지방산은 어패류에 많이 들어 있다.
e. 일본인의 ω3 지방산 섭취량은 해마다 저하되고 있다.

23

식사 요법의 중요성이 가장 높은 것은 어느 것인가?

a. 우울증
b. 만성 신부전
c. 갱년기 장애
d. 재생 불량성 빈혈
e. 갑상선 기능 항진증

24

골다공증 치료에 도움이 되는 기능 성분 2개를 선택하시오.

a. 비타민 K
b. 나트륨
c. 이소플라본
d. 코엔자임 Q10
e. 레스베라트롤

25

NASA(미국 항공 우주국)의 3주간에 걸친 완전 휴양 실험(bed rest)으로 밝혀진 것은?

a. 최대 환기량이 감소했다.
b. 체지방율이 변화하지 않았다.
c. 최대 근력이 저하하지 않았다.
d. 최대 심박출량이 변화하지 않았다.
e. 지근섬유만 선택적으로 위축되었다.

26

습관적으로 운동부족인 사람의 생리 기능에 대해 올바른 것은?

a. 인슐린 감수성이 저하한다.
b. 근육 지질 대사 능력에는 변화가 없다.
c. 보상적으로 당수송체(GLUT4)가 증가한다.
d. 근육 미토콘드리아 수에는 영향을 미치지 않는다.
e. 운동을 습관적으로 하고 있는 사람에 비해 안정 시 심박수가 낮다.

27

운동부족, 비만, 자율신경 활동에 대해 잘못된 것은?

a. 비만자는 앉아 있는 시간이 긴 경향에 있다.
b. 자율신경 활동은 체중 조절에 관여하고 있다.
c. 운동부족에서 자율신경 활동이 저하되기 쉽다.
d. 최근 비만 증가의 원인은 운동부족에 의한다.
e. 장기간의 운동부족은 근육 위축이 일어나 기초 대사가 상승한다.

28

운동기 증후군에 대해 올바른 설명 3개를 선택하시오.

a. 골다공증은 관련 질환이다.
b. 운동 습관 부족은 가속 인자가 되지 않는다.
c. 운동기 장애에 의한 이동 기능 저하이다.
d. 치료가 필요한 환자는 뇌혈관 질환보다 적다.
e. "건강 일본 21 (제2차)"에서는 인지율 향상이 목표로 하고 있다.

29

운동기 증후군의 평가와 대책에 대해 올바른 설명 2개를 선택하시오.

a. "로코모 체크"는 30 항목으로 구성 된다.
b. "2 스텝 테스트"는 지구력 검사다.
c. 대책으로 스쿼트만 권장한다.
d. "일어서기 테스트"는 하지 근력 평가다.
e. 운동 효과를 보기 위해서는 "약간 힘들다"의 강도로 시행한다.

30

노화에 동반한 사코페니아의 합병증에 해당되는 것은 어느 것인가?

a. 식욕 증가
b. 청력 저하
c. 유연성 저하
d. 심폐 기능 저하
e. 넘어질 위험 증가

31

골격근의 당대사에 대해 올바른 설명 2개를 선택하시오.

a. 당수송체(GLUT4)는 세포막에서 포도당을 통과시킨다.
b. GLUT4는 근육 수축에 의해서도 동원된다.
c. 포도당은 근육의 세포막을 자유롭게 통과한다.
d. 간의 포도당 수송은 GLUT4에 의해 일어난다.
e. 인슐린은 골격근의 포도당 유입을 촉진하지 않는다.

32

1회 저항 훈련 시행 후 골격근의 단백 동화 작용이 최대가 되는 것은 언제인가?

a. 운동 중
b. 운동 후 2시간
c. 운동 후 12시간
d. 운동 후 24시간
e. 운동 후 48시간

33

골다공증에 대해 올바른 설명은?

a. 요추 압박 골절은 전형적 합병증이다.
b. 골밀도 측정 부위는 종골을 1차 선택으로 한다.
c. 지침에 따르면 골밀도 검사의 필요성은 없다.
d. 골대사 회전의 평가에 골밀도 측정이 도움이된다.
e. 속발성의 진단 기준은 원발성의 진단 기준과 같다.

34

담낭암 위험이 높은 경우는?

a. 고요산혈증
b. 고중성지방혈증
c. 췌·담관 합류 이상
d. 원발성 경화성 담관염
e. 고콜레스테롤혈증

35

간암에 억제 효과의 근거가 없는 것은 어느 것인가?

a. 커피
b. 간 보호제
c. 비타민 E
d. 항바이러스제
e. 분지 아미노산

36

총 사망수의 위험 인자로 가장 큰 것은?

a. 비만
b. 흡연
c. 고혈압
d. 고혈당
e. LDL 콜레스테롤

37

흡연과 음주가 위험 인자가 되는 것은?

a. 위암
b. 식도암
c. 대장암
d. 피부암
e. 자궁경부암

38

노화에 동반하는 변화에 대해 올바른 것은?

a. 내장 지방이 감소한다.
b. 인슐린 저항성이 저하한다.
c. 동맥경화는 중막의 비후에 의한다.
d. 수축기 혈압과 확장기 혈압의 차이가 저하한다.
e. 성장 호르몬 분비 저하는 사코페니아를 일으킨다.

39

담낭내 콜레스테롤 결석의 위험 인자가 아닌 것은?

a. 대장 절제술
b. 여성 호르몬
c. 급격한 체중 감소
d. 단백질 과잉 섭취
e. 신체 활동이 낮은 생활

40

대사 증후군의 진단 기준으로 잘못된 것은?

a. TG ≥ 150 mg/dL
b. LDL 콜레스테롤 ≥ 140 mg/dL
c. HDL 콜레스테롤 < 40 mg/dL
d. 확장기 혈압 ≥ 85 mmHg
e. 남성 허리둘레 ≥ 85 cm

41

야간 교대 취업자의 심혈관 질환 원인 2개를 선택하시오.

a. 수면부족
b. 이상지질혈증
c. dipper형 혈압 변동
d. 부교감 신경 활동 항진
e. 인슐린 저항성 개선

42

노화에 의한 수면 변화에 해당하는 것 3개를 선택하시오.

a. 중도 각성이 증가한다.
b. 입면 장애는 현저하지 않다.
c. 멜라토닌 진폭이 좁아진다.
d. REM 수면 시간이 길어진다.
e. 비렘(non-REM)수면 시간은 변하지 않는다.

43

흡연에 대해 올바른 설명 2개를 선택하시오.

a. 혈전을 형성하기 쉽다.
b. 니코틴에는 신체 의존성이 없다.
c. 2형 당뇨병 발생 위험을 저하시킨다.
d. 심혈관 질환 발생 위험을 증가시킨다.
e. 흡연 관련 사망자 수는 고혈압 다음으로 많다.

44

CRH(corticotropin-releasing hormone)에 대해 올바른 설명 2개를 선택하시오.

a. 갑상선을 자극한다.
b. 부신피질을 자극한다.
c. 위장관에서 분비된다.
d. 위장 기능을 변화시킨다.
e. 스트레스 부하에 의해 분비된다.

45

뇌세포에 대해 올바른 설명 2개를 선택하시오.

a. 증식 하지 않는다.
b. 운동은 신경 줄기세포를 자극한다.
c. 신경 줄기세포는 주로 해마에 있다.
d. 신경 줄기세포는 글리어 이외의 세포로 분화한다.
e. 코티솔은 신경 줄기세포에 억제 작용을 한다.

46

알츠하이머병에 대해 현재 사용하고 있는 치료제의 표적 2개를 선택하시오.

a. 도파민
b. 소마토스타틴
c. 아세틸콜린
d. 글루타민산 수용체
e. GABA(gamma-aminobutyric acid) 수용체

47

일본의 자살 현황에 대해 올바른 것은?

a. 여성에서 남성보다 많다.
b. 연간 약 10만명이다.
c. 30대 사인의 제 1위이다.
d. 원인의 제 1위는 남녀 문제이다.
e. 자살 사망률은 OECD 가맹국의 평균을 밑돌고 있다.

48

심신증에 대해 올바른 설명 2개를 선택하시오.

a. 위궤양의 원인이 된다.
b. 고혈압의 원인이 된다.
c. 우울증의 신체 증상을 말한다.
d. 스트레스에 의한 이상 행동이다.
e. 대표적인 것에 가면 우울증이 있다.

49

스트레스에 대해 올바른 설명 3개를 선택하시오.

a. 소뇌에서 제어된다.
b. 면역에 관여하지 않는다.
c. 대뇌피질에서 인지한다.
d. 자율신경 변조가 일어난다.
e. 감정 발현은 대뇌 변연계에서 일어난다.

50

노화에 동반된 심혈관계 변화로 올바른 것 2개를 선택하시오.

a. 맥압이 증가한다.
b. 혈압 변동이 저하한다.
c. 압수용체 반사가 항진 한다.
d. 좌심실 확장 기능은 변화하지 않는다.
e. 교감신경 β 수용체 반응이 저하한다.

51

동맥경화 검사로 올바른 설명 2개를 선택하시오.

a. 경동맥의 불안정 플라크는 고해상도 초음파검사로 나타난다.
b. 투석 환자의 발목/상완 동맥비(ABI)는 가성 저하가 되기 쉽다.
c. FMD(flow-mediated vasodilation)는 혈관내피 기능을 측정하는 방법이다.
d. CAVI(cardio-vascular ankle vascular index)는 카테터를 이용하여 측정한다.
e. 경동맥 내막중막 복합체 두께(IMT)는 플라크 형성의 지표가 된다.

52

당뇨병이 있는 고혈압 환자에게 가장 적당한 혈압약은?

a. 이뇨제
b. α차단제
c. β차단제
d. Ca 길항제
e. 안지오텐신 II수용체 길항제

53

음식 중의 산화 콜레스테롤에 대해 올바른 설명 2개를 선택하시오.

a. 장기 보존으로 증가한다.
b. 산화 LDL와 동의이다.
c. 고기의 가열 처리로 저하한다.
d. 슬로우푸드에 많이 포함된다.
e. 섭취에 의해 산화 LDL이 증가한다.

54

혈압에 대해 올바른 설명 2개를 선택하시오.

a. 가면 고혈압 치료는 불필요하다.
b. 백의 고혈압은 노화에 따라 감소한다.
c. 진료실 혈압의 정상치는 가정 혈압 정상치보다 낮다.
d. 진료실에서 고혈압이라고 진단된 20~30%는 백의 고혈압이다.
e. 가면 고혈압은 진료실 혈압이 정상이고, 가정 혈압이 높은 상태이다.

55

동맥경화에 대해 올바른 설명 3개를 선택하시오.

a. 맥파 전파 속도(PWV)가 저하한다.
b. 스타틴에 의해 경동맥 플라크가 퇴축 할 수 있다.
c. 식물 유래의 산화 콜레스테롤에 의해 퇴축 할 수 있다.
d. 멀티 슬라이스 CT는 플라크의 진단에 유효하다.
e. 경동맥 내막중막 복합체 두께(IMT) 측정은 진단의 좋은 마커다.

56

노화에 동반된 혈관 기능에 대해 올바른 설명 2개를 선택하시오.

a. 응고계가 항진 한다.
b. PAI(plasminogen activator inhibitor)-1 발현이 저하한다.
c. 중막의 구조 변화는 기능에 관여하지 않는다.
d. 염증성 사이토카인 발현이 항진 한다.
e. 세포외 기질의 변화로 일라스틴이 증가한다.

57

당뇨병에 대해 올바른 설명 2개를 선택하시오.

a. 대장암에 걸리기 어렵다.
b. 심방세동이 되기 쉽다.
c. 인지 기능은 유지된다.
d. 골다공증의 위험 인자가 된다.
e. 건강 수명은 비당뇨병 환자와 동등하다.

58

장내 세균에 대해 올바른 설명 2개를 선택하시오.

a. 식물 섬유를 소화한다.
b. 동맥 경화에 영향을 주지 않는다.
c. 식사 내용에 따라 변화한다.
d. 혐기성균보다 호기성균이 많다.
e. 대장보다 소장에 서식하는 장내 세균 수가 많다.

59

담즙산에 대해 잘못된 설명은?

a. 지방세포에 직접 작용한다.
b. 인크레틴 분비를 억제한다.
c. 콜레스테롤로부터 합성된다.
d. 흡착 레진 작용으로 내당능이 개선된다.
e. 장에 분비된 후 대부분이 재흡수 된다.

60

인슐린 저항성 개선에 도움이 되는 것은 어느 것인가?

a. TNF-α(tumor necrosis factor-α)
b. 렙틴
c. 레지스틴
d. 유리 지방산
e. 아디포넥틴

61

당화 스트레스와 관련이 적은 질환은?

a. 만성 신부전
b. 이상지질혈증
c. 전립선 비대
d. 알코올 의존증
e. 대사증후군

62

지질에 대해 올바른 것은?

a. 지방산은 체내에서 합성된다.
b. 이중 결합을 가지고 있는 지방산을 포화 지방산이라고 부른다.
c. 지방산은 α산화를 받아 에너지로 이용된다.
d. 콜레스테롤의 수송에는 알부민과 결합할 필요가 있다.
e. 중성지방은 1 분자의 글리세롤에 3 분자의 지방산이 에스테르 결합한 것이다.

63

멜라토닌에 대해 올바른 설명을 3개 선택하시오.

a. 뇌하수체에서 분비된다.
b. 혈중 농도는 밤에 낮다.
c. 대사 산물도 항산화 작용을 갖는다.
d. 여러 종류의 프리라디칼을 제거한다.
e. 비타민 C 보다 강한 항산화 작용이 있다.

64

난소의 노화에 대해 올바른 설명 2개를 선택하시오.

a. 산화 스트레스가 관여한다.
b. 40세 이후 유산율은 일정하다.
c. 50세경부터 원시 난포가 급격히 감소한다.
d. 혈중 에스트로겐은 폐경 몇 년 전부터 저하한다.
e. 혈중 항뮐러관 호르몬(AMH)은 난소 예비능의 지표가 된다.

65

테스토스테론 보충에 의해 상승하는 것은 어떤 것인가?

a. 혈압
b. 혈당
c. 요산
d. HDL 콜레스테롤
e. 중성지방

66

LOH 증후군(후기 남성 성선 기능 저하 증후군)에 대해 올바른 설명 2개를 선택하시오.

a. 심혈관 질환에 의한 사망률은 낮다.
b. 증상 질문표에 정신 증상은 포함되지 않는다.
c. 유리 테스토스테론 치 평가가 유용하다.
d. 테스토스테론 보충 요법의 부작용으로 빈혈에 주의한다.
e. 테스토스테론 보충 요법은 주로 주사제가 이용된다.

67

LOH 증후군의 진료에서 잘못된 설명은?

a. 한약을 처방한다.
b. 대사증후군 개선 교육을 실시한다.
c. Aging male symptom score 는 질문표로 유용하다.
d. 테스토스테론 보충 요법의 유해 반응으로 다혈증이 있다.
e. 테스토스테론 보충 요법을 시행하면 전립선암 위험이 증가한다.

68

ED(발기 장애) 개선에 유효한 약은 2개를 선택하시오.

a. 스타틴
b. α1 수용체 차단제
c. PDE(phosphodiesterase) 5 저해제
d. 테스토스테론
e. LHRH 길항제

69

혈중 DHEA-S치와 역 상관인 것은 어느 것인가?

a. 세크레틴
b. 코티솔
c. 테스트스테론
d. IGF-1(Insulin-like growth factor-1)
e. 부신피질 자극호르몬 방출호르몬(CRH)

70

DHEA에 대해 올바른 설명 2개를 선택하시오.

a. 혈중 농도는 30대가 가장 높다.
b. 혈중 농도가 높은 고령 남성은 장수한다.
c. 고령 여성의 골밀도를 증가시킨다.
d. 고유한 수용체가 있다.
e. 혈중에 유리형으로 많이 존재한다.

71

배란시 호르몬 변화로 올바른 설명 2개를 선택하시오.

a. LH가 증가 된다.
b. FSH가 저하 된다.
c. 에스트로겐이 상승한다.
d. 프로게스테론이 상승한다.
e. 프로락틴이 증가 된다.

72

에스트로겐에 대해 올바른 설명 2개를 선택하시오.

a. 활성 산소를 증가한다.
b. 자궁 내막을 위축 시킨다.
c. 에스트로겐 작용을 가진 식품이 있다.
d. 전사를 통하지 않는 작용 경로가 있다.
e. 난소에서는 주로 협막세포에서 생산된다.

73

검버섯과 감별에 중요한 피부의 전암 병변은?

a. 기미
b. 일광 각화증
c. 지루성 각화증
d. 노인성 색소반
e. 염증 후 색소 침착

74

주름 치료에 대해 올바른 설명 3개를 선택하시오.

a. 콜라겐 주입제의 사전 피내 반응은 필요 없다.
b. 히알론산은 비순구 치료에 사용된다.
c. A형 보틀리누스 톡신은 사전에 피내 테스트를 시행한다.
d. A형 보틀리누스 톡신은 미간의 주름 치료에 사용된다.
e. 비흡수성 주입제는 육아종 발생이나 이물 반응을 일으키기 쉽다.

75

육모에 대해 올바른 설명은?

a. FGF (fibroblast growth factor)는 육모를 촉진한다.
b. TGF-β (transforming growth factor-β)는 육모를 촉진한다.
c. TGFβ-Smad 활성화는 육모를 촉진한다.
d. BMP (bone morphogenetic protein)는 육모를 저해한다.
e. Wnt 시그널은 모발 노화를 촉진한다.

76

용모 노화 중 환경요인이 적은 것 2개를 선택하시오.

a. 검버섯   b. 주름
c. 백발   d. 광노화
e. 입술의 두께

77

노화성 안검 하수에 의한 용모 변화로 잘못된 설명은?

a. 눈썹 올라감
b. 주머니 모양 눈꺼풀
c. 윗눈꺼풀 함요
d. 뺨의 수평 주름
e. 눈꼬리 피부의 늘어짐

78

흡인성 폐렴의 예방에 대해 올바른 설명 3개를 선택하시오.

a. 목 마사지
b. 재활훈련
c. 구강 청소
d. 구강 운동과 헛기침
e. 목을 내밀고 식사

79

혀 통증에 대한 올바른 설명은?

a. 남성에 많다.
b. 고령자에 많다.
c. 혀 작열감을 호소한다.
d. 타액 분비량이 많다.
e. 설유두 비대가 원인이다.

80

타액 분비 저하의 원인으로 빈도가 높은 것 2개를 선택하시오.

a. 유전
b. 충치
c. 생활 습관
d. 약의 부작용
e. 구강 청소 불량

81

노인성 황반변성의 발생과 진행·예방에 대해 올바른 설명 2개를 선택하시오.

a. 흡연은 발생과 관계없다.
b. 황반부는 시신경 유두와 같은 장소이다.
c. 진행은 위축형보다 삼출형이 빠르다.
d. 혈관 신생이 관계하는 것은 위축형이다.
e. 진행되면 물체의 일그러짐과 중심부를 보기 어려워진다.

82

노인성 난청에 대해 올바른 설명 2개를 선택하시오.

a. 저음역부터 발생한다.
b. 소음 노출이 악화 인자가 된다.
c. 여성에서 남성보다 적다.
d. 환경요인에 비해 유전 영향이 크다.
e. 고실 형성 수술에 의해 청력 회복을 기대할 수 있다.

83

고령자의 평형 장애에 대해 잘못된 설명은?

a. 심부 지각 역치가 상승한다.
b. 반규관의 감각세포 수가 감소한다.
c. 전정 신경절의 세포 수가 감소한다.
d. 전정 유발 근 전위의 진폭이 증가한다.
e. 말초 전정 장애에 의한 회전성 현기증은 양성 발작성 두위 현기증증에 의한 것이 많다.

84

비알코올성 지방간염(NASH)에서 볼 수 없는 것은?

a. 활성 산소
b. 담관 소실
c. 렙틴 저항성
d. 인슐린 저항성
e. 간세포의 풍선모양 변성

85

통풍의 진단에서 올바른 설명 3개를 선택하시오.

a. 발작은 제5 중족지 관절에 호발한다.
b. 발작 중에 혈청 요산치는 반드시 높다.
c. 관절액의 요산염 결정은 진단에 중요하다.
d. 통풍 결절은 요산염 결정과 육아조직으로 구성된다.
e. 통풍 관절염과는 관절내로 석출된 요산염 결정이 일으키는 관절염이다.

86

심혈관 발작이 오전 중에 많은 원인으로 올바른 설명을 2개 선택하시오.

a. 혈압 저하
b. 심박 수 저하
c. 섬유소 용해계 활성 항진
d. 교감신경 활성 항진
e. 레닌–안지오텐신계 항진

87

만성 폐색성 폐질환(COPD)에 대해 올바른 설명 2개를 선택하시오.

a. 비만과 관계가 있다.
b. 흡연이 원인이 된다.
c. 조직 회복력이 유지된다.
d. 진행에 염증은 관여하지 않는다.
e. 마크로파지 활성화가 관여한다.

88

만성 신질환(CKD) 치료에 대해 올바른 설명은?

a. 운동을 제한 한다.
b. 혈압 조절은 진행을 억제한다.
c. 조기부터 단백질을 제한 한다.
d. 조기부터 물을 충분히 마시게 한다.
e. 10 g/일 미만의 소금 제한을 권고한다.

89

헬리코박터 피로리(Helicobactor pylori) 균에 대해 올바른 설명 2개를 선택하시오.

a. 위암의 원인이 된다.
b. 구강내에는 존재하지 않는다.
c. 위와 십이지장에 생존한다.
d. 제균 성공율은 50%이다.
e. 만성 위염의 원인이 되지 않는다.

90

과민성 장증후군에 유효한 프로바이오틱스는 어떤 것인가?

a. 장구균
b. 초산균
c. 유산 구균
d. 웰치균
e. 비피더스 균

91

안티에이징 의학에서 생활 습관 개선 교육에 대해 올바른 설명 2개를 선택하시오.

a. 골밀도 감소자에게 비타민 D를 권고한다.
b. 혈압 정상자에게 소금 제한 3 g/일 미만을 교육한다.
c. 고령자에게 저항 운동을 교육한다.
d. 수면 장애자에게 취침 전 알코올 섭취를 권고한다.
e. 경동맥 플라크가 있으면 비타민 E를 권고한다.

92

안티에이징 검진의 조합이 잘못된 것은?

a. DHEA-S − 심신 스트레스
b. 체지방 체중 − 근 연령
c. 모발 중금속 − 외모 연령
d. 호모시스테인 − 대사 기능
e. 항노화 QOL 공통 문진표 − 신경 연령

93

가정 혈압 측정의 방법 · 조건 · 평가에 대해 올바른 것은?

a. 복약 후에 측정한다.
b. 측정전에 배뇨 한다.
c. 필요시 한번만 측정한다.
d. 밤의 측정치 10일(10회) 이상 평균치로 평가한다.
e. 상완 커프-오실로메트리에 근거한 장치로 측정한다.

94

복용 중 치즈를 다량에 섭취하지 않도록 주의할 필요가 있는 약을 2개 선택하시오.

a. 메로페넴
b. 리네조이드
c. 이소니아지드
d. 아르베카신
e. 레보프록삭신

95

스타틴의 혈장 농도를 상승시키는 약을 2개 선택하시오.

a. 아스피린
b. 리팜피신
c. 텔미살탄
d. 사이크로스포린
e. 록소프로펜

96

고령자 종합 기능 평가(CGA)의 구성 요소와 평가 항목의 조합이 올바른 것 2개를 선택하시오.

a. 인지 기능 − 지연 재생
b. 운동 기능 − 삼킴 운동
c. 기분·의욕 − 시간 인식
d. 기본적 일상생활 동작 − 식사 준비
e. 수단적 일상생활 동작 − 목욕

97.

노화에 동반한 검사 수치의 변화로서 올바른 것 2개를 선택하시오.

a. 골밀도가 저하한다.
b. 근육량은 저하하지 않는다.
c. 인슐린 농도가 저하한다.
d. 8-히드록시데옥시구아노신(8-OHdG)이 증가한다.
e. 위스콘신 카드 분류 검사(WCST)의 반응 시간이 길어진다.

98

건강 진단으로 정해진 검사 항목에 포함되는 것을 3개 선택하시오.

a. 혈당
b. LDL 콜레스테롤
c. 중성 지방
d. 크레아티닌
e. 총 콜레스테롤

99

45세, 여성. 향후 건강 유지 목적으로 안티에이징 검진을 시행했다.

- 키 154 cm, 체중 51.3 kg, 체지방 32.8%, 혈압 110/76 mmHg
- 노화도 검사 결과:
  골밀도 대퇴골 경부(DEXA법) 1.098 g/cm², YAM 96%, 체조성 검사 제지방 근육량 22%, 악력(오른쪽) 7 kg, PWV 1260 cm/sec, 내분비 검사 IGF-1 150 ng/mL, DHEA-s 1260 ng/mL, 에스트라디올 91.4 pg/mL, 코티솔 10.8 μg/dL, 인슐린 3.2 μU/mL, 혈당 71 mg/dL, HbA1c 5.3%, 아디포넥틴 8.4 μg/dL, 지질 대사 LDL 콜레스테롤 146 mg/dL, HDL 콜레스테롤 65 mg/dL
- 생활 습관:
  가사를 돌보며, 외출은 차량 이용이 많다.
  취미: 집안에서 하는 퍼즐, 게임 등
  좋아하는 음식: 단 것

안티에이징 의학적 교육으로 가장 적절한 것은 어떤 것인가?

a. 운동 요법
b. 지방 제한식
c. 탄수화물 제한식
d. 호르몬 보충 요법
e. 항산화 기능식품

100

한의학의 기본적 생각으로 올바른 것은 어떤 것인가?

a. 자연치유력은 없다.
b. 마음과 몸을 나누어 생각하고 있다.
c. 개인차를 생각하지 않고 치료한다.
d. 몸 전체의 균형을 생각하지 않고 치료한다.
e. 중용을 유지하면서 건강하게 늙어 가는 것을 목표로 한다.

해답							
01	a, b	02	c, e	03	e	04	d, e
05	b, d, e	06	b	07	c, e	08	e
09	c	10	a, d	11	d	12	a
13	b, c	14	d	15	a, d	16	c
17	a	18	c, d	19	a, b, e	20	c
21	a, d	22	d, e	23	b	24	a, c
25	a	26	a	27	e	28	a, c, e
29	d, e	30	e	31	a, b	32	b
33	a	34	c	35	c	36	b
37	b	38	e	39	d	40	b
41	a, b	42	a, c, e	43	a, d	44	d, e
45	b, c	46	c, d	47	c	48	a, b
49	c, d, e	50	a, e	51	c, e	52	e
53	a, e	54	d, e	55	b, d, e	56	a, d
57	b, d	58	a, c	59	b	60	e
61	c	62	e	63	c, d, e	64	a, e
65	d	66	c, e	67	e	68	c, d
69	b	70	b, c	71	a, d	72	c, d
73	b	74	b, d, e	75	a	76	c, e
77	b	78	b, c, d	79	c	80	c, d
81	c, e	82	b, c	83	d	84	b
85	c, d, e	86	d, e	87	b, e	88	b
89	a, c	90	e	91	a, c	92	c
93	e	94	b, c	95	b, d	96	a, b
97	a, e	98	a, b, c	99	a	100	e

색 인

○

459